RITUALIA GALLICA
II/3

RITUALIA GALLICA
Les rituels des diocèses français de 1480 à 1800

RITUALIA GALLICA

Les rituels des diocèses français de 1480 à 1800

II
FORMULAIRES ET FORMULES

TOME 3B

PÉNITENCE
ENSEIGNEMENT DE LA FOI
CONSEILS DE VIE CHRÉTIENNE

par

Annik Aussedat-Minvielle

BREPOLS

© 2019, Brepols Publishers n.v., Turnhout, Belgium.

All rights reserved. No part of this publication may be reproduced, stored in a retrieval system, or transmitted, in any form or by any means, electronic, mechanical, photocopying, recording, or otherwise without the prior permission of the publisher.

D/2019/0095/10
ISBN 978-2-503-55167-8 (2 vols.)

Printed in the EU on acid-free paper.

CHAPITRE XXII

EXCOMMUNICATIONS AU PRÔNE DOMINICAL

1. Trois types d'excommunications

Dès les premières éditions imprimées, la plupart des prônes dominicaux contiennent des formules d'excommunications.

Les plus nombreuses sont les **excommunications générales**, donnant des listes de **catégories de personnes excommuniées**, souvent intitulées «dénonciation des excommuniés». Ces catégories évoluent avec le temps, mais y figurent presque toujours les sorciers et sorcières, usuriers et usurières, charmeurs, devins, magiciens, voleurs...

Tous les formulaires connus sont édités *infra*.

Sont un peu moins courantes les **excommunications publiques**[1], à la suite d'«admonestations» ou de «monitoires», publiés à l'encontre de «malfaiteurs» ou de «coupables» de torts ou de crimes, leur commandant de s'amender ou de réparer. Ces monitoires sont suivis huit ou quinze jours plus tard d'une première excommunication au cas où il n'y a pas eu satisfaction, puis d'une seconde excommunication beaucoup plus ferme, mettant ceux qui sont restés endurcis «en la possession (ou la puissance) de Satan», et les retranchant de l'Église[2].

Connaissent ces excommunications publiques:

Dans la moitié nord du pays: les rituels de Chartres 1490-1689; Meaux 1546 et 1734; Noyon 1546; Châlons/Marne 1569, 1606, 1649, 1776; Reims 1585-1677; Laon 1585-1782; Senlis 1585; Amiens 1586-1784; Arras 1623-1757; Tournai 1625-1784; Beauvais 1637, 1725, 1783; Troyes 1639-1768; Saint-Omer 1641, 1727; Boulogne 1647-1780; Le Mans 1662-1775; Langres 1679; Soissons 1694, 1755; Paris 1786.

---

[1] Saint-Malo 1617.
[2] Une sentence d'excommunication de ce type a été prononcée contre Jeanne d'Arc le 24 mai 1431. Cf. *Jeanne d'Arc. Le procès de Rouen*, lu et commenté par J. Trémolet de Villers, Paris, p. 260-261.

Dans le Sud: Périgueux c. 1502 et 1536 (en occitan), 1651, 1680, 1763; Saint-Flour 1506 n.st.-1608, 1710; Maguelonne 1533; Agen 1564; Toulouse [1602]-1786; Rodez 1603 et 1733; Saintes 1639; Auch c. 1642, 1701, 1751 et les rituels de la province d'Auch (Bayonne, Bazas, Comminges, Couserans, Dax, Lectoure, Lescar, Oloron, Tarbes); Albi 1647, 1783; Elne 1656; Cahors 1674, 1722; La Rochelle 1689, 1744; Bordeaux 1707-1777; Aire 1720, 1776; Vabres 1729, 1766, 1788; Lodève 1744, 1773; Toulon 1749; Carcassonne 1764; Saint-Papoul 1783.

Dans le Centre: Autun 1545-1545; Chalon-sur-Saône 1605 et 1735; Clermont 1506 n.st.-1608, 1733; Limoges 1518-1698, 1774; Auxerre 1631; Mâcon 1658; Bourges 1666, 1746; Nevers 1689; Orléans 1726; Blois 1730; Poitiers 1766; Luçon 1768; Tours 1785; Lyon 1787.

Dans l'Est: Metz 1543 et 1713; Verdun 1554, 1691, 1787; Besançon 1674 et 1705; Strasbourg 1742.

En Bretagne: Vannes 1596; Saint-Brieuc 1605; Saint-Malo 1617; Nantes 1733, 1755, 1776.

En Normandie: Coutances 1609, 1618, 1682, 1744; Bayeux 1627, 1687, 1744; Rouen 1640, 1651, 1707, 1739, 1771; Sées 1695, 1744; Évreux 1706, 1741; Lisieux 1744.

– Les *Manuels* de Denis Peronnet[3], édités à Paris de 1573-1581.

– Les *Sacra Institutio baptizandi*[4] (éditions connues: Lyon 1589-1614, Paris 1594-1617, Caen 1614).

– Les prônes reliés à la suite de quelques rituels romains du XVIIIe siècle.

À noter que les rituels diocésains de Paris et de Lyon ne connaissent pas ce type d'excommunication avant la fin du XVIIIe siècle.

Seuls sont édités dans ce chapitre les monitoires de Chartres 1490-1553 (repris dans douze autres diocèses, P2291-2293), Metz 1543 (P2308-2309), Verdun 1554 (P2313), Chartres 1581, Bazas 1585, Reims 1585 (repris dans cinq autres diocèses) (P2326), *Sacra Institutio baptizandi* (édition Lyon 1589) (P2328), Bourges 1666 (P2374-2376). Ils sont édités dans le volume II/6: *Prônes dominicaux*.

L'excommunication publique solennelle exceptionnellement développée des rituels de Besançon 1674 et 1705 est éditée à part, chapitre XXIII.

Un troisième type d'excommunication, plus rare, vise **ceux qui voudraient empêcher «l'œuvre du mariage»**. Elle est proclamée le plus

---

[3] Sur Denis Peronnet, voir *infra* Auteurs cités, p. 1943.
[4] Rituels romano-vénitiens publiés avant le *Rituale romanum* de Paul V en 1614.

souvent à la suite du quatrième ban le jour du mariage : Chartres 1490, Aix 1499, Bayeux, Autun, Cambrai 1503...

À partir de 1589 elle devient plus précise et vise les *charmeurs ou noüeurs d'eguillette*, accusés de *pretendre empescher la consommation du mariage*, puis, à partir de 1601 dans la moitié nord du pays *tous ceux qui empeschent l'usage et consommation du sainct mariage* par ligatures, sortilèges, magie, ou autres moyens illicites : Paris 1601, Évreux 1606, Lisieux 1608... Un peu plus tard et plus rarement dans la moitié sud : Périgueux 1651, Alet 1667, Cahors et Genève 1674, Agen 1688...[5].

Cette excommunication apparaît exceptionnellement dans le prône des rituels de Rouen 1611/1612, repris au XVIIe siècle par les rituels d'Avranches, Le Mans, Sées et Soissons, et dans le prône des rituels de Rouen 1640, 1651, durant la lecture d'une *Exposition de la Doctrine chrestienne*[6].

2. Catégories de personnes excommuniées

Sont excommuniés dès les premiers rituels imprimés :

Chartres 1490, Coutances 1494, Paris 1497, Sens 1500, Autun, Bayeux, Cambrai 1503, Saint-Brieuc 1506 etc. :

Les « sorciers et sorcieres, usuriers et usurieres, charmeurs et charmeresses, devins et devineresses, et ceux qui y croient ».

Les « faux dimeurs et dimeresses » [faux leveurs de dîme].

Ceux qui « mettent la main sur un prêtre ou un clerc ».

Ceux qui « mettent empêchement » aux mariages.

Ceux qui « mettent empêchement » aux droits, franchises et libertés de l'Eglise.

Les voleurs d'or, argent monnayé et à monnayer, blés, foins, bêtes, volailles.

Les sacrilèges.

Ceux qui « mesurent a faux poids et fausses mesures ».

Les apostats.

Ceux qui empêchent et diminuent les legs.

Les oppresseurs de veuves et d'orphelins.

Ceux qui empêchent le service divin.

Les « larrons et larronnesses » [voleurs et voleuses].

---

[5] Voir volume II/2 : *Mariage et rites concernant les époux*.
[6] Voir *infra* formules P2344 et 2359.

Les «faulx emputeurs et fausses emputeresses» [calomniateurs et calomniatrices] (Saint-Brieuc 1506)

Périgueux c. 1502-1536 :

Ceux qui falsifient les lettres ou sceaux de la juridiction de l'évêque, empêchent ses messagers.

Ceux qui[7], trois dimanche de suite, sans excuse légitime, ne vont pas entendre à la messe paroissiale les mandements et enseignements de l'Eglise.

Ceux qui ont aidé sans permission de l'évêque des aventuriers ou individus peu recommandables, à s'introduire dans l'église pendant les vacances ou les maladies des chapelains, recteurs ou vicaires du diocèse, sans aucun titre.

Ceux qui se sont appropriés des bois, lieux défrichés, chemins, séchoirs à chataîgnes, passages, clôtures, arbres, jardins

Elne 1509[8] :

Les hérétiques, ceux qui les croient et les maintiennent dans leurs erreurs et les aident.

Les personnes qui font des sortilèges, des divinations, qui invoquent les diables, et ceux qui y recourent ou leur accordent croyance.

Ceux qui portent ou transmettent des armes ou autres choses interdites aux Sarrasins, avec lesquelles ils pourraient s'attaquer aux Chrétiens.

Ceux qui défient, battent, tuent, blessent, ou tiennent prisonniers des prêtres ou des clercs, ou les conduisent en cour séculière.

Ceux qui occupent ou usurpent la juridiction appartenant à l'Eglise de droit ou de coutume.

Ceux qui « enflamment » le prince, le seigneur, ses officiers, ou les universités, contre l'Eglise, et ceux qui y donnent conseil, faveur et aide.

Ceux ou celles qui sciemment ou malicieusement occupent, retiennent, soustraient, ou ne payent pas complètement ou sans déduire ni lever, les dîmes, prémices, ou droits dûs.

Ceux qui entretiennent un certain nombre de relations avec les Juifs ou les Sarrasins (à l'occasion de circoncisions, sépultures, noces, bals, commerces, contrats…)

Ceux qui portent faux témoignages contre leurs prochains, ou, quand ils sont interrogés par le Juge sous serment, cachent la vérité.

---

[7] Ceux qui] Les chefs de maison qui Vienne 1578-1587, Bazas 1585…
[8] Elne 1509 est le seul rituel à formuler cette liste particulièrement développée d'interdits.

Ceux qui font un mariage secret, et ceux qui y donnent conseil et faveur, ou y sont présents.

Ceux qui forcent à payer des usures, et empêchent qu'elles ne soient restituées à ceux qui les auront payées.

Les blasphémateurs contre Dieu, la Vierge Marie, ou quelque saint.

Ceux qui, à partir de douze ans, ne se confessent pas au moins une fois l'an à leur propre curé, ou à un autre prêtre en ayant pouvoir, et qui n'accomplissent pas la pénitence qui leur sera donnée.

Les exécuteurs de testaments, qui dans l'intervalle d'un an après la mort du défunt, n'accomplissent pas sa volonté.

Les fidèles chrétiens de dix-huit à vingt ans et au-delà qui ne jeûnent pas le carême et autres temps de l'année ordonnés par l'Eglise, s'ils n'ont une véritable excuse.

Auxerre 1536 :

Les malfaiteurs, faux marchands et marchandes, concubins et concubines.

Toulouse 1538 :

Ceux qui ont des cartes ou billets pour se faire payer deux fois une dette.

Lyon 1542 :

« Ceux qui guardent obligés qui [alors qu'ils] sont payés et satisfaits. »

« Toutes personnes qui sentent mal de la foy ».

Rodez 1542 :

Ceux qui mettent dans leur lit un enfant de moins d'un an.

Les gens perdus de réputation, les agresseurs et voleurs de grands chemins.

Les incendiaires, les « envahisseurs » d'églises et d'autres lieux sacrés, les meurtriers.

Ceux qui administrent les sacrements sans permission, sauf en cas de nécessité.

Autun 1545 :

Ceux qui retiennent le bien « de poures pupilles a leur esciant, et qui troublent et empêchent bons et loyaux mariages ».

Agen 1564:

Ceux qui renient Dieu, La Vierge, et les saints.

Vienne 1578:

« Ceux qui usurpent, detiennent, et convertissent en leurs propres usages par force, violence, ou intimidation et sous quelque couleur que ce soit par eux ou personnes interposées les biens, droicts, et fruicts de l'Eglise ».

Chartres 1580:

Les hérétiques[9], schismatiques, magiciens, empoisonneurs.

Chartres 1581:

Les « fauteurs et receleurs » d'hérétiques.
Ceux qui pendant la messe assistent à des jeux et spectacles.
Toutes personnes « incorrigibles indisciplinables ».

Bazas 1585:

Tous les clercs et prêtres « confidenciers, appellez communement *Custodi nos…* ».
Tous simoniaques vendeurs ou acheteurs de bénéfices (idem à Reims 1585).

Reims 1585:

« Ceux qui refusent payer la dixme à Dieu selon les us et coustumes d'ancienneté ».

Cahors 1593:

Ceux qui détiennent des biens d'Eglise ou de ses ministres, les faussaires de monnaie, de mesures, de lettres apostoliques.

Nouveaux cas au XVIIe siècle:

Paris 1601:

« Tous ceux qui par ligatures et sortileges empeschent l'usage et consommation du sainct mariage ».

---

[9] Les hérétiques apparaissent dès 1490 dans les cas réservés aux évêques, et, exceptionnellement, dans les excommunications d'Elne 1509.

Pierre Milhard[10], *La vraye guide*, 1602 :

Tous ceux « qui ne revellent les legats pies » [legs pieux].
Ceux « qui exposent sans extreme necessité leurs enfans aux hospitaux. »

Rodez 1603 :

Tous « enchanteurs… qui par leurs enchantemens taschent de nuire soit aux hommes, ou autres creatures faictes pour leur usage ».
Tous adulteres.

Cahors 1604 :

Les « noueurs d'esguilete » [sic].
« Ceux qui lisent les livres heretiques ».

Évreux 1606 :

« Ceux qui pendant le service de l'Eglise reçoivent les parroissiens en leurs maisons pour taverner, joüer, ou faire autre chose sans necessité, et ceux qui exercent en ce mesme temps leur trafic, charient sans necessité, ou font autre oeuvre mechanique ».

Rouen 1611 :

Ceux qui entrent dans la clôture des religieuses sans permission.

Vannes 1618 :

Les « falsaires », ceux qui « prennent conseil » des sorciers et devins ou qui lisent quelque livre de magie.
« Ceux qui abusent des choses sacrées, ou qui se servent de billets, de mots tirez de l'Ecriture saincte, de mots incogneus, ou conjurations pour guerir de quelque maladie, ou usent de quelqu'autre superstition pour obtenir ou joüir de quelque chose… ».
« Les fabriques et procureurs des Eglises et chapelles qui ne se comportent soigneusement en leurs charges, et qui ne rendent fidele conte de ce qu'ils ont touché ».

Angers 1620 :

Ceux qui assistent aux prêches et autres cérémonies des hérétiques.

---

[10] Sur Pierre Milhard, voir *infra* Auteurs cités, p. 1942.

Bayeux 1627:

« Ceux qui sans deuë licence lisent ou gardent sciemment chez eux les livres des heretiques, sorciers, atheistes ou autres livres defendus par le S. Siege de Rome ».

Paris 1630:

« Tous confidentiers qui prestent leurs noms, ou empruntent les noms d'autruy pour tenir benefices, ou qui les gardent pour autres que pour eux ».

« Ceux et celles qui se marient hors de leur paroisse sans permission ».

Bordeaux 1641:

Les « faiseurs, ou donneurs de brevets pour guerir de quelque maladie que ce soit ».

« Tous ceux qui se battent en duel, ou les favorisent, et aydent en cette execrable manie »[11].

« Ceux qui manient le bien de l'Eglise », doivent « en rendre un compte bon et fidèle ».

[Les chefs de famille doivent se confesser et communier à Pâques à leur propre curé.]

Auch 1642:

« Ceux qui battent leur pere, ou mere. »

« Ceux qui cognoissent charnellement les religieuses ».

« Ceux qui enterrent dans l'Eglise, ou cemetiere [sic] le corps d'un heretique, ou excommunié nommement ».

« Les ravisseurs des filles ou des femmes ».

« Ceux qui ayans en leur pouvoir les enfans nouvellement nez, ne les font baptizer dans le huictiéme jour de leur naissance ».

Cahors 1642:

« Ceux qui abusans de leur pouvoir ou authorité font faire des mariages par force, menaces ou autrement contre le gré des parties. »

Meaux 1645:

« Ceux qui disent ou font dire des oraisons superstitieuses pour guerir des maladies, tant des hommes que des animaux ».

---

[11] Le duel est cité dès 1601 dans les cas réservés à l'évêque de Paris; il est prohibé en 1626.

Chalon-sur-Saône 1653 :

Les « guerisseurs de paroles, (et) donneurs de brevets ».

Elne 1656 :

Tout chrétien à partir de quatorze ans, qui, à l'article de la mort, ne demande pas le sacrement d'extrême onction.

Tout ceux qui connaissent des empêchements à un mariage et ne les dénoncent pas à temps.

Tout clerc ou laïc qui ose danser ou faire quelque autre jeu deshonnête dans une église, ou autre lieu consacré.

Tous les usuriers qui gagnent, revendent ou prêtent à onze pour douze.

Bourges 1666 :

« Tous charmeurs et charmeresses, qui par leurs charmes et enchantemens, nuisent aux personnes, font mourir leur bétail, levent le sort de certaines bêtes, et le jettent sur d'autres, arrêtent et empêchent de moudre les moulins ; enfin causent plusieurs autres grands mal-heurs ».

Rodez 1671 :

« Tous faux monoyeurs, homicides, et meurtriers volontaires ».

Genève 1674 :

« Ceux qui exposent ou font exposer les enfans aux hospitaux des heretiques… ».

« Tous ceux qui impriment, vendent, gardent, ou lisent sans permission des livres heretiques, ou de magie… ».

« Les peres et les meres qui n'ont pas fait suppléer toutes les ceremonies du baptesme de leurs enfans dans l'année apres la publication des Statuts synodaux de ce Diocese ».

« Tous ceux, et celles qui … n'ont pas fait la communion de la Pasque dans leur paroisse ».

« Toutes les Religieuses vagabondes qui dans le mois ne se retirent pas en leur monastere ».

« Les femmes restant dans le choeur des églises pendant la messe, et les hommes prenant place dans les hautes chaises du choeur destinées aux ecclesiastiques ».

Bayeux 1687:

Tous empoisonneurs.

Nevers 1689:

« Ceux qui pendant le Service divin les festes et dimanches… sont… au cabaret. »

Verdun 1691:

« Ceux qui n'accomplissent pas la volonté des Testateurs ».

Sées 1695:

« Les peres et meres qui negligent d'instruire leurs enfans, et qui mettent ou souffrent les garçons avec les filles ».

Nouveaux cas au XVIIIe siècle:

Cambrai 1707:

Ceux qui pour se marier « vont surprendre leurs Pasteurs, leur declarant par voye de fait, qu'ils se prennent pour mari et pour femme ».

Metz 1713:

« Les comediens, bateleurs, ceux qui montent sur le theatre, ou qui leur rendent service pour representer leurs spectacles ».

Clermont 1733:

« Tous ceux qui par charmes et enchantemens… font périr les fruits de la terre, et causent d'autres malheurs au peuple ».

Narbonne 1736:

« Les femmes qui entrent dans les monasteres des Religieux ».

Rouen 1739:

Les comédiens et comédiennes[12].

Bourges 1746:

« Ceux qui n'assistent pas à la messe paroissiale, aux vêpres et aux instructions qui se font dans l'église, et qui ne conduisent pas leurs enfants et domestiques à la messe et aux catéchismes ».

---

[12] Les comédiennes n'étaient pas citées auparavant.

Toulon 1750 :

« Tous ceux et celles qui sont coupables du crime de rapt, qui ont prêté conseil, aide et assistance aux ravisseurs ».

Comminges 1751 :

« Tous ceux qui, ne pouvant se marier à cause des oppositions ou autres difficultés, font des actes au curé ou vicaire pour lui déclarer qu'ils se marient en sa présence ; comme aussi le notaire et les témoins qui y cooperent ».

3. Langues des formulaires

Tous les formulaires d'excommunication sont en français, sauf un en latin : Saint-Omer 1606, et six en langues régionales :

– Basque (dialecte souletin) : Oloron 1676.
– Breton vannetais (précédé du texte français) : Vannes 1631, 1726.
– Breton (sans précision) : Vannes 1771.
– Catalan : Elne 1509, 1656.
– Occitan périgourdin : Périgeux c. 1502, 1536.
– Occitan de Toulouse : Toulouse 1538.
– Occitan de Rodez : Rodez et Vabres c. 1542.

4. Formulaires des excommunications au prône dominical

Chartres 1490, 1492, 1500, 1544, 1553, 1604
Autun 1503, 1523. Cambrai 1503. Châlons-sur-Marne 1569
Clermont 1506 n.st.-1608. Limoges 1518. Meaux 1546
Orléans 1548, 1581. Saint-Flour 1506 n.st.-1608. Sens 1500-c. 1580

[Chartres 1490 : Miles d'Iliers]
Recommendationes faciende dominicis diebus

P2290 **Chartres 1490 f. 94**
Nous denuncons[a] pour excommuniés tous sorciers et sorcieres, usuriés et usurieres, charmeurs et charmeresses, devins et devinaresses, et ceulx qui croient et adjouste [*sic*] foy[b], faulx dismeurs[13], et dismeresses[c],

---

[13] dismeurs : personnes chargées de récolter la dîme.

tous ceulx et toutes celles qui mettent empeschement en mariage qui sont a faire ou parfais, et qui mettent empeschement a l'encontre des drois, franchises, et libertés de la juridition de nostre mere saincte Eglise[d].

Variantes. [a] denonchons] Cam. –[b] a eulx] add. Or. – Tous ceulx et celles qui mettent la main en prestre ou en clerc injurieusement sinon en leur corps deffendant] add. Or. –[c] dimaresses] Or. –[d] Ceulx et celles qui mettent la main sur prebstre, ne sur clerc, sinon en leur corps defendant] add. Mea.

Chartres 1490-1553, 1604
Agen 1564. Autun 1503, 1523, 1545[14]. Cambrai 1503
Châlons-sur-Marne 1569. Clermont 1506 n.st.-1608
Limoges 1518. Maguelonne 1533. Meaux 1546. Noyon 1546
Saint-Flour 1506 n.st.-1608. Sens 1500-c. 1580, Verdun 1554

[Chartres 1490 : Miles d'Iliers]
Declaratio mandati
[Admonestation aux malfaiteurs][15]

P2291 **Chartres 1490 f. 94v**

Par la vertu de ce present mandement lequel contient une greve querimonie, manent et dependent de la court de l'official de tres reverend pere en Dieu mon seigneur l'evesque de Chartres[a], ou chapitre, ou aultres[b], impetré a la requeste de N., conquerant et soi complaignant de aucuns mal faicteurs plainz de iniquité, enfans de Belial dyable d'enfer, soy[c] voulans enrichir des biens d'aultruy, lesquelz ledit complaignant ignore du tout en tout, et desquels il ne peult pas avoir coppie ne probation pour parvenir a sez intentions, lesquelz mal faicteurs depuis certain temps enca[d] ont prins, ravi, tollu, emblé, et detenu, et encore de present detiennent, occupent, et empeschient au grief peril, confusion, et eternelle damnation de leurs ames, et au grant doumaige dudict conquerant et scandalle de plusieurs choses qui s'ensuivent, c'est assavoir or, argent monnoié, et a monnoier, blés, fains[e], bestes, poullailles [volailles], et plusieurs aultrez choses, par quoy je admoneste sur peine d'excommuniement lesdictz mal faicteurs, qu'ilz rendent et facent plainniere restitution et entiere satisfaction dedens huit jours, ou aultrement seront excommuniez.

Variantes. [a] Meaulx] Mea. – Ostun] Aut. – monsieur d'Agen nostre prelat] Ag. – monsieur de Noyon] No. – monseigneur l'evesque et comte de Verdun] Ve. –[b] de Chartres… ou aultres] N. Cl. Lim. Mag. – ou chapitres ou aultres] om. Ag. Mag. Ve. – [c] soy] se Ag. –[d] en ça] Ag. Aut. 1545. ChM. –[e] fains] foins Aut. Mag.

---

[14] Autun 1545 p. 216-217.
[15] Seules les principales variantes ont été indiquées pour les formules P2291-2293.

Chartres 1490-1553, 1604
Agen 1564. Autun 1503, 1523, 1545. Cambrai 1503
Châlons/Marne 1569. Clermont 1506 n.st.-1608
Limoges 1518. Maguelonne 1533. Meaux 1546. Noyon 1546
Saint-Flour 1506 n.st.-1608. Sens 1500-c. 1580. Verdun 1554
[Chartres 1490 : Miles d'Iliers]
[Excommunication des malfaiteurs]

P2292 **Chartres 1490 f. 94v-95**

Nous avons admonnesté une fois, deux fois, trois fois, et le quart d'abundance lesdictz malfaicteurs, ne sont point venus a emandement[a], pour ceste cause ils sont excommuniés, engregés [frappés d'une seconde fulmination], et reangregés[b], et forclous[c], et bannis dez bienfais et oroisons de saincte Eglise et de tous les sacremens, et per consequens de la communion des vrais chrestiens catholiques, et vous deffens que ne participés avec eulx en parler, en prier, en boire, ne en menger, que ne leur donnez ne prestés, et leur deffens, fours, moulins, feu, eau, jusquez a tant que soient absoulz et remis en l'Eglise de Dieu. *Quia crescente malicia, crescere debet et pena.*

Variantes. [a] amendement] Aut. –[b]engregés, et reangregés] aggravez et reaggravez Mea. –[c] forclous] forcloz Aut. Mea. – forcluz Ag.

Chartres 1490-1553, 1604
Agen 1564. Autun 1503, 1523, 1545. Cambrai 1503
Châlons-sur-Marne 1569. Clermont 1506 n.st.-1608
Limoges 1518. Maguelonne 1533. Meaux 1546
Saint-Flour 1506 n.st.-1608
Sens 1500-c. 1580. Verdun 1554. [absent de Noyon 1546]
[Chartres 1490 : Miles d'Iliers]
[Nouvelle excommunication des malfaiteurs]

P2293 **Chartres 1490 f. 95-95v**

Tempore mandati elapso. Nous avons tousjours admonesté telz et telz de paier, randre, et faire satisfaction, lesquelz sont endurcis en leurs cueurs pour leur erreur et contumace, sont excommunié, mauldit[a], et mis en la possession du dyable d'enfer, et sera leur memoire delée[b] et effacée du livre des vivans et bieneures[c], ainssy que le son se separe de[d] la cloche, sans jamais avoir esperance d'aucun remede de salvation, par leurs amis ne par aultre, si comme dit le saige. *Periit memoria eorum cum sonitu etc.*

Et pourtant donc, en acomplissant le mistere[e] de nostre dicte mere saincte Eglise, en tesmoing de bannissement a sains[f] sonnans et chandelles estaintes, en marchant dessus, en signe de desdaing et confusion, nous les declarons purement comme excommuniés, agravés [frappés d'une seconde fulmination] et reagravés, es mains du dyable d'enfer, pour les tourmenter a tousjours mes[g] avec Cayn, Dathan, et Abiron, avec Herodes, Neron, et Judas, et le mauvais riche, pour demourer en peine et en tourment, en obscurités, et tenebrez, et visions orriblez, sans jamais veoir clarté ne lumiere, en feu ardent, en souffre puant, en cris et en lamentations horriblez, en serpens, crapaulx, et cauleuvrez[h], qui les rongeront et devoreront, et en vivant tousjours mourront. Et jamais mourir ne pourront sy n'ont intention d'amander leur vie et faire condigne satisfaction. Dieu les veille amander, et convertir, et garder de ce danger.

Et sic denunciat excommunicatos, auctoritate curie Carnoten[sis][i], vel alibi si sint aliqui, et dicat.

Nous faisons commandement a tous excommuniés ou interdis se aucun en y a en l'eglise de ceans, qu'ilz s'aillent [sic] hors[j], jusquez a tant que le sainct service divin soit fait et acompli[k].

Et cum protulerit proferenda in recessu, dicat. Priés Dieu pour moy, et je priray Dieu pour vous : Dieu m'en doint la grace[l].

Variantes. [a] excommuniez, mauldiz] Aut. 1503. – [b] delaiée] Aut. 1503. – [c] biens eureux] Mea. – bienheurez] Aut. 1503. –[d] le son… de] sont separé par Mea. –[e] mistere] ministere Mea. – [f]sains] cloche Mea. – sainctz ChM. – [g]tousjoursmais] ChM. – tousjoursmes] Ag. Aut. Cl. – mes] *om.* Mea. –[h] couleuvres] Aut. 1503. – [i]Carnotensis] Agennii Ag. Aut. – Melden. Mea. – N. Cl. –[j] saillent hors] sortent dehors ChM. –[k] Et sic denunciat… acompli] *om.* Aut. Ve. –[l] Et cum… la grace] *om.* Ve.

Coutances 1494
Bayeux 1503

[Coutances 1494 : Geoffroy Herbert]
Precepta ecclesie facta per dominicas

P2294 **Coutances 1494 f. A5 ; Bayeux f. P4**

Tous ceulx et celles qui la foy catholique, les commandemens de nostre seigneur Jesucrist, et les ordonnances de nostre mere saincte Eglise croyent, tiennent et gardent sont benoistz et absoulz de Dieu le Pere le Filz et le Saint Esperit. Amen.

Tous ceuls et celles qui vont a l'encontre sont maudis excommuniez, et especialement je les denunce pour excommuniez de droit canon, et par les estatus et ordonnances synodaulx de monsieur l'evesque tous sorciers et sorcieres, tous usuriers et usurieres, tous sacrileges, tous ceulx et celles qui mesurent a faulx poiz et a faulces mesures. Tous ceulx et celles qui mettent la main injurieusement a prestre ou a clerc ou aultres gens d'Eglise et de religion, ce n'est sur eulx defendans, tous apostas, tous ceulx et celles qui retiennent et recellent les dismes et aultres droictures de l'Eglise.

Tous ceulx et celles qui empeschent et diminuent les laiz et ordonnances des trespassez, tous ceulx et celles qui empeschent mariages fais ou a faire sans bonne cause.

Tous oppresseurs de femmes veufves et d'orphelins.

Tous ceulx et celles qui empeschent le divin service et la juridition[a] de saincte Eglise. Telz[b] manieres de gens sont maudis et excommuniez tant qu'ilz viennent a mercy et amendement.

Variantes. [a] juridiction] Bay. –[b] Telx] Bay.

Reims c. 1495-1554
Beauvais 1544. Metz 1543. Toul 1524-1559

[Reims c. 1495 : Robert Briçonnet]
Recommendationes fiende diebus dominicis

P2295 **Reims c. 1495 f. c4v**

Nous denoncons pour excommuniez tous sorciers et sorcieres, usuriers usurieres, faulx dimeurs et faulces dimeresses, et tous ceulx et celles qui mettent empeschement contre les droiz et franchises de nostre mere saincte Eglise.

Paris 1497
Amiens 1509-1554. Bourges 1517, 1569, 1588, 1593. Saintes 1520

[Paris 1497 : Jean Simon]
Preces que dicuntur in die dominica

P2296 **Paris 1497 f. o1v-o2**

Bonnes gens ceulx et celles qui font et gardent les commandemens de nostre mere saincte eglise sont absoulz du Pere et du Filz et du Saint Esperit.

Et tous ceulx et celles qui sont contre les commandemens de saincte eglise, comme larrons larronnesses, sorciers sorcieres, charmeurs charmeresses, faulx usuriers et usurieres, faulx dismeurs et dismeresses, faulx marchans et marchandes, ceulx et celles qui vendent a faulx poiz et a faulses mesures. Ceulx et celles qui detiennent et usurpent les droiz de saincte Eglise, et qui en sont consentans et sachans. Ceulx et celles qui mettent injurieusement sans cause ne sans raison la main en gens d'eglise et en clers, sont mauldiz et excommuniez s'ilz n'en viennent a amendement.

Troyes 1501 [1502 n.st.], 1530

[Troyes 1501 : Jacques Raguier]

Statuta synodalia civitatis et diocesis Trecensis, Paris, 1501 [1502 n.st.][16]

P2296bis **Troyes 1501 f. lxii-lxiiiv**
S'ensuyvent les recommandations de l'eglise qu'on fait les dimenches.

Apres nous denoncons pour excommuniez tous sorciers et sorcieres, divinateurs divinateresses[(a)], enchanteurs et enchanteresses, et tous ceulx et celles qui y adiouctent foy, usuriers et usurieres, faulx monnoyers et faulces monnoyeresses, faulx accuseurs et faulses accuseresses, et celles[(b)] qui vendent a faulx poix et faulse mesure. Ceulx et celles qui mettent leurs mains injurieusement sur prestres et sur clercz et sur gens de religion. Ceulx et celles qui recellent, retranchent et retiennent ou empeschent les droitz et jurisdition des eglises, ou qui empeschent de faire le divin service. Tous les dessusditz nommez soient mauldiz et excommuniez jusques ad [sic] ce qu'ilz en viennent a satisfaction et amendement.

Variantes Troyes 1530. [(a)] devinateurs devinateresses – [(b)] celles] ceulx.

Périgueux c. 1502[17]-1536

[Périgueux c. 1502 : Godefred. de Pompadour]

Recommendationes fiende diebus dominicis

Formulaire en occitan périgourdin[18], proche de Chartres 1490 (P2290-2291) ; les variantes ou additions (en italiques ici) en développent le texte.

P2297 **Périgueux c. 1502 f. 162**
Nous vous denontian per excumengatz toutz sorciers et socieras [sic], usuriers et usurieras, charmadors et charmaressas, devins et devinas et aquelz que y creent, et y adiustant fe, faulx diesmadors, et deyamaressas,

---

[16] *Statuta synodalia civitatis et diocesis Trec. Impressa ex ordinatione... Jacobi Trecensis episcopi.* Paris, pour Macé Panthoul, 1501 [1502 n.st.]. Les rituels de Troyes imprimés vers 1505, en 1541 et en 1573 ne contiennent pas de formulaire de prône, contrairement aux Statuts synodaux du diocèse.

[17] Molin Aussedat n° 975. Édition imprimée à Périgueux, très probablement chez Jean Carant. Les caractères d'imprimerie du rituel sont identiques à ceux de l'ouvrage du carme Jean Menauld de Roziers, *De penitentia et remissionibus egregium opusculum...*, imprimé en 1502 à Périgueux par Jean Carant (BnF, Rés. D. 67978) (Mme Hillard, BnF, Rés.).

[18] Texte revu par Geneviève Brunel-Lobrichon, maître de conférences d'Occitan à l'Université de Paris-Sorbonne, Paris IV.

tous aquelz et aquellas que bouten empachament en mariage que sont a far ou faitz. Et qui mettent empachament a l'encontra delz dreytz franchisas et libertaz de sainte mayre esglieysa, *ou falsificant lectras ou sagelz de la juridition de monseignour nostre prelat, ni donnant empachament a sous messagiers, ni boutant la ma indegudament soubre clerc, ou prestre pourtant courouna. Et aussi excummenge toutz aquelz et quellas, que restant per tres dimenches de anar ausir la messa parrochiale ou sont loz mandamentz et enseigniamentz de sainte mayre Esglieysa sinon que ayan des encuse legittime.*
Et dicat etiam si velit articulum sequentem.

Et per especial per loz abutz que se fan al-jour-deu a l'encontre de sainte maire Eglieysa hiou vous denonce per excumengatz et excumangadas, renreangatz et rengreangadas toutz aquelz et aquellas de qualque estatz et condictions que sian, ou ant donnat conseil, favor, et ayda, que sans congie ni licensa de nostre dit reverend payre en Diou monseigniour de Perigueurs se sont mes ou fach mettre, laquays ou gentz perduda dedins la glieysa(s) a las vaccassions, ou maladias, delz chappelas, rectors ou vicaris perpetualz de la dioucesa de Perigort sans titre aulcun. Dont commanda et manda mondit seigniour, que nengun regular ou secular de la dioucesa, ou que y fassa residensa et demorance, non aye poyssance qualque privilege que aya de luy, de loz absouldre si non en cas de necessitat, mas de loz ranvoyar a mondit seigniour(s) ou a sos messeigniours vicari, et penitentier per lour donnar a cognoisser que elz fant mal et que non se apparte pas de anar contre las libertatz et franchisaz de nostre mayre sainte Esglisa.
Declaratio mandati.

Per la vertut de aquest present mandament lou qual comte une griefve complaincte venent et dependent de la court de monseigniour l'official de tres reverend payre en Diou monseigniour l'avesque de Perigueux.

[**Traduction:**] Nous vous dénonçons pour excommuniés… [comme Chartres 1490]… et ceux qui mettent empêchement à l'encontre des droits, franchises, et libertés de sainte mère Eglise, ou qui falsifient les lettres ou sceaux de la juridition de monseigneur notre prélat (évêque), ou font empêchement à ses messagers, ou mettent la main induement sur un clerc ou un prêtre portant la tonsure. J'excommunie aussi tous ceux et celles qui, trois dimanche de suite, sans excuse légitime, ne vont pas entendre à la messe paroissiale les mandements et enseignements de sainte mère Eglise.

Et il dit s'il le désire l'article suivant:
Et spécialement pour les abus qui se font aujourd'hui à l'encontre de sainte mère Eglise, je vous dénonce pour excommuniés et excommuniées, mécréants et mécréantes, tous

ceux et celles qui, de quelque état et condition qu'ils soient, ont donné conseil, faveur et aide, sans congé ni licence de notre dit révérend père en Dieu monseigneur de Périgueux, à des aventuriers ou individus peu recommandables, qui se sont introduits dans l'église pendant les vacances, ou les maladies des chapelains, recteurs ou vicaires du diocèse de Périgueux, sans aucun titre. En conséquence monseigneur commande et recommande qu'aucun régulier ou séculier de son diocèse, ou qui y ait sa résidence ou sa demeure, n'ait le pouvoir-quelque privilège qu'il ait-de les absoudre, sinon en cas de nécessité ; mais qu'il les renvoie au dit monseigneur, et à ses seigneurs vicaire et pénitencier, pour leur faire connaître qu'ils font mal, et qu'ils s'abstiennent d'aller contre les libertés et franchises de notre mère sainte Eglise.
Declaratio mandati.
Par vertu du présent mandement, qui contient une cérémonie importante, venant et dependant de la cour de l'official de très révérend père en Dieu monseigneur l'évêque de Périgueux...

[La suite est proche de Chartres 1490, avec une énumération plus longue de ce qui est à rendre par les malfaiteurs :]
... so es assaber aur, argent, monedat ou a monedar, blatz, fes, bestias, poullalias, *bocz* [bois], *jartas rompudas* [lieux défrichés], *chamins* [chemins], *clidas* [séchoirs à chataîgnes], *passages, clausuras* [clôtures], *arbres, ortalices* [jardins], et plousours aultras chausas. Per que hiou admoneste sur pena d'excumenge...

Paris c. 1505[19], 1542, 1552, 1574, 1581
Avranches 1540 n.st. Bayeux 1577, 1611. Bourges 1541
Coutances 1540 n.st. Lisieux 1507, 1524 n.st.
Nevers 1582. Rouen 1530-1535. Tours 1533-1570

[Paris c. 1505 : Etienne de Poncher]

P2298   **Paris c. 1505** *Recommendationes fiende diebus dominicis*, f. n4. ; **Rouen 1530** *Recommendationes*, f. A2-A2v

Paris c. 1505 f. n4 Nous denoncons pour excommuniez tous sorciers et sorcieres, divineurs et divinaresses[a], usuriers et usurieres, larrons et larronnesses. Et tous ceulx qui violentement mettent la main[b] sur prestre ne[c] sur clerc si non en eulx defendant. Et tous ceulx qui malicieusement retiennent les biens, droictures[d] de l'Eglise et empechent la juridition d'icelle. Telle maniere de gens sont mauditz et excommuniez s'ils n'en viennent a amendement.

Et aussi, s'il y a en ceste eglise aucuns ou aucunes qui soient en sentence d'excommuniment, nous luy faisons commendement que tantost ilz se partent[e] de ceans jusques a ce que le service soit dit[f].

---

[19]   Paris c. 1505 : Molin Aussedat n° 852.

Variantes. (a) divineurs et divinaresses] devins et devineresses Bou. –(b) mettent la main violente] Pa. 1574-1581 –(c) ne] ou Pa. 1552-1581 –(d) les biens et les droictures] Pa. 1552-1581. – les biens droicturiers] Bou. –(e) que… partent] de partir Pa. 1574-1581. –(f) dit] dict, et accomply Pa. 1574. – faict et acomply Bou.

Saint-Brieuc [1506]
Rennes c. 1510-1533

[Saint-Brieuc [1506] : Christophe de Penmarch ou Olivier du Châtel]
Ensuivent les prieres et commandemens de saincte Eglise

Formulaire proche de Paris 1497.

P2299 **Saint-Brieuc 1506 f. 147v-148**

Ceulx et celles qui font et gardent les commandemens de nostre mere saincte Eglise sont absoulz du Pere et du Filz et du Saint Esperit.

Et tous ceulx et celles qui sont contre les commandemens de saincte Eglise. Comme larrons larronnesses, faulx emputeurs et fausses emputeresses [calomniateurs], devins et devineresses, ceulx qui y croient, qui y vont et en usent, sorciers sorcieres, charmeurs charmeresses, usuriés usurieres, faulx dismeurs et dismeresses, faulx marchans et marchandes, ceulx et celles qui vendent a faulx pois et a faulse mesure, ceulx et celles qui detiennent, usurpent et violent les droitz et libertez de saincte Eglise et qui en sont consentans, ceulx et celles qui perturbent le divin office, ceulx et celles qui mettent injurieusement sans bonne cause et raison la main en gens d'Eglise et en clercs, sont maulditz et excommuniez, s'ilz n'en viennent a congnoissance et amendement.

S'il y a en ceste eglise aucuns ou aucunes qui soient en sentence d'excommunication, je leur fais commandement que tantost et sans delay ilz s'en partent et aillent dehors, jusques a tant que le service soit dit et achevé.

Lisieux 1507, 1524
Avranches 1540 n.st. Coutances 1540 n.st.

[Lisieux 1507 : Jean Le Veneur]

P2300 **Lisieux 1507 f. 112v-113,** *Les commandemens des dimenches*

[Formulaire identique à Paris c. 1505-1581 etc.]

Nous denoncons pour excommuniez tous sorciers et sorcieres, divineurs et divineresses, usuriers et usurieres, larrons et larronnesses. Et tous ceux qui violentement mettent la main sur prestre ne sur clerc sinon en eulx defendant. Et tous ceulx qui malicieusement retiennent les biens ou droictures de l'eglise et empeschent la juridiction d'icelle. Telle maniere de gens sont mauditz, excommuniez s'il n'en viennent a amendement.

Et aussi s'il y a en ceste eglise aucuns ou aucunes qui soient en sentence d'excommuniment, nous leur faisons commandement que tantost ilz se partent de ceans jusques a ce que le service soit dit.

Elne 1509

[Jacques de Serra]
Preces dominicales. Constitutions qui s deven publicar en les festes anyals devant lo poble en les esglesies parroquials

Formulaire en catalan[20]. Ce rituel est le seul à donner une liste d'interdits concernant les Juifs et les Sarrasins[21].

P2301 **Elne 1509 f. bb3v-bb5v**

Constitutio. Senyors e dones per manament del Senyor bisbe, o de son reverend Vicari, vos devem denunciar los articles seguents, o constitutions en lo jorn de vuy e tres altres festes del any.

E premerament par auctoritat de Deu et de sancta mare Esglesia vos denunciam per vedats tots los heretges, e tots los qui en lurs errors los creven e-ls mantenen e-ls donen favor e ajuda. E totes les persones sortileres o devinadores, o invocadores de diables, e tots los qui en aquells o aquelles recorren o-ls donen crehença.

Item son vedats tots aquells qui porten o trameten armes fusto ferro, o altres coses vedades als infels Sarahins on se vulla qui sien ab que puguen offendre los Cristians.

Item son vedats e sacrilegis tots aquells qui desfian o baten o maten o naffren, o tenen presos preveres o clergues o-ls convenen en cort secular. E tots aquells qui s'occupen o s'usurpen la juredictio pertanyent a la esglesia de dret o de consuetud. E tots aquells qui inflamen o indignenen lo princep o lo senyor o sos officials, o les universitats contra la esglesia o contra los ecclesiastichs e servidos de aquella. E encara tots los qui hi donen consell, favor, ajuda a les dites coses.

Item son vedats tots aquells o aquelles qui scientment o maliciosa se occupen o retenen o substraven o no paguen complidament o sens deduyr

---

[20] Texte revu par Geneviève Brunel-Lobrichon, Maître de conférences d'Occitan à l'Université de Paris-Sorbonne, Paris IV.
[21] Le rituel de Strasbourg 1490 mentionne brièvement les Juifs dans son chapitre *De pastorali sollicitudine* (P2969bis).

desperes, ni levar les dlmes [sic] deguts, o en temps passat han acustumat paguar a les esglesies o servidors de aquelles, o beneficiats de aquelles, e los qui ço retenen. E semblanment aquells que no paguen entegrament les promicies o drets deguts a la hon se solen e s'acustumen de paguar.

Item son vedastes tots los Cristians e Cristianes qui son stats o seran presents a circuncisons o sepultures o noçes de Juheus o de Sarahins per fer los honor, majorment si en les circuncisions se fan lurs compares. E encara mes tots aquells qui seran ab ells en un bayll, o mengen lurs convits. E encara aquells qui de lur pa a lis, o d'altres viandes que fassen per observança de lurs festes. E los qui la carn crua a mort refusada o rebujada per els menjaran. E les dones christianes qu'ills aletaran lurs infants. E los qui ab los dits Juhen se afermaran per fer los algun servici continuu. En los dissaptes o altres lurs fetes los encendran foch o-ls aparelaran alguna vianda o los faran altre servey en favor de lurs festes.

E tots aquells que reben o rebran qualsevol medicina per Juheu o Juya ordenada, feront du feu ou feta o composta a malaltia o naffra de cristia o cristiana. Si donchs merge o apothecari crestia principalment no es present.

E los qui admeten Juheu o Juya en tractar matrimonis o sposalles entre persones cristianes. O faran Juheu procurador per rebre cullir [sic] arrendar o administrar rendes o bens temporals de alguna notable persona cristiana.

E qui los dits Juheus admetran en companya de algun offici o art o mercaderia, o algun contracte usurari ab ells e per ells faran. E los iutges o notaris qui talts contractes auctenti caran [sic pour faran?], e los qui als dits Iuheus comanaran e empenyoraren o livraran creus, o calces, vestiments, libres o altres ornaments coses pertanyents o dedicades al servey de Deu e de la sua Esglesia per fer reparar tenir o guardar aquelles en qualsevol manera.

Item son vedats los qui en iuy [sic] dient fals testimoni contra son prohisme, o quant per lo iutge interrogats ab iurament, celaran la veritat, o scientment hi mesclaran falcia.

Item son vedats los qui fan matrimoni amagadament, e encara tots los qui hi donen consello o favor, o hi son presents.

Item son vedats los qui forçen a paguar usures e empatxen, que no sien restituides als qui pagades les hauran.

Item vos denuncian per vedats los malvats sacrilegis e abhominables peccadors qui blaspheman a Deu e a la verge Maria o alguns dels sants, o reneguen o juren per lo cap, ventre, o altres membres publicament de Deu e de la verge Maria, latsesia que per les leys seculars hagen pena de mort corporal. Encara per la esglesia de Dei deven esser anatematizats, e foragitats de aquella.

E en la lur mort no deven haver ecclesiastica sepultura, si donchs en lur vida no fan penitencia publica per sed diumenges devant lo portal major de la esglesia de lur parroquia, no entrant en aquella, dejunant en pa e aygua sed divendres, e fer altres penitencies contengudes en les constitucions papals e provincials contra los dits sacrilegis promulgades, a les quals si mester fa, deven esser forçats per los iutges temporals ab penes corporals.

Item amonestam sots pena de vet a tota persona christiana qui sie en edad de discrecio, co es a saber de dortze anys en avant, que-s confes be e feelment de tots sos peccats, almeyns una vegada l'ayn a son propri curat, o a altre prevere, havent en aço sufficient potestat del senyor bisbe. E qui s'esforç en complir la penitancia qui li sera donada, e qui rebe [*sic* pour recebre] si pot dignament lo sacrat cors de J. C. en la festa de Paschua. E en altra manera, li sie vedada en sa vida la entrada de la esglesia, e en sa mort li sie denegada la ecclesiastica sepultura, segons per dret es ordenat.

Item amonestam sots pena de vet tots los manumissors e executors dels testaments qui dins un any apres de la mort del defunct complesquen la voluntat e ordinacio per ell feta en son darer testament o codocil en tot ço e quant aura ordenat per la sua anima, e a coses piadoses aura lexat. E de allo donen compte leyal als officials per lo senyor bisbe deputats, certificant aquells que passat l'ayn que per constitutio los e vedada la executio, si dins l'ayn no hauran complida de les causes pies.

Item admonestam sots pena de vet tos fels cristians de XVIII a XX anys amunt, que deiunen la sancta quorantena e los quatre tempres del ayn. E les vigilies e dejunis ordenades par sancta mare Esglesia, si donchs no han vera excusacio per corporal malaltia, o altre legitim cas.

[**Traduction littérale:**] Seigneurs et dames, par mandement du seigneur évêque, ou de son révérend vicaire, nous vous annonçons les articles suivants, ou constitutions au jour d'aujourd'hui et trois autres fêtes de l'année.

Et premièrement par l'autorité de Dieu et de sainte mère Eglise, nous vous dénonçons exclus [excommuniés] tous les hérétiques et tous ceux qui les croient et les maintiennent dans leurs erreurs, et leur donnent faveur et aide. Et toutes les personnes qui font des sortilèges, des divinations, ou qui invoquent les diables, et tous ceux qui y recourent ou leur accordent croyance.

De même sont interdits tous ceux qui portent ou transmettent des armes de bois, de fer, ou d'autres choses interdites aux Sarrasins infidèles où qu'ils soient, avec lesquelles ils pourraient s'attaquer aux Chrétiens.

De même sont interdits et sacrilèges tous ceux qui défient ou battent, tuent, blessent, ou tiennent prisonniers des prêtres ou des clercs, ou les conduisent en cour séculière.

Et tous ceux qui occupent ou usurpent la juridiction appartenant à l'Eglise de droit ou de coutume. Et tous ceux qui enflamment ou excitent [?] le prince, ou le seigneur, ou ses officiers, ou les universités contre l'Eglise, ou contre les ecclésiastiques et les serviteurs de celle-ci. Et encore tous ceux qui donnent conseil, faveur, aide aux dites choses.

De même sont interdits tous les chrétiens ou chrétiennes qui sciemment ou malicieusement occupent, retiennent, soustraient, ou ne payent pas complètement ou sans déduire ni lever, les dîmes dûes, ou bien, au temps passé, qui ont eu l'habitude de payer aux églises, à leurs serviteurs, ou aux bénéficiaires de celles-ci, et ceux qui retiennent ceci [ce qui est dû]. Et de même ceux qui ne payent pas entièrement les prémices ou droits dûs là où ils ont l'habitude de payer.

Item sont interdits tous les chrétiens et chrétiennes qui ont été ou seront présents à des circoncisions, sépultures, ou noces de Juifs ou de Sarrasins pour leur faire honneur, surtout si, dans les circoncisions, ils se font leurs compères. Et encore plus tous ceux qui seront avec eux dans un bal ou qui mangent (avec eux) en tant que convives. Et ceux qui mangent de leur pain ou d'autre nourriture par observance de leurs fêtes. Et ceux qui mangeront la chair crue qu'ils ont refusée ou rejetée. Et les femmes chrétiennes qui allaiteront leurs enfants. Et ceux qui avec les dits Juifs prendront des engagements pour leur rendre des services continus. Et le samedi ou autres jours de fêtes leur feront du feu, ou leur prépareront de la nourriture, ou leur rendront un autre service pour leurs fêtes. Et tous ceux et celles qui reçoivent ou recevront quelque médicament de la part d'un Juif ou d'une Juive, ordonné, fait, ou composé pour une maladie ou une blessure de chrétien ou de chrétienne. Si alors un médecin ou un pharmacien chrétien n'est pas présent. Et ceux qui admettent un Juif ou une Juive pour traiter des mariages ou des fiançailles entre personnes chrétiennes. Ou qui nommeront procureur un Juif pour recevoir, recueillir, arranger ou administrer les rentes ou les biens personnels de quelque noble personne chrétienne.

Et ceux qui admettront lesdits Juifs comme compagnons dans quelque office, art, ou commerce, ou qui feront un contrat d'usurier avec eux ou par eux. Et les juges ou notaires qui feront de tels contrats, et tous ceux qui commanderont ou livreront auxdits Juifs des croix ou des chausses, vêtements, livres, ou autres ornements – choses appartenant ou dédiées au service de Dieu ou de sa sainte Eglise – pour faire réparer, tenir ou garder celles-ci de quelque manière que ce soit.

De même sont interdits ceux qui disent de faux témoignages contre leur prochain, ou, quand ils sont interrogés par le Juge sous serment, cachent la vérité, ou y mêleraient sciemment fausseté.

De même sont interdits ceux qui font un mariage secret, et aussi tous ceux qui y donnent conseil et faveur, ou y sont présents.

De même sont interdits ceux qui forcent à payer des usures et empêchent qu'elles ne soient restituées à ceux qui les auront payées.

De même nous vous dénonçons pour interdits les méchants sacrilèges et abominables pécheurs qui blasphèment contre Dieu, la Vierge Marie, ou quelque saint. Ou qui renient ou jurent publiquement par la tête, le ventre, ou d'autres membres de Dieu ou de la vierge Marie ; que par les lois séculières ils aient peine de mort corporelle. En outre ils doivent être anathémisés et exclus de l'Eglise de Dieu.

Et à leur mort ils ne doivent pas avoir de sépulture ecclésiastique si alors dans leur vie ils ne font pas pénitence publique durant sept dimanches devant le portail central de leur paroisse sans entrer, déjeunant au pain et à l'eau durant sept vendredis, et ils doivent faire d'autres pénitences contenues dans les constitutions papales et provinciales promulguées contre lesdits sacrilèges; si c'est nécessaire ils doivent être forcés par les juges temporels à des peines corporelles.

De même nous admonestons sous peine de véto toute personne chrétienne en âge de discrétion, c'est-à-dire de plus de douze ans, de se confesser bien et fidèlement de tous ses péchés au moins une fois l'an à son propre curé, ou à un autre prêtre qui ait pour cela pouvoir suffisant de la part de l'évêque. Celui qui s'efforce d'accomplir la pénitence qui lui sera donnée, peut recevoir dignement le corps sacré de J. C. à la fête de Pâques. Autrement, que lui soit interdite durant sa vie l'entrée de l'église, et à sa mort que lui soit refusée la sépulture ecclésiastique selon ce qui est ordonné par le droit.

Nous admonestons sous peine de véto les exécuteurs de testaments, que dans l'intervalle d'un an après la mort du défunt, ils accomplissent sa volonté exprimée dans son dernier testament ou codicille en tout ce et autant qu'il aura ordonné pour son âme, et les choses pieuses qu'il aura laissées. Et du reste qu'ils rendent compte loyal aux officiers envoyés par le seigneur évêque certifiant que, passée l'année selon la constitution, leur est interdite l'exécution, si durant l'année ils n'ont pas accompli les choses pieuses.

De même nous admonestons sous peine de véto tous les fidèles chrétiens de dix-huit à vingt ans et au-delà de jeûner le saint carême et les autres temps de l'année. Ainsi que les vigiles et jeûnes ordonnés par la sainte mère Eglise, s'ils n'ont pas une véritable excuse du fait d'une maladie corporelle, ou pour un autre cas légitime.

Bourges 1517

Voir Paris 1497.

Senlis 1525 (1526 n.st.)

[Artus Fillon]
Ensuit la maniere de faire le prosne en brefves parolles…

[Seconde partie du rituel de Senlis, extraite du *Speculum curatorum* du même évêque Artus Fillon[22]]

P2301bis **Senlis 1526, 2ᵉ partie, f. d1**
Ceulx et celles qui gardent et observent les commandemens de Dieu sont benitz de Dieu: en sa grace, et en fin auront paradis.

---

[22] É. Picot, *Artus Fillon, chanoine d'Évreux et de Rouen, puis évêque de Senlis*, Évreux, 1911, p. 21 et 50-55, énumère les diverses éditions du *Speculum curatorum* parues entre 1506 et 1530, d'abord à Rouen, puis à Paris, Lyon et Troyes (13 éditions connues, les dernières sous le titre *Eirudictionum atque Directorium curatorum*).

Ceulx et celles qui ne les gardent mais les transgressent et enfraingnent, comme font ceulx qui ont mauvaise foy, sorciers enchanteurs qui croient en chermes [sic] ou devinemens, usuriers usurieres. Larrons larronnesses, ceulx et celles qui paient mal leurs dismes et autres devoirs de l'eglise.

Ceulx et celles qui mettent la main a prestre ou a clerc: toutes telles manieres de gens sont mauldits de Dieu et excommuniez de l'eglise. Et en fin auront damnation eternelle.

Je admonneste chascun et chascune qui estes executeurs des testamens des trespassez sur peine d'excommunication d'executer diligentement iceulx testamens: affin que les ames des trespassez n'en seuffrent plus au feu de purgatoire.

Rouen 1530, 1535

Voir Paris c. 1505-1581.

Tours 1533, 1570

Voir Paris c. 1505-1581.

Auxerre 1536
[François II de Dinteville]
Prosne de l'eglise le sainct dimenche

Auxerre 1536 f. 74v-75 sign. k2v-k3

Apres que nous avons prié pour tous les bienfaicteurs de nostre mere saincte eglise, je denonce pour excommuniez tous charmeurs, charmeresses, tous devineurs, devineresses, et tous ceulx qui y adjoustent foy, tous concubins et concubines, tous usuriers manifestes, et tous ceulx et celles qui celent, empeschent et retienent [sic] le droict de nostre mere saincte eglise, en especial de l'eglise de ceans, tous ceulx et celles qui mettent la main a prestre ou a clerc induement si ce n'est en leur defendant je les denonce pour excommuniez d'auctorité apostolicque et de droict canon. *Aussi apres il fault denoncer les excommuniez si aulcuns en y a en parlant piteusement.*

Et apres dire. S'il y a personnes des dessus nommez ou aultres qui ayent encouru en sentence d'excommuniement, je leur commande en vertu de saincte obedience qu'ilz s'aillent dehors jusques que le divin service soit faict et accomply.

Laon 1538

[Louis de Bourbon-Vendôme]
Les commandemens qu'on faict par chascun dimenche

P2303 **Laon 1538 f. 92v-93**

Ceulx et celles qui de la loy de Dieu tiennent et gardent, soient benoistz et absoulz du Pere, du Filz et du benoist Sainct Esperit. Amen.

Tous ceulx et celles qui les enfraignent, comme tous sorciers et sorcieres, usuriers usurieres, faulx devineurs, faulx accuseurs.

Tous ceulx et celles qui vendent a faulx poix et a faulses mesures.

Tous ceulx et celles qui mettent violentement la main sur prestres ou sur clercs.

Tous ceulx et celles qui empeschent la jurisdition de nostre mere saincte eglise.

Tous ceulx et celles qui mettent empeschement en loyal mariage, et qui empeschent le divin service.

Tous ceulx et celles qui retiennent les dismes et droictures de nostre mere saincte eglise soient maulditz et excommuniez jusques a ce qu'ilz en viennent a satisfaction et amendement.

S'il y a aulcun ou aulcunes personnes qu'ilz soient en sentence d'excommuniement, si se partent de ceste eglise jusques a ce que le service soit parfait et acomply.

Toulouse 1538, 1553

[Toulouse 1538: Odet de Châtillon]
La forma et maniera de dire les mandamens et preguarias en lengage vulgar de Tholosa

Formulaire en occitan de Toulouse[23]

P2304 **Toulouse 1538 f. 90v-91**

Del mandamen de mossenhor l'official de Tholosa, vos denuncian per excumengiatz fachieliers, fachielieras; divins, divinas; renoviers, renovieras; tot home que metta la ma subre capela ho clerc, so que sia son corps deffenden, tot home he tota femna que desturba le divinal offici, tot home et tota femna que tengua carta ny bilheta per se fe paga le deute autra veguada, tot home et tota femna que bota son petit enfant jage au lieyt entro que aja ung an et ung iorn et aysso per les escandals que sen poden enseguir. Item vos denuncian per excumengiatz los que son en nostre

---

[23] Texte revu par Geneviève Brunel-Lobrichon, Maître de conférences d'Occitan à l'Université de Paris-Sorbonne, Paris IV.

registre. Et primo aytal. N. et aytal. N. toutz les excumengiatz per excumengiatz; toutz los Interdictz per interdictz; toutz los departem dels bens de sancta mayre gleysa, entro que sian vengutz a benefici de absolution.

[Traduction:] Du mandement de monseigneur l'official de Toulouse, nous vous dénonçons comme excommuniés magiciens et magiciennes, devins et devineresses, usuriers, usurières, tout homme qui met la main sur un chapelain ou un clerc, sauf pour se défendre, tout homme ou toute femme qui troublent l'office divin, tout homme ou toute femme qui tienne un papier ou un billet pour se faire payer leur dû une autre fois, tout homme et toute femme qui mettent dans leur lit leur petit enfant avant l'âge d'un an et un jour, et ceci à cause des scandales qui pourraient s'ensuivre. Item je vous dénonce les excommuniés qui sont dans notre registre, et premièrement untel et untel, tous les excommuniés pour excommuniés; tous les interdits pour interdits; nous les excluons tous des biens de sainte mère Eglise jusqu'à ce qu'ils aient reçu le bénéfice de l'absolution

Bourges 1541

Voir Paris c. 1505-1581.

Lyon 1542

[Hippolyte d'Este]
Les commandemens, exhortations et prieres qui se doibvent faire au peuple

2305 **Lyon 1542 f. 87v**
En apres, de l'auctorité de monseigneur l'archevesque de Lyon nostre prelat et pasteur, seront declairés interdictz excommuniez tous concubins et concubines, usuriers, usurieres manifestes, toutes gens qui tiennent maulvais poys, et faulses mesures, tous sorciers et sorcieres, toutes personnes qui sentent mal de la foy, et qui frappent et mettent la main violente sur les clercs, sinon en leurs corps deffendant, tous ceulx et celles qui guardent obligés qui sont payez et satisfaictz, et tous ceulx et celles qui n'accomplissent la volunté des testateurs, qui le doibvent ou peuvent faire.

Rodez et Vabres c. 1542

[Rodez c. 1542: Georges d'Armagnac]
La forma et maniera de dire los mandamens et preguarias
en leiguage vulgar de Roudes

Formulaire en occitan de Rodez[24], beaucoup plus développé que celui de Toulouse 1538 (additions ici en italiques).

---

[24] Texte revu par Geneviève Brunel-Lobrichon, Maître de conférences d'Occitan à l'Université de Paris-Sorbonne, Paris IV.

Sont ajoutés : les devins (sorceliers), les gens perdus de réputation, les concubins publics, usuriers manifestes, larrons, agresseurs de chemins, voleurs de grand chemin, incendiaires, envahisseurs d'églises et d'autres lieux sacrés, meurtriers, ceux qui détiennent dîmes et prémices injustement et sans permission de l'Eglise, ceux qui feraient des mariages clandestins ou autres choses en temps interdit par l'Eglise, ceux qui retiendraient des instruments pour faire payer le dû une autre fois, ceux qui administreraient les sacrements de l'Eglise sans permission du recteur ou du vicaire, sauf en cas de nécessité, ceux qui mettraient la main sur un chapelain ou un clerc, sinon en leur corps défendant, ceux qui troubleraient ou empêcheraient l'office divin ou la juridiction ecclésiastique.

P2306 **Rodez c. 1542 f. 123v-124**

Del mandamen de monssenhor l'official de Roudes, vous denoncian per excumengiatz et excumengiadas, toutz fachiliers, fachilieyras ; divins, divinas ; *sorceliers, diffamatz, concubinaris publicz, usuriers manifestes, layros, agressors de camis, raubados destrada, botados de fuoc, envasors de gleysas, et d'autres locz sagratz, murtries, detenens decimas et primicias iniustamen et sans licentia de la gleysa. Item que faria mariatges clandestis ou autres diverses en temps per la gleysa prohibit.* retenens bilhetas sciemment, *instrumens* per far paguar lo deude autra veguada, *et que ne seran statz satisfactz et que sans licensa de rectors ou vicaris administraria los sagramens de la gleysa, exceptat en cas de necessitat. Tout home que metria la ma soubre cappela ou clerc, sinon que sia en son corps defenden.* Tout home que desturbaria *ny empacharia* lo divinal offici, *ny la iuridictien ecclesiastica.* Tout home et fenna [sic] qui meta son petit enfan iaze al liech que non aya ung an et ung iorn, et so per los scandalz que sen podo ensegre. Item vous denuncian per excumengiatz los que son en nostre registre. Et premieyrame ay tal N. et N. Toutz los excumengiatz per excumengiatz, toutz los interdictz per interdictz. Tous los departem dels bes de sancta mayre gleysa entro que sian vengutz a benefici d'absolution.

Metz 1543

[Jean de Lorraine]
Recommendationes faciende diebus dominicis

P2307 **Metz 1543 f. 33v**

Nous denoncons pour excommuniez tous sorciers et sorcieres, usuriés et usurieres, faulx dimeurs, et faulces dimeresses, et tous ceulx et celles qui mettent empeschement contre les drois et franchises de nostre mere saincte Eglise. [comme Reims c. 1495-1554, P2295]

Metz 1543

Monitionis generalis pro simplicibus sacerdotibus declaratio

Admonestation légèrement développée de la « Declaratio mandati » des rituels de Chartres 1490-1553, P2291. Additions indiquées ici en italiques.

2308 **Metz 1543 f. 79v**
Par la vertu de ce present mandement, lequel contient une griefve queremonie manant et dependant de la court de monseigneur l'official de… monseigneur l'evesque de Mets. Impetré a la requeste de N. conquerant, et soy complaignant d'aucuns malfaicteurs plains de iniquité, enfans de Belial… [comme Chartres 1490-1553] … bledz, fains, *fruictz, bois*, bestes, poulailles… [comme Chartres]… ou aultrement seront excommuniez *et aussi qui le scavent et ne le reveleront.*

Metz 1543

Monitio reiterata in qua fulminatur censura ecclesiastica contra delinquentes incertos

Excommunication des malfaiteurs légèrement plus longue que celle de Chartres 1490, P2292.

2309 **Metz 1543 f. 79v-80**
Nous avons admonnesté une fois, deux fois, trois fois, et le quart d'abondance, les ditz malfaicteurs ne sont point venus a amendement ne a satisfaction, pour ceste cause nous les denoncons excommuniez consequemment agravez et reagravez, forclos et banis des biensfaictz, et oraison de saincte Eglise, et de tous les sacremens, et par consequent de la communion des vrais chrestiens catholiques. Et vous deffens que ne participés avec eulx, en parler, en prier, en boire, en manger, que ne leur donnez, ne prestez, et leur deffendez fours, et moulins, feu, eaue, jusques a tant qu'ilz soient absoulz et remis en l'Eglise de Dieu. Et toute ycelle peine ont, ou doivent avoir ceulx qui scavent aucune chose dudit larrecin, et n'en ont rien denuncié ou manifesté au dit N. conquerant ou curé. *Agentes enim et consentientes pari pena opuniuntur.*

Autun 1545

[Jacques Hurault]
La maniere de exhorter et admonnester le peuple

2310 **Autun 1545 p. 121**
Je denonce pour excommuniés tous concubins concubinaires publicques et obstinés en leur mal, vendeurs a faulx pois et faulse mesure,

retenans le bien de l'eglise et de poures pupilles a leur esciant, et de leur malice, troublans et empeschans bons et loyaux mariages. Aussi sorciers, sorcieres, divins et divineresses, et prestans foy et consentement a telles gens qui conviennent avec Belial. Aussi tous execrables blasphemateurs du nom de Dieu, je les denonce pour excommuniés, leur faisant commandement de sortir de ce lieu, comme indignes de la congregation chrestienne, s'ilz ne viennent a amendement et propos de soy amender et reduyre a l'observance chrestienne.

La *Declaratio mandati* traditionnelle, identique à celle des éditions diocésaines de 1503-1523, ne doit plus être prononcée au prône, et figure à part, à la fin du rituel (p. 216-218)[25].

Noyon 1546
[Jean Hangest]
Les commandemens qu'on faict par chascun dimenche es eglises… de Noyon

P2311 **Noyon 1546 f. A4v**

Tous ceulx et celles qui tiennent et gardent la foy et les commandemens de Dieu, soient benoistz et absoulz du Pere, du Filz et du benoist Sainct Esperit. Amen.

Tous ceux et celles qui font à l'encontre, comme sont sorciers, sorcieres, devineurs, devinaresses, charmeurs, charmeresses, et tous ceulx qui y croyent et adjoustent foy, usuriers usurieres, larrons, larronnesses, faulx dimeurs et dimeresses, et tous ceulx et celles qui vendent a faulx poix et a faulce mesure, ceulx et celles qui mettent violentement la main sur prestre ou sur clerc, ceulx et celles qui empeschent les drois et juridition de nostre mere saincte eglise, ceulx et celles qui mettent empeschement en mariage faict ou a faire. Toutes telles manieres de gens sont mauldictz et excommuniés jusques a ce qu'ilz en soient venus a satisfaction et amendement.

S'il y a ceans aucuns ou aucunes qui soient en sentence d'excommuniment, nous leur faisons commandement de par reverend pere en Dieu monsieur de Noyon (nostre prelat), que incontinent ilz se departent de ceste eglise jusques a ce que le divin service soit faict et acompli.

[25] *Voir supra* Chartres 1490-1553, Autun 1503-1523, etc.

Grenoble 1549

[Laurent II Allemand]
Modus precum parochialium

P2312   **Grenoble 1549 p. 80**
De l'autorité de monseigneur de Grenoble, Je declaire interdictz et excommuniez touts concubins et concubines, usuriers, usurieres manifestes, toutes gents qui tiennent faulx poix, et mesures, touts sorciers et sorcieres, touts ceulx qui sentent mal de la foy, touts ceulx qui frappent ou mettent la main sur les clercs, sinon leurs corps defendants, ceulx et celles qui gardent les obligez payés, touts ceulx et celles qui n'accomplissent la volunté des testateurs, comme sont tenus.

Verdun 1554

[Nicolas Psaulme]
Monitiones, seu Commendationes faciende diebus dominicis

P2313   **Verdun 1554 f. 104-104v** [Excommunication générale]
Nous denoncons pour excommuniez tous sorciers, et sorcieres, devineurs et devineresses et ceulx qui croyent et adjoustent foy a iceulx, usuriers et usurieres, faulx dismeurs et faulses dismeresses, et tous ceulx qui violentement mettent la main sur prebstres ou clercs sinon en eulx deffendant. Et tous ceulx aussi qui mettent empeschement a l'encontre des droictz, franchises, et libertez de la jurisdiction de nostre mere saincte Eglise.

Et aussi s'il y a en ceste Eglise aulcuns ou aulcunes, qui soient en sentence d'excommuniement. Nous leur faisons commendement, que tantost ilz se partent de ceans, jusques a ce que le divin service soit dict.

f. 104v-105v *Declatatio mandati. ... Tempore mandati elapso. ...*
[Monitoire]
Formulaires identiques à Chartres 1490-1553. *Voir* P2291, P2292, P2293.

[Excommunication des contrevenants à la juridiction de l'Église]
f. 105v-106 En oultre sur le faict de ceulx qui empeschent la jurisdiction spirituelle, les remedes juridicques qui y sont trouvez, se publieront a la sorte que s'ensuyt.

Pource qu'il y a plusieurs qui ne doubtent point entreprendre sur et contre la jurisdiction de nostre mere saincte Eglise, a blesser et enfrandre les franchises et libertez d'icelle. Je vous fais ascavoir que tous ceulx qui aulcunement troublent et empeschent icelle jurisdiction et franchise, sont de ce mesme faict excommuniez par plusieurs sainctz peres de Romme, et mesmement de Honorius quartus[26], qui les mauldit en cloche sonnant, et feu estaingnant. Pourtant chascun de vous doibt bien doubter d'encourir telle malediction. Et pour ce, de l'auctorité dudict sainct pere et celle de monseigneur l'evesque, Je denonce pour excommuniez tous ceulx et celles qui troublent, et empeschent ladicte jurisdiction, franchises et libertez d'icelle eglise...

Et sera faicte la denunciation six foys l'année a chandelles estaignans en chantant en maniere de lecon ce qui s'ensuyt.

P2314 *Auctoritate Dei omnipotentis, et beatorum Petri et Pauli apostolorum excommunicamus, anathematizamus supradictos perturbatores, et a liminibus sancte matris Ecclesie sequestramus, et nisi resipuerint, et ad satisfactionem venerint sic extingantur lucerne eorum in secula seculorum. Assistentes respondeant. Amen.*

Et par ceste petite maniere ung chascun curé ou recteur pourra appliquer et adapter les commendemens qui requierent publication. ...

Rouen 1559, 1573

[Rouen 1559 : Charles Ier de Bourbon]
Maniere de faire le Prosne

P2315 **Rouen 1559 f. [1v]**

Ceulx et celles qui gardent et observent les commandemens et la loy de Dieu sont benis et absoulz de Dieu le Pere, le Filz, et le Sainct Esprit. Et ceulx et celles qui les transgressent et enfraignent, comme sont sorciers, sorcieres, usuriers, usurieres, meurdriers, meurdrieres, larrons, larronnesses, faulx dismeurs, faulses dismeresses. Ceulx et celles qui vendent à faulx poix et faulses mesures. Ceulx qui mettent empeschement en loyaux mariages. Ceulx qui mettent furieusement la main sur prebstre ou clerc, aussi ceulx qui par troys dimenches continuelz faillent à leur Messe Parrochialle sans cause raisonnable, telles manieres de gens sont mauldictz et excommuniez tant qu'ilz en soyent venus à mercy et amendement.

---

[26] R. Aubert, « Honorius IV, pape de 1285 à 1287) », *Dictionnaire d'histoire et de géographie ecclésiastiques*, t. 24 (1993), col. 1052 ; H.-X. Arquillière, « Honorius IV, pape (1285-1287) », *Dictionnaire de théologie catholique*, t. 7 (1930), col. 138-139.

Agen 1564

[Janus Frégose]
Recommendationes fiendae dominicis diebus

P2316 **Agen 1564** f. 84-84v Du mandement de monsieur d'Agen ou de son Official, je denonce pour excommuniez et aggravez tous sorciers et sorcieres, usuriers et usurieres, concubinaire manifeste [sic], larrons et larronnesses, charmeurs et charmeresses, devins et devineraisses, et ceulx qui y croyent et adjoustent foy, faulx dismeurs et dismeresses, tous renieurs de Dieu, de la vierge Marie et des sainctz et sainctes de paradis, toute personne qui boute la main malicieusement sur gens d'Eglise, sinon que ce soit en son corps defendant, toutes personnes qui retiennent instrumens ou bilhetes pour se faire payer deux foys d'une debte, toutes personnes qui seroient de quinze en quinze jours, ou de troys en troys sepmaines sans venir ouyr sa messe parrochialle, s'il n'y a excusation legitime, tous boute feu, tous destrousseurs aux chemins, toutes personnes qui font mariage de clandestic [sic], tous ceux et celles qui mettent empeschement en mariaige qui sont a faire ou parfaictz, et tous ceulx qui mettent empeschement a l'encontre des droictz, franchises et libertez de la jurisdition de nostre mere saincte Eglise, je les separe des biensfaictz de nostre dite saincte mere Eglise, comme le feu se separe de la chandelle par force de eaue.

[La *Declaratio mandati* et les excommunications qui suivent sont identiques à celles de Chartres 1490-1553 etc., à part quelques variantes. *Voir supra*, P2291-2293]

Bourges 1569

Voir Paris 1497.

Paris 1574, 1581

Voir Paris c. 1505-1581.

Soissons 1576

[Charles de Roucy-Sissone]
Recommendationes fiende dominicis diebus

P2317 **Soissons 1576** f. 12
Nous denoncons pour excommuniez tous sorciers et sorcieres, devineurs et devineresses, et tous ceulx qui violentement mettent la main

sur prestre et sur clerc, sinon en eux defendant. Et aussi s'il y a en ceste eglise aucuns ou aucunes qui soient en sentence d'excommuniement, nous lui faisons commandement, que tantost ilz se partent de ceans, jusques a ce que le service soit dit.

Aix-en-Provence 1577

[Alexandre Canigiani]
La forme de faire le prosne

P2318 **Aix-en Provence 1577 p. [18]**
Par authorité de nostre R. prelat monsieur N. ou de son vicaire general, et par commendement de son official, on prononce pour excommunié tous usuriers et usurieres, tous divins et divineresses, tous concubins et concubines, tous ceux et celles que injustement possedent et usurpent les biens et droicts de nostre saincte mere Eglise.

Bayeux 1577, 1611

Voir Paris c. 1505-1581.

Vienne 1578, 1587

[Pierre IV de Villars]
Forme d'exhortations, prieres, et mandemens, que les curez…
feront chacun jour de dimenche en leur prosne…

Sont ajoutés aux excommunications de Lyon 1542 les « faux dîmeurs », ceux qui usurpent les biens de l'Eglise, et les chefs de maison qui manquent la messe paroissiale trois dimanches de suite sans empêchement légitime.

P2319 **Vienne 1578 p. 245**
De l'auctorité de Monseigneur nostre prelat, sont declarez excommuniez tous sorciers, sorcieres, concubins, concubines, usuriers, usurieres manifestes, toutes personnes tenans faux poids, et fauses mesures, et qui mettent la main violente sur les clercs, sinon en leurs corps defendant, et tous ceux qui sentent mal de la foy, ceux qui guardent obligez acquitez et satisfaits, et qui n'accomplissent la volonté des testateurs, qui le doivent ou peuvent faire : faux dismeurs et dismeresses. Et tous ceux qui usurpent, detiennent, et convertissent en leurs propres usages, par force, violence, ou intimidation et sous quelque couleur que ce soit par eux ou personnes interposées les biens, droicts, et fruicts de l'Eglise, et lesquels demeurent excommuniez et anathemisez,

jusques à ce qu'ils en ayent fait entiere restitution, et sur ce obtenu deuë absolution, suivant les saincts decrets, et pareillement les chefs de maison, qui demeureront trois dimenches consecutifs sans ouyr leur Messe parochialle (cessant legitime empeschement) encourront sentence d'excommuniment.

A quoy vous devez bien penser, et vous garder de ceste horrible et formidable peine d'excommunication par laquelle l'homme pour son peché, auquel il demeure obstiné est retranché du corps mysticque de J. C., privé de la communion des fideles, et de la participation des sacremens, merites, et bonnes œuvres de l'Eglise, et est declaré d'estre en estat de damnation, s'il ne vient à penitence, et pourvoit à sa conscience.

Chartres 1580
[Nicolas de Thou]
Maniere d'exhorter le peuple esdits Prosnes
Denonciation contre les scandaleux et mal-vivans

Les hérétiques[27] et schismatiques, sont cités ici pour la première fois, de même que les magiciens et empoisonneurs.

P2320   **Chartres 1580 f. 203v**

Nous denonçons pour excommuniez tous heretiques, schismatiques, sacrileges, magiciens, sorciers, charmeurs, devineurs, et ceux qui leur adjoustent foy, empoisonneurs, faux vendeurs, et dixmeurs, larrons, usuriers, ceux qui mettent la main violente sur prestre ou clerc, sinon en leurs corps defendant, et qui malicieusement retiennent les biens et droictures de l'Eglise, empeschent ses franchises, libertez et jurisdiction, et aussi ceux qui donnent destourbier [obstacle] à l'accomplissement des legitimes mariages, faicts ou à faire. Telle maniere de gens sont maudicts et excommuniez, s'ils ne viennent à amendement par vraye penitence et bonnes oeuvres.

Publication de monition. Par vertu de ce mandement... j'admoneste lesdicts malfaicteurs qu'ils en facent pleine restitution...

Publication d'excommuniment. Nous avons admonesté une fois, deux fois, trois fois, et le quart d'abondant lesdicts malfaicteurs, qui ne sont venus à amendement: pour ceste cause sont excommuniez...

---

[27]   Les hérétiques apparaissent déjà exceptionnellement dans le formulaire d'Elne 1509.

Lyon c. 1580

[Pierre d'Espinac]

Rituel lyonnais dont il ne subsiste aucun exemplaire, connu par l'édition de son prône dominical imprimé à Bordeaux en 1583 et 1602 par Simon Millanges[28].

La « Denonciation des excommuniés » du Prône reprend le formulaire de Lyon 1542 en modernisant la langue et le style.

P2321 **Lyon c. 1580**

Par l'authorité de monseigneur l'Archevesque nostre prelat, sont declarés interdicts et excommuniez tous concubins et concubines, usuriers, usurieres, toutes personnes tenant faux poix et faulse mesure, tous sorciers, sorcieres, heretiques, et ceux qui mettent la main violante [sic] sur aucune personne du clergé, sinon en leurs corps defendant, ceulx qui gardent obligés, qui sont paiés et satisfaicts, ou qui n'accomplissent la volonté des testateurs, qui le doivent, ou peuvent faire.

Chartres 1581

[Nicolas de Thou]
Aultre maniere d'exhorter le peuple

P2322 **Chartres 1581 f. 153-153v**

S'il y a quelque monition à faire en la sepmaine, le curé la publira le dimanche à son prosne ainsi qu'ensuit.

[Monitoire] Nous avons receu mandement du venerable Official du reverend pere en Dieu N. nostre Evesque, pour admonester a la requeste de N. ceux qui se sentent coulpables du contenu audict mandement duquel presentement vous sera faict lecture. Quiconque en aura sa conscience chargée, viendra à huictaine à satisfaction et revelation du faict : autrement à faulte de ce faire dedans ledict temps et iceluy passé, le rejecterons honteusement comme ethnique [païen] et publicain, de la communion, biensfaicts et suffrages de l'Eglise, à sa confusion.

Ladicte publication faicte, si les coulpables n'y satisfont, sera procédé à l'excommunication ainsi que s'ensuict.

Nous avons à diverses fois admonesté ceux qui se sentent coulpables du faict mentionné és letres monitoires du venerable Official de Chartres, pour en venir à satisfaction ou revelation : ce qu'ils ont mesprisé : à tant les declarons avoir encouru les censures de l'Eglise, et leur defendons

---

[28] Cf. Molin Aussedat n° 1440 et 1305.

l'assistance au divin service, et participation des saincts sacrements, et à tous fideles et Chrestiens de converser avec eux, en aucune sorte, ny les saluer: afin qu'ils ayent honte de leur offense, et facent penitence, et en demandent pardon et absolutions, satisfaisant à l'eglise qu'ils ont scandalizé par leur peché, et à partie civile interessée.

[Excommunication générale] *Puis dira*. Nous denonçons pour excommuniez tous heretiques, leurs fauteurs et receleurs, ceux qui pendant le divin service assistent à jeux et spectacles.

Qui mettent mains violentes sur prebstres ou clercs, si ce n'est en se defendant.

Qui malicieusement retiennent les biens et droictures de l'Eglise, et empeschent sa jurisdiction: Tous manifestes usuriers, sorciers, devineurs, larrons, voleurs et toutes personnes incorrigibles indisciplinables.

Poitiers 1581, 1587, 1594

[Geoffroy de Saint-Belin]
Prosne et exortations accustumées avec prieres chrestiennes

P2323 **Poitiers 1581 f. [112]**
Nous denonçons pour excommuniez tous sorciers, sorcieres, devineurs et devineresses, tous magiciens et charmeurs, avec ceux qui y croient et y adherent. Ensemble usuriers, empoisonneurs, rapineurs, sacrileges, usurpans et retenans le bien de l'Eglise, et la jurisdiction d'icelle. Ceux qui violentement mettent la main sur prestre ou clerc, sinon en se deffendant, et les scismatiques[a] et heretiques.

Variante Poitiers 1587. [a] schismatiques.

Nevers 1582

Voir Paris c. 1505-1581

Bazas 1585

[Arnaud de Pontac]
Prosne à l'usage du diocese de Bazas

Formulaire proche de Vienne 1578, 1587.

P2324 **Bazas 1585 p. 16-19**
De l'auctorité de l'Eglise, nous declairons et denonçons excommuniez et interdits tous concubins et concubines, larrons et larronnesses,

usuriers, et usurieres, toutes personnes qui usent de faux poix, et fause [sic] mesure, tous sorciers, et sorcieres, devineurs, et devineresses, tous renieurs du nom de Dieu, et des saincts, tous ceux qui mettent la main violente sur Prestre ou sur Clerc, sinon en leur corps deffendant : Tous heretiques et qui sentent mal de la foy : Ceux qui gardent obligez acquités et satisfaicts : et qui n'accomplissent la volonté des testateurs qui le doivent ou peuvent faire : Faux dixmeurs ou dixmeresses : tous ceux qui donnent empeschement contre les droits, franchises et libertez, de la Jurisdiction de l'Eglise. Et qui usurpent, detiennent et convertissent a leur propre usage par force, et violence ou intimidation et soubs quelque couleur que ce soit par eux, ou personnes interposées, les biens, droits et fruits de l'Eglise. Lesquels demeurent excommuniez et anatematisez jusques a ce qu'ils en ayent faict entiere restitution et sur ce obtenu deüe absolution, suivant les saincts conciles et decrets. Tous les Chefs de maison, qui demeurent trois dimanches consecutifs sans ouïr leur Messe parroissiale sans legitime empeschement.

Pareillement denonçons pour excommuniez, tous les Clercs et Prestres confidenciers, appellez communement *Custodi nos*, lesquels prestent leur nom pour tenir et garder en confidence aucune sorte de benefices, ensemble tous ceux qui soubs tel nom et par ce moyen jouissent et perçoivent les fruits d'aucun benefice soit en tout ou en partie, finalement tous simoniacles [sic] vendeurs et achepteurs de benefices. Car toute telle maniere de gens sont maudits et excommuniez, c'est à dire separez et retranchez de l'Eglise, qui est le corps mïstique de J. C. : privez de la communion des fideles et de la participation des Sacremens, prieres, merites, et bonnes œuvres de l'Eglise : bref sont en estat de damnation s'ils n'en viennent à penitence : Et par ce s'il y a en ceste Eglise aucuns de ceste qualité et qui soyent autrement excommuniez et interdits, nous leur faisons commandement de sortir hors, jusqu'à ce que le divin service soit fait et accompli : Et deffendons qu'on ne converse avec eux.

S'il y a aucuns bans de mariage à faire, dira.

Nous faisons les bans entre tel de la parroisse de N. et telle de la parroisse de N. qui ont promis prendre l'un l'autre par loïal mariage : s'il y a aucun ou aucune qui sçache quelque empeschement pour lequel le mariage ne se peut faire entre eux, nous leur faisons commandement, sur peyne d'excommunication, qu'ils le dient. Et ce pour le premier ban, ou second, ou tiers, ou quart.

S'il y a aucune publication de Monitions apres avoir leu les mots principaux d'icelle, dira ou lira. [Monitoire]

Par vertu de ce mandement emané de Monsieur de Bazas nostre Evesque, ou de Monsieur son official, et impetré à la requeste de N. conquerant d'aucuns malfaicteurs à luy incogneuz, qui à son grand dommage, et à la confusion et peril de leurs ames, ont despuis certain temps mal pris et emblé plusieurs meubles, dont il n'a preuve à son intention : j'admoneste lesdicts malfaicteurs, qu'ils en facent pleine restitution, et entiere satisfaction dedans huict jours, et que ceux qui en ont aucune cognoissance viennent a revelation, autrement seront excommuniez.

Reims 1585, 1621
Amiens 1586, 1607. Châlons-sur-Marne 1606. Laon c. 1585, 1621
Senlis 1585. Saint-Brieuc 1605

[Reims 1585 : Louis III de Lorraine, cardinal de Guise]
Exhortationes et preces, quae in ecclesiis paroecialibus
a curatis singulis dominicis fieri debent

P2325 **Reims 1585 f. 92v**

Nous denonçons pour excommuniez tous heretiques et simoniaques, qui vendent ou achetent benefices, ou prestent leurs noms pour les tenir iniquement, contre tout droit divin et humain ; ensemble tous sorciers et sorcieres, devins et devineresses, usuriers, usurieres, larrons, larronnesses, tous ceux et celles qui vendent à faux poix [*sic*] et à faulses mesures, qui refusent payer la dixme à Dieu, selon les us et coustumes d'ancienneté[a], qui empeschent les droits, privileges, et libertez de sainte Eglise, qui malicieusement mettent la main sur prestre, ou sur clerc ; ceux aussi qui durant le service divin vaquent aux jeux et spectacles ; à toutes telles manieres de gens, et autres excommuniez de droit ou de fait, nous commandons de sortir de ceans, et n'empescher le service divin.

Variante. [a] qui refusent... ancienneté] *om.* ChM. Lao. 1621, Rei. 1621, SBr.

Reims 1585, 1621
Amiens 1586, 1607. Châlons-sur-Marne 1606. Laon c. 1585, 1621
Senlis 1585. Saint-Brieuc 1605

[Admonestation et excommunication de coupables]

P2326 **Reims 1585 f. 98-100v**

Et quoniam aliquando mandat episcopus, vel eius officialis publicari aliquas monitiones, sacerdos in illis publicandis dicat quod sequitur.

Nous avons receu mandement de la part de... monsieur de N. nostre archevesque (ou evesque)... pour admonester... tous ceux et celles qui sçavent quelque chose, ou se sentent coulpables du contenu au dit mandement, duquel presentement vous sera faite lecture. Quiconque donc en aura la conscience chargée viendra en dedans huitaine à satisfaire... Autrement... le rejetterons honteusement de la communion des fideles, et le priverons de toutes les prieres et suffrages de l'Eglise.

... Nous avons à diverses fois admonesté ceux et celles qui se sentiroient coulpables... et pour ce qu'ils ont mesprisé l'obeissance et reverence qu'ils doivent à sainte Eglise, nous les declarons excommuniez...

Exhortatio qua poterit uti sacerdos, antequam ad sonitum campanae, et candelae extinctionem aliquem denontiet excommunicatum.

Peuple chrestien, tout ainsi qu'il n'y a mere plus gracieuse et liberale envers ses enfans que nostre mere sainte Eglise... Au contraire aussi, quand nous venons à nous oublier jusques là, que du tout nous dedaignons recevoir ses maternelles remonstrances, et obeir à ses saints commandements par plusieurs fois reiterez, elle use contre nous du dernier remede... qui est de nous degrader tout à fait du nom et qualité de chrestien... Laquelle punition nous appellons la grande excommunication... En pareil, quand on excommunie une personne, on tinte la cloche qui avoit esté sonnée tout à plein en signe de joye en son baptesme, et esteint on la chandelle, qui luy avoit esté baillée ardente, et la jette t'on par terre, en detestation de sa contumacité et obstination; et puis on le chasse hors de l'Eglise comme un payen et un Turc infidel [sic]...

Si neque post istam ultimam monitionem mandato Ecclesiae paruerint, sacerdos cum magno cordis moerore, et manifesta vultus tristitia, candelam tenens accensam, et clerico vel alio campanam sensim et lugubriter tinniente, pronunciet excommunicationem modo qui sequitur.

Vous voyez chrestiens, l'obstination et endurcissement de ces pauvres mal advisez... De la part donc et authorité de... monsieur de N. nostre archevesque (ou evesque) nous les declarons excommuniez, gravez, et aggravez, degradez du nom et tiltre de chrestien, retranchez du nombre et compagnie des fideles, forclos et bannis de l'Eglise, privez de tous les sacremens, prieres et suffrages d'icelle, et du tout delaissez à la puissance de l'ennemy.

Hoc dicens candelam extinguat, et in terram proiiciat, deinde subiungat:

Et defendons sur peine d'excommunication, à tous ceux et celles qui les congnoissent, ou pourront congnoistre à l'advenir, de frequenter, ou communiquer avec eux en quelque maniere que ce soit, en parole, priere, boire, et manger, les saluer, leur prester, ou donner chose aucune, jusques à ce qu'ils se soient humiliez et soubmis à nostre mere sainte Eglise, et faits absoudre comme il appartient.

Si publicè notus sit is qui excommunicatur, publice debet nominari, et omnibus praecipi, ne cum illo ullo modo communicent, hoc est, neque in verbo, neque in oratione, neque in salutatione, neque in communione, neque in cibo, vel potu, iuxta illud :
Os, orare, vale, communio, mensa negatur.

In quinque tamen casibus licet communicare cum excommunicatis, sine periculo excommunicationis, qui continentur hoc versiculo :
Utile, lex, humile, res ignorata, necesse.

Propter utilitatem enim, id est, salutem et conversionem excommunicatorum, possunt viri docti et prudentes loqui cum illis, et hortari illos, ut se submittant Ecclesiae. Sicut et propter legem matrimonii uxor potest communicare cum viro excommunicato, et contra. Propter humilitatem, liberi cum parentibus, servi et ancillae cum dominis. Ignorantia vero modo non sit crassa et affectata; et necessitas, quae non habet legem, excusant omnes.

Poitiers 1587, 1594

[Geoffroy de Saint-Belin]
Prosne et exhortations accoustumées avec prieres chrestiennes

Formulaire de Poitiers 1581 avec addition d'excommunications proférées par saint Paul.

P2327 **Poitiers 1587 f. 171**
Sainct Paul donc mesmes excommunie gens oisifs, ne voulans travailler en quelque vacation, ne servir de quelque estat, mestier ou labeur en une republique; et qu'un chacun entende que tous les mal vivans sont desja forclos par leurs pechez du Royaume de Dieu, mais que par penitence ils rentrent et y sont remis par la reception des sacremens. Avec ce il excommunie meurtriers, idolatres, yvrongnes, mal disans, et autres pecheurs scandaleux, et deffend qu'on ne boyve ne converse poinct avec eux.

Bourges 1588, 1593

Voir Paris 1497.

Gap 1588

[Pierre Paparin de Chaumont]
Instruction des curez et vicaires, pour faire le Prosne...

P2327bis **Gap 1588 f. 23**

Tous Notaires qui s'ingerent de donner les corps des mariez de leur autorité mesprisant le Pasteur, ceux qui y adsistent et tous sorciers, sorcieres, usuriers, usurieres, mal-vivans et qui sont sans crainte de Dieu, comme hereticques, schismaticques, tous prestres qui sont confidentaires [*sic*], et gardent les benefices pour les personnes laiques, heretiques, et les personnes qui prenent les fruits d'iceux benefices pour en priver le service de Dieu, et les pauvres, et tous ceux qui retiennent les dixmes et ont usurpé les terres et possessions appartenans à l'Eglise, changé les limites ou bornes, qui divisent une terre d'avec l'autre ou autrement en quelque maniere que ce soit, et ceux qui le sçavent, l'ont veu, ou ouy dire, et ne le revelent, sont excommuniez et agravez, et vous, peuple, sçachez que les dixmes par la loy de Dieu doivent estre payées aux gens et ministres de de l'Eglise, et si vous y faillez, il vous adviendra, comme l'on a veu advenir assez souvent, et l'Escripture saincte le nous aprend, que pour avoir retenu les biens et droicts de l'Eglise, que tout un peuple a esté travaillé de famine, d'inondation d'eaux, de secheresses, gresles, gelées, de la vermine, et de mauvais bestial qui a gasté les fruits de la terre...

Lyon 1589
Chalon 1605. Limoges 1596

[Lyon 1589: Pierre d'Espinac]
Sacra Institutio baptizandi.
Instructions des curez et vicaires pour faire le Prosne[29]

P2328 **Lyon 1589 f. 9v-10v** [Admonestation de coupables]

S'il y a quelque administration [admonition] à prononcer, le Curé dira.

Dieu le createur qui a la puissance et authorité de pardonner ou de retenir les pechez, a neantmoins ordonné en son Eglise le ministere de sa parole, par laquelle il a donné puissance aux apostres et à leurs successeurs qui sont les evesques, d'excommunier ou d'absouldre les pecheurs quand il leur a dict: *Quaecunque alligaveritis super terram,*

---

[29] Formulaire relié à la suite des *Sacra Institutio baptizandi* publiées en France de 1589 à 1618. Cf. Molin Aussedat n° 635, 1519 etc.

erunt ligata et in coelo: et quaecunque solveritis super terram, erunt soluta et in coelo. Tout ce que vous lierez en terre…³⁰

Parquoy ayant receu une certaine admonition de monsieur de N. nostre evesque et prelat, à la requeste de N. complaignant, je voudrois prier ceux ou celles qui se sentiront coulpables de ce qui y est contenu, qu'ils viennent de bonne heure à revelation ou satisfaction, afin que ne soyons contraincts de les separer et rejecter de la communion de l'Eglise par censure ecclesiastique, comme indignes de se trouver en si belle et si saincte compagnie. Car J. C. a dit, que celuy qui ne tiendra compte de nostre admonition, doit estre estimé et tenu comme Publicain et Gentil.

Quand il faudra prononcer sentence d'excommunication contre quelqu'un, le Curé dira.

Messieurs, vous sçavez que nous avons admonnesté par trois diverses fois celuy ou ceux qui sont coulpables du faict contenu en la complainte et lettre monitoire de N. … ains comme rebelles et obstinez pecheurs, ont contemné et mesprisé nostre admonition, nous sommes contraincts, à nostre grand regret, de les excommunier et priver de la compagnie de l'Eglise, de peur que pour eux, le reste ne soit corrompu et infecté. Soyez donc tous advertis que celuy ou ceux qui sont coulpables du peché scandaleux, pour lequel N. a formé complainte devant monsieur de N. nostre evesque et prelat… sont excommuniez, et privez de la compagnie de l'Eglise de Dieu, et forclos de Paradis, s'ils ne font penitence. Je leur defens l'assistance au service divin, et la participation des sacremens, et à vous de ne les saluër, ni parler, ni hanter, ni boire, ni manger avec eux, afin qu'ils ayent honte de leur offence, et qu'ils en facent penitence, et demandent pardon et absolution, satisfaisans à l'Eglise, laquelle ils ont par leur peché scandalizée, et à partie, laquelle ils ont interessée.

Cahors 1593

[Antoine Hébrard de Saint-Sulpice]
Forme de prieres et mandemens que les curez…
feront chascun jour de dimanche…

P2329 **Cahors 1593 f. 365v-366**

De l'authorité de Monseigneur nostre reverendissime Prelat, je denonce pour excommuniez tous sorciers, usuriers manifestes, blasphemateurs publiques du nom de Dieu, de la vierge Marie et des saincts et sainctes de paradis, tous ceux qui mettent feu aux eglises, maisons,

---

³⁰ Paragraphe absent de Limoges 1596, seconde partie, p. 186 (*Prosne du Curé*).

granges, et autres lieux pour les endommager, tous meurtriers, destrousseurs et voleurs des chemins et autres lieux. Toute personne que [*sic*] detient aucune chose apartenante a l'Eglise, ou ministres d'icelle, comme sont decimes, cens, rentes, legatz, obitz, et autres choses quelconques. Et aussi toute personne que retient ou cele rien d'autruy sans le congé et vouloir de celuy a qui apartient. Tous ceux et celles qui directement ou indirectement empeschent la jurisdiction ecclesiastique, ou qu'a ce faire donnent conseil, ayde ou faveur. Tous fauceurs de monoye, de prix, de mesure, et aulnage, de lettres apostoliques, ou de nostre reverendissime Prelat, ou de sa court ecclesiastique, des seaux [*sic*] ou seings d'icelle. Et qui empeschent les executions d'icelle, ou endommagent les huissiers ou messagers de ladicte court.

Vannes 1596

[Chapitre de Vannes, le siège épiscopal vacant]
Instructions des Curez pour faire Prosnes

P2330 **Vannes 1596 f. 183v**

[Formulaire très proche de Paris c. 1505-1581.]
Nous denonçons pour excommuniez tous sorciers et sorcieres, devineurs et devineresses, usuriers et usurieres, larrons et larronnesses, et tous ceux qui mettent la main violente sur prebstre ou clerc, sinon en son corps defendant, et autres cas permis de droict, et tous ceux qui malicieusement retiennent les biens et droictures de l'Eglise, et empeschent la jurisdiction d'icelle. Telle maniere de gens sont maudits et excommuniez s'ils ne viennent à amendement.

S'il y a en ceste Eglise aucuns ou aucunes qui soient en sentence d'excommuniement. Nous leur faisons commandement que sans delay, ils partent et s'en aillent hors de ceans, jusques à ce que le divin service soit fait et accomply.

Arras 1600

[Matthieu Moullart]
Benedictio fontium in Pascha et Pentecostes

Excommunication après la bénédiction des fonts à Pâques et à la Pentecôte.

P2331 **Arras 1600 p. 199**

Antequam sacerdos mittat chrisma in fonte, dicat populo verbis gallicis.

De l'authorité de nostre mere saincte Eglise et de nostre sainct Pere le Pape. En especial de par... Monseigneur l'Evesque d'Arras. Je vous defens sur peine d'excommuniment que nulz ne nulles n'emportent de ceste eaüe pour en user autrement qu'il ne appartient, et non point es choses contre la foy, mais en toutes choses honnestes et licites, et pour subvenir à Baptesme se besoing est et non en autres choses, et la gardez en vaisseau net comme il appartient, et par ainsi chascun se garde de mesprendre.

Arras 1600

Les Ordonnances faictes par messire François Richardot Evesque d'Arras[31]
*Comment les curez et recteurs se debvront conduire
quant aux admonitions, excommunications, et absolutions*

Arras 1600 p. XXXVI-XXXVIII

Quand les curez admonesteront quelque pecheur par ordonnance de leur superieur, à fin qu'il se retourne de son mesfait, ils mettront en avant la gravité du peché, defendu et soustenu par la contumace et opiniastreté du delinquant, et comment telle contumace proprement convenante au diable, pourroit causer un total abandonnement de Dieu, tellement que le transgresseur estant delaissé, pourroit par son obstination et dureté de son coeur, tomber en finale impenitence, qu'est droictement le peché contre le S. Esprit. Pareillement remonstreront lesdits curez, que l'admonestement qu'ils feront presentement pour reduire le pecheur, est la voix de l'Eglise, qui le revocque du mal. En quoy l'on doit recognoistre la vocation de Dieu, qui avec patience souffre et r'appelle le pecheur... remonstrant aussi le danger ou le pecheur se mect d'estre retranché par excommunication du corps mystic de nostre Seigneur J. C., fourclos de sa grace, de ses sacremens, et de la participation de son merite. ...

(XXXVIII) ... Et quand lesdicts curez absouldront ou declareront absouls ceux qui auroyent estez excommuniez, ils remettront en avant au peuple la joye que l'on doibt avoir sur le retour et conversion du pecheur, à l'exemple des anges de Dieu, qui font feste de la penitence dudict pecheur. ...

---

[31] Ces Ordonnances, imprimées en 1599 et reliées à la suite du rituel d'Arras 1600, ont aussi été publiées séparément en 1562 à Arras chez Claude de Buyens.

Paris 1601, 1615
Meaux 1617

[Paris 1601 : Henri de Gondi]
La maniere d'exhorter et admonester le peuple au prosne[32]...

P2333 **Paris 1601** f. 170

Nous denonçons pour excommuniez *tous heretiques, simoniaques et confidentiers qui prestent leurs noms pour tenir benefices contre tout droict divin et humain, ensemble* tous sorciers et sorcieres, devineurs et devineresses, usuriers et usurieres, larrons et larronnesses, *ceux et celles qui vendent à faux poids et fausses mesures*; et tous ceux qui mettent la main violente sur prestre ou sur clerc, sinon en eux defendant ; Et tous ceux qui malicieusement retiennent les biens et droicts de l'Eglise et empeschent la jurisdiction d'icelle. *Comme aussi tous ceux qui par ligatures et sortileges empeschent l'usage et consommation du sainct mariage ; et mesme aussi tous ceux qui durant le divin service vacquent aux jeux et spectacles des farceurs.* Telle maniere de gens sont maudits et excommuniez, s'ils n'en viennent à amandement.

Et aussi s'il y a en ceste Eglise aucuns ou aucunes qui soient en sentence d'excommunication ; nous leur faisons commandement de partir de ceans, jusques à ce que le divin service soit dict et accomply.

Pierre Milhard[33]

La vraye guide des curez... 1602, 1603, 1604, 1610, 1612, 1614, 1617, 1631
La forme de faire le Prosne pour tous les Curez et Vicaires de ce Royaume

P2334 *La vraye guide,* 1602 p. 549

Par l'authorité de Monseigneur nostre Archevesque, ou Evesque, sont declarez excommuniez, tous devins et devineresses, tous ceux qui mettent la main sur les Prestres, Clercs, ou Religieux, les battant et offençant notablement. Ceux qui entreprennent sur la jurisdiction ecclesiastique. Tous ceux aussi qui ne revellent les legats pies. Qui exposent sans extreme necessité leurs enfans aux hospitaux. Et qui ne payent les dixmes, y adjoustant ou diminuant selon la coustume de chasque particulier Diocese, ainsi qu'il sera porté par les constitutions d'iceluy.

---

[32] Les additions aux formulaires parisiens précédents c. 1505-1581 sont ici en italiques.
[33] Sur Pierre Milhard, voir infra Auteurs cités, p. 1942.

Toulouse 1602[34], 1614, 1621, 1636, 1641, 1653, 1664
Auxerre 1631

[Toulouse 1602 : François de Joyeuse]
Formulaire de Prosne

P2335 **Toulouse 1614 p. 9**

Par l'autorité de Monseigneur nostre Archevesque[a], sont declarez excommuniés, tous devins et devineresses, tous ceux qui sans licence entrent ez Monasteres des Religieuses; tous ceux qui mettent la main sur les Prestres, les battants et offençants : ceux qui entreprennent sur la jurisdiction ecclesiastique; tous ceux aussi qui ne revelent les legats pies; ceux qui exposent sans extreme necessité leurs enfans aux Hospitaux; ceux qui ne payent les Dismes; ceux qui lisent les livres heretiques; et les femmes qui couchent dans l'an leurs enfans dans le lict.

Variante. [a] Archevesque] Evesque Aux.

Rodez 1603. Vabres 1611

[Rodez 1603 : François de Corneillan]
Maniere de faire le Prosne au peuple ez jours de Dimanches

P2336 **Rodez 1603 p. 654-655**

De l'authorité de Monseigneur de Roudez nostre Prelat, nous denonçons pour excommuniez, tous magiciens, enchanteurs, devins, empoisonneurs, sourciers et sourcieres, notamment ceux qui abusent du nom de Dieu, et des choses sainctes, et qui par leurs enchantemens taschent de nuire soit aux hommes, ou autres creatures faictes pour leur usage. D'avantage tous symoniacles [sic], confidentiers, ou custodinos. Tous usuriers, adulteres, et concubinaires publiques, faux monnoyeurs, homicides et meurtriers volontaires : ceux et celles qui ayans mis leurs petits enfans dans le lict avant l'an et jour, les auroient suffoqués.

De mesme auctorité nous admonestons tous ceux qui detiennent injustement les biens de l'Eglise comme sont rentes, dismes, possessions, obits, legats, tiltres, documens, et semblables choses : et qui destournent, empeschent ou refroidissent autruy de les payer. Ceux aussi qui sciemment retienent billettes [sic], cedules, obligés, ou instrumens, en intention d'exiger et faire payer deux fois une mesme chose. Nous les exhortons de se recognoistre, restituer et satisfaire, sur peine d'ex-

---

[34] Édition disparue, attestée par la mention *Donné à Tolose le 4. Janvier 1602* à la fin des formulaires de 1614 et 1621.

communication, qu'en cas d'opiniatreté, et desobeissance, leur sera denoncée.

Cahors 1604, 1619

[Cahors 1604 : Siméon-Etienne de Popian]
Manuale proprium Parochorum Cadurcensium.
Forme de prieres et mandemens que les Curez…
feront chacun jour de dimanche…

P2337 **Cahors 1604 p. 62-63**
Par auctorité de Monseigneur nostre Evesque, je denonce pour excommuniez, tous sorciers, et noueurs d'esguilete [sic], blasphemateurs publiques du nom de Dieu, de la vierge Marie, et des saincts et sainctes de Paradis : tous ceux qui detiennent aucune chose appartenante à l'Eglise, ou aux Ecclesiastiques, comme sont dismes, cens, rentes, legats, obits, et autres choses quelconques, et que [sic] directement, ou indirectement, empeschent la jurisdiction ecclesiastique, ou qu'a ce donnent conseil, aide, ou faveur. Ceux qui lisent les livres heretiques, et les femmes qui couchent, dans l'an, leurs enfans, dans le lict, pour le danger de les suffoquer.

Chalon-sur-Saône 1605

Voir Lyon 1589.

Metz 1605, 1631

[Metz 1605 : Charles II de Lorraine]
Exhortationes et Preces, quae in Ecclesiis… singulis Dominicis fieri debent

Formulaire très proche de Reims 1585-1621.

P2338 **Metz 1605 p. 149**
De l'autorité de l'Eglise, nous dénonçons pour excommuniés, tous Heretiques, et Schismatiques, tous Simoniacles [sic] qui vendent ou acheptent benefices, ou prestent leurs noms pour les tenir iniquement, contre tout droict divin et humain, ensemble tous sorciers et sorcieres, devins ou devineresses, usuriers ou usurieres, ceux et celles qui vendent à faux poix et à faulses mesures, qui refusent payer le disme à Dieu, selon les us et coustumes d'ancienneté : ceux qui empeschent les droits, privileges, et libertés de la S. Eglise : et qui malicieusement mettent la main sur Prestre, ou sur clerc. A toutes telles sortes de gens, et autres

excommuniez de droict ou de faict, nous commandons de sortir de ceans, et de n'empescher le service divin.

Cambrai 1606, 1622, 1659
[Cambrai 1606 : Guillaume de Berghes]
Monitiones dominicales

2339   **Cambrai 1606 p. 158**
Nous denonçons pour excommuniez, tous sorciers, usuriers publicqs [sic], faulx dismeurs, lieurs d'esguillettes, et aultres usans de superstitions, et arts illicites; et en general tous ceux qui sont de faict excommuniez, par les ordonnances et constitutions des Evesques de Cambray, et denoncez : leur commandant de sortir hors de l'Eglise, ce pendant que paracheverons le sainct service de la Messe.

Évreux 1606, 1621
Lisieux 1608, 1661. Sens 1625. Troyes 1639
[Évreux 1606 : Jacques Davy du Perron]
Formulaire du Prosne…

2340   **Évreux 1606 f. 138v-139**
Nous denonçeons[a] pour excommuniez tous heretiques, schismatiques, sacrileges, magiciens, sorciers, charmeurs, devineurs et tous ceux qui y adjoustent foy, tous empoisonneurs, faux vendeurs et dixmeurs[b], usuriers, tous ceux qui mettent la main violente sur Prestre ou sur Clerc portant l'habit et la tonsure convenable à son Ordre, sinon en son corps defendant, ceux qui malicieusement retiennent les biens et droicts de l'Eglise, ou empeschent ses franchises, libertez et jurisdictions[c], et tous ceux qui par ligature ou autres moyens illicites mettent empeschement aux legitimes mariages. Mesmes conformément aux Decrets du dernier Concile de Roüen[d], nous denonceons encores pour excommuniez tous ceux[e] qui pendant le service de l'Eglise reçoivent les parroissiens en leurs maisons pour taverner, joüer, ou faire autre choses sans necessité, et ceux qui exercent en ce mesme temps leur trafic, charient sans necessité, ou font autre œuvre mechanique.

Item tous ceux qui acquierent aucun benefice, ou en pourchassent pour un autre par argent, ou autre appreciation de chose temporelle, et qui en font pact, ou accord directement ou indirectement.

Item tous Confidentiaires que l'on nomme vulguairement [sic] Custodinos[f], c'est à dire qui prestent leur nom à d'autres pour retenir les benefices que de droict ils ne pourroient pas garder, et tous ceux qui les y employent et s'en servent en quelque maniere que ce puisse être.

Toutes ces personnes sont maudites et excommuniées de l'Eglise, et mesmes les deux dernieres sortes sont obligées à quicter[g] le tiltre du benefice qu'ils tiennent et outre à restituer tous les fruicts, qu'ils ont ainsi receu injustement : voire les prestres deviennent irreguliers toutes les fois qu'en tel estat ils celebrent la[h] Messe.

Variantes. [a] denonçons] Tro. –[b] dismeurs] Tro. –[c] suppriment, divertissent ou celent les tiltres, papiers et enseignements qui luy appartiennent] *add.* Tro. –[d] Mesmes... Roüen] *om.* Sens. Tro. –[e] et ceux] ceux pareillement Tro. –[f] que l'on nomme... Custodinos] *om.* Tro. –[g] quitter] Tro. –[h] saincte] *add.* Tro.

Saint-Omer 1606

[Jacques Blaze]
De praedicatione

P2341 **Saint-Omer 1606** *Pars tertia*, p. 4-5 ch. par erreur 86-87

Declaramus vobis excommunicatos esse omnes haereticos, et schismaticos, et eos qui diabolicis praestigiis et ligaturis efficiunt ut novi coniuges convenire nequeant.

Item omnes praestigiatores, sortilegos, divinos ac maleficos.

Item omnes qui iura, possessiones, census aut bona Ecclesiae aut pauperum usurpant aut detinent.

Item omnes alios quos Ecclesia habet pro excommunicatis. Mandantes ut omnes huiusmodi personae hinc discedant, et ab omnibus evitentur. Denuncio autem vobis speciatim excommunicatum esse N. ab Episcopo nostro Audomarensi ob talem causam, ac proinde nemo eum salutet, comedat aut bibat, aut aliquo modo cum eo conversetur, non magis extra templum quam in templo.

Coutances 1609, 1618

[Coutances 1609 : Nicolas de Briroy]
Formulaire du Prosne...

P2342 **Coutances 1609** p. 260-261

Nous denonçons pour excommuniez tous heretiques, schismatiques, sacrileges, magiciens, sorciers, charmeurs, devineurs et tous ceux qui y croyent et adherent[a], tous empoisonneurs, faux dixmeurs et dismeresses[b], usuriers : tous ceux qui mettent la main violente sur Prestre ou Clerc, sur pere ou mere, sinon en son corps defendant : ensemble[c] tous ceux qui malicieusement retiennent les biens et droictures⁽ᵈ⁾ de l'Eglise, ou empeschent ses franchises, libertez et jurisdictions, et tous ceux qui par ligatures, sortileges, ou autres moyens illicites mettent empeschement aux legitimes mariages.

Item tous symoniacles⁽ᵉ⁾ qui acheptent et acquierent benefices, ou en pourchassent et traficquent⁽ᶠ⁾ directement ou indirectement⁽ᵍ⁾ pour autruy par argent, ou autre appretiation de chose temporelle.

Nous denonçons aussi pour excommuniez tous Confidentiaires, vulgairement appellez *Custodi nos*, c'est à dire, qui prestent leur nom⁽ʰ⁾ pour tenir benefices, et tous ceux qui sciemment⁽ⁱ⁾ les y employent et s'en servent pour cest effect.

Toutes et telles manieres de personnes sont maudictes et excommuniées de l'Eglise, jusqu'à ce qu'elles soyent retournéez⁽ʲ⁾ à Dieu par poenitence et condigne satisfaction.

Variantes Coutances 1618. ⁽ᵃ⁾ croyent et adherent] adjoustent foy. –⁽ᵇ⁾ et dismeresses] *om.* - faux vendeurs] *add.* –⁽ᶜ⁾ ensemble] *om.* –⁽ᵈ⁾ droictures] droicts. –⁽ᵉ⁾ symoniaques. –⁽ᶠ⁾ et traficquent] *om.* –⁽ᵍ⁾ pour soy ou] *add.* –⁽ʰ⁾ a d'autres] *add.* –⁽ⁱ⁾ sciemment] *om.* –⁽ʲ⁾ retournées.

Rouen 1611/1612
Avranches 1613. Le Mans 1647, 1662, 1680. Sées 1634. Soissons 1622

[Rouen 1611/1612: François de Joyeuse]
Formulaire du Prosne

2343 **Rouen 1611 p. 273**

Nous declarons excommuniez tous sorciers et sorcieres, devineurs et devineresses, tous ceux qui mettent la main sur Prestre et sur Clerc sans juste cause. Tous ceux qui retiennent malicieusement les biens et les droits de l'Eglise, ou qui usurpent la jurisdiction d'icelle. Tous simoniaques, et tous confidentiaires qui prestent leur nom à d'autres pour joüir des benefices. Tous ceux qui entrent à⁽ᵃ⁾ la closture des religieuses sans avoir licence. Tous ceux qui lisent, ou retiennent par devers eux les livres des heretiques, et autres livres prohibez et defendus.

Par les anciens Statuts synodaux, ceux là sont menacez aussi de l'excommunication⁽ᵇ⁾ qui faillent à assister par trois dimanches continuels à leur messe paroissiale, sans excuse legitime.

S'il y a aucuns en ceste compagnie qui soient en sentence d'excommunication, nous leur enjoignons de partir de ceans, jusqu'à ce que le divin service soit dit et accomply.

Variante Le Mans. ⁽ᵃ⁾ à] en. – ⁽ᵇ⁾ Par les anciens… excommunication] De la part de Monseigneur l'Evesque nous menaçons d'excommunication tous ceux

Rouen 1611/1612
Avranches 1613. Le Mans 1647, 1662, 1680
Sées 1634, 1695. Soissons 1622

[Rouen 1611/1612 : François de Joyeuse]
Exposition de la Doctrine Chrestienne[35]
Du Sacrement de Mariage

Excommunication visant ceux qui voudraient empêcher «l'œuvre du mariage».

P2344 **Rouen 1611 p. 340**
D'autant que la malice et l'impieté de plusieurs est si grande, qu'ils ont appris certaines inventions pour empescher l'oeuvre du Mariage, moyennant un contract et une alliance tacite qu'ils ont avec le diable, autheur et ministre de telle impieté, Nous declarons excommuniez tous ceux et celles qui disent des paroles, ou font quelque ligature à cette fin. Nous admonestons tous ceux et celles qui doivent contracter mariage, de se bien munir contre ces damnables inventions, par les Sacremens de l'Eglise, et par un bon examen de conscience, car l'Ange Raphaël dit à Tobie, *Que le diable n'a aucun pouvoir de nuire à ceux qui se marient en la crainte de Dieu.* Mais nonobstant cela, si Dieu permet par un jugement occulte qu'ils soient atteints de malefice, ils ne doivent user de remedes illicites pour estre delivrez, ains feront seulement ce que l'Eglise ordonne par le conseil des bons Docteurs et Peres spirituels.

Genève 1612

[François de Sales (saint)]

[Prône sans excommunications.]

Langres 1612

[Charles II d'Escars de Perusse]
Forme et maniere de faire Prosnes

P2344bis **Langres 1612 f. 123**
De l'auctorité de l'Eglise denoncer [*sic*] pour excommuniez tous sorciers et sorcieres, devins, enchanteurs, et tous ceux qui y adjoustent foy : tous usuriers manifestes, tous ceux et celles qui vendent à faux poids, et fausses mesures, qui detiennent sciemment aucuns dixmes,

---

[35] Enseignement doctrinal à lire au prône par parties chaque semaine.

censes, rentes, et autres biens appartenans à l'Eglise, et empeschent les droits et franchises d'icelle: Qui par trois Dimanches continuels defaillent d'assister à leur Messe parrochiale, sans legitime excuse ou empeschemens: qui violentement et temerairement mettent la main sur Prestre ou Clerc, sinon en soy defendant, qui battent, frappent, rudoient par effect leur pere ou mere, et les injurient.

Bourges 1616
[André Frémiot]
La façon de faire le Prosne ordinaire

2345 **Bourges 1616 f. 171**

Outre que nous sommes pour plusieurs raisons obligez d'observer ces saincts commandemens de Dieu et de l'Eglise: afin que nous le facions plus volontiers, nostre Seigneur nous promet une belle recompense, qui est la vie eternelle, à laquelle n'arriveront jamais ceux qui les transgressent, par quelque peché mortel, s'ilz ne s'en confessent, et n'en font digne penitence.

Et de plus l'Eglise pour nous retirer d'avantage de cette presumption et de certains pechez, excommunie tous sorciers et sorcieres, magiciens et magiciennes, devins et devines [sic], usuriers, et usurieres, ceux et celles qui retiennent ou desrobent les dismes deuës aux Eglises et Ecclesiastiques, ou qui outrageusement frappent un homme d'Eglise, et autres que vous pouvez sçavoir, pour vous garder de telles fautes.

Toul 1616, 1638, 1652

Absence de formulaires de Prône.

Nantes 1617, 1665

Absence de formulaires de Prône.

Saint-Malo 1617
[Guillaume Le Gouverneur]
Prosne, que l'on doit faire en la saincte Messe, aux jours de Dimanche, recue en la saincte Eglise Catholique Apstolique et Romaine

2346 **Saint-Malo 1617 p. 6**

… nous … declarons excommuniez tous heretiques et schismatiques: ceux aussi qui lisent, ou tiennent des livres prohibez ou censurez.

Davantage nous declarons pour excommuniez de l'authorité de Monseigneur N. nostre Prelat, tous sorciers, sorcieres, magiciens, enchanteurs, devins, ou devineresses, avec ceux et celles qui les consultent, et adherent, usuriers, usurieres, etc.

Icy l'on peut adjouster telles autres censures d'excommunication, que Messieurs les Evesques jugeront estre plus expedient de faire publier en leurs Dioceses, comme ce qui est specifié au 42. article de la premiere partie des Statuts de Monseigneur l'Evesque de S. Malo, page 147. 148. et 149. de la premiere edition.

Vannes 1618, 1631, 1692 (?), 1711, 1726, 1771[36]

[Vannes 1618 : Jacques Martin]
La forme de faire le Prosne pour tous les Recteurs et Vicaires de ce Diocese[37]
Rituel Romain, pour bien administrer les Sacremens... **Rennes, 1728**[38]
Prosne

P2347   **Vannes 1618 p. LXVII-LXVIII**

De l'auctorité de l'Eglise, sont declarez excommuniez tous heretiques, simoniaques, confidenciers, custodinos[39], falsaires, magiciens, tous sorciers et devins, ceux qui d'eux prennent conseil ou qui lisent ou retiennent quelque livre d'heresie ou magie, larrons, meurtriers, boutefeux, guetteurs de chemins, concubinaires, usuriers, ceux qui vendent à faux poids et[(a)] mesure, ceux qui contractent mariages clandestins, qui y assistent ou y portent faveur et ayde, ceux qui par charmes, neuds d'eguillette et autres enchantemens taschent de nuire à quelqu'un, soit en sa personne ou en ses biens, ceux qui abusent des choses sacrées, ou qui se servent de billets, de mots tirez de l'Escriture saincte, de mots incogneus[(b)], ou conjurations pour guerir de quelque maladie, ou usent de quelqu'autre superstition pour obtenir ou jouïr de quelque chose, qui refusent de payer les dismes et autres rentes deuës à l'Eglise, qui entreprennent sur sa jurisdiction et franchise[(c)], les fabriques et procureurs des Eglises et Chappelles qui ne se comportent soigneusement en leurs charges, et qui ne rendent fidele conte[(d)] de ce qu'ils ont touché, qui ne revelent les legats[(e)] testamentaires et autres choses pieusement ordonnées, tous ceux qui mettent les mains violentes sur Prestres ou Clercs sans estre contraints de se defendre selon les cas permis de droict.

---

[36]   Addition dans les éditions 1631 et 1726 de la traduction (?) du prône en breton vannetais.
[37]   Les excommunications diffèrent du formulaire de Pierre Milhard, *La vraye guide des curez*, principale source de ce rituel. Voir supra P2334.
[38]   Molin Aussedat n° 1688. Prosne, p. 281-283.
[39]   Custodinos : ceux qui étaient, de nom seulement, titulaires d'un bénéfice ecclésiastique, avec l'obligation de le remettre un jour au véritable possesseur (Huguet, *op. cit.*, p. 690).

Tels et semblables pecheurs excommuniez ne peuvent participer au sainct sacrifice de la Messe, ny aux prieres publiques, et divins mysteres qui restent à celebrer, et leur est commandé[(f)] sortir et se retirer jusques à ce qu'ils ayent faict penitence et obtenu absolution.

Variantes. (a) fausse] *add.* Rit. rom. –(b) inconnus] Vannes 1726-1771. Rit. rom. – (c) franchises] Rit. rom. –(d) compte] Vannes 1726-1771. –fidel compte] Rit. rom. – (e) legats] legs Vannes 1726. Rit. rom. –(f) de] *add.* Rit. rom.

Poitiers 1619, 1637, 1655

[Poitiers 1619 : Henri-Louis Chasteigner de La Rocheposay]
Rituel romain, pour bien et deüement administrer les Sacremens de l'Eglise…
Lyon 1629, 1634, 1640 [prône daté 1639], 1645, 1649, 1652, 1667[40]
La Forme de faire le prosne les dimanches.
Pour tous les Curez et Vicaires de ce Diocese

2348 **Poitiers 1619 f. A7**
Ceux qui gardent les commandemens de Dieu et de sa saincte Eglise soient benits et absouls : ceux qui font au contraire, comme tous devins et devineresses, sorciers et sorcieres : ceux qui mettent la main violente sur prestre, clerc et religieux pour les offencer notablement : ceux qui entreprennent sur la juridiction ecclesiastique, tous ceux qui recellent les testaments et legats pies des trespassez, ne les revellants à qui il appartient. Qui retienent injustement les dixmes et autres biens d'Eglise, sont declarez excommuniez de l'authorité de Monseigneur le Reverend Evesque de Poictiers[(a)].

Variante. [(a)] de l'authorité… Poictiers] *om.* Rom.

Angers 1620, 1626, 1676, 1735

[Angers 1620 : Guillaume Fouquet de La Varenne]
Prosne pour les jours de Dimanche

2349 **Angers 1620 p. 504-505**
De l'authorité de l'Eglise nous denonçons pour excommuniez, tous sorciers, devins et magiciens, tous ceux qui par ligatures ou autres charmes empeschent la consommation et usage du mariage ; et tous autres qui usent d'arts diaboliques et magiques, et qui ont recours à eux, ou leurs adherent, lisent ou retienent aucuns[41] livres de magie ;

---

[40] Molin Aussedat n° 1650, 1651bis, 1653, 1656, 1658, 1660, 542.
[41] aucuns] quelques Angers 1676, 1735.

tous ceux qui mettent les mains violentes sur prestres ou clercs[42], sinon en se defendant; larrons, usuriers et faux dismeurs, ou qui vendent à faux poids et mesure; tous heretiques, et autres qui lisent ou retiennent leurs livres sans legitime permission, ou qui assistent à leurs presches et autres ceremonies de leurs sectes: tous simoniaques, confidens et confidentiaires, c'est à dire qui vendent ou achetent Benefices Ecclesiastiques, qui les gardent pour autruy, et font[43] garder pour jouïr des revenus d'iceux sous nom emprunté, et pareillement tous ceux qui s'entremettent pour monnoyer la simonie ou confidence: tous ceux qui usurpent ou retiennent malicieusement les biens et droicts de l'Eglise, divertissent, suppriment, ou celent les chartes, tiltres [sic] ou enseignemens qui luy appartiennent: et pareillement tous ceux qui usurpent et empeschent la jurisdiction de l'Eglise, et la troublent en ses privileges et franchises.

Et d'autant que les choses sainctes ne doivent estre communiquées sinon à ceux qui en sont dignes: suivant l'ancienne discipline de l'Eglise, et de l'authorité d'icelle, nous commandons à tous excommuniez de sortir presentement de ce sainct lieu, comme indignes de participer aux prieres publiques, et divins mysteres, qui restent à celebrer.

Évreux 1621

Voir Évreux 1606.

Soissons 1622

Voir Rouen 1611/1612.

Arras 1623, 1644
Tournai 1625

[Arras 1623: Hermann Ortenberg]
Exhortationes et preces dominicales

P2350 **Arras 1623** p. 286. **Tournai 1625** p. clxvii

Nous denonçons pour excommuniez tous sorciers, devins, lieurs d'esguillettes, et autres usans de superstitions et arts diaboliques: les usuriers publiques, fau-dismeurs [sic], et en general, tous ceux, qui par les

---

[42] tous ceux qui s'emportent à frapper ou faire violence aux Prestres ou aux Clercs] Angers 1676, 1735.
[43] et les font] Angers 1676, 1735.

constitutions ou sentences de l'Eglise sont excommuniez : et leur commandons[a] de sortir, pendant que[b] se fera le sainct service de la Messe.
Variantes Arras 1644. [a] à tous] *add.* –[b] *tandis que.*

Sens 1625

Voir Évreux 1606.

Saintes c. 1625[44], 1639, 1655

[Saintes c. 1625 : Michel Raoul de La Guibourgère]
Formulaire de prosne pour tous les recteurs et vicaires du Dioceze de Saintes

2351 **Saintes 1639 p. 14-15**
De l'authorité de nostre mere saincte Eglise, et de Monseigneur nostre Evesque, sont declarez excommuniez tous Sorciers, Devins, Magiciens, et qui usent d'arts diaboliques, ont recours à eux ou leur ad'herants, tous ceux qui mettent les mains violentes sur Prestres ou Clers, les battent et offencent, tous ceux qui entreprennent sur jurisdiction, biens, et droicts ecclesiastiques, et qui ne payent les dismes justement, ceux qui lisent les livres heretiques, ceux qui n'ont faict la communion à la feste de Pasque derniere.

De la mesme authorité de nostre Mere saincte Eglise et de mondict Seigneur de Saintes, un chacun des habitans est commandé d'assister à la Messe parrochiale, pour le moins de trois dimanches l'un s'il n'a legitime empeschement, sous peine d'excommunication.

Bayeux 1627
[Jacques d'Angennes]
Formulaire du Prosne

2352 **Bayeux 1627 p. 421-423**
De l'authorité de l'Eglise et de Monseigneur nostre Evesque sont declarez excommuniez et tels nous denonçons tous heretiques et schismatiques, tous magiciens, sorciers, charmeurs, devineurs et ceux qui y adjoustent foy, mesmes ceux qui sans deuë licence lisent ou gardent sciemment chez eux les livres des heretiques, sorciers, atheistes ou autres livres defendus par le S. Siege de Rome : Tous empoisonneurs, usuriers et tous ceux qui vendent à faux pois [*sic*] ou fausse mesure, tous ceux qui violen-

---

[44] Saintes c. 1625 : édition disparue, attestée par l'ordonnance de Michel Raoul, évêque de Saintes de 1618 à 1631, en tête du prône de 1639.

tement mettent la main sur Prestre ou sur Clerc portant la tonsure et habit convenable à son Ordre, sinon en leur corps defendant, tous ceux qui retiennent ou empeschent malicieusement les dixmes, rentes ou autres biens et droicts de l'Eglise, ou qui usurpent la jurisdiction d'icelle, tous ceux qui sans licence entrent en la closture des Religieuses, tous simoniaques qui par argent ou autre appreciation de chose temporelle font paction [accord] pour eux ou autres de benefices, et tous confidentiaires c'est à dire tous ceux qui gardent quelque benefice pour autruy et ceux qui en prennent le revenu sous le nom de tels gardiens, ensemble ceux qui tiennent des benefices avec paction et promesse de les retroceder et resigner en faveur d'autruy et ceux qui ont éxigé cette promesse, et conformément au Decret du Concile Provincial de Rouen de l'an 1581, tous ceux qui pendant le service de l'Eglise reçoivent les parroissiens en leurs maisons pour taverner, joüer, ou faire autre choses sans necessité, et ceux qui exercent en ce mesme temps leur trafic, charient sans necessité, ou font autre œuvre mechanique. Comme aussi par les anciens Statuts Synodaux de ce Diocese tous chefs de maison qui sans excuse legitime defaillent trois dimanches continuels à leur messe paroissiale sont menacez de la mesme peine.

S'il y a en cette Eglise de quelque sexe ou qualité que ce soit qui pour telles fautes ou autrement soient en sentence d'excommunication, nous leur enjoignons de sortir, jusques à ce que le divin service soit dit et accomply.

Chartres 1627, 1639, 1640, 1680, 1689

[Chartres 1627, 1639, 1640 : Léonor d'Estampes de Valançay]
Prosne pour les jours de Dimanche

P2353 **Chartres 1639 p. 445**

Nous denonçons aussi pour excommuniez tous heretiques, et autres qui lisent leurs livres sans permission, ou qui assistent à leurs presches et ceremonies de leur secte : tous simoniaques qui vendent ou acheptent Benefices, ou donnent conseil et aident pour les vendre ou achepter ; tous confidenciaires qui prestent leurs noms pour faire jouyr des benefices, ou qui les gardent pour autres que pour eux ; tous schismatiques, sacrileges, magiciens, sorciers[a], devins, noüeurs d'esguillettes, et autres qui en quelque façon que ce soit empeschent l'accomplissement et usage des Mariages[b], et à cet effect ou autrement retienent et se servent de livres de magie ; tous larrons, usuriers, faux vendeurs et faux dismeurs, ceux qui mettent la main violente sur Prestres ou Clercs estans en habit, sinon en leurs corps deffendans ; tous ceux qui malicieusement usurpent et retiennent les biens et droicts de l'Eglise, empeschent ses libertez, franchise et jurisdiction : ou suppriment, divertissent, ou celent les tiltres, papiers, et enseignements qui luy appartiennent.

Et d'autant qu'il ne faut communiquer les choses sainctes aux indignes, suivant la bonne et ancienne coustume de l'Eglise, nous commandons à tous excommuniez de sortir presentement de ce lieu, comme indignes de participer aux saincts mysteres et prieres publiques qui restent à celebrer.

Variantes. [a] magiciens, magiciennes, sorciers, sorcieres] Chartres 1680, 1689. –[b] l'accomplissement, usage, et consommation du saint Mariage] Cha. 1680, 1689.

Rituel romain, pour bien et deüement administrer les Sacremens de l'Eglise...
Lyon 1629, 1634, 1640 [prône daté 1639], 1645, 1649, 1652, 1667

Voir Poitiers 1619-1655.

Paris 1630, 1646, 1654, 1697, 1701, 1777
Beauvais 1725. Boulogne 1647. Bourges 1666[45]
Châlons-sur-Marne 1649
Mâcon 1658. Noyon 1631. Troyes 1660

[Paris 1630 : Jean-François de Gondi]

Paris 1630, *Prosne pour les jours des saincts dimanches*, p. 101-102.
Boulogne 1647, *Prosne pour les jours des saints dimanches*, p. 521-522.
Mâcon 1658, *Prosne ordonné à tous les Curez de ce Diocese*, p. 17.
Beauvais 1725. *Pronaum*, p. 556-557. [Formulaire de Paris 1697-1777.]

2354 **Paris 1630 p. 101-102**

Nous denonçons pour excommuniez, tous heretiques, tous simoniaques, qui vendent ou acheptent benefices, ou donnent conseil et ayde pour les vendre et achepter, tous confidentiers[a] qui prestent leurs noms, ou empruntent les noms d'autruy pour tenir benefices, ou qui les gardent pour autres que pour eux, tous schismatiques, magiciens et magiciennes, sorciers et sorcieres, devineurs et devineresses, noüeurs d'esguillettes, et autres[b] qui par ligatures et sortileges empeschent l'usage et consommation du sainct Mariage, tous ceux et celles qui se marient hors de leurs paroisses sans licence[c], tous larrons et lar-

---

[45] Voir *infra* Bourges 1666 (P2373).

ronnesses[d], usuriers et usurieres, tous ceux et celles qui vendent à faux poids et fausses mesures[e], tous ceux qui mettent la main violente sur prestre ou clerc, sinon en leur corps defendans[f], tous ceux qui malicieusement usurpent et retiennent les biens et droicts de l'Eglise, empeschent sa jurisdiction, ou suppriment, divertissent, ou celent les tiltres, papiers et enseignemens qui luy appartiennent, et aussi tous ceux qui durant le divin service vacquent aux jeux et spectacles des farceurs[g] : telle maniere de gens sont[h] mauditz et excommuniez s'ilz ne[i] viennent à amendement[j].

Et d'autant qu'il ne faut communiquer les choses sainctes aux indignes suivant la bonne et ancienne coustume de l'Eglise[k], nous commandons à tous excommuniez de sortir presentement de ce sainct lieu comme indignes de particper aux saincts mysteres, et prieres publiques[l], jusques à ce que le divin service soit dit et accomply[m].

On vous avertit de la part de Monseigneur l'Archevêque de Paris[n], que selon le saint Concile de Trente, et les Statuts synodaux de ce Diocèse, tous Paroissiens ayent soin d'assister assiduement à la Messe paroissiale, aux Prônes, et Instructions qui se font en leurs paroisses les saints jours de dimanches[o].

Variantes. [a] confidentiers] confidentiaires Pa. 1697. Bea. –[b] noüeurs… autres] et ceux Pa. 1697-1777. Bea. –[c] licence] permission Bea. Bou. ChM. Mâ. Pa. 1646-1777. Tr. –[d] larrons et larronnesses] *om.* Bea. Bou. ChM. Mâ. Pa. 1646-1777. Tr. –[e] tous ceux et celles… mesures] *om.* Bea. Bou. ChM. Mâ. Pa. 1646-1777. Tr. –[f] sinon… defendans] *om.* Tr. – [g] ou qui reçoivent les paroissiens en leurs maisons en ce mesme temps pour taverner, joüer, ou faire autre chose semblable sans necessité, ou enfin qui exercent leurs trafics, et charient ou font autre oeuvre mechanique sans necessité] *add.* Tr. –[h] sont] demeureront Bea. Bou. ChM. Mâ. Pa. 1646-1777. Tr. –[i] s'ilz ne] jusques à ce qu'ils Bea. Bou. ChM. Mâ. – Pa. 1646-1777. Tr. –[j] et soient absous de l'Eglise] *add.* Bea. Bou. ChM. Mâ. Pa. 1646-1777. Tr. –[k] suivant… Eglise] *om.* Bou. Mâ. Pa. 1646. Tr. – [l] Et parce qu'il ne faut pas communiquer les choses saintes à ceux qui en sont indignes, nous commandons à tous excommuniez de sortir présentement de ce lieu] Bea. Pa. 1697-1777. –[m] jusqu'à ce que… accomply] *om.* Bea. Pa. 1646-1777. –[n] Archevêque de Paris] Evêque Bea. – Monseigneur de Noyon] No. –[o] On vous avertit… dimanches] *om.* Bou. ChM. Mâ. Tr.

Auxerre 1631

Voir Toulouse 1602.

Noyon 1631

Voir Paris 1630-1777.

Vannes 1631, 1692 (?), 1711, 1726, 1771[46]

[Vannes 1631 : Sébastien de Rosmadec]

La forme de faire le Prosne pour tous les Recteurs et Vicaires de ce Diocese.

Voir Vannes 1618.

Vannes 1631, 1692 (?), 1711, 1726

[Vannes 1631 : Sébastien de Rosmadec]

An form da ober an Pron e Brezonec, euit en ol Personet, Curéer, ha Vicairet és an Diocés à Guennet[47]

[Il s'agit du plus ancien texte connu en breton vannetais, proche du prône français de Vannes 1618, relié ici à la suite du rituel de 1631[48]].

2355 **Vannes 1631** p. 11-12. **Vannes 1726** p. 15-17 [orthographe différente de 1631].

Dré en authorité ac en Ilis, è maint discleret, dé vout scommuniget, en hol heretiquet, simoniaquet, confidencieret, custodinozet, faussonnerien, magiciennet, en hol sorcerion, ha devinerion, er ré à guemer conseil degant té, er ré à len nac a dalh en ho demeurance, livreu ac en huguenaudage, pé à sorcerie, er lairon er muntrerion, er ré à leca en tan è madeu hou amesion, er ré à mir en henteu eüit [= evit] pillal, concubinerion, ususrerion, en ré à guerz dré fals poix ha faulx musur, er ré à contracté dimenigueu clandestin, er ré à assisté en hé, pé a douc secour pé faveur dou ober, er ré à neat dré charmeu hac enchantementeu, er ré à abus ac en treu sacre, er ré a hem servige à bolletenneu ha guierieu tennet ac er scritur sacret pé à coniurationeu, eüit guelhat dur cleuuet benac, ra pé superstition eüit obtening pé Iouissinf ac un dra benac, er ré a refus payng en deaugueu pé ranteu aral deleet den Ilis, er ré à entrepren oar er Iuridiction hac er franchis ac en Ilis, er fabriquet hac er procurerion en Ilizieu hac er Chapeleu pé ré na hem comportantquet lealement è nou carc, ha na dacorantquet fidel conte ac anpeh ou dés touchet er ré na revel ha na accomplisse en testamenteu à zo legitimement ordrennet, er ré à leca hou dorn dré malice de offanceing en tut à Ilis, nameit eüit hem

---

[46] Addition dans les éditions 1631-1726 de la traduction (?) du prône en breton vannetais.

[47] Ce prône a été édité par J. Loth, « Le plus ancien texte suivi en breton de Vannes », *Annales de Bretagne*, 20 (1904-1905), p. 341-350, et par É. Ernault, « Nouvelles études vannetaises », *Revue Morbihanaise*, 1905, p. 81-92. Éditions fautives d'après G. Le Menn, professeur de breton à l'université de Brest en 1970. Titre de l'édition 1726 : *Er Pron é Brehonnec Guuenet*. L'orthographe est modifiée. Édition Vannes 1771 : le prône en breton, sans mention de Vannes, est différent. – Titre des éditions 1692 (?), 1711, 1726 : *Er Pron é Brehonnec Guuenet*. L'orthographe est modifiée. Édition Vannes 1771 : le prône en breton, sans mention de Vannes, est différent.

[48] Voir *supra* le texte français de Vannes 1618.

diffuen eval meidy permettet dré er guir canon, er reman ol ha peherion aral scommuniget né ellantquet participeing er sacrifice ac en Offeren, nac er pedenneu public, dré endrazé mar dés necum er compaignonnech presant, è mant advertisset da monnet ermés ac an Ilis, qué nou devogroeit penigen hac obtenet absolven.

Genève 1632, 1643

[Genève 1632: Jean-François de Sales]
Supplément du rituel romain. Disposé pour le Diocese de Geneve…
Formulaire de prosne dressé pour l'evesché de Genève

P2356 **Genève 1632 p. 91-92**

[Formulaire des rituels romains imprimés à Lyon de 1629 à 1667, identique à Poitiers 1619-1655, P2347.]

Ceux qui gardent les Commandemens de Dieu et de la saincte Eglise, soient benis et remplis du sainct Esprit; ceux qui sont au contraire, comme tous devins et devineresses, sorciers, et sorcieres: ceux qui mettent la main violente sur les Prestres, Clercs, et religieux pour les offenser notablement: ceux qui entreprennent sur la jurisdiction ecclesiastique, tous ceux qui recellent les testamens et legats pies des trespassés, ne les revelans à qui il appartient; qui retiennent injustement les dismes, et autres biens de l'Eglise, sont declarés excommuniés.

La benediction de Dieu descende et demeure à jamais sur vous, au nom du Pere, ec.

Sées 1634

Voir Rouen 1611/1612.

Beauvais 1637

[Augustin Potier]
Prosne pour les jours des saincts dimanches

Formulaire proche de Paris 1630.

P2357 **Beauvais 1637 p. 264-266**

De l'authorité de l'Eglise, nous denonçons pour excommuniez, tous heretiques, et autres qui lisent ou retiennent leurs livres sans permission legitime, ou qui assistent à leurs presches; tous simoniaques, qui vendent ou acheptent benefices, ou donnent conseil et ayde pour les vendre et achepter, tous confidentiers qui prestent leurs noms, ou empruntent les noms d'autruy pour tenir benefices, ou qui les gardent pour autres que pour eux, tous schismatiques, sorciers, devins, magiciens, et tous ceux qui ont recours à eux, lisent ou retiennent aucuns livres de magie; tous noüeurs d'esguillettes, et autres qui par ligatures, charmes et sortileges empeschent l'usage et consommation du sainct Mariage, tous ceux et celles qui se marient hors de leurs paroisses sans licence, tous larrons, usuriers, faux dismeurs, et tous ceux qui vendent à faux poids et fausses mesures, tous ceux qui mettent la main violente sur Prestre ou Clerc, sinon en leur corps defendans, tous ceux qui malicieusement usurpent et retiennent les biens et droicts de l'Eglise, empeschent la iurisdiction d'icelle, ou suppriment, divertissent, ou celent le titres, papiers et enseignemens qui luy appartiennent; et tous ceux qui durant le divin service vacquent aux jeux et spectacles des farceurs: telle maniere de gens sont mauditz et excommuniez s'ilz ne viennent à amandement.

… Nous commandons à tous excommuniez de sortir presentement de ce sainct lieu…

Béziers 1638

Prône sans excommunications.

Troyes 1639

Voir Évreux 1606, 1621.

Rouen 1640, 1651, 1707

[Rouen 1640: François Ier de Harlay]
Formulaire du Prosne

Formulaire de Rouen 1611 légèrement développé.

2358 **Rouen 1640** p. 407-408; **Rouen 1651** pars I p. 31-32; **Rouen 1707** p. 193-194

Nous declarons excommuniez tous sorciers et sorcieres, devineurs et devineresses, tous ceux qui mettent la main sur Prestre, sur Clerc, sur pere, et sur mere. Tous ceux qui retiennent les biens de l'Eglise, ou en usurpent les droits, et la jurisdiction[a]. Tous simoniaques, et tous confidentaires qui prestent leur nom à d'autres pour joüir des benefices[b]. Tous ceux qui entrent en la closture des Religieuses sans avoir licence. Tous ceux qui lisent, ou retiennent par devers eux les livres des Heretiques, et autres livres prohibez et defendus. Tous ceux qui troublent l'ordre des Paroisses, et qui au mespris des anciens statuts Synodaux, n'assistent, ou empeschent les autres d'assister par trois dimanches continuels à la Synaxe, comme parle l'Eglise primitive, c'est à dire à l'Office divin de la Congregation des Fidelles et Messe paroissiale, sans excuse legitime[c].

S'il y a aucuns en ceste compagnie qui soient en sentence d'excommunication, nous leur denonçons de la part de Dieu vivant, qu'ils ayent à sortir et à laisser l'Eglise (de laquelle ils sont retranchez) exercer librement son sainct ministere.

Additions Rouen 1651 tome I, p. 31-32 : [a] et qui, directement ou indirectement en empeschent la pleine, entiere et libre joüissance. –[b] Et ceux qui sans la permission de l'Eglise, font part de leurs benefices à ceux qui leur ont fait tomber entre les mains, soit Patrons, soit Entremetteurs : quand il ne seroit question que de se faire décharger de la Dixme, ou de se la faire diminuer. –[c] Lesquels S. Paul appelle Deserteurs de Congregation et Collecte, et Enfants de Soustraction, qui les meine à la perte de leurs Ames.

Rouen 1640, 1651

[Rouen 1640 : François Ier de Harlay]
Rouen 1640, *Exposition de la Doctrine Chrestienne. Du Sacrement de Mariage*
Rouen 1651, *Formulaire d'instructions paroissiales*, pars I, p. 378

P2359 **Rouen 1640 p. 460**
Et d'autant que la malice et l'impieté de plusieurs est si grande, que l'Enfer leur a forgé des inventions pour empescher l'oeuvre du Mariage, par voyes de superstition et de sacrilege : Nous declarons excommuniez tous ceux et celles qui disent des paroles, ou font des ligatures à cette fin. Nous admonnestons ceux et celles qui doivent contracter mariage, de se bien munir contre ces damnables inventions, par un bon examen de conscience, et par les Sacremens de l'Eglise. Car l'Ange Raphaël dit à Tobie… [la suite comme Rouen 1611]

Bordeaux 1641, 1672

[Bordeaux 1641 : Henri d'Escoubleau de Sourdis]
Prosne pour le Dioceze de Bourdeaux

P2360 **Bordeaux 1641 p. 15-17**
De la part de Dieu tout puissant, et de l'authorité qu'il luy a pleu commettre à Monseigneur nostre Archevesque, et primat, nous denonçons pour excommuniés tous heretiques et schismatiques, tous divins

et divineresses, sorciers, sorcieres, noüeurs d'eguillete [sic], faiseurs, ou donneurs de brevets pour guerir de quelque maladie que ce soit; et generallement tous magiciens, et ceux qui s'y fient, comme aussi ceux qui mettent la main violemment sur les prestres, et clercs tonsurés, les battans, ou offençans; ceux qui font violence aux Eglises, ou lieux sacrés au service divin: tous ceux qui entreprennent sur la juridiction ecclesiastique, et tous ceux qui retiennent les biens de l'Eglise, tiltres, papiers, le sçachans, et autres sacrileges: comme aussi tous ceux qui se battent en duel, ou les favorisent, et aydent en cette execrable manie: comme aussi tous ceux qui recellent ou retiennent les legats pies: car toute maniere de gens sont maudits, et excommuniés, c'est à dire separez et retranchés de l'Eglise, qui est le corps mystique de J. C. privés de la communion des fideles, et de la participation des sacremens, prieres, merites et bonnes oeuvres de l'Eglise, et sepulture chrestienne: bref sont en estat de damnation s'ils n'en viennent à penitence. Et par ce s'il y en a en ceste Eglise aucuns de ceste qualité, ou qui soient autrement excommuniés, ou interdits, nous leur faisons commandement de sortir hors, jusques à ce que le divin service soit fait et accomply, et defendons qu'on ne converse avec eux.

De la part aussi de mondit Seigneur sont admonestés, sur peine d'excommunication, tous ceux qui manient le bien de l'Eglise, d'en rendre bon et fidel compte, n'en retenir rien au bout de l'an entre leurs mains, ny les employer à autre usage, qu'au service de ladite eglise, à quoy ils sont destinés.

Sur pareille peine tous les chefs de famille sont admonestés de ne passer trois dimanches consecutifs, sans ouyr la messe parrochialle, ou celle de l'Eglise metropolitaine, sans legitime empeschement, comme aussi de se confesser, et communier à Pasques à leur propre curé, ou de sa licence, ou de mondit Seigneur.

Sont aussi admonestés tous les notaires, qui au moins un mois apres avoir receu les legats pies, ne les portent aux curés, ou ouvriers, ou à ceux à qui appartiennent, sur semblables peines.

Sont aussi admonestés tous faux dixmeurs, tous ceux qui vendent à faux poids ou fausses mesures, et qui en quelque façon que ce soit, fraudent, ou trompent leur prochain, de venir à amandement: afin qu'au lieu de la damnation, qu'ils acquierent par ceste voye, ils puissent gaigner le Royaume des cieux, par le chemin de la vertu, lequel l'Eglise nous enseigne.

Vous vous souviendrez aussi d'exercer les oeuvres de misericorde…

Saint-Omer 1641

[Christophe de France]
Monitiones et Preces dominicales

P2361 **Saint-Omer 1641 p. 345-346**

Declaramus excommunicatos omnes haereticos, schismaticos, item eos qui iura et possessiones aut bona Ecclesiae usurpant et detinent: omnes etiam praestigiatores, sortilegos, divinos ac maleficos, et qui diabolicis artibus et ligaturis efficiunt ut novi Coniuges convenire nequeant. Denique omnes illos quos Ecclesia habet pro excommunicatis.

Auch c. 1642 et province d'Auch[49]

[Auch c. 1642: Dominique de Vic]
Formulaire du Prosne

P2362 **Auch c. 1642 p. 609-610**

[Les excommunications reprennent les cas réservés avec excommunication à l'Archevêque d'Auch[50] avec addition de:]

10. Ceux qui ayans en leur pouvoir les enfans nouvellement nez, ne les font baptizer dans le huictiéme jour de leur naissance. Cette excommunication n'est pas réservée.

Cahors 1642

[Alain de Solminihac]
Formulaire du prosne... de Caors...

P2363 **Cahors 1642 p. 105**

Nous declarons que tous ceux la sont excommuniez qui vient [sic] de magie, sorcelerie, divination, enchantements et malefices: tous sacrileges, violateurs des privileges de l'Eglise: ceux qui battent et exedent [sic] personnes ecclesiastiques, tous ceux qui vendent ou achetent benefices, qui les font tenir ou les tiennent en confidence, tous usurpateurs des biens de l'Eglise, qui en retienent [sic] les titres, celent les fondations et legats pieus [sic]: tous usuriers et concubinaires publics, les incendiaires et boute-feux; et tous ceux qui abusans de leur pouvoir ou authorité font faire des mariages par force, menaces ou autrement contre le gré des parties, jusqu'à ce qu'ils viennent à repentance et satisfaction.

---

[49] Sur les diocèses de la Province d'Auch à cette époque, voir P2644. Tarbes c. 1644 présente un formulaire différent, P2366.
[50] Voir *infra* Cas réservés à l'Archevêque P2644.

Orléans 1642
[Nicolas de Nets]
Le Formulaire du Prosne

2364 **Orléans 1642 p. 379**

Nous denonçons pour excommuniés tous magiciens, sorciers, devins, noüeurs d'esguillettes, larrons, usuriers, faux-vendeurs, faux-dismeurs, qui mettent la main violente sur prestres ou clercs, sinon en leur corps defendant; qui empeschent les droicts, franchises, libertés, et jurisdiction de nostre mere sainte Eglise.

Arras 1644
[Vacance du siège épiscopal]
Monitiones et preces dominicales

2365 **Arras 1644 p. 285-286**

Nous denonçons pour excommuniés, tous sorciers, devins, enchanteurs, lieurs d'éguillettes, et autres usans de superstitions et arts diaboliques; les usuriers publicques, fau-dismeurs [sic], et generalement tous ceux qui par constitution ou sentence Ecclesiastique sont excommuniés: et leur commandons à tous de sortir, tandis que se fera le sainct service de la Messe.

Lyon 1644
[Prône sans excommunications.]

Tarbes c. 1644
[Salvat d'Iharse]
Formulaire de Prosne… du Dioceze de Tarbes

2366 **Tarbes [1644] seconde partie p. 11-12**

D'authorité de Monseigneur de Tarbes Je declare pour excommuniez tous magiciens, sorciers, enchanteurs et devins, tous ceux qui mettent les mains sur les Prestres, et entreprennent sur la jurisdiction ecclesiastiques [sic], qui battent leur pere et mere, qui exposent les enfans dans le lict avec danger de suffocation, ceux qui ne revelent les legats pies, et ceux qui ne payent legitimement les Dismes.

Meaux 1645

[Dominique Séguier]

De Pronao Missae parochialis

P2367 **Meaux 1645 deuxième partie, p. 200-201.**
Ceux qui gardent les Commandemens de Dieu et de la saincte Eglise, soient benis et remplis du sainct Esprit; ceux qui sont au contraire: comme tous Devins et Devineresses, Sorciers et Sorcieres: Ceux qui disent ou font dire des oraisons superstitieuses pour guerir des maladies, tant des hommes que des animaux: comme aussi ceux qui mettent la main violente sur Prestres ou Clercs estant en habit clerical, et sur pere et mere: Tous ceux qui retiennent les dixmes et autres biens de l'Eglise, ou en usurpent les droicts, et la jurisdiction: Tous Simoniaques et Confidentiaires: Tous ceux qui lisent ou retiennent par devers eux les livres des Heretiques, et autres livres defendus: Tous ceux qui troublent l'ordre des paroisses, et qui au mespris des Conciles, et des Statuts Synodaux de ce Diocese, n'assistent pas trois dimanches continuels à la Messe paroissiale sans excuse legitime: Toux ceux qui empeschent l'accomplissement et usage des saincts mariages par sortileges ou autrement, sont declarez excommuniez.

S'il y a aucuns en cette compagnie qui soient en sentence d'excommunication, nous leur denonçons de la part de Dieu vivant, qu'ils ayent à sortir et à laisser l'Eglise (de laquelle ils sont retranchez) exercer librement son sainct ministere.

Paris 1646, 1654

Voir Paris 1630-1777, P2354.

Albi 1647

[Gaspard de Daillon du Lude]

[Formulaire proche de Toulouse 1602-1664.]

P2367bis **Albi 1647 p. 472.**
De l'authorité de Monseigneur N. notre Evesque sont declarez excommuniez tous devins et devineresses, tous sorciers et sorcieres, enchanteurs ou magiciens, et ceux qui les consultent, sçachans que c'est un crime tres-enorme.

Item tous ceux qui sans permission légitime, entrent és monasteres des religieuses.

Tous ceux qui mettent les mains sur les prestres, les battant ou offensant outrageusement.

Ceux qui entreprenent sur la jurisdiction ecclesiastique, et qui ne payent les dixmes.
Tous ceux qui ne revelent les legats pies.
Et ceux qui couchent les enfans dedans le lict avant l'an et jour.

Boulogne 1647

Voir Paris 1630-1777.

Le Mans 1647

Voir Rouen 1611/1612.

Comminges [1648][51]

[Gilbert de Choiseul]

Injonction aux curés de lire au prône l'anathème du concile de Trente et l'excommunication des statuts synodaux concernant les usurpateurs des biens ecclésiastiques.

2368 **Comminges [1648] p. [88]-[90]**
Le peu de reflexion que plusieurs personnes font sur les malheurs qu'elles attirent sur leurs testes, ou en s'apropriant et usurpant les biens de l'Eglise, à cause de l'anatheme fulminé contre elles par le S. Concile de Trente au Chapitre II. sess. 22. dont l'absolution est reservée au S. Siege: ou en empêchant journellement la liberté des affermes[52] des biens ecclesiastiques appartenans aux Benefices, ou aux fabriques des Eglises: ou les fraudant en telle autre façon que ce soit, estans livrez à Satan par l'excommunication laxée par l'article 44. du Chapitre premier des Statuts Synodaux de Monseigneur de Comenge, est cause que mondit Seigneur a voulu que tant ledit Chapitre II dudit Concile, traduit en françois, que ledit article 44. desdits Statuts fussent mis icy au long, avec injonction aux Curez et Vicaires de les lire une fois le mois au Prosne de leurs Eglises, afin que personne n'en puisse pretendre cause d'ignorance.

p. [90]-[91] *Chapitre II. de la Sess. 22. du Concile de Trente*
Si la convoitise, racine de tous maux, a tant de pouvoir sur aucun Clerc, ou mesme sur aucun Laïque de quelque condition et di-

---

[51] Comminges [1648]: édition du rituel d'Auch c. 1642 avec quelques adaptations pour Comminges; les excommunications du formulaire d'Auch sont supprimées.
[52] Affermes: fermages.

gnité qu'il puisse estre, fut-il Empereur, ou Roy, qu'il presume et entreprenne d'usurper les jurisdictions, biens, censives [propriétés avec redevance?], droits, soit de fiefs, ou d'emphyteotes [locations pour une longue durée], fruits, émolumens... qui doivent estre employez aux usages des ministres de J. C., et necessitez des pauvres... Nous voulons que celuy-la demeure anatheme et excommunié, jusqu'à ce qu'il ait entierement restitué à l'Eglise... les jurisdictions, biens, choses, droits, fruits et revenus qu'il aura occupez, ou qui seront venus à son profit, même par donnation...

p. [92] *Art. 44 du Chap. 1 des Statuts Synodaux de Monseigneur de Comenge*

Pour empescher la damnation de plusieurs personnes qui ostent la liberté des affermes des biens ecclesiastiques, nous commandons que tous les dimanches aux Prosnes des Eglises paroissielles [sic] les curez ou leurs vicaires dénoncent excommuniez tous ceux qui par menaces, sollicitations, monopoles, faites par eux-mesmes, ou par autruy de leur commandement ou induction, empéchent directement ou indirectement, que chacun ne puisse librement surdire aux affermes des biens ecclesiastiques, qui battent, qui menacent, ou qui intimident en quelque fasson que ce soit, ceux qui veulent affermer, ou ont affermé lesdits biens contre leur volonté, lesquels nous ne voulons pas estre absous de cette excommunication que par nous, ou nostre vicaire general, et ce apres qu'ils auront fait la restitution necessaire à la seureté de leur conscience.

Lyon 1648[53], 1667, 1692, 1724

[Lyon 1648 : Alphonse-Louis de Richelieu]
Rituale romanum, Pauli V... iussu editum...
Lyon 1669, 1672, 1680, 1686, 1688, 1689, 1704, 1711, 1726, 1759 ;
Avignon, 1780, 1782, 1783, 1784, 1802[54]
Formulaire de prosne, dressé pour le Diocese de Lyon [Rituels lyonnais]
Formulaire pour faire le Prosne (Prône) [Rituels romains]

P2368bis   Lyon 1648 p. 23, 24

---

[53] Lyon 1648 : Formulaire de prône s.d. portant au titre les armes d'A.-L. de Richelieu ; l'ordonnance du vicaire général est datée 1648. Ouvrage non recensé dans Molin Aussedat, conservé à la Bibl. mun. de Lyon Part-Dieu, 363576.

[54] *Rituale romanum*, éditions Lyon 1669-1759 : Molin Aussedat n° 1664, 1666, 1669, 1673-1675, 1683, 1685, 1687, 1696. Éditions Avignon 1780-1802 : Molin Aussedat n° 1698-1701, 1703.

Par authorité de Monseigneur l'Archevesque[a] nostre Prelat, sont declarez interdits et excommuniez tous concubins et concubines,[b] usuriers, usurieres, toutes personnes tenans faux poids et fausse mesure, tous sorciers, sorcieres,[b] heretiques, et[b] ceux qui mettent la main violente sur aucune personne du Clergé, sinon en leur corps defendant,[b] ceux qui gardent les obligations qui sont payées et satisfaites, ou[c] qui n'accomplissent pas la volonté des testateurs qui se doivent ou peuvent faire[d].

Variantes Lyon 1692-1724. [a] de Lyon] *add.* –[b] tous] *add.* –[c] enfin tous ceux] *add.* – [d] qui se doivent… faire] laquelle se doit ou peut faire.

[Les formulaires des rituels romains recopient Lyon 1648].

Châlons-sur-Marne 1649

Voir Paris 1630-1777.

Périgueux 1651

[Philibert Brandon]
Prosne pour les dimanches

2369 Périgueux 1651 troisième partie, p. 17
Nous declarons excommuniez tous sorciers et sorcieres, devineurs et devineresses, noüeurs d'éguillettes et autres qui par sortileges empeschent l'usage et consommation du S. Mariage. Tous ceux et celles qui se marient hors de leur paroisse sans permission. Tous ceux qui mettent la main sur les Prestres ou sur les Clercs, sur leur Pere ou sur leur Mere. Tous ceux qui retienent [*sic*] les biens de l'Eglise, les tiltres et papiers, ou en usurpent les droits et la jurisdiction. Tous Simoniaques, qui vendent ou acheptent des benefices, et tous Confidentaires, qui prestent leur nom à d'autres pour en joüir; Tous ceux qui sans permission entrent dans la closture des Religieuses. Tous ceux qui lisent ou gardent des livres heretiques, ou autres livres deffendus. Tous ceux qui se battent en duel, et ceux qui retiennent et ne declarent pas les legs pies, que les personnes mourantes donnent ou à l'Eglise ou aux pauvres dans leur testament.

Rouen 1651

Voir Rouen 1640.

Chalon-sur-Saône 1653
[Jacques de Neuchèze]
Prosne commun

P2370 **Chalon-sur-Saône 1653** p. 448

Declarant pour excommuniez, tous sorciers et sorcieres, devins, devineresses, guerisseurs de paroles, donneurs de brevets, et noüeurs d'éguilletes [sic]; tous concubinaires, et usuriers publics; tous vendeurs à faux poids, et à fausses mesures; ceux qui mettent la main violente sur clercs, ou sur prestres, si ce n'est à leur corps defendant; ceux qui tiennent injustement les biens et fondations des eglises, recellent les testamens, et legats pieux, entrent aux monasteres et clostures religieuses: qui fraudent les dismes et droits parroissiaux [sic], entreprennent sur la jurisdiction ecclesiastique, lisent les livres heretiques, couchent leurs enfans en leurs licts qui n'ont atteint l'aage d'un an au moins, leur faisant commandement de sortir de ceans, jusqu'à ce que le service soit achevé. Au nom du Pere...

Clermont 1656
Prône sans excommunications.

Elne 1656
[Sebastianus Garriga, vicaire épiscopal, le siège épiscopal vacant]
De Constitutionibus Provincialibus quater in anno populo denuntiandis.
[Ordonnance à lire quatre fois par an à la fin du prône]
[Formulaire en catalan]

P2371 **Elne 1656** p. 19-21

Cap. III. *Ordinatio es del Senyor Archebisbe de Tarragona que tots los Curats lisguen en ses Iglesies les seguents constitutions Provincials quatre vegades quiscun any, en les quatre festes anyals, y principals del any: es à saber, en la festivitat de Nadal, en la festa de Pascua florida, en la festa de Sincogesma, y de sancta Maria de Agost: y aço mana en virtut de sancta obediencia, pera que à tots los faels Christians sien notorios, y no puguen allegar ignorencia.*

Primerament amonestam à tots los faels Christians, que son de set anys en amunt, ques confessen dos, o tres vegades quiscun any, o almenys una vegada en la sancta Quaresma, y que combreguen à Pascua los qui seran de edat: y aquell qui nou fara, que sia declarat per excommunicat.

Item amonestam à tot Christia, que sia de catorze anys en amunt, que en lo article de la mort demane lo sanct Sacrement de la Extrema unctio, per lo qual son atorgades moltes gracies.

Item amonestam à tots los faels Christians, que no reneguen, o blasphemen de Deu, o de la Verge Maria mare sua : sots pena de excomunicatio, ames de que son estos tals maleyts de Deu, de maledictio eternal.

Item, per que tot matrimoni se deu far en faz de sancta mare Iglesia, y no en lloch amagat; Manan sots pena de excomunicacio à tots los faels Christians, que no se esposen en secret ni amagadament.

Item, manam sots pena de excomunicatio à tots aquells, qui en los matrimonis sab en parentiu, o compadratge, o altre legitim impediment, per lo qual se deu impedir lo matrimoni, que ho denuncien ab temps.

Item, manan, sots pena de excomunicatio, à tots los faels Christians que no fasen sortilegis ab mals arts : ço es, encantements, conjurs, adevinacions, lligaments, o semblants maleficis.

Item son excomunicats, tots aquels, qui fan statuts, y altres ordinacions, o altrament venen contra la llibertat Ecclesiastica.

Item, amonestam à tot Christia, y Christiana, que sia tingut, y obligat, be, y llealment, pagar los delmes, y primicies, de tots los fruyts que Deu li donara, y aço sots pena de excomunicatio.

Item, denunciam per excomunicats, y separats del gremi de sancta mare Iglesia, tots aquells que no paguen justa, y complidament los delmes, y primicies, anniversaris, y altres coses pies, o en dites coses fan algun frau scientment.

Item, amonestan [sic], y sots pena de excomunicatio major manam, que ningun Clergue, ny Llec se atrevesca ballar, ni fer altre qualsevol joch deshonest dins Iglesia, ni altre lloch sagrat, ans be en tal cas cesse lo offici divinal.

Item, volem sien excomunicats, tots aquels, o aquelles qui fan juraments falsos, y lleven, o fan falsos testimonis, y tots aquells quey consenten, y presten consell, favor, o ajuda.

Item, amonestam à tots los Manimassors y à tots aquells qui tenen administracio de coses pies, de qualsevol grau, estament, o condicio que sien, que dins lany donen compte de llur administracio al Auditor de les animes; y aço sots pena de excomunicatio, si ya no tenian llicentia del dit Auditor.

Item, amonestam à tot Christia, y Christiana, que tots los Diumenges, y festes de precepte sia à Missa, y Sermo, si ni haura : y que nos partesca de la Missa, fins à tant que la benedictio sia donada : y aquelle, o aquella, que estara tres Diumenges, que no sera estat à Missa, que sia declarat publicament per excomunicat.

Item, volem sien excomunicats tots aquells, qui son userers, logres, o revenedors, qui prestan, onze per dotze.

[55]Item, amonestam à tot metge Christia, que al tercer dia desde la primera visita, amoneste, y exhorta al malalt, que reba medecina spiritual: ço es confessio, y los altres Sacraments de sancta mare Iglesia que en tal cas deu rebre: y si lo tal metge en aço sera negligent, y descuydat: que lisia accusada la pena que es ordenada per lo Senyor REY: y altres penes contengudes en les constitucions de Innocentio Tercer[56], y Pio Quint[57].

Item amonestam à tot Christia, y Christiana, ques guarde de fer algun vot sino es ab molta devocio, y madureza: y de manera, que prestament lo cumpla: y les dones, que no fassen vots sens llicencia de sos marits, y consell de son Curat.

Item, amonestam à tots los preveres, que no roban en lo Sacrament del Baptisme mes compares, ultra los dos ordenats.

Item, amonestam à tot Christia, y Christiana, que quant sia en edat, y discrecio, que aprenga lo Credo menor, los Manaments de la lley de Deu, y lo Pater noster: y tots aquells, qui les sobredites coses no volen apendre, pequem mortalment.

[Traduction[58]:] Ordonnance du Seigneur Archevêque de Tarragone à tous les curés, de lire quatre fois par an dans leurs églises les constitutions provinciales les jours des quatre fêtes annuelles et principales de Noël, Pâques fleuries, Ascension, et Assomption, en vertu de la sainte obéissance, pour que tous les fidèles chrétiens les connaissent et ne puissent alléguer ignorance.

Premièrement nous admonestons sous peine d'excommunication tous les fidèles chrétiens de sept ans au moins de se confesser deux ou trois fois par an, et au moins une fois pendant le carême, et de communier à Pâques pour ceux qui seront en âge de le faire. Tout chrétien à partir de quatorze ans, à l'article de la mort, doit demander le sacrement d'extrême-onction qui apporte beaucoup de grâces.

Interdiction à tous les fidèles chrétiens de renier ou de blasphémer Dieu ou la Vierge Marie sa mère, sous peine d'excommunication et de malédiction éternelle.

Obligation de faire les mariages en face de la sainte mère Eglise, et non dans un lieu caché. Interdiction de s'épouser en secret ou en cachette sous peine d'excommunication. Obligation sous peine d'excommunication à ceux qui connaissent des empêchements à un mariage, de parenté, de compérage, ou autre, de les dénoncer à temps.

---

[55] À partir d'ici, il s'agit d'admonestations sans excommunication.
[56] Innocent III, pape de 1198 à 1216.
[57] Pie V, pape de 1566 à 1572.
[58] Traduction revue par Geneviève Brunel-Lobrichon, Maître de conférences honoraire d'occitan à l'Université de Paris-Sorbonne, Paris IV.

Interdiction à tous les fidèles chrétiens sous peine d'excommunication de faire des sortilèges, comme enchantements, conjurations, divinations, ligatures, ou maléfices semblables.

Sont excommuniés tous ceux qui font des statuts et autres ordonnances, ou agissent autrement contre la liberté ecclésiastique.

Tout chrétien et chrétienne est tenu et obligé de payer loyalement les dimes et les prémices de tous les fruits que Dieu lui donnera, sous peine d'excommunication.

Sont excommuniés et séparés du sein de sainte mère Eglise tous ceux qui ne payent pas de façon juste, et complètement, les dimes, prémices, messes anniversaires, et autres choses pieuses, ou qui en cela fraudent sciemment.

Est excommunié tout clerc ou laïc qui ôse danser ou faire quelque autre jeu déshonnête dans une église, ou autre lieu consacré : dans ce cas on arrête l'office divin.

Sont excommuniés tous ceux et celles qui font de faux serments ou de faux témoignages, et tous ceux qui y consentent, conseillent, favorisent, ou aident.

Tous les exécuteurs testamentaires et tous ceux qui administrent des choses pieuses, de quelque grade, état, ou condition qu'ils soient, doivent rendre compte dans l'année de leur administration à l' « Auditeur des âmes » ; et cela sous peine d'excommunication s'ils n'ont pas la permission du dit Auditeur.

Tout chrétien et chrétienne doit venir à la messe et au sermon tous les dimanches et fêtes d'obligation, et ne pas partir avant la bénédiction ; ceux et celles qui auront manqué la messe trois dimanches seront publiquement déclarés excommuniés.

Doivent être excommuniés tous les usuriers, qui gagnent, revendent, ou prêtent à onze pour douze.

Tout médecin chrétien, le troisième jour de sa première visite à un malade, doit l'admonester et l'exhorter à recourir à une médecine spirituelle : la confession, et les autres sacrements de sainte mère Eglise qu'il doit recevoir en tel cas ; s'il est négligent en cela et irréfléchi, que lui soit appliquée la peine ordonnée par le seigneur Roi, et les autres peines contenues dans les constitutions d'Innocent III et Pie V.

Il est interdit à tout chrétien et chrétienne de faire des voeux sans beaucoup de dévotion et de maturité, de façon à les accomplir rapidement ; et aux femmes de faire des voeux sans la permission de leur mari et le conseil de leur curé.

Les prêtres ne doivent pas dérober plus que les dons prescrits dans le sacrement de baptême.

Pèche mortellement tout chrétien et chrétienne qui, dès qu'il est en âge de discernement, ne veut pas apprendre le petit Credo, les commandements de Dieu, et le Pater.

Mâcon 1658

Voir Paris 1630-1777

Cambrai 1659

Voir Cambrai 1606-1659

Troyes 1660

Voir Paris 1630-1777.

Le Mans 1662, 1680
Formulaire du Prosne

Voir Rouen 1611/1612 (P2343).

Metz 1662, 1686
[Metz 1662 : Claude de Bruillard de Coursan, vicaire général[59]]
Exhortationes in Ambone

P2372 **Metz 1662 p. 97**

De l'authorité de l'Eglise Catholique Apostolique et Romaine, nous denonçons pour excommuniés tous Heretiques et Schismatiques, tous Simoniaques qui vendent ou acheptent benefices, ou prestent leurs noms pour les tenir injustement contre tout droit divin et humain, ensemble tous sorciers et sorcieres, devins ou devineresses, usuriers ou usurieres, ceux et celles qui vendent à faux poids et à fausses mesures, qui refusent de payer le[a] disme à Dieu, selon les us et coustumes d'ancienneté : ceux qui empeschent les droits, privileges et libertés de la Saincte Eglise, et qui malicieusement mettent la main sur Prestre, ou sur Clerc. A toutes telles sortes de gens, et autres excommuniez de droit, ou de fait, nous commandons de sortir de ceans et de n'empescher le service divin.

Variante Metz 1686. [a] le] la.

Bourges 1666
[Anne de Lévis de Ventadour]
Ordre pour faire le prône de la messe de paroisse

P2373 **Bourges 1666 tome II, p. 47-48**

[Formulaire de Paris 1646 avec addition de « tous charmeurs ... malheurs », ici en italiques.]

Vous sçaurés encore, peuple, que nous denonçons pour excommuniez tous heretiques ; tous simoniaques, qui vendent ou achetent

---

[59] Le diocèse est à cette époque dirigé par un évêque non confirmé par Rome, François-Egon de Fürstenberg.

benefices, ou donnent conseil et ayde pour les vendre ou acheter; tous confidentiers qui prétent leurs noms, ou empruntent les noms d'autruy pou leurs benefices, ou qui les gardent pour autres que pour eux; tous schismatiques, magiciens et magiciennes; sorciers et sorcieres; devineurs et devineresses, noüeurs d'éguilletes, et autres qui par ligatures et sortileges empéchent l'usage et consommation du saint mariage; *tous charmeurs et charmeresses, qui par leurs charmes et enchantemens, nuisent aux personnes, font mourir leur bétail, levent le sort de certaines bêtes, et le jettent sur d'autres, arrétent et empéchent de moudre les moulins; enfin causent plusieurs autres grands mal-heurs;* tous ceux et celles qui se marient hors de leurs paroisses sans permission; tous usuriers et usurieres; tous ceux qui mettent la main violente sur les prêtres ou clercs, sinon en leur corps defendant; tous ceux qui malicieusement usurpent et retiennent les dixmes, biens et droicts de l'Eglise, empéchent sa jurisdiction; suppriment, divertissent ou celent les titres, papiers et enseignemens qui luy appartiennent; et aussi tous ceux qui durant le service divin vacquent aux jeux et spectacles des farceurs : telle maniere de gens demeureront maudits et excommuniez jusqu'à ce qu'ils viennent à amandement et soient absous de l'Eglise.

Et d'autant qu'il ne faut communiquer les choses saintes aux indignes : nous commandons à tous excommuniez s'il y en a en la compagnie, de sortir presentement de ce lieu, comme indignes de participer aux saints mysteres et prieres publiques.

Bourges 1666
La forme de declarer quelqu'un excommunié par nom et surnom [Monitoire]

2374 **Bourges 1666** tome II, p. 66-67

Nous avons reçu commandement de la part de Monseigneur l'... Archevêque de Bourges, de declarer publiquement que N. ... est excommunié : et ce pour (icy l'on dira le crime pour lequel il est escommunié) lequel quoy que nous l'ayons plusieurs fois averty et même exhorté d'obeyr et de se mettre à la raison, et satisfaire à son devoir, à quoy il n'a voulu nullement entendre, et a perseveré jusqu'à present.

C'est pourquoy nous sommes contraints, bien qu'avec beaucoup de regret et beaucoup de douleur de passer outre, et de mettre en execution le commandement de nôtre Superieur...

... Partant donc, de l'authorité de Monseigneur l'... Archevêque de Bourges, Nous declarons et denonçons ledit N. excommunié, retranché et separé de l'Eglise, privé de la participation de tous les sacremens et de ses merites et suffrages, et livré à la puissance du Diable. Et de la même authorité, nous defendons sous peine d'excommunication, à toutes sortes de personnes de le salüer, de luy parler, et de converser avec luy en quelque maniere que ce soit et en quelque lieu que ce soit, hormis és cas portez par le droit, comme seroit de charité et de necessité, jusqu'à ce qu'il se soit reconnu et soit revenu à resipiscence et ayt reçu l'absolution.

Bourges 1666
La forme de l'avertissement que l'on fait pour les crimes cachés

P2375 **Bourges 1666 tome II, p. 68-69**
Si Monseigneur l'… Archevêque de Bourges ordonne de faire quelque avertissement, sous peine d'excommunication : pour meurtre ou assassin, dont l'autheur soit inconnu, et que celuy qui est offensé puisse être soulagé ; le curé… dira…

Il nous a été commandé de la part de Monseigneur l'… Archevêque de Bourges, d'avertir ceux qui ont commis cete faute… d'y satisfaire dedans tel temps… ou de declarer ceux qu'ils connoissent être coupables, sous peine d'excommunication.

… Si ensuite il est contraint de venir à l'excommunication, il pourra se servir de cette forme qui suit…

Nous vous avons avertis déja par trois fois, que ceux qui se sentent coupables de telle faute… eussent à y satisfaire…

Partant donc, de l'authorité de Monseigneur l'… Archevêque de Bourges : Nous declarons toutes ces personnes la excommuniées et privées de l'usage des Sacremens…

Bourges 1666
Comme il faut publier la reconciliation de l'excommunié
[à la suite d'un monitoire]

P2376 **Bourges 1666 tome II, p. 69-70**
N'agueres par le commandement de Monseigneur l'… Archevêque de Bourges : Nous avons denoncé et declaré excommunié… Auquel Dieu ayant touché le coeur, et iceluy ayant déja été legitimement absous de ladite excommunication… Nous vous le faisons maintenant à sçavoir ; et partant il sera desormais permis à tous les fidels, de se trouver et communiquer avec luy, et prions… que ce soit à la plus grande

gloire de Dieu, au salut de son ame, et à la joye et consolation de tout le peuple chrétien.

Alet 1667, 1677, 1771
Agen 1688

[Alet 1667 : Nicolas Pavillon]
Prône pour les dimanches

P2377 **Alet 1667** Seconde partie p. 259

Nous dénonçons pour excommuniez tous heretiques, tous simoniaques, tous schismatiques, magiciens et magiciennes, sorciers et sorcieres, devineurs et devineresses; tous ceux qui par ligature ou sortilege empeschent l'usage et la consommation du saint mariage; tous ceux et celles qui se marient hors de leur paroisse sans permission; tous ceux qui exposent sans une extreme necessité leurs enfans aux hospitaux, ou ailleurs; tous ceux qui ne payent point les dixmes; tous ceux qui usurpent et retiennent les biens et les droits[a] de l'Eglise, empeschent ou declinent sa jurisdiction; ou suppriment, divertissent, ou retiennent les titres, papiers et enseignemens qui luy appartiennent; tous ceux qui mettent la main violente sur un prêtre, ou sur un clerc vivant clericalement; tous usuriers et usurieres; tous ceux qui se battent en duel, qui portent l'appel, ou qui l'acceptent, quand mesme le combat ne s'en seroit pas ensuivi; tous ceux qui auront donné conseil et aide pour ce sujet, et toutes les femmes qui devant l'an et jour couchent leurs enfans dans le lit.

Toutes ces sortes de personnes demeureront maudits et excommuniez jusqu'à ce qu'ils viennent à pénitence...

Variante. [a] et les droits] *om.* Alet 1771.

Lyon 1667, 1692, 1724

Rituale romanum, Pauli V... iussu editum...
Lyon 1669, 1672, 1680, 1686, 1688, 1689, 1704, 1711, 1726, 1759;
Avignon, 1780, 1782, 1783, 1784, 1802

Voir Lyon 1648, P2368bis.

Strasbourg 1670

[Absence de formulaire de prône.]

Toulouse 1670, 1712, 1725, 1736, 1780[60]
Auch 1678[61] [et province d'Auch]. Oloron 1679[62]. Vabres 1729, 1766
Rituel romain, Rennes, 1698. Extrait du Rituel romain, Tulle, 1701[63]

[Toulouse 1670 : Pierre de Bonzi]
Prosne

P2378   **Toulouse 1670 p. 6**

[Formulaire proche de Toulouse 1602-1664.]
Par l'autorité de Monseigneur nostre Archevesque, sont declarez excommuniez, tous Devineurs et Devineresses, tous ceux qui sans licence entrent dans les Monasteres des Religieuses ; tous ceux qui mettent la main violente sur les Prêtres, ou sur les Clercs vivants clericalement : Ceux qui entreprennent sur la Jurisdiction ecclesiastique ; Tous ceux aussy qui ne revelent les legats pies ; ceux qui exposent sans une extreme necessité leurs enfans aux Hôpitaux ; tous ceux qui ne payent point les Dixmes ; ceux qui lisent les Livres heretiques ; et toutes les femmes qui devant l'an et jour couchent leurs enfans dans le lit.

Sont aussi excommuniez tous ceux qui estans avertis continuëront à commettre les irreverences contenuës ez Ordonnances de Monseigneur nostre Archevesque, de laquelle excommunication ledit Seigneur s'en reserve l'absolution.

Laon 1671, 1782

[Laon 1671 : César d'Estrées]
Pronaum singulis dominicis in Ecclesiis Parochialibus faciendum

P2379   **Laon 1671 Deuxième partie, p. 34-35**

Nous denonçons pour excommuniez tous heretiques ; tous simoniaques qui vendent ou achetent benefices, ou donnent conseil et aide pour les vendre ou les acheter ; tous confidentiaires qui prestent leurs noms, ou empruntent les noms d'autruy pour tenir des benefices, ou qui les gardent pour autres que pour eux ; tous schismatiques ; ma-

---

[60] Toulouse 1780 (Molin Aussedat n° 1325) : excommunication identique à Toulouse 1670.
[61] Aucun exemplaire connu du rituel d'Auch 1678 et des autres rituels de la Province d'Auch, à part Oloron 1679.
[62] Oloron 1679 : édition du rituel de Toulouse 1670. Un exemplaire conservé à Pau, Arch. dép., U.5049 (R).
[63] *Rituel romain*, Rennes 1698 : Molin Aussedat n° 1677. *Extrait du Rituel romain*, Tulle 1701 : Molin Aussedat n° 1680.

giciens et magiciennes; sorciers et sorcieres; devineurs et devineresses; tous ceux qui, par ligature ou sortilege, empeschent l'usage et la consommation du mariage; tous ceux et celles qui se marient hors de leur Paroisse sans permission; tous ceux qui ne payent point les Dixmes; tous ceux qui retiennent ou usurpent les biens et les droits de l'Eglise, empeschent sa jurisdiction, ou suppriment, divertissent ou celent les titres, papiers, et enseignemens qui lui appartiennent; tous ceux qui mettent malicieusement la main violente sur un Prestre, ou sur un Clerc; tous usuriers et usurieres; tous ceux et celles qui vendent à faux poids et à fausses mesures; ceux aussi qui, durant le service divin vaquent aux jeux et spectacles, tous ceux qui se battent en duel, qui portent l'appel, ou qui l'acceptent, tous ceux qui auront donné conseil et aide pour ce sujet. Toutes ces sortes de personnes demeureront maudits et excommuniez jusqu'à ce qu'ils viennent à penitence, et que demandant humblement pardon de leurs crimes, ils soient absous par l'Eglise.

Et d'autant qu'il ne faut communiquer les choses saintes aux indignes, nous commandons à tous excommuniez de sortir presentement de ce lieu, comme estant indignes de participer aux saints mysteres, et aux prieres publiques.

L'on vous avertit, de la part de Monseigneur nostre Evesque, que, selon la saint Concile de Trente tous les Paroissiens qui n'ont point d'excuse legitime, sont obligez d'assister à la Messe de Paroisse, au Prône, et aux instructions qui se font en leur Paroisse, les saints jours du Dimanche, et les Festes de commandement. ...

Rodez 1671, 1733

[Rodez 1671: Gabriel de Voyer de Paulmy]
Prône pour les jours des saincts Dimanches

2380 **Rodez 1671 p. 320-321**

Et d'autant que[a] les choses saintes ne doivent être communiquées qu'aux saints, et que l'Eglise retranche pour ce sujet de la participation des sacremens, ceux qui par leurs crimes et pechez[b] s'en rendent indignes: de l'authorité de Monseigneur nostre Prelat[c], nous denonçons pour excommuniez tous magiciens et magiciennes, sorciers et sorcieres, devineurs[d] et devineresses, tous empoisonneurs et enchanteurs, et notamment ceux qui abusent du nom de Dieu et des choses saintes, et qui par leurs enchantemens et sortileges tâchent de nuire aux hommes ou aux autres creatures faites pour leur usage.

Comme aussi tous heretiques, simoniaques et confidentiers qui prestent leurs noms, ou qui empruntent les noms d'autruy pour tenir benefices, tous schismatiques, usuriers, adulteres, et concubinaires publics, tous faux monoyeurs, homicides, et meurtriers volontaires :

ceux et celles qui ayant mis leurs petits enfans dans leurs licts, les auroient suffoquez :

et enfin tous ceux qui mettent la main violente sur un prestre ou clerc, sinon en leurs corps deffendant.

Nous denonçons encore de la méme authorité, pour excommuniez ceux qui detiennent injustement les biens de l'Eglise, qui usurpent ses droits, empéchent sa juridiction, suppriment, divertissent ou recellent les tiltres, papiers et documens qui luy appartiennent : ou qui detournent ou empéchent les autres de payer ce qu'ils luy doivent, comme sont rentes, dixmes, legats[e] et autres choses semblables.

Ceux aussi qui à leur escient retiennent injustement des cedules et obligations et autres papiers qui appartiennent à autruy avec intention d'exiger, et faire payer deux fois la méme chose.

Telles manieres de gens demeureront maudis et excommuniez, jusqu'à ce qu'ils viennent à amendement, et qu'ils fassent les satisfactions et restitutions requises[f].

Variantes Rodez 1733. [a] Et d'autant que] Et puisque. –[b] et pechez] *om.* –[c] nostre Prelat] l'Evêque. –[d] devineurs] devins. –[e] legats] legs. –[f] Telles... requises] Toutes ces personnes demeureront maudites et excommuniées jusqu'à ce qu'elles viennent à résipiscence, et fassent les satisfactions et restitutions requises.

Besançon 1674, 1705

[Besançon 1674 : Antoine-Pierre de Grammont]
Formula quam Parochi... in nostra Dioecesi Bisuntina, legere...
tenentur in Prono

P2381 **Besançon 1674 Pars prima p. 224**

Je vous denonce, de la part de Monseigneur nostre Archevesque, pour excommuniez, tous charmeurs, charmeresses, devineurs, devineresses, sorciers et sorcieres, tous ceux qui croyent en eux ; tous usuriers et reneviers [renchérisseurs ?] manifestes et publics ; tous ceux qui maltraittent les Prestres en leurs personnes, les frappans, si ce n'est en se défendant contre eux ; tous ceux qui empeschent le libre exercice de la jurisdiction ecclesiastique, tant de nostre S.P. le Pape, que de Monseigneur l'Archevesque ; et tous ceux qui retiennent malicieusement les biens et les droits de l'Eglise, s'ils ne recourent promptement au benefice de l'absolution.

Besançon 1674, 1705
Ordo in Fulminatione Excommunicationis,
seu Maledictionis observandus

Voir infra P2433.

Cahors 1674, 1722
[Cahors 1674 : Nicolas Sevin]
Le Formulaire du Prône pour les Dimanches dans le Diocese de Caors

2382 **Cahors 1674 p. 7-8**

Je vous âvertis de la part de Monseigneur nôtre Evéque, que selon le saint Concile de Trente, et les statuts synodaux tous parroissiens ayent soin d'assister diligemment à la Messe parroissielle [*sic*], aux prônes, commandemens, et instructions qui se font en leur parroisse les saints jours de dimanches, sous les peines portées par les canons, et que ceux qui manqueront à y assister pendant trois semaines consecutives, doivent étre excommuniez suivant le concile de cette province. Tit. 45. c. I.

Publications.

Parce que l'Eglise ne souffre personne à ce saint sacrifice qui ne soit en sa communion ; Que tous ceux qui en sont privez par sentence d'excommunication se retirent presentement, afin que nous ayons la liberté d'achever celuy que nous avons commencé[a].

De l'authorité de Monseigneur nôtre Evêque je denonce excommuniez tous sorciers et sorcieres, devineurs et devineresses, faiseurs de conjures, noüeurs d'esguilletes, et autres qui par sortileges empéchent l'usage et consommation du mariage. Tous ceux qui se marient hors de leur parroisse sans permission, ou qui font faire des mariages par force, authorité, ou autrement contre le gré des parties. Tous ceux qui mettent la main violente sur les prétres, sur leur pere ou sur leur mere. Tous ceux qui retiennent les biens de l'Eglise, les titres et papiers, ou en usurpent les droits et la jurisdiction, ou l'empéchent directement ou indirectement, ou qui à ce donnent conseil, ayde ou faveur, ou qui celent les fondations et legats[b] pieux, ou ne les declarent pas. Tous simoniaques qui vendent ou achetent benefices, ou sont mediateurs de la simonie, ou tous confidentiaires qui prétent leur nom à d'autres pour en joüir ou pour le leur remettre apres. Tous usuriers, concubinaires publics, incendiaires et boutefeux, les femmes ou nourrices qui couchent avant l'an finy les enfans dans le lit.

Nota. Que toutes les excommunications ne sont pas mises icy, mais seulement celles qui arrivent plus ordinairement.

Que ceux qui se sentent coupables de ces crimes sçachent qu'ils sont aussi bien que tous autres excommuniez, quoy qu'ils n'ayent pas encore été denoncez tenus par le commandement de N.S. I. C.[c] pour payens et publicains, retranchez de la communion des fideles, separez du cors [sic] de I. Christ, privez de la participation des sacremens, des prieres generales, et de la sepulture ecclesiastique, livrez au diable, et qu'ils ne peuvent assister au s. sacrifice de la messe, ny au service divin, sans peché mortel, prenez donc garde de tomber dans cette malediction, que je denonce à ceux qui sont coupables de ces crimes, et s'il y en avoit quelqu'un en cette compagnie, je luy commande de la part de Dieu vivant qu'il ayt à sortir presentement de ce lieu, comme indigne de participer aux saints mysteres, et aux prieres publiques.

Variantes Cahors 1722. [a] et de peur que quelqu'un ne vint à ignorer quels sont les pechez qui causent ce retranchement de l'Eglise *add*. –[b] legats] legs. –[c] par le commandement de N.S.I. C.] par le commandement de J. C., de même que les autres excommuniez.

Genève 1674, 1747

[Genève 1674 : Jean d'Arenthon d'Alex]
Formule de l'Excommunication, qui doit estre publiée tous les dimanches au prône[64]

P2383   **Genève 1674 deuxième partie, p. 156-159**

C'est pourquoy nous commandons de la part de Monseigneur nostre Evéque, à tous ceux qui sont nommément denoncez excommuniez, ou qui ont frappé publiquement quelque personne ecclesiastique, qu'ils ayent à sortir présentement de ce lieu : parce que l'Eglise ne peut admettre personne à la participation de ses mystères qui ne soit en sa communion.

Nous déclarons en outre excommuniez tous Heretiques, tous Schismatiques, tous Simoniaques, Magiciens, et Magiciennes, Sorciers, et Sorcieres, Devineurs, et Devineresses. Tous Usuriers publics.

Tous ceux qui par ligature, ou sortilege empéchent l'usage, et la consommation du saint mariage.

Tous ceux qui exposent, ou font exposer les enfans aux hospitaux des heretiques.

Tous ceux qui empêchent, ou déclinent la jurisdiction de l'Eglise.

[64]   Ou au moins une fois chaque mois] *add*. Ge. 1747.

Tous ceux qui hors les cas permis, ou sans la permission de l'Evéque entrent dans la closture des Religieuses.

Tous ceux qui impriment, vendent, gardent, ou lisent sans permission des livres heretiques, ou de magie.

Tous ceux qui se battent en duel.

Les Peres et les Meres qui n'ont pas fait suppleer toutes les ceremonies du Baptesme de leurs enfans dans l'année apres la publication des Statuts synodaux de ce Diocese.

Tous ceux, et celles qui apres les trois monitions faites, parlant à leurs personnes, ou dans trois prônes consecutifs, n'ont pas fait la communion de la Pasque dans leur paroisse.

Toutes les Religieuses vagabondes qui dans le mois ne se retirent pas en leur monastere, si elles n'ont une permission de l'Evéque par escrit, quoyqu'elles soient d'ailleurs exemtes de sa jurisdiction ordinaire.

Toutes ces sortes de personnes demeurent maudits, et excommuniez jusques à ce qu'ils viennent à penitence, et que demandant humblement pardon de leurs crimes ils soient absous par l'Eglise.

Nous défendons de plus de la part de mondit seigneur sous peine d'excommunication, aux Peres et aux Meres d'exposer, n'y faire exposer leurs enfans aux hospitaux, ny ailleurs sans une necessité pressante.

A toutes personnes de quelque qualité, et condition qu'elles soient de retenir les dismes, les biens, titres, et legs de l'Eglise.

Aux Fiancés de se marier hors de leur paroisse sans permission, et de surprendre leur curé en se presentant devant luy pour se marier contre les saints decrets, avant la publication des trois bans, ou sans en avoir obtenu la dispense, ou avant que d'en avoir fait vuider les oppositions, ou appellations.

Aux meres, et nourrices de mettre coucher leurs enfans dans le lit avant l'an, et jour.

Aux habitans de cette paroisse de s'arréter sans une veritable necessité dans les cabarets d'icelle, et aux cabaretiés de leur y donner à boire, et à manger, pendant le divin service.

Aux femmes, et aux filles de quelque condition qu'elles soient de demeurer dans le chœur des Eglises pendant le divin service, ou dans les ballustres des chappelles pendant qu'on y celebrera la sainte Messe, hors du temps qu'il leur sera necessaire pour communier; et aux hommes laïcs de prendre place dans les hautes chaises des formes du chœur destinées pour les Ecclesiastiques, pendant le divin service, s'ils ne sont d'ailleurs en cette possession en qualité de Syndics, ou de Magistrats.

Nous commandons enfin de la part de mondit seigneur sous la mesme peine, aux Peres, et Meres, de faire baptizer leurs enfans, et de faire faire toutes les ceremonies de leur Baptesme dans la huitaine apres leur naissance, ou dans les termes prescrits par les permissions qu'ils auront obtenuës de les differer. Aux heretiers [sic] de payer les legs pies des deffunts, et aux notaires qui en auront reçeu les contrats de fondation, testaments, ou codicilles de le déclarer aux curés, et recteurs des hospitaux. Aux habitans, et communiers [sic] des paroisses de tenir main à ce que la closture des cimetieres soit maintenuë, et ce sous peine de l'interdit d'iceux encouru dans le mois apres l'avertissement qui leur aura esté fait par le curé d'en reparer les ruines. Toutes ces choses ayant esté ainsi prescrites par les saints canons, ou par les statuts synodaux de ce diocese.

p. 159 *Avis aux peuples.*
De l'obligation qu'ils ont d'assister à la messe de paroisse les jours de dimanches, et de festes solemnelles, qui se doit donner une fois le mois.

L'on vous avertit de la part de Monseigneur nostre Evéque, que tous les paroissiens sont obligez par les conciles, et nouvellement par celuy de Trente d'assister à la messe de paroisse, au prône, et aux instructions qui s'y font les saints jours de dimanches, et des festes solemnelles. Qu'ils pechent griévement, et doivent s'en confesser, s'ils manquent trois dimanches de suite d'y assister, s'ils n'ont d'ailleurs des causes legitimes de s'en dispenser; auquel cas les peres de famille doivent y envoyer quelque personne qui soit capable de rendre compte de ce qui aura esté ordonné dans le prône.

Angers 1676

Voir Angers 1620.

Oloron 1676

[Arnaud-François de Maytie]
Pronus singulis diebus Dominicis clarè et distinctè immediatè post Evangelium populo legendus

[Formulaire de 33 p. en dialecte basque souletin, très proche du formulaire d'Auch 1642[65].]

---

[65] Aucun exemplaire connu du formulaire d'Oloron 1676. Réimpression en 1874 : Paris, BnF, Z basque 868 et 869.

3bis **Oloron 1676 p. 24-27**
Azquenecoz, gouré laun Apezcupiaren poterez escumucatu berheci dira.
1. Magicien belhaguilé, encantaçalé, azti, estecaçalé, eta hetara hersatcen direnac, daquielaric deebriarequi pacto eguiten diela, edo iaquinez gueroz, becatu handi bat deal.
2. Eliça guiçonen çombat nahi arhinzqui chaflaçaliac.
3. Bere Aita, edo Amen popaçialac.
4. Serorequi araguizco becatiaren eguiliac.
5 Eliçan, edo hilherrian heretico, edo escumucatu icentatu baten corpitçaren ehortzliac.
6. Nescato, edo emazten bortchaçaliac.
7. Ezconcé ichil eguiliac, bere lagunequi.
8. Haurren ourthia beno lehen berequi eratçaliac, ithotcen badira.
9. Eliçac, eliça guiçonec, edo hayec nahi dutien arrandantec bere honac goça eztitcen guibelçaliac, eta hayen çucenen gordaçialac bortchaz, mehatchuz, edo nola nahi.
10. Haur sorthu berri bere manu pecoac, çortci egunetan barnen batheya eraciten eztutienac.
Haec ultima excomunicatio non reservatur.

[**Traduction**[66]:] Enfin, de par le pouvoir de Monseigneur notre évêque sont excommuniés séparés.
1. Les magiciens sorciers, charmeurs, devins, enchanteurs et ceux qui ont recours à eux, sachant qu'ils pactisent avec le diable ou sachant que c'est un grand péché. 2. Ceux qui frappent même légèrement des hommes d'Église. 3. Ceux qui battent leur père ou leur mère. 4. Ceux qui font le péché de chair avec les religieuses. 5. Ceux qui enterrent à l'église ou au cimetière le corps d'un hérétique ou d'un excommunié déclaré. 6. Les violeurs de filles et de femmes. 7. Ceux qui se marient en secret, et leurs complices. 8. Ceux qui nourrissent avec eux les enfants de moins d'un an, s'ils s'étouffent. 9. Ceux qui contraignent l'Église, les hommes de l'Église, ou les rentiers, à ne pas jouir de leurs biens et ceux qui par la force, par la menace, ou de toutes façons, cachent leurs droits. 10. Ceux qui ne font pas baptiser dans les huit jours les enfants nouveau-nés qui dépendent d'eux.

Reims 1677
[Charles-Maurice Le Tellier]
Prône pour les dimanches

384 **Reims 1677 p. 256-257**
Nous denonçons pour excommuniez tous hérétiques, tous simoniaques, qui vendent ou achettent benefices, tous confidentiers, qui

---
[66] Traduction 2016 de Junes Casenave, père de Betharam.

prêtent leurs noms, pour tenir des benefices, contre tout droit divin et humain. Nous déclarons aussi excommuniez tous sorciers et sorcieres, devins et devineresses, larrons et larronnesses; tous ceux qui vendent à faux poix et à fausses mesures; et tous ceux qui refusent de payer les dismes à Dieu selon l'ancienne coûtume; tous ceux qui usurpent les biens et droits de l'Eglise, et qui s'opposent à ses privileges et libertez, ou qui font quelque violence aux Prêtres et aux Clercs; tous ceux qui durant le service divin assistent aux jeux et spectacles publics, et ceux qui par ligatures et sortileges empêchent l'usage et consommation du mariage.

Et d'autant que l'Eglise a toûjours interdit aux excommuniez et aux indignes la participation aux saints mysteres, nous défendons à toutes personnes excommuniées de demeurer dans l'Eglise, pendant qu'on fait le service divin, de peur que par leur presence et communication ils n'attirent sur les fidelles la malediction de Dieu.

S'il y avoit donc dans cette Eglise des personnes qui ayent connoissance, qu'elles eussent encouru sentence d'excommunication, nous leur ordonnons de sortir presentement de la maison de Dieu, et de se séparer des fidelles, jusqu'à ce que le divin service soit fait et accomply.

P2384bis **Reims 1677** p. 261 [Prône abrégé]

De l'autorité de l'Eglise. Nous déclarons excommuniez les hérétiques, schismatiques, Simoniaques, confidentiers, magiciens, larrons, usuriers, faux-dîmeurs, vendeurs à faux poids, et mesures; ceux qui frappent injurieusement les Clercs, ou qui retiennent les biens de l'Eglise, ou empêchent sa jurisdiction, ou vaquent les Festes et Dimanches aux jeux et spectacles publics pendant le service divin.

Auch 1678

Voir Toulouse 1602-1780.

Limoges 1678, 1698

[Limoges 1678: Louis de Lascaris d'Urfé]
Le formulaire du Prône pour les Dimanches

P2385 **Limoges 1678** *pars secunda* p. 216-217

Et d'autant que ceux qui sont excommuniez sont retranchez de la communion des Fidelles, et tout à fait indignes d'assister au saint sacrifice : l'Eglise nous ordonne de faire le denombrement de certains crimes enormes, pour lesquels on encourt l'excommunication.

C'est pourquoy nous declarons excommuniez tous les Heretiques et les Schismatiques : Tous ceux qui usent de magie, de sorcelerie, de divination, d'enchantement, ou de malefice : Tous ceux qui violent les privileges de l'Eglise, tous ceux qui frappent les personnes Ecclesiastiques, ou Religieuses ; tous les Simoniaques qui vendent ou achetent des benefices, ou qui les font tenir, ou les tiennent en confidence ; tous ceux qui retiennent les biens de l'Eglise, et les titres qui luy appartiennent, ou qui en usurpent les droits et la jurisdiction, et qui celent les fondations et les legs pieux : tous ceux qui appelent ou se battent en duel : tous les concubinaires publics, les incendiaires ou boutefeux : tous ceux qui abusans de leur pouvoir font faire des mariages par force, menaces, ou autrement contre le gré des parties : ceux qui sont coupables du crime de rapt et d'enlevement ; et enfin tous ceux qui contractent des mariages clandestins, ou qui y assistent.

S'il y a quelqu'un en cette compagnie, qui ait commis de ces sortes de crimes, pour lesquels il auroit encouru l'excommunication, nous luy commandons par l'ordre de l'Eglise de sortir de ce lieu, comme estant indignes de participer aux mysteres sacrez, et aux prieres publiques de la sainte Eglise.

Langres 1679
[Louis-Marie-Armand de Simiane de Gordes]
Forma Pronai

Langres 1679 p. 326-327

De l'authorité de l'Eglise, nous denonçons pour excommuniez tous Heretiques, Schismatiques, Simoniaques, Confidentiers, Magiciens, Sorciers, Devins, et autres qui usent de malefices : tous ceux qui hors la necessité d'une legitime defence [sic], traittent violemment les Prêtres ou les Clercs : qui sans excuse raisonnable, manquent par trois dimanches consecutifs d'assister à leur Messe parroissiale : qui frappent ou injurient leurs peres ou leurs meres : qui sont usuriers manifestes : qui vendent à faux poids, ou à fausses mesures : qui malicieusement usurpent et retiennent les dixmes, biens, et droits de l'Eglise ; en empêchent la jurisdiction ; ou en suppriment, divertissent, et celent les titres, papiers et enseignemens, tous ceux qui se battent en duël ou rencontre premeditée ; qui leur servent de seconds ; qui portent des appels ou cartels de défy et qui les acceptent, quand même le combat ne s'ensuivroit pas, pourveu qu'il n'ait point tenu à eux. Et d'autant que les choses saintes ne sont pas à communiquer aux indignes, nous commandons à tous excommuniez, s'il y en a en cette compagnie, d'en sortir presentement, comme étant incapables de participer aux saints mysteres et aux prieres publiques.

Chartres 1680, 1689

Voir Chartres 1627, 1639, 1640.

Périgueux 1680, 1763

[Périgueux 1680 : Guillaume Le Boux]
Ordre du Prône

P2387 **Périgueux 1680 p. 380-381**
... parce qu'il ne faut pas communiquer les choses saintes aux indignes, nous commandons à tous Excommuniez de sortir presentement de ce lieu, comme ne meritant pas d'assister aux saints Mysteres, ni de participer aux Prieres publiques.
Et afin qu'on n'ignore pas quels sont les crimes qui causent ce retranchement de l'Eglise, nous dénonçons pour excommuniez tous Hérétiques[a], tous Simoniaques qui vendent ou achettent des Benefices, tous Confidentiers[b] qui prêtent leur nom à d'autres pour en joüir; tous Sorciers, Sorcieres, Devineurs et Devineresses, tous ceux qui par ligature et sortilege empéchent l'usage et consommation du saint Mariage. Tous ceux et celles qui se marient hors de leurs Paroisses sans permission. Tous ceux qui mettent la[c] main violente sur un Prêtre, ou sur un Clerc qui vit clericalement, sur leur propre Pere ou sur leur Mere. Tous ceux qui retiennent les biens de l'Eglise, ses titres et papiers, ou qui en usurpent les Droits ou la Jurisdiction. Tous ceux qui sans permission entrent dans la clôture des Religieuses. Tous ceux qui lisent ou gardent des livres hérétiques, ou autres livres defendus. Tous ceux qui appellent ou se battent en Düel; Et enfin tous ceux qui retiennent, ou ne déclarent pas les Legs pies que les personnes mourantes donnent à l'Eglise ou aux Pauvres dans leur Testament.

Variantes Périgueux 1763. [a] Schismatiques] *add.* – [b] Confidentiaires. – [c] mettent la] osent mettre une.

Coutances 1682

[Charles-François de Loménie de Brienne]
Prosne pour les Dimanches

P2387bis Coutances 1682, *Secunda pars*, p. 208-209
Parceque l'Eglise ne souffre personne au Saint Sacrifice qui ne soit en sa communion, que tous ceux qui en sont privés par sentence d'excommunication, se retirent presentement, afin que nous ayons la liberté d'accomplir le service divin.

Et de peur que personne n'ignore quels sont les crimes qui causent ce retranchement de l'Eglise. Nous declarons excommuniez tous Haeretiques, Schismatiques, Sacrileges. Sorciers et Sorcieres, Devineurs et Devineresses, Noüeurs d'Eguillettes et autres qui par sortileges empeschent l'usage et consommation du S. Mariage. Tous ceux et celles qui se marient hors de leurs Paroisses sans permission. Tous ceux qui mettent la main sur les Prestres ou sur les Clercs, sur leur Pere ou sur leur Mere. Tous ceux qui retiennent les biens de l'Eglise, les tiltres et papiers, ou en usurpent les droits et la Jurisdiction. Tous Simoniaques, qui vendent ou acheptent des Benefices, et tous Confidentiaires, qui prestent leur nom à d'autres pour en joüir. Tous ceux qui sans permission entrent dans la closture des Religieuses. Tous ceux qui lisent ou gardent des livres haeretiques, ou autres livres deffendus. Tous ceux qui se battent en duel, et ceux qui retiennent et ne declarent pas les legs pies, que les personnes mourantes donnent ou à l'Eglise ou aux pauvres dans leur Testament.

Metz 1686

Voir Metz 1662.

Amiens 1687
[François Faure]
Prône pour les dimanches

388 **Amiens 1687** p. 257-258

Nous denonçons pour excommuniez tous hérétiques; tous simoniaques, qui vendent ou achetent benefices; tous confidentiers, qui prêtent leurs noms, ou empruntent les noms d'autrui pour tenir des benefices, contre tout droit divin et humain; tous sorciers et sorcieres, devins et devineresses, usuriers et usurieres, larrons et larronnesses; tous ceux qui vendent à faux poids et à fausse mesure; et tous ceux qui refusent de payer les dismes à Dieu selon l'ancienne coûtume; tous ceux qui usurpent les biens et droits de l'Eglise, et qui s'opposent à ses privileges et libertez; tous ceux qui mettent malicieusement la main violente sur un Prêtre, ou sur un Clerc; tous ceux qui durant le service divin assistent aux jeux et spectacles publics, et ceux qui par ligatures et sortileges empêchent l'usage et consommation du mariage.

Et d'autant que les excommuniez sont indignes de participer aux saints mysteres et aux prieres publiques, s'il y en a quelques-uns en cette

Eglise, nous leur commandons d'en sortir presentement, jusqu'à ce que le divin service soit fait et accompli.

L'on vous avertit de la part de Monseigneur nôtre Evêque, que selon le saint Concile de Trente tous les paroissiens, qui n'ont point d'excuse legitime, sont obligez d'assister à la messe de paroisse, au prône, et aux instructions qui se font en leur paroisse les dimanches, et les fêtes de commandement.

Bayeux 1687
[François de Nesmond]
Pronaum pro diebus dominicis

P2389 **Bayeux 1687 p. 394**

Nous déclarons excommuniés tous hérétiques, schismatiques, tous magiciens, sorciers, charmeurs et devineurs.

Tous ceux qui sans permission lisent ou retiennent chez eux les livres des hérétiques ou sorciers.

Tous empoisonneurs et usuriers.

Tous ceux qui frapent [sic] les ecclesiastiques portant la tonsure et l'habit conforme [sic] à leur état, sinon en leurs cors [sic] défendans.

Tous ceux qui malicieusement usurpent et retiennent les biens et droits de l'Eglise, empêchent sa jurisdiction, ou suppriment, divertissent, ou célent les titres, papiers, ou enseignemens qui luy appartiennent.

Tous ceux qui sans permission entrent en la clôture des religieuses.

Tous simoniaques qui vendent ou achétent benefices, ou donnent conseil ou aide pour les vendre ou acheter.

Tous confidentiaires qui prêtent leurs noms, ou empruntent les noms d'autruy pour autres que pour eux.

Et conformément au decret du Concile de Roüen 1581. tous cabaretiers, qui pendant le service de l'Eglise reçoivent les paroissiens dans leurs maisons pour boire; et pareillement ceux qui pendant ledit temps exercent leur trafic, charient, ou font autre oeuvre mechanique.

Comme aussi les chefs de famille, qui sans excuse legitime sont trois dimanches consecutifs sans assister à leur messe paroissiale, sont menacés de la même peine.

S'il y a quelqu'un dans cette Eglise, de quelque sexe ou qualité qu'il soit, qui soit lié de quelqu'une de ces excommunications, ou autre, nous luy enjoignons de sortir, et ne pas assister au saint sacrifice de la Messe.

Agen 1688

Voir Alet 1667-1677.

Nevers 1689

[Edouard Vallot]
Prosne abregé

Nevers 1689 p. 235[67]

Nous declarons pour excommuniez les heretiques, schismatiques, simoniaques, confidenciers, sorciers, larrons, usuriers, faux-dimeurs, vendeurs à faux poids et mesure, ceux qui auroient frappé et outragé un Prestre et un Clerc, ceux qui retiennent les biens de l'Eglise, et qui pendant le Service Divin les festes et dimanches vaquent à des jeux et spectacles publics, ou qui sont actuellement au cabaret, ou qui le tiennent ouvert; ceux qui par ligatures ou sortileges empêchent l'usage du Mariage, ou nuisent aux personnes et au bêtail, levent le sort de certaines bestes pour le donner à d'autres, arrestent ou empêchent de moudre les moulins, et font d'autres choses semblables pour lesquelles ceux qui les commettent demeureront maudits et excommuniez jusqu'à ce que repentans de leurs crimes, ils soient absous de l'Eglise.

Et d'autant qu'elle a toûjours interdit aux excommuniez et aux indignes la participation aux saints Mysteres: Nous commandons à toutes personnes declarées excommuniées, s'il en est icy, de sortir presentement de cette Maison de Dieu jusqu'à ce que le Divin Service soit fait et accompli.

La Rochelle 1689, 1744

[La Rochelle 1689: Henri de Laval]
Prone pour les saints jours de Dimanche

La Rochelle 1689 p. 376-377

De la part de Dieu tout puissant, et de l'autorité qu'il luy a plû commettre à Monseigneur nôtre Evêque, Nous denonçons pour excommuniez tous Hérétiques et Schismatiques:

tous Simoniaques, qui vendent ou acheptent des benefices, ou qui donnent conseil ou aide pour les vendre et achepter:

tous confidentiaires qui prétent leur nom, ou empruntent celuy d'autruy pour tenir des benefices, ou qui les gardent pour d'autres que pour eux:

---

[67] Formulaire relativement proche de Bourges 1666 (P2373)

tous Magiciens et Magiciennes, Sorciers et Sorcieres, Devineurs et Devineresses, Noüeurs d'eguillette et autres qui par ligature et sortileges empêchent l'usage et consommation du saint Mariage :

tous ceux qui par charmes et enchantemens nuisent aux personnes, font mourir le bétail, font perir les fruits de la terre, et causent d'autres malheurs au peuple :

tous ceux et celles qui se marient hors leurs paroisses sans permission :

tous Usuriers et Usurieres :

tous ceux qui mettent la main violente sur les Prêtres ou Clercs reconnus pour tels à leur habit et tonsure clericale, quand ce n'est pas en leur corps défendant :

tous ceux qui malitieusement usurpent et retiennent les dixmes, biens et droits de l'Eglise, qui empéchent sa jurisdiction, qui suppriment, celent, divertissent les titres, papiers, enseignemens qui luy appartiennent :

tous ceux qui pendant le service divin representent des spectacles, jouent des farces, et detournent le peuple par des jeux, danses ou autres amusemens prophanes de s'acquitter de leur devoir envers Dieu :

tous ceux qui se battent en Duël, qui font des appels, qui portent des paroles ou cartels de deffi, qui les acceptent, quand même le combat ne se seroit pas ensuivi :

toutes ces sortes de personnes de l'un ou de l'autre sexe demeureront dans la malediction de Dieu, et hors la communion de l'Eglise, jusques à ce que faisant une veritable et sincere penitence, ils soient absous et reconciliez par les ministres de la même Eglise.

Et d'autant que les choses saintes ne doivent être communiquées qu'à ceux qui en sont dignes, suivant l'ancienne discipline de l'Eglise, Nous ordonnons, à tous excommuniez s'il y en a en cette assemblée de sortir presentement de ce saint lieu, comme étant indignes de particeper aux prieres publiques, et d'assister aux divins mysteres qui restent à celebrer.

Verdun 1691

[Hippolyte de Béthune]
Formule pour faire le prone

P2391 **Verdun 1691 p. 281-282**

Nous denonçons pour excommuniés, tous Heretiques, Magiciens, Sorciers, Devins, Noüeurs d'aiguillettes, et autres qui en quelque façon empêchent l'usage du Mariage, tous Concubinaires, Larrons, Usuriers publics, Faux-Vendeurs, Faux-Dixmeurs, ceux qui mettent la main violente sur un Prêtre, ou sur un Clerc, sinon en leur corps défendant; ceux qui n'accomplissent pas la volonté des Testateurs, comme ils y sont obligés; ceux qui usurpent les biens et droits de l'Eglise, qui retiennent ou celent ses papiers, titres et autres enseignemens, qui s'opposent à ses privileges et libertés.

Il est aussi ordonné par plusieurs Conciles, et Synodes, particulierement de ce Diocese, que les chefs de famille, qui sans juste empêchement, manqueront d'assister trois dimanches consecutifs à la Messe de paroisse, encoureront la peine de l'excommunication.

Et d'autant qu'il ne faut pas communiquer les choses saintes aux indignes, nous commandons à tous excommuniés de sortir presentement de ce lieu, comme indignes de participer aux saints Mysteres, ou Prieres publiques.

Lyon 1692

Voir Lyon 1648.

Extrait du Rituel romain, pour bien administrer les Sacremens…

Lyon 1692, 1703, c. 1728, c. 1740; Tulle 1700[68]
Formulaire pour faire le Prone.

Extrait du Rituel Romain, Lyon 1692 p. 292-293

[Formulaire de Lyon 1648-1724, et des rituels romains imprimés à Lyon et Avignon (P2368bis) avec additions, ici en italiques.]

Par authorité de Monseigneur l'Evêque, ou Archevêque nôtre Prelat, sont declarez interdits et excommuniez tous Concubins et Concubines, Usuriers, Usurieres, toutes personnes tenant faux poids et fausses mesures, tous Sorciers, Sorcieres, *Devineurs, Devineresses, ceux et celles qui invoquent le Demon, qui ont fait pacte avec lui, qui usent de charmes, noüent l'éguillette, pour empêcher la fin du mariage*; tous Heretiques, et ceux qui mettent la main violente sur les Prêtres et Personnes Ecclesiastiques, si ce n'est que ce fut en leur corps defendant; ceux qui gardent les obligations qui sont payées, *qui cachent les contracts qui concernent les oeuvres pies*, et qui ne satisfont pas à la volonté des Testateurs. Et nous leur commandons de sortir presentement de l'Assemblée des Fideles, comme n'ayant aucune part aux Prieres, et au Sacrifice qui se fait dans l'Eglise.

---

[68] *Extrait du Rituel romain*: Molin Aussedat n°1676, 1682, 1689, 1693 (éditions Lyon). n° 1679 (édition Tulle).

Luçon 1693

[Henry de Barrillon]
Prône pour les Dimanches

[Formulaire proche de La Rochelle 1689.]

P2392 **Luçon 1693 p. 24-26**

De la part de Dieu tout puissant, et de l'autorité qu'il luy a plû donner à Monseigneur nôtre Evêque, Nous denonçons pour Excommuniez tous Heretiques et Schismatiques, tous Simoniaques, qui vendent ou achetent des Benefices, tous Confidenciers qui prêtent leur nom, ou empruntent celuy d'autruy pour tenir des Benefices, ou qui les gardent pour d'autres que pour eux.

Nous declarons aussi pour Excommuniez tous Magiciens et Magiciennes, Sorciers et Sorcieres, Devins et Devineresses;

Tous ceux qui par ligature ou sortilege empêchent l'usage et la consommation du saint Mariage;

Tous ceux et celles qui par charmes et enchantemens nuisent aux personnes, font mourir le Bétail, font perir les fruits de la terre, et causent d'autres malheurs au peuple;

Tous ceux et celles qui se marient hors leur Paroisse sans permission;

Tous Usuriers et Usurieres;

Tous ceux qui vendent à faux poids et à fausses mesures;

Tous ceux qui usurpent les biens et les droits de l'Eglise, qui suppriment, divertissent ou retiennent les Titres, papiers et enseignemens qui lui appartiennent;

Tous ceux qui mettent la main violente sur un Prêtre ou sur un Clerc, reconnus pour tels à leur habit et tonsure clericale;

Tous ceux qui se battent en duel, qui portent l'appel ou qui l'acceptent, quand même le combat ne s'en seroit pas ensuivi;

Tous ceux qui pendant le Service divin representent des jeux et des spectacles publics.

Toutes ces sortes de personnes de l'un ou de l'autre sexe encourront la malediction de Dieu et demeureront excommuniez jusqu'à ce qu'ils fassent penitence, et que demandant humblement pardon de leurs crimes, ils soient absous par l'Eglise.

Et parce que la participation aux saints Mysteres a toûjours été interdite à ceux qui en sont indignes, Nous ordonnons à tous Excommuniez, s'il y en a en cette Assemblée, de sortir presentement de la maison de Dieu et de se separer des Fideles jusqu'à ce que le divin Service soit fait et accompli, comme étans indignes de participer aux Prieres publiques, et de peur que par leur présence et communication ils n'attirent sur les Fideles la malediction de Dieu.

Luçon 1693 p. 43 *Abregé du Prône.* De l'autorité de l'Eglise Nous declarons excommuniez les Heretiques, Schismatiques, Simoniaques, Confidenciers, Magiciens, Usuriers, Vendeurs à faux poids et mesures; Ceux qui frappent injurieusement les Clercs, ou qui retiennent les biens de l'Eglise, ou empêchent sa Jurisdiction, ou vaquent les Fêtes et Dimanches aux jeux et spectacles publics pendant le Service divin.

Sens 1694
[Hardouin Fortin de La Hoguette]
Prône pour les Dimanches

Sens 1694 p. 417-418

Nous dénonçons pour excommuniés tous Heretiques, tous Simoniaques qui vendent ou achetent des Benefices, qui conseillent ou aydent à les vendre ou à les acheter, tous confidenciers, qui prêtent leurs noms, ou empruntent les noms d'autruy pour tenir des benefices, ou qui les gardent pour d'autres que pour eux : Nous declarons aussi excommuniés tous Schismatiques, Magiciens et Magiciennes, Sorciers et Sorcieres, Devins et Devineresses; tous ceux qui par ligature ou sortilege empêchent l'usage et la consommation du saint mariage; tous ceux et celles qui se marient hors de leur paroisse sans permission; tous Usuriers et Usurieres; tous Empoisonneurs; tous ceux qui vendent à faux poids et à fausses mesures; tous ceux qui refusent de payer les dixmes à Dieu selon l'ancienne coûtume; tous ceux qui mettent la main violente sur un Prêtre, ou sur un Clerc vivant clericalement, si ce n'est à leur corps defendant; tous ceux qui usurpent et retiennent les biens et les droits de l'Eglise, qui empêchent sa juridiction, qui suppriment, divertissent ou retiennent les titres, papiers et enseignements qui lui appartiennent; ceux qui assistent aux spectacles publics des farceurs durant le Service divin.

Toutes ces sortes de personnes demeureront maudites et excommuniées, jusques à ce qu'ils viennent à penitence, et qu'ils soient absous par l'Eglise; Et s'il y en a dans ce saint lieu, Nous leur commandons d'en sortir presentement, et leur deffendons d'assister au Saint Sacrifice et aux Prieres publiques de l'Eglise, comme en estant indignes.

Soissons 1694
[Fabio Brulart de Sillery]
Prône pour les Dimanches

P2394 **Soissons 1694** p. 268-269

Nous dénonçons pour excommuniez tous hérétiques, simoniaques, confidentiaires, sorciers, devins, et autres qui se servent de maléfices. Tous ceux qui retiennent les biens et les droits de l'Eglise, qui usurpent sa jurisdiction, qui font quelque violence à ses ministres sacrez, et tous ceux qui entrent sans permission dans la clôture des Religieuses. Les chefs de famille qui manqueront d'assister trois dimanches consecutifs à la messe de paroisse sont aussi menacez d'excommunication.

S'il y a quelqu'un dans cette compagnie qui connoisse qu'il soit excommunié, Nous lui ordonnons de sortir de l'Eglise jusqu'à ce que le service divin soit accompli.

P2394bis **Soissons 1694** p. 273 [Prône abrégé]

De l'autorité del'Eglise, nous déclarons excommuniez les hérétiques, schismatiques, simoniaques, confidenciaires, magiciens, ceux qui frappent injurieusement les clercs ou qui retiennent les biens de l'Eglise, ou empêchent sa jurisdiction.

Sées 1695
[Mathurin Savary]
Formulaire du Prosne[69]

P2395 **Sées 1695** troisième partie, p. VI-VII

Nous declarons excommuniez tous sorciers et sorcières, devineurs et devineresses, *comme aussi ceux qui par maleﬁces ou autrement empeschent l'usage et la consommation du mariage, et generallement* tous ceux qui mettent la main sur *le* Prestre et sur *le* Clerc sans juste cause. Tous ceux qui retiennent malicieusement les biens, *les titres,* et les droits de l'Eglise, ou qui usurpent la jurisdiction d'icelle. Tous simoniaques, et tous confidentaires [sic] qui prestent leur nom à d'autres pour joüir des benefices. Tous ceux *et celles* qui entrent dans la clôture des *Religieux sans une pareille* licence. Tous ceux qui *impriment,* lisent, ou retiennent par devers eux les livres des heretiques, et autres prohibez et defendus.

---

[69] Les additions ou modifications par rapport à l'édition Sées 1634 sont en italiques. Voir aussi *supra* P2343.

Et ceux-là sont aussi menacez d'excommunication qui manqueront par trois dimanches continuels, d'assister à leur messe de Paroisse *et Instructions qui s'y feront*, sans excuse *ou empeschement* legitime ; *et nous avertissons pareillement les peres et meres qui mettent coucher les enfans dans leurs lits avec eux devant l'an et jour, et les maris qui le souffrent, qu'ils sont tous menacez de la même excommunication, et sur tout les peres et meres qui negligent d'instruire leurs enfans, et qui mettent ou souffrent les garçons avec les filles.*

S'il y a aucuns en ceste compagnie qui soient en sentence d'excommunication, nous leur enjoignons de sortir jusqu'à ce que le divin Service soit dit et accomply.

Paris 1697, 1701, 1777

Voir Paris 1630-1777, P2354.

Rituel romain, Rennes, 1698

Voir Toulouse 1670-1780, P2378.

Beauvais 1700

[Toussains de Forbin-Janson]
Abregé du Prosne[70]

95bis **Beauvais 1700**, *Statuts de Monseigneur le cardinal de Forbin-Janson, Appendice*, p. 62-63

De l'autorité de l'Eglise Nous declarons Excommuniez tous Heretiques : Simoniaques, qui vendent, ou achetent des benefices ; ou qui donnent conseil, ou aide, pour les vendre ou les acheter : tous confidentiaires, qui prêtent leurs noms, ou qui empruntent le nom d'autruy, pour tenir des benefices ; ou qui gardent des benefices pour d'autres, que pour eux : tous Schismatiques, Magiciens, et Magiciennes : Devins, et Devineresses : ceux et celles qui empêchent l'usage du Mariage : ceux et celles qui se marient hors de leur Parroisse sans permission : ceux et celles qui portent la main violente sur les Prêtres, et sur les Clercs, si ce n'est en leur corps deffendant : tous usuriers ; usurieres : vendeurs à faux poids, et mesures : ceux et celles qui fraudent la disme ; ceux qui empêchent la

---

[70] L'*Abregé du Prosne* fait partie de l'Appendice des *Statuts de Monseigneur le cardinal de Janson-Forbin, eveque-comte de Beauvais… Beauvais, chés Michel Courtois… M.DCC.*, p. 61-63, relié à la suite du rituel diocésain de 1637 (ex. Paris, Arsenal).

Jurisdiction Ecclesiastique: qui malitieusement usurpent, et retiennent les biens, et droits de l'Eglise; qui suppriment, detournent, ou celent les Tîtres, Papiers et enseignemens qui luy appartiennent; et aussi ceux et celles qui vacquent les Dimanches, et fêtes, aux jeux et spectacles publics pendant le service divin. Telle sorte de gens demeureront maudits et excommuniez jusqu'à ce qu'ils s'amendent, et soient absous par l'Eglise.

Grenoble 1700
[Etienne Le Camus]
Prône pour les Dimanches; à l'usage du Diocéze de Grenoble

P2396 **Grenoble 1700 p. 340-344**

Nous dénonçons pour excommuniez tous Hérétiques, tous Simoniaques qui vendent, ou achetent des Bénéfices, qui conseillent, ou aident à les vendre, ou à les acheter, tous confidenciers qui prétent leurs noms, ou empruntent les noms d'autrui pour tenir des Bénéfices, ou qui les gardent pour autre que pour eux.

Nous déclarons aussi excommuniés tous Schismatiques, Magiciens et Magiciennes, Sorciers et Sorciéres, Devins et Devineresses; tous ceux qui par ligature, ou sortilége, empêchent l'usage et la consommation du saint Mariage; tous ceux et celes qui se marient hors de leur Parroisse, sans permission; tous ceux qui exposent sans une extrême necessité leurs enfans aux Hôpîtaux, ou ailleurs; tous larrons et larronesses; tous usuriers et usuriéres; tous ceux qui vendent à faux poids et à fausses mesures; tous ceux qui refusent de païer les Dîmes à Dieu, selon l'ancienne coûtume; tous ceux qui usurpent et retiennent les biens et les droits de l'Eglise, qui empêchent ou déclinent sa Jurisdiction, qui supriment, divertissent, ou retiennent les titres, papiers et enseignemens qui lui appartiennent; tous ceux qui s'oposent [sic] à ses privileges et libertez; tous ceux qui mettent la main violente sur un Prêtre, ou sur un Clerc vivant cléricalement; tous ceux qui se battent en Duël, qui portent l'apel [sic], ou qui l'acceptent, quand même le combat ne s'en seroit pas ensuivi; toutes les femmes qui couchent leurs enfans dans le lit devant l'an et jour; tous ceux qui assistent aux jeux et spectacles publics durant le Service Divin.

Toutes ces sortes de personnes demeureront maudites et excommuniées jusqu'à ce qu'ils viennent à penitence, et que demandant humblement pardon de leurs crimes, ils soïent absous par l'Eglise.

Et parce que l'Eglise a toûjours interdit aux excommuniés et aux indignes, la participation aux saints Mistéres, Nous défendons à toutes

personnes excommuniées de demeurer dans l'Eglise pendant qu'on fait le Service Divin; de peur que par leur presence et communication ils n'attirent sur les Fidéles la malédiction de Dieu. [comme Reims 1677]
S'il y avoit donc dans cette Eglise des personnes qui aïent connoissance qu'elles eussent encouru Sentence d'excommunication, Nous leur ordonnons de sortir presentement de la Maison de Dieu, et de se séparer des Fidéles, jusqu'à ce que le Divin Service soit fait et accompli. [comme Reims 1677]

Toul 1700, 1760
[Toul 1700: Henri de Thyard de Bissy]
Le prône

2397 **Toul 1700 p. 410-411**
De l'autorité de Dieu tout puissant et de celle de nôtre mere sainte église, nous dénonçons et déclarons excommuniez tous hérétiques, schismatiques, simoniaques, magiciens et magiciennes, sorciers et sorcieres, devineurs et devineresses, et ceux qui par ligature et sortilége empêchent l'usage et la consommation du mariage: tous ceux et celles qui se marient hors de leurs paroisses sans permission; qui refusent de payer la dîme; qui mettent avec violence la main sur un prêtre ou sur un clerc vivant cléricalement; qui se batent [*sic*] en duel, qui portent l'appel, ou qui l'acceptent, quand même le combat ne s'en seroit pas ensuivi, qui donnent aide et conseil pour ce sujet. Tous ceux et celles pareillement qui usurpent ou retiennent les biens, droits, titres, papiers et enseignemens de l'église; ou qui empêchent, troublent ou declinent sa jurisdiction. Toutes ces sortes de gens demeureront maudits de Dieu, et excommuniez de l'église, jusqu'à ce qu'ils viennent à penitence; et que demandant humblement pardon de leurs crimes, ils en ayent reçû l'absolution. Et parce qu'il ne faut pas communiquer les choses saintes à ceux qui en sont indignes, nous leur commandons de sortir présentement de ce lieu, comme étant indignes de participer aux saints mistéres, et aux prieres de l'église.
Pour satisfaire aux décrets du saint concile de Trente, je vous avertis de la part de... monseigneur l'évêque de Toul nôtre prélat, que tous les paroissiens qui n'ont point d'excuse légitime, sont obligez d'assister à la messe paroissiale, aux prônes et aux instructions qui se font en leurs paroisses, les saints jours de dimanche et les fêtes de commandement.

Auch 1701[71]
Aire [1720]. Bazas 1701. Comminges [1728][72]. Dax 1701
Oloron 1720. Sarlat [1708][73]. Tarbes 1701, [1746]

[Auch 1701 : Anne-Tristan de La Baume de Suze]

Prône

P2398   **Auch 1701 p. 671**

Nous denonçons pour excommuniés tous Heretiques, Simoniaques, tous Confidenciaires, Magiciens et Magiciennes, Sorciers et Sorcieres, Devins et Devineresses, tous ceux qui par ligature, ou sortilege, de quelque maniere que cela se fasse, empêchent l'usage et consommation du mariage, ceux qui refusent de payer les dismes selon l'ancienne coutûme, ceux qui usurpent ou retiennent les biens de l'Eglise, ceux qui mettent les mains violentes sur un Prêtre, ou sur un Clerc vivant clericalement. Toutes ces personnes demeureront maudites et excommuniées [*sic*], jusqu'à ce qu'ils viennent à penitence, et qu'ils soient absous par l'Eglise; et d'autant que les choses saintes ne doivent point être communiquées aux indignes, nous commandons à tous excommuniés de sortir presentement de ce lieu pour ne point assister aux saints Mysteres.

Extrait du Rituel romain, Tulle, 1701

Voir Toulouse 1670-1780, P2378.

Besançon 1705

De Excommunicationibus tum Papae tum Episcopis reservatis[74]

P2399   **Besançon 1705**

Excommunications réservées au pape et aux évêques, faisant partie du chapitre *De Censuris*, diffèrentes selon les exemplaires du rituel.

Excommunications réservées au pape, voir *infra* P2524-P2526.

Excommunications réservées aux évêques, voir *infra* P2708-P2711.

---

[71] Aucun exemplaire connu des possibles rituels, probablement publiés en 1701 ou peu après, de Bayonne, Couserans, Lectoure et Lescar faisant partie de la province d'Auch. Le rituel de Dax 1701 n'est connu que par l'article de P. Coste, « Histoire des Cathédrales de Dax », *Bulletin trimestriel de la Société de Borda*, t. 34 (1909), p. 81.

[72] Édition d'Auch 1701 avec addition du mandement daté septembre 1728 de l'évêque de Comminges Gabriel-Olivier de Lubiere du Bouchet.

[73] Édition d'Auch 1701 avec en tête l'ordonnance datée mai 1708 de l'évêque de Sarlat Paul de Chaulnes prescrivant le rituel d'Auch dans son diocèse.

[74] Excommunications précédant l'Excommunication publique (P2433).

Voir aussi Besançon 1674, P2381.

Poitiers 1705, 1719
[Jean-Claude de La Poype de Vertrieu]
Formulaire pour faire le prosne les dimanches à la messe paroissiale dans le Diocese de Poictiers

2400 **Poitiers 1705 p. 24**
De la part du Dieu Tout-Puissant, et de l'autorité qu'il luy a plû commettre à Monseigneur l'Evéque de Poictiers nostre prelat, sont interdits et excommuniez tous Concubins et Concubines, tous Sorciers et Sorcieres, tous Heretiques, tous ceux qui tiennent faux poids et fausse mesure, tous Usuriers et Usurieres, tous ceux qui mettent main violente sur aucune personne du Clergé, (sinon en leur corps défendant) tous ceux qui gardent les obligations qui sont payées et satisfaites ; ou enfin ceux qui n'accomplissent pas la volonté des Testateurs, laquelle se doit ou se peut executer.

Évreux 1706
[Jacques Potier de Novion]
Prosne pour les dimanches

2401 **Évreux 1706 p. 342-343**
Nous denonçons pour excommuniez tous Heretiques, Schismatiques, Sacrileges, et Simoniaques, qui vendent, ou achettent des Benefices ; qui conseillent, ou qui aident à les vendre, ou à les achetter ; tous confidentiers qui prettent leurs noms, ou empruntent les noms d'autruy pour tenir des Benefices, ou qui les gardent pour d'autres que pour eux ; tous usuriers, et ceux qui vendent à faux poids et à fausse mesure ; tous Magiciens, Sorciers, Enchanteurs, Devins, Empoisonneurs, Charmeurs, et tous ceux qui par ligature, ou sortilege empéchent l'usage et la consommation du saint Mariage ; tous ceux qui se marient hors de leur Paroisse sans permission ; tous ceux qui exposent sans une extrême necessité leurs enfans aux Hôpitaux, ou en quelqu'autre endroit ; tous ceux qui ne payent point les dixmes ; tous ceux qui usurpent les droits de l'Eglise, ou qui en retiennent les biens ; qui empéchent, ou qui declinent sa jurisdiction ; qui supriment, qui divertissent, ou qui gardent les titres, les papiers, et tout ce qui peut servir d'instruction pour la conservation de ses revenus ; tous ceux qui mettent la main violente sur un Prêtre, ou sur un Clerc vivant cleri-

calement, si ce n'est en se deffendant ; tous ceux qui se battent en duel, qui portent l'appel, ou qui l'acceptent, quand même le combat ne s'en seroit pas ensuivi ; toutes les femmes qui couchent leurs enfans dans le lit avant l'an et jour ; tous ceux qui charrient, ou qui font quelqu'autre oeuvre mechanique sans necessité le dimanche et la fête ; tous ceux qui donnent pendant l'Office divin leurs maisons pour y boire, pour y joüer, ou y faire quelqu'autre chose contraire à la sanctification de ces saints jours ; toutes ces personnes hommes, ou femmes demeureront maudits et excommuniez jusqu'à ce qu'ils se presentent à la penitence, qu'ils demandent humblement pardon à Dieu de leurs crimes, et qu'ils soient absous par l'Eglise. Et parce qu'il ne faut pas communiquer les choses saintes à ceux qui s'en sont rendus indignes, nous commandons à tous les excommuniez de sortir presentement de ce lieu, comme ne meritant pas de participer aux redoutables mysteres, ny aux prieres publiques.

Bordeaux 1707, 1728
Sarlat 1729
[Bordeaux 1707 : Armand Bazin de Besons]
Le Prône pour les Dimanches

P2402 **Bordeaux 1707 p. 508-509**
De la part de Dieu tout-puissant, et de l'authorité qu'il lui a plû commettre à Monseigneur notre Archevêque et Primat. Nous dénonçons pour excommuniez tous heretiques et schismatiques, magiciens, sorciers et sorcieres, devins et devineresses, noüeurs d'aiguillettes et autres qui par ligatures et sortileges empêchent l'usage et consommation du saint mariage, tous ceux qui mettent avec violence la main sur les prêtres, ou sur les clercs vivans clericalement, quand ce n'est pas en leur corps défendant. Ceux qui empêchent que le Service divin ne se fasse ; ceux qui usurpent et retiennent les biens et droits de l'Eglise, qui empêchent sa juridiction, qui suppriment, divertissent ou retiennent les titres, papiers, et enseignemens qui lui appartiennent ; Tous ceux qui se battent en duel, ou qui les aident à cette action execrable : Comme aussi tous ceux qui celent, ou qui n'accomplissent pas les legats pies ; toutes ces sortes de personnes sont maudites de Dieu, et demeureront excommuniées et retranchées de l'Eglise, jusqu'à ce qu'elles fassent penitence, et qu'elles ayent recû l'absolution de leurs crimes. C'est pourquoi, s'il y en a dans ce saint lieu, nous leur ordonnons, de la part de Dieu, d'en sortir presentement, et nous leur défendons d'assister au saint sacrifice de la Messe, et aux prieres publiques de l'Eglise, comme en étant indignes.

Bordeaux 1707, 1728
Auch 1751 et Province d'Auch (Bayonne, Bazas, Comminges, Couserans, Dax, Lectoure, Lescar, Oloron, Tarbes 1751)
Glandève 1751. Sarlat 1729

[Bordeaux 1707 : Armand Bazin de Besons]
Abregé du Prône

2403 **Bordeaux 1707, 1728** p. 514-515; **Auch 1751** p. 522

Nous dénonçons pour excommuniez les Heretiques, Schismatiques, Magiciens, Sorciers, et Devins; Ceux qui empêchent l'usage du Mariage[a]; Ceux qui frappent injurieusement les Ecclesiastiques; Ceux qui se battent en Duel; Ceux qui usurpent et retiennent les biens de l'Eglise; Qui empêchent sa jurisdiction; Qui suppriment, divertissent ou retiennent les titres, papiers, et enseignemens qui lui appartiennent [*sic*]; Qui celent ou n'accomplissent pas les Legats pies. Ces sortes de personnes demeureront maudites et excommuniées, jusqu'à ce qu'elles fassent penitence, et reçoivent l'absolution de leurs crimes.

Variante Auch 1751 et Province d'Auch, Glandève 1751. [a] Ceux qui empêchent l'usage du Mariage] *om*.

Cambrai 1707, 1779

[Cambrai 1707 : François de Salignac de La Mothe-Fénelon]
Monitiones Dominicales

2404 **Cambrai 1707** p. 252

Nous denonçons ici pour excommuniez tous heretiques, schismatiques, simoniaques, ceux qui sont coupables de confidence, sorciers, auteurs de malefices, devins, ceux qui se battent en duel, ceux qui frappent un clerc, ceux qui fraudent pour la dixme, ceux qui usurpent les biens et droits de l'Eglise, ou qui en retiennent les titres, les usuriers publics, ceux qui exposent leurs enfans, ceux qui se marient hors de leurs paroisses sans permission, ou qui vont surprendre leurs Pasteurs, leur declarant par voye de fait, qu'ils se prennent pour mari et pour femme.

Rouen 1707

[Jacques-Nicolas Colbert]

2404bis **Rouen 1707** p. 193-194. Formulaire de Rouen 1640.

Saint-Flour 1710
[Joachim-Joseph d'Estaing]
Formulaire du Prosne

P2405 **Saint-Flour 1710 p. 17**
Par l'autorité de Monseigneur nôtre Evêque, sont declarez excommuniez tous Devins, et Devineresses; tous ceux qui mettent la main sur les Prêtres, les battans, et offensans; ceux qui entreprendront sur la jurisdiction ecclesiastique; tous ceux qui ne revelent les legats pies; ceux qui exposent sans extréme necessité leurs enfans aux Hôpitaux; ceux qui ne payent les Dîmes; et ceux qui empêchent directement, ou indirectement les Ecclesiastiques en la jouïssance, arrantemens, ou levée de leurs revenus, et les femmes qui mettent coucher leurs enfans dans leurs licts, avant l'an et le jour de leur naissance

Metz 1713
[Henri-Charles du Cambout de Coislin]
Exhortationes in ambone

P2406 **Metz 1713 p. 63-64**
De l'autorité de Dieu tout-puissant, et de l'Eglise catholique, apostolique et romaine; nous dénonçons pour excommuniez, tous ceux et celles qui sont coupables des crimes suivans: sçavoir, les heretiques et schismatiques; les simoniaques, qui vendent ou achetent benefices, ou qui donnent conseil et aide pour les acheter; les confidentiaires qui prêtent leurs noms, ou empruntent les noms d'autres personnes, pour tenir des benefices, ou qui les gardent pour d'autres que pour eux, les magiciens, sorciers, devins, usuriers, larrons; ceux qui vendent à faux poids ou à fausse mesure; ceux qui refusent de paier la dîme, selon les coûtumes des lieux, qui empêchent la jurîdiction, les droits, privileges et libertez de la sainte Eglise, qui usurpent ou retiennent ses biens, ou qui supriment, détournent, ou celent les titres, papiers et enseignemens qui lui apartiennent [*sic*]; qui mettent la main violente sur des prêtres ou sur des clercs vivant clericalement, sinon en leur corps défendant; ceux qui par ligatures ou sortileges empêchent l'usage et la consommation du saint mariage; qui se marient hors de leur paroisse sans permission; qui se battent en duel, qui portent l'appel ou l'acceptent, quand même le combat ne s'en seroit pas ensuivi, qui donnent aide et conseil pour se battre en duel; les comediens, bateleurs, ceux qui montent sur le theatre, ou qui leur rendent service pour representer leurs spectacles.

Toutes ces sortes de gens demeureront maudits de Dieu, et excommuniez de l'Eglise, jusqu'à ce qu'ils aient reçû l'absolution de leurs crimes.

Et parce qu'il ne faut pas que les excommuniez assistent à la celebration de la sainte Messe; nous leur commandons de sortir presentement de l'Eglise, afin qu'ils n'empêchent pas le service divin.

Poitiers 1719

Voir Poitiers 1705.

Aire [1720]

Voir Auch 1701.

Oloron 1720

Voir Auch 1701.

Tournai 1721
[Johann-Ernst von Loewenstein-Wertheim]
Monitiones dominicales

2407 **Tournai 1721 p. 288**
Nous dénonçons pour excommuniez tous sorciers, devins, ceux qui par ligatures et sortileges empêchent l'usage et la consommation du saint mariage, et autres usans de superstitions et arts diaboliques, les usuriers publics, ceux qui fraudent pour la dîme, ceux qui pour se marier vont surprendre leurs pasteurs, leur déclarant par voye de fait qu'ils se prennent pour mari et femme : et en general tous ceux, qui par les constitutions ou sentences de l'Eglise sont excommuniez ; et nous leur commandons de sortir pendant que se fera le saint Sacrifice de la Messe[75].

Cahors 1722

Voir Cahors 1674.

---

[75] Formule d'excommunication supprimée dans le rituel de Tournai 1784.

Lyon 1724

Voir Lyon 1648.

Beauvais 1725

Voir Paris 1630-1777.

Orléans 1726

[Louis-Gaston Fleuriau d'Armenonville]
Formule du Prône pour les dimanches

P2408 **Orléans 1726** p. 170

Nous denonçons pour excommuniez tous Hérétiques, Schismatiques, Simoniaques, Magiciens, Sorciers, Devins, Noüeurs d'éguillettes, Voleurs, Usuriers, faux Vendeurs, faux Dîmeurs, ceux qui mettent la main violente sur les Prêtres, ou sur les Clercs, excepté le cas d'une legitime défense; ceux qui violent les droits, franchises, libertez et jurisdiction de l'Eglise nôtre sainte Mere.

Vannes 1726

Voir P2347 et P2355.

Saint-Omer 1727

[François de Valbelle de Tourves]
Monitiones et Preces dominicales

P2409 **Saint-Omer 1727** p. 414-415

Nous declarons excommuniés tous Hérétiques et Schismatiques, comme aussi ceux qui usurpent et retiennent les droits, biens et possessions de l'Eglise; tous les Enchanteurs, Devins, Magiciens; ceux qui usent de malefice pour quelque effet que ce soit, et en particulier, pour empêcher, par ligatures et autres inventions diaboliques, l'usage et la consommation du mariage; enfin tous ceux que l'Eglise regarde et tient pour excommuniés.

Wy verclaeren voor gheexcommuniceert alle Ketters en Schismaticken…

Rituel Romain, pour bien administrer les Sacremens…,
Rennes, 1728

Voir Vannes 1618-1771, P2347.

Avignon 1729, 1748, 1789

[Avignon 1729 : François-Maurice de Gonteriis]
*Formulaire pour faire le Prône… à l'usage
des quatre Diocèses de la Province ecclésiastique d'Avignon*

2410   **Avignon 1729 p. 13**

Par autorité de Monseigneur notre Archevêque (ou Evêque) nous déclarons excommuniés tous Sorciers, Sorcieres, Hérétiques, Simoniaques, et ceux qui frappent injurieusement quelque personne du Clergé, si ce n'est en leur corps défendant.

Auxerre 1730

[Charles de Caylus]
Pronai formula

2411   **Auxerre 1730 p. 3-4**

Nous commandons à tous excommuniez dénoncez, s'il y en a ici, de sortir présentement, étant indignes de participer aux saints mysteres et aux prieres publiques que nous allons faire.

L'Eglise déclare excommuniez, tous Hérétiques, tous Schismatiques, tous Simoniaques, qui vendent ou achetent des bénéfices, qui donnent conseil pour les vendre ou pour les acheter, tous ceux qui favorisent de pareilles actions : tous Confidentiaires qui prêtent leur nom, ou empruntent le nom d'autrui, pour posséder des bénefices, ou qui les gardent pour d'autres que pour eux-mêmes : tous Magiciens, Sorciers et Sorcieres, Devins et Devineresses, tous Farceurs, Bateleurs et Comediens ; tous ceux et celles qui par ligatures et sortilege empêchent l'usage et la consommation du saint mariage : tous ceux et celles qui se marient hors de leur paroisse sans permission : tous Usuriers et Usurieres publiques : tous ceux qui mettent la main violente sur un Prêtre, Diacre et Soudiacre, et même sur un Clerc vivant clericalement, sinon en leur corps défendant : tous ceux et celles qui malicieusement usurpent et retiennent les dixmes, biens et droits appartenans à l'Eglise, et qui suppriment, divertissent ou celent les titres, papiers et enseignemens qui lui appartiennent, ou qui en empêchent la restitution.

Toutes ces personnes demeureront excommuniées, jusqu'à ce qu'elles rentrent en elles-mêmes, qu'elles reconnoissent l'énormité de leur crime, et qu'elles ayent réparé les injustices qu'elles ont faites, et qu'elles en demandent l'absolution à l'Eglise.

Blois 1730
[Jean-François Lefebvre de Caumartin]
Formule pour faire le Prône

P2412 **Blois 1730 p. 425**
Nous vous avertissons que suivant les loix de l'Eglise tous paroissiens doivent assister les dimanches à la messe paroissiale, au prône et instructions qui s'y font ; qu'il y a excommunication contre ceux qui maltraitent griévement des Clercs en Ordre sacré ou des personnes religieuses, qui vendent ou achétent des bénéfices, qui prêtent leurs noms ou empruntent les noms d'autrui pour en tenir, ou qui les gardent pour d'autres que pour eux ; tous hérétiques et schismatiques, ceux qui se battent en duël, qui y appellent ou qui l'acceptent ; ceux qui tentent d'empêcher par sortilege ou autrement l'usage du mariage ; ceux qui mettent le feu exprès à des effets ou à des bâtimens, et qui contractent mariage sans la presence de leur curé légitime et des témoins requis.

Clermont 1733
[Jean-Baptiste Massillon]
Prône pour les saints jours de Dimanches

Formule proche de Paris 1697[76].

P2413 **Clermont 1733 p. 129-131**
Nous dénonçons pour excommuniez tous hérétiques, tous schismatiques, tous simoniaques qui vendent ou achetent des benefices, ou qui donnent conseil et aide pour les vendre et acheter, tous confidentiaires qui prêtent leur nom, ou empruntent les noms d'autrui pour tenir des benefices, et qui les gardent pour d'autres que pour eux, tous magiciens et magiciennes, sorciers et sorcieres, devineurs et devineresses, et ceux qui par ligature et sortilege empêchent l'usage et la consommation du sainct mariage, *tous ceux qui par charmes et enchantemens nuisent aux personnes, font mourir le bétail, font périr les fruits de la terre, et causent*

---

[76] Additions à Paris mises ici en italiques.

d'autres malheurs au peuple, tous ceux et celles qui se marient hors de leurs paroisses sans permission, tous usuriers et usurieres, tous ceux qui mettent la main violente sur les prêtres, ou sur les clercs vivant clericalement, sinon en leur corps defendant, tous ceux qui malicieusement usurpent et retiennent les biens et droits de l'Eglise, qui empêchent sa jurisdiction, ou qui suppriment, détournent, ou celent les titres, papiers et enseignemens qui lui appartiennent, *et aussi tous ceux qui durant le service divin représentent des spectacles, jouent des farces, et détournent le peuple par des jeux publics, danses ou autres amusemens profanes, de s'acquitter de leur devoir envers Dieu. Tous ceux qui se battent en duel, qui font des appels, qui portent des cartels de défi, qui les acceptent, quand même le combat ne se seroit pas ensuivi.*

Toutes ces personnes de l'un ou de l'autre sexe demeurent dans la malédiction de Dieu, et sont hors de la communion de l'Eglise, jusqu'à ce que faisant une véritable et sincere pénitence, ils soient absous et reconciliez par les ministres de l'Eglise.

Et parce qu'il ne faut pas communiquer les choses saintes à ceux qui en sont indignes, nous commandons à tous excommuniez de sortir de ce saint lieu aussi-tôt que le prône sera fini.

On vous avertit de la part de Monseigneur l'Evêque que selon les saints Canons tous les Fidéles sont obligez d'assister assidûment les dimanches à la messe de paroisse, au prône, et aux instructions qui s'y font, et ce sous peine d'excommunication, s'ils y manquent sans une cause légitimie pendant trois dimanches consecutifs.

Nantes 1733, 1755, 1776

[Nantes 1733 : Christophe-Louis Turpin Crissé de Sanzay]
Formula Pronai

2414 **Nantes 1733 p. 105-106**

Nous declarons excommuniez, tous Heretiques, Schismatiques, Simoniaques, ceux qui portent la main violente sur les prêtres ou sur les Clercs, et ceux qui suppriment, detournent ou celent papiers et enseignemens appartenans à l'Eglise. Ces sortes de personnes seront sujettes à la malediction de Dieu jusqu'à ce qu'elles viennent à resipiscence et meritent l'absolution de l'Eglise.

Rodez 1733

Voir Rodez 1671.

Meaux 1734

[Henri de Thyard de Bissy]
Prosne pour les dimanches

P2415 **Meaux 1734 p. 383**

Nous dénonçons pour excommuniés tous Hérétiques, tous Simoniaques et Confidenciaires, tous Schismatiques, Magiciens et Magiciennes, Sorciers et Sorcieres, Devineurs et Devineresses, ceux qui disent ou font dire des oraisons superstitieuses pour guérir les hommes ou les animaux, ceux qui lisent ou gardent chez eux les livres des Hérétiques ou autres livres défendus. Tous ceux et celles qui se marient hors de leurs paroisses sans permission, tous usuriers et usurieres, tous ceux qui mettent la main violente sur les Prêtres, ou sur les Clercs, sinon en leur corps defendant ; tous ceux qui malicieusement usurpent et retiennent les biens et droits de l'Eglise, qui empêchent sa jurisdiction, ou qui suppriment, détournent, ou celent les titres, papiers et enseignemens qui lui appartiennent ; tous ceux qui sont coupables des crimes demeureront maudits et excommuniés jusqu'à ce qu'ils se convertissent et soient absous de l'Eglise.

Et parce qu'il ne faut pas communiquer les choses saintes à ceux qui en sont indignes, nous commandons à tous excommuniés de sortir presentement de ce lieu.

On vous avertit de la part de Monseigneur l'Evêque, que selon le Concile de Trente et les Statuts Synodaux de ce Diocèse, tous paroissiens sont obligés d'assister assiduement à la Messe paroissiale, aux Prônes et Instructions qui se font en leurs paroisses les saints jours de dimanches à peine d'excommunication contre ceux qui négligeroient de s'acquitter d'un devoir de religion que l'Eglise estime si important à leur salut.

Angers 1735

Voir Angers 1620.

Chalon-sur-Saône 1735

[François de Madot]
Premiere formule du Prône

Formule très proche de Toul 1700.

P2416 **Chalon-sur-Saône 1735 p. 189-190**

Et parce que selon le Fils de Dieu lui-même dans l'Evangile, (Matt. 7) on ne doit pas prophaner les choses saintes, ni les donner à ceux qui en sont indignes : de l'autorité du tout puissant, et de celle de notre mere la sainte Eglise, nous déclarons excommuniés tous heretiques, schismatiques, simoniaques, magiciens et magiciennes, sorciers et sorcieres, devins et devineresses, et ceux qui par quelque espece de maléfice que ce soit empêchent l'usage et la consommation du mariage ; tous ceux et celles qui se marient hors de leur Paroisse sans permission ; qui refusent de payer la dixme ; qui frapent ceux qui sont initiés aux ministeres sacrez, sur un Prêtre ou un clerc vivant clericalement ; ceux qui se battent en duel, ou qui donnent aide et conseil pour ce sujet, quand même le combat ne s'en seroit pas suivi ; tous ceux et celles qui usurpent ou retiennent injustement les biens, titres, papiers et enseignemens de l'Eglise, ou qui empêchent, troublent ou déclinent sa jurisdiction : toutes ces personnes demeurent maudites de Dieu, excommuniées de l'Eglise, jusqu'à ce qu'elles viennent à pénitence ; et que demandant humblement pardon de leurs crimes, elles en ayent obtenu la remission ; nous leur commandons de sortir presentement de l'Eglise, comme étant indignes de participer aux saints mysteres, et aux prieres de l'Eglise.

Je vous avertis de la part de Mgr. l'… Evêque et Comte de Chalon notre Evêque, que tous ceux et celles de cette Paroisse, qui n'ont point d'excuse legitime, sont obligés d'assister à la Messe paroissiale, aux prônes et aux autres instructions qui s'y font le saint jour de Dimanche et les fêtes de commandement.

Narbonne 1736

[René-François de Beauvau]
Prône pour les dimanches

417 **Narbonne 1736 p. 141**

De l'authorité de Monseigneur l'… Archevêque et Primat (le Siége vacant, il dit : de Messieurs les Vicaires generaux de la Sainte Eglise Primatiale), Nous vous avertissons, mes Freres, qu'en exécution des Décrets du Saint Concile de Trente ; et des anciens Conciles de la Province de Narbonne ; vous êtes étroitement obligés d'assister à la Messe Paroissiale, et aux instructions qui se font au Prône le saint jour de Dimanche.

Et de la même authorité, Nous déclarons excommuniez tous Heretiques, Schismatiques, Magiciens et Magiciennes, Sorciers et Sorcieres, Devins et Devineresses ; tous Usuriers, Empoisonneurs ; ceux qui mettent la main violente sur un Prêtre ou sur un Clerc vivant clericalement; ceux qui usurpent et retiennent les biens et les droits de l'Eglise; qui empêchent sa jurîdiction; qui suppriment, divertissent, ou retiennent les tîtres, papiers et documents qui lui appartiennent; ceux et celles qui, sans permission, entrent dans les monasteres des Religieuses; les femmes qui entrent dans les monasteres des Religieux. Ceux qui se battent en duel, ou rencontres premeditées, qui portent l'appel, et qui conseillent le duel, quoy qu'il ne soit pas consommé; et ceux qui l'acceptent, quoyque le combat ne s'en soit pas ensuivi.

Rouen 1739
Arras 1757. Bayeux 1744. Coutances 1744 et 1777. Évreux 1741
Lisieux 1744. Lodève 1744. Sées 1744. Senlis 1764

[Rouen 1739 : Nicolas de Saulx-Tavanes]
Formula Pronai

P2418 **Rouen 1739 p. 365-366**

De l'autorité de Dieu tout-puissant, et de l'Eglise Catholique, Apostolique, et Romaine, nous dénonçons pour excommuniez tous Hérétiques et Schismatiques; tous Simoniaques qui vendent ou achétent des bénéfices, ou qui donnent conseil et aide pour les vendre ou acheter, tous Confidentiaires[a] qui prêtent leur nom, ou empruntent le nom d'autres personnes pour obtenir des bénéfices, ou qui les gardent pour autres que pour eux; tous Magiciens et Magiciennes, Sorciers et Sorcieres, Devins et Devineresses, et ceux ou celles qui par maléfices ou sortiléges empêchent l'usage du saint mariage; tous ceux et celles qui se marient hors de leur paroisse sans permission; tous Usuriers et Usurieres; tous ceux qui frapent les Prêtres et les Clercs; tous ceux qui empêchent la jurisdiction, les droits, priviléges, et libertez de la sainte Eglise, qui usurpent ses biens, détournent ou célent les titres, papiers et[b] enseignemens qui lui appartiennent: tous ceux qui se battent en duël, ou qui donnent aide et conseil pour se battre, aussi tous ceux qui, durant le divin service, frequentent les jeux et spectacles des Farceurs[c]; les Comédiens et Comédiennes: toutes ces sortes de gens[d] demeureront maudits et excommuniez de l'Eglise jusqu'à ce qu'ils fassent pénitence de leurs crimes, et qu'ils en ayent reçû l'absolution.

Variantes. [a] Confidentiers] Lod. –[b] et] ou Lod. –[c] durant le divin service... farceurs] mettent le feu exprès à des effets ou à des bâtimens Ev. – mettent le feu exprès à des effets ou à des bâtimens appartenans à autrui Ar. –[d] sortes de gens] personnes Ar.

Strasbourg 1742

Prône sans excommunications.

Bourges 1746
Carcassonne 1764. Limoges 1774. Le Mans 1775
Luçon 1768. Poitiers 1766

[Bourges 1746 : Frédéric-Jérôme de Roye de La Rochefoucauld]
Formule du Prosne pour les dimanches

[Formule proche de Rouen 1739.]

Bourges 1746 p. 154

De l'autorité de Dieu tout-puissant, et de l'Eglise catholique, apostolique et romaine, nous dénonçons pour excommuniés, tous Hérétiques et Schismatiques; tous Simoniaques qui vendent ou achetent des Bénéfices, ou qui donnent conseil et aide pour les vendre et acheter; tous Confidentiaires qui prêtent leur nom, ou empruntent le nom d'autres personnes pour obtenir des bénéfices, ou qui les gardent pour d'autres que pour eux; ceux qui se servent de maléfices; tous ceux et celles qui se marient hors de leur Paroisse sans permission; tous Usuriers; tous ceux qui frappent les Prêtres ou les Clercs; tous ceux qui empêchent la juridiction, les droits, priviléges et libertés de la sainte Eglise, qui usurpent ses biens, détournent ou célent les titres, papiers ou enseignemens qui lui appartiennent; tous ceux qui se battent en duel, ou qui donnent aide et conseil pour se battre; tous ceux qui mettent le feu exprès à des effets ou à des bâtiments; les Comédiens et Comédiennes: jusqu'à ce qu'ils fassent pénitence de leurs crimes, et qu'il en ayent recû l'absolution.

Nous vous avertissons de la part de Monseigneur l'Archevêque[a], que vous êtes obligés d'assister à la Messe de Paroisse, conformément au saint Concile de Trente, et au dernier Concile de cette Province, à moins que vous n'ayez quelque légitime empêchement[b], et ce sous peine d'excommunication contre ceux qui y manqueroient pendant trois dimanches consecutifs: vous devez aussi sçavoir qu'outre cette assistance à la messe paroissiale, vous devez sanctifier le reste de la journée, en assistant aux Vêpres et aux Instructions qui se font en cette Eglise; et pour former vos enfans à un si saint usage, vous devez les conduire vous-mêmes dans le lieu saint, ou du moins les envoyer à la Messe et aux catéchismes. Cette obligation est aussi pour les Maîtres à l'égard de leurs Domestiques.

Variante. [a] l'Evêque] Lim. Poi. etc. – [b] et au dernier Concile… empêchement] et aux différents Conciles provinciaux de ce Royaume, qui l'ont ordonné Car. Luc. Poi.

Avignon 1748

Voir Avignon 1729.

Toulon 1749, 1750
Toulon-Mâcon 1778

[Toulon 1749 : Louis-Albert Joly de Choin]
Formule abregée pour faire le Prone

Le début de la formule reprend Rouen 1739.

P2420 **Toulon 1749 p. 184-186**

De l'autorité de Dieu tout-puissant, et de l'Eglise Catholique, Apostolique, et Romaine, nous dénonçons pour excommuniez tous Hérétiques, tous Schismatiques, tous Simoniaques qui vendent ou achetent des bénéfices, ou qui donnent conseil, et aident pour les vendre et acheter ; tous Confidentiaires qui prêtent leur nom, ou empruntent les noms d'autrui, pour obtenir des bénéfices, et qui les gardent pour eux,[a] tous Magiciens et Magiciennes, Sorciers et Sorcieres, Devins et Devineresses ; et ceux qui par ligature et sortilège empêchent l'usage du saint Mariage ; tous ceux qui par charmes et enchantemens nuisent aux personnes, font mourir le bétail, font périr les fruits de la terre, et causent d'autres malheurs au peuple[b] ; tous ceux et celles qui sont coupables du crime de Rapt, qui ont prêté conseil, aide et assistance aux Ravisseurs ; tous ceux et celles qui sans permission se marient hors de leur Paroisse, ou sans la présence de leur Curé légitime et des témoins requis ; tous Usuriers et Usuriéres ; tous ceux qui vendent à faux poids et à fausses mesures ; tous ceux qui mettent la main violente sur les Prêtres ou sur les Clercs vivant cléricalement, sinon en leurs corps défendant ; tous ceux qui malicieusement usurpent et retiennent les biens et les droits de l'Eglise, qui empêchent sa juridiction, ou qui suppriment, détournent ou célent les titres, papiers et enseignemens qui lui appartiennent ; et aussi tous ceux qui durant le service divin, représentent des spectacles, jouent des farces, et détournent le peuple par des jeux publics, danses ou autres amusemens profanes, de s'acquitter de leurs devoirs envers Dieu ; les Comédiens et Comédiennes ; tous ceux qui se battent en duel, qui font des appels, qui portent des cartels de défi, qui les acceptent, quand même le combat ne se seroit pas ensuivi. Toutes ces personnes de l'un et de l'autre sexe demeurent dans la malédiction de Dieu, et sont hors de la communion de l'Eglise, jusqu'à ce que faisant une véritable et sincère pénitence, ils soient absous et réconciliés par les ministres de l'Eglise.

Et parce qu'il ne faut pas communiquer les choses saintes à ceux qui en sont indignes, nous commandons à tous excommuniés de sortir de ce saint lieu aussitôt que le Prône sera fini.

Variantes 1778. [a] tous ceux et celles qui entreprendroient d'avoir recours au malin esprit, pour nuire aux personnes, faire mourir le bétail, faire périr les fruits de la terre, causer du malheur au Peuple, et empêcher l'usage du saint Mariage, ou qui entreprendroient de faire pacte avec le Démon pour quelque dessein que ce soit.] *add.* – (b) tous Magiciens … au peuple] *om.*

Boulogne 1750, 1780
Amiens 1784

[Boulogne 1750 : François-Joseph de Partz de Pressy]
Formule du Prône pour les Dimanches

Formule très proche de Rouen 1739.

Boulogne 1750 p. 128-129

De l'autorité de Dieu tout-puissant, et de l'Eglise catholique, apostolique, et romaine, nous dénonçons pour excommuniés tous Herétiques et Schismatiques ; tous Simoniaques qui vendent ou achétent des bénéfices, ou qui donnent conseil et aide pour les vendre et acheter, tous Confidentiaires qui prêtent leur nom, ou empruntent le nom d'autres personnes pour obtenir des bénéfices, ou qui les gardent pour autres que pour eux ; tous Magiciens et Magiciennes, Sorciers et Sorciéres, Devins et Devineresses, et ceux ou celles qui par maléfices ou sortiléges empêchent l'usage du saint mariage ; tous ceux et celles qui se marient hors de leur paroisse sans permission ; tous Usuriers et Usurieres ; tous ceux qui frapent les Prêtres ou les Clercs, sinon en leur corps défendant ; tous ceux qui empêchent la jurisdiction, les droits, priviléges, et libertés de la sainte Eglise, qui usurpent ses biens, détournent ou célent les titres, papiers ou enseignemens qui lui appartiennent : tous ceux qui se battent en duel ou qui donnent aide et conseil pour se battre, aussi tous ceux qui mettent le feu exprès à des effets ou à des bâtimens ; les Comédiens et Comédiennes : toutes ces sortes de gens demeureront maudits et excommuniés de l'Eglise jusqu'à ce qu'ils fassent pénitence de leurs crimes, et qu'ils en aient reçu l'absolution.

Nous vous avertissons de la part de Monseigneur l'Evêque, conformément au saint Concile de Trente, vous devez assister les dimanches et fêtes solemnelles à la messe de paroisse, à moins que vous n'ayez quelqu'excuse légitime. vous devez aussi sanctifier ces saints jours en vous abstenant de toute œuvre servile, en vous appliquant aux exercices de piété, surtout en assistant aux vêpres et aux instructions qui se font en cette Eglise; et pour former vos enfans à un si saint usage, vous devez les conduire vous-mêmes dans le lieu saint, ou du moins les envoyer à la sainte messe et aux catéchismes. Cette obligation est aussi pour les maîtres à l'égard de leurs domestiques.

Auch 1751
et province d'Auch (Bayonne, Bazas, Comminges, Couserans, Dax, Lectoure, Lescar, Oloron, Tarbes 1751). Glandève 1751

[Auch 1751 : Jean-François de Montillet]
Le Prône pour les Dimanches

P2422 **Auch 1751 p. 519**

[Formule d'Auch 1701 sans les : « Magiciennes », et « ceux qui par ligature… empêchent l'usage et consommation du mariage » ; avec addition de : « ceux qui usurpent ou retiennent les titres de l'Eglise » :]

Nous denonçons pour excommuniés tous Hérétiques, Simoniaques, tous Confidenciaires, Magiciens, Sorciers et Sorciéres, Devins et Devineresses, ceux qui refusent de payer les dismes selon l'ancienne coutûme, ceux qui usurpent ou retiennent les biens ou les titres de l'Eglise, ceux qui mettent les mains violentes sur un Prêtre, ou sur un Clerc vivant clericalement. Toutes ces personnes demeureront excommuniées, jusqu'à ce qu'elles fassent pénitence, et qu'elles aient reçu l'absolution de leur crime; et d'autant que les choses saintes ne doivent point être communiquées aux indignes, nous commandons à tous excommuniés de sortir presentement de ce lieu et de ne point assister aux saints Mysteres.

Auch 1751 et province d'Auch
(Bayonne, Bazas, Comminges, Couserans, Dax, Lectoure, Lescar, Oloron, Tarbes 1751). Glandève 1751

Abrégé du Prône

P2423 **Auch 1751 p. 522**

Voir Bordeaux 1707-1728, P2403.

Comminges 1751

[Antoine de Lastic]
Supplément au rituel à l'usage du diocèse de Comenges. Publications que les Curez et Vicaires doivent faire chaque année au Prône[77]

Comminges 1751 présente deux listes, les listes d'Auch 1751, et une liste propre à Comminges :

Comminges 1751 p. 6
Nous déclarons excommuniés tous Devins et Devineresses, Sorciers et Sorcieres, Enchanteurs, Magiciens, soit laïques, soit ecclesiastiques, et tous autres qui par l'aide ou l'invocation du Demon causent des maladies, ou malefices aux hommes ou aux bestiaux, ou qui les guérissent, qui empêchent l'usage du mariage par ligature ou autres moyens qui tiennent du malefice. Déclarons les Bénéficiers qui tombent dans quelqu'un de ces cas, privés de plein droit de leur bénéfice, et les Clercs qui vons consulter les devins, sorciers, magiciens, avoir encouru la suspense perpetuelle prononcée par les canons.

p. 7 Déclarons excommuniés *ipso facto* d'une excommunication reservée à Notre S.P. le Pape, tous ceux qui participent directement ou indirectement à une simonie, ou comme mediateur, ou comme partie principale. Déclarons suspens *ipso facto* de l'ordre reçû, celui qui a été ordonné par simonie. Déclarons celui qui a obtenu un bénéfice par simonie déchû *ipso facto* de tout le droit qu'il pouvoit y avoir, et inhabile à en posseder d'autres. Déclarons que tous ceux qui, par quelque voye simoniaque occulte ou publique, ont obtenu quelque benefice, ne peuvent en aucun tems et sous aucun prétexte, même au for de la conscience, disposer des revenus de ce bénéfice.

p. 11 Déclarons excommuniés *ipso facto* de laquelle excommunication nous nous reservons l'absolution, ceux qui sans le consentement de nous ou de leur curé, reçoivent la bénédiction nuptiale dans un autre diocèse ou dans le nôtre, d'un prêtre qui n'est le propre curé d'aucune des parties. Déclarons ces mariages nuls et clandestins. …

Nous déclarons excommuniés *ipso facto* de laquelle excommunication nous nous reservons l'absolution, tous ceux qui ne pouvant se marier à cause des oppositions ou autres difficultés, font des actes au curé ou vicaire pour lui déclarer qu'ils se marient en sa présence ; comme aussi le notaire et les témoins qui y cooperent. Voulons que les Curés

---

[77] Supplément de 28 p. relié à la suite du *Rituel de la province ecclesiastique d'Auch, à l'usage du diocese de Comminge*. Molin Aussedat n° 455.

nous denoncent ceux qui tomberont dans ce cas, pour les faire punir selon les loix du Royaume.

p. 15 Déclarons excommuniés ceux qui usurpent ou retiennent injustement les biens, papiers, titres de l'Eglise ou des bénéfices, obits, fondations, legats pies et ceux qui empêchent directement ou indirectement par des voies injustes l'Eglise et les Bénéficiers, de joüir des biens, dîmes, honneurs, fruits et revenus qui leur appartiennent.

Nantes 1755

Voir Nantes 1733.

Soissons 1755, 1778

[Soissons 1755 : François de Fitz-James]
Formule du Prone

P2425 **Soissons 1753-1755** tome III, p. VIII ; **Soissons 1778** p. 134-135.

Nous dénonçons pour excommuniés tous hérétiques, simoniaques, confidentiaires, sorciers, devins et autres qui se servent de malefices ; tous ceux qui retiennent injustement les biens de l'Eglise, ou qui font quelque violence à ses Ministres sacrés. Tout Paroissien qui manquera d'assister trois dimanches consécutifs à la Messe de Paroisse, est menacé d'excommunication.

Arras 1757

Voir Rouen 1739.

Belley 1759

[Gabriel Cortois de Quincey]
Prône

P2426 **Belley 1759** p. 44

… au nom et par ordre de l'Eglise, nous dénonçons pour excommuniés, tous Hérétiques et Simoniaques, tous Devins, Sorciers et Sorcières, et ceux qui pratiquent ou font pratiquer quelque sortilége ; ceux qui frapent [*sic*] violemment un Prêtre, ou autre Ecclésiastique, leur père ou mère ; ceux qui se marient hors de leur Paroisse, sans permission ; ceux qui se battent en duel ; ceux qui retiennent les biens de l'Eglise, ou les legs qui ont été faits par les mourans, soit à l'Eglise, soit aux pauvres.

Périgueux 1763

Voir Périgueux 1680.

Carcassonne 1764

Voir Bourges 1746.

Senlis 1764

Voir Rouen 1739.

Poitiers 1766

Voir Bourges 1746.

Luçon 1768

Voir Bourges 1746.

Troyes 1768
[Claude-Matthias-Joseph de Barral]
Formule du Prosne pour les Dimanches

Troyes 1768 p. 520-521

De l'autorité de Dieu tout-puissant, et de l'Eglise Catholique, Apostolique, et Romaine, nous dénonçons pour excommuniez tous Hérétiques, tous Simoniaques, qui vendent ou achetent des bénéfices, ou donnent conseil, et aide pour les vendre ou acheter, tous Confidentiaires qui prêtent leurs noms, ou empruntent les noms d'autrui pour tenir des bénéfices, ou qui les gardent pour autres que pour eux; tous Schismatiques, Magiciens et Magiciennes, Devineurs et Devineresses, et tous ceux et celles qui se mêlent d'user de maléfices et de sortilèges; tous ceux et celles qui se marient hors de leurs paroisses sans permission; tous Usuriers et Usurières; tous ceux qui frappent les Prêtres ou Clercs; tous ceux qui malicieusement usurpent et retiennent les dîmes, biens et droits de l'Eglise, empêchent sa juridiction, ou suppriment, divertissent, ou célent les tîtres, papiers et enseignemens qui lui appartiennent; et aussi tous ceux qui, durant le divin service, vaquent aux jeux et spectacles des farceurs, ou qui reçoivent les paroissiens en leurs maisons en ce même tems, pour boire, jouer, ou faire autre choses semblable sans nécessité, ou enfin, qui exercent leurs trafics, et charient ou font autre oeuvre méchanique sans nécessité : toutes ces sortes de gens demeureront maudits et excommuniés, jusqu'à ce qu'ils se convertissent, et soient absous par l'Eglise.

Rouen 1771. Beauvais 1783
[Rouen 1771 : Dominique de La Rochefoucauld]
Formula Pronai

Formule proche de Rouen 1739.

P2428 **Rouen 1771 p. 328-329**
De l'autorité de Dieu tout-puissant, et de l'Eglise catholique, apostolique, et romaine, nous dénonçons pour excommuniés tous Herétiques et Schismatiques; tous Simoniaques qui vendent ou achetent des bénéfices, ou qui donnent conseil et aide pour les vendre et acheter; tous Confidentiaires qui prêtent leurs noms, ou empruntent le nom d'autres personnes pour obtenir des bénéfices, ou qui les gardent pour d'autres que pour eux : tous ceux ou celles qui employent des maléfices dans l'intention de nuire au prochain, ou de détourner le mal fait par d'autres; tous Empoisonneurs et Incendiaires, Usuriers et Usurières; tous ceux qui frappent griévement les Prêtres et les Clercs; tous ceux et celles qui se marient hors leurs paroisses sans permission; tous usurpateurs et détenteurs des biens et titres appartenans à la sainte Eglise; tous ceux qui empêchent sa jurisdiction, ses privilèges et libertés, tous ceux qui se battent en duel, ou qui donnent aide et conseil; tous Comédiens et Comédiennes : tous ces pécheurs demeureront excommuniés jusqu'à ce qu'ils fassent pénitence de leurs péchés, et qu'ils en ayent reçu l'absolution.

Nous vous avertissons de la part de Monseigneur l'Archevêque[a]...
[la suite comme Rouen 1739]

Variante Beauvais. [a] l'Archevêque] l'Evêque.

Vannes 1771

Prosne : voir P2347.

Pronn é brehonnec : prône en breton, différent des prônes vannetais de 1631-1726, sans excommunications.

Lodève 1773

[Jean-Félix-Henri de Fumel]
Le Prône pour les Dimanches

Lodève 1773 p. 446

Nous dénonçons pour excommuniés les Hérétiques, Schismatiques, Magiciens, Sorciers et Devins; ceux qui frappent injurieusement les Ecclésiastiques; ceux qui se battent en duel; ceux qui usurpent et retiennent les biens de l'Eglise; qui empêchent sa Jurisdiction; qui suppriment, divertissent ou retiennent les Titres, Papiers, et Enseignemens qui lui appartiennent; qui célent ou n'accomplissent pas les légats pies. Ces sortes de personnes demeureront maudites et excommuniées, jusqu'à ce qu'elles fassent pénitence, et reçoivent l'absolution de leurs crimes.

Limoges 1774

Voir Bourges 1746.

Le Mans 1775

Voir Bourges 1746.

Aire 1776

p. 504-514 *Le Prône du dimanche*: formulaire d'Auch 1751 sans les excommunications.

Châlons-sur-Marne 1776
Tours 1785. Verdun 1787

[Châlons-sur-Marne 1776: Antoine-Eléonor Le Clerc de Juigné]
Formula Pronai longioris, diebus dominicis, saltem semel in mense, inter Missae parochialis solemnia legendi (Châlons-sur-Marne 1776)

Formule proche de Rouen 1771.

Châlons-sur-Marne 1776 *Pars secunda*, p. 483-484

De l'autorité de Dieu tout-puissant, et de l'Eglise Catholique, Apostolique, et Romaine, nous dénonçons excommuniés tous Herétiques et Schismatiques; tous Simoniaques qui vendent ou achetent des bénéfices, ou qui donnent aide et conseil pour les vendre et acheter; tous

Confidentiaires qui prêtent leur nom, ou empruntent le nom d'autres personnes afin d'obtenir des bénéfices pour d'autres que pour eux ; ceux qui se servent de maléfices ou de sortileges[a] ; tous ceux qui usurpent les biens de l'Eglise[b], qui détournent ou celent les titres, papiers ou renseignemens qui lui appartiennent, qui font quelque violence à ses ministres[c] : toute personne coupable de quelqu'un de ces crimes, demeurera séparée de la communion de l'Eglise, jusqu'à ce qu'elle ait fait pénitence, et reçu l'absolution.

Nous vous avertissons de la part de l'Eglise, que vous êtes obligés d'assister à la messe paroissiale, et que vous ne pouvez vous en dispenser sans un empêchement légitime. ... Nous vous avertissons aussi que, pour sanctifier les dimanches et les fêtes, il ne suffit pas d'assister à la messe de paroisse : il faut encore sanctifier le reste du jour en assistant aux catéchismes et autres instructions, aux vêpres et autres offices qui se font à l'Eglise ; ou, si pour de justes raisons, l'on ne peut y assister, on doit employer la meilleure partie du jour en prieres, en lectures de piété, ou en œuvres de charité, soit corporelles, soit spirituelles. Les peres et meres, les maîtres et maîtresses sont, en outre, obligés de faire assister leurs enfans et domestiques, du moins à la Messe paroissiale, au Prône qui s'y fait, et au catéchisme.

Variantes Tours 1785. [a] ceux qui se servent de maléfices] *om.* – [b] ou des Pauvres] *add.* – [c] qui font quelque violence...] *om.*

Nantes 1776

Voir Nantes 1733.

Paris 1777

Voir Paris 1630.

Soissons 1778

Voir Soissons 1755.

Rituale romanum, Pauli V... iussu editum... Avignon, 1780, 1782, 1783, 1784, 1802[78]

Voir Lyon 1648-1724, P2368bis.

---

[78] Molin Aussedat n° 1698.

Toulouse 1782. Montauban 1785. Rieux 1790
Saint-Papoul 1783. Vabres 1788

Prônes sans excommunications.

Albi 1783
[François-Joachim de Pierre de Bernis]
Formule du Prône

430 **Albi 1783 p. 29-32**
Tout Paroissien qui manquera d'assister, trois dimanches consécutifs, à la Messe de Paroisse, est menacé d'excommunication : les saints Conciles prononcent la même peine d'excommunication contre ceux qui retiennent injustement les biens de l'Eglise, ou qui font quelque violence à ses Ministres sacrés ; tous Hérétiques, Simoniaques, Confidentiaires, Devins, et autres qui se servent de malefices.

Le Prêtre ajoûtera l'article qui suit, s'il le juge nécessaire ou utile au bien de sa Paroisse.

« Dieu défend dans les saintes Ecritures[79] de consulter les Devins, il proteste qu'il les a en abomination ; il les menace de mort et tous ceux qui les consultent : il nous a donné des exemples de la punition terrible qu'il a exercé contre eux. C'est sur ces témoignages certains que les Peres de l'Eglise et un grand nombre de Conciles[80] ont condamné la divination et tous ceux qui y ajoutent foi ; ils prescrivent aux Evêques *de prendre garde que ces sortes d'imposture ne gâtent leurs Diocèses* ; ils leur enjoignent *de reprimer tous ceux qui font profession de deviner par le sort, par les songes, ou par les morts, et par les autres moyens dont se sert l'esprit des ténèbres pour abuser de la crédulité des personnes curieuses et ignorantes* ; ils ordonnent aux Curés *de refuser l'absolution à tous ceux qui s'arrêtent à ces folles impiétés également contraires à la foi des Chrétiens, aux Commandemens et aux Canons de l'Eglise.* Enfin ils mettent la divination au rang des maux très-pernicieux, ils la regardent comme un reste du paganisme qui doit être très-sévèrement puni.

C'est pourquoi nous déclarons que ceux ou celles de cette Paroisse ; qui au mépris de la Religion et de ses plus saintes Loix, feroient profession de deviner les choses cachées, inconnues ou passées, présentes ou futures ; qui se serviroient des maléfices pour nuire au prochain dans sa personne ou dans ses biens, quand même l'effet ne s'en suivroit pas ; ou

---
[79] Références bibliques.
[80] Références à différents conciles.

que tout leur art ne seroit qu'un artifice méprisable de leur part pour se procurer un vil intérêt, méritent d'être frappés de l'Excommunication majeure, et qu'ils se rendent coupables d'un péché dont l'absolution est reservée à Monseigneur l'Archevêque.

Nous déclarons pareillement que ceux ou celles qui les consulteroient, ou qui conseilleroient de s'adresser à eux, commettent un péché réservé. »

Beauvais 1783

Voir Rouen 1771.

Saint-Dié 1783

Prône sans excommunications.

Paris 1786

[Antoine-Eléonor Le Clerc de Juigné]
Formula Pronai

Formule proche de Châlons-sur-Marne 1776.

P2431 **Paris 1786 p. 478**

De l'autorité de Dieu et de l'Eglise, nous dénonçons excommuniés tous Hérétiques et Schismatiques; tous Simoniaques, qui vendent ou achetent des bénéfices, ou qui donnent aide et conseil pour les vendre et acheter; tous Confidentiaires, qui prêtent leur nom, ou empruntent le nom d'autres personnes, afin d'obtenir des bénéfices pour d'autres que pour eux; tous usuriers et usurieres; tous ceux et celles qui se mêlent de prédire l'avenir, ou de révéler le choses cachées, qui usent de sortiléges pour nuire au prochain; tous ceux qui usurpent les biens de l'Eglise, qui détournent ou retiennent frauduleusement les titres, papiers ou renseignemens qui lui appartiennent, qui font injustement quelque violence à ses ministres: toute personne coupable de quelqu'un de ces crimes, demeurera séparée de la communion de l'Eglise, jusqu'à ce qu'elle ait fait pénitence, et reçu l'absolution.

Nous vous avertissons de la part de l'Eglise, que vous êtes obligés d'assister à la Messe paroissiale, et au Prône qui s'y fait pour votre instruction. Mais ne vous contentez pas de remplir ce devoir: que l'assistance aux Offices divins, que les lectures de piété et les œuvres de charité, soient votre plus douce récréation dans les jours consacrés au Seigneur. A Dieu ne plaise que vous les profaniez par des divertissemens criminels ou dangereux.

Lyon 1787
[Antoine de Malvin de Montazet]
Formule du Prône

432 **Lyon 1787 seconde partie, p. 5**
Nous vous avertissons que tout paroissien, selon les loix de l'Eglise, est obligé d'assister à la messe de paroisse, et que, lorsqu'il y manque sans cause légitime, trois dimanches consécutifs, il est menacé d'excommunication.
p. 6-7. ... Si quelqu'un a connoissance qu'il y ait empêchement à la célébration de ce mariage, il est tenu, sous peine d'excommunication, de nous le déclarer: mais nous avertissons qu'il est défendu, sous la même peine, d'y mettre empêchement par malice et sans cause.

Narbonne 1789

Absence de prône.

CHAPITRE XXIII

EXCOMMUNICATION PUBLIQUE

Les rituels de Besançon 1674 et 1705 publiés respectivement par les archevêques Antoine-Pierre et François-Joseph de Grammont sont les seuls à proposer un rite solennel d'excommunication publique exceptionnellement développé.

La cérémonie doit avoir lieu après l'offertoire d'une messe solennelle, ou après les vêpres. Après le chant du *Magnificat*, le curé lit les lettres monitoires et fait un sermon sur la gravité de l'excommunication, se référant à la première excommunication portée par le pape grec Antheros vers 236 d'après Baronio[1], et recommandant aux auditeurs d'éviter la fréquentation des excommuniés, de ne plus leur manifester ni amitié ni bienveillance, et de ne plus prier pour eux vivants ou morts.

Sept « actions » destinées à impressionner l'assistance se succèdent, dont une procession du clergé à l'extérieur de l'église, chantant une composition d'origine inconnue contenant quelques versets du livre de Job.

Besançon 1674, 1705[2]

[Besançon 1674 : Antoine-Pierre de Grammont]
Ordo in Fulminatione Excommunicationis, seu Maledictionis, observandus

Besançon 1674 *Pars prima*, p. 168-178

Nihil funestius, nihil formidabilius in Ecclesia Dei peragitur, quam cum quis propter contumaciam et rebellem suam voluntatem Excommunicationis, seu Maledictionis fulmine est feriendus : hoc enim fulmen miserabiliter dividit, et separat à Creatore creaturam, hominem à

---

[1] Cesar Baronio (1538-1607) succède en 1593 à S. Philippe de Néri comme supérieur de l'Oratoire. Confesseur du pape Clément VIII, cardinal en 1596, bibliothécaire du Vatican, auteur des *Annales ecclésiastiques* jusqu'en 1598.

[2] Besançon 1705, pars prima, p. 129-138 : des remaniements dans l'instruction initiale intitulée *De Fulminatione Excommunicationis*.

Deo, animam quoque, futurâ privat in coelestibus Beatorum Societate, et hic in Ecclesia, bonorum communione...
... *Fulminatio sic fiet.*
D. Parochus, vel alius ad id commissus, die dominico, vel altero die festo, in Missa solemni post Offertorium, vel in Vesperis, decantato cantico *Magnificat*, et circumstante populo cathedram conscendet, tenorem sui mandati expositurus, de cujus scilicet authoritate, et ad cujus instantiam sic procedit. Adhuc semel praeleget dictas Monitoriales litteras cum omnibus in iis insertis, ut nullus ignorantiam praetexere possit.

Absolutâ lectione idem D. Parochus, aut alius ad id commissus, sermonem seu exhortationem habebit ad populum, de excommunicationis gravitate...

Ideo sedente Antheros Graeco summo Pontifice, anno domini circiter 236. ex Baronio, ubi primum aliquis excommunicatione aut maledictione ex authoritate Ecclesiae feriebatur, et sic Daemoni potestati tradebatur...

Monebit etiam auditores... ut omnes societatem et frequentationem excommunicatorum devitent, mandans et jubens ut ex authoritate s. Ecclesiae... sub poena etiam excommunicationis... ut eos tanquam homines contagione infectos fugiant, iis denegent salutationem et omne singularis amicitiae aut benevolentiae signum ; sive convescendo, sive communicando, sive orando pro ipsis viris, aut defunctis. Non enim digni habentur fidelium memoriâ, sicut nec sepulturâ.

Prima Actio, Candelarum.
[Le prêtre éteint trois chandelles allumées à portée de sa main, censées représenter la foi, la charité et l'espérance de la vie éternelle des « miserables », puis les jette violemment à terre :]

Cheres Ames, de même que nous pouvons considerer en ces chandelles trois choses, sçavoir, la lumiere, la chaleur, et la cire qui les entretient ; aussi tout autant de temps que ces miserables ont demeuré unis au corps de l'Eglise, et au nombre des enfans de Dieu : l'on pouvoit considerer en eux les trois vertus theologales, qui sont la lumiere de la Foy, le feu de la Charité, et l'Esperance de la Vie eternelle, qui conservoit l'une et l'autre ; mais maintenant que je viens à éteindre ces chandelles... cela montre par la rebellion qu'ils ont commis... que leur Foy est morte, leur Charité éteinte, et l'Esperance du Paradis perdüe...

Secunda Actio, *Tympanorum.*
[Au même moment, on fait sonner trois fois les cloches de façon confuse et « effroyable » :]

Ames fidelles, ce son effroyable des cloches que vous entendez sonner, comme quand l'alarme est dans une ville attaquée des ennemys, vous representera l'alarme effroyable que ces miserables excommuniez auront à l'heure de leur mort; par les voix horribles, et les cris infernaux que les diables feront entendre... comme aussi qu'à l'heure de leur mort ny apres, les cloches ne sonneront point pour inviter les fideles à prier Dieu pour le repos de leurs ames.

Tertia Actio, de Cruce.

[On apporte une croix couverte d'un voile comme au temps de la Passion, et on la tourne la tête en bas en la montrant à l'assistance:]
Considerez cette Croix, qui est l'arbre de nôtre Redemption... couverte et tournée d'haut en bas, contre l'ordinaire, qui vous montre évidemment la confusion où les detestables excommuniez sont reduits...

Quarta Actio, de Aqua benedicta.

[Le prêtre descend de la chaire revêtu d'une étole et d'un « pluvial » noir, et asperge d'eau bénite toute l'église et les assistants en disant à haute voix:]
C'est avec l'aspersion de l'eau benite, et de l'authorité de l'Eglise, que je chasse hors de ce saint lieu et de la compagnie des Fideles ces miserables excommuniez, et les diables qui les possedent; afin que le service divin soit dignement fait, et que les enfans de Dieu n'y reçoivent aucuns dommages.

[Quinta Actio, Processio extra fores Ecclesiae][3]

[Le clergé sort en procession de l'église en chantant]
R. ♪*Relevabunt coeli iniquitatem Judae, et terra adversus eum consurget* [Job 20, 27] : *et manifestum erit peccatum illius in die furoris Domini. Cum eis qui dixerunt Domino Deo, recede à nobis scientiam viarum tuarum nolumus* [Job 21, 14].

Duo choristae.

♪*Devorabitque eum ignis qui non succenditur affligetur relictus in tabernaculo suo* [Job 20, 26]. ♪*Cum eis qui.*

Totus chorus.

♪*Media vita in morte sumus, quem querimus adjutorem nisi te Domine, qui pro peccatis nostris juste irasceris* [R.] *Sancte Deus sancte fortis sancte misericors salvator amare* [sic] *morti ne tradas nos.*

Duo Choristae.

---

[3] Le titre de cette cinquième action n'est pas indiquée par la rubrique.

P2437 ♪*Ne projiciat nos in temporem senectutis* [cf. Ps. 70, 9] *cum defecerit virtus nostra; derelinquas nos Domine.* Chorus respondet. R. ♪*Sancte Deus sancte fortis etc.*
Choristae.
P2438 ♪*Qui cognoscis occulta cordis, parce peccatis nostris.* Chorus respondet. R. ♪*Sancte fortis.*
Choristae.
P2439 ♪*Noli claudere aures tuas ad preces nostras.* Chorus respondet. ♪*Sancte misericors salvator amarae* [sic] *morti ne tradas nos.*
Ps. 108, 2. ♪*Deus laudem meam… apertum est.*
Duo choristae intonabunt Ps. sequentem prosequente Choro.
P2440 Ps. 108. ♪*Deus laudem meam ne tacueris…*

Actio sexta, de tribus Lapidibus.

[Le prêtre lance loin de lui en signe de malédiction trois pierres de la grosseur d'un oeuf ou d'une noix, « unum scilicet ad aquilonem, alterum contra meridiem, et ultimum versus occidentem » en disant:]

Ames Chrestiennes, considerez que de même que je va jetter ces trois pierres bien loin de l'Eglise, et en divers endroits, en signe de malediction, ainsi ces miserables et maudits excommuniez sont aujourd'huy entierement separez, comme membres pourris, du corps de l'Eglise, et livrez à la puissance du diable, pour estre tourmentez en cette vie, et portez aux flammes des Enfers, comme Choré, Dathan, et Abyron, à cause de leur contumace, et ne pourront avoir aucun soulas spirituel, jusqu'à ce qu'ils ayent satisfait à leur devoir, et humblement demandé le benefice de l'absolution au Superieur.

Tunc omnis Clerus respondebit altâ voce: *Fiat, Fiat.*

Ultima actio, *Maledictionis.*

Post lapidum projectionem, crucifer crucem suam ad morem solitum componet, ipsoque praeeunte omnes processionali ordine (ut moris est) ecclesiam repetent, et ante maius altare sequentem ps. 139 … recitabunt.

P2441 *Eripe me Domine, ab homine malo … Oremus.*
P2442 *Hostium nostrorum, quaesumus Domine, elide superbiam, et eorum contumaciam dexterae tuae virtute prosterne. Per Christum*[4]…

Absolutâ oratione hâc, unusquisque suum locum repetet, et D. Parochus sacrum Missae sacrificium peraget; vel Completorium cum Clero absolvet, si fuerit Vesperarum tempore.

---

[4] Réf. Andrieu III, 631. Deshusses 1335, 2542, 2549. Absent de PRG.

CHAPITRE XXIV

CAS DE PÉCHÉS RÉSERVÉS AU PAPE

Les cas de péchés réservés au pape, avec ou sans excommunications, font référence à partir de 1582 (rituel de Nevers) à la Bulle Papale *In Coena Domini,* le nom de cette bulle venant de ce qu'elle était publiée à Rome chaque année le Jeudi Saint; sa première rédaction date du XIVe siècle; sa dernière révision par le pape Urbain VIII en 1627 énumère vingt cas d'excommunications papales, le premier concernant tous les hérétiques, ainsi que leurs fauteurs et protecteurs, et tous ceux qui sciemment lisent, détiennent, impriment ou soutiennent des livres écrits par des hérétiques sur des sujets de religion[1]. Cette Bulle était encore considérée par beaucoup en France au XVIIIe siècle comme contraire aux libertés gallicanes (voir ci-dessous l'instruction de Clermont-Ferrand 1733).

Le rituel d'Agen 1564 est le premier à présenter une liste développée; les deux premiers cas concernent ceux qui aident les Sarrasins à combattre les Chrétiens.

1. Instructions

Chartres 1490, 1492, 1500, 1544, 1553, 1604

[Chartres 1490: Miles d'Iliers]

Chartres 1490 f. 34

Observetque tamen quisque sacerdos ne de maioribus peccatis sacrosancte sedi apostolice vel episcopo tantummodo reservatis quemdam absolvere, cum eius potestas quo ad hoc sit ligata, videlicet de fractione voti, de pariurio solemne, de blasphemia in Deum et sanctos, de homicidio, de peccato contra naturam, de adulterio, de defloratione virginum, de sortilegio, de heresi, de divinatione, de incestu, de

---

[1] Cf. R. Naz, *Dictionnaire de droit canonique,* t. 6 (1957), col. 1132-1136.

iniectione manuum in parentes, de oppressione et suffocatione parvulorum, de iniectione manuum in clericos et aliis pluribus criminibus que inseruntur iuri prohibito, et in his versibus aliqua continentur.
Unde V. *Per papam, feriens clerum, falsarius urens...* P2447
Episcopo. V. *Qui facit incestum, deflorans, aut homicida...* P2579
In mortis tamen articulo quorumcunque peccatorum et excommunicationum, a quocunque presbytero non deneganda est absolutio. Ab infirmitate vero convalescentes, absoluti de quocunque criminum predictorum a non habente potestatem, sciant episcopum vel sanctam sedem apostolicam fore consulendum, sed si quis fuerit excommunicatus ab homine, non potest corpus Christi, nec unctionem sanctam aut sepulturam recipere tanquam catholicus, donec fuerit a suo excommunicatore absolutus.

Évreux 1606, 1621, 1706

[Évreux 1606 : Jacques Davy du Perron]

P2444 **Évreux 1606 f. 17v-18**
1. Casus reservatus est peccatum, cuius absolutio à iure humano est prohibita simplici Presbytero et reservata illi, qui illud reservat, vel eius superiori.
2. Nullus nisi Papa, aut Episcopus, aut Praelatus Episcopalem authoritatem habens, casus reservare potest.
3. Nullus casus, nullumque peccatum est Papae reservatum...
4. Episcopus non solum ratione censurae...
5. Episcopi reservatos sibi casus habent, non solum de iure...
6. Qui habente potestatem absolvendi à reservatis...
7. Si Confessarius poenitentem aliqua excommunicatione ligatum...
8. Si Poenitens peccato reservato, cui annexa non est excommunicatio, implicatus fuerit, poterit eum Confessarius ab aliis peccatis non reservatis absolvere, et pro reservato ad superiorem mittere[a].

Variante *Évreux 1706*. [a] 8. Si Poenitens peccato reservato...] om.

Toul 1700

[Henri de Thyard de Bissy]

P2445 **Toul 1700 p. 147**
Les cas réservez au pape sont contenus les uns dans le corps du droit canon, les autres dans la bulle *In coenâ Domini*. La bulle *In Coenâ Domini* est celle que le souverain pontife publie et fulmine tous les ans le jour du jeudy saint, et par laquelle il excommunie ceux qui font les choses y portées.

Clermont 1733

[Jean-Baptiste Massillon]

446 **Clermont** p. 269

Nous ne mettons pas ici tous les cas reservez au Pape; mais seulement ceux qui peuvent arriver plus facilement en ces pays-cy. La Bulle appellée *In Coena Domini*, qui les contient généralement tous n'a pas force de loy en France, où elle n'a jamais été reçüe ou publiée.

2. Formulaires

Chartres 1490-1553 et 1604
Angers 1543-1626. Autun 1503, 1523. Auxerre 1536. Beauvais 1544
Cambrai 1503. Châlons-sur-Marne 1569. Clermont 1506 n.st.-1608
Langres 1524-1612. Laon 1538. Limoges 1518. Maguelonne 1533
Meaux 1546. Metz 1543. Orléans 1548, 1581. Paris 1542, [1552], [1559]
Périgueux 1536. Reims 1506 n.st.-1554. Saint-Flour 1506 n.st.-1608
Sens 1500-1580. Toul 1524-1559. Troyes c. 1505-1573. Verdun 1554
[Chartres 1490: Miles d'Iliers]

Cette liste, présente dans les rituels de vingt-trois diocèses, ne dresse pas, contrairement à toutes les autres, une liste de péchés dont l'absolution serait réservée au pape ou à l'évêque.

Les deux premiers vers semblent demander au pape d'absoudre ceux qui frappent un clerc, qui fondent de la fausse monnaie, ou qui osent célébrer sans être absous.

Les trois derniers vers semblent demander à un prêtre d'absoudre ceux qui ont été simoniaques, qui manquent à telle ou telle règle, qui sont impubères, moines, femmes, âgés, pauvres, portiers, ou militaires[2].

Elle fait partie, soit d'aides-mémoire de foi catholique[3], soit d'une instruction sur la confession: *De penitentia generalis instructio pro sacerdotibus*[4], et apparaît encore dans les rituels d'Angers de 1620-1626, à la suite de la nouvelle liste des cas réservés à l'évêque du diocèse.

---

[2] Traduction très incertaine; le portier est le dernier des ordres mineurs.
[3] Les aides-mémoire contenant cette liste versifiée sont présents dans les rituels d'Auxerre, Beauvais, Langres, Laon, Metz, Paris, Reims, Toul, Troyes.
[4] Instruction présente dans les rituels d'une quinzaine de diocèses, voir *supra* P1322.

P2447　**Chartres 1490 f. 33**
V. *Per papam, feriens clerum*[a]*, falsarius urens.*
V. *Solvitur, et quisquis audet celebrare ligatus.*
V. *Simon*[b] *si fuerit*[c]*, sed*[d] *fallit regula talis.*
V. *Impubes, monachus, mulier, vetulus quoque pauper.*
V. *Ianitor, hostilis, tu relevabis eos.*

Variantes. [a] clerum feriens] Aut. Cam. Lim. Mea. Sen. –[b] Simon] Symon Lim. –[c] fuerit] fueris ChM. Lim. Or. Sen. –[d] sed] *om.* Lan.

Strasbourg [1490]-1513

[Strasbourg 1490 : Albert de Bavière]
Casus papales

P2448　**Strasbourg 1490 f. [6]**[5]
Occisio clerici, vel eiusdem enormis lesio.
Symonia.
Heresis.
Crimen incendiarii per denuntiationem.
Falsificatio litterarum apostolicarum.
Celebratio misse facta in excommunicatione maiori. Generaliter ubi est excommunicatio maior vel alia censura: cuius absolutionem papa sibi ipsi specialiter reservabit. De his et declarationibus illorum in Summa angelica[6] et aliis Summis compendiose tractatur: et vos scire in primis est necessarium.

Auxerre 1536[7]

[François II de Dinteville]
Casus papales

P2449　**Auxerre 1536 f. 93v**
Ad papam feriens clerum falsarius urens
Et quisquis audet missam celebrare ligatus
Symon si fuerit sed fallit regula talis
Impubes monachus mulier vetulus quoque pauper
Ianitor ac hostis tu relevabis eos.

---

[5] Liste faisant partie de l'*ammonitio* attribuée à Albert de Bavière. *Voir infra* P2969bis.
[6] Référence à la *Summa Angelica* de Angelus de Clavasio, somme des confesseurs souvent imprimée à Strasbourg à partir de 1499.
[7] Auxerre 1536 présente deux listes de cas réservés au pape, l'une identique à celle de Chartres 1490, la seconde (f. 93v) légèrement différente.

Lyon 1542

[Hippolyte d'Este]
Casus papales

Lyon 1542 f. 10v
Omnis devote debet veniam rogitare
A Papa, feriens clerum, falsarius, urens
Ecclesiam, simon, audens celebrare ligatus.
Iussum prelati cupiens exire ligatus.
Et sacra vi rapiens, interfectorque parentis.

Cambrai 1562

[Maximilien de Berghes]
Casus reservati summo Pontifici

Cambrai 1562 f. 44v-45
Interfectio clerici sive eius laesio atrox.
Simonia.
Falsificatio literarum apostolicarum.
Crimen incendiarii post denunciationem.
Celebratio Missae in excommunicatione maiori.

Commutatio sive absolutio voti, ad sepulchrum Domini, vel ad limina apostolorum Petri et Pauli, vel sancti Iacobi in Compostella, et votis religionis et castitatis.

Omnis excommunicatio maior, vel censura cuius absolutionem summus Pontifex specialiter sibi reservavit.

Caeterum poenitentes in mortis articulo constituti, per Presbyteros etiam non curatos, maximè quando curatorum copia non habetur, à peccatis, et excommunicationis sententia, summo Pontifici, Episcopo, Officiali, vel alteri, de jure vel statuto, quantumcunque reservatis, absolvendi sunt: nec eisdem viaticum, et unctio extrema, si non aliud obstiterit, denegari debent: Dum tamen parti fuerit satisfactum, vel satisfactionem quantum in se est offerant idoneam. Quod si eosdem sanitati restitui contingat, adibunt superiorem, qui propter hoc adeundus est, eius parituri mandatis.

Agen 1564

[Janus Frégose]
Isti sunt casus penitentiales papales

P2452 **Agen 1564 f. 89-89v**
Vendentes, deferentes, vel transmittentes galeas, vel naves, arma, ferrum, lignamina, seu victualia Sarracenis ad impugnandum christianos.
Exercentes gubenationem [sic] in navibus pyraticis Sarracenorum.
Impedientes auxilium vel consilium in dispendium Terrae sanctae.
Insecutores, persecutores, aut captores cardinalium, vel socius facientis [sic] seu mandator, vel rata habens premissa, et consilium aut favorem premissis prestans aut acceptator, vel defensor committantis premissa.
Qui percusserit, ceperit, vel bannierit Episcopum, vel haec fieri mandaverit aut facta rata habuerit, vel socius fuerit facientis, seu consilium vel favorem dederit, aut facientem defensaverit.
Verberans clericum enormiter. Excommunicatus à Papa nominatim.
Participans tali in crimine. Excommunicatus à Delagato Pape, elapso anno latae sententiae.
Incendiarius quicunque denunciatus. Effractor Ecclesiae, vel loci religiosi denunciatus.
Falsificans literas papales. Utens scienter falsis bullis papalibus.
Decoquens vel scindens corpus alicuius defuncti pro ossibus transferendis.
Inquisitores heresis, odio, gratia, amore vel lucro, contra iustitiam vel consuetudinem omittentes procedere contra aliquem.
Inquisitores huiusmodi simili odio, gracia, vel lucro contra iustitiam vel conscientiam alicui heresim imponentes.
Inquisitores huiusmodi, aliquid imponentes per quod impediri habeat officium inquisitionis.
Qui occasione sententiae excommunicationis, suspensionis, et interdicti latae, dat licentiam gravandi eos qui tulerunt eam, vel suos in personis vel rebus.
Cogentes celebrari in loco interdicto.
Evocantes excommunicatos vel interdictos ad divina officia.
Prohibentes ne tales admoniti exeant.
Excommunicati vel interdicti admoniti, non exeuntes quando celebrantur divina officia.
Religiosi absque licentia diocesani, vel proprii sacerdotis, aut illius vicarii solennisantes matrimonia.

Religiosi absque licentia supradicta ministrantes sacramenta Eucharistiae vel extreme unctionis.

Religiosi absolventes excommunicatos à Canone vel à Statutis synodalibus in casibus non concessis.

Religiosi absolventes à pena et à culpa.

Clerici et religiosi inducentes ad vovendum, iurandum vel promittendum de eligendo apud eos sepulturam, vel iam electam mutando.

Commutatio voti Hierosolymitani.

Commutatio voti visitationis liminum Apostolorum Petri et Pauli.

Commutatio voti sancti Iacobi in Compostella.

Item reliqui casus quos Papa sibi reservat specialiter.

Soissons 1576

[Charles de Roucy-Sissone]
Casus reservati Romano Pontifici

Soissons 1576 f. 1-1v

Symoniacus, qui non mentem tantum, sed etiam re ipsa, symoniam commisit, vendendo, vel emendendo rem sacram, vel ecclesiasticam, que de iure venalis non est, ad papam remitti debet absolvendus.

Hereticus, pro manifesta heresi, quam verbis, factis vel mente, tenuit, etiam si deductus sit ad forum contentiosum.

Irregularis, qui propter homicidium, vel quia missam celebravit ligatus, excommunicatus, vel suspensus, a iure vel ab homine irregularitatem incurrit.

Falsificans litteras papales, in alterius preiudicium vel damnum.

Verberans clericum, enormiter clericaliter viventem, vel quem sciebat esse clericum vel presbiterum.

Ad papam etiam spectat commutatio voti Hierosolimitani, et adeundi limina beatorum Petri et Pauli Rome, et limina sancti Iacobi in Compostella.

Chartres 1580

[Nicolas de Thou]
Cas reservez au Pape

Chartres 1580 f. 175-175v

L'absolution luy est specialement reservée de ceux qui ont mis la main violente sur prestre, ou clerc, sinon en se defendant.

Faulsaires de bulles apostoliques.

Incendiaires, mesmement effracteurs et spoliateurs d'Eglises, lieux pitoyables, et religieux, apres que publiquement ils auront esté denoncez par jugement de l'Eglise.

Excommuniez, ayans celebré Messe nonobstant, et au mespris des censures ecclesiastiques.

Simoniaques, estans si detestables, que toutes personnes (ores qu'elles soyent infames, voire les serfs contre les maistres) sont admis à les accuser.

Nevers 1582
[Arnaud Sorbin]
Les excommunications reservées au Pape

P2455   **Nevers 1582 f. 25-25v**

1. Premierement celles qui sont contenues en la Bulle de Coena Domini, comme contre les heretiques et fauteurs d'iceux;
aussi contre ceux qui ont livres d'heretiques, ou les impriment;
contre les pirates et leurs fauteurs;
contre ceux qui falsifient les lettres et supplications apostoliques;
contre ceux qui fournissent armes et choses semblables aux ennemis de la foy, par lesquelles ils combattent puis apres les Chrestiens.

Le reste se peult voir en ladite Bulle.

2. Hors ladite Bulle sont reservées autres excommunications: comme frapper ceux qui ont la clericature, ou commander, donner conseils, faveur et consentement à ce, ou le ratifier apres qu'il auroit esté faict en son nom.

3. Sciemment et librement admettre aux choses divines ceux qui sont nommément excommuniez du Pape.

4. Donner ou recevoir quelque chose par simonie pour un ordre sacré, ou en matiere de benefice, moyenner ou procurer que telle simonie se face.

5. Donner ou recevoir quelque chose par paction [convention] pour l'entrée de religion.

6. Sortir d'un ordre des Mendians pour entrer en quelque autre sans licence speciale du sainct siege apostolique, et recevoir un tel qui ainsi sortiroit, hormis, et non compris l'ordre des Chartreux.

7. Aller en terre saincte au sainct Sepulchre, sans licence du Pape.

8. Contraindre quelque prestre de faire l'office divin au lieu interdict.

9. Contre les inquisiteurs de la foy en certains cas.

10. Molester ceux qui ont proferé sentence d'excommunication, suspension ou interdit, ou à l'occasion desquels elles ont esté proferées, si dedans deux mois ils ne font penitence.

11. Les incendiaires publiques, et declarez tels par la sentence de l'Eglise.

12. Dire que ce soit heresie ou peché mortel, d'affermer que la Vierge soit preservée du peché originel, et au contraire de dire, que ce soit heresie ou peché mortel de maintenir qu'elle soit conceuë en peché originel.

13. Contre ceux qui desobeyssent à la sentence du delegué de nostre sainct Pere, apres que la jurisdiction d'iceluy delegué est finie.

14. Contre les Clercs ou Religieux, qui induisent quelqu'un à vouër, jurer, ou promettre d'eslire sepulture en leur eglise, ou de changer celle que desja ils ont esleu.

15. Contre ceux qui ruïnent et pillent les eglises.

16. Contre les Religieux qui administrent certains sacremens sans privilege ou licence.

Il y a aussi quelques autres excommunications papales, que l'on peult voir aux Canons, et apres [sic] de ceux qui en traictent abondamment, comme Cajetan, Sylvestre, de Navarre[8] : apres lesquels, et signamment apres le Navarre, l'on peult voir les excommunications, qui ne sont reservées à personne.

Reims 1585, 1621
Amiens 1586, 1607. Châlons-sur-Marne 1606
Laon 1585, 1621. Senlis 1585. Saint-Brieuc 1605[9]

[Reims 1585 : Louis III de Lorraine, cardinal de Guise]
Casus S. D. N. Pape reservati non hîc omnes ascripti sunt; sed illi tantum qui frequentius in his regionibus putantur accidere posse

456 **Reims 1585 f. 32v-33**

1. Si quis simoniae labem incurrerit, vel beneficium aliquod ecclesiasticum in confidentiam seu custodiam retinet, vel recipit.

2. Si quis Ecclesiam, vel monasterium, vel alium pium locum incenderit, aut effregerit, aut spoliaverit, postquam publicè denuntiatus fuerit : alias enim ubi non esset denuntiatus, casus esset tantum Episcopalis.

---

[8] *Voir infra* Auteurs cités, p. 1941-1943.
[9] Saint-Brieuc : suffragant de Tours.

3. Omnis item alius incendiarius, si forte excommunicetur et publicetur, à summo Pontifice debet absolvi.

4. Si quis falsarius extiterit literarum apostolicarum, aut eisdem scienter abusus fuerit, aut mandatorum apostolicorum effectum, ac executionem malitiosè impedierit.

5. Si quis patrem vel matrem sciens et volens percusserit : nam si ex casu, crimen tantum Episcopale commisit.

6. Si quis suadente diabolo in clericum manus violentas iniecerit, vel id fieri mandaverit, vel ab alio factum approbaverit. Sed id debet intelligi de enormi laesione : alioquin si levis est percussio, casus est solummodo Episcopalis. Porro enormis laesio seu percussio, ea esse censetur, unde mors, vel membri detruncatio, seu mutilatio, vel ingens sanguinis effusio subsequuta fuit. Incarceratio quoque sub enormi laesione venit intelligenda.

7. Si quis cum moniali, aut si qua mulier cum religioso in loco sacro notoriè rem habuerit : quia si secreto, et in loco profano id factum sit, casus tantum Episcopalis est.

8. Irregularitates item omnes, et suspensiones ex publico, seu notorio delicto provenientes, et praeterea illa quae ex homicidio voluntario contrahitur, S. D. N. Papae reservantur.

Gap 1588

[Pierre Paparin de Chaumont]
Les cas reservez à nostre S. Père le Pape

P2456bis **Gap 1588 p. 8-9**

1. Les faulsaires de lettres Apostoliques.

2. Incendiaires des Eglises et lieux saincts.

3. Ceux qui communiquent avec un excommunié en mespris et contennement de la sentence d'excommunication. Ceux qui ont celebré Messe estans excommuniez.

4. Les heretiques recheuz [sic], et plusieurs autres non cy comprins.

Strasbourg 1590

[Jean de Manderscheid]
Casus Papae reservati

P2457 **Strasbourg 1590 p. 10-11**

Praeter casus Bullae coenae Domini etiam sequentes Papae reservantur, propter excommunicationes annexas.

Occisio Clerici, vel eiusdem enormis laesio: nam levis Episcopo reservatur, et ab eo absolvi potest.
Simonia, Haeresis, Crimen incendiarii post denuntiationem factam. Falsificatio literarum Apostolicarum, Celebratio Missae facta in excommunicatione maiori.
Et in universum, ubi excommunicatio maior vel censura incidit, cuius absolutionem sibi Summus Pontifex specialiter reservavit. De quibus Casistae videndi sunt.

Bâle 1595

[Jacques-Christophe Blarer de Wartensee]
Sequuntur Casus propter Excommunicationem soli Papae reservati in bulla, quae solet singulis annis in Coena Domini publice legi

Bâle 1595 p. 124-126

Excommunicantur primo omnes haeretici cuiuscunque sectae existant, et omnes eorum fautores, receptores et illis credentes, ac eorum libros, sine authoritate sedis Apostolicae, scienter quomodolibet legentes, publicè vel occultè, ex quavis causa, quovis colore, et generaliter omnes defensores eorum.

2. Qui ad sedem Apostolicam venientes causa peregrinationis vel devotionis, vel ibi commorantes offendunt.

3. Qui causarum in Curia Romana pendentium cursum et literarum Apostolicarum executionem impediunt.

4. Qui Ecclesiasticas personas ad suum tribunal et audientiam praeter iuris communis dispositionem trahunt, quique statuta contra Ecclesiae libertatem faciunt.

5. Qui iurisdictiones, vel bona Ecclesiasticorum usurpant aut sequestrant, quique eis talias et decimas imponunt, aut ab ultro dantibus accipiunt, assensum vel consilium praestant, absque Romani Pontificis expressa licentia.

6. Item laici qui se intromittunt in causis capitalibus seu criminalibus contra personas Ecclesiasticas, eas capiendo, processando, aut sententias contra eas proferendo, vel exequendo.

7. Officiales et praelati spirituales, causas ab Apostolicis iudicibus avocantes, et executionem literarum et mandatorum Apostolicorum impedientes.

8. Piratae et spoliantes naufrago Christianos rebus suis. Qui praedictos et alios in eâdem bulla excommunicatos absolvere praesumpserint, excommunicantur: et si absolverint, irritum et nullius roboris declaratur.

Bâle 1595

Praeter supradictos casus Bullae Coenae Domini, hi etiam in iure, Papae reservantur, propter excommunicationes annexas

P2459 Bâle 1595 p. 126-127

1. Iniectio manus violentae in clericum, vel Monachum gravis et enormis: nam levis Episcopo reservatur, et ab eo absolvi potest.
2. Effractores et spoliatores templorum denunciati.
3. Incendiarii postquam sunt excommunicati et denunciati.
4. Clerici, qui sponte communicant cum nominatim excommunicatis à Papa, et ipsos in officiis recipiunt.
5. Intrantes Monasteria Monialium reclusarum, sive Ecclesiasticae sive seculares personae sint, sine licentia eorum, qui eam dare possunt.
6. Clavium officium, Ecclesiasticis personis concessum impedientes.
7. Dantes et recipientes in Simoniam ordinis vel beneficii.
8. Absolventes Simoniacos in ordine vel beneficio, vel à casibus in bulla Coenae Domini contentis. Item vota peregrinationis ultra marinae, vel visitationis liminum Apostolorum Petri et Pauli in Compostella [*sic*]. Item castitatis ac religionis commutare praesumentes similiter excommunicantur, à solo Papae absolvendi.
9. Religiosi, qui ex ordinibus mendicantium ad alium ordinem monastium (excepto Carthusiensi) transeunt, et qui eos recipiant.
10. Religiosi excommunicatos à canone (praeterquam in casibus in iure expressis, vel per privilegia sedis Apostolicae concessis) vel à sententiis per statuta Provincialia ac Synodalia promulgatis, aut à poena et culpa absolvere praesumentes.
11. Dantes aut recipientes ex pacto pro ingressu religionis.

Vannes 1596

[Chapitre de Vannes, le siège épiscopal vacant]
Casus autem Papae reservati sunt hi

P2460 Vannes 1596 f. 161-161v

Primus, percussio Clerici, seu personae Religiosae, ubi adest sanguinis effusio, seu enormis et atrox laesio: aliâs permittitur Episcopis absolvere percutientem.
2. Permittitur Episcopis ab huiusmodi percussione absolvere, si percutiens sit hostiarius alicuius potentis, et non ex odio, nec ex proposito percussit.
3. Si percutiens sit foemina.
4. Si servus, de cuius absentia laederetur Dominus, qui non fuit in culpa.

5. Si Regularis percussit regularem, nisi (ut supra dictum est) excessus sit enormis et atrox.
6. Si percutiens sit pauper, nec mendicare consueverit.
7. Si impubes.
8. Si habet inimicos capitales, à quibus timet laedi in via.
In supradictis casibus potest Episcopus absolvere.
Sunt et alii casus in quibus percutiens clericum non indiget absolutione. Primus, si causa disciplinae feriat, ut pater, mater, praelatus, magister. Secundus, si iucunda levitate. Tertius, si inveniat Clericum turpiter agentem cum uxore, matre, vel filia. Quartus, si statim vi, cum moderamine tutelae, repellendo : quia non potest aliter evadere. Quintus, si percutiens ignorat eum esse Clericum, ignorantia non culpabili, et quod aliâs licito feriebat. Sextus, si inveniat eum in apostasia, post trinam monitionem. Septimus, si transierit ad actum omnino statui suo contrarium, ut ad bigamiam, vel militiam.

Secundus casus Papae reservatus, Qui incendit vel frangit Ecclesiam, si est denunciatus.

Tertius, qui scienter communicat in crimine excommunicato nominatim à Papa.

Quartus, qui falsificat litteras domini Papae.

5. Quia scienter excommunicatus vel suspensus celebrat.

Sextus, qui simoniam commisit. Unde versus.

Per papam, Clerum feriens, falsarius, urens.
Solvitur : et quisquis audet celebrare ligatus.
Simon, participans crimen faciens anathema.

Paris 1601

[Absence de cas réservés au Pape.]

[Toulouse?] 1602[10]

[François de Joyeuse?]
Excommunications et cas reservez au Pape par les saints Canons, et autres Decrets du Sainct Siege

[Toulouse?] 1602 p. 228-229
1. Tous ceux qui frappent les Ecclesiastiques et Clercs tonsurez.

---

[10] Liste publiée en 1602 à Bordeaux par l'imprimeur Simon Millanges dans le *Manuel ou Guide brefve des Curez … Plus l'Instruction pour les Confesseurs, imprimée par le commandement du Cardinal de Joyeuse, pour les Curez de son Diocese*, p. 228-230. Molin Aussedat n° 1305. Liste reprise avec remaniements par Toulouse de 1614 à 1736 (P2471).

2. Ceux qui à escient participent aux choses sacrées avec les nommement excommuniez par nostre S. Pere le Pape.

3. Les boutefeux excommuniez et denoncez.

4. Les sacrileges et ceux qui rompent les Eglises, estants denoncés.

5. Les autheurs des vexations injustes faictes contre ceux qui ont justement excommunié, interdit ou suspendu, si dans deux mois ils ne s'amendent.

6. Les Inquisiteurs qui en certains cas font mal leur devoir, *c. multorum. Clemen. de haeret.*

7. Les Religieux qui sans licence administrent certains sacremens. *Clemen. I de privileg.*

8. Les Clercs et Religieux qui font promettre d'eslire sepultures en leurs Eglises, ou de ne changer point celles qui sont desja esleües.

9. Les Princes et Seigneurs, qui contraignent de celebrer en lieux interdits.

10 et 11. Les excommuniez et interdicts qui ne sortent de l'Eglise durant le divin service, estant admonestez, et ceux qui les empeschent de sortir.

12. Ceux qui donnent ou reçoivent quelque chose pour l'entrée en quelque Monastere.

13. Les Simoniaques aux ordres, ou benefices ; et ceux qui procurent telles simonies.

14. Ceux qui de l'ordre des mandians, passent, sans licence du Pape, à un autre non mandiant, excepté l'ordre des Chartreux.

15. Ceux qui tiennent certaines opinions de la Conception de nostre Dame. *In extravag. grave de reliq. et venera sanct.*

16. Ceux qui entrent en la closture des Monasteres sans licence et aux cas defendus

17. Les autheurs des libelles diffamatoires contre certains Religieux, et les infracteurs de leurs privileges, en certains cas specifiez par iceux.

18. Les Pelerins qui vont en Hierusalem sans licence du Pape.

19. Ceux qui preschent des miracles faux ou incertains, et des propheties qui ne sont contenuës en la saincte Escriture.

20. Ceux qui donnent, prennent ou promettent quelque chose, pour obtenir justice ou grace en cour de Rome.

21. Ceux qui sont promeus aux ordres induëment, et autrement que n'est porté par la Bulle de Sixte V.

[Toulouse ?] 1602[11]

[François de Joyeuse ?]

Autres cas reservez à nostre S. Pere en la Bulle, In coena Domini, avec censure d'excommunication

[Toulouse ?] 1602 p. 229-230

1. Tous heretiques, schismatiques, leurs fauteurs et defenseurs.
2. Ceux qui à escient lisent les livres des heretiques, les defendent, impriment, ou retiennent en leurs maisons.
3. Ceux qui appellent du Pape au Concile futur, avec leurs fauteurs et adherans.
4. Les Pyrates, leurs fauteurs, et tous ceux qui les reçoivent.
5. Ceux qui prennent les biens de ceux qui ont faict naufrage en mer.
6. Ceux qui imposent nouvelles gabelles, peages, et leurs exacteurs.
7. Ceux qui falsifient les lettres, et Bulles de nostre S. Pere.
8. Ceux qui amenent chevaux, et portent armes, fer, et autres choses defendues aux Turcs, et pays des infideles.
9. Qui envahissent ou empeschent ceux qui portent à Rome les choses necessaires pour la sustentation de ladicte ville.
10. Qui blessent ou mal traictent les allans ou revenans du S. Siege apostolique.
11. Qui offencent les Pelerins qui s'en vont à Rome, ou retournent de Rome.
12. Qui font tort aux Cardinaux.
13. Qui empeschent ou destournent les procez qui sont en la Cour.
14. Qui usurpent la jurisdiction Ecclesiastique criminelle ou civile.
15. Ceux qui prennent les biens du S. siege Apostolique, ou qui usurpent les droits d'iceluy.

Rodez 1603. Vabres 1611

[Rodez 1603 : François de Corneillan]

Sequuntur Casus aliqui ex Bulla coenae Domini summo Pontifici reservati

Rodez 1603 p. 66-69

Tous heretiques, leurs fauteurs, deffenseurs, et receleurs sont excommuniez comme, aussi.

---

[11] Liste publiée à la suite de la précédente, p. 230, reprise par Toulouse 1614-1736 avec quelques remaniements.

Ceux qui sciemment lisent, gardent, impriment, ou vendent les livres huguenots.

Les Schismatiques, c'est-à-dire, qui refusent de recognoistre, et obeïr au sainct pere, comme chef de l'Eglise.

Ceux qui appellent des sentences, constitutions, censures et ordonnances du S. Pere à un futur Concile general.

Tous pirates, excumeurs et corsaires de mer, avec ceux qui les conseillent, ou favorisent.

Ceux qui ravagent, pillent et retiennent les biens des navires, lorsqu'ils ont fait naufrage.

Ceux qui imposent ou augmentent en leurs terres nouveaux et extraordinaires subsides, peages et gabelles sans permission du prince.

Les falsificateurs des lettres apostoliques, soient bulles à plomb, briefs, signatures, ou autres.

Ceux qui de leur propre et privée auctorité tuent, battent, volent, et outragent les allans, ou retournans du S. siege apostolique et lieux saincts de Rome, soient pelerins, ou autres.

Ceux qui blessent, tuent ou retiennent par force les Cardinaux.

Qui emprisonnent les Legats, Patriarches, Archevesques, et Evesques, qui les chassent et tirent hors des lieux de leur jurisdiction.

Qui en quelque sorte et maniere que ce soit empeschent les libertés et jurisdiction [sic] ecclesiastiques.

Qui empeschent aussi les poursuites des instances pendantes en la cour de Rome, ou bien d'impetrer lettres de grace, ou autres, et l'execution d'icelles.

Tous ceux qui imposent ou exigent des personnes ecclesiastiques, subsides, peages, et autres semblables charges contre les saincts canons, et privileges de l'Eglise; Et qui de leur auctorité despouillent iceux des biens et revenus affectés à leurs benefices.

Ceux qui sans aucun privilege et permission presument absoudre des cas et pechés susdits, sinon toutesfois en l'article de la mort.

Rodez 1603. Vabres 1611

[Rodez 1603 : François de Corneillan]
Quidam alii casus Summo Pontifici extra Bullam reservati

P2464 **Rodez 1603 p. 69-71**

Qui de guet à pans et par malice, battent outrageusement, ou blessent les clercs, prestres, religieux, ou religieuses. Ceux qui le commandent, conseillent, donnent aide, et faveur, ou bien l'approuvent comme estant fait à leur occasion.

Qui commettent quelque symonie en la reception des saincts ordres et promotions aux benefices, ensemble les mediateurs.

Qui sans dispence de nostre sainct Pere prennent, usurpent et retiennent injustement les biens de l'Eglise.

Tous confidentiers et custodinos, qui prestent le nom, et gardent pour autruy les benefices, avec promesse, ou autrement, de les resigner quand ils en seront requis.

Les Religieuses qui sortent hors la closture de leur monastere sans legitime cause et permission de l'Evesque, ou superieur.

Les Religieux qui sans privilege du S. Pere, ou licence des Evesques et curés presument administrer au peuple l'eucharistie, extreme onction, et mariage, ou bien absoudre les excommuniés.

Les religieux et clercs seculiers qui auront suborné et induict quelqu'un à voüer et promettre, d'eslire sa sepulture dans leur Eglise.

Ceux qui contraignent en aucune maniere les prestres de dire la messe és lieux interdicts.

Les boutefeu [sic] aux eglises, monasteres, hospitaux; et ceux qui les ont saccagées.

Ceux qui sans permission du Pape, prennent le pelerinage de Jerusalem, et terre saincte, et qui sans la mesme permission ou du Seigneur Evesque entrent és monasteres et cloistres des religieuses.

Cahors 1604, 1619

[Cahors 1604 : Siméon-Étienne de Popian]
Manuale proprium. Cas de conscience reservez à sa Saincteté, qui sont

Cahors 1604 p. 28-29

Des Heretiques, Schismatiques, leurs fauteurs, et sectaires.

De ceux qui lisent leurs livres.

De ceux qui appellent du Pape au futur Concile.

Des Pirates, et ceux qui les soustiennent.

De ceux qui imposent, augmentent, et demandent nouveaux peages.

Des faulsaires des lettres et supplications apostoliques.

De ceux qui donnent aucuns moyens, secours, et advis aux infideles, contre l'estat de la Republique Chrestienne.

Des empeschans ceux qui portent des vivres à Rome, et les Pelerins qui y vont, ou les offensent.

De ceux qui jettent leurs mains sur messieurs les illustrissimes Cardinaux, Prelats, ou Nonces de la saincte Eglise Romaine.

De ceux qui empeschent le cours, et execution des causes, et sentences, et lettres en dependants.

De ceux qui evoquent telles causes à eux, et empeschent ladicte execution des lettres, et mandemens apostoliques.

De ceux qui attirent les personnes ecclesiastiques à leur tribunal, et ordonnent contre la liberté de l'Eglise, et empeschent la jurisdiction ecclesiastique, ou l'usurpent, et les fruicts, et dismes d'icelle; imposent tailles aux Ecclesiastiques, et de tous ceux qui y donnent aide, conseil, et faveur, et s'entremettent aux causes capitales, et criminelles contre lesdictes personnes Ecclesiastiques.

De ceux qui occupent les terres, et droicts de l'Eglise Romaine, et envahissent, et ravissent les biens du Palais apostolique.

Et des autres mentionnez au procés, et Bulle *In Coena Domini*, qui tous les ans, le Jeudy sainct, sont publiquement denoncez, excommuniez, par nostre S. Pere.

Chalon-sur-Saône 1605

Absence de cas réservés au pape.

Metz 1605, 1631, 1662

[Metz 1605 : Charles II de Lorraine]
Casus S. D. N. Papae reservati, et qui frequentiores in his partibus accidunt

P2466 **Metz 1605 p. 47-49**

Praeter casus in Bulla Coenae Domini contentos etiam sequentes Papae reservantur.

I. Simoniaci, dantes et recipientes ex pacto aliquid pro suscipiendo ordine, beneficio habendo, ingressu religionis, et beneficia ecclesiastica in confidentiam, seu custodiam retinentes.

II. Effractores, et spoliatores templorum, monasteriorum, et aliorum locorum piorum, postquam publicè fuerint denuntiati, aliâs non denuntiati Episcopo reservantur.

III. Omnes incendiarii, postquam sunt excommunicati et denuntiati.

IV. Si quis suadente diabolo in clericum manus violentas iniecerit, vel id fieri mandaverit; quod intelligi debet de enormi laesione, nam si levis est percussio, casus est Episcopalis : Enormis autem laesio, seu percussio ea est, unde mors, vel membri detruncatio seu mutilatio, vel ingens sanguinis effusio sequitur, sub quibus etiam incarceratio comprehenditur.

V. Si cum moniali quis, aut si qua cum religioso in loco sacro notoriè rem habuerit, quia si secreto, et in loco profano id factum sit, est tantum casus Episcopalis.

VI. Irregularitates item omnes, et suspensiones ex publico, seu notorio delicto pervenientes, et quae ex homicidio voluntario (etiam occulto) contrahuntur, sanctissimo D.N. Papae reservantur.

Cambrai 1606, 1622, 1659, 1707, 1779

Absence de cas réservés au pape.

Évreux 1606, 1621, 1706
Coutances 1609, 1618. Lisieux 1608, 1661

[Évreux 1606 : Jacques Davy du Perron]
Casus reservati cum excommunicatione summo Pontifici in Bulla Coenae Domini

Évreux 1606 f. 18-18v

1. Haeretici, Schismatici, Haereticorum[a] credentes, eorumque receptatores, fautores et defensores, libros haereticorum scienter quomodolibet legentes, in domibus suis retinentes, imprimentes, defendentes quolibet colore vel ingenio, quavis causa publicè vel occultè.

2. Pyratae, cursarii, et latrunculi maritimi, illi praesertim qui a monte Argentario[12] usque ad Terracinam[13][b] discurrunt depraedantes, mutilantes, interficientes, suis bonis spoliantes eos qui navigant.

3. Omnes qui in terris suis nova pedagia, seu gabellas, ad is potestatem non habentes, imponunt vel prohibita exigunt.

4. Falsificantes litteras apostolicas, et supplicationes, gratiam, vel iustitiam concernentes, signatas per Romanum Pontificem, aut Vicecancellarium aut eorum vices gerentes. Item signantes easdem supplicationes eorum nomine. Item falsificantes vel mutantes supplicationes per Romanum Pontificem signatas et datas sine licentia ipsius vel eius Datarii.

5. Deferentes ad Turcas et Sarracenos, vel quoscumque Christiani nominis inimicos, equos, arma, armorum materiam, instrumenta bellica, lignamina, funes, materiamque funium et alia. Item facientes

---

[12] Promontoire de la côte d'Etrurie.
[13] Ville du Latium.

certiores huiusmodi inimicos de rebus ad Christianam Rempub. pertinentibus et consilium ad id praestantes in Christianorum perniciem.

6. Impedientes victualia deferentes vel alia necessaria ad usum Romanae Curiae cum iis qui eosdem invadunt, et perturbant, vel qui illa facientes defendunt.

7. Qui venientes ad Sedem Apostolicam, vel ab ea recedentes, vel in Curia Romana morantes rapiunt, spoliant, detinent, vel ex proposito deliberato mutilare, verberare, interficere praesumunt et qui talia fieri faciunt et mandant.

8. Mutilantes, verberantes, interficientes, capientes, incarcerantes ac detinentes Patriarchas, Archiepiscopos, Episcopos et qui aliquid eorum mandant.

9. Qui per se vel per alium verberant, mutilant, vel occidunt, seu bonis spoliant eos qui ad Romanam Curiam super eorum negotiis recurrunt, vel qui illas[c] ibidem procurant. Item qui literas[d] apostolicas quomodolibet executioni mandare prohibent vel prohiberi procurant.

10. Apellantes ad Concilium futurum à mandatis, ordinationibus et sententiis Papae, item dantes consilium, auxilium vel favorem ad hoc.

11. Quicumque Magistratus, Senatores, Presidentes, Auditores, Iudices, etc. qui se intromittunt in causa criminali contra personas Ecclesiasticas, easdem capiendo, processando et contra eas sententiam ferendo vel exequendo.

12. Cancellarii, Iudices ordinarii et extraordinarii, Archiepiscopi, Episcopi, Officiales, etc. Qui avocant causas beneficiales ab Auditoribus Commissariis Apostolicis. Item qui laicali auctoritate impediunt executiones et cursum monitoriorum, citationum, etc. et ad id favorem praestant.

13. Mutilantes, vulnerantes, interficientes, capientes, detinentes, vel depraedantes Romipetas [les pèlerins de Rome], idest, accedentes ad urbem devotionis vel peregrinationis causa, vel in ea morantes, aut ab ea recedentes, et qui ad id auxilium, consilium, vel favorem dant.

14. Occupantes, detinentes, hostiliter destruentes, invadentes directè vel indirectè per se vel per alios, civitates, terras, vel loca ad ipsam Romanam Ecclesiam spectantia.

15. Praesumentes absolvere quempiam ex praedictis.

Variantes Évreux 1621-1706. [a] Haereticorum] Haereticis. –[b] Terracinam] Tetracinam. –[c] illas] illa. –[d] litteras.

Évreux 1606, 1621, 1706
Coutances 1609, 1618. Lisieux 1608, 1661

Alii casus reservati cum excommunicatione eidem summo Pontifici extra Bullam Coenae Domini

Évreux 1606 f. 18v-19

1. Percutientes enormiter Religiosum vel Clericum, etiam primae tonsurae, modo habitum et tonsurem clericalem deferat.
2. Clerici ad divinum admittentes officium eos, quos à summo Pontifice excommunicatos sciunt.
3. Incendentes vel depraedantes Ecclesias vel alia loca sacra, postquam ab Episcopo denunciati et excommunicati fuerint.
4. Religiosi extra articulum mortis et absque speciali Summi Pontificis privilegio praesumentes sacramenta Eucharistiae, Extremae unctionis, vel Matrimonii, sine proprii Parochi licentia, administrare.
5. Principes, vel alii Domini temporales, qui aliquem in loco interdicto divinum celebrare officium compellunt.
6. Nominatim excommunicati, qui divinis officiis in Ecclesia, etiam moniti, intersunt.
7. Dantes aut accipientes aliquid ob ingressum in aliquod monasterium, nisi pietatis aut eleemosynae intuitu.
8. Simoniam realem committentes in ordine, vel beneficio et eius mediatores.
9. Moniales professae è monasteriis egredientes sine consensu Superioris vel Episcopi, nisi compulsae ob ignem, lepram aut pestem.
10. Ingredientes monasteria monialium ordinis SS. Francisci et Dominici absque licentia Praefecti Ordinis aut Generalis.
11. Mulieres intrantes monasteria Religiosorum cuiuscumque tandem ordinis sint, etiam sub praetextu quarumcumque licentiarum.

Rouen 1611/1612
Avranches 1613

[Rouen 1611/1612: François de Joyeuse]
Excommunicationes quaedam reservatae Pontifici Romano

Rouen 1611/1612 p. 76-77

Haeretici, fautores eorum, credentes et defensores, et legentes libros eorum.
Clericorum percussores, qui eos mutilant aut enormiter laedunt.

Qui Simoniae crimen admittunt, in Ordine vel Beneficio.
Falsarii, qui supponunt vel corrumpunt litteras Apostolicas.
Incendiarii, qui domibus ignem subiiciunt.
Spoliatores Ecclesiarum, et raptores sacrilegi.
Laïci cognoscentes de causis ecclesiasticis.
Irregulares tam ob defectum, quam ob delictum notorium.

Rouen 1611/1612
Avranches 1613. Bayeux 1627. Sées 1634, 1695[14]
[Rouen 1611/1612 : François de Joyeuse]
Formulaire du Prosne. Les pechez reservez au Pape avec excommunication

P2470   **Rouen 1611 p. 346-347. (Sées 1634 p. 321-322)**
Il y a sept sortes de pechez, desquels l'absolution est reservée à nostre S. Pere le Pape, et ceux qui les commettent sont excommuniez de fait.

Le premier, Tous Heretiques et fauteurs d'iceux en ce qui regarde l'Heresie, et ceux qui tiennent ou lisent leurs livres.

Le second, Tous ceux qui mettent la main sur Prestres ou sur Clercs pour les outrager griefvement : car si l'offence est legere, on peut estre absouls de l'Evesque.

Le troisiesme, Tous ceux qui sont entachez de Simonie ou Confidence, ayans pris ou donné quelques biens temporels pour un Benefice, ou tenant quelque benefice pour un autre.

Le 4. Toux ceux qui falsifient et corrompent, ou qui supposent et contrefont les lettres Apostoliques.

Le 5. Tous ceux qui bruslent les maisons.

Le 6. Tous ceux qui pillent et ravagent les Eglises.

Le 7. Toutes personnes laïques usurpans la jurisdiction des Ecclesiastiques.

Outre ces pechez reservez, est assavoir que les dispenses des cinq voeux, Religion, Chasteté, voyage de Jerusalem, Rome, S. Jaques en Galices[(a)], et les dispenses des irregularitez sont reservées au Pape.

Variante. [(a)] Sainct Jacques en Galice] Sé. 1634. S. Jâques en Galice] Sé. 1695.

---

[14] Sées 1695 présente deux listes de cas réservés au pape, l'une p. 52-53 (Chapitre *De Sacramento Poenitentiae*) P2519, l'autre reproduisant la liste de Rouen 1611/1612 p. lxxviii-lxxix (*Formulaire du Prosne*).

Genève 1612, 1632, 1643

[Absence de cas réservés au pape.]

Toulouse 1614, 1621, 1636, 1641, 1653, 1664, 1670, 1712, 1725, 1736 Albi 1647. Auxerre 1631. Auch c. 1642, 1678[15]. Couserans c. 1642 Lescar c. 1642[16]. Oloron c. 1644. Tarbes 1644. Vabres 1766

[Toulouse 1614 : Philippe Cospéan, évêque d'Aire, administrateur du diocèse, le siège épiscopal vacant[17]]

Cas et excommunications reservez au S. Siege Apostolique en la Bulle In Coena Domini

Toulouse 1614 p. 23-25[18] ; Toulouse 1621, *Formulaire du Prosne*, p. 13-15. Auch c. 1642 p. 84-85, *Les cas et excommunications que le Pape se reserve par la Bulle In Coena Domini*.

1. Premierement sont excommuniés tous les heretiques, schismatiques, leurs fauteurs et defenseurs : Et ceux qui sciemment lisent les livres des(a) heretiques, les defendent, impriment(b) ou les retiennent en leurs maisons.

2. Ceux qui appellent du Pape au Concile futeur(c), avec leurs fauteurs et adherans.

3. Les pyrates, leurs fauteurs, et tous ceux qui les reçoivent.

4. Ceux qui prennent les biens de ceux qui ont faict naufrage sur mer.

5. Ceux qui hors des cas permis de droit, ou de sa Saincteté, imposent de nouvelles gabelles ou peages, ou les augmentent, et leurs exacteurs.

6. Ceux qui falsifient les lettres et Bulles de nostre sainct Pere.

7. Ceux qui amenent(d) ou envoyent des chevaux, des armes, fer, bois, or, argent et autres equipages de guerre és pays des infideles, et aux heretiques.

---

[15] Auch 1678 : Aucun exemplaire connu de ce rituel, probablement repris par tous les diocèses de la Province ; ce rituel est très probablement l'édition du rituel de Toulouse 1670 avec quelques adaptations, comme le rituel d'Oloron 1679. Manquent dans le seul exemplaire connu du rituel d'Oloron 1679 les 16 p. sous pagination séparée comprenant le formulaire du prône, les cas réservés au pape et à l'archevêque de Toulouse, et le calendrier des fêtes de Toulouse.

[16] Aucun exemplaire connu des rituels de Couserans et Lescar c. 1642. Voir P2644 et P2679.

[17] Louis de Nogaret de La Valette, promu à l'archevêché de Toulouse en 1614, n'a jamais été ordonné évêque.

[18] Pages 23-25 de l'*Advis particulier pour le reglement d'un Curé*, faisant partie du *Recueil de diverses Ordonnances de Monseigneur l'illustrissime ... Cardinal de Joyeuse, cy-devant Archevesque de Tolose, renouvellées et imprimées par l'autorité de Monseigneur le Reverendissime Evesque d'Aire. Avec ... les cas réservés ... A Tolose, par Raymond Colomiez ...* M.DC.XIIII. ... Molin Aussedat n°1306.

8. Ceux qui envahissent ou empeschent ceux qui portent les choses necessaires pour la sustentation de la Cour de Rome.

9. Ceux qui blessent ou mal-traictent les allans ou revenans du S. Siege apostolique.

10. Ceux qui offensent les Pelerins qui s'en vont à Rome, ou en retournent.

11. Ceux qui font tort et injure aux Cardinaux, et qui chassent les Patriarches, Archevesques, Evesques et Legats du S. Pere, des lieux de leur jurisdiction, et ceux qui prestent à ce[e] conseil, ayde, et faveur.

12. Ceux qui empeschent ou detournent les procez qui sont en la Cour de Rome, mal-traictent les officiers d'icelle, ou les parties qui y ont recours.

13. Ceux qui appellent aux Cours seculieres du grief, et de l'execution des lettres Apostoliques, soubs quelque faux pretexte que ce soit.

14. Ceux qui empeschent l'execution d'icelles.

15. Les Juges seculiers qui attirent à leur tribunal les personnes ecclesiastiques, et qui renversent ou troublent la liberté ecclesiastique.

16. Ceux qui empeschent que les Juges ecclesiastiques ne puissent faire valoir leur jurisdiction.

17. Ceux qui usurpent les fruicts, droicts et revenus du sainct Siege, ou autres Ecclesiastiques, ou qui les sequestrent sans licence suffisante.

18. Ceux qui imposent des charges sur les Ecclesiastiques, et sur leurs fruicts, sans expresse licence du Pape, et ceux qui donnent conseil, support, ayde ou faveur à ladite imposition.

19. Les Juges seculiers qui s'ingerent de juger des causes criminelles des Ecclesiastiques.

20. Ceux qui usurpent des terres, seigneuries et jurisdictions du Pape[f].

Variantes. [a] des] *om.* Auch. – [b] les defendent, impriment] heretiques, qui les soustiennent et defendent contre ceux qui les impugnent, et ceux qui les impriment Tols. 1621. – [c] futur] Auch. Tols. 1670. – [d] emmenent] Auch. – [e] a ce prestent] Auch. – [f] Les Confesseurs seront advisez de prendre bien garde aux exceptions qui peuvent arriver aux susdits cas.] *add.* Tols. 1621.

Toulouse 1614, 1621, 1636, 1641, 1653, 1664, 1670, 1712, 1725, 1736
Albi 1647. Auxerre 1631. Auch c. 1642, 1678. Couserans c. 1642
Lescar c. 1642. Oloron c. 1644. Tarbes 1644. Vabres 1766
[Toulouse 1614 : Philippe Cospéan, évêque d'Aire,
administrateur du diocèse, le siège vacant]

472 **Toulouse 1614** p. 26-29[19]. *Autres excommunications et cas reservez au Pape, hors de la Bulle In Coena Domini*
Auch c. 1642 p. 86-87. *Autres excommunications et cas, que le Pape se reserve, hors ladite Bulle*[20]

1. Tous ceux qui frapent griefvement, ou maltraictent par quelque action injurieuse et notable les Ecclesiastiques et Clercs tonsurez, soient seculiers, ou religieux.

2. Ceux qui negligent de se faire absoudre dans l'an d'une excommunication que le Delegué du Pape a lasché contre eux.

3. Les boutefeux des lieux sacrez, ayant esté excommuniez et denoncez.

4. Les sacrileges qui font leur larcin avec fraction des Eglises, ayant esté denoncez.

5. Les autheurs des vexations injustes faites contre ceux qui ont justement excommunié, interdit ou suspendu, si dans deux mois ils ne s'amendent.

6. Les Religieux qui sans silence[a] des Pasteurs ecclesiastiques administrent certains sacremens. *Clemen. I de privileg*[b].

7. Les Clercs et Religieux qui font promettre d'eslire sepultures en leurs Eglises, ou de ne changer point celles qui sont desja esleües.

8. Les Princes et Seigneurs qui contraignent de celebrer en lieux interdits.

9. Les excommuniez interdits[c], nomméement denoncez, qui ne sortent de l'Eglise durant le divin service estans admonestez, et ceux qui les empeschent de sortir.

10. Ceux qui donnent quelque chose par pacte exprez ou tacite, pour estre receus en quelque Monastere, et ceux qui reçoivent la chose accordée.

11. Les simoniaques aux Ordres, ou Benefices, et ceux qui procurent telles Simonies.

---

[19] Pages 26-29 de l'*Advis particulier pour le reglement d'un Curé*. Voir note 16.
[20] Auch c. 1642 et les rituels de la province d'Auch (Couserans, Lescar, Oloron, Tarbes) suppriment les excommunications et cas chiffrés 2, 5, 8, 10, 16.

12. Ceux qui tiennent les benefices en confidence.

13. Ceux qui entrent dans les Monasteres des Religieuses, sans urgente nécessité, et sans licence, et aux cas defendus par la Bulle Regularium, de Pie V et Ubi gratiae, de Gregoire XIII. Et les Superieures et portieres[d] qui permettent ladicte entrée, et les Religieuses qui donnent à ce conseil support ou aide.

14. Les autheurs des libelles diffamatoires contre certains Religieux, et les infracteurs de leurs privileges, en certains cas specifiez par iceux.

15. Ceux qui par soy, ou par autruy, usurpent et s'aproprient les biens et droicts ecclesiastiques, ou empeschent que les legitimes possesseurs n'en puissent jouyr.

16. Ceux qui preschent des miracles faux ou incertains, et propheties qui ne sont contenues en la saincte Escriture.

17. Ceux qui donnent, prennent ou promettent aucune chose, pour obtenir justice ou grace en Cour de Rome.

19. Ceux qui sont promeus aux ordres induëment, et autrement que n'est porté par les Bulles de Pie II. et Clement VIII.

19. Les Religieuses qui sortent de leur monastere sans permission legitime : et les Superieurs qui donnent ladite permission hors des cas comprins en la Bulle *Decori*, de Pie V. Et ceux qui les accompagnent ou reçoivent en leurs maisons.

20. Ceux qui se battent en duel, qui portent le cartel ou parole des desfi, les parrins ou seconds, et ceux qui donnent conseil, support, aide, et faveur.

Variantes. [a] silence] licence Tols. 1621. –[b] *Clemen. I. de privileg.*] om. Tols. 1621. –[c] excommuniez, interdits] Tols. 1670. –[d] Superieur et portiers] Tols. 1621. –[e] Et ceux aussi qui se portent sur le lieu assigné, encor que pour estre detournez et empeschez ils ne combattent pas, s'il n'a pas tenu à eux.] *add.* Tols. 1621.

Paris 1615
[Henri de Gondi]
Casus reservati… Domino nostro Papae

P2473   **Paris 1615 f. 67v (sign. R3)**

1. Exustio templorum necnon et domorum prophanarum procurata dum incendiarius est publice denunciatus. Simonia in ordinibus et beneficiis et confidentia.

2. Occisio, seu mutilatio membrorum cuiuscunque in sacris ordinibus constituti.

3. Percussio Episcopi, seu alterius Praelati.
4. Delatio armorum ad partes infidelium.
5. Falsificatio bullarum, seu litterarum summi Pontif.
6. Invasio, depraedatio, occupatio, aut devastatio terrarum Romanae Ecclesiae.
7. Violatio interdicti, ab eadem Sancta sede impositi.

Toul 1616, 1638, 1652

[Toul 1616 : Jean des Porcelets de Maillane]
Excommunicationes reservatae Papae in Bulla Coenae Domini, quae frequentiores occurrunt

Toul 1616 p. 81-83
Excommunicantur primo omnes haeretici cuiuscunque sectae existant. Item omnes eorum fautores, receptores, et illis credentes, ac eorum libros imprimentes, vel eos sine autoritate sedis Apostolicae scienter quomodolibet legentes publicè, vel occultè, ex quavis causa, quovis colore, et generaliter omnes defensores eorum.

II. Qui ad sedem Apostolicam venientes causa peregrinationis, vel devotionis, vel ibi commorantes offendunt.

III. Qui cursum causarum in Romana curia pendentium, et literarum apostolicarum executionem impediunt.

IIII. Qui Ecclesiasticas personas ad suum tribunal, et audientiam praeter iuris communis dispositionem trahunt, quique statuta contra Ecclesiae libertatem faciunt.

V. Qui iurisdictiones, vel bona Ecclesiasticorum impediunt, usurpant, aut sequestrant, quique eis tallias, et decimas imponunt, aut ab ultro dantibus accipiunt, assensum vel consilium praestant, absque Romani Pontificis expressa licentia.

VI. Laici qui se intromittunt in causis capitalibus, seu criminalibus contra personas Ecclesiasticas, eas capiendo, processando, aut sententias contra eas proferendo, vel exequendo.

VII. Quicunque spirituales causas ab apostolicis iudicibus avocant, et executionem literarum, et mandatorum apostolicorum impediunt. Quique post iudicum quorumlibet Ecclesiasticorum sententias, et decreta, ad curias saeculares recurrunt, horumque fautores.

VIII. Falsarii litterarum Apostolicarum, et eorum defensores, et fautores.

IX. Deferentes arma offensiva, et defensiva, infidelibus, aliaque huiusmodi, quibus christianos impugnant. Item certiores facientes eosdem infideles, vel haereticos de statu christianae reip. In detrimentum eiusdem, consilium etiam, et favorem praestantes.

X. Qui praedictos et alios in praefata bulla excommunicatos absolvere praesumpserint, excommunicantur, et absolutio nulla est. Excommunicatio vero propterea incursa non est reservata.

Toul 1616, 1638, 1652

[Toul 1616 : Jean des Porcelets de Maillane]
Aliae excommunicationes S. D. N. Papae reservatae in casibus qui frequentiores in his partibus accidunt

P2475 **Toul 1616 p. 83-84**

1. Si quis suadente diabolo in clericum manus violentas iniecerit, vel id fieri mandaverit : Hoc autem intelligi debet de enormi laesione, nam si levis est percussio, excommunicatio est Episcopalis. Enormis autem laesio, seu percussio ea est, unde mors, vel membri detruncatio, seu mutilatio, vel ingens sanguinis effusio sequitur, sub quibus etiam incarceratio comprehenditur.

II. Effractores, et spoliatores templorum, monasteriorum, et aliorum locorum piorum, postquam publicè fuerint denuntiati, aliàs non denuntiati Episcopo reservantur.

III. Clerici qui sponte communicant in divinis, cum nominatim excommunicatis a Papa per sententiam.

IIII. Simoniaci, dantes et recipientes ex pacto aliquid, pro suscipiendo ordine, obtinendo beneficio ingressu religionis, et beneficia Ecclesiastica in confidentiam, seu custodiam retinentes.

V. Provocantes ad duellum, in eo pugnantes, eorumque fautores, ex constit. Clem. 8. Quae incipit, Illius vices.

VI. Religiosi qui praesumunt ministrare sacramenta Eucharistiae, matrimonii, extremae unctionis, sine licentia expressa parochi, vel absolvere excommucatos a canone, praeterquàm tamen in casibus a iure, aut privilegiis Apostolicis sibi concessis. (Clement. I. de privileg).

VII. Domini, vel officiarii temporales, qui quomodolibet cogunt aliquem celebrare in loco interdicto, et qui publico signo convocant populum ad audiendam missam in tali loco interdicto ; quique prohibent ne excommunicati, seu interdicti ab Ecclesia eiiciantur, tempore divini officii, si tamen prius moniti sunt a sacerdote de exeundo. (Clement. Grave de sent. excom).

Meaux 1617

[Jean de Vieuxpont]
Casus… Domino nostro Papae reservati. Non hîc omnes ascripti sunt, sed illi tantum qui frequentius in his regionibus putantur accidere posse

Meaux 1617 f. 30v-40

1. Si quis simoniae labem notoriam incurrerit, vel beneficium aliquod Ecclesiasticum in confidentiam seu custodiam notoriam retinet vel recipit.

2. Si quis Ecclesiam vel monasterium, vel alium pium locum incenderit, aut effregerit, et spoliaverit post sententiam latam ab Ecclesia et denuntiationem.

3. Omnis alius incendiarius si fortè excommunicetur et denuntietur.

4. Si quis falsarius extiterit literarum Apostolicarum, aut scienter eisdem abusus fuerit, aut mandatorum Apostolicorum effectum ac executionem malitiosè impedierit.

5. Si quis suadente diabolo in clericum manus violentas injecerit, vel id fieri mandaverit, vel ab alio factum approbaverit. Sed id debet intelligi de enormi laesione : alioquin si levis est percussio, casus est solummodo Episcopalis. Porro enormis laesio seu percussio ea censetur, unde mors, vel membri detruncatio seu mutilatio, vel ingens sanguinis effusio subsequuta fuit.

Incarceratio quoque sub enormi laesione venit intelligenda.

Non agimus hîc de Irregularitate, quia non est casus. Sed quicunque Sacerdos celebraverit post suspensionem in contemptu censurarum Ecclesiasticarum, à summo Pontifice est absolvendus.

Nantes 1617, 1665

[Absence de cas réservés au pape.]

Vannes 1618, 1631

[Vannes 1618 : Jacques Martin]
Collectio aliquot casuum Papae reservatorum, qui frequenter occurrere possunt

Vannes 1618 p. LXX-LXXVI; **Vannes 1631** p. 436-439

Haeretici. Omnes qui labe haereseos notoriae, seu quae inducit in excommunicationem bullae, infecti sunt, postquam denuntiati fuerunt, [ab occulto enim haeresis crimine absolvit episcopus,] est autem haereticus qui errorem habet aliquem circa fidem cum pertinacia. Huc spectant illi qui honorem latriae exhibent daemoni ei sacrificando, adorando, orationes execrabiles effundendo, laudes eius canendo, genua ad eius honorem flectendo.

Percussores Clerici. Qui in sacerdotem, religiosum aut clericum manus violentas cum enormi laesione iniecerunt: vel id fieri mandaverunt: In praelatum vero etiam cum levi percussione: à levi seu moderata percussione Sacerdotis aut Clerici Episcopus potest absolvere, dummodo tamen non sit publica.

Falsarii. Qui adulterant seu falsant literas apostolicas et supplicationes, quae nomine Rom. Pontificis seu sedis Apostolicae expediuntur.

Incendiarii. Qui Ecclesiam vel Monasterium vel alium locum sacrum incenderunt voluntariè, vel res Ecclesiarum cum ipsarum effractione rapuerunt. Caeteri incendiarii excommunicandi sunt, et si denunciati fuerint sunt ad Papam pariter pro absolutione mittendi.

Suspensi celebrantes. Qui scienter excommunicati vel suspensi celebrarunt aut alia sacramenta administrarunt.

Simoniaci. Omnes qui Simoniam in ordine vel beneficio commiserunt, aut beneficium ecclesiasticum in confidentiam et custodiam receperunt vel retinent. Huc spectant illi qui dant vel accipiunt pecuniam, vel quid simile cum pacto, ob ingressum in aliquod monasterium, nisi id fiat in victum [sic] eius qui ingreditur.

Surripientes bona naufragantium. Qui surripiunt naufragantium Christianorum bona, cuiuscumque generis bona sint, et in quocunque mari, nisi ablata reddiderint.

Inducentes ad eligendum Sepulturam. Clerici aut religiosi inducentes aliquem ad iurandum, vel vovendum, vel promittendum ut sepulturam apud eorum Ecclesias eligat, aut iam electam non immutet.

Religiosi administrantes quaedam sacramenta. Religiosi qui saecularibus sive Clericis, sive Laïcis sacramenta extremae Unctionis, aut Eucharistiae ministrant, vel matrimonium eorum solemnizant, absque ordinarii seu Parochi facultate.

Impedientes Iurisdictionem Ecclesiasticam. Omnes qui impediunt Iurisdictionem ecclesiasticam aut eius libertatem violant. Qui cogunt celebrare in locis interdictis. Omnes item Magistratus, Iudices et alii, qui se interponunt in causis criminalibus contra personas ecclesiasticas, aut ad suum tribunal praeter iuris dispositionem trahunt aut trahi faciunt: quique imponunt taleas aliasve exactiones indebitas ipsis aut illorum et Ecclesiarum bonis.

Convertentes bona Ecclesiae in proprios usus. Omnes tam Laïci quam Clerici quacunque dignitate praefulgeant, qui alicuius Ecclesiae, aut cuiusvis saecularis, aut regularis beneficii, montium pietatis, aliorumque locorum iurisdictiones, bona, census, fructus aut iura quae in ministrorum et pauperum necessitates converti debent, per se vel per alios in proprios usus convertere praesumunt Concil. Trid. sess. 22. c. II.

Participans alicui, in crimine faciente anathema. Qui alicui excommunicato in crimine, ob quod est excommunicatus, post illud commissum, scienter participat. Sicut qui percutit pluries Clericum, singulis vicibus incurrit excommunicationem : Sic participans in crimine multoties cum excommunicato, singulis vicibus incurrit excommunicationem, et eius absolutio reservatur ei, cui esset reservata absolutio excommunicationis ob crimen in quo participando eam incurrit alter.

Dispensatio quorundam votorum. Sunt autem quinque vota quorum dispensatio summo Pontifici reservatur. Votum perpetuae contientiae. Votum simplex religionis, peregrinationis in Jerusalem, et ad limina apostolorum Petri et Pauli, et ad sanctum Jacobum Compostellanum. Et hoc intelligendum cum ista quinque vota absoluta sunt, cum vero sunt conditionata vel poenalia, pertinet ad Episcopum in eis dispensare : quid autem sit votum conditionale, quid poenale explicat Toletus[21]. Vide caeteras excommunicationes, irregularitates, suspensiones, et dispensationes Papae reservatas, et istarum fusionem explicationem apud eundem Tol. Nav.[22] et alios.

Besançon 1619

Absence de cas réservés au pape.

Poitiers 1619-1712

Absence de cas réservés au pape.

Angers 1620, 1626

Absence de cas réservés au pape.

---

[21] Sur le Cardinal Francesco de Toledo, s.j., voir *infra* Auteurs cités, p. 1943.
[22] Sur Navarro, voir *infra* Auteurs cités, p. 1943.

Soissons 1622

[Charles de Hacqueville]

*Les principaux cas reservez à nostre sainct Pere le Pape,
que tous Confesseurs sont tenus de sçavoir*

P2478   **Soissons 1622 p. 72**
1. L'Heresie.
2. Ceux qui mettent la main sur Prestres, Clercs, ou Religieux, pour les outrager griefvement.
3. Les Simoniaques et Confidentiaires.
4. Ceux qui falsifient les lettres Apostoliques ou qui les supposent.
5. Ceux qui pillent, bruslent, et ravagent les Eglises.
6. Ceux qui celebrent la Messe en sentence d'excommunication, ou de suspense, ou qui sont autrement irreguliers d'une irregularité reservée au sainct Siege.
7. Les voeux de chasteté ou de Religion, et les voyages de Rome, Hierusalem, et sainct Jacques en Compostelle.

Arras 1623, 1644

[Arras 1623 : Hermann Ortemberg]

Excommunicationes reservatae Papae per Bullam Coenae

P2479   **Arras 1623 [1° partie] p. 27-29**
Prima est contra Hæreticos, eorumque fautores, receptatores, ac defensores. Intellige, qui Hæreticis favent, eos receptant, vel defendunt in causa hæreseos, et quatenus tales sunt : secus autem, si favor ille seu receptatio fundetur non in hæresi, sed in aliquo alio ; puta cognatione, utilitate, necessitate, et similibus.

2. Contra eos, qui sine legitima facultate legunt, retinent, imprimunt, aut quomodolibet defendunt Hæreticorum libros Hæresim continentes ; aut licet Hæresim non contineant, de Religione tractantes.

3. Contra Schismaticos, ab obedientia Romani Pontificis recedere præsumentes ; iis etiam, qui ad hoc, consilium, auxilium, vel favorem præstiterint, comprehensis.

4. In appellantes ab ordinationibus Papæ ad futurum Concilium, et in eos qui consilium, auxilium etc.

5. In eos, qui Christianorum naufragantium bona rapiunt.

6. In eos, qui absque legitima authoritate, novas in terris suis gabellas imponunt, vel antiquas augent : aut imponi, vel augeri prohibitas exigunt.

7. Contra falsarios literarum Apostolicarum, et Supplicationum, per Romanum Pontificem, vel de ejus mandato signatarum.

8. In eos qui verberant, capiunt, detinent, vel e terris suis, aut Diœcesibus ejiciunt, Cardinales, Episcopos, Sedis Apostolicæ legatos: cum iis qui consilium, auxilium, etc.

9. Contra eos, qui per se vel per alium, male tractant eos qui ad Romanam curiam super suis causis seu negotiis recurrunt, eorumve procuratores, vel etiam Auditores seu Judices supradictis causis deputatos, eos verberando, bonis spoliando, etc. quando dicta violentia occasione negociorum ejusmodi infertur. Iis qui consilium, auxilium, et favorem præstiterint, similiter innodatis. Pari Excommunicatione innodantur qui similem injuriam faciunt his, qui devotionis causa Romam proficiscuntur.

10. In eos, qui literarum Apostolicarum executionem impediunt: quive causas Ecclesiasticas ab Ecclesiasticis Judicibus avocant: aut qui Prælatos Ecclesiæ ab usu Jurisdictionis Ecclesiasticæ impediunt.

11. Contra sæculares Magistratus, Scribas, etc. qui intromittunt se in causis criminalibus, contra personas Ecclesiasticas.

12. In eos, qui statuta faciunt, vel factis utuntur, quibus Ecclesiastica libertas læditur: nec non qui ex prætenso eorum officio, vel ad instantiam partis, trahunt ad suum tribunal personas Ecclesiasticas, præter juris dispositionem.

13. In eos, qui imponunt aut exigunt a personis Ecclesiasticis collectas, et alia onera, absque Romani Pontificis licentia.

Arras 1623, 1644

[Arras 1623: Hermann Ortemberg]
Excommunicationes reservatae Papae extra Bullam

Arras 1623 [1° partie] p. 29-33

Prima est contra percussores Clericorum, vel Monachorum. Habetur *17. q. 4. Cap. Si quis*. Quæ Excommunicatio extenditur ad mandantes, consulentes, auxilium vel favorem præstantes. *Cap. Mulieres, et Cap. Quantæ. De Sent. Excom.* Si tamen percussio non est enormis, ab ea potest Episcopus absolvere.

2. Contra eos, qui propter sententiam Excommunicationis, Suspensionis, Interdicti in aliquem promulgatam, gravant eos, qui tales sententias protulerunt, vel quorum occasione sunt prolatæ, vel qui easdem sententias observant, et taliter Excommunicato communicare nolunt: gravant inquam, sive in personis, sive in bonis suis vel suorum:

comprehensis etiam iis, qui aliquid dictorum faciendi licentiam dederint. Hi omnes, si duorum mensium spatio, in sua excommunicatione permanserint, ex tunc ab ea nequeunt, nisi per Sedem Apostolicam absolutionis beneficium obtinere. *Cap. Quicunque de Sent. Excom. in 6.*

3. Contra personas aliquid ex pacto dantes, aut recipientes, pro ingressu religionis. *Extrav. Sane. De Simonia.*

4. Contra Simoniacos in Ordine, vel Beneficio; iis qui peccati extiterint mediatores comprehensis. *Martin. 5. in Conc. Constantien.* Et *Paulus 2. Extrav. Cum detestabile.* Et specialiter, quoad Simoniam Confidentiæ, *Pius 5. Extrav. Intolerabilis.*

5. Contra eos, qui circa controversiam de conceptione Deiparæ, alterutram sententiam, hæreseos aut peccati mortalis damnant. *Sixt. 4. Extrav. Grave nimis.*

6. In eos qui bona, jura, fructus, seu quascunque obventiones alicujus Ecclesiæ, Beneficii, tam Regularis quam sæcularis, Montium pietatis, et quorumcunque locorum piorum usurpare præsumunt, aut impedire quo minus ab eis ad quos de jure pertinent, percipiantur. Nec non et contra Clericos, qui usurpationis hujusmodi fabricatores seu consentientes fuerint. *Conc. Trid. Sess. 22. cap. 11.*

7. Contra duellorum immanem usum. Qua comprehenduntur ipsi qui duellum committunt, eorumque Patrini, ut vocant: quique consilium, auxilium, vel favorem ad hoc dederint. Item Domini temporales, qui locum ad monomachiam concedunt in terris suis, aut permittunt; junctis etiam spectatoribus ex proposito. *Conc. Trid. Sess. 25. Cap. 19.* Qua renovata fuit, et reservata per *Clementem 8.* in Bulla *Illius vices.*

8. In Religiosos et Clericos sæculares, qui quempiam inducunt ad vovendum, jurandum, vel promittendum electionem sepulturæ apud eorum Ecclesias; vel quod jam electam non immutabunt. *De Pœnit. Cap. Cupientes.*

9. In Clericos, qui scienter et sponte cum nominatim Excommunicatis a Papa et denunciatis communicant, ipsos in officio recipiendo. *Cap. Significavit. De Sent. Excom.*

10. Contra Religiosos, qui Sacramentum Unctionis extremæ, vel Eucharistiæ ministrare, vel Matrimonium solemnizare, non habita Parochialis Presbyteri licentia: aut quenquam Excommunicatum a canone, (præterquam in casibus a Jure expressis, vel per privilegia Sedis Apostolicæ sibi concessis) vel a sententiis per Statuta Provincialia, aut Synodalia promulgatis, aut a culpa et pœna absolvere quemquam præsumpserint. *Cap. Religiosi. De Privileg.*

11. Contra Dominos temporales, qui cogunt aliquem in loco interdicto celebrare divina; aut faciunt populum ad illa audienda convocari; aut qui prohibent, ne publice excommunicati vel interdicti, super hoc, ab iis qui Missas celebrant, moniti, ab Ecclesiis exeant. Nec non et contra ipsos excommunicatos seu Interdictos, si postquam nominatim moniti fuerint à Celebrantibus, non exeant. *Cap. Nuper. De Sent. Excom.*

12. In eos, qui docent, licere per literas seu internuncium, Confessario absenti peccata Sacramentaliter confiteri, et ab eodem absente absolutionem obtinere; quive sententiam istam tanquam aliquo casu probabilem defendunt; imprimunt, vel ad praxim deducunt. Lata est per *Clem. 8.* anno 1602.

13. Contra præsumentes ingredi septa Monialium absque licentia Episcopi vel Superioris in scriptis obtenta. Quæ tam viros quam mulieres cujuscunque conditionis vel ætatis comprehendit. Habetur in *Conc. Trid. Sess. 25. cap. 5.* Et renovata fuit ac Sedi Apostolicæ reservata per *Gregorium 13.* atque extensa ad Prælatos, Gubernatores, et Officiales Laicos et Religiosos, idem præsumentes, præterquam in casibus necessariis.

14. Contra dantes aut accipientes aliquid, aut promittentes in Curia Romana ad obtinendam justitiam, aut promerendam gratiam alicujus rei. *Greg. 13. Extrav. Ab ipso.*

15. In eos qui Ordini Minorum aut Prædicatorum in certis casibus contumeliam inferunt. De quibus videatur Navar[23]. in ManualI. C. 27. n. 109.

16. In eum, qui participat in crimine criminoso cum excommunicato excommunicatione Papæ reservata. *Cap. Nuper. et Cap. Si concubinæ. De Sent. Excom.* Crimen autem criminosum hic dicitur illud, propter quod, is cum quo participatur, jam ante excommunicatus existebat.

17. In eum, qui cum a Papa vel ejus Legatis ab Excommunicatione Sedi Apostolicæ reservata fuerit absolutus, non quamprimum potest, exhibet se suo Ordinario vel alteri Judici pœnitentiam ab eo suscepturus; aut iis propter quos ligatus existebat, satisfactionem competentem non facit, quando id ei ab absolvente fuerat injunctum. Nam is in priorem excommunicationem recidit. *Cap. Eos qui. De Sent. Excom.*

---

[23] Sur Navarro, voir *infra* Auteurs cités, p. 1943.

Tournai 1625

[Maximilien Villain de Gand]

Excommunicationes reservatae Papae per Bullam Caenae

P2481 **Tournai 1625 p. 54-57**

Prima est contra hæreticos, eorum fautores, receptatores ac defensores. Advertendum est materiam hujus canonis esse duplicem, hæresim et schisma. Principales actiones quæ hoc canone prohibentur sunt quinque. 1. Hæreticum esse. 2. Legere scienter libros hæreticorum, vel hæresim continentes, vel de religione tractantes sine authoritate summi pontificis. 3. Hujusmodi libros retinere. 4. Illos imprimere. 5. Schismaticum esse. Accessoriæ vero actiones sunt quatuor. 1. Est hæreticis credere. 2. Hæreticos recipere. 3. Hæreticis favere. 4. Hæreticos vel eorum libros ex quavis causa publice vel occulte quovis ingenio vel colore defendere.

Et quamvis varii varia propositionum genera notent contra fidem, eæ tantum hæreticæ sunt censendæ, et censuram excommunicationis bullæ incurrunt, ubi deliberatæ voluntatis electioni accesserit pertinacia, nec opus est aliqua temporis duratione.

Pars ultima hujus canonis comprehendit schismaticos qui se ab obedientia Rom. Pontif. pertinaciter subducunt nolentes ei subesse aut membris ejus, licet alioqui credant unam Ecclesiam et unum Christi vicarium in terris.

2. Est in appellantes ab ordinationibus Papæ ad futurum concilium, et in eos qui ad id concilium auxilium aut favorem præstiterint: sed intellige si appellatio subsequatur, nam alioquin consulens vel auxilians censuram non contrahit, dicitur *ad futurum Concilium*. Nam a Pontifice ad præsens concilium appellare licitum est, sicut et a pontifice non satis informato ad eundem ut melius informetur, quanquam hæc supplicatio potius quam appellatio dicenda sit.

3. Et contra piratas, cursarios ac latrunculos maritimos, ac omnes eorum fautores. Ille autem proprie huic excommunicationi subjicitur, qui absque titulo belli justi vel injusti omnes navigio vectos in mari, non in solis fluminibus indifferenter et ex intentione deprædatur. Sciendum tamen est excommunicationem hanc licet in canone non exprimatur, eos solum comprehendere qui contra Christianos Catholicos artem praticam exercent, nam omnino verisimile est Ecclesiam Paganos et infideles et similiter hæreticos manifestos, præsertim eos qui catholicis sunt infesti noluisse tam gravi censura protegere.

4. Contra rapientes bona naufragantium, excommunicatio ista lata est contra quascumque personas bona naufragantium quocumque modo rapientes aut scienter retinentes, nec statim restituentes cum primum poterint.

5. Contra imponentes in suis terris nova pedagia seu gabellas vel antiquas augentes, aut imponi seu augeri prohibitas exigentes, præterquam in casibus a jure seu sedis apostolicæ speciali licentia permissis. Notabit itaque Confessarius ut justa sit exactio quatuor causas requiri. Efficiens, id est, legitima in imponente potestas. Finales, id est, non privatum sed commune reipublicæ bonum. Formalis, ut modus servetur et debita proportio in imponendis tributis. Materialis quæ respicit materiam, id est, temporales facultates super quas tributa et exactiones legitime imponuntur et exiguntur.

6. Contra falsarios litterarum apostolicarum et supplicationum per Romanum Pontificem, vel de ejus mandato signatarum. Hic non comprehenduntur consulentes et defendentes, sed a jure excommunicantur per caput ad falsariorum [sic], non est tamen casus reservatus.

7. Contra deferentes arma ad Saracenos, Turcas et hæreticos. Intentio tamen Pontificis est ligare eos solummodo qui talia deferunt in damnum Christianorum.

8. Contra impedientes sive invadentes eos qui victualia deferunt ad Curiam Romanam, idque per se vel per alios. Nota quod hanc censuram non incurrit qui impedit prædicta deferri Romam aut ad particulares curiæ personas, modo non impediat ea quæ ad communem curiæ usum deferuntur.

9. Contra eos qui lædunt venientes ad sedem apostolicam, continet quinque actiones, nempe sua vel aliena opera interficere, mutilare, spoliare, capere, vel detinere venientes, vel recedentes ab eadem, vel ibidem expediendi negotii sui causa commorantes.

10. Contra lædentes Romipetas et peregrinos. Actiones continet sex principales, scilicet, interficere, mutilare, vulnerare, detinere, capere aut depredari eos qui causa devotionis accedunt, recedunt vel commorantur in urbe. Accessoriæ sunt tres, dare prædictis consilium, auxilium vel favores.

11. Contra offendentes Romanæ Ecclesiæ Cardinales, Patriarchas, Archiepiscopos, Episcopos, sedis Apostolicæ Legatos vel nuncios, aut a suis territoriis diocæsibus [sic], terris seu dominiis ejicientes, nec non ea mandantes, etc.

12. Contra eos qui occidunt seu quoquomodo percutiunt, bonis spoliant, recurrentes ad sedem apostolicam pro suis negotiis, seu ne-

gotiorum gestores, advocatos, procuratores, auditores, vel judices super iisdem causis deputatos.

13. Contra appellantes ad laicam potestatem a gravanime [sic] litterarum apostolicarum, et earum executionem impedientes.

14. Eosve qui causas ecclesiasticas ab Ecclesiasticis judicibus avocant: aut Praelatos Ecclesiæ ab usu jurisdict[ionis] ecclesiast[icæ] impediunt.

15. Contra usurpantes sedis Apostolicæ aut quarumcumque ecclesiarum jurisdictionem vel fructus, prohibet etiam ne quis quavis occasione vel causa sine expressa Pontificis aut aliorum ad id potestatem habentium licentia dictos fructus aut reditus sequestret.

16. Contra sæculares qui se in causis criminalibus contra personas ecclesiasticas interponunt. Generalis est in omnes Magistratus, Iudices, Notarios, aut alios quoscumque sæculares. Nisi ex speciali Pontificis licentia.

17. Contra eos qui exigunt a personis ecclesiasticis collectas et alia onera, absque Pontificis Romani licentia.

18. Contra occupantes bona et terras Romanæ Ecclesiæ. Eosque qui de facto præsumunt supremam jurisdictionem in hujusmodi terris et locis usurpare vel eandem perturbare, eam sibi retinere, vel aliquomodo vexare.

Tournai 1625
[Maximilien Villain de Gand]
De casibus extra Bullam Caenae Pontifici, reservatis

Tournai 1625 p. 57-60

Primus est violenta in clericum manuum injectio *17. q. 4. cap. si quis.* sive per se sive per alios id fieri mandaverit vel etiam dixerit suis se vindictam de tali expetere. *cap. mulieres, et cap. quantæ de sentent. excom.* Si tamen percussio non est enormis ab ea Episcopus potest absolvere. Sciat tamen confessarius in prædictis et similibus casibus reservatis dubia ad episcopum loci referri debere et illius judicio standum esse quando ad sedem apostolicam recurrendum sit et quando non.

2. Excommunicatio lata a delegato Papæ a qua finita potestate delegatoria nullus præter Papam absolvit. *Cap. quærenti de off. deleg.*

3. Contra clericos qui scienter et sponte cum nominatim excommunicatis a Papa communicant eosque ad divina admittunt officia. *Cap. significavit de sent. excom.*

4. Contra injuste vexantes excommunicantem, amicos ejus et familiam, comprehensis etiam iis qui aliquid dictorum faciendi licentiam dederint, qui omnes si duorum mensium spatio in sua excommunica-

tione permanserint, ex tunc ab ea non possunt nisi per sedem Apostolicam absolvi. *Cap. quicunque de sentent. excom.*

5. Contra Religiosos etiam non professos qui scienter et sine licentia parochi, præsumunt clericis aut laicis ministrare sacramentum Extremæ-Unctionis, Eucharistiæ, aut nuptias benedicere vel excommunicatos a Conone absolvere, *Clement. I. de privilegiis.*

6. Contra dantes aut recipientes aliquid ob ingressum in aliquod monasterium, *ext. de simonia*, advertat tamen Confessarius hanc censuram non contrahi nisi pactum interveniat.

7. Contra ingredientes monasteria monialium absque licentia Episcopi vel Superioris in scriptis obtenta habetur *in concil. Trid. Sess. 25, cap. 5.* excusat tamen iusta vel quasi iusta ignorantia.

8. Contra retinentes beneficia ecclesiastica abbatias, monasteria et eorum fructus absque speciali Pontificis dispensatione *ext. Pii 5. intolerabilis*. Contra simoniacos in ordine vel beneficio, iis qui peccati extiterint mediatores comprehensis. *Mart. 5. in conc. Constantien.*

9. Contra moniales quæ post professionem exeunt a monasterio etiam ad breve tempus quocumque prætextu, nisi ex aliqua legitima causa ab Episcopo approbanda. Concil. Trid. sup. Et quamvis Pius V revocaverit hanc licentiam et excommunicaverit excommunicatione Papæ reservata omnes Abbatissas, et religiosas egredientes extra monasterium nonobstante quacumque necessitate aut morbo, exceptis tribus casibus, propter incendium, 2. pestem, 3. lepram, dicit tamen Ioannes Benedictus lib. 5. cap. 2. de casibus, se nescire et velle a peritioribus intelligere an hujusmodi excommunicatio locum habeat citra montes.

10. Contra duellorum immanem usum, qua comprehenduntur qui duellum committunt eorumque patrini, ut vocant, quique consilium favorem ad hoc dederint. Item domini temporales qui locum ad monomachiam concedunt in terris suis, aut permittunt: junctis etiam spectatoribus ex proposito, *concil. Trid. sess. 25. cap. 19.* quæ renovata fuit et reservata per *Clementem VIII.* in Bulla *Illius vices.*

11. In Religiosos et Clericos sæculares qui quempiam inducunt, ad vovendum, jurandum, vel promittendum electionem sepulturæ apud eorum ecclesias, vel quod jam electam non immutabunt. *cap. cupientes de pœnit.*

12. Contra prædicantes falsa miracula vel decimas non esse solvendas, et similia. De quibus Anthon. p. 3 tit. 240.

13. Contra Dominos temporales qui cogunt aliquem in loco interdicto celebrare divina, aut faciunt populum ad illa audienda com-

morari, aut qui prohibent ne publice excommunicati vel interdicti ab ecclesiis discedant cum ab iis qui missas celebrant fuerint moniti. *Cap. nuper de sent excom.*

14. In eos qui docent licere per litteras seu internuncium confessario absenti peccata sacramentaliter confiteri, et ab eodem absente absolutionem obtinere, quique sententiam istam tanquam aliquo casu probabilem defendunt, imprimunt, vel ad praxim deducunt, lata est per Clement. VIII. anno 1602.

15. Contra dantes aut recipientes aliquid aut promittentes in curia Rom. ad obtinendam justitiam aut alicujus rei gratiam promerendam *Greg. 13. extra. ab ipso.*

16. In eum qui participat in crimine criminoso cum excommunicato excommunicatione Papæ reservata. *Cap. nuper et cap. si concubinæ de sent. excom.* Crimen autem criminosum hic dicitur illud, propter quod, is cum quo participatur, jam ante excommunicatus existebat.

17. In eum qui cum a Papa, vel ejus Legatis ab excommunicatione Sedi Apostolicæ reservata fuerit absolutus, non quamprimum potest exhibet se suo ordinario vel alteri judici pœnitentiam suscepturus. *Cap. eos qui de sent. excom.*

Porro circa istas excommunicationes aliasque sedi Apostolicæ reservatas advertendum est in conc. Trid. concessam esse facultatem Episcopis ut in quibuscumque casibus occultis sedi Apostolicæ reservatis possint suos subditos per seipsos aut vicarium ad id specialiter deputandum in foro conscientiæ absolvere, quod idem et in hæresis crimine in eodem foro conscientiæ, eis tantum non eorum vicariis permissum est. Notandum etiam episcopos posse ab iisdem casibus papæ reservatis absolvere, quando ad sedem Apostolicam aut ejus Legatum, propter legitimum aliquod impedimentum non potest esse recursus, ut in mulieribus cujuscumque status aut conditionis. *Cap. Mulieres.* In membrorum usu privatis, v. g. claudis, cæcis, aut continua ægritudine impeditis. In iuvenibus qui ex itinere grave aliquod damnum incurrerent, quamvis hoc in iure non extet, in pauperibus nullam unde iter sustineant vel absentes familiam alant artem habentibus, etc.

Bayeux 1627

[Absence de cas réservés au pape.]

Chartres 1627, 1639, 1640, 1680, 1689
Coutances 1682. Meaux 1645. Périgueux 1651, 1680

[Chartres 1627-1640 : Léonor d'Estampes de Valançay]
Casus quidam S. D. N. Papae reservati, utpote qui frequentiùs in his regionibus putantur accidere posse

483 Chartres 1639 p. 81-82

1. Falsificantes litteras apostolicas, et supplicationes, gratiam vel iustitiam concernentes, signatas per Romanum Pontificem, aut Vice-cancellarium, aut eorum vices gerentes. Item signantes easdem supplicationes eorum nomine, Item falsificantes vel mutantes supplicationes per Rom. Pontificem signatas, et datas, sine licentia ipsius, vel eius Datarii[a].

2. Percutientes enormiter Clericum, vel Religiosum.

3. Incendentes data opera ac maligno animo loca tum sacra, tum profana, item effractores et depraedatores Ecclesiarum, Monasteriorum, et aliorum piorum locorum, postquam ab Ecclesia excommunicati et denuntiati fuerint.

4. Religiosi extra articulum mortis, et absque speciali S.D.P. privilegio, praesumentes Sacramentum Eucharistiae (ipso tempore Paschatis) Extremae-unctionis, vel Matrimonii sine proprii parochi licentia administrare.

5. Principes vel alii Domini temporales, qui aliquem in loco à Papa interdicto divinum celebrare officium compellunt.

6. Simoniam realem, aut confidentiam committentes in ordine, vel beneficio, et eius mediatores, dummodo sit publica.

7. Irregularitates omnes, et suspensiones, ex publico, seu notorio delicto provenientes, praeterea illa quae ex homicidio voluntario contrahitur, S. D. N. Papae reservantur[b].

Variantes. [a] Item signantes... Datarii] *om.* Cha. 1680-1689, Cou., Mea., Pé. –[b] Notandum est, quod Episcopus per se, vel per suos vicarios, potest absolvere ab omnibus occultis casibus Sedi Apostolicae reservatis. Ex. Conc. Trid. Sess. 24. cap. 6.] *add.* Cou. Pé.

Paris 1630, 1646, 1654, 1697, 1698, 1701
Bayeux 1687. Boulogne 1647. Le Mans 1662, 1680
Noyon 1631. Périgueux 1763. Rodez 1671

[Paris 1630-1654 : Jean-François de Gondi]
Casus reservati Sanctissimo Domino nostro Papae, sequuntur, qui omnes habent censuram annexam[a]

P2484 Paris 1630 f. 78v (bis)[24]

1. Exustio templorum, necnon et domorum prophanarum procurata, dum incendiarius est publicè denunciatus[b].
2. Simonia realis in Ordinibus et Beneficiis : et Confidentia[c].
3. Occisio, seu mutilatio membrorum cuiuscumque in sacris Ordinibus constituti.
4. Percussio Episcopi, seu alterius Praelati.
5. Delatio armorum ad partes infidelium.
6. Falsificatio Bullarum, seu Litterarum Summi Pontificis[d].
7. Invasio, depraedatio, occupatio, aut devastatio terrarum Romanae Ecclesiae.
8. Violatio interdicti, ab eadem Sancta Sede impositi.

[e] Nota quod Casus reservati Papae non hic omnes ascripti sunt, sed illi tantum qui in his regionibus frequentius possunt accidere[f].

Variantes. [a] *Casus reservati Summo Pontifici*] Bay. Rod. – *Casus reservati summo Pontifici, qui omnes habent annexam censuram*] Pa. 1697-1701. Pé. –[b] dum… denunciatus] Dummodo Incendiarii fuerint publice denuntiati ; alias D. Episcopo reservatur Bay. – [c] Simonia… Confidentia] Simonia realis et publica in Ordine, vel Beneficio, et confidentia similiter realis et publica Bay. –dummodo sit publica] *add.* Bou. LeM. Pa. 1646-1701. Pé. Rod. –[d] Summi Pontificis] Apostolicarum, quae signantur per Romanum Pontificem, aut Vice-Cancellarium, aut eorum vices gerentes Pé. –[e] 9. Suspensiones ex delicto publico provenientes. 10. Irregularitates omnes ex delicto publico ortae, imo et illa, quae ex homicidio voluntario etiam occulto contrahitur] *add.* Pé. –[f] Notandum praeterea quod Episcopus per se, vel per suos Vicarios potest absolvere ab omnibus cadibus Sedi Apostolicae reservatis, quamdiu sunt occulti. Ex Conc. Trident. sess. 24. cap. 6.] *add.* Boul. – Nota. 2°. Quod Episcopus per se, vel per suos Vicarios, absolvere potest ab omnibus ocultis [*sic*] casibus Sedi Apostolicae reservatis. Ex Concilio Trid. Sess. 24. Cap. 6.] *add.* Pé. – Nota… accidere] *om.* Bay.

Auxerre 1631

Voir Toulouse 1621-1736.

---

[24] Double foliotation des f. 77-78.

Noyon 1631

Voir Paris 1630-1701.

Sées 1634, 1695

Voir Rouen 1611/1612.

Beauvais 1637

Absence de cas réservés au pape.

Béziers 1638

[Clément de Bonzi]
Excommunications et cas reservez à nostre sainct Pere le Pape

Béziers 1638 p. 15-17

1. Les Heretiques et Schismatiques, leurs adherans, fauteurs, receptateurs et deffenseurs, ceux qui sciemment, et sans permission lisent les livres contenans heresies, les impriment ou les gardent en leurs maisons.

2. Ceux qui frappent griefvement les personnes Ecclesiastiques, ceux aussi qui persuadent, conseillent, provoquent et donnent aide, faveur et support pour le faire, ou auctorisent ledit crime apres qu'il a esté commis.

3. Ceux qui commettent simonie pour estre promeus aux Ordres ou pour obtenir benefices, ensemble tous confidans et confidentaires.

4. Les ecclesiastiques seculiers ou reguliers qui induisent aucuns par serment, par promesse ou par voeu d'eslire sepulture en leurs eglises, ou de ne point transferer ailleurs celle qu'on y a des-ja esleu.

5. Ceux qui par soy ou par autruy usurpent les biens, privileges, immunitez, jurisdictions, et autres droits ecclesiastiques, les alliennent, permettent ou consentent qu'ils soient usurpez ou alienez, ou bien empeschent que les legitimes possesseurs n'en puissent jouïr.

6. Ceux qui appellent aux Cours seculieres des rescripts, brefs, et autres lettres apostoliques, ou de l'execution d'icelles, ou qui donnent empeschement à ladite execution.

7. Ceux qui falcifient [*sic*] les Bulles ou autres Lettres apostoliques, et en ayant de fausses ne les deschirent ou bruslent vingt jours apres la fausseté d'icelles cogneuë.

8. Ceux qui sans licence expresse du Pape absolvent des voeux de pelerinage en Jerusalem, à Rome, et à Sainct Jacques, de religion et de chasteté, ou changent lesdits voeux.

9. Les pyrates, leurs fauteurs et receptateurs, et ceux qui desrobent les biens des Chrestiens qui ont fait naufrage.

10. Ceux qui entrent dans les Monasteres des Religieuses sans permission par escrit des Evesques ou de leurs Ordinaires.

11. Ceux qui se batttent en dueil [sic], les porteurs du cartel ou de la parole de desfi, les parrains ou seconds, et ceux qui à ce donnent conseil, ayde, faveur ou support, ceux aussi qui ce [sic] portent sur le lieu assigné, s'il n'a pas tenu à eux qu'ils ne se soient battus.

12. Les excommuniez et interdits qui refusent de sortir de l'Eglise quand ils en sont nommement advertis, et ceux qui empeschent qu'ils n'en soient point rejettez.

Rouen 1640, 1651

[Rouen 1640 : François Ier de Harlay]
Excommunicationes quaedam reservatae Pontifici Romano

Deux listes : la première en latin dans le chapitre concernant la Pénitence ; la seconde en français à la suite du *Formulaire du Prosne*.

P2486 **Rouen 1640 p. 78**

1. Clericorum percussores, qui eos mutilant, aut enormiter laedunt.
2. Qui Simoniae realis aut confidentiae crimen committunt, in Ordine, vel Beneficio.
3. Falsarii, qui supponunt vel corrumpunt Litteras Apostolicas.
4. Incendiarii, qui domibus ignem subjiciunt.
5. Spoliatores Ecclesiarum et raptores sacrilegi.
6. Laici cognoscentes de causis ecclesiasticis.

Rouen 1640, 1651

Les excommunications reservées au sainct Siege Apostolique

P2487 **Rouen 1640 p. 450**

Dont les Subdeleguez dedans les Dioceses ne peuvent absoudre, sans avoir presenté leur pouvoir à l'Evesque, et receu son visa, verification, et approbation.

La premiere est contre tous ceux qui mettent la main sur les Ecclesiastiques, et les outragent griefvement : car si l'offence est legere, on peut estre absous par Monseigneur l'Archevesque.

La 2. contre tous ceux qui commettent simonie ou confidence réelle, soit en l'Ordre, soit en Benefice.

La 3. contre tous ceux qui falsifient et corrompent, ou qui supposent et contrefont les lettres apostoliques. La 4. contre tous ceux qui bruslent les maisons.

La 5. contre tous ceux qui pillent et ravagent les Eglises.

La 6. contre toutes personnes laïques usurpans la jurisdiction des Ecclesiastiques.

Outre ces excommunications reservées, il est à sçavoir que les dispenses des cinq vœux, religion, chasteté, voyage de Jérusalem, Rome, sainct Jacques en Galice, et les dispenses des irrégularitez publiques sont reservées au Pape.

Bordeaux 1641, 1672

[Bordeaux 1641 : Henri d'Escoubleau de Sourdis]
Prosne pour le Dioceze de Bourdeaux
Excommunications et cas reservez au pape par les ss. canons, et autres decrets du Sainct Siege

Bordeaux 1641 p. 19-21

1. Tous ceux qui frappent les ecclesiastiques, et clers [sic] tonsurez.
2. Ceux qui à escient participent aux choses sacrées avec les nommément excommuniez par n.s.p. le pape.
3. Les boutefeux excommuniez, et denoncez.
4. Les sacrileges, et ceux qui rompent les eglises, estant denoncez.
5. Les auteurs des vexations injustes faictes contre tous ceux, qui ont justement excommunié, interdict, ou suspendu, si dans deux mois ils ne s'amendent.
6. Les inquisiteurs, qui en certains cas font mal leur devoir.
7. Les religieux qui sans licence administrent certains sacremens.
8. Les clercs, et religieux qui font promettre d'eslire sepulture en leurs eglises, ou de ne changer point celles qui sont desja esleuës.
9. Les princes, et seigneurs, qui contraignent de celebrer en lieux interdits.
10 et 11. Les excommuniez, et interdits qui ne sortent de l'eglise durant le divin office, estant admonestez, et ceux qui les empeschent de sortir.
12. Ceux qui donnent, ou reçoivent quelque chose, pour l'entrée en quelque monastere.

13. Les simoniaques aux ordres, ou benefices, et ceux qui procurent telles simonies.

14. Ceux qui de l'ordre des Mandians [*sic*] passent, sans licence du pape, à un autre ordre Mandiant, excepté l'ordre des Chartreux.

15. Ceux qui tiennent certaines opinions de la conception de nostre Dame, *in extravag. grave. de reliq. et venera. sanct.*

16. Ceux qui entrent dans la closture des monasteres sans licence, et aux cas deffendus.

17. Les auteurs des libeles diffamatoires contre certains religieux, et les infracteurs de leurs privileges, en certains cas specifiez pour iceux.

18. Les pelerins qui vont en Jerusalem sans licence du pape.

19. Ceux qui preschent les miracles faux, ou incertains, et des propheties qui ne sont contenües en la saincte Escriture.

20. Ceux qui donnent, prennent ou promettent quelque chose, pour obtenir justice, ou grace en cour de Rome.

Bordeaux 1641, 1672

[Bordeaux 1641 : Henri d'Escoubleau de Sourdis]
Prosne pour le Dioceze de Bourdeaux
Autres cas reservez à nostre Sainct pere le Pape contenus en la Bulle,
In coena Domini, avec censure d'excommunication

P2489   **Bordeaux 1641 p. 21-24**

1. Tous heretiques, schismatiques, leurs fauteurs et defenseurs.

2. Ceux qui à escient lisent les livres des heretiques, les deffendent, impriment ou retiennent en leurs maisons.

3. Ceux qui appellent du Pape au concile futur, avec leurs fauteurs, et adherans.

4. Les pyrates, les fauteurs, et tous ceux qui les reçoivent.

5. Ceux qui prennent les biens de ceux qui ont fait naufrage en mer.

6. Ceux qui imposent nouvelles gabelles, peages et leurs exacteurs.

7. Ceux qui falsifient les lettres, et bulles de nostre sainct Pere.

8. Ceux qui amenent chevaux, et portent armes, fer et autres choses defenduës, aux Turcs, et pays des infidelles.

9. Qui envahissent, ou empeschent ceux qui portent à Rome les choses necessaires pour la sustentation de ladite ville.

10. Qui blessent ou mal traictent les allans ou revenans du sainct siege apostolique.

11. Qui offencent les pelerins qui s'en vont à Rome, ou retournent de Rome.

12. Qui font tort aux Cardinaux.
13. Qui empeschent, ou destournent les procez qui sont en la Cour.
14. Qui usurpent la jurisdiction ecclesiastique, criminelle ou civille.
15. Ceux qui prennent le bien du sainct siege apostolique, ou qui usurpent les droicts d'iceluy.

Nul confesseur ne peut absoudre des censures et des pechez susdits, que par expresse licence, et privilege particulier de nostre sainct Pere le Pape : à qui tous tels cas sont reservez : et doivent estre par consequent renvoyez, ceux que l'on trouve estre cheus en semblables pechez, et censures, à ceux que l'on sçait avoir telles facultez, et privileges expres du S. Siege apostolique, pour en obtenir d'eux l'absolution : ou à l'Archevesque pour y pourvoir par l'authorité de Sa Saincteté.

Saint-Omer 1641
[Christophe de France]
Excommunicationes reservatae Papae per Bullam Coenae

490 **Saint-Omer 1641 p. 369-373**

Liste d'Arras 1623 P2479 sans le cas n° 9 *Contra eos, qui per se vel per alium…*

On passe donc directement du cas n° 8 au cas n° 10, qui devient le n° 9, et le dernier cas *In eos qui imponunt…* devient le cas n° 12.

Excommunicationes reservatae Papae extra Bullam

Liste d'Arras 1623. P2480

Auch c. 1642 et province d'Auch :
Couserans c. 1642. Lescar c. 1642. Oloron c. 1644. Tarbes 1644

[Auch 1642 : Dominique de Vic]
Les cas et excommunications que le Pape se reserve par la Bulle In Coena Domini

491 **Auch c. 1642 p. 84-85.** *Voir* Toulouse 1614 P2471 p. 23-25.

Auch c. 1642, 1678 et province d'Auch :
Couserans c. 1642. Lescar c. 1642. Oloron c. 1644. Tarbes 1644

Autres excommunications et cas, que le Pape se reserve, hors ladite Bulle

492 **Auch c. 1642 p. 86-87.** *Voir* Toulouse 1614 P2472 p. 26-29, sans les excommunications et cas chiffrés 2, 5, 8, 10, 16.

Cahors 1642

Absence de cas réservés au pape.

Orléans 1642
[Nicolas de Nets]
Des Cas reservez à N. S. P. le Pape

P2493   **Orléans 1642 p. 113***-114*****
Ceux qui sont reservez au Pape, selon l'usage ancien de ce Diocese contenu dans les Statuts Synodaulx de nos predecesseurs et les nostres, sont.
    1. Tuer ou estropier quelqu'un promeu aux ordres sacrez.
    2. Frapper son Evesque ou Curé, mesme sans enorme laesion.
    3. Falsifier les bulles ou lettres apostoliques.
    4. Mettre le feu avec dessein et par malice, en quelque lieu que ce soit; ou bien rompre les portes, serrures, murailles, vitres, ou toict d'une Eglise, ou lieu pieux, et apres entrant dedans, piller ou desrober les biens qui y sont. Ce cas n'est reservé au Pape, que quand tels incendiaires et voleurs ont esté publiquement denoncés, ou par sentence declarés excommuniez.
    5. Commettre simonie, soit en ordre, soit en benefice; ou faire fonction d'un ordre sacré estant excommunié ou suspens notoirement.

Meaux 1645

Voir Chartres 1627-1689.

Paris 1646, 1654

Voir Paris 1630-1701.

Albi 1647

Voir Toulouse 1621-1736.

Boulogne 1647

Voir Paris 1630-1701.

Le Mans 1647

Absence de cas réservés au pape.

Comminges [1648][25]

[Gilbert de Choiseul]

Excommunications plus frequentes, reservées au S. Siege, tirées des Saincts Decrets, et Constitutions canoniques qu'encourent tous

Comminges [1648] p. [84-85]

Les Heretiques, et ceux qui les defendent, qui lisent, impriment, ou retiennent leurs livres.

Ceux qui battent griefvement un Clerc tonsuré, ou autre personne jouyssant du privilege clerical, et ceux qui leur donnent ayde et faveur.

Ceux qui commettent simonie pour obtenir des Ordres ou Benefices ecclesiastiques, ou qui servent d'entremetteurs à telle sorte de traictez.

Ceux qui tiennent des Benefices en confidence.

Ceux qui falsifient les Lettres apostoliques, les sacrileges qui derobent, avec infraction les Eglises, apres qu'ils ont esté dénoncez.

Ceux qui negligent pendant un an de se faire absoudre d'une excommunication laxée [sic] contre eux par un Delegué du Pape.

Ceux qui usurpent les biens de l'Eglise, ou les alienent induëment, qui transferent sa jurisdiction, ou permettent qu'elle soit transférée.

Ceux qui constraignent de dire les Offices divins dans un lieu interdit : qui empêchent que les excommuniez, ou interdits publiques et dénoncez, ne soient chassez des Eglises : et les excommuniez dénoncez, qui estant commandez par un Prestre de sortir de l'Eglise refusent de luy obeyr.

Les Ecclesiastiques Seculiers, ou Reguliers qui font promettre d'eslire sepultures, ou de ne changer pas celles qu'on a dans leurs Eglises.

Ceux et celles qui entrent dans les Monasteres des Religieuses sans licence par escrit de l'Evesque ou Superieur.

Les Religieuses professes qui sortent de leurs monasteres sans cause legitime approuvée par l'Ordinaire, et ceux qui les accompagnent, ou reçoivent en leurs maisons.

Ceux qui se battent en düel, qui portent cartel, ou parole de deffy, qui l'acceptent, qui y donnent conseil, ayde ou faveur, qui se portent

---

[25] Comminges [1648] : édition du rituel d'Auch c. 1642 avec quelques adaptations pour Comminges, dont les cas réservés au pape et à l'évêque, remplaçant les cas réservés d'Auch.

au lieu assigné, encore que pour estre détournez, ils ne se battent pas, s'il n'a pas tenu à eux.

Il y a plusieurs autres cas reservez au Pape qui arrivent rarement, que les Confesseurs pourront voir dans les Autheurs qui en traictent.

Châlons-sur-Marne 1649
Troyes 1660

[Châlons-sur-Marne 1649 : Félix Vialart de Herse]
Casus reservati Sanctissimo Domino nostro Papae, qui omnes habent annexam censuram annexam

P2495 **Châlons-sur-Marne 1649 p. 115**

1. Exustio templorum, necnon et domorum profanarum procurata, dum incendiarius est publicè denunciatus.
2. Simonia realis in Ordinibus et Beneficiis, et confidentia, dummodi sit publica.
3. Occisio, seu mutilatio membrorum cujuscunque Clerici.
4. Falsificatio Bullarum, seu Litterarum Summi Pontificis.

Nota quod Casus reservati Papae non hic omnes ascripti sunt, sed illi tantum qui in his regionibus frequentius possunt accidere.

Insuper hoc quoque diligenter advertendum est, quod Episcopus per se vel per suos Vicarios potest absolvere ab omnibus casibus Sedi Apostolicae reservatis, quamdiu sunt occulti.

Praeterea ab iisdem casibus excipi impuberes, scilicet masculos ante decimum quartum annum, quoniam in iis minus viget ratio.

Monachos ac Regulares, qui non sunt sui juris... [la suite comme Boulogne 1647, cas réservés à l'évêque, P2650]

[Troyes 1660 ajoute :]
Nota autem, quod suspensio non est peccatum, sed censura, sicut nec irregularitas, quae est impedimentum, seu inhabilitas : earumque absolutio, vel dispensatio ad Episcopum pertinet quando sunt ex delicto occulto : excepta irregularitate, quae est ex homicidio voluntario, haec enim reservatur summo Pontifici.

Périgueux 1651, 1680

Voir Chartres 1627-1689.

Chalon-sur-Saône 1653

[Jacques de Neuchèze]
Les Cas reservez au sainct Siege

Chalon-sur-Saône 1653 p. 50-51

1. L'absolution de l'excommunication qu'il s'est reservée, et la communication avec l'excommunié, au mépris d'icelle.
2. Les irregularités pour la plus part qui viennent d'un defaut du corps, et de l'esprit.
3. Le brûlement des Eglises, et maisons prophanes, procuré par une malice deliberée.
4. La simonie commise aux ordres et benefices, comme encore la confidence.
5. Meurtre et mutilation de membres, commis à la personne de ceux qui ont les Ordres sacrés.
6. Falsification de Bulles, et autres patentes du Souverain Pontife.
8. Porter les armes pour le party des Infideles.
9. Usurpation, depraedation, invasion, pillerie faites aux terres de l'Eglise Romaine.
10. Violer l'interdit emané du sainct Siege, et les heretiques relaps.

Clermont 1656

Absence de cas réservés au pape.

Elne 1656

[Chapitre d'Elne?[26] le siège épiscopal vacant]
Potiores casus qui non continentur in Bulla Coena Domini in quibus est etiam indita excommunicatio Papae reservata

Elne 1656 p. 83-87[27]

1. Excommunicantur percutientes clericos. Extenditur hæc censura ad mandantes, consulentes, et similes. Solum reservatur dum percussio est gravis.
2. Sacrorum locorum incendiarii, sacrilegi, et cum effractione ecclesias spolientes.
3. Qui in personis, aut bonis suis, aut suorum, eos gravant, qui sententiam excommunicationis, suspensionis, aut interdicti in aliquem

---

[26] La préface du rituel est signée par le vicaire général Sebastianus Garriga.
[27] Nombreuses références marginales.

tulerunt, aut occasionem præbuerunt ferendi censuram, scilicet petendo, denunciando, vel quid simile. Extenditur ad eos qui licentiam ad inferendum hujusmodi gravamen seu injuriam dant, si effectus ad quem illa datur fuerit secutus, ante quam licentia fuerit revocata: et nisi infra octo dies ab executione effectus cesset injuria, et bona fuerint restituta, aut pro eis satisfactum. Et si per spacium duorum mensium in ea permenserint reservatur Papæ.

4. Qui post obtentam absolutionem à priori excommunicatione Papali, sub conditione comparendi coram Summo Pontifice, vel satisfaciendi parti lesæ talem conditionem non implent tempore debito. Et absolute omnes absoluti propter imminentis mortis periculum, aut aliud impedimentum: si cessante periculo, vel impedimento, se illi a quo absolui debebant, quam cito commode poterunt, contempserint præsentare, excommunicationem incurrunt ei reservatam cui primo competebat dicta absolutio.

5. Qui in Cardinalem Ecclesiæ Romanæ manus injecerit violentas, aut illum hostiliter fuerit insecutus. Extenditur non solum ad facientes, mandantes, et consilium et favorem dantes si effectus sequatur: Sed etiam ad eos qui postea receptaverint vel defensaverint scienter eum, qui sic in Cardinalem deliquit.

6. Inquisitores, vel qui vices eorum gerunt, seu loco eorum ad illud officium agendum deputantur, si in usu sui officii ita deliquerint, ut odii, gratiæ vel amoris, lucri aut commodi temporalis obtentu contra justitiam, et conscientiam suam omiserint contra quenquam procedere, ubi fuerit procedendum super hujusmodi pravitate, aut obtentu eodem pravitatem ipsam, vel impedimentum officii sui alicui imponendum, cum quoquo modo præsumpserint vexare. Episcopi non incurrunt hanc pænam [sic], sed suspensionis.

7. Religiosi qui sacramentum Unctionis Extremæ, aut Eucharistiæ ministrare, vel Matrimonia solemnizare sive [sic pour sine] parochialis presbyteri licentia speciali: vel qui excommunicatos a canone præterquam in casibus eis a Pont. concessis absolvunt, vel etiam a sententiis per statuta Synodalia aut provincialia promulgatis, seu a pæna et culpa (ut aiunt) absolvere quemquam præsumpserint. Utrum hæc censura extendatur ad novitios si Sacerdotes sint, dubium est: consulantur Doctores.

8. Religiosi et clerici seculares violantes constitutionem Bonifacii in capitulo I. de sepulturis in 6. prohibentis ne aliquis clericus secularis, aut religiosus inducat quempiam ad vovendum, jurandum, vel fide interposita: seu alias promittendum ut apud eorum ecclesias sepulturam eligant, vel jam electam ulterius non immutent.

9. Violantes interdictum aliquo ex modis declaratis in Clem. *Gravis*: excommunicatione Papæ reservata ligantur.

10. Dilacerantes, et exenterantes corpora defunctorum hominum, ut conserventur, vel ut decoquantur, ut ossa possint in alia loca deferri. Extenditur ad mandantes, si mandatum ad executionem perveniat.

11. Qui dant vel recipiunt aliquid ob ingressum religionis: per modum pacti et conventionis.

12. Religiosi mendicantes qui ad aliam religionem transeunt excepta Carthusensi, absque Sedis Apostolicæ licentia speciali. Et extenditur ad eos qui post illam constitutionem editam in numerum mendicantium auctoritate Apostolica scripti sunt. Extenditur etiam ad recipientes. Sub quo ordine solum comprehenduntur religiosi, qui in illa extravag. numerantur, nempe. S. Benedicti, Cistertiensis, Camaldulensis, Vallis umbrosæ, Canonicorum regularium sancti Augustini, vel aliorum monasticorum ordinum. Itaque si transitus fiat ab uno ordine mendicantium ad alium, ex vi hujus juris, nec transiens, nec recipientes excommunicationem incurrunt.

13. Qui Simoniæ vitium committunt.

14. Absolventes à casibus specialiter Papæ reservatis, sine expressa et speciali licentia. Videatur Silvester[28], verbo, excommunicatio 7. n. 77. excom. 32. et Navar.[29] in summa cap. 12. num. 75 et c. 27. n. 74. et eos.

15. Asserentes, vel prædicantes peccatum esse, firmiter asserere beatissimam Virginem Mariam conceptam esse in peccato originali, vel è contra non esse in peccato conceptam.

16. Qui per simoniam post mortem unius pontificis in successorem ejus eligi procurant.

17. Commissarius et delegatus Sedis Apostolicæ Episcopo inferior, qui in causis alienationis rerum ecclesiasticarum, conscientiæ suæ prodigus in gravamen, aut detrimentum Ecclesiæ, per gratiam, vel timorem, aut sordes alienationi consenserit, aut decretum, vel auctoritatem interposuerit. Is etiam qui dolo vel fraude, aut scienter in detrimentum Ecclesiarum alienationem fieri procuraverit, aut per sordes, vel impressionem alienationis decretum extorserit. Nota quod hîc duplex profertur excommunicatio: una contra commissarios, quæ non est reservata, et altera contra procurantes alienationem, et hæc reservata est.

18. Officiales Romanæ curiæ aut summi Pontificis qui in terris suis aliquod genus muneris, præter esculenta, et poculenta in moderata quan-

---

[28] Sur Sylvestre, voir *infra* Auteurs cités, p. 1943.
[29] Sur Navarro, voir *infra* Auteurs cités, p. 1943.

titate, scilicet quæ intra biduum consumi possint accipiunt ab his, quibus præsunt, vel apud quos officia exercent. Extenditur etiam ad dantes.

19. Concionatores qui aliquid commiserint in suis concionibus contra præcepta sect. 11. Conc. Later.

20. Accedens ad sepulchrum Domini causa devotionis sine licentia Papæ.

21. Fœminæ ingredientes monasteria virorum religiosorum.

22. Committentes Simoniacam confidentiam in beneficiis.

23. Violantes suspentionem [sic] contractam per indebitam admissionem resignationis beneficii.

24. Occupantes per se, vel per alios bona, census, ac jura etiam feudalia et emphyteutica, fructus, emolumenta, seu quascumque obventiones, quæ in ministrorum, et pauperum necessitates converti debent.

25. Pugnantes in duello publicè vel privatim, consilium, operam, vel favorem præstantes, aut quomodolibet ad id se immiscentes, scribentes, aut divulgantes chartulas provocatorias, aut scripta, quæ dicuntur manifesta, eorumque fautores et complices. Et incurritur excommunicatio hæc etiam si neque pugna aliqua, nec certamen, aut effectus, nec accessus, aut actus ad pugnam proximus, neque expressa et aperta provocatio subsecuta fuerit, neque scriptiones prædictæ quæ *manifesta* dicuntur in publicum prodierint, aut cuiquam intimatæ extiterint, si per eos non steterit quo minùs publicatio, aut denuntiatio fieret.

26. Ordinarii locorum excommunicantes subditos existentes in servitio Papæ.

Elne 1656

Potiores casus in quibus est excommunicatio indita Papæ non reservata enumerantur

P2498   Elne 1656 p. 87-90[30]

1. Absolutionis beneficium ab excommunicationis sententia, suspensionis, seu etiam interdicti, vel revocationem hujusmodi, vi, vel metu extorquentes sunt excommunicati.

2. Alienantes, locantes, vel conducentes res Ecclesiæ ultra triennum, similiter qui alienatas res, et bona receperint, et qui ea laicis submittunt, nisi in casibus à jure expressis.

3. Procurantes, ut [sic pour aut?] conservatores limites sibi traditæ potestatis excedant. Reservatur donec satisfactio fiat.

---

[30] Nombreuses références marginales.

4. Mendicantes accipientes de novo habitacula, vel mutantes eadem sine licentia.
5. Regulares audientes physicam, vel leges.
6. Clericos in custodia publica, vel privata detinentes, vel etiam in vincula detrudentes, et communicantes cum nominatim excommunicatis.
7. Regulares impedientes quovis modo solutionem decimarum.
8. Dolosè permittentes clericum percuti, ex quo poterat prohibere, et non prohibuit.
9. Religiosi habitum professionis dimittentes.
10. Regulares arma intra septa monasterii retinentes, vagantes, ad curias principum euntes.
11. Decimas usurpantes, vel prædicantes non esse solvendas. Reservatur donec satisfactio fiat.
12. Doctores, aut magistri docentes Physicam, aut leges, admittentes in scholis suis religiosos habitu dimisso. Et ipsi religiosi audientes.
13. Domini temporales, qui subditis suis interdicunt ne prælatis, aut clericis, seu personis Ecclesiasticis quicquam vendant, aut emant aliquid ab eisdem, neque ipsis bladum molant, coquant panem, aut aliqua obsequia exibere præsumant.
14. Qui clericos, vel quaslibet personas Ecclesiasticas, ad quos in aliquibus monasteriis, aut aliis piis locis spectat electio (pro eo quod rogati, seu aliàs inducti, eum, pro quo rogabantur, sive inducebantur eligere noluerint) vel consanguineos eorum, aut ipsas Ecclesias, monasteria, seu loca cætera beneficiis, seu aliis bonis per se, vel per alios spoliando, seu alias iniustè persequendo, gravare præsumpserint.
15. Electionibus monialium interessentes, si non se abstinent ab his, quæ inter eas super faciendis ipsis electionibus, causare possint discordiam.
16. Inquisitionis officium impedientes, offendentes, executioni sententiam non mandantes, reos liberantes, de crimine hæresis cognoscentes, vel fidei negotio se opponentes.
17. Indictum Matricis Ecclesiæ non servantes, et ipsum violantes etiam exempti.
18. Iudex fingens causam, ut mulierum accipiat testimonia.
19. Matrimonium in gradu prohibito contrahentes.
20. Medicus pro corporali salute suadens aliquid ægroto, quod in periculum animæ convertatur.
21. Sacerdos officium habens Vicecomitis, aut præpositi sæcularis.
22. Sæculares judices non administrantes justitiam clericis.

23. Suspensionis, vel interdicti, aut excommunicationis revocationem extorquentes.
24. Laici disputantes publicè, vel privatim de fide.
25. Vacantium Ecclesiarum bona occupantes.
26. Usuras, vel statuta usurarum foventes.
27. Ab Ecclesia aliquos vi abstrahentes, quando ad illam confugiunt, vel ibi resident.
28. Alienantes, vel locantes in plures, quàm in tres annos bona immobilia, vel mobilia Ecclesiarum extra casus à jure permissos.
29. Non recipientes editionem Bibliæ vulgatæ et Latinæ.
30. Imprimentes vel imprimi facientes quosvis libros de rebus sacris, sine nomine auctoris, illosque vendentes, aut etiam apud se retinentes, nisi primum examinati, probatique fuerint ab Ordinario.
31. Raptores mulierum, ac omnes illis consilium, auxilium, et favorem præbentes.
32. Concubinas non ejicientes post trinam monitionem factam ab Ordinario.
33. Directè, vel indirectè subditos suos, vel quoscunque alios cogentes, quo minus liberè matrimonia contrahant.
34. Qui sine Episcopi, aut superioris licentia septa Monasterii monialium ingrediuntur. Similiter, et sæculares, requisiti ab Episcopis, non præbentes auxilium, ut clausura Monialium conservetur.
35. Cogentes aliquam virginem, vel viduam, aut aliam quamcunque mulierem invitam, ad ingrediendum Monasterium, vel ad suscipiendum habitum cuiuscunque Religionis, vel ad emittendam Professionem. Similiter, et qui impediunt sanctam virginum, vel aliarum mulierum voluntatem, vel voti emittendi.
36. Mulieres suspectas, seu concubinas clerici in domo vel extra detinentes post monitionem ab ordinario factam.
37. Qui sine auctoritate Pontificis audet ullos commentarios, glossas, annotationes, scholia, aut interpretationis aliquod genus super Conc. Trid. decretis quocumque modo edere, aut statuere præsumpserit.

Troyes 1660

Voir Châlons-sur-Marne 1649.

Le Mans 1662, 1680

Voir Paris 1630-1701 (P2484).

Metz 1662

Voir Metz 1605, 1631.

Bâle 1665
De Sacramento Poenitentiae

Bâle 1665 p. 46. Casus reservati Papales continentur in bulla *Caenae*, Episcopales vero, ut et Papales summariè, in Synopsi Decretorum Synodalium.

Bourges 1666
[Anne de Lévis de Ventadour]
Les cas reservés à nôtre Saint Pere le Pape

Bourges 1666 p. 275
I. Tuer ou estropier quelqu'un promû aux Ordres sacrés.
II. Frapper son Evêque ou son Curé, même sans enorme lézion.
III. Falsifier les Bulles ou Lettres Apostoliques.
IV. Porter les armes pour les Infideles.
V. Mettre le feu avec dessein et par malice, en quelque lieu que ce soit, ou bien rompre les portes, fenêtres, serrures, vitres, ou toict d'une Eglise ou lieu pieux, et apres, entrant dedans, piller ou desrober les biens qui y sont. Ce cas n'est reservé au Pape, que quand tels Incendiaires et Voleurs ont esté publiquement denoncez, ou par sentence, excommuniez.
VI. Commettre Simonie réelle, soit pour les Ordres, soit pour les Benefices, et la Confidence réelle et publique.
VII. Faire fonction d'un Ordre sacré étant excommunié, suspens ou interdit par le saint Siege.

Alet 1667, 1677, 1771

Absence de cas réservés au pape.

Strasbourg 1670
[François-Égon de Furstenberg]
Casus Papæ reservati

Strasbourg 1670 p. 70
Præter casus Bullæ Cœnæ Domini, etiam sequentes Papæ reservantur, propter excommunicationes annexas.

Occisio clerici, vel ejusdem enormis læsio, nam levis episcopo reservatur, et ab eo absolvi potest. Simonia. Hæresis. Crimen incendiarii post denuntiationem factam. Falsificatio literarum apostolicarum. Celebratio missæ facta in excommunicatione majori. Et in universum ubi excommunicatio major vel censura incidit, cujus absolutionem summus pontifex specialiter reservavit, de quibus casistæ videndi sunt. Reliqui casus videantur apud authores.

Toulouse 1670-1736

Voir Toulouse 1614-1736.

Laon 1671

[César d'Estrées]
Casus S. D. N. Papae reservati

P2502 **Laon 1671** *Pars prima*, p. 139-140.

1. Simonia realis in Ordinibus et beneficiis; nec-non confidentia, dummodo sit publica.

2. Exustio templorum, nec-non et domorum profanarum voluntaria, dum incendiarius sit publicè denuntiatus, alias casus est duntaxat Episcopalis.

3. Idem dicendum est de effractione et depraedatione Ecclesiarum, Monasteriorum, et aliorum locorum piorum.

4. Enormis et malitiosa percussio Clerici vel Religiosi, per quam vulgo intelligitur interfectio, aut mutilatio membri alicujus. Casus hic extenditur ad mandantem, consulentem, et adjuventem si executioni datus fuerit; imo et ad approbantem seu ratificantem, si ejus gratiâ fuerit perpetratus.

5. Concubitus cum Moniali vel Religioso notorius, et in loco sacro. Quia si occultus, vel in loco profano; casus est duntaxat Episcopalis.

6. Administratio Eucharistiae, (*nempe pro Communione Paschali, vel Viatico*), et Extremae-Unctionis, nec-non Matrimonii solennizatio per Religiosum sine licentia proprii Parochi.

7. Falsificatio Litterarum, seu Bullarum summi Pontificis.

8. Irregularitates omnes.

Rodez 1671

Voir Paris 1630-1701 (P2484).

Besançon 1674

[Antoine-Pierre de Grammont]

Casus frequentiores ac magis communes, his in locis, in quibus incurritur ipso facto Excommunicatio, reservata ad Sedem Apostolicam, tum à jure, tum per Bullam Coenae Domini

Besançon 1674 p. 151-153

1. Haeretici de haeresi sententialiter condemnati, delati, seu publicè diffamati, et eorum fautores, receptatores ac defensores, excommunicati sunt ipso facto: et eorum absolutio reservatur Papae.

2. Legentes libros eorum sine licentiâ Papae continentes haereses, vel de Religione tractantes, imo scienter et voluntariè retinentes, imprimentes, deffendentes quomodolibet, ex quâvis causâ publicè vel occultè, quovis ingenio vel colore.

3. Ex Schismatici pertinaciter ab obedientiâ Sedis Apostolicae se subtrahentes.

4. Qui suadente diabolo in Clericum, vel Monachum, manus violentas tulerit, vel in sacris ordinibus constitutum occiderit, vel mutilaverit.

5. Similiter qui cardinalem percusserit, vel captivaverit, vel persecutus fuerit: et sit perpetuo infamis.

6. Et qui Episcopum suum. Quin etiam potestas Consiliarii, Ballivi, Scabini [conseiller, bailly (?) échevin (?)], Advocati, Rectores, Consules, et Officiarii seculares vel ecclesiastici, qui hoc fecerint, vel mandaverint, aut factum ab aliis ratum habuerint, vel consilium, vel favorem dederint.

7. Mutilantes, vulnerantes, interficientes seu capientes, aut depraedantes eos, qui devotionis, seu peregrinationis causâ Romam petunt.

8. Qui usurpant bona ecclesiastica.

9. Et qui litigantes in curia romana quomodolibet offendunt, causa ipsius litis.

10. Piratae, hoc est, latrones maritimi.

11. Qui equos, ferrum, et arma deferunt Turcis, hostibus Christi.

12. Falsarii litterarum apostolicarum, et eorum fautores: nec non eas habentes falsas, et non destruentes.

13. Sedis Apostolicae authoritatem offendentes, tam in suis suorumque litteris, processibus et executionibus impediendis, quam in jurisdictionum, fructuum, redituum et proventuum non vacantium occupatione.

14. Denique derogantes authoritati et libertati Ecclesiasticae hierarchiae; vel per appellationem à gravamine ad laïcam potestatem: vel per usurpationem bonorum Ecclesiasticorum, vel per cognitionem

causarum spiritualium à laïcis : vel per destructionem immunitatis fori ecclesiastici : vel per recursum à jurisdictione ecclesiasticâ ad laïcam : vel per impositionem onerum personis, et bonis ecclesiasticis : vel per cognitionem causarum criminalium pertinentium ad clericos.

15. Qui compellunt Presbyteros celebrare in locis interdictis : quique excommunicatos vel interdictos ad divina evocant audienda : vel excommunicatos publicè et à celebrantibus monitos, egredi prohibet. Ipsique excommunicati publicè, vel interdicti qui nominatim à celebrante moniti, ut exeant, tempore missarum remanere praesumpserint.

16. Religiosi vel clerici saeculares, qui temerè aliquos inducunt ad vovendum, jurandum, vel promittendum, quod sepulturam suis in ecclesiis eligant, vel electam non mutent.

17. Religiosi qui clericis aut laïcis Sacramentum Unctionis-extremae, vel Eucharistiae ministrare, vel matrimonium solemnizare, non habitâ super his parochialis Presbyteri licentiâ : aut quemquam excommunicatum à Canone, praeterquam in casibus à jure expressis, et per privilegia sedis Apostolicae concessis, vel à sententiis per Statuta provincialia, aut Synodalia promulgatis, seu si à poenâ et à culpâ absolvere quemquam praesumpserint.

18. Clerici qui scienter et spontè participant cum excommunicatis à summo Pontifice, eos recipiendo ad divina officia.

19. Qui in locis christianorum defunctorum corpora inhumaniter tractando exenterant, concidunt in frusta, elixant, exossant, ut alio transferre possunt.

20. Qui in terris suis nova pedagia, seu gabellas, praeterquam in casibus sibi à jure, seu ex speciali sedis Apostolicae licentiâ permissis, imponunt, vel augent, seu imponi, vel augeri prohibita exigunt.

21. Per simoniam dantes, vel recipientes, ordines, vel beneficia.

22. Committentes simoniam confidentialem, aut accipientes apertè vel occultè, vel retinentes appertè vel occultè beneficia quaecumque in confidentiam.

23. Committentes duellum, consulentes, concedentes, vel illud permittentes in terris suis.

24. Ex pacto dantes vel accipientes aliquid pro ingressis Religionis, nisi aliter nequeant in Monasterio nutriri.

25. Incendiarii ab homine excommunicati, et denuntiati.

26. Sacrilegi effringentes Ecclesias.

27. Religiosi mendicantes sine licentiâ sedis Apostolicae, transeuntes ad alium ordinem, excepto Carthusiensium, tam ipsi recipientes quam transeuntes.

28. Vexantes eos qui censuram in aliquos tulerunt.
29. Impedientes executionem litterarum sacrae Poenitentiae.
30. Supponentes se in examine ut beneficia impetrent.
31. Communicantes in crimine cum excommunicatis à Papâ. Item clerici participantes cum excommunicato à Papâ, admittentes eum, scilicet ad divina.
32. Perseverantes per annum in excommunicatione latâ à delegato Papae.
33. Casus seu excommunicatio quam summus Pontifex sibi specialiter de novo reservavit, vel de quâ noluit absolvere.
34. Confessores denique absolventes ab his casibus supradictis sedi Apostolicae reservatis; vel à reservatis ordinariorum praetextu privilegiorum: nisi in articulo mortis: et excommunicatus promittat se praesentare, et satisfaciat, vel promittat satisfacere, datâ cautione idoneâ, pignoratitiâ, vel fidejussoriâ, vel juratoriâ, quam poterit.

Genève 1674, 1747

[Genève 1674: Jean d'Arenthon d'Alex]
Les Cas reservez au Pape

Genève 1674 p. 191-192

Il y a dans le Droit plusieurs cas reservez à sa Sainteté; mais la plus-part n'arrivent point deça les monts: c'est pourquoy on s'est contenté d'exprimer icy les suivans qui peuvent arriver dans ce Diocese.

1. Tuer, ou frapper griévement une personne ecclésiastique par malice, et volontairement.
2. La Simonie, et Confidence reelle.
3. Le Duel, qui comprend ceux qui appellent, provoquent, et font le combat.
4. Les Violateurs de la clôture des Monasteres des Religieuses enfermées, quand telle violation se fait à mauvaise fin.
5. La violation des immunitez de l'Eglise.
6. Les Religieux, qui sans licence administrent certains sacremens.
7. L'heresie, le schisme, avoir, et lire les livres heretiques, et autres livres defendus sans permission.
8. La falsification des Bulles, et lettres Apostoliques.
9. L'usurpation volontaire des biens ecclésiastiques.

Angers 1676

[Henri Arnauld]

Casus quidam Summo Pontifici reservati

P2505 **Angers 1676 p. 120**

1. Clericum in Ordine sacro constitutum, aliter quam in justa sui defensione occidere, aut mutilare; Episcopum, aut Curatum proprium, etiam sine enormi laesione, graviter tamen percutere.
2. Simoniae realis in ordine vel beneficio, aut confidentiae crimen.
3. Incendium seu Ecclesiae seu alterius loci, postquam incendiarii publicè denuntiati sunt excommunicati; Effractio sacrarum aedium cum spoliatione, postquam excommunicatio in effractores jure lata publicata fuerit.
4. Falsificare literas apostolicas, aut falsificatis scienter uti.

Ab iis tamen peccatis Episcopus potest absolvere, si sint occulta; imo etsi sint notoria, quando ab iis commissa sunt, quibus non est facilis recursus ad summum Pontificum.

Reims 1677

[Charles-Maurice Le Tellier]

Cas reservez à nôtre Saint Pere le Pape

P2506 **Reims 1677 p. 81-82**

Le premier est le crime de la simonie qui est commis par ceux qui pour donner ou recevoir les Ordres, pour conferer ou obtenir un benefice, ou quelqu'autre chose spirituelle, donnent ou exigent, sous quelque pretexte que ce soit, de l'argent ou une chose temporelle, qu'on peut estimer à prix d'argent.

Le deuxième est le crime de confidence que commet celuy qui reçoit ou retient un benefice à condition de le conserver et le remettre à une autre personne.

Le troisiéme est le crime que commet celuy qui brûle, brise ou pille volontairement une Eglise, un Monastere, ou quelqu'autre lieu de pieté, après toutefois qu'il aura été dénoncé publiquement: car tant que le fait demeurera caché, et que l'auteur du crime n'aura point été dénoncé, le cas est reservé seulement à l'Evêque.

Le quatriéme est le crime que commet tout incendiaire, c'est à dire, celuy qui met volontairement le feu à quelque lieu que ce soit, sacré ou non sacré; s'il est excommunié et dénoncé publiquement, il ne peut être absous que par nôtre saint Pere le Pape.

Le cinquiéme est le crime que commet celuy qui falsifie les Lettres Apostoliques, Bulles, Brefs, Provisions et autres, et qui en abuse volontairement.

Le sixiéme lorsque quelqu'un frappe de propos deliberé son pere ou sa mere : que si cela arrivoit par hazard, et sans l'avoir prévû, le crime seroit reservé seulement à l'Evêque.

Le septiéme, lors que quelqu'un maltraite ou fait maltraitter cruellement un Clerc portant l'habit et la tonsure : et s'il meurt des coups qu'il a reçûs, qu'il soit estropié ou mutilé, ou qu'il répande beaucoup de sang par une playe qu'on luy aura faite; supposé que le Clerc ne soit point aggresseur, le cas est reservé à nôtre saint Pere le Pape; Que s'il a été legerement battu, l'Evêque en peut absoudre.

Le huitiéme est, lorsqu'un homme s'est corrompu avec une Religieuse, ou une femme avec un Religieux dans un lieu sacré, et que le fait est connû : car si le fait demeure caché, ou que l'action se soit passée dans un lieu qui ne soit point consacré au service de Dieu, le cas est reservé seulement à l'Evêque.

Le neufiéme [sic]. Toute irrégularité ou suspense encouruë pour un crime public ou porté à la connoissance du Tribunal contentieux : l'irrégularité aussi encouruë pour un homicide volontaire, est reservée à nôtre saint Pere le Pape.

Auch 1678

Voir supra Toulouse 1614-1736; Auch c. 1642, 1678 etc. P2471, P2472.

Limoges 1678, 1698

[Limoges 1678 : Louis de Lascaris d'Urfé]
Casus reservati S. Pontifici qui omnes habent annexam excommunicationem

Limoges 1678 *pars prima* p. 134-135
1. Simonia realis in ordine, vel beneficio, et confidentia similiter realis.
2. Occisio, vel mutilatio aut quælibet enormis seu atrox percussio Clerici, vel Religiosi. Item percussio Episcopi, aut Cardinalis, licet non sit enormis.
3. Effractio simul, et spoliatio Ecclesiæ, si hujus criminis rei sint publice denuntiati.
4. Combustio domorum etiam profanarum, si incendiarii per Ecclesiæ sententiam fuerint publicati seu denuntiati.

5. Falsificatio bullarum, seu litterarum S. Pontificis.
Admonitio.
1. Advertendum, non omnes casus S. Pontifici reservatos hîc fuisse recensitos, sed eos tantum, qui in his regionibus frequentius possunt contingere.
2. Nullus ex supra dictis casibus est S. Pontifici reservatus, nisi fuerit publicus, cum juxta Concilium Tridentinum sessione 24. cap. 6. liceat Episcopo in Diœcesi suâ per seipsum, aut alium à se deputatum, absolvere subditos ab omnibus casibus occultis, etiam Sedi Apostolicæ reservatis.
3. Casus non est reservatus S. Pontifici, sed ad Episcopum devolvitur, si illi qui in eum inciderunt sunt impuberes, religiosi, mulieres aut aliæ personæ, quæ sui juris non sunt: idem quoque de iis dicendum est, qui sunt in paupertate, infirmitate, aut senectute, vel adeo delicati, ut Romanum Pontificem adire non possint, nec laborem itineris ferre valeant.

Langres 1679

[Louis-Marie-Armand de Simiane de Gordes]

Casus Sanctissimo Domino nostro Papæ reservati

P2508 **Langres 1679 p. 56**

1. Ecclesiæ spoliatio cum effractione; aut cujusvis loci, sive sacri, sive profani exustio procurata et voluntaria dummodo spoliator vel incendiarius publice denunciatus fuerit.
2. Simonia realis in Ordinibus et Beneficiis, et Confidentia, dummodo sit publica.
3. Occisio, seu mutilatio membrorum cujuscumque in sacris Ordinibus constituti.
4. Falsificatio Bullarum seu Litterarum Summi Pontificis.

Nota quod casus reservati Papæ non hic omnes adscripti sunt, sed illi tantum qui in his regionibus frequentius possunt accidere.

Insuper hoc quoque diligenter advertendum est, quod Episcopus per se vel per suos Vicarios potest absolvere ab omnibus casibus Sedi Apostolico reservatis, quamdiu sunt occulti.

Præterea ab iisdem casibus excipi impuberes, fœminas, senes, valetudinarios, pauperes, eosque quibus salva vita, libertate et rebus suis Romam adire non licet. Qui omnes non sunt ad Papam, sed ad Episcopum, pro consequenda absolutione remittendi.

Chartres 1680, 1689

Voir Chartres 1627-1689

Quimper [1680][31], c. 1717[32]

[Quimper 1680 : François de Coëtlogon]
Casus reservati Domino nostro Papae, qui frequentius in Galliis occurrunt

Quimper c. 1717 p. 214-215

I. Atrox percussio vel occisio, aut mutilatio Clerici in Sacris constituti, sive cujuscumque Religiosi.

II. Exustio Templorum, nec non domorum profanarum, voluntaria seu de industria procurata, quando incendiarius publicè ab Ordinario denunciatur excommunicatus.

III. Effractio Ecclesiarum, juncta cum earundem expoliatione.

IV. Realis Simonia in Ordinibus, vel Beneficiis, aut confidentia.

V. Donare aliquid ex pacto pro ingressu Religionis, virorum videlicet, cum aliquis convenit et solvit aliquid ut fieret Religiosus.

Coutances 1682

Voir Chartres 1627-1689.

Mende 1686

Absence de chapitre concernant le sacrement de pénitence.

Metz 1686

[Georges d'Aubusson de La Feuillade]
Casus S. D. N. Papæ reservati

Metz 1686 p. 52-53

---

[31] *Ritus sacramenta administrandi et quaedam officia ecclesiastica peragendi. De mandato... Domini Francisci de Coëtlogon, Episc. Corisopitensis, et Comitis Cornubiensis Dioc. Ex Rituali Rom. Extractus. In quo habentur festa quae in Cornub. Leonensi, Trecorensi et Venetensi Dioecesibus sub peccato mortali convenit observari. Corisopiti. Apud G. Buitingh, hujus Dioecesis typ.* (s.d.). Ouvrage non mentionné dans Molin Aussedat. Cité par G. Le Menn, « Bibliographie bretonne », p. 291. Consulté en août 1985 par A. Aussedat-Minville à Brest, collection privée. Format in-24, 11 × 6,5 cm. Au titre, marque au monogramme IHS ; mq p. 161-164 dans l'exemplaire consulté. L'ouvrage ne porte pas de date d'impression ; la lettre épiscopale de François de Coëtlogon est datée du 8 mai 1680.

[32] Quimper c. 1717 : réédition de Quimper 1680.

I. Simoniaci publici, dantes et recipientes ex pacto aliquid pro suscipiendo ordine, beneficio habendo, ingressu religionis, et beneficia ecclesiastica in confidentiam, seu custodiam retinentes.
II. Bullarum Apostolicarum falsarii.
III. Effractores et spoliatores templorum, monasteriorum, et aliorum locorum piorum, postquam publice fuerint denuntiati.
IV. Omnes incendiarii, postquam sunt excommunicati.
V. Si quis suadente diabolo in clericum manus violentas injecerit, vel id fieri mandaverit; quod intelligi debet de enormi læsione: Enormis autem læsio, seu percussio ea est unde mors, vel membri detruncatio seu mutilatio vel ingens sanguinis effusio sequitur, sub quibus etiam incarceratio comprehenditur.
VI. Irregularitates item omnes, et suspensiones ex publico, seu notorio delicto provenientes, et quæ ex homicidio voluntario (etiam occulto) contrahuntur.

Amiens 1687
[François Faure]
Cas reservez à Nôtre S. Pere le Pape

Formulaire très proche de Reims 1677.

P2511 **Amiens 1687 p. 135-135**
1. Le crime de la simonie réelle, soit pour les Ordres, soit pour les Benefices, comme aussi le crime de la confidence réelle et publique que commet celui qui reçoit ou retient un benefice, à condition de le conserver, et de le remettre à une autre personne.
2. Le crime de celui qui brûle, brise ou pille volontairement une Eglise, ou Monastere, ou un autre lieu de pieté, aprés toutefois qu'il aura été dénoncé publiquement, car tant que le fait demeurera caché, et que l'autheur du crime n'aura pas été dénoncé, le cas est reservé seulement à l'Evêque.
3. Tout incendiaire qui met volontairement le feu à quelque lieu que ce soit, sacré ou non sacré, s'il est excommunié et denoncé publiquement, il ne peut être absous que par nôtre saint Pere le Pape.
4. Le crime que commet celui qui falsifie les Lettres Apostoliques, Bulles, Brefs, Provisions et autres, et qui en abuse volontairement.
5. Lorsque quelqu'un frappe de propos deliberé son pere ou sa mere: que s'il le frappoit legerement, le crime seroit reservé seulement à l'Evêque.

6. Lorsque quelqu'un maltraite ou fait maltraitter cruellement un Clerc : s'il meurt des coups qu'il a reçûs, qu'il soit estropié ou mutilé, ou qu'il répande beaucoup de sang par une plaie qu'on lui aura faite, supposé que le Clerc ne soit point agresseur, le cas est reservé à nôtre saint Pere le Pape.

7. Lorsqu'un homme a abusé d'une Religieuse, ou qu'une femme a péché avec un Religieux dans un lieu sacré, et que le fait est connû : car si le fait demeure caché, ou que l'action se soit passée dans un lieu qui ne soit point consacré au service de Dieu, le cas est reservé seulement à l'Evêque.

8. Toute irrégularité ou suspense encouruë pour un crime public ou porté à la connoissance du Tribunal contentieux ; l'irrégularité aussi encouruë pour un homicide volontaire, est reservée à nôtre saint Pere le Pape.

On n'a pas jugé à propos de rapporter tous les cas reservez au Pape, mais seulement ceux qui peuvent être commis plus ordinairement en ce Diocése.

Bayeux 1687

Formulaire très proche de Paris. *Voir* Paris 1630-1701 (P2484).

Agen 1688

[Jules Mascaron]
Cas réservez à notre Saint Père le Pape

2512   **Agen 1688 p. 79-80**
Le premier est le crime de la simonie qui est commis par ceux qui pour donner ou recevoir les Ordres, pour conférer ou obtenir un bénéfice, ou quelqu'autre chose spirituelle, donnent ou exigent, sous quelque prétexte que ce soit, de l'argent ou une chose temporelle, qu'on peut estimer à prix d'argent.

Le deuxième est le crime de confidence que commet celuy qui reçoit ou retient un bénéfice à condition de le conserver et le remettre à une autre personne.

Le troisième est le crime que commet celuy qui brûle, brise ou pille volontairement une église, un monastère, ou quelqu'autre lieu de piété ; après toutefois qu'il aura été dénoncé publiquement : car tant que le fait demeurera caché, et que l'auteur du crime n'aura point été dénoncé, le cas est réservé seulement à l'évêque.

Le quatrième est le crime que commet tout incendiaire, c'est à dire, celuy qui met volontairement le feu à quelque lieu que ce soit, sacré ou non sacré; s'il est excommunié et dénoncé publiquement, il ne peut être absous que par notre saint Père le Pape.

Le cinquième est le crime que commet celuy qui falsifie les Lettres apostoliques, bulles, brefs, provisions et autres, et qui en abuse volontairement.

Le sixième est, lorsque quelqu'un frappe de propos délibéré son père ou sa mère : que si cela arrivoit par hazard, et sans l'avoir prévu, le crime seroit réservé seulement à l'évêque.

Le septième, lors que quelqu'un maltraite ou fait maltraitter cruellement un clerc portant l'habit et la tonsure : et s'il meurt des coups qu'il a reçus, qu'il soit estropié ou mutilé, ou qu'il répande beaucoup de sang par une playe qu'on lui aura faite ; supposé que le clerc ne soit point aggresseur, le cas est réservé à notre saint Père le Pape : que s'il a été légèrement battu, l'évêque en peut absoudre.

Le huitième est, lorsqu'un homme s'est corrompu avec une religieuse, ou une femme avec un religieux dans un lieu sacré et que le fait est connu : car si le fait demeure caché, ou que l'action se soit passée dans un lieu qui ne soit point consacré au service de Dieu, le cas est réservé seulement à l'évêque.

Le neufième, toute irrégularité ou suspense encourue pour un crime public ou porté à la connoissance du tribunal contentieux : l'irrégularité aussi encourue pour un homicide volontaire, est réservée à notre saint Père le Pape.

La Rochelle 1689, 1744

[La Rochelle 1689 : Henri de Laval]
Cas qui de Droit portent Excommunication ou autre Censure, et sont reservez au Pape

P2513   La Rochelle 1689 p. 146-147

1. Avoir tué, mutilé, ou estropié de quelqu'un de ses membres un Ecclesiastique constitué dans les Ordres sacrez portant l'habit clerical avec la tonsure, et qui n'avoit pas été l'aggresseur.

2. Avoir frappé même sans énorme lesion son Evêque, son Curé, ou autre superieur ecclesiastique.

3. Avoir commis une simonie réelle en donnant ou exigeant par pacte ou convention de l'argent, ou autre chose estimable à prix d'argent, soit pour donner ou recevoir les ordres : soit pour conferer ou obtenir un Benefice Ecclesiastique.

4. Avoir été confidentaire public en donnant ou acceptant un benefice avec promesse de le remettre à une autre personne, ou de luy en laisser la jouissance du revenu temporel en tout ou en partie.

5. Avoir volontairement et par malice mis le feu à une Eglise, monastere, hôpital ou autre lieu de pieté : même à quelque maison et bâtiment que ce soit : Avoir pillé, volé, brisé les lieux sacrés ou de pieté. Mais ce cas n'est reservé au Pape qu'aprés que le coupable en a été convaincu juridiquement, et que par Sentence il a été declaré avoir encouru l'excommunication. Avant cela il est reservé seulement à l'Evêque.

6. Avoir falsifié les bulles, brefs, rescripts, provisions, signatures, et autres lettres apostoliques : ou s'en être volontairement servi après avoir sçu ou connu la falsification.

Outre cela toute suspense et toute Irregularité encouruë pour un crime public qui a été porté à la connoissance du Juge ecclesiastique ou laïque ; Comme aussi l'Irregularité encouruë pour un homicide volontaire, quoyque secret et oculte, est réservée à N.S. Pere le Pape.

La rehabilitation à tenir des benefices après avoir commis une simonie ou confidence réelle est aussi reservée au Pape.

Il y a encore quelques autres cas dans le corps du Droit qui sont reservez au Pape : mais qui sont fort extraordinaires : ou qui ne sont pas reconnus pour tels selon l'usage de l'Eglise gallicane.

Nevers 1689

[Edouard Vallot]
Du Sacrement de Penitence. Des Cas reservés

Nevers 1689 p. 38-39

D. *Quels sont les cas reservés à nôtre S. Pere le Pape ?*

R. Le premier est le crime de simonie que commet celui qui pour donner ou recevoir les Ordres, conferer ou obtenir un benefice ou quelqu'autre chose spirituelle, exige ou donne sous quelque pretexte que ce soit de l'argent, ou autre chose temporelle qu'on peut estimer à prix d'argent.

Le 2. est le crime de confidence que commet celui qui reçoit ou retient un benefice, à condition de le conserver et de le remettre à une autre personne.

Le 3. est le crime que commet celui qui brûle ou pille une Eglise, un Monastere ou autre lieu de pieté ; aprés toutefois qu'il aura été dénoncé publiquement : car tant que le fait demeurera caché, le cas est resèrvé [sic] seulement à l'Evêque.

Le 4. est le crime que commet tout incendiaire, et qui met volontairement le feu à quelque lieu que ce soit sacré ou non sacré ; au cas qu'il soit excommunié et dénoncé publiquement.

Le 5. est le crime que commet celui qui falsifie les Bulles, Brefs, Provisions de Rome, etc. et qui en abuse volontairement.

Le 6. est le crime que commet celui qui maltraite ou fait maltraiter avec excés un Clerc portant l'habit et la Tonsure : ce qui supose qu'il en soit ou estropié ou mutilé, ou qu'il ait répandu notablement du sang par la playe qu'il auroit reçue, et que ce Clerc n'eût point été l'agresseur : car autrement s'il n'a été que legerement battu, le cas est seulement reservé à l'Evêque.

L'irrégularité ou suspense encouruë pour un crime public, ou porté à la connoissance du Tribunal contentieux. L'irrégularité aussi encourue pour un homicide volontaire, est reservée à nôtre S. Pere le Pape.

Verdun 1691

[Hippolyte de Béthune]

Cas reservez à Nôtre Saint Pere le Pape

P2515   **Verdun 1691 p. 146**

1. Tuer ou blesser cruellement un Clerc, portant l'habit ecclesiastique. Si la plaie est legere, le cas est seulement reservé à l'Evêque.

2. Mettre le feu avec dessein et par malice, en quelque lieu que ce soit, ou bien rompre les portes, fenêtres, vitres, serrures, ou toit d'une Eglise, Monastere et lieu de piété, et y entrant ensuitte [*sic*], piller ou dérober les biens qui y sont.

3. Commettre une Confidence ou Simonie réelle et publique, soit pour les Ordres, soit pour les Benefices.

4. Falsifier les Bulles, ou Lettres apostoliques.

5. Faire quelque fonction d'un ordre sacré, lorsqu'on est notoirement excommunié, suspens ou interdit.

Lyon 1692

Absence de cas réservés au pape.

Luçon 1693

[Henry de Barrillon]

Cas reservez à nôtre S. Pere le Pape, qu'on peut commettre plus ordinairement dans ce Diocese

Luçon 1693 p. 103-104

I. La Simonie qui est commise par ceux qui pour donner ou recevoir les saints Ordres, pour conférer ou obtenir un Benefice, donnent ou exigent sous quelque pretexte que ce soit de l'argent ou une chose temporelle, qu'on peut estimer à prix d'argent.

II. La confidence que commet celuy qui reçoit ou retient un Benefice à condition, de le conserver et le remettre à une autre personne.

III. Tuer, estropier, ou mutiler un Ecclesiastique portant les marques de son Etat, et reconnu pour tel par celui qui l'outrage; fraper, quoique legerement son Evêque ou son Prélat, ordonner ou exciter à commettre quelqu'une de ces fautes, l'effet s'en étant suivi.

IV. Falsifier les Bulles ou Lettres apostoliques, ou s'en servir quand on en a reconnu la fausseté.

V. Mettre le feu avec dessein et par malice en quelque lieu que ce soit, sacré ou non sacré, pourvû que l'Incendiaire ait été denoncé excommunié.

VI. Rompre avec violence les murailles, les portes, ou les vitres de l'Eglise, et entrant dedans, piller ou dérober les Biens qui y sont, quand le coupable a été dénoncé excommunié.

Sens 1694

[Hardouin Fortin de La Hoguette]

Quelques cas reservés à nôtre saint Pere le Pape

Sens 1694 p. 62-65

Le premier est le crime de la Simonie, qui est commis par ceux qui pour donner ou recevoir les Ordres, pour conferer ou obtenir un Benefice, ou autre chose spirituelle, donnent ou exigent sous quelque pretexte que ce soit, de l'argent ou une chose temporelle qu'on peut estimer à prix d'argent.

Le deuxième est le crime de Confidence que commet celuy qui reçoit ou retient un Benefice à condition de le conserver et de le remettre à une autre personne.

Le troisième est le crime que commet celuy qui brûle, brise ou pille volontairement une Eglise, un Monastere, ou quelque autre lieu de pieté, après toutefois qu'il aura été dénoncé publiquement; car tant que le fait demeurera caché, et que l'autheur du crime n'aura point esté dénoncé, le cas est reservé seulement à l'Evêque.

Le quatrième est le crime que commet tout Incendiaire, c'est-à-dire celuy qui met volontairement le feu à quelque lieu que ce soit, sacré ou non sacré; s'il est excommunié ou dénoncé publiquement, il ne peut estre absous que par Nôtre Saint Pere le Pape.

Le cinquième est le crime que commet celuy qui falsifie les Lettres Apostoliques, Bulles, Brefs, Provisions et autres, et qui en abuse volontairement.

Le sixième, lorsque quelqu'un maltraitte ou fait maltraitter cruellement un Clerc portant l'habit ecclesiastique et la tonsure, et s'il meurt des coups qu'il a reçus, qu'il soit estropié ou mutilé, ou qu'il répande beaucoup de sang par une playe qu'on luy aura faite; supposé que le Clerc ne soit point aggresseur, le cas est reservé au Pape; que s'il a esté legerement battu, l'Evêque en peut absoudre.

Le septième, toute Irregularité ou suspense encouruë pour un crime public, ou porté à la connoissance du Tribunal contentieux; l'Irregularité aussi encouruë pour un homicide volontaire est reservée à Nôtre saint Pere le Pape.

Soissons 1694

[Fabio Brulart de Sillery]

Cas reservez à nôtre Saint Pere le Pape

P2518 **Soissons 1694 p. 74**

1. Mettre le feu avec dessein et par malice en quelque lieu que ce soit: si le crime est public et que l'autheur ait été dénoncé.

2. Commettre une simonie ou confidence réelle et publique, soit pour les ordres, soit pour les bénéfices.

3. Tuer ou blesser un clerc constitué dans les ordres sacrez, en sorte qu'il en soit estropié ou mutilé.

4. Falsifier les Bulles ou Lettres apostoliques.

5. Violer un interdit prononcé par le saint siége.

6. Toute irrégularité ou suspense encouruë pour un crime public, ou porté à la connoissance du tribunal contentieux: l'irrégularité aussi encouruë pour un homicide volontaire.

Sées 1695[33]

[Mathurin Savary]
Casus reservati S. Pontifici

Formulaire proche de Paris 1630-1701.

519 **Sées 1695 p. 52-53**

Exustio templorum, nec non aliarum aedium procurata, quando incendiarius est publicè denunciatus.

Simonia realis in Ordinibus et Beneficiis, sic et confidentia.

Occisio seu mutilatio membrorum et gravis seu notabilis percussio cuiuscumque in sacris Ordinibus constituti.

Percussio Episcopi seu alterius Praelati.

Delatio armorum ad partes infidelium.

Falsificatio Bullarum seu Litterarum Summi Pontificis.

Invasio, depraedatio, occupatio, aut devastatio terrarum Romanae Ecclesiae.

Violatio interdicti ab eadem sancta Sede imposti et omnis irregularitas ex delicto notorio, vel ex defectu notabili praeveniens.

Non hic omnes casus reservati Papae describuntur sed ii tantum qui in his regionibus frequentius possunt accidere.

Paris 1697, 1698, 1701

Voir Paris 1630-1701 (P2484).

Bâle 1700, 1739

Absence de cas réservés au pape.

Toul 1700, 1760

[Toul 1700 : Henri de Thyard de Bissy]
Les cas réservez au pape

520 **Toul 1700 p. 147-148**

[Cas réservés dans le Droit canon ou les constitutions particulières des papes]

Les cas réservez au pape inserez dans le corps du droit canon ou dans les constitutions particulieres des papes, sont ceux qui suivent.

---

[33] Sées 1695 contient deux listes de cas réservés au pape, la première p. 52-53 proche de Paris 1630-1701 (P2484); la seconde p. lxxviii-lxxix, identique à Rouen 1611/1612 etc. Voir Rouen 1611/1612, P2470.

1. Avoir mis avec violence la main sur un clerc ou sur un religieux. C'est la disposition du canon *Si quis suadente diabolo* cau. 17. q. 4, tiré du second concile de Latran sous Innocent II. en 1139. Afin que ce cas soit réservé au pape, il faut que l'outrage fait au clerc ou au religieux, en le frapant, soit énorme. La percussion est énorme, quand elle cause la mort, la mutilation d'un membre, ou une grande effusion de sang. L'emprisonnement d'un clerc qui vit clericalement est compris dans ce cas.

2. Avoir pillé une église ou un monastère, après en avoir brisé ou enfoncé les portes, suivant la disposition du chap. *Conquesti. Extra : de senten. excom.* tiré d'une décrétale de Clément III. Ce cas, pour être réservé au pape, doit être public : c'est à dire, qu'il faut que les autheurs soient dénoncez et que leur excommunication ayt été publiée.

3. Un clerc qui sciemment et volontairement communique avec un excommunié dénoncé par autorité du pape, suivant le chapitre *Significavit* qui est du même Clément III et inséré dans le même titre *de sentent. excom.*

4. La simonie qui se commet par ceux qui donnent et qui reçoivent quelque chose pour être ordonnez, ou pour être reçus en religion, ou pour obtenir un bénéfice, ou qui prennent un bénéfice en confidence. On encoure l'excommunication dans tous ces cas : mais quand on commet simonie pour obtenir un bénéfice, outre l'excommunication on encoure encore trois autres peines, sçavoir la perte du bénéfice obtenu par simonie, l'inhabilité ou l'incapacité à posséder ce même bénéfice, et la restitution des fruits qu'on en a perçus. Quand la simonie est occulte, l'évêque peut absoudre ou donner pouvoir d'absoudre de l'excommunication encourue, mais il faut recourir au pape pour la privation du bénéfice, l'inhabilité à le posséder et la restitution des fruits. On n'encoure pas ces peines, à moins que la simonie ne soit réelle : c'est-à-dire, consommée de part et d'autre, en tout ou en partie.

5. Le duel suivant la constitution de Clément VIII. qui commence par ces mots *Illius vices*. Ce cas comprend non seulement ceux qui se battent en duel, mais encore ceux qui font des appels, et ceux qui favorisent le duel ou qui y contribuent.

6. Les religieux qui entreprennent de donner la communion pascale, l'extrême-onction ou la bénédiction nuptiale, sans la permission expresse des curez : ou d'absoudre ceux qui sont excommuniez de droit ou par sentence, hormis dans les cas où il leur est permis par le droit ou

par la concession du saint siège. C'est la disposition de la Clémentine unique au titre *de privilegiis* tirée du concile de Vienne.

7. Les seigneurs ou les magistrats séculiers qui obligent un prêtre de célébrer dans un lieu interdit; qui y assemblent le peuple au son de la cloche ou autrement, pour y entendre la messe; ou qui empêchent qu'on ne fasse sortir de l'église, pendant le tems du service divin, les excommuniez. C'est ainsi que l'ordonne le pape Clément V. dans la Clémentine *Gravis ad nos, de sent. excom.* tirée du concile de Vienne.

8. A ces cas insérez dans le rituel de 1616. dressé par ordre de monseigneur Jean des Porcelets de Maillane on doit ajouter l'incendie fait malitieusement, lorsqu'il est public et que l'autheur en a été convaincu en justice ou dénoncé. Ce cas est réservé par le canon *Pessimam* Cau. XXIII q. 8. tiré du second concile de Latran sous Innocent II : et il comprend non seulement ceux qui ont fait l'incendie, mais encore ceux qui l'ont commandé ou conseillé. C'est aussi la disposition du ch. *Tua nos. Extra : de sentent. excom.*

Toul 1700, 1760

Les cas réservez au pape

Toul 1700 p. 148-149

[Cas réservés dans la bulle *In coena Domini*]

Les excommunications et les cas réservez au pape par la bulle *In coenâ Domini*, qui arrivent plus fréquemment sont.

1. Les hérétiques de quelque secte ils soient. Ceux qui les protégent, qui les reçoivent et qui les écoutent. Ceux qui impriment leurs livres, ou qui les lisent, soit publiquement, soit sécrétement, sans la permission du saint siége.

2. Ceux qui molestent les fidéles qui vont par dévotion à Rome.

3. Ceux qui empêchent le cours des affaires pendentes en cour de Rome, ou l'éxécution des letres apostoliques.

4. Ceux qui contre la disposition du droit commun attirent ou traduisent dans les tribunaux séculiers les personnes ecclésiastiques : ou qui font des ordonnances contraires aux libertez de l'église.

5. Ceux qui empêchent le cours et l'exercice de la jurisdiction ecclésiastique: qui usurpent ou qui mettent en séquestre les biens des bénéficiers: qui font sans la permission expresse du saint siège des impositions de tailles ou de décimes sur le clergé: ou qui reçoivent celles que les ecclésiastiques leur donnent volontairement, sans la per-

mission du saint siège: ou qui donnent pour cela leur conseil ou leur consentement.

6. Les laïques qui s'ingèrent dans les causes criminelles et capitales des ecclésiastiques; qui leur font le procès, les emprisonnent ou les condamnent; et qui exécutent leurs jugemens contre eux.

7. Les juges qui prennent connoissance des causes spirituelles portées pardevant les juges ou commissaires du saint siége.

8. Ceux qui ont recours aux tribunaux séculiers pour empêcher l'éxécution des décrets ou jugemens des juges ecclésiastiques: et ceux qui les protègent et les défendent.

9. Ceux qui falsifient les lettres, bulles et rescrits du pape ou de ses officiers.

10. Ceux qui portent des armes offensives ou défensives aux infidéles, ou qui leur donnent du secours ou des conseils contre les chrétiens.

Les confesseurs qui, sans avoir reçû le pouvoir du pape, osent absoudre dans aucun des cas réservez de la bulle *In coenâ Domini*, sont excommuniez *ipso facto*, et l'absolution par eux donnée est nulle: mais leur excommunication n'est pas réservée.

Toul 1700, 1760

Les vœux réservez au pape sont

P2522 **Toul 1700 p. 151**

1. Le vœu simple de religion.
2. Le vœu simple de chasteté perpétuelle.
3. Le vœu d'aller en pélérinage à S. Jacques de Compostelle.
4. Le vœu d'aller à Jerusalem.
5. Le vœu d'aller à Rome.

Si ces vœux sont conditionnels, ils ne sont pas réservez au pape, mais à l'évêque simplement, à qui sont aussi réservez tous les autres vœux et les sermens.

Tout confesseur peut absoudre celuy qui a violé son vœu, mais l'obligation du vœu subsiste toûjours.

Auch 1701
Aire [1720][34]. Bazas 1701. Comminges [1728][35]. Dax 1701[36]
Oloron 1720[37]. Sarlat [1708][38]. Tarbes 1701, [1746?]

[Auch 1701: Anne-Tristan de La Baume de Suze]
Cas reservez à N. S. P. le Pape

Auch 1701 p. 133-134; Aire [1720] p. 108

Le premier cas est celui de tuer, mutiler, maltraitter, ou faire cruellement maltraitter un Clerc qui porte l'habit ecclesiastique, et la tonsure, supposé que le Clerc ne soit pas l'aggresseur, que s'il a été legerement batu [sic], l'Evêque en peut absoudre.

Le second est celui de la Simonie réelle, et publique, que commet celui qui donne, exige, ou promet de l'argent, ou toute autre chose temporelle, qu'on peut estimer à prix d'argent, pour recevoir les saints Ordres, obtenir un Benefice, ou quelqu'autre chose spirituelle.

Le troisiéme crime est la confidence que fait celui qui accepte, ou retient un Benefice, dans l'intention de ne le conserver que pour le remettre à une autre personne.

Le quatriéme est le cas, ou crime que commet celui, qui met le feu avec dessein et par malice, en quelque lieu que ce soit, sacré, ou non sacré : comme aussi celui qui rompt les portes, fenêtres, vitres, serrures d'une Eglise, Monastère, ou lieu de pieté, et y étant ensuite entré, y pille, et dérobe les biens qui y sont; si le criminel vient à être denoncé, et publiquement excommunié, il ne peut être absous que par le Pape.

Le cinquiéme est la falsification des Bulles, Lettres apostoliques, Brefs, Provisions, etc. comme aussi d'en abuser volontairement.

Le sixiéme crime est le sacrilége, *in actu consummato*, que commet un homme avec une Religieuse, ou une femme avec un Religieux dans un lieu sacré, et que le fait est connû; car si le fait demeure caché, le crime est seulement réservé à l'Evêque.

Le septiéme est toute irregularité, ou suspense encouruë pour un crime public, ou portée à la connoissance du tribunal contentieux; l'irregularité aussi encouruë pour un homicide volontaire est reservée à nôtre

---

[34] Aire [1720] p. 108 : variante au début du deuxième cas d'Auch : « Le second est la confidence ou la simonie réelle, et publique… »; suppression du troisième cas d'Auch.
[35] Édition d'Auch 1701 avec addition du mandement daté septembre 1728 de l'évêque de Comminges Gabriel-Olivier de Lubiere du Bouchet.
[36] Dax 1701. Voir P1468.
[37] Oloron 1720 : deux listes de cas réservés. Voir infra Oloron 1720, P2530.
[38] Édition d'Auch 1701 avec en tête l'ordonnance datée mai 1708 de l'évêque de Sarlat Paul de Chaulnes prescrivant le rituel d'Auch dans son diocèse.

saint pere le Pape; comme aussi l'exercice, ou fonction des saints Ordres, par celui qui seroit notoirement excommunié, suspens, ou interdit, etc.

Besançon 1705
[François-Joseph de Grammont]
De Censuris
De Excommunicationibus tum Papae tum Episcopis reservatis

Excommunications réservées au pape et aux évêques, faisant partie du chapitre *De Censuris*, différentes selon les exemplaires du rituel. Les cas 8 (formulaire P2524) et 7 (formulaire P2526) excommunient ceux qui ne veulent pas croire en la conception immaculée de la Vierge.

P2524 **Besançon 1705 *Pars prima*, p. 123-124**

[Exemplaire Paris, Séminaire Saint-Sulpice]

Excommunicationes reservatae Papae in jure, cum sint in magno numero, eas tantum hic referam quae frequentius occurrere possunt in Tribunali Poenitentiae.

Praecipuae igitur sunt quibus innodantur.

1. Percussores Clericorum, qui clericali privilegio gaudent, si percussio sit enormis vel gravis, si vero sit tantum levis, reservatur Episcopo. Inter Clericos computantur etiam Monachi, qui vota emiserunt.

2. Effringentes Ecclesias ut eas spoliant.

3. Communicantes in crimine criminoso cum Excommunicatis à Papa.

4. Exigentes tributa à Personis Ecclesiasticis.

5. Exenterantes corpora Defunctorum.

6. Violantes interdictum latum à Sede Apostolica.

7. Simoniaci qui Beneficium vel Ordinem obtinuerunt per simoniam.

8. Impugnantes opinionem, quod Beata Virgo Maria sine labe peccati sit concepta.

9. Duellum commitantes, consulentes, faventes, vel ad illud provocantes.

10. Supponantes se in examine pro alio, ut Beneficium impetrare valeat.

11. Ingredientes Monasterium Monialium, ac foeminae intrantes domos Regularium ob malum finem.

12. Commitantes simoniam confidentialem.

13. Publicantes Indulgentias et facultates eligendi Confessarium ad quaestum.

14. Violantes immunitates Ecclesiarum, inde extrahendo reos, nisi in casibus permissis.

15. Haeretici, Schismatici et eorum fautores, nec-non Apostatae à Fide.
16. Legentes Haereticorum libros de Religione tractantes, retinentes, imprimentes.
17. Impedientes Praelatos ne suâ jurisdictione ecclesiasticâ utantur.
18. Episcopum à sua Dioecesi expellentes, hostiliter persequentes, mutilantes.
18. Compellentes Sacerdotes celebrare in loco interdicto, vel admittentes Excommunicatos et Interdictos ad Divina audienda; aut qui Excommunicatos vitandos à Celebrante monitos egredi prohibent. Item et ipsi Excommunicati, si à Sacerdote moniti ab Ecclesia non recedant.
20. Clerici communicantes in Divinis cum Excommunicato à Papa.
21. Clerici trahentes Clericum ad forum saeculare in causis personalibus.
22. Absolventes à Casibus Episcopo reservatis praetextu privilegiorum.
23. Falsificantes Litteras Apostolicas.
24. Religiosi et Clerici qui inducunt aliquod ad jurandum, vovendum vel promittendum, ut in suis Ecclesiis sepulturam eligant, vel electam non mutent.
25. Religiosi qui Sacramenta Eucharistiae, Extremae-Unctionis, aut Matrimonii administrant sine licentia Parochi.

Besançon 1705 *Pars prima*, p. 124

[Exemplaires Paris, BnF et Bibl. de l'Arsenal]

Praecipuae Excommunicationes quae in Bulla Coenae Papae reservantur istae sunt:

1°. Illa quae fertur contra Haereticos, Schismaticos, scienter legentes, retinentes, imprimentes, defendentes libros Haereticorum, qui haeresim continent, vel de Religione tractant.

2°. Quae fertur contra falsificantes Litteras Apostolicas aut Supplicationes authoritate Apostolica signatas.

3°. Quae fertur contra impedientes executionem Litterarum Apostolicarum, aut aliarum expeditionem, quae fiunt authoritate Apostolicâ, et etiam contra impedientes reccurrere ad summum Pontificem.

4°. Quae fertur in illos qui causas avocant à Judicibus Apostolicis, et Actores ad revocanda impetrata compellunt.

5°. Quae fertur in eos qui contra Juris Canonidi dispositionem Ecclesiasticas Personas ad suum tribunal trahunt, aut ecclesiasticam libertatem tollunt, laedunt, diminuunt, restringunt, et juribus Ecclesiae praejudicant quocumque modo.

6°. Quae fertur contra usurpantes jurisdictionem, fructus, reditus cujuscumque Ecclesiae; et etiam contra impedientes Praelatos Ecclesiae ne suâ jurisdictione utantur, aut illorum judicia eludunt.

P2526 **Besançon 1705 Pars prima, p. 124**

[Exemplaires Paris, BnF et Bibl. de l'Arsenal]

Excommunicationes reservatae Papae extra Bullam Coenae, quae frequentius occurrere possunt, sic recensentur.

1°. Illa quae incurritur propter enormam percussionem Clerici, et etiam gravem, exceptâ illâ quae contingit inter Clericos collegialiter viventes.

2°. Illa quae fertur contra pugnantes in duello.

3°. Quae fertur contra Simoniacos, aliquid dantes pro collatione Ordinis, Beneficii, aut ingressu Monasterii, aut confidentiam simoniacam committentes.

4° Quae fertur contra ingredientes clausuram Monialium ob malum finem, et etiam contra Mulieres ingredientes Monasteria Religiosorum.

5°. Quae fertur contra incendiarios denuntiatos.

6°. Quae fertur contra Clericos communicantes in Divinis cum Excommunicato à Papa.

7°. Quae fertur contra omnes qui directè vel indirectè aliquid dicunt aut scribunt contra immaculatam Virginis Conceptionem.

8°. Quae fertur contra docentes aliquam propositionem ex damnatis à summis Pontificibus Innocentio XI. Alexandro VII. Alexandro VIII. Innocentio XII.

9°. Illa quae fertur contra Clericos et Religiosos inducentes aliquem ad vovendum, jurandum, aut promittendum eligere sepulturam in suis Ecclesiis, aut electam non mutare.

Évreux 1706

Voir Évreux 1606.

Bordeaux 1707, 1728
Sarlat 1729

[Bordeaux 1707: Armand Bazin de Besons]
Cas reservez à nôtre Saint pere le Pape

P2527 **Bordeaux 1707-1728 p. 133-134**

1. La confidence ou la simonie réelle et publique, soit pour les ordres, soit pour les Benefices.

2. Tuer ou blesser cruellement un Ecclesiastique, lorsqu'il n'est pas l'agresseur.
3. Falsifier les Bulles, ou autres lettres apostoliques.
4. Piller une Eglise, un Monastere, ou quelqu'autre lieu de Pieté, aprés en avoir rompu les portes, les fenêtres ou le toict.
5. Mettre le feu à dessein et par malice à quelque maison ou bâtiment que ce soit.

Il faut observer que ces deux derniers cas ne sont reservez au Pape, que lorsque le coupable en a été convaincu juridiquement, et par sentence déclaré avoir encouru l'excommunication.

Paris 1709-1713

[Louis-Antoine de Noailles]
Casus reservati Summo Pontifici, qui omnes habent annexam censuram, propter quam reservantur

Paris 1709-1713[39] p. 6

[Liste de Paris 1630-1701 avec addition de :]
II. Effractio et spoliatio Templi, Monasterii aut alterius aedis sacrae, quando sacrilegus qui res Ecclesiae cum loci effractione rapuit, publicè denuntiatus est.

[Le cas « Occisio et mutilatio » est développé :]
IV. Occisio, etiam non cruenta, mutilatio membri alicujus, vel atrox, hoc est cum copiosâ aliunde quam ex naribus effusione sanguinis, aut cum indignitate aliquâ maxime injuriosâ, percussio cujuscunque in sacris Ordinibus constituti, tonsuram et vestem suam clericalem aut religiosam gestantis.

Saint-Flour 1710

Absence de cas réservés au pape.

Poitiers 1712, 1714

Absence de cas réservés au pape.

---

[39] 12 p. cartonnées reliées à la suite de certains exemplaires du rituel de Paris 1701 (Paris, Sém. S. Sulpice), intitulées *Mandatum... DD. Cardinalis de Noailles... De Casibus reservatis*, datées janvier 1709, imprimées à Paris, chez Louis Josse en 1713.

Metz 1713

[Henri-Charles du Cambout de Coislin]
Casus reservati Summo Pontifici

Formulaire proche de Paris 1630-1701.

P2529 **Metz 1713 *Pars secunda*, p. 87**

1. Exustio templorum, nec non et domorum profanarum procurata, dum incendiarius est publicè denunciatus.
2. Simonia realis in ordinibus et beneficiis, et confidentia dummodo sit publica.
3. Occisio seu mutilatio membrorum cujuscumque in sacris ordinibus constituti.
4. Percussio Episcopi, seu alterius Praelati.
5. Delatio armorum ad partes Infidelium.
6. Falsificatio Bullarum, seu Litterarum Summi Pontificis.

Aire [1720]

Voir Auch 1701.

Oloron 1720

[Joseph de Revol]
Cas reservez a notre Saint Pere le Pape

Deux listes de cas réservés au pape, la première propre à Oloron; la seconde (p. 108) reprenant la liste d'Auch 1701.

P2530 **Oloron 1720 p. [8]**

1. Tuer, maltraiter, ou faire maltraiter griévement un Clerc portant l'habit ecclesiastique.
2. La simonie réelle et publique.
3. La confidence que commet celuy qui accepte ou retient un Benefice, dans l'intention de le remettre à un autre.
4. Mettre le feu par malice en quelque lieu que ce soit, si le criminel est denoncé et publiquement excommunié.
5. Rompre les portes, fenêtres, vitres, ou serrures d'une Eglise ou Monastere, pour y entrer à dessein d'y commettre quelque crime.

Nous nous reservons le cas des personnes qui entreront dans les Monasteres d'un sexe different, hors les cas de droit, ou permission speciale de nous.

6. Le falcificateur [sic] des Bulles, Lettres apostoliques, Brefs, Provisions, pour en abuser volontairement.

7. Le crime *in actu consummato* d'un Religieux ou Religieuse, avec une personne religieuse ou seculiere dans un lieu sacré, si le fait est connu; s'il demeure caché, il est reservé à l'Evêque.

Enfin, toute irregularité encouruë pour un crime public; l'irregularité encouruë pour un homicide volontaire; et par l'exercice et fonction des saints ordres, par celuy qui seroit notoirement excommunié, suspens, ou interdit.

Oloron 1720 p. 108. *Cas reservez à N. S. P. le Pape*
Liste d'Auch 1701.

Quimper 1722

[François-Hyacinthe de Ploeuc de Timeur]
Cas reservez au Pape. Qui peuvent arriver plus ordinairement en ce Diocese

Quimper 1722 p. 293-295

1. L'incendie des Eglises, ou de quelque lieu prophane faite [sic] par malice, quand l'incendiaire est dénoncé.

2. Le crime de ceux qui rompent les portes et les serrures des Eglises, qui enfoncent les toits et les vitres, qui percent les murailles pour y voler, après la dénonciation.

3. La simonie réelle dans les ordres et bénéfices, et la confidence, quand elles sont publiques.

4. Tuer ou mutiler quelque personne dans les ordres sacrez, ou qui a fait profession en religion.

5. La falsification des bulles ou lettres du pape.

L'Evêque peut absoudre de tous les cas reservez au Saint Siege, lor [sic] qu'ils sont occultes, ou que ceux qui s'y trouvent engagez sont excusez par le droit d'aller à Rome.

Lyon 1724

[François-Paul de Neufville de Villeroy]
Cas reservés à Nôtre Saint Pere le Pape

Lyon 1724 p. 176-178

I. Le crime de Simonie qui est commis par ceux, qui pour donner ou recevoir les Ordres, pour conferer ou obtenir un Benefice, ou quelque autre chose spirituelle, donnent ou exigent sous quelque pretexte que ce soit de l'argent ou une chose temporelle, qu'on peut estimer à prix d'argent.

Simonia realis, ac confidentia publica.
2. La confidence que commet celui qui reçoit ou retient un Benefice, à condition de le conserver, et le remettre à une autre personne.
Rapina bonorum Ecclesiae cum effractione post denunciationem tantum.
3. Le vol des biens de l'Eglise avec effraction des portes, armoires, coffres, ou autres fermetures après avoir été denoncé publiquement.
Crimen incendii ex deliberatâ malitiâ post denunciationem tantum.
4. L'incendie volontaire, c'est-à-dire, quand quelqu'un a mis volontairement le feu à quelque lieu que ce soit, sacré ou non, après qu'il a été denoncé publiquement.
Qui Litteras Apostolicas adulteravit.
5. La falsification des Lettres Apostoliques, Bulles, Brefs, Provisions et autres.
Qui patrem vel matrem vulneraverit, aut occidit.
6. Le crime de celui qui a tué ou blessé son pere ou sa mere.
Qui Clericum atrociter percussit.
7. Maltraitter cruellement un Clerc portant l'habit ecclesiastique; s'il meurt des coups qu'il a reçû, qu'il soit estropié ou mutilé, ou qu'il répande beaucoup de sang par une playe qu'on luy a faite; supposé que le Clerc ne soit pas aggresseur, le cas est reservé au Pape; s'il a été légerement battu, il est reservé à Monseigneur l'Archevêque.
Qui monialem in loco sacro cognoverit, vitiarit.
8. Lorsqu'un homme a commis le peché de la chair avec une Religieuse, ou une femme avec un Religieux dans un lieu sacré, et que le fait est connu; car si le fait demeure caché, ou que l'action se soit passée dans un lieu qui ne soit point sacré, le cas est seulement reservé à Monseigneur l'Archevêque.
9. Toute irregularité ou suspense encouruë pour un crime public ou porté à la connoissance du Tribunal contentieux, et l'irregularité encouruë pour un homicide volontaire.

Ces Cas sont rapportés dans les Statuts du Diocese de l'an 1705. pag. 52. ...

Beauvais 1725

[François de Beauvilliers de Saint-Aignan]
Casus reservati Summo Pontifici qui omnes annexam censuram habent

P2533 **Beauvais 1725 p. 79-80**
1. Exustio templorum, nec non et domorum profanarum procurata, dum incendiarius est publicè denunciatus.

2. Simonia realis in ordinibus et beneficiis, et confidentia, dummodo sit publica.

3. Occisio, seu mutilatio membrorum, cujuscumque in sacris ordinibus constituti, vel etiam Sacerdotis aut Clerici primae tonsurae, habitum, ac tonsuram clericalem deferentis, vel actualiter Ecclesiae deservientis. Si percussio fuerit atrocior, et cum effusione sanguinis, cujus quidem attrocitatis [sic] judicium ad Episcopum pertinet.

4. Percussio Episcopi, seu alterius Praelati.

5. Delatio armorum ad partes Infidelium.

6. Falsificatio Bullarum, seu Litterarum Summi Pontificis.

7. Invasio, depraedatio, occupatio, aut devastatio terrarum sanctae Romanae Ecclesiae.

8. Violatio interdicti ab eâdem sanctâ Sede impositi.

Orléans 1726

[Louis-Gaston Fleuriau d'Armenonville]
*Des cas réservez à Nôtre Saint Pere le Pape,
suivant l'ancien usage de ce Diocése*

Formulaire d'Orléans 1642 avec des développements.

Orléans 1726 p. 89-90

1. *Tuer, ou estropier un Clerc promû aux Ordres sacrez.*

2. *Frapper griévement son Evêque, ou son Curé, même sans une énorme lésion.*

Ces deux cas ont lieu, soit qu'on tuë, ou frape par soi-même, ou qu'on le fasse par autrui. On n'encourt cependant pas la réserve, si ces cas arrivent en gardant les bornes d'une juste défense...

3. *Falsifier les Lettres Apostoliques, et se servir de celles qu'on sçait être falsifiées.*

Par ces Lettres on entend seulement celles qui sont expediées au nom du Souverain Pontife, soit qu'elles soient scellées de plomb, ce qu'on appelle Bulle; soit qu'elles le soient en cire rouge sous l'anneau du Pêcheur, ce qu'on appelle Bref.

Ces Lettres sont censées falsifiées, lorsqu'elles sont entierement fausses, ou suposées [sic], ou lorsqu'on y a fait quelque addition, retranchement, ou changement, qui altere le sens et l'intention de celui qui les a accordées.

Cette reserve a lieu à l'égard de ceux qui font cette fausseté, soit par eux, ou par d'autres.

4. Mettre le feu, soit à une Eglise, soit à un autre lieu; quand les incendiaires ont été publiquement dénoncez excommuniez.

Par incendiaire on entend celui qui à mauvais dessein, soit par haine ou par vengeance, met, ou fait mettre le feu, ou donne aide, ou conseil à ceux qui le mettent.

Si cet incendiaire a mis le feu à une Eglise, il encourt l'excommunication de plein droit, que l'on appelle, latae sententiae; s'il a mis le feu à un autre lieu, l'excommunication n'est que comminatoire, on l'appelle, ferendae sententiae.

On ne doit point absoudre cet incendiaire, à moins qu'il ne répare selon ses facultez le dommage qu'il a causé.

5. Voler les Eglises avec effraction, lorsque la sentence d'excommunication a été juridiquement prononcée, et publiée contre ces sortes de voleurs.

Ceux-là sont censez voler les Eglises avec effraction, qui à mauvais dessein, ou par violence, en rompent les murs, vitraux, portes, serrures, le toit, ou autres choses semblables, les pillent et en volent les meubles.

On joint ensemble l'effraction et la spoliation, en sorte que l'une sans l'autres n'est point sujette à la reserve.

6. Commettre une simonie réelle et publique, soit pour entrer dans les Ordres, doit pour obtenir un Bénéfice.

Saint-Omer 1727

[François de Valbelle de Tourves]
Casus Sanctissimo Domino Papæ reservati

P2535 **Saint-Omer 1727** p. 349-350

1. Simonia realis in ordine, vel Beneficio. Item Confidentia.

2. Enormis et gravis percussio Clerici vel Monachi. Item Episcopi aut proprii Prælati percussio, etiam Levis.

3. Crimen Falsi, quod incurrunt Falsarii Litterarum Apostolicarum, quique iis Litteris, deprehensa et agnita earumdem falsitate, utuntur.

4. Crimen Incendii ex deliberata malitia post factam Ecclesiasticam denunciationem.

5. Rapina rerum Ecclesiæ, cum effractione, post factam similiter Ecclesiasticam denunciationem.

Porro circa istos casus, aliosque Sedi Apostolicæ reservatos, notandum est in Concilio Tridentino datam esse facultatem Episcopis, ut a quibuscumque Casibus occultis Sedi Apostolicæ reservatis possint subditos suos per seipsos aut per Vicarium absolvere.

Limitationem autem quoad absolutionem per Vicarium in materia Hereseos nec usus longævus habet nec praxis hodierna.

Notandum insuper posse Episcopos ab iisdem casibus Papalibus absolvere, quando ad Sedem Apostolicam aut ejus Legatum, propter legitimum aliquod impedimentum, non potest esse recursus : ut in impuberibus ob defectum ætatis, mulieribus ob infirmitatem sexus, valetudinariis, pauperibus, maxime si sint conjugati, ne propter longinquam peregrinationem familiam suam objiciant mendicitati etc.

Auxerre 1730
Soissons 1753
[Auxerre 1730 : Charles de Caylus]

Auxerre 1730 p. 95. *Catalogus quorumdam casuum summo Pontifici reservatorum juxta antiquum hujusce Ecclesiae usum*
Soissons 1753 tome 1, p. 192. *Casus reservati in Dioecesi Suessionensi… Casus summo Pontifici reservati, qui omnes annexam habent censuram*

1°. Simonia realis circa Ordines aut Beneficia ; dummodo sit publica publicitate juris.

2°. Confidentia circa beneficia realis et publica publicitate juris.

3°. Exustio Aedium sacrarum, cum incendiarius est publicè condemnatus.

4°. Occisio, aut mutilatio membrorum cujuscunque Clerici in sacris Ordinibus constituti.

5°. Falsificatio Bullarum, seu Litterarum Summi Pontificis.

Blois 1730
[Jean-François Lefebvre de Caumartin]
Cas réservez à N. S. P. le Pape

Blois 1730 p. 84-85

1°. Quand on a blessé ou maltraité sans que ce soit à son corps défendant d'une maniere énorme, un clerc en ordre sacré, ou une personne religieuse, qui portent l'habit de leur état. La lésion est énorme, non-seulement quand la mort s'ensuit, mais aussi quand il y a quelque os brisé, une playe dangereuse, ou une grande effusion de sang. Elle peut l'être aussi à raison de la dignité de la personne, comme si on frapoit ou faisoit quelque violence à un Cardinal, à un Evêque, à son Curé, ou à un Prêtre faisant actuellement quelque fonction sacrée.

2°. Quand on a commis une simonie réelle et publique, en matiere de bénéfice ou d'Ordre sacré. La confidence publique qui se commet en donnant ou en acceptant un bénéfice, y est aussi comprise.

3°. Quand on a par malice mis le feu à une Eglise, ou même à quelqu'autre bâtiment, ou qu'on a volé avec effraction dans l'Eglise ou autre lieu de pieté des choses y apartenantes [sic], et qu'on a été excommunié pour ces crimes et dénoncé comme tel par son Evêque.

4°. Quand on a suposé [sic] ou falsifié des lettres apostoliques et des rescrits de Rome, ou qu'on s'en est servi sciemment.

Il est encore d'autres cas réservez au pape : mais, ou ils arrivent rarement en ce pays, ou ils n'y sont pas reçus par l'usage, comme ceux qui sont contenus dans la Bulle, *In Coena Domini*, qui n'est point reçue en France, ni dans quelques autres Royaumes catholiques.

Il faut aussi remarquer que l'Evêque peut absoudre de tous les cas reservez au pape quand ils sont occultes ; et quand ils seroient notoires, il peut aussi en absoudre ceux qui sont sous la puissance d'autrui...

Clermont 1733
[Jean-Baptiste Massillon]
Cas reservez à Nôtre Saint Pere le Pape

P2538 **Clermont 1733** p. 269

Nous ne mettons pas ici tous les cas reservez au Pape ; mais seulement ceux qui peuvent arriver plus facilement en ces pays-cy. La Bulle appellée *In Coena Domini*, qui les contient généralement tous n'a pas force de loy en France, où elle n'a jamais été reçüe ou publiée.

A tous ces cas est jointe l'excommunication réservée au Pape, et encouruë Ipso facto.

1. Le feu mis de propos deliberé aux Eglises, et même aux maisons profanes : quand l'Incendiaire est dénoncé publiquement.

2. Le vol et pillage des lieux saints, c'est-à-dire, des Eglises, Chapelles, Monasteres, Hôpitaux etc. fait avec effraction, quand les coupables ont été accusez et dénoncez à la justice.

3. La Simonie réelle dans les Ordres et dans les Bénéfices.

4. Le crime de la confidence que commet celui qui n'accepte, ou ne retient un bénéfice que dans l'intention de le conserver à un [sic] autre personne à qui il est convenu de le remettre.

5. Le crime de celui qui tue, mutile, maltraite, ou fait maltraiter cruellement un homme, soit Ecclesiastique, soit Religieux engagé dans les Ordres sacrez, portant l'habit et la tonsure ecclesiastique ou religieuse.

CAS DE PÉCHÉS RÉSERVÉS AU PAPE 1229

6. Le crime de celui qui frappe un Evêque ou un autre Prélat, même sans effusion de sang.
7. La falsification des Bulles, Brefs, et autres Lettres apostoliques.
8. Le port d'armes pour le service des Infideles.
9. L'invasion, déprédation, saccagement des terres qui appartiennent à l'Eglise de Rome.
10. Le violement de l'Interdit prononcé par le Pape.

Nantes 1733, 1755, 1776

[Nantes 1733 : Christophe-Louis Turpin Crissé de Sanzay]
Casus reservati summo Pontifici

Nantes 1733 p. 38-39

Non omnes Casus reservati summo Pontifici hic recensentur, sed ii duntaxat qui hisce in regionibus frequentius possunt contingere, et habent omnes excommunicationem Ipso facto *annexam.*

I. Occisio vel mutilatio aut quælibet enormis seu atrox percussio Clerici vel Religiosi : Item gravis percussio Episcopi vel proprii Parochi, licet non sit enormis.

II. Simonia realis in Ordine vel Beneficio, et Confidentia similiter realis.

III. Combustio templorum, nec non domorum etiam prophanarum procurata & voluntaria, si incendiarii per Ecclesiæ sententiam denuntiati sint excommunicati.

IV. Effractio Ecclesiæ cum spoliatione, si hujus criminis rei denuntiati sint excommunicati.

V. Falsificatio Bullarum seu litterarum summi Pontificis.

Nota. Si casus reservati summo Pontifici sint occulti ab iis absolvere potest D. Episcopus vel per se ipsum, vel per alium a se deputatum. Occultum autem hic opponitur publico quod vel in judicio probatum est, vel ita notum in tota vicinia ut nulla tergiversatione celari possit.

Ab omnibus etiam casibus summo Pontifici reservatis absolvere potest D. Episcopus, Monachos ac Regulares, Moniales, conjugatas, viduas, puellas, pauperes, senes, valetudinarios, ac denique omnes quibus salva vita, sanitate, libertate, aut rebus suis Romam adire non licet.

Rodez 1733

[Jean-Armand de La Vove de Tourouvre]
Cas réservés au Pape

Traduction de la liste de Rodez 1671.

P2540 **Rodez 1733 p. 141**

1. L'incendie volontaire des Eglises et autres maisons séculiéres, quand l'Incendiaire est publiquement dénoncé et convaincu par une condamnation juridique.
2. La Simonie réelle dans les Ordres et Bénéfices, et la confidence publique.
3. Le meurtre, et la mutilation des membres d'un homme constitué dans les Ordres sacrés.
4. Le péché que commettent ceux qui battent un Evêque ou un autre Prélat.
5. Le port des armes chez les Infidéles.
6. La falsification des Bulles et Lettres du Souverain Pontife.
7. L'invasion, le pillage, la prise et la ruine des terres de l'Eglise.
8. La violation de l'Interdit porté par le Pape.

Il faut remarquer que chaque Evêque dans son Diocése peut absoudre, par luy même ou par ses Vicaires généraux, de tous les cas réservés au Pape, et de toutes les censures qui y sont toujours annexées, pendant qu'elles sont occultes, ou lors que les coupables ne peuvent aller ou envoyer à Rome pour obtenir l'absolution.

Meaux 1734

[Henri de Thyard de Bissy]
Cas réservés à N. S. P. le Pape

P2541 **Meaux 1734 p. 82**

1°. Falsifier des bulles, brefs, provisions et autres lettres apostoliques signées par le souverain Pontife, son vice-chancelier, ou par ceux qui les représentent.

2°. Frapper d'une manière énorme un clerc vivant cléricalement, ou une personne religieuse connue pour telle. On entend par le terme de clerc vivant cléricalement, celui qui ayant été tonsuré fait une profession extérieure de l'état ecclésiastique, pour le distinguer de celui, qui n'étant point engagé dans les Ordres sacrés, auroit extérieurement renoncé à cet état en se mariant, ou embrassant une profession dont l'exercice lui feroit perdre les privilèges de la cléricature.

On tombe dans ce cas non seulement quand il meurt des coups qu'on lui a portés, mais encore quand il y a fracture d'os, blessure dangereuse, ou une grande effusion de sang. Le mauvais traitement pourroit même être énorme à raison de la circonstance, quoiqu'il n'y eût aucune blessure; tel seroit le crime de celui qui frapperoit un clerc faisant actuellement une fonction sacrée.

3°. Frapper un évêque ou un autre prélat.

4°. Le crime des incendiaires, c'est-à-dire, de ceux qui de dessein prémédité mettent le feu aux maisons sacrées ou profanes, après que l'Eglise les a dénoncés excommuniés.

5°. Voler et piller avec effraction les églises, les monastères ou autres lieux de piété, après que l'Eglise a dénoncé les coupables excommuniés.

6°. Violer un interdit porté par le S. Siège.

7°. L'entreprise des religieux qui donnent la communion paschale, l'extrême-onction hors le cas de nécessité ou la bénédiction nuptiale sans la permission expresse des curés, ou qui osent absoudre ceux qui sont excommuniés de droit ou par sentence, hors des cas permis par le droit.

8°. Commettre ou moyenner une simonie réelle ou une confidence, en matière d'Ordre ou de bénéfice, lorsque le crime est public.

Il faut remarquer qu'on ne rapporte pas ici tous les cas réservés au Pape; mais seulement ceux qui se trouvent marqués dans l'ancien rituel du diocèse ou autres de la province; les autres ont été omis ne pouvant être d'aucun usage, ou étant très-rares dans ces contrées.

Angers 1735

[Jean de Vaugirault]

Casus quidam Summo Pontifici reservati

Angers 1735 p. 88

1°. Occisio, mutilatio vel atrox percussio Clerici aut Religiosi in sacris ordinibus constituti.

2°. Percussio gravis etsi non atrox Episcopi aut proprii Parochi.

3°. Simonia realis in Ordine vel Beneficio, item Confidentia.

4°. Incendium seu Ecclesiae seu alterius loci, quando incendiarius est publicè denuntiatus excommunicatus.

5°. Effractio sacrarum aedium cum spolatione, postquam excommunicatio in effractores jure lata publicata fuerit.

6°. Falsificare Literas Apostolicas, aut falsificatis scienter uti.

Raro accidunt in hisce Regionibus alii Casus Summo Pontifici reservati; à quibus sicut à supradictis absolvere potest Dominus D. Episcopus quando occulti sunt, et quando eorum rei jure non tenentur adire Summum Pontificem.

Chalon-sur-Saône 1735
[François de Madot]
Les cas réservés au saint Siége

P2543 **Chalon-sur-Saône 1735 p. 53**
1. La simonie réelle commise de part et d'autre en matiere d'ordre ou de bénéfice. La confidence accomplie même d'une seule part.
2. Tuer, mutiler, fraper, ou même outrager une personne ecclésiastique ou religieuse, si la violence est griéve.
3. L'incendie d'une Eglise ou d'une maison profane, causée par malice, et le sacrilége de ceux, qui pour enlever d'une Eglise des choses sacrées, briseroient quelques portes, coffres ou armoires.
5. Le cas des réguliers, qui sans permission de l'ordinaire, administreroient le saint Viatique, l'Extrême-Onction, ou procéderoient à la célébration des mariages.
6. Falsifier les Bulles ou lettres apostoliques, ou persister à en retenir de fausses, vingt jours après en avoir reconnu la fausseté.

Il y a encore plusieurs autres cas réservés au saint Siége, qui n'arrivent pas ordinairement dans ces païs-ci, tels que sont toutes les censures ; sçavoir, l'excommunication et la suspense dont le Pape s'est réservé l'absolution, lorsque le cas est public, et qu'on peut recourir commodément à Rome ; la communication avec l'excommunié dénoncé au mépris d'icelle ; l'irrégularité qui provient d'une censure violée, ou d'un défaut notable de corps ou d'esprit, etc.

Narbonne 1736, 1789
[Narbonne 1736 : René-François de Beauvau]

P2544 **Narbonne 1736 p. 40.** *Cas reservez a nostre saint pere le Pape. Qui peuvent arriver plus frequemment, portant excommunication* ipso facto.
(*Narbonne 1789 p. 77. Liste des Cas réservés a notre saint Père le Pape. Qui arrivent plus ordinairement. Avec excommunication* ipso facto.)
1. Frapper notablement un Clerc, ou Religieux, lorsque le crime est public.
2. La simonie et confidence réelles et publiques[a].
3. L'incendie volontaire, lorsque le coupable est denoncé.

4. Le vol des Eglises, ou autres lieux sacrés, fait avec effraction; lorsque le coupable est denoncé.

5. La falsification des Bulles et Lettres apostoliques, ou l'usage qu'on en fait[(b)], lorsque le crime est public.

Variantes Narbonne 1789. [(a)] Le pouvoir accordé d'absoudre de la Simonie, ne renferme pas celui de réhabiliter aux Bénéfices, et de condonner [*sic*] les revenus injustement perçus.] *add.* –[(b)] qu'on en fait] que l'on fait desdites fausses Bulles et Lettres Apostoliques.

Rouen 1739, 1771
Beauvais 1783. Lodève 1744

[Rouen 1739 : Nicolas de Saulx-Tavanes]

Casus reservati summo Pontifici, qui omnes annexam habent censuram

Formulaires proches de Paris 1630-1701.

545 **Rouen 1739 p. 117-118**

1°. Exustio templorum necnon et domorum profanarum procurata, dum incendiarius est publice denuntiatus.

2° Effractio et spoliatio sacrarum aedium, Monasteriorum, et aliorum piorum locorum, post effractorum et spoliatorum publicam denuntiationem.

3° Simonia realis in Ordinibus et Beneficiis, et confidentia, dummodo sit publica.

4° Occisio, mutilatio, vel atrox (quae nimirum fiat cum copiosa aliunde quam è naribus effusione sanguinis, aut cum indignitate maximè injuriosa), percussio cujuscumque in sacris ordinibus constituti et talis cogniti[(a)].

5°. Percussio etiam non atrox Episcopi seu alterius Praelati, id est, Superioris vel Pastoris.

6°. Delatio armorum ad partes infidelium.

7°. Falsificatio Bullarum, seu Litterarum Apostolicarum.

Variante. [(a)] Et talis cogniti] Clericali, aut Religionis habitu induti. Rou. *1771.* Bea.

Évreux 1741

[Pierre de Rochechouart]

Cas réservés à N. S. P. le Pape, auxquels sont attachées des Censures pour lesquelles ils sont réservés

546 **Évreux 1741 p. 165**

1°. Falsifier des Bulles ou autres lettres Apostoliques.

2°. Tuer, mutiler ou frapper d'une manière énorme un Clerc vivant cléricalement, qui n'est pas l'aggresseur, ou une personne Religieuse connue pour telle, et portant l'habit de son état. On entend par le terme de Clerc vivant cléricalement, celui qui ayant été tonsuré fait une profession extérieure de l'état Ecclésiastique, et porte l'habit clérical.

On tombe dans ce cas non seulement quand il meurt des coups qu'on lui a portés, mais encore quand il y a fracture d'os, blessure dangereuse, ou une grande effusion de sang. Le mauvais traitement pourroit même être énorme à raison de la circonstance, quoiqu'il n'y eût aucune blessure; tel seroit le crime de celui qui frapperoit un Clerc faisant actuellement une fonction sacrée.

3°. Frapper même sans énorme lésion un Evêque ou un autre Prélat, c'est-à-dire, son Curé ou un autre supérieur Ecclésiastique.

4°. Le crime des incendiaires, c'est-à-dire, de ceux qui de dessein prémédité mettent le feu aux maisons sacrées ou profanes, après qu'ils ont été dénoncés.

5°. Voler et piller avec effraction les Eglises, les Monastères ou autres lieux de piété, après que les coupables ont été dénoncés.

6°. Commettre ou moyenner une Simonie réelle ou une confidence, en matière d'Ordre ou de Bénéfice, lorsque le crime est public.

Il faut remarquer qu'on ne rapporte pas ici tous les cas réservés au Pape; mais seulement ceux qui peuvent arriver plus communément dans cette Province.

Lisieux 1742

[Henri-Ignace de Brancas]
Casus summo Pontifici reservati, qui omnes annexam habent censuram

P2547 **Lisieux 1742** p. 42

1°. Exustio templorum necnon et domorum prophanarum procurata, dum incendiarius est publicè denuntiatus.

2°. Effractio et spoliatio sacrarum aedium, monasteriorum, et aliorum piorum locorum, post effractorum et spoliatorum publicam denuntiationem.

3°. Simonia realis in Ordinibus, et Beneficiis, et Confidentia, dummodo sit publica.

4°. Occisio, mutilatio, vel atrox percussio Religiosi, vel Clerici, etiam primae Tonsurae, modo vestem et tonsuram clericalem deferat.

5°. Delatio armorum ad partes infidelium.

6°. Falsificatio Bullarum, seu litterarum appostolicarum.

Strasbourg 1742

[Armand-Gaston de Rohan-Soubise]
Casus reservati Summo Pontifici, qui omnes annexam habent censuram

Strasbourg 1742 p. 133-134

I. Exustio Templorum, necnon domorum prophanarum procurata, dum incendiarius est publice denuntiatus.

II. Effractio et spoliatio sacrarum Ædium, Monasteriorum, et aliorum piorum locorum, post Effractorum et Spoliatorum publicam denuntiationem.

III. Simonia realis in Ordinibus et Beneficiis, et Confidentia, dummodo sit publica.

IV. Occisio, mutilatio, vel atrox percussio Clerici vel Religiosi, Clericali vel Religionis habitu induti.

V. Percussio, etiam non atrox, Episcopi seu alterius Prælati, id est, Superioris vel Pastoris.

VI. Falsificatio Bullarum seu Litterarum Apostolicarum.

Nota quod casus reservati S. D. N. Papæ non omnes hic ascripti sunt; sed illi tantum qui his in regionibus frequentius possunt accidere.

Bayeux 1744
Coutances 1744, 1777. Lisieux 1744

[Bayeux 1744 : Paul d'Albert de Luynes ; Coutances 1744 : Léonor Gouyon de Matignon ; Lisieux 1744 : Henri-Ignace de Brancas]
Casus reservati summo Pontifici, qui omnes habent Censuram annexam propter quam reservantur

Bayeux et Coutances 1744 p. 136

1°. Exustio Templorum, necnon domorum prophanarum voluntarie procurata, cum Incendiarius est publice denuntiatus.

2°. Effractio et spoliatio Templi, Monasterii, aut alterius Ædis sacræ, quando sacrilegus est publice denuntiatus.

3°. Simonia realis in Ordine aut Beneficio ; item confidentia, quod intelligitur tam de illis qui ejusmodi crimina commiserunt quam de his qui illa procuraverunt, aut in illis mediatores extiterunt.

4°. Injusta occisio, mutilatio membri alicujus, vel atrox, hoc est, cum copiosa aliunde quam e naribus effusione sanguinis, aut cum indignitate aliqua maxime injuriosa ; percussio cujuscumque in sacris Ordinibus constituti, tonsuram et vestem suam Clericalem aut Religiosam gestantis.

5°. Percussio Episcopi, seu alterius Prælati, etiam non atrox.

6°. Falsificatio Bullarum seu Litterarum summi Pontificis.

Lodève 1744

Voir Rouen 1739.

Sées 1744

[Louis-François Néel de Christot]
Casus reservati summo Pontifici, qui omnes habent Censuram annexam propter quam reservantur

Formulaire proche de Rouen 1739.

P2550 **Sées 1744 p. 136-137**

1° Exustio templorum, necnon domorum prophanarum voluntariè procurata, cum incendiarius est publicè denuntiatus.

2° Effractio et spoliatio Templi, Monasterii, aut alterius Aedis sacrae, quando sacrilegus est publicè denuntiatus.

3° Simonia realis et publica in Ordinibus aut Beneficiis; item confidentia realis et publica.

4° Occisio, mutilatio membri, vel atrox percussio Clerici vestem clericalem gestantis, aut Religiosi, aut Monachi.

5° Percussio Episcopi, seu alterius Praelati, licet non atrox.

6° Falsificatio Bullarum seu Litterarum summi Pontificis.

Sunt et alii casus Summi Pontifici reservati, sed in hisce regionibus rarissime accedunt [*sic* pour accidunt].

Bourges 1746
Montauban 1785

[Bourges 1746 : Frédéric-Jérôme de Roye de La Rochefoucauld]
Casus reservati in Dioecesi Bituricensi…

Casus summo Pontifici reservati qui omnes annexam habent censuram

P2551 **Bourges 1746 p. 201-202**

1. Occisio vel mutilatio cujuscumque in sacro Ordine constituti.
2. Gravis percussio Episcopi aut proprii Parochi.
3. Litterarum apostolicarum falsificatio, aut falsificatarum usus.
4. Armorum pro Infidelibus contra Christianos gestatio.
5. Incendium Ecclesiae vel alterius loci, postquam incendiarius publicè denuntiatus est nominatim excommunicatus.
6. Effractio cum spoliatione loci sacri post juridicam denuntiationem sacrilegi effractoris, ut nominatim excommunicati.
7. Simonia realis in Ordine vel Beneficio : item Confidentia.

8. Exercitium Ordinis sacri ab eo qui sit per apostolicam sedem nominatim excommunicatus, suspensus vel interdictus.

Genève 1747

[Joseph-Nicolas Deschamps de Chaumont]
Les Cas reservez au Pape

2552 **Genève 1747 deuxième partie, p. 191-192**

Formulaire de Genève 1674 avec orthographe modernisée.

Toulon 1749, 1778, 1790

[Toulon 1749 : Louis-Albert Joly de Choin]
Cas reservez à N. S. P. le Pape, auxquels est attachée une Censure à raison de laquelle ils sont réservés

2553 **Toulon 1749[40] premiere partie, p. 304-305**

1. Le crime des Incendiaires, c'est-à-dire de ceux qui de propos délibéré et volontairement, mettent le feu aux Eglises, et même aux maisons profanes, après que[41] l'incendiaire a été dénoncé excommunié.

2. Le vol et le pillage des lieux saints ; c'est-à-dire, des Eglises, Chapelles, Monastères, Hôpitaux, ou autres lieux de piété, fait avec effraction, quand le coupable a été dénoncé excommunié.

3. La Simonie réelle et consommée, en matière d'Ordre ou de Bénéfice, lorsque le crime est public. Il en est de même de la confidence en matiére de bénéfice donné ou reçu, avec promesse ou intention connue et consentie de remettre à un autre le même Bénéfice, ou ses revenus temporels en tout ou en partie.

4. La falsification des Bulles, Brefs, et autres Lettres Apostoliques ; il en est de même du crime de celui qui s'en est servi, ou qui les a gardées plus de vingt jours les connoissant fausses.

5. Le port d'Armes pour le service des Infidèles[42].

6. L'invasion, déprédation, saccagement des terres qui appartiennent à l'Eglise de Rome.

7. Le violement de l'Interdit prononcé par le Pape.

---

[40] [Titre édition 1749 :] *Instructions du Rituel du Diocése de Toulon…* Paris, BnF, B. 1701.
[41] après que] lorsque Toulon 1778-1790.
[42] contre les chrétiens] *add.* Toulon 1778-1790.

8. Avoir communiqué volontairement et sciemment avec un excommunié nommément par le Pape, et dénoncé pour tel, dans le crime pour lequel il a été excommunié d'une excommunication réservée au Saint Siége.

9. Le crime des Ecclesiastiques qui communiquent dans les choses de la Religion, ou *in Divinis*, avec ceux qui ont été nommément excommuniés par le Pape, et dénoncés pour tels.

10. Avoir contraint de célébrer les divins Offices dans un lieu interdit.

11. L'opiniâtreté de celui qui étant nommément excommunié, ou interdit et dénoncé pour tel, refuse de sortir de l'Eglise pendant la messe ou l'office divin, après en avoir été averti par le célébrant.

12. L'administration du saint Viatique ou de l'Extrême-onction, et la bénédiction nuptiale, par les Religieux, de quelque Ordre qu'ils soient, sans la permission de l'Evêque, ou sans le consentement du propre Curé.

13. Frapper, même sans lésion énorme, un Evêque, ou un autre Prélat.

14. Frapper d'une maniére atroce, énorme, c'est-à-dire, avec effusion abondante de sang d'ailleurs que par les narines[43], ou avec quelque indignité très injurieuse; tuer, même sans effusion de sang; mutiler; maltraiter grièvement un Clerc qui est vêtu et vit cléricalement, ou une personne Religieuse connue pour telle.

Toulon 1749, 1778, 1790
[Toulon 1749 : Louis-Albert Joly de Choin]
Des Suspenses réservées à N. S. P. le Pape

P2554 **Toulon 1749 p. 309-310**

S'il a été nécessaire de réserver au Pape certaines suspenses, soit pour faire sentir la grandeur des fautes, soit pour en rendre l'absolution plus difficile, soit pour en inspirer plus d'horreur, il ne l'est pas moins que les Ecclésiastiques sachent quelles sont ces suspenses, pour pouvoir s'en faire relever, s'ils y sont tombés.

1. Ceux-là encourent une Suspense réservée au pape, qui se font ordonner hors du temps préfix pour recevoir les Ordres; on doit être[44] alors exclus des fonctions des Ordres, jusqu'à ce qu'on soit rétabli par le Pape.

2. Qui se reconnoissant ou se doutant liés d'une excommunication, reçoivent en cet état quelque ordre sacré. Ce cas est estimé par plusieurs Docteurs, plutôt d'irrégularité que de suspense.

---

[43] d'ailleurs… narines] par blessures Toulon 1778-1790.
[44] doit être] est Toulon 1778-1790.

3. Qui reçoivent les Ordres furtivement, sans avoir été examinés ni admis par l'Evêque; lorsque l'Evêque avant ou pendant l'ordination, a défendu sous peine d'excommunication, de s'approcher des Ordres clandestinement. Ils sont suspens des Ordres ainsi reçus, et ne peuvent les exercer sans la dispense du Pape.

4. Qui se font présenter aux Ordres et qui les reçoivent en effet d'une maniére simoniaque, lorsque la simonie est publique et notoire.

5. Qui reçoivent un Ordre supérieur avant que d'avoir reçu l'inférieur; lorsqu'ils ont exercé l'Ordre ainsi reçu.

6. Qui reçoivent les Ordres sacrés avant l'âge requis, sans dispense du Pape; cette suspense n'est pas levée pour avoir atteint ensuite cet âge, si on n'en obtient pas l'absolution. Elle ne s'encourt point par ceux qui reçoivent ces Ordres sans garder les interstices, quoiqu'ils péchent griévement.

7. Un Mari qui, sans le consentement de sa femme, reçoit les Ordres sacrés, en est suspens; il ne peut les exercer sans la permission du Pape, si ce n'est qu'il se fasse Religieux après la mort ou du consentement de sa femme; auquel cas la permission de l'Evêque pour l'exercice des Ordres reçûs, suffit. Cette suspense a lieu, quand même le mariage n'auroit pas été consommé. Elle est non seulement de l'Ordre, mais encore de l'Office et du Bénéfice.

8. Tout Religieux apostat, qui dans l'apostasie reçoit un Ordre sacré, en est suspens jusqu'à la dispense du Pape.

9. Celui qui se fait ordonner par son Evêque, avec promesse de ne lui rien demander en cas qu'il l'ordonne sans titre, ou sur un titre modique.

Il faut se souvenir que les Evêques peuvent absoudre des Suspenses réservées au Pape, quand elles sont occultes.

Il y a encore plusieurs autres Suspenses que le Droit réserve au Pape. Nous n'avons rapporté que celles où il nous a paru qu'il peut être moins rare de tomber.

Boulogne 1750, 1780

[Boulogne 1750: François-Joseph de Partz de Pressy]
Cas reservés à N. S. P. le Pape, ausquels sont attachées des Censures pour lesquelles ils sont réservés

555 **Boulogne 1750** première partie, p. 141-142

1°. Falsifier des Bulles, ou autres Lettres apostoliques.

2°. Violer l'Interdit porté par le saint Siege apostolique.

3°. Envahir, piller, ravager les terres de la Sainte Eglise Romaine.

4°. Tuer, mutiler, blesser griévement un Ecclésiastique ou un Religieux lorsqu'il n'est pas l'aggresseur : frapper même sans énorme lésion un Evêque ou un autre Prélat.

5°. La confidence ou la simonie réelle et publique, soit pour les Ordres, soit pour les Bénéfices.

6°. Violer et piller avec effraction, une Eglise, un Monastere, ou quelqu'autre lieu de piété.

7°. Mettre le feu à dessein, et par malice, à quelque maison ou bâtiment que ce soit.

Il faut observer, 1°. que les deux derniers cas ne sont réservés au pape, que lorsque le coupable en a été convaincu juridiquement, et dénoncé publiquement.

2°. Qu'on n'a pas mis ici tous les cas réservés au pape ; mais seulement ceux qui peuvent arriver plus communément en cette province.

3°. Lorsque les cas réservés au S. Siége sont secrets, ou qu'il y a impuissance morale de recourir à Rome, il faut s'adresser à Nous, ou à nos Vicaires généraux.

Auch 1751 et province d'Auch :
Bayonne 1751, Bazas 1751, 1752, Comminges 1751, Couserans 1751, Dax 1751, Lectoure 1751, Lescar 1751, Oloron 1751, Tarbes 1751. Glandève 1751[45]

[Auch 1751 : Jean-François de Montillet]
Cas reservés à notre Saint Pere le Pape

P2556 **Auch 1751 p. 119-121**

[Les cinq premiers cas reprennent Auch 1701, sauf le premier cas, légèrement modifié :]

Le premier cas est celui de tuer, mutiler, maltraiter, ou faire cruellement maltraiter un Clerc qui porte l'habit ecclésiastique, ou un Religieux avec son habit, supposé qu'ils ne soient pas les aggresseurs [*sic*]. S'ils ont été légérement battus, l'Evêque peut en absoudre.

[La suite diffère :]

Le sixiéme crime est le sacrilége, *in actu consummato*, que commet un homme avec une Religieuse, ou une femme avec un Religieux dans un lieu sacré.

---

[45] Glandève : suffragant d'Embrun.

Il faut observer premiérement, que quand ces cas sont occultes, ils ne sont reservés qu'à l'Evêque, quand même ils auroient été portés au tribunal contentieux, pourvû que l'accusé n'ait été, ni convaincu, ni condamné. L'Evêque peut aussi absoudre plusieurs sortes de personnes de ces cas, quoiqu'ils ne soient pas occultes, sçavoir, les Religieux et Religieuses, les personnes mariées, les jeunes veuves, les jeunes personnes du sexe, les pauvres, les vieillards, ceux qui n'ont pas une bonne santé, et généralement toutes les personnes qui risqueroient leur vie, leur bien, ou leur liberté, en entreprenant le voyage de Rome.

Il faut observer secondement, qu'il n'y a point de reserve pour une personne qui est à l'article de la mort, et que les garçons au dessous de quatorze ans, et les filles au dessous de douze, ne sont pas sujets aux cas reservés au saint Siége.

Il faut observer troisiémement, que le Confesseur, à qui on a accordé le pouvoir d'absoudre des cas reservés, ne peut pas absoudre de ceux qui sont reservés au Pape, quoiqu'ils soient occultes, à moins qu'il n'en ait obtenu un pouvoir spécial.

On observera quatriémement, que si un Confesseur a obtenu de l'Evêque le pouvoir d'absoudre des Censures encourues par la simonie et la confidence occulte, il n'a pas pour cela le pouvoir de remettre les fruits du Bénéfice, etc.

L'irrégularité encourue pour un homicide volontaire, quoique occulte, et toute autre irrégularité encourue pour un crime public porté à la connoissance du tribunal contentieux, sont reservées au saint Siége, et l'Evêque n'en peut jamais dispenser.

Pour la dispense ou la commutation des vœux, elle appartient particuliérement à Nosseigneurs les Evêques, à la reserve de cinq, reservés au saint Siége; sçavoir.

1. Le vœu de chasteté perpétuelle.
2. L'entrée en une Religion approuvée.
3. Faire le voyage de Rome.
4. Celui de Jerusalem.
5. Celui de S. Jacques en Compostelle[46].

Les Confesseurs sont exhortés de n'obliger jamais les Pénitens à des vœux perpétuels, et de les leur permettre difficilement, et avec beaucoup de prudence et d'examen, sur-tout aux jeunes gens.

---

[46] Ce § *Pour la dispense et commutation des vœux*, se trouve à la fin des cas réservés à l'Archevêque dans l'édition Auch 1701.

Comme la discipline n'est pas uniforme dans la Province au sujet des cas reservés à Nosseigneurs les Evêques, on aura recours aux tables particuliéres qu'on a données dans chaque Diocèse, pour s'en instruire et s'y conformer.

Lorsqu'il sera question d'avoir recours à la Pénitencerie, ou pour quelque vœu, ou pour quelque cas reservé, on pourra le faire conformément au modéle ci-joint. ...

Dax 1751
[Louis-Marie de Suarez d'Aulan]
Cas réservés à notre S. Père le Pape[47]

P2557 Dax 1751 p. VIII-IX

I. Le Crime des personnes qui tuent, mutilent ou frappent avec violence un clerc, ou un religieux.

II. Le Crime des personnes qui frappent d'une manière griève, quoique non atroce, un évêque ou leur propre curé.

III. La simonie réelle, par rapport aux ordres ou aux bénéfices, aussi bien que la confidence.

IV. L'incendie d'une église, ou de quelqu'autre édifice que ce soit, lorsque l'incendiaire a été publiquement et nommément dénoncé excommunié.

V. Le vol avec fraction, fait dans un lieu sacré, après que l'excommunication portée par le droit contre les coupables est devenue publique, et qu'ils en ont été nommément déclarés atteints.

VI. La falsification des lettres apostoliques, ou l'usage qu'on en fait avec connoissance de cette falsification.

Nota 1°. Qu'il y a bien d'autres censures réservées au saint Siège ; mais outre qu'il est rare qu'elles ayent le degré de publicité, pour que l'absolution en soit réservée au Pape, il est certain qu'elles arrivent rarement parmi nous, et que même la plupart n'ont pas lieu en France.

Nota 2°. Qu'il y a quelques-unes des six censures ci-dessus, qui tombent, non seulement sur le principal auteur des péchés auxquels elles sont attachées ; mais encore sur les complices, fauteurs, etc. Pour en avoir une juste idée, de même que de tout ce qui concerne la matière des réserves en général, on n'a qu'à lire les trois tomes des Conférences d'Angers à ce sujet.

---

[47] Deux listes de cas réservés au pape dans le rituel de Dax 1751 ; celle-ci, placée au début du rituel, diffère de celle des p. 119-120 faisant partie du rituel d'Auch 1751.

Nota 3°. Qu'aucune des susdites censures n'est réservée au saint Siège, mais à nous, lorsque le péché qui l'a fait encourir est occulte.

Nota 4°. Que quand même ces cas auroient été suffisamment prouvés pour les rendre publics, d'une publicité de droit, l'absolution nous en est réservée, lorsque ceux qui y sont tombés, sont 1°. Impubères, 2°. Religieux ou Religieuses, 3°. Femmes ou filles, 4°. Pauvres, 5°. Vieux, 6°. Valétudinaires, 7°. Ou ne peuvent aller à Rome sans un danger moral de perdre leur vie, leur liberté ou leurs biens.

Tarbes 1751
[Pierre de La Romagère de Roncessy]
Casus reservati summo Pontifici[48]

Tarbes 1751 p. IX

I. Simonia realis et confidentia, cum peccato eorum, qui in simoniam, vel confidentiam realem influunt.

II. Peccatum eorum, qui Litteras apostolicas, Bullas, Brevia, Provisiones, Rescripta adulterant; aut qui illis suâ sponte et voluntariè abutuntur.

III. Occisio, mutilatio, aut quaelibet enormis seu atrox percussio Sacerdotis, Clerici, vel Religiosi: qui casus, participes complectitur. Item percussio Episcopi, Cardinalis; licet non sit enormis.

IV. Atrox percussio patris aut matris.

V. Sacrilegium viri cum Moniali, aut mulieris cum Religioso, in loco sancto patratum, si actus sit consummatus.

VI. Effractio, spoliatio, incendium Ecclesiarum, et aliorum locorum sacrorum; simul et combustio domorum etiam profanarum, quando crimen est publicum.

VII. Omnis irregularitas contracta occasione delicti publici, vel etiam occasione homicidii voluntarii.

Nota. Omnes eos casus jam recensitos, quando sunt occulti, Episcopo reservati, praeter irregularitatem ex homicidio voluntario.

Soissons 1753

Voir Auxerre 1730.

---

[48] Deux listes de cas réservés au pape dans le rituel de Tarbes 1751; celle-ci, placée au début du rituel, diffère de celle des p. 119-120 faisant partie du rituel d'Auch 1751.

Nantes 1755

Voir Nantes 1733.

Arras 1757
Senlis 1764

[Arras 1757 : Jean de Bonneguise]
Casus DD. Domino Papae reservati,
quibus annexa est Excommunicatio major

P2559 **Arras 1757 p. 67-70**

I. Occisio cujuscumque Clerici vel Religiosi : item mutilatio membrorum ejus : item illius percussio enormis seu atrox, scilicet cum copiosâ sanguinis aliunde quam è naribus effusione, aut cum aliquâ indignitate maximè injuriosa seu cum gravi scandalo. Nomine *Religiosi*, intelligitur non solum Professus, sed et Novitius, atque etiam Monialis, nec-non Eremita, si sit subjectus Regulae approbatae à Superiori Ecclesiastico. Item Episcopi aut proprii Praelati seu Pastoris percussio, etiam non atrox. Excommunicatio quae incurritur per hos casus extenditur ad mandantes, consulentes, seu auxilium aut favorem praebentes ; imo et ad eos qui talem violentiam seu percussionem suo nomine factam, ratificaverint, etiamsi non jusserint.

II. Simonia realis in Ordine vel Beneficio, modo sit publica. Tunc vero est realis, quando per traditionem ex utrâque parte peractam, est completa. Excommunicationem adversus hujus criminis reos incurrunt quoque, qui illius extiterint mediatores. Simonia confidentiae specialiter annexam habet excommunicationem Papae reservatam, quamvis ex unâ tantum parte sit completa, modo sit publica.

III. Exustio aedium sive sacrarum, sive profanarum deliberatè procurata, modo reus sit juridicè excommunicatus, ac publicè denunciatus.

IV. Effractio simul ac spoliatio Ecclesiae, seu aedium sacrarum, quando reus est publicè denunciatus.

Notandum quod, ut praedictus casus sit reservatus, spoliatio et effractio debeant simul jungi : adeo ut nec spoliatio sine effractione, nec effractio sine spoliatione, reservationi subjaceat. Effractores vero censentur, qui ad furandum effodiunt parietem, frangunt fenestram, vel seras aut cardines, vel vectes aut ipsam januam loci sacri, vel quid simile effringunt. Nomine vero spoliationis intelligitur ablatio rei notabilis, seu furtum grave.

V. Falsificatio Litterarum Apostolicarum. Excommunicatio quae per hoc crimen incurritur, ad eos extenditur, qui agnitâ harum Litterarum falsitate, iis utuntur, easque intra viginti dies non laceraverint.

VI. Peccatum Religiosi cujuscumque Ordinis, qui non habitâ Parochialis Presbyteri, seu Parochi, vel Ordinarii licentiâ, sacramentum Extremae-unctionis, vel Eucharistiae seu Viaticum ministrare praesumpserit.
VII. Participatio in crimine criminoso cum Excommunicato nominatim excommunicatione Papae reservatâ, et juridicè denuntiato. *Cap.* Nuper, *de sent. Excom.* Crimen autem criminosum, illud est propter quod, ille cum quo quis participat, fuit excommunicatus.

Raro in his regionibus contingunt alii casus Papae reservati, à quibus et ab aliis supra scriptis, quando occulti sunt, subditos suos possunt Episcopi per se ipsos, aut per Vicarium ad id deputatum, in foro conscientiae absolvere; imo et dispensare in Irregularitatibus omnibus et Suspensionibus ex delicto occulto provenientibus, exceptâ eâ quae oritur ex homicidio voluntario, et exceptis aliis ad forum contentiosum deductis, in quibus solus Papa dispensat.

Per delictum occultum hic intelligitur illud quod non est publicum, seu notorium; dupliciter vero potest esse publicum, scilicet publicitate *juris,* quando in judicio probatum est; et publicitate *facti,* quando ità publicè constat, ut nullâ tergiversatione celari possit.

Ut vero delictum publicum censeri possit, non sufficit ut actus qui est delictum, sit publicus, sed requiritur ut publicè sciatur quod hic actus sit delictum. Hinc si Sacerdos occultâ excommunicatione ligatus, Sacrum celebret, potest Episcopus dispensare in Irregularitate ex hâ celebratione contractâ; quamvis enim publicè cognoscatur, illum celebrasse, non est tamen notorium, quod celebravit excommunicatione ligatus, et proinde Irregularitas inde orta, censeri debet occulta.

Simplex citatio seu accusatio coràm judice legitimo non sufficit, ut delictum censeatur ad forum contentiosum verè deductum, nisi ex judicis decreto supervenerit litis contestatio. Quâ quidem litis contestatione durante, non potest Episcopus à tali delicto absolvere, aut in Irregularitate ab eo proveniente dispensare, sed illud poterit, mox ut litis prosecutio per sententiam absolutoriam finita, vel defectu probationum, seu aliâ quâvis ratione derelicta fuerit; delictum enim quod deductum fuit ad forum contentiosum sine effectu, manet occultum.

Notandum insuper Episcopum à quibuscumque delictis Summo Pontifici reservatis, etiam publicis, posse absolvere Moniales, Personas conjugatas, Viduas, Puellas, Pauperes, Senes, Valetudinarios, ac denique omnes, quibus salvâ vitâ, sanitate, libertate, salvisque rebus suis, vel propter aliquod aliud impedimentum legitimum Sedem Apostolicam adire non licet.

Belley 1759

[Gabriel Cortois de Quincey]
Casus reservati S.S. Domino nostro Papae

P2560   **Belley 1759 p. 224.**

I. Ecclesiae spoliatio cum effractione, et cujusvis loci, sive sacri, sive profani, exustio procurata, et voluntaria; si spoliator, vel incendiarius publicè denunciatus fierit.

II. Simonia realis in ordinibus et beneficiis, et confidentia, si sit publica.

III. Occisio, mutilatio membrorum, vel atrocior percussio cujusvis in sacris ordinibus constituti, vestem clericalem gestantis.

IV. Falsificatio Bullarum, seu Litterarum summi Pontificis.

Nota. Primô, Non omnes hîc recenseri casus summo Pontifici reservatos, sed eos tantum qui in his regionibus possunt contingere.

Secundo. D.D. Episcopum, per se, vel per suos Vicarios generales, vel per eos quibus hanc facultatem scripto dederit, absolvere posse à casibus summo Pontifici reservatis, modo sint occulti.

Tertio. Quod ab iisdem casibus, etiam si sint publici, absolvere potest eos quibus Romam adire non licet.

Périgueux 1763

[Jean-Chrétien de Macheco de Prémeaux]
Casus reservati summo Pontifici, qui omnes habent annexam censuram

P2561   **Périgueux 1763 p. 88-89**

[Formulaire de Paris 1630-1701 avec quelques additions, en particulier:]
9. Suspensiones ex delicto publico provenientes.

10. Irregularitates omnes ex delicto publico ortae, imo et illa, quae ex homicidio voluntario etiam occulto contrahitur.

Carcassonne 1764

[Armand Bazin de Bezons]
Casus summo Pontifici reservati qui omnes annexam habent Censuram

P2562   **Carcassonne 1764 p. 200**

1. Occisio aut mutilatio membrorum cujuscumque Clerici in sacris ordinibus constituti.

2. Exustio aedium sacrarum, cum incendiarius est publicè denuntiatus.

3. Crimen eorum omnium, etiam Regularium, qui sine licentia Ordinarii, aut sanctum Viaticum et Extremam-Unctionem, aut Matrimonii Sacramentum administrare attentant.

4. Simonia realis in Ordine vel Beneficio; item confidentia, dummodo haec sint publica publicitate juris.

5. Gravis percussio Episcopi aut proprii Parochi.

6. Falsificatio Bullarum, seu Litterarum summi Pontificis.

Senlis 1764

Voir Arras 1757.

Poitiers 1766
Le Mans 1775

[Poitiers 1766: Martial-Louis de Beaupoil de Saint Aulaire]
Casus reservati Summo Pontifici, qui omnes annexam habent Censuram

Poitiers 1766 p. 99

1. Exustio Templorum, necnon domorum profanarum[a], procurata, cum incendiarius est publicè denuntiatus.

2. Effractio et spoliatio[b] sacrarum Ædium, Monasteriorum, et aliorum piorum locorum[c], post effractorum et spoliatorum publicam denuntiationem.

3. Simonia realis in Ordinibus et Beneficiis, et Confidentia, dummodo sit publica.

4. Occisio, mutilatio, vel atrox percussio sive Clerici in Sacris Ordinibus constituti et Clericali habitu induti, sive Religiosi Religionis habitu similiter induti: si non sit atrox, vel si Clericus nondum Sacris Ordinibus initiatus sit, reservatur Episcopo.

5. Percussio, etiam non atrox, Episcopi seu alterius Prælati, id est, Superioris vel Pastoris.

6. Falsificatio Bullarum seu Litterarum Apostolicarum.

Nota. 1°. Quod Casus reservati S. D. N. Papæ non omnes hic descripti sunt, sed illi tantum qui his in regionibus frequentius possunt accidere.

Nota. 2°. Casus prædictos, si sint occulti, Episcopo cum annexa Censura reservati[d].

Variantes Le Mans 1775. [a] volontariè [*sic*]] *add.* – [b] et spolatio] cum spoliatione. – [c] et... locorum] *om.*

(d) *Nota...* reservati] *Nota.* 1°. Praedicti casus, si sint occulti, DD. Episcopo cum annexâ censurâ reservantur: occultum autem hîc opponitur, illi publico quod in judicio probatum est; vel nullâ tergiversatione, in totâ viciniâ celari potest.
Nota. 2°. Ab iisdem casibus, etiamsi non sint occulti, absolvere potest DD. Episcopus Monachos ac Regulares, Moniales, foeminas omnes, pauperes, senes, valetudinarios, ac denique eos omnes, quibus, salvâ vitâ, libertate, aut rebus suis, Romam adire non licet.
Nota. 3°. Praeter casus suprà descriptos sunt alii jure communi summo Pontifici reservati; sed hi casus rarissimè in his regionibus eveniunt.

Luçon 1768

[Claude-Antoine-François Jacquemet Gaultier]
Casus reservati in Dioecesi Lucionensi...

Casus summo Pontifici reservati qui omnes annexam habent censuram

P2564 Luçon 1768 première partie, p. 100

1. Simonia realis in Ordine vel Beneficio; item Confidentia.
2. Occisio, mutilatio, vel atrox percussio, sive Clerici clericali habitu induti, sive Religiosi Religionis habitu similiter induti; si non sit atrox, reservatur DD. Episcopo.
3. Percussio, etiam non atrox, Episcopi, aut proprii Parochi.
4. Litterarum apostolicarum falsificatio, aut falsificatarum usus.
5. Exustio templorum, nec-non et domorum profanarum, procurata, dum incendiarius est publicè denuntiatus excommunicatus.
6. Effractio, cum spoliatione, loci sacri, post juridicam denuntiationem sacrilegi effractoris.

Nota 1°, Quod Casus reservati S. D. N. Papæ, non omnes hic descripti sint, sed illi tantum qui his in regionibus frequentius possunt accidere.

Nota 2°, Casus prædictos, si sint occulti, Episcopo reservari cum annexa Censura. Occultum autem hic opponitur illi publico, *Quod vel in judicio probatum est, vel, nulla tergiversatione, in tota vicinia celari potest.*

Nota 3°, Ab iisdem casibus, etiam si occulti non sint, absolvere posse D. Episcopum Monachos ac regulares, moniales, ac fœminas omnes, pauperes, senes, valetudinarios; ac denique omnes quibus, salva vita, libertate, aut rebus suis, Romam adire non licet.

Troyes 1768

[Claude-Matthias-Joseph de Barral]

Cas réservés à N. S. P. le Pape, auxquels sont attachées des Censures

65   **Troyes 1768 p. 115**

1. Tuer, mutiler ou frapper d'une manière énorme un Clerc, ou une personne Religieuse, portant l'habit de son état, et qui ne sont pas les aggresseurs.

Le mauvais traitement seroit même censé énorme, quoiqu'il n'y eût point de blessure, si l'on frappoit un Clerc faisant actuellement quelque fonction sacrée.

2. Mettre de dessein prémedité, le feu aux maisons sacrées ou profanes; *après que les Incendiaires ont été dénoncés.*

3. Commettre ou moyenner une simonie réelle, ou une confidence, en matière d'Ordre ou de Bénéfice; *lorsque le crime est public.*

Il faut remarquer qu'on ne rapporte pas ici tous les cas réservés au Pape; mais seulement ceux qui peuvent arriver plus communément dans cette Province.

Rouen 1771
Beauvais 1783

Casus reservati summo Pontifici qui omnes annexam habent censuram

66   **Rouen 1771 p. 110-111**

Formulaire de Rouen 1739 sauf minime variante. *Voir* Rouen 1739.

Limoges 1774

[Louis-Charles du Plessis d'Argentré]

Casus summo Pontifici reservati cum annexa excommunicationis Censura

67   **Limoges 1774 p. 190**

I. Simonia realis in ordine vel beneficio, item confidentia realis.

II. Occisio vel mutilatio aut quælibet enormis seu atrox percussio Clerici vel Religiosi, item percussio Episcopi vel Cardinalis licet non sit enormis.

III. Effractio simul et expoliatio Ecclesiæ si hujus criminis rei sint publice denuntiati.

IV. Combustio domorum etiam profanarum, si incendiarii per Ecclesiæ sententiam fuerint publice denuntiati.

V. Falsificatio Bullarum seu litterarum summi Pontificis, item falsificatis scienter uti.

Le Mans 1775
Casus reservati summo Pontifici, qui omnes annexam habent Censuram

P2568 **Le Mans 1775 p. 91.**

Liste très proche de Poitiers 1766. *Voir* les variantes à Poitiers 1766.

Aire 1776

Absence de cas réservés au pape.

Châlons-sur-Marne 1776
[Antoine-Eléonor Le Clerc de Juigné]
Casus Pontifici maximo reservati

P2569 **Châlons-sur-Marne 1776 p. 501-502**

1°. Exustio voluntaria templi, atque etiam domûs profanæ, si reus sit nominatim denuntiatus. *Cap.* Tua nos, *de sent. Excom.*

2°. Effractio simul et spoliatio templi, sub conditione Casûs præcedentis, *Cap.* Conquesti, *ibid.*

3°. Simonia realis in ordinibus et beneficiis, et confidentia, utraque publica. *Extrav. Com.* Cum detestabile, *de sim.*

4°. Occisio, vel mutilatio membrorum, vel atrox percussio (id est, cum sanguinis effusione copiosa aliunde quam ex naribus, aut cum indignitate maxime injuriosa) clerici vel religiosi, clericalem aut religiosam vestem gerentis. *Can.* Si quis, *17. q. 4.*

5°. Summi pontificis bullarum seu litterarum falsificatio, vel earum usus, postquam innotuit falsitas. *Cap.* Dura, *de crimine falsi.*

Rarissime in his regionibus accidunt, si qui sunt alii casus Pontifici maximo reservati: in dubio, consulendus est Episcopus.

Supradictis casibus, etiam occultis, annexa est censura excommunicationis *ipso facto*, eaque reservata.

Nullum crimen summo Pontifici reservatur, nisi sit publicum et notorium; neque censura crimini annexa, nisi pariter sit publica et notoria.

Nantes 1776

Voir Nantes 1733.

Paris 1777, 1786

[Paris 1777 : Christophe de Beaumont]
Casus reservati summo Pontifici

70   **Paris 1777 p. 108**

[Formulaire de Paris 1630-1701 avec addition de :]
II. Effractio et spoliatio Templi, Monasterii aut alterius aedis sacrae ; quando sacrilegus qui res Ecclesiae cum loci effractione rapuit, publicè denuntiatus est[49].

Toulon 1778, 1790

Voir Toulon 1749.

Boulogne 1780

Voir Boulogne 1750.

Laon 1782

[Louis Hector Honoré Maxime de Sabran]
Casus S. D. N. Papae reservati

71   **Laon 1782** *prima pars* p. 145-146

[Suppression de la liste des cas réserve de 1671. Renvoi au Mandement du cardinal de Rochechouart daté du 12 février 1751. Instructions complémentaires sur les cas réservés au pape]

Toulouse 1782

[Étienne-Charles de Loménie de Brienne]
Casus reservati in Dioecesi Tolosana
Casus reservati Summo Pontifici, qui omnes, annexam habent censuram

72   **Toulouse 1782 p. 137*[50]**
1°. Exustio Templorum, necnon Domorum prophanarum, procurata, cum Incendiarius est, publice, denunciatus.

---

[49]   Même addition dans le formulaire de Paris 1709-1713. 12 p. cartonnées, intitulées *Mandatum … DD. Cardinalis de Noailles… De casibus reservatis*. Datées janvier 1709, imprimées à Paris, chez Louis Josse, 1713. Exemplaire Paris, Séminaire Saint-Sulpice.
[50]   Cinq pages sont chiffrées 137*.

2°. Effractio et expoliatio sacrarum Ædium, Monasteriorum, et aliorum piorum Locorum ; post Effractorum et Spoliatorum publicam denunciationem.

3°. Simonia realis, circa Ordines et Beneficia ; dummodo, sit publica.

4°. Confidentia, circa Beneficia, realis et publica.

Nota. *In potestate concessa absolvendi a crimine simoniæ vel confidentiæ, non contineri potestatem rehabilitandi ad Beneficia, et condonandi reditus injuste perceptos.*

5°. Occisio, mutilatio, vel atrox percussio, sive Clerici in sacris Ordinibus constituti et clericali habitu induti ; sive Religiosi Religionis habitu similiter induti : si non sit atrox, reservatur D.D. Archiepiscopo.

6°. Falsificatio Bullarum, seu Litterarum Apostolicarum.

Nota 1°. *Quod Casus reservati S. D. N. Papæ, non omnes, hic, descripti sunt ; sed illi, tantum, qui, his in regionibus, frequentius, possunt accidere.*

Nota 2°. *Quod Casus prædicti, si sint occulti ; D.D. Archiepiscopo, cum annexa censura, reservantur.*

Albi 1783

Absence de cas réservés au pape.

Beauvais 1783

Voir Rouen 1771.

Saint-Dié 1783

[Barthélemy-Louis-Martin de Chaumont]
Casus Summo Pontifici reservati, qui omnes annexam habent excommunicationem reservatam

P2573 **Saint-Dié 1783 p. 87-88**

I°. Simonia realis in ordinibus et beneficiis, et confidentia, utraque publica.

II°. Occisio, vel mutilatio membrorum, vel enormis et atrox ex ira percussio Clerici vel Religiosi, in sacris Ordinibus constituti, clericalem aut religiosam vestem gerentis.

III°. Effractio et spoliatio templorum, aliarumque ædium sacrarum, quando sacrilegus est publice denuntiatus.

IV°. Exustio voluntaria templorum, domorumque profanarum, dum incendiarius nominatim denuntiatus est.

V°. Duellum, et ad id auctoritate vel consilio inducere, crimine subsecuto.

VI°. Falsificatio bullarum seu litterarum apostolicarum, vel earum usus, postquam innotuit falsitas.

Rarissime in his regionibus accidunt, si qui sunt, alii casus summo Pontifici reservati : in dubio consulendus est Episcopus.

Saint-Papoul 1783

[Guillaume-Joseph d'Abzac de Mayac]
Casus reservati Summo Pontifici, qui omnes annexam habent censuram

Saint-Papoul 1783 p. 121

1°. Falsificatio Bullarum, seu Litterarum Apostolicarum, aut falsarum Litterarum retentio ultra viginti dies.

2° Exustio domus sive sacræ, sive prophanæ, quando incendiarius est publice denunciatus.

3°. Deprædatio cum effractione Ecclesiæ, Monasterii, aliorumque piorum locorum, quando reus fuit publice denunciatus.

4°. Occisio, mutilatio, vel enormis percussio Clerici in sacris Ordinibus constituti, et Clericali habitu induti, sive Religiosi habitu similiter induti.

5°. Simonia, ac Confidentia realis et publica, tam circa Ordines quam Beneficia.

Notandum. 1°. *Quod omnes casus S. D. N. Papæ reservati non sunt hic descripti, sed illi tantum, qui his in regionibus frequentius occurrere possunt.*

2°. *Quod omnes casus Summo Pontifici reservati, si sint occulti, D.D. Episcopo tantum reservantur, cum censura ipsis annexa.*

3°. *In potestate concessa absolvendi a Simonia, vel Confidentia, non contineri potestatem rehabilitandi ad Beneficia, et condonandi reditus injuste perceptos.*

Amiens 1784

Absence de cas réservés

Montauban 1785

Voir Bourges 1746.

Tours 1785

[François de Conzié]
Casus et Censurae in Dioecesi Turonensi reservata.
Casus Summo Pontifici reservati

P2575 **Tours 1785 p. 147**
1°. Falsificatio litterarum apostolicarum aut falsarum retentio ultra viginti dies.
2°. Exustio domus, sive sacræ, sive profanæ, quando incendiarius fuit publice denuntiatus.
3°. Occisio et enormis percussio clerici, sive religiosi.
4°. Deprædatio cum effractione ecclesiæ, monasterii aliorumque piorum locorum, quando reus publice fuit denuntiatus.
5°. Confidentia et simonia realis in ordine vel beneficio.

Eos hic solum Casus summo Pontifici reservatos recensemus qui frequentius in diœcesi occurrere possunt.

Quimper 1786

Absence de cas réservés au pape.

Lyon 1787

[Antoine de Malvin de Montazet]
Casus Summo Pontifici reservati, qui omnes annexam habent
excommunicationis censuram...

P2576 **Lyon 1787 première partie, p. 262**
1°. Simonia realis et confidentia.
2. Exustio AEdium, sive sacrarum, sive profanarum.
3°. Spoliatio sacrarum AEdium cum effractione.
4°. Percussio atrox Clerici vel Monachi.
5°. Falsificatio Bullarum seu Litterarum summi Pontificis.

Nota. Supradicti casus, quando difficilis est ad Summum Pontificem recursus, vel rei non sunt excommunicati et denuntiati, D.D. Archiepiscopo duntaxat reservantur.

Verdun 1787

[Henri-Louis-René Desnos]
Casus reservati Summo Pontifici. Qui omnes annexam habent censuram

Verdun 1787 p. 222-223

1°. Occisio, mutilatio, vel atrox et enormis percussio clerici, in sacris ordinibus constituti et clericali habitu induti, aut religiosi, professionis suæ habitum gestantis. *Si percussio non esset atrox, casus esset tantummodo D.D. episcopo reservatus.*

2°. Exustio templorum, nec non quarumcumque ædium profanarum, ex malitia, et voluntarie procurata; *cum incendiarius est publice denunciatus.*

3°. Effractio cum spoliatione sacrarum ædium, monasteriorum, et locorum piorum; *post effractorum et spoliatorum publicam denunciationem.*

4°. Simonia realis in ordinibus, aut in beneficiis; item confidentia, *dummodo sit publica.*

5°. Falsificatio bullarum, seu litterarum apostolicarum.

6°. Exercitium functionis alicujus ordinis sacri a clerico, notorie excommunicato, suspenso, vel interdicto.

Nota non omnes casus summo Pontifici reservatos hic referri, sed eos tantum qui his in regionibus frequentius accidere possunt.

Narbonne 1789

Voir Narbonne 1736.

Langres 1790[51]

[César-Guillaume de La Luzerne]
Casus reservati Summo Pontifici.
Qui omnes habent censuram excommunicationis eidem reservatam[52]

Langres 1790 p. 209-218

I. Incendie des maisons. *Exustio voluntaria et ex malitiâ quarumlibet aedium sive sacrarum sive profanarum, dummodo incendiarius juridicè excommunicatus et nominatim denuntiatus fuerit.*

---

[51] *Instruction sur l'administration des Sacremens, par M. César-Guillaume de La Luzerne, évêque de Langres. Langres, chez Laurent-Bournot.* (s.d.) p. 3. *Instructions sur le Rituel de Langres.*
[52] Chacun des cas est suivi d'un long commentaire en français.

II. Effraction et spoliation des Temples. *Templi effractio, simul et spoliatio, modo reus juridicè excommunicatus, et nominatim denuntiatus fuerit.*
III. Simonie. *Simonia realis publica, sive pro Ordinibus, sive pro Beneficiis.*
IV. Confidence. *Confidentia publica.*
V. Mort, mutilation, ou percussion atroce d'un Clerc. *Occisio, vel mutilatio membrorum, vel atrox percussio Clerici in sacris constituti, vel Religiosi quorum status innotescit.*
VI. Falsification des Bulles. *Bullarum seu litterarum summi Pontificis falsificatio. Item earumdem usus, notâ falsitate.*

Mende 1790

Absence de cas réservés au pape.

CHAPITRE XXV

CAS DE PÉCHÉS RÉSERVÉS AUX ÉVÊQUES

Dans les premiers rituels imprimés, et jusqu'à la fin du XVIIe siècle, une même liste de cas de péchés réservés aux évêques apparaît sous forme de versets, soit dans des aides-mémoire de foi catholique, soit à la suite d'une instruction sur la confession intitulée *De penitentia generalis instructio pro sacerdotibus*[1]; une trentaine de diocèses sont concernés. Cette liste se trouve aussi dans le rituel de Saint-Brieuc [1506] reproduisant un formulaire du XIVe siècle, à Lyon en 1542 (légèrement développée) et à Vannes en 1596 (à peine modifiée).

Sont visés dans cette liste les personnes coupables d'inceste, les déflorateurs, les meurtriers, les transgresseurs d'un vœu, les parjures, ceux qui pratiquent la sorcellerie, les sacrilèges, ceux qui frappent leurs parents, les sodomites, ceux qui trahissent un serment, les incendiaires, les oppresseurs d'enfants, les blasphémateurs, les hérétiques, les adultères, et ceux qui frappent un clerc.

Les listes particulières de cas réservés aux évêques commencent à se répandre en France surtout à partir des années 1580.

À la fin du XVIe siècle et jusqu'au tout début du XVIIIe siècle, les évêques d'une même province adoptent parfois les cas réservés de leur métropole en même temps que le rituel de celle-ci: ainsi dans les provinces de Reims en 1585, de Rouen en 1611/1612, d'Auch en 1642, 1701, et 1751.

Un peu plus tard, certains évêques, peut-être plus jaloux de leurs prérogatives, ajoutent ou insèrent, dans le rituel de la métropole utilisé pour leur diocèse, des cas réservés qui leur sont propres: ainsi dans la province d'Auch en 1751.

Si de nombreux cas sont fréquemment cités, d'autres, plus rares, témoignent de certaines moeurs ou idées à une époque et dans un lieu donnés.

---

[1] Sur cette instruction et ces aides-mémoire, voir P1322 et P2850.

L'avortement apparaît en 1506 à Saint-Brieuc, 1543 à Metz, 1578 à Vienne, 1585 à Reims... L'abandon d'enfants dans les hôpitaux est cité à Vienne en 1578; la prostitution d'enfants à Toul en 1616... Le duel, apparu à Paris en 1601, est repris rapidement en Normandie puis dans toute la France[2]. Lodève (province de Narbonne) en 1773 ajoute, à la suite de la lecture des «livres des Hérétiques», celle «des nouveaux Philosophes du siécle; ce qui comprend tous les Livres modernes ou Libelles contre la Religion, ses dogmes, sa morale, ses ministres, et l'autorité de l'Eglise» (cas 27). ...

Quelques rituels présentent des cas réservés pour les péchés commis par les prêtres: Bâle 1595, Metz 1605-1662, Vannes 1680-c. 1717, Oloron 1720, Quimper 1722[3].

Chartres 1490-1553 et 1604
Angers 1543-1676. Autun 1503-1523. Auxerre 1536. Beauvais 1544
Cambrai 1503. Châlons-sur-Marne 1569. Clermont 1506 n.st.-1608
Langres 1524-1612. Laon 1538. Limoges 1518. Maguelonne 1533
Meaux 1546. Metz 1543. Orléans 1548, 1581. Paris 1542, [1552]
Périgueux 1536. Reims 1506-1554. Saint-Flour 1506 n.st.-1608
Saintes c. 1625-1655. Sens 1500-1580
Toul 1524-1559. Troyes c. 1505-1573. Verdun 1554[4]

[Chartres 1490: Miles d'Iliers]

P2579 **Chartres 1490 f. 33**
V. *Qui facit incestum, deflorans, aut homicida.*
V. *Transgressor voti, periurus, sortilegusque.*
V. *Sacrilegus, patrum percussor, vel sodomita.*
V. *Et mentita fides, faciens incendia, prolis*
V. *Oppressor*[a], *blasphemus, hereticus, omnis*[b] *adulter*[c].
V. *Pontificem super his adeas*[d], *clerum*[e] *feriensque.*

Variantes. [a] *Lire:* prolis oppressor. –[b] hereticus, omnis adulter] et haereticus, vel adulter An. 1620-1676. –[c] Percutiens Clerum, veniam de Antistite quaerant] *add.* An. 1676. –[d] adeat] An. 1620-1676. –[e] clericum] To. 1559.

---

[2] Henri IV multiplie les édits contre le duel – cause d'une énorme hécatombe en France – sans trop d'efficacité; Richelieu promulgue un nouvel édit en 1626, le faisant considérer comme un crime de lèse-majesté.
[3] A comparer à l'examen de conscience pour les prêtres de Nevers 1689 (P1411).
[4] Voir aussi les listes très proches à la fin des formulaires de Saint-Brieuc [1506], Lyon 1542, et Vannes 1596.

Strasbourg [1490]-1513

[Strasbourg 1490 : Albert de Bavière]
Casus episcopales

80 **Strasbourg 1490** f. [6]-[6v][5]
Excommunicatio maior a iure vel ab homine lata.
Blasphemis publica in Deum vel sanctos.
Sortilegium.
Divinatio.
Incantatio.
Commutatio vel Dispensatio votorum.
Restitutio incertorum ultra summam licitam.
Contractus matrimonii clandestini, vel contra interdictum ecclesie.
Dispensatio irregularitatis in clerico.
Incendium dolo factum opere, consilio, auxilio, vel mandato.
Oppressio parvulorum facta ex proposito vel casu.
Homicidium : quod si actuale et voluntarium fuerit, propter criminis horrorem remittendum volumus ad papam.
Machinatio in mortem coniugis.
Veneficium.
Peccatum falsariorum.
Periurium factum in iudicio.
Transgressio votorum.
Peccatum contra naturam in viris ultra viginti annos.
Incestus.
Coitus cum persona infideli vel Deo sacrata.
Defloratio virginum seductarum vel vi oppressarum.
Adulterium : quando secuta fuit proles quam maritus credit suam.
Sacrilegium ultra valorem unius floreni rhenensis.
Peccatum clerici propter quod incurrisset irregularitatem.
Enormis negligentia circa sacramenta.
Contractus matrimonii post votum castitatis.
Percussio parentum.
Maleficium.
Procuratio sterilitatis et abortivorum.
Violatio ecclesiastice libertatis vel immunitatis.
Quando publica penitentia est imponenda. In his casibus nullus vestrum sine speciali commissione. Preterque in mortis articulo absolvere presumat.

---

[5] Liste faisant partie de l'*ammonitio* attribuée à Albert de Bavière. Voir *infra* P2969bis.

Paris 1497
Amiens 1509-1554. Rennes c. 1510, 1533
Saint-Brieuc [1506]. Saint-Malo 1557

[Paris 1497 : Jean Simon]
[Extrait de Jean Gerson, *Examen de conscience selon les péchés capitaux*[6]]

P2581 **Paris 1497** f. 06-06v

Notez que plusieurs pechez sont, desquelz ne peut absouldre ung simple prestre s'il n'a aucun povoir especial du prelat ou s'il n'est penitancier. Telz cas sont

Sortileges qui se font par choses secretes.

Item sacrileges.

Item batre clerc ou prestre par mal talent.

Item symonie et heresie, et aultres pechez par lesquelz on est excommunié selon les droiz.

Item homicide.

Item bouter feu.

Item ferir pere et mere.

Item parjurement fait en jugement public.

Item efforcer femme.

Item despuceler vierge.

Item congnoistre femme de religion ou de son lignage par especial jusques au quart degré.

Item veu brisé.

Item oppression d'enfans par malegarde.

Item le péché abhominable et ort [ignoble] qui se dit contre nature est réservé soit qu'il se face en soy mesmes seul, soit avecques autres personnes de son sexe, ou en autre partie du corps que nature ne l'a ordonné, ou avecques autre creature qui n'est personne humaine. Et telz pechez sont pires que n'est au grant vendredy manger cher, si s'en fault confesser expressement sur peine de damnation.

Paris c. 1505

Absence de cas réservés.

---

[6] Jean Gerson, *Œuvres complètes*, éd. P. Glorieux, t. 7, p. 398-399. La seule différence notable avec le texte de Gerson est l'absence de *brisier mariage par especial notoirement*, présent dans le texte de Gerson.

Saint-Brieuc [1506]

[Christophe de Penmarch ou Olivier du Châtel]
Casus episcopo reservati
[Édition des cas réservés à l'évêque de Saint-Brieuc
Alain de Lamballe (1313-1320)]

82 Saint-Brieuc [1506] *De scientia confessoris*[7], f. A2

Preter predictos casus adhuc quilibet episcopus potest in sua diocesi sue auctoritate reservare casus certes. Et in episcopatu Briocen. per statute bone memorie Alani episcopi reservantur sequentes.

Primus casus est incestus qui est duplex, major et minor. Major est eorum qui sunt in primo gradu consanguinitatis vel affinitatis, carnalis vel spiritualis. Sicut patris cum filia, non solum carnali sed etiam spirituali, puta, cum illa quam lueavit [*sic* pour levavit] de sacro fonte, seu cum illa cujus confessionem, maxime si sit parrochiana, audivit; filii cum matre, et fratris cum sorore. Dicitur enim filia spiritualis illius qui de sacro fonte levavit, vel illius qui baptisavit, et illius qui confirmavit, et illius qui ad confirmandum tenuit, et illius qui confessionem audivit et absolvit.

Secundus casus est defloratio virginis violenta que dicitur raptus.

Tertius est homicidium.

Quartus sacrilegium, quod committitur cum moniali, vel cum persona religiosa, vel sumendo sacra, vel de sacro loco.

Quintus violenta injectio manuum in parentes.

Sextus sodomia que est peccatum contra naturam precipue de majori, scilicet hominis cum homine, vel mulieris cum muliere, vel cum bestiis.

Septimus transgressio voti cum deliberatione emissi. Et sic fit de peregrinatione Hierosolimitana vel Romana, de qua Papa solus absolvit secundum jura communia. Et de peregrinatione ad sanctum Jacobum de Galicia, secundum stillum penitentiarie Romane curie.

Octavus perjurium coram judice.

Nonus sortilegium, maxime de sacramentis Ecclesie perpetratum.

Decimus mendacium contra juramentum fidelitatis promisse.

Undecimus incendium domorum, segetum et vinearum.

Duodecimus oppressio prolis, et aborsus procuratio. Et est homicidium si [f]etus sit vivus, et deteriorius homicidio quia baptismum tollit.

---

[7] *De scientia confessoris*: petit traité sur la confession relié à la suite du rituel de Saint-Brieuc [1506], de même impression que le rituel.

Tertiusdecimus blasphemia in Deum sive in sanctos unde alii scandalisentur.
Quartusdecimus heresis sive error in fide, sicut est sacramentorum, vel qui vendit aut emit Ecclesie sacramenta.
Quintusdecimus adulterium.

Versus
Qui fecit incestum, deflorans, aut homicida.
Sacrilegus, patris percussor, vel sodomita.
Transgressor voti, periurus, sortilegusque
Et mentita fides, faciens incendia, prolis
Oppressor, blasphemus, hereticus omnis adulter.
Pontificem supra his semper detentus adibis.

Lyon 1542

[Hippolyte d'Este]

Casus episcopales

P2583   **Lyon 1542 f. 10v**
Incestum faciens, deflorans, aut homicida.
Sortilegus, patrum percussor, vel zodomita [sic].
Transgressor voti, periurus, sacrilegusque.
Et mentita fides, faciens incendia, prolis
Oppressor, blasphemus, hereticus, omnis adulter.
Cum bruto coiens, Pagana, sive Iudea.
Aut cum commatre, seu nata spirituali.
Coniugis in mortem machinans, sacris et abutens.
Pontificem super his semper devotus adibit.

Metz 1543

[Jean de Lorraine]

Casus Episcopo reservati

P2584   **Metz 1543 f. 58-60**
Primo quidem remittendi sunt ab episcopum seu eius vicarium votorum violatores, ac post modum castitatis matrimonium contrahentes.
Secundo matrimonium contrahens cum alia vivente prima. Et intrans religionem, vel recipiens sacrum ordinem invita coniuge vel econtra.

Tertio mulier que antequam certificaretur de morte mariti secundo contraxit.

Quarto qui matrimonium post sponsalia iurata cum alia quam cum sponsa contraxerit.

Quinto confessus se credidisse hereticam pravitatem et se hereticos receptasse et cum eis participasse vel eis favisse.

Sexto simoniacus quocumque genere simonie preterque mentalis.

Septimo ab episcopo alieno sine licentia proprii episcopi ordinatus vel tonsuratus.

Octavo faciens homicidium facto proprio, auctoritate, precepto, consensu, consilio, exhortatione, vel quolibet alio modo.

Nono concipiens filium a non viro quem vir proprius tamen credens suum nutrit pro suo: et heredem suum instituere intendit.

Decimo vir in mortem coniugis: et uxor que in mortem viri effectualiter machinatur.

Undecimo presbiter celebrans scienter in ecclesia vel parrochia interdicta: et secundas nuptias benedicens.

Duodecimo clericus vel laicus scienter corpus excommunicati, vel etiam tempore interdicti non excommunicati in cimiterio benedicto sepeliens.

Tertiodecimo excommunicatus a canone in illis casibus in quibus episcopus potest absolvere: et etiam irregulares in illis casibus in quibus episcopus potest dispensare.

Quartodecimo matrimonium clandestine contrahens, et omnes qui scienter intersunt: qui secundum antiqua statuta synodalia Treveren[sis] provincie vinculo excommunicationis innodati dicuntur.

Decimoquinto falsarius literarum apostolicarum, sive episcopalium, vel officialium, seu publicorum instrumentorum, vel monete.

Decimosexto sacerdos celebrans scienter in altari non consecrato vel sine sacris indumentis, vel etiam non ieiunus. Item non ordinatus in presbiterum celebrans, et non ordinatus in dyaconum qui solemniter et publice in ecclesia evangelium legit: et non ordinatus in subdyaconum solemniter cum indumentis subdiaconi epistolam in missarum solemniis legit.

Decimoseptimo quilibet dejerans seu veniens contra proprium iuramentum.

Decimooctavo incendiarii, violatores, et effractores ecclesiarum, cimiteriorum, et domorum ecclesiasticorum. Et nocturni depopulatores agrorum, et famosi latrones qui in itineribus parant insidias.

Decimonono furtive seu per saltum vel extra tempora statuta promotus.

Vicesimo excommunicatus, suspensus, vel interdictus, celebrans missam scienter, vel officium suum solemniter exercens sicut prius. Et qui excommunicatus vel interdictus ordinem seu beneficium suscepit.

Vicesimoprimo coiens cum moniali sacrata virgine vel non.

Vicesimosecundo defloratores virginum vi oppressarum seu raptarum.

Vicesimotertio opprimens seu perimens prolem suam studiose, vel negligenter ante partum vel post.

Vicesimoquarto abutens quolibet crismate vel hostia, vel alia re sacrata.

Vicesimoquinto rapinam vel sacrilegium in ecclesia committens.

Vicesimosexto ecclesiam consecratam sanguinis iniuriosi vel seminis effusione studiose polluens.

Vicesimoseptimo scienter baptisans propriam prolem vel etiam filium uxoris sue ex alio viro preterquam in articulo necessitatis.

Vicesimooctavo scienter coiens cum iudea, infideli vel saracena, vel pagana, vel e converso.

Vicesimonono verberans patrem vel matrem vel alias eis enormes irrogans iniurias.

Tricesimo sortilegi, divinatores, charmatores, malefici incantatores, augures, aurispices, demones, pro quacunque causa invocantes vel similia facientes.

Tricesimoprimo omnis adulter, et adultera saltem publicus et publica.

Tricesimosecundo committens crimen sodomiticum cum genere suo, vel cum brutis; et qui per longum tempus in peccato molliciei perseveravit.

Tricesimotertio committens incestum cum quibuscumque consanguineis vel affinibus sive legalibus sive naturalibus.

Tricesimoquarto sacerdos vel minister quorum culpa vel negligentia aliquid inhonestum vel scandalum circa sacramentum altaris evenit.

Tricesimoquinto cognoscens consanguineam uxoris sue vel sponse.

Tricesimosexto procurans quoquomodo sive in se sive in alio sterilitatem seu abortum.

Tricesimoseptimo blasphemans publice Deum vel eius matrem vel sanctos, et falsum testimonium proferens et laicus transgressor iuramenti, qui tamen post transgressionem satisfecit de eo quod iuraverat facere vel observare.

Tricesimooctavo sacerdos se commiscens cum ea quam baptisavit, vel cuius confessionem audivit, et etiam quilibet coiens cum ea que qualibet spiritali affinitate est sibi coniuncta.

Tricesimonono contrahens matrimonium cum ea quam cognovit per adulterium superstite legitima sua uxore vel e converso. Quadragesimo omnes confessionem proditores et illi omnes quibus penitentia solemnis fuerit iniungenda finaliter si quis bis ex certa scientia baptisatus seu etiam confirmatus vel reordinatus fuerit.

Autun 1545

Absence de cas réservés.

Paris [1559], 1574, 1581

Absence de cas réservés.

Cambrai 1562
[Maximilien de Berghes]
De casibus Episcopo reservatis

Cambrai 1562 f. 43v-44v
De iure subsequentes casus reservantur Episcopo.
Peccatum clerici propter quod incurrit irregularitatem.
Peccatum incendiarii.
Peccatum propter quod indicenda est solennis poenitentia.
Excommunicatio maior.
De Consuetudine.
Homicidium voluntarium.
Violatio ecclesiasticae libertatis et immunitatis.
Falsarii.
Sortilegii.
Blasphemiae in Deum et sanctos, et similia publica crimina enormia: ut est oppressio filiorum; peccatum falsi testimonii, periurii, incestus, corruptionis monialium, coitus cum brutis, et quaecunque alia, quae ab Episcopo directè, vel per aliquam consequentiam ipsis sacerdotibus sunt interdicta.

Benedictus tamen undecimus[8] in extravagante approbat consuetudinem tantum quo ad [quoad] homicidas voluntarios, falsarios, immunitatis ecclesiasticae violatores, et sortilegos.

Caeterum ubi hoc requiret aut personae, aut temporis qualitas, aut alia iusta et rationabile causa: Damus facultatem cuilibet parocho, in

---

[8] Benoît XI, pape de 1303 à 1304.

supradictis casibus nobis reservatis, absolvendi suos subditos in foro conscientiae tantum: sic ut publicè denunciatos excommunicatos, haereticos, aut perturbantes iurisdictionem ecclesiasticam sine speciali commissione omnino absolvere non praesumant.

Agen 1564
[Janus Frégose]
Isti sunt casus penitentiales Episcopales

P2586 **Agen 1564 f. 89v-90**
Peccatum clerici per quod incurrerit irregularitatem.
Incendiarii quicunque non denunciati.
Effractores ecclesiarum vel aliorum locorum religiosorum non denunciati.
Crimen pro quo indicenda esset solennis penitentia.
Excommunicati excommunicatione maiori, exceptis suprascriptis, et aliis ad Papam pertinentibus.
Homicide voluntarii.
Falsarii.
Violatores ecclesiasticae immunitatis.
Violatores ecclesiasticae libertatis.
Sacrilegii.
Commutatio votorum preter suprascriptorum.
Dispensatio incertorum.
Reliqui casus quos sibi reservant diversi Episcopi in suis episcopatibus.

Soissons 1576
[Charles de Roucy-Sissone]
Casus reservati Episcopo

P2587 **Soissons 1576 f. 1v-2**
Homicidium voluntarium. Excommunicatio pro manuum iniectione in clericum, si non sit enormis.
Et omnis excommunicatio maior manifesta et enormis blasphemia in Deum vel in Sanctos.
Sortilegium, Incendium dolo malo factum, Commutatio omnium votorum simplicium, demptis his, que Pape sunt reservata.
Contractus matrimonii clandestini vel prohibiti, vel incestuosi: et ex Concilio Tridentino licet Episcopis in omnibus irregularitibus et suspensionibus, ex delicto occulto provenientibus, dispensare: excepta

ea que homicidio voluntario oritur, et aliis ad forum contentiorum deductis.

Potest etiam Episcopus a quibuscunque casibus occultis etiam Sedi Apostolice reservatis, per se vel per vicarium ad hoc specialem absolvere: et in crimine heresis in foro conscientie, idem potest per se, non autem per vicarium.

Multi sunt alii casus a iure reservati Sedi Apostolice: ut percussores Cardinalium, vel Episcoporum, vel vendentes, aut deferentes arma, aut victualia Saracenis ad impugnandum Christianos, et his similes multi: quos (quia raro in his partibus eveniunt) omisimus.

Sunt etiam alii casus de consuetudine Episcopis reservati, vel quos sibi reservare possunt: cuiusmodi sunt:
Incestus cum consanguinea vel affini.
Stuprum cum monacho, vel moniali.
Defloratio virginis.
Adulterium et omnis carnalis actus in loco sacro.
Peccatum contra naturam.
Verberatio patris, vel matris, Sacrilegium, Symonia mentalis, Periurium, Usura, Homicidium casuale, Oppressio vel expositio filiorum, Falsum testimonium: et his similia gravia delicta, a quibus (si secreta sint) discretus pastor animarum, vel ab eo commissus, si viderit saluti confitentis expedire, poterit absolvere, cum habeat ordinatiam potestatem: nisi specialiter ab Episcopo sint reservati. ...

Vienne 1578, 1587

[Vienne 1578: Pierre IV de Villars]
Sequuntur casus reservati contenti
in statutis provincialibus concilii Viennensis[9]

Vienne 1578 p. 31-34
Primum est, cum quis confitetur se credidisse haereticam pravitatem.
Item, si quovis modo commiserit symoniam.
Item, clerici excommunicati, interdicti, aut suspensi, si ante absolutionem divina celebraverint.
Item, clerici per saltum promoti, aliquo ordine praetermisso.
Item, clerici qui ab alio episcopo se fecerint promoveri, episcopi sui licentia non obtenta.

---

[9] Concile de Vienne, 15ᵉ concile considéré comme oecuménique par l'Église catholique, réuni à Vienne (France) de 1311 à 1312.

Item, incendiarii.
Item, illi qui tractaverunt in malos usus eucharistiam, seu chrisma.
Item, illi qui suos filios occiderunt.
Item, illi qui proprios pueros proiecerunt, vel exposuerunt in hospitali, vel alio loco.
Item, qui facto, verbo, consensu vel alio modo homicidium perpetrarunt.
Item, sacrilegi, et violatores ecclesiarum.
Item, illi qui luxuriam expleverunt cum matre, vel sorore, vel alia consanguinea sua, vel uxore fratris, vel cum sanctimoniali consecrata, vel violenter virginem deflorarunt.
Item, illi qui in ecclesiis vel cimiteriis luxuriam commiserunt.
Item, illi qui cum Iudea, vel Sarracena, vel bruto animali, vel aliâs contra naturam, coire ausu temerario praesumpserunt.
Item, mulier quae de adulterio suscepit infantem, quem maritus eius credidit esse suum, propter quem legitimi liberi defraudentur hereditate paterna.
Item, qui mulieribus aliquid fecerint, propter quod faciant abortivum, vel ne concipiant.
Item, mulier si hoc fecerit, vel sibi fieri procuraverit, ita mittatur absolvenda ad episcopum, si id ei de iure competit, alioquin cum ipsius literis ad sedem apostolicam transmittatur.
Item, illi qui contra aliquos falsum testimonium tulerint.
Item, publicè periuri.
Item, sortilegi et divini.
Item, usurarii manifesti.
Item, qui contractis sponsalibus cum aliquibus, praestito iuramento, et non dissolutis, post modum contrahunt cum aliis sponsalia, vel matrimonium, contra iuramentum prius praestitum temere veniendo.
Item, qui scienter venit contra iuramentum suum in quocunque casu licito praestitum.
Item, qui excommunicati, vel nominatim interdicti à quocunque iudice ingerunt se divinis in ecclesia ante absolutionem, invito sacerdote, nec moniti à sacerdote volunt exire de ecclesia divinum officium perturbantes.
Item, qui scienter celebrant in ecclesia interdicta.
Item, illi qui in cimiterio ecclesiastico, supposito interdicto sepelire praesumunt corpora mortuorum.
Item, illi qui in cimiteriis etiam non interdictis praesumunt scienter corpora excommunicatorum sepelire.

Item, illi qui abstulerunt, substraxerunt, vel aliquid qualitercumque illicitè acquisierunt, seu rapuerunt, nisi sciatur quibus personis certis vel locis praedicta fuerint de iure emendanda, ad episcopum transmittantur, ut de illius consilio fiat restitutio ablatorum.

Item, de his quae testamento, vel aliis ultimis voluntatibus, pro iniuriis vel damnis incertis reparandis relinquuntur, dispositio seu divisio ad episcopum transmittatur, ut eius providentia certis locis, et Christi pauperibus assignentur.

Item, voti permutatio, vel voto fracti absolutio.

Item, si qui literis apostolicis abutuntur.

Chartres 1580

[Nicolas de Thou]

Cas reservez à l'Evesque

Chartres 1580 f. 176-176v

Inceste, quand l'on a cogneu charnellement sa parente.

Defloration de vierge, construpration [corruption], et ravissement de femme.

Homicide volontaire.

Infraction de voeuz.

Parjurement commis en jugement.

Sortilege par abus des choses sacrées.

Sacrilege, et larcin de chose sacrée, ou emblée en lieu sacré.

Bateure, et offense de pere et de mere.

Sodomie, et peché contre l'usage de nature.

Faulx tesmoignage.

Feu et bruslement d'edifice.

Oppression de petits enfans.

Blaspheme contre Dieu et ses Saincts.

Heresie.

Adultere mesmement notoire.

Outrage faict aux clercs.

De nostre part, deputerons és villes plus insignes de l'estenduë de nostre diocese, gens de bonne vie, conversation, moeurs, et erudition, pour en nostre nom absouldre les penitens esdicts cas, et les relever de la peine et travail, qu'ils auroyent de recourir à nous : et aussi qu'à l'occasion des difficultez du chemin, ils ne different, ou negligent de se confesser, s'ils n'en estoyent promptement absoulz.

Chartres 1581

Absence de cas réservés.

Angoulême 1582

Absence de cas réservés.

Nevers 1582

[Arnaud Sorbin]

Les excommunications reservez aux Evesques

P2590 **Nevers 1582 f. 24-24v**
1. L'excommunication qui provient d'avoir legerement frappé un Clerc, ou un Religieux.
2. L'excommunication que l'Evesque se reserve.
3. L'excommunication papale est reservée à l'article de la mort à l'Evesque, s'il est present: que s'il est absent, tous prestres en peuvent absouldre.
4. L'excommunication encourue pour avoir participé au peché, pour lequel l'excommunication de l'Evesque a esté jettée.
5. Si quelqu'un a esté absouls d'excommunication episcopale en l'article de la mort, et estant retourné en convalescence, il ne se presente à son Evesque, duquel il devoit estre absouls, comme il luy avoit esté ordonné: telle excommunication est reservée à l'Evesque.

Nevers 1582

Les cas, qui de droict commun sont reservez aux Evesques, encor qu'il n'y ait point d'excommunication

P2591 **Nevers 1582 f. 24v**
1. Le peché d'un clerc, auquel est annexée l'irrégularité pour peine du peché.
2. Le peché d'incendiaire ou boute-feu, avant qu'il soit excommunié.
3. Les pechez, pour lesquels selon les canons on imposeroit penitence publique, à sçavoir quand ils sont griefs, notoires et scandaleux.
4. Le blaspheme publique et notoire est reservé à l'Evesque, quand on en viendroit en jugement exterieur, et non autrement.
5. La dispense des voeux et juremens.

Nevers 1582

Les cas qui coustumierement sont reservez aux Evesques outre les susdits

Nevers 1582 f. 24v-25

1. Homicide volontaire, ou mutilation de membre.
2. Falsifier lettres ou escritures; faux tesmoignage, et recellement de la verité en jugement.
3. Le peché que commettent les advocats, notaires et procureurs, monstrans les escritures à partie adverse.
4. Le peché commis contre l'immunité ou liberté ecclesiastique, jaçoit que cecy soit desja contenu pour la plus grande partie in Bulla coenae Domini.
5. Ceux que l'Evesque mesme se reserve.

Reims 1585, 1621
Amiens 1586, 1607. Châlons-sur-Marne 1606
Laon 1585, 1621. Senlis 1585. Saint-Brieuc 1605

[Reims 1585: Louis III de Lorraine, cardinal de Guise]

Casus quos solos nobis et R. Episcopis nostris reservare visum est expedire

Reims 1585 f. 33

1. Si quis in Deum vel in sanctos enormiter et publice blasphemus extiterit, sacrilegiumve commiserit.
2. Si quis sacrosanctam Eucharistiam, aut venerandas sanctorum reliquias pedibus conculcaverit, vel alia aliqua insigni contumelia affecerit.
3. Si quis ad magicas artes, veneficia, superstitiones, et coetera id genus, eadem Eucharistia, et aliis rebus sacris abusus fuerit.
4. Si quis divinos, magos, sortilegos adierit, vel huiusmodi impias artes sectatus fuerit.
5. Si quis patrem vel matrem percusserit ex casu: nam si ex certa scientia id fecerit, casus est papalis, ut supra dictum est.
6. Si quis homicidium voluntarium perpetrarit. Irregularitas autem quae inde contrahitur, papalis est, ut dictum est supra.
7. Si quis abortum procurarit, vel prolem oppresserit, etiam ex casu.
8. Si quis virgini vim intulerit, aut seductam corruperit.
9. Si quis incestum, vel nefandum scelus contra naturam commiserit.
10. Si quis uxore vivente aliam duxerit.

11. Si quis matrimonium post simplex votum castitatis, vel cum alia muliere post sponsalia iureiurando firmata contraxerit.

12. Si quis cum uxore, vel reiecta uxore maxime sine authoritate Ecclesiae, publicè concubinam fovet.

13. Si quis carnibus et aliis cibis vetitis sine licentia, et absque necessitate diebus prohibitis vescitur : quia hoc sine magno Ecclesiae catholicae contemptu, et aperta cum haereticis communicatione fieri non potest.

Irregularitates item omnes et suspensiones ex occulto delicto provenientes, excepta ea quae oritur ex homicidio voluntario, et ea quae deducta est ad forum contentiosum, Episcopis relictae sunt per Concilium Tridentinum, et ab iis absolvere possunt per se, vel per substitutos. …

Gap 1588
[Pierre Paparin de Chaumont]
[Cas réservés aux évêques, sans precision de diocese]

P2593bis **Gap 1588 p. 5-6**

1. Les homicides volontaires.

2. Ceux qui estouffent les enfans et sont cause de leur mort, ou par malice, ou par leur negligence ou par autre moyen illicite.

3. Ceux qui estropient et mutilent autruy en ses membres.

4. Ceux qui ont procuré de faire avorter femmes ensaintes [sic], ou qui y ont donné conseil et presté ayde.

5. Les incendiaires.

6. Les Simoniacles [sic].

7. Les faulsaires.

8. Ceux qui se sont fait promouvoir és saints ordres, sans estre premierement tonsurez et sans continuer à la perception d'iceux de degré en degré, mais prennent un ordre en delaissant l'autre.

9. Ceux qui ont attenté ou violé la pudicité d'une vierge et chasteté d'une nonnain et religieuse.

10. Les prestres qui tiennent en public concubines ou qui ont cognu charnellement la femme qu'ils ont entendu [sic] en confession.

11. Ceux qui se conjoignent charnellement avec un Juif ou Juifve, et tous Sodomites de quelque espece que ce soit du peché contre nature.

12. Ceux qui polluent Eglises et autres lieux sacrez.

13. Les excommuniez de la plus grande excommunication.

14. Les Clercs, qu'estans suspenduz ou excommuniez sont promeuz aux ordres, ou qui font autre office en l'eglise sans estre absouls, ou bien ceux lesquels estans en sentence d'excommunication ou de suspension font et disent l'office divin.

15. Ceux qui estans excommuniez ne veulent sortir hors de l'Eglise.

16. Ceux qui enterrent les excommuniez dans le Cimetiere

17. Ceux qui estudient en lettres prohibées et deffendues.

18. Ceux qui violent les Eglises, cimitieres et autres lieux de saincteté.

19. Les hereticques [sic].

20. Les Schismaticques.

21. Les Sorciers.

22. Les enchanteurs qui abusent du sainct huyle et de l'Eucharistie.

23. Les prestres et ministres par la negligence desquels se commet qulque chose indecente au sainct Sacrement de l'autel.

24. Les uzuriers manifestes.

25. Ceux qui contractent mariage en mespris d'une autre femme à laquelle ils ont promis et donné la foy.

26. Ceux qui portent clandestinement leurs enfans aux hopitaux et autres lieux publics et les exposent.

27. Les clercs qui ne sont promeuz aux saincts ordres par leur Evesque diocesain ny de son congé et licence.

28. Les clercs qui commettent larrecin ou prestent ayde, conseil et faveur à un larron, et sont irréguliers.

29. Celuy qui a esté sciemment baptizé deux fois.

30. Les notaires qui ne denoncent à qui appartient les laigs faits par les deffuncts pour causes pies, et qui s'introduisent de leur authorité de donner les corps de ceux qui se marient, mesprisant l'authorité de l'Eglise, et du pasteur legitime.

Strasbourg 1590

[Jean de Manderscheid]

Casus Episcopales

Strasbourg 1590 p. 11

Excommunicatio maior à iure vel homine lata.
Blasphemia publica in Deum vel Sanctos.
Commutatio vel dispensatio votorum.
Contractus matrimonii clandestini, vel contra interdictum Ecclesiae.
Dispensatio irregularitatis in clerico.

Incendium dolo factum;
opere, consilio, auxilio, vel mandato, Oppressio parvulorum facta ex proposito.
Homicidium voluntarium.
Peccatum falsariorum tam monetae quam literarum, et instrumentorum publicorum.
Periurium factum in iudicio.
Peccatum Clerici, propter quod incurrisset irregularitatem.
Enormis negligentia circa Sacramenta.
Contractus matrimonii post votum Castitatis.
Percussio Parentum.
Violatio Ecclesiasticae libertatis, vel immunitatis.
Crimina latrocinantium, et insidiantium viatoribus etc.
Sepultura haereticorum, et publicè excommunicatorum in loco sacro.
Crimen haeresis in foro conscientiae, iuxta Concil. Trident. Sess. 24. cap. 6. de Reform. Et quando ob crimen aliquod publica poenitentia est imponenda.

Cahors 1593

[Antoine Hébrard de Saint-Sulpice]
Casus... D.D. Cadurcensi Episcopo reservati

P2595   **Cahors 1593** f. 193-193v
Omnis peccator publicus et notorius cuius peccatum parochiam commoverit.
Hereticus, Simoniacus, excommunicatus majori excommunicatione, interdictus, suspensus, irregularis, incendiarius et blasphemantes publice et enormiter Christum, Virginem Mariam vel Sanctos eius.
Transgressores votorum solemnium, vel ea commutare volentes.
Homicidiae, filiorum suorum oppressores, et abortivum procurantes.
Sacrilegi et falsarii sigilli vel litterarum Episcopi vel Officialis sui.
Violatores Ecclesiarum et libertatis ecclesiasticae.
Sortilegi et maxime qui rebus sacris utuntur.
Schismatici, falsi testes, et perjuri.
Luxuriantes contra naturam, incestuosi in primo vel secundo gradu consanguinitatis vel affinitatis, qui cum monialibus, commatribus, vel filiabus spiritualibus peccant, qui etiam intra Ecclesiam luxuriam committunt, et publici concubinarii.

Virginum defloratores, et clandestinè matrimonium contrahentes.
Qui contrahunt sponsalia cum juramento, et postea illis non dissolutis cum aliis etiam contrahunt.
Mulieres de adulterio concipientes infantes quos mariti putant suos, et quorum causa legitimi haeredes fraudantur haereditate.
Excommunicati divina officia turbantes, qui a sacerdote moniti, nolunt exire ecclesiam.
Sepelientes in coemeterio scienter excommunicatorum corpora.
Injicientes manus violentas in parentes et clericos.
Sacerdotes quorum negligentia aliquid inhonestum circa sacramenta, vel sacraria, et maxime altaris quocumque modo evenerit.
Restitutio et distributio illicite acquisitorum non inventis iis quorum haec fuerunt, seu haeredibus eorumdem, est epicopi arbitrio facienda.

Bâle 1595

[Jacques-Christophe Blarer de Wartensee]
Casus Episcopales à iure vel consuetudine ipsis Episcopis reservati

596   Bâle 1595 p. 123-124

Homicidium voluntarium, facto vel praecepto, consensus, consilio, adhortatione, vel quocumque modo perpetratum. Incendium ante denunciationem.
Sacrilegium, Divinatio, Incantatio et similia Magica.
Peccatum contra naturam.
Incestus non solum cum consanguineis, sed etiam cum Monialibus.
Percussio parentum, vel enormis eis irrogata iniuria.
Sortilegium.
Oppressio parvulorum.
Negligentia parentum circa pueros.
Periurium, attactis sanctis Evangeliis.
Voti fractio.
Maleficium.
Procuratio abortus vel sterilitatis.
Procuratio toxici vel veneni.
Magna et enormis blasphemia in Deum, vel Sanctos.
Falsificatio literarum [sic] Episcopi, aut suae curiae.
Adulterium. Stuprum.
Excommunicatio maior.
Baptizans propriam prolem absque necessitate.

Bâle 1595

Quo ad Ecclesiasticos

P2597 **Bâle 1595 p. 124**
Celebrans sponte coram excommunicato.
Promotus per saltum ad sacros ordines et ante sufficientem cuius sacri ordinis requisitam aetatem.
Ordinatus sine licentia ab Episcopo alieno.
Celebrans in Ecclesia interdicta vel altari non consecrato.
Sepeliens excommunicatos aut interdictos.
Fornicans cum filia Confessionis vel Baptismi.
Celebrans sine sacris indumentis.
Proditor confessionis.
Notabilem circa sacramentum Eucharistiae negligentiam committens.

Bâle 1595

Sequentes Excommunicationes reservantur Episcopis

P2598 **Bâle 1595 p. 127-129**
Compellantes Ecclesiasticos ad submittendum Ecclesias, et bona seu iura ipsarum laicis.
Gravantes et vexantes personas Ecclesiasticas, eo quod rogati eum pro quo rogabantur, non elegerint.
Impedientes eos, qui litigant in foro Ecclesiastico in causis, quae de iure vel consuetudine ad dictum forum pertinent.
Gravantes et vexantes eos, qui in ipsos excommunicationis vel suspensionis sententiam protulerunt.
Domini temporales interdicentes subditis, ne Ecclesiasticis vendant, emant, coquant, molant, aut alia obsequia exhibeant, usurpantes bona Ecclesiarum vacantium.
Exigentes aliquid ab Ecclesiasticis transeuntibus pro rebus suis, quas non negationis causa deferunt.
Communicantes scienter in crimine cum criminoso nominatim excommunicato, ei consilium, auxilium vel favorem impendendo.
Usurpantes Praelatorum Ecclesiasticam iurisdictionem, vel eos collectis aut tributis onerantes.
Qui revocant, vel vi aut metu extorquent à Praelatis Ecclesiasticis libertatem absolvendi, vel poenas excommunicationis.
Impedientes Monialium visitatores in suo officio.
Sepelientes in loco sacro haereticos.

Qui in caemeteriis excommunicatos publicè, vel nominatim interdictos, vel manifestos usuriaros scienter sepelire praesumunt.

Qui scienter in gradibus prohibitis, aut cum Monialibus, vel qui in religione aut sacris constituti matrimonium contrahunt, aut qui inter ipsos scienter, huiusmodi matrimonia celebrant.

Religiosi ac alii clerici personatus habentes Medicinam audientes.

Qui statutis suis usuras fovent.

Religiosi temere habitum dimittentes, vel ad quaevis studia sine licentia accedentes.

Cogentes virgines vel viduas invitas ingredi religionem.

Item qui earum sanctam voluntatem, religionem profitendi sine iusta causa impediunt.

Monachi, qui ad Principum curias se conferunt, ut damnum aliquod inferant Praelato, aut Monasterio.

Monachi intra septa Monasterii sine licentia Abbatis arma tenentes.

Religiosi, qui ad retrahendum debitores à solutione Decimarum, aliqua proferre praesumunt.

Bona Ecclesiastica alienantes, vel alienata recipientes.

Impedientes legatos vel nuncios Apostolicos, ne recipiantur vel faciant ea, ad quae sunt missi.

Sunt aliae Excommunicationes, sed quia in his regionibus raro incidunt, brevitatis causa praeteriuntur.

Vannes 1596

[Chapitre de Vannes, le siège épiscopal vacant]

Casus Episcopis generaliter reservati, à quibus inferiores Episcopi absolvere non possunt, nisi ex commissione Episcopi sunt 15

Vannes 1596 f. 161v-162

1. Incestus, qui committitur cum consanguineis, vel affinibus, aut spirituali cognatione iunctis: sicut pater cum filia, non solum carnali, sed etiam spirituali: similiter cum matre, frater cum sorore, cum filia spirituali, quam de sacro fonte levavit, baptizavit, confirmavit, vel ad confirmandum tenuit, aut in confessione audivit, et absolvit.

2. Raptus, stuprum, seu defloratio virginis violenta.

3. Homicidium.

4. Sacrilegium, quod committitur coeundo cum Religiosa, vel Moniali, vel furando sacrum de loco sacro: aut sacrum de loco prophano: aut non sacrum de loco sacro.

5. Violenta manum iniectio deliberato proposito cum laesione in parentes facta.

6. Sodomia, quae est vitium contra naturam. Cuius tres sunt species : Prima, expletio libidinis in se provocata quae vocatur molities secundum Paulum ad Rom. 1. c.[10] et est grave peccatum, non tamen reservatum Episcopo. Secunda, expletio libidinis cum alio in eodem sexu seu masculi cum masculo, foeminae cum foemina, et est gravis de quo idem Apostolus ibidem. Tertia species, est cum bestiis, et vocatur bestialitas : quia in hoc fit homo quasi bestia. Et haec duae species reservantur Episcopo.

7. Apostasia, seu transgressio voti cum deliberatione emissi, si vero sit de peregrinatione Hierosolymitana, vel Romana, solus Papa absolvit, secundum iura : quod etiam, et de peregrinatione ad sanctum Iacobum in Gallicia tenet stilus Poenitentiariae Rom. Curiae.

8. Periurium coram iudice.

9. Sortilegium, de Sacramentis Ecclesiae perpetratum.

10. Mendacium contra iuramentum fideliter promissae [sic].

11. Incendium domorum, segetum et vinearum ex deliberata voluntate procuratum.

12. Oppressio prolis, et aborsus procuratio ; et est homicidium si foetus sit vivus : et ulterius est homicida animae quia baptismum tollit.

13. Blasphemia in Deum, sive in sanctos, unde alii scandalizantur.

14. Haeresis, sive error in fide, sicut est in administratione sacramentorum, vel qui vendit aut emit Ecclesiae sacramenta.

15. Adulterium notorium, et demum omnia delicta, quae excommunicationem maiorem à canone, vel ab homine latam, annexam habent, et alia praedictictis [sic] graviora.

> Unde versus.
> *Incestum faciens, deflorans aut Sodomita.*
> *Sacrilegus, Patris percussor, vel homicida.*
> *Transgressor voti, periurus, sortilegusque*
> *Et mentita fides, incendia, prolis*
> *Oppressor, blasphemus, haereticus, omnis adulter.*
> *Pontificem super hiis semper devotus adibit*[11].

---

[10] Les Bibles des XVIe-XVIIe siècles divisent les chapitres par grandes parties a, b, c, d...

[11] Les vers *Incestum faciens*... sont très proches des formulaires de Chartres 1490 etc. *Voir supra*, P2579.

Paris 1601, 1615
Coutances 1609, 1618. Évreux 1606, 1621, 1706. Lisieux 1608, 1661[12]

[Paris 1601: Henri de Gondi]
Casus reservati... Domino Episcopo Parisiensi anno 1601[13]

Coutances 1609, 1618: *Casus reservati Reverendo Domino Episcopo Constantiensi. Anno 1608.*
Évreux 1606: *Casus reservati... Domino Episcopi Ebroicensi. Anno 1606.*
Évreux 1621, 1706: *Casus reservati... Domino Episcopo Ebroicensi. Anno. 1620.*
Lisieux 1608, 1661: *Casus reservati... Domino Episcopo Lexoviensi. Anno 1608. (Anno. 1661).*

Paris 1601 f. 60v-61

1. Gravis percussio religiosi, vel clerici in sacris constituti, quae si atrocior fuerit summo etiam Pontifici reservatur[a].
2. Exustio domorum procurata et voluntaria, dummodo incendarius non sit publice denuntiatus: nam si denuntiatus est, reservatur Summo Pontifici.
3. Id ipsum de effractore et spoliatore aedium sacrarum et piorum locorum intelligi etiam volumus.
4. Homicidium voluntarium, necnon etiam casuale, quod accidit ex aliquo peccato mortali, in quo erat metus aut periculum homicidii.
5. Monomachia vel duellum, quo nomine continentur omnes pugnantes in duello, tum etiam qui vulgo dicuntur ipsorum patrini, et qui ad illud provocant, qui voluntariè intersunt, et quicunque consilium auxiliumve aliquod praebent.
6. Coniugi mortem machinari[b].
7. Procuratio abortivi sive animati, sive inanimati[c].
8. Oppressio parvulorum per incuriam[d].
8. [e] Percussio patris vel matris.
9. Profiteri vel exercere maleficia, divinationes, caeterasque artes magicas.
10. Profanatio et impius abusus rerum sacrarum, ut sacro sanctae Eucharistiae, Chrismatis, Olei sancti.
11. Atrox et violenta sanguinis effusio in Ecclesia[f].

---

[12] La fin des cas réservés (25-29) manque dans l'exemplaire consulté (Amiens, Bibl. mun.)
[13] Erreur de numérotation des cas à Paris 1601 qui donne deux fois le chiffre 8, puis saute le chiffre 14 ; erreur réparée à Évreux et Paris 1615.

12. Fornicatio in Ecclesia.
13. Concubitus cum Sanctimoniali.
15 Fornicatio cum persona[g] quam in Baptismo susceperis, vel cuius confessionem sacramentalem exceperis.
16. Vivente propria uxore, aliam ducere[h].
17. Adulterium publicum, quod vel judicio probatum est, vel nulla tergiversatione in tota vicinia celari potest.
18. Raptus virginum, vel mulierum honestè viventium.
19. Incestus intra secundum gradum consanguinitatis[i].
20. Sodomiticum peccatum, et quod eo gravius est.
21. Sacrilegium, quo intelligitur quodcunque furtum rei sacrae in quovis loco, vel furtum rei profanae, in loco sacro.
22. Usura publica, quae vel in iudicio probata est, vel nulla tergiversatione in tota vicinia celari potest.
23. Falsum testimonium coram iudice.
24. Crimen falsariorum qui adulterant litteras ecclesiasticas, sive occultum sit factum, sive publicum, modo non sint litterae aut Bullae S. Pontificis, harum enim falsificatio reservatur Papae, quando factum est notorium: nobis vero, si occultum est.
25. Adulterare monetam, aut maius sigillum regium.
26. Simonia et confidentia occulta.
27. Irregularitas omnis et suspensio ex delicto occulto proveniens, ea excepta quae oritur ex homicidio voluntario, vel quae iam deducta est ad forum contentiosum.
28. Ordinari[j] ab alieno Episcopo, absque ordinarii sui facultate: quod de maioribus et minoribus ordinibus intelligi volumus.
29. Promoveri per saltum ad ordines[k].

Variantes Paris 1615, Évreux 1606-1706, Coutances 1609-1618, Lisieux 1661. [a] Gravis... reservatur] Mediocris percussio Religiosi vel Clerici, etiam primae tonsurae, dummodo habitum et tonsuram clericalem deferat Ev. 1606-1706, Lis. – quae si atrocior... reservatur] om. Cou. –[b] Coniugi... machinari] Coniugis mortem machinari, id est reipsa tentare, licet forte non sequatur. Pa. 1615. – machinari] inferre Ev. 1621, 1706. –[c] sive animati] om. Lis. 1661. – ex qua sequitur effectus] add. Ev. 1621, 1706. –[d] incuriam] supinam, seu crassam incuriam Ev. 1621, 1706. Lis. 1661. –[e] Gravis] add. Pa. 1615. –[f] vel etiam talis percussio ex qua plurimus sanguis fundatur, licet non in Ecclesia] add. Paris 1615. –[g] Fornicatio cum persona] Et cum persona etiam Pa. 1615. –[h] vel proprio viro viventi, alteri nubere] add. Paris 1615. –[i] et affinitatis] add. Pa. 1615. –[j] Ordinari] Ordinati Ev. 1706. – [k] 30. Carnes et alia vetita diebus ieiunii et abstinentiae ab Ecclesia indictis comedentes, nisi cum eis ab Episcopo dispensetur] add. Ev. 1606-1706. – 31. Ingredientes monasteria Monialium absque licentiâ Episcopi aut Superioris in scriptis obtentâ.] add. Ev. 1606-1706.

[Toulouse?] 1602

[François de Joyeuse?]

Les Excommunications et cas reservez aux Evesques par les saincts Canons[14]

[Toulouse?] 1602 p. 228

1. Tout leger battement des Ecclesiastiques, et Clercs tonsurez.
2. Les autheurs des vexations injustes faictes contre ceux qui ont justement excommunié, suspendu, ou interdict, durant les deux premiers mois apres la vexation; car apres elle est reservée au Pape.
3. Ceux qui transgressent les voeux.
4. Toute autre excommunication et sorte de peché reservé aux Evesques en leurs Status synodaux: tels que sont les pechez et cas ensuivans.

[Toulouse?] 1602

Cas des pechez et Censures d'excommunication, particulierement reservez à Messieurs les Archevesques et Evesques[15]...

[Toulouse?] 1602 p. 231-232

1. Tous sorciers, enchanteurs, divins [*sic*], ou magiciens.
2. Les sacrileges, ou violateurs des Eglises, et autres lieux saincts, avant qu'ils soyent denoncez: car apres ils doivent estre renvoyez au Pape.
3. Les Notaires qui dans six mois n'ont denoncé à leurs Recteurs, les legats qui ont esté faicts pour choses pies, ou bonnes oeuvres.
4. Ceux qui sans cause legitime, ou sans avoir obtenu licence de ceux à qui il appartient de la donner, mangent chair, ou autres viandes prohibées, ez jours deffendus par l'Eglise.
5. Ceux qui auroient battu leur pere, ou leur mere.
6. Les homicides volontaires, ou qui tuent injustement, et à tort.
7. Ceux qui exposent à l'abandon leurs enfans; ou qui les couchent dans leurs licts avant l'an et jour.
8. Ceux qui auroyent commis inceste au second degré de consanguinité, ou plus proche; ou au premier degré d'affinité spirituelle, ou qui auroyent cogneu charnellement une Religieuse; ou violé quelque vierge.

---

[14] Formulaire publié en 1602 par l'imprimeur bordelais Simon Millanges, dans son *Manuel ou Guide brefve et facille des Curez et Vicaires, contenant le formulaire de divers Prosnes, et exhortations ... Plus l'Instruction pour les Confesseurs, imprimée par le commandement de Monseigneur le Cardinal de Joyeuse, pour les Curez de son Diocese...* p. 231. Cf. Molin Aussedat n° 1305.

[15] Formulaire publié en 1602 par l'imprimeur bordelais Simon Millanges, dans son *Manuel ou Guide brefve et facille des Curez et Vicaires...* p. 231-232.

9. Ceux qui auroyent commis le peché de sodomie, en quelque façon que ce soit.

10. Les concubinaires publics; et adulteres notoires, qui ne tinnent compte de quitter leur mauvaise vie.

11. La femme qui aura eu par adultere un enfant, lequel son mary croit estre sien, et pour lequel les enfans legitimes sont defraudez de l'heritage paternel.

12. Les usuriers notoires et manifestes, qui se soucient bien peu d'abandonner leur peché.

13. Ceux qui falsifient les instrumens des Notaires, les mesures, poix [sic], ou monoyes.

14. Celuy qui en jugement aura dict faux tesmoignage, ou se sera parjuré.

15. Ceux qui par malice, ou envie, et à leur escient mettent le feu ez granges et maisons d'autruy, avant qu'ils soyent denoncez excommuniez; car apres, l'absolution en est reservée au Pape.

Toulouse 1602

[François de Joyeuse]
Les Cas reservez par Monseigneur l'Ill. ...
Cardinal de Joyeuse, Archevesque de Tolose. Ausquels tombent[16]

P2603 **Toulouse 1602 p. 266**

Ceux qui violent les Nonnains, ravissent les vierges, et femmes de bien.

Les Abbesses, prieures et portieres, qui laissent sortir quelque religieuse de leur cloistre, ou laissent entrer dans iceux quelque personne que ce soit sans dispense de mondit Seigneur.

Ceux, qui procurent, et font mourir un enfant dans le ventre de sa mere.

Qui commetent [sic] un inceste au premier, ou second degré de consanguinité, ou affinité.

Qui battent leur pere, ou mere.

Qui exposent leurs enfans pour estre nourris aux hospitaux, les pouvant nourrir eux mesmes.

Qui abusent des Sacremens par magie, ou enchantemens, ou superstition, ou par mesmes voyes empeschent l'usage de mariage.

---

[16] Formulaire publié en 1602 par l'imprimeur bordelais Simon Millanges, dans son *Manuel ou Guide brefve et facille des Curez et Vicaires, contenant le formulaire de divers Prosnes, et exhortations...*, p. 266. Molin Aussedat n° 1305.

Qui falsifient les monnoyes, mesures, et pois.

Les notaires, lesquels dans trois mois apres la mort du testateur n'advertissent l'Evesque des legats pies, et restitutions, que lesdits testateurs ont laissez par leurs testamens.

Tous ceux, ou celles, qui dans l'an couchent un enfant dans leur lict sans berceau.

Ceux, qui contraignent par force les filles de se rendre religieuses, ou empeschent celles, qui s'en veulent faire; qui conseillent, favorisent, ou assistent telles contrainctes.

Tout Ecclesiastique, qui prend les ordres avec un titre faux, et renonce à sondict titre frauduleusement, n'ayant dequoy vivre d'ailleurs.

Rodez 1603
Vabres 1611

[Rodez 1603: François de Corneillan]
Casus per… Franciscum de Corneilhano Episcopum Ruthenensem reservati

Rodez 1603 p. 71-73

Tous homicides et meurtriers volontaires.

Ceux qui malicieusement suffoquent leurs enfans.

Les femmes lesquelles malicieusement font perdre le fruict de leur ventre aprés avoir conceu, tous ceux qui le procurent, et pareillement qui taschent d'empescher la conception.

Ceux qui pour avoir couché les petits enfans dans leur lict avant qu'ils eussent un an et jour, les ont par mesgarde suffoqués.

Les sodomites, et ceux qui tombent au peché de bestialité.

Les faux monoyeurs.

Tous sourciers, magiciens, empoisonneurs, et devins, avec ceux qui les vont consulter pour s'aider de leurs arts.

Ceux qui contractent clandestinement mariage.

Qui ayans fiancé et promis avec serment, contractent mariage ailleurs, sans avoir obtenu dispence du premier serment.

Ceux qui retiennent sciemment billetes, cedules ou instrumens, pour faire payer deux fois une mesme chose.

Nonobstant la reservation des cas cy-dessus mis, chasque Prestre peut, selon le droict, absoudre d'iceux, quels qu'ils soient, en l'article de la mort seulement: hors lequel le Curé ou Confesseur ordinaire doit renvoyer ceux qui en seront coulpables au superieur, assavoir au S. Pere, ou seigneur Evesque, ou bien à ceux qui ont special et particulier privilege d'absoudre tant des uns, que des autres.

Cahors 1604, 1619

[Siméon-Etienne de Popian]
Manuale proprium parochorum Cadurcensium
Cas que nous et nos predecesseurs avons accoustumé nous reserver,
ou à nos Penitenciers comme ensuivent[17]

Traduction française de la liste de l'édition Cahors 1593, avec addition de : Des sourciers, charmeurs, et enchanteurs…, Des ensevelissans ez cimetieres, ou dans les eglises, les corps des heretiques…

P2605   **Cahors 1604 p. 29-31**
De tous pecheurs publiques et notoires, dont la paroisse sera esmeüe.

Des Heretiques, Simoniaques, excommuniez, par majeur excommunication, interdicts, suspenduz, et irreguliers.

Des boutefeux, et blasphémans publiquement, et enormement le nom de Dieu, de la bien-heureuse vierge Marie et des saincts.

Des transgresseurs de leurs vœuz solemnels, ou les voulans changer.

Des homicides volontaires, oppressions de leurs enfans, et des procurans l'avortement.

Des Sacrileges, et faulsaires du seel [sceau] et lettres episcopales, de nostre Official et Cour spirituelle.

Des violateurs des Eglises, et de la liberté ecclesiastique.

Des sourciers [*sic*], charmeurs, et enchanteurs, et principalement de ceux qui abusent des choses sacrées, brevets et noüement d'eguillette, et autres semblables œuvres du Diable, avec lequel ce faisans ont part, sinon par pacte exprez, par pacte tacite.

Des Schismatiques, faux tesmoins, et parjures.

Des paillardans contre nature, incestes au premier, au second degré de consanguinité, et affinité, et avec les Religieuses, avec leur Commere, ou leur fille spirituelle, et dans l'Eglise, et des concubinaires publiques.

Des deflorateurs des vierges, et contractans mariage clandestin.

Des femmes concevans d'adultere.

Des ensevelissans ez cimetieres, ou dans les Eglises, les corps des heretiques, et excommuniez.

De ceux qui jettent les mains violentes sur leur Pere, et Mere et sur les Clercs.

Des Prestres negligens en l'honneur et reverence des saincts Sacremens, et choses sacrées, et principalement du tres-sainct et tres-auguste Sacrement de l'Autel.

---

[17] Cas datés p. 31 : Cahors, 8 mars 1603.

Comme aussi nous nous reservons la distribution des choses mal acquises, où ne se trouveront ceux à qui elles estoient, ou leurs heretiers, pour les leur rendre, et restituer.

Chalon-sur-Saône 1605[18]

[Cyrus de Thyard]
Les cas reservez aux Evesques sont les suyvantz

Chalon-sur-Saône 1605 p. 47

Le rapt des vierges, l'homicide, l'incendiaire, (si cela se faict de propos deliberé), la Simonie, la Sodomie, l'heresie, l'Apostasie, l'inceste avec parente ou religieuses, la main mise avec violence et de propos deliberé contre les parentz, quand il s'ensuit quelque blesseure [*sic*], le sortilege, l'adultere notoire, et tous delictz qui sont annexez à l'excommunication majeure, soit qu'elle soit determinée des Canons ou des hommes, et toutes fautes qui sont plus grandes que les susdites.

Metz 1605, 1631, 1662

[Metz 1605 : Charles II de Lorraine]
Casus Episcopo reservati

Metz 1605 p. 49-51

I. Si quis sacrosanctam Eucharistiam, venerandas sanctorum reliquias, et imagines, malitiosè pedibus conculcaverit, vel alia insigni contumelia affecerit : aut quolibet chrismate, hostia, vel alia re sacrata abusus fuerit ad magicas artes, veneficia, superstitiones, et caetera id genus.

II. Si quis patrem, vel matrem, spontè percusserit.

III. Si quis homicidium voluntarium perpetrarit [*sic*].

IV. Qui prolem suam studiose ante partum, vel post perimunt, vel opprimunt, illamque projiciunt, vel exponunt hospitalibus, vel alio loco.

V. Qui abortum procurant, vel aliquid dant mulieribus, ne concipiant.

VI. Si quis virgini vim intulerit.

VII. Si quis incestum in primo, et secundo gradu, vel sodomiam commiserit, vel cum iudea commisceri praesumpserit.

---

[18] Le rituel de Chalon-sur-Saône reproduit le *Pastorale* de Malines édité en 1589 et 1598. La liste de Malines, en latin, est traduite ici en français.

VIII. Si quis matrimonium cum alia muliere post sponsalia iureiurando firmata, contraxerit.

IX. Usurarii manifesti et notorii, sive in iudicio convicti, sive ita publicè ad usuram dantes, ut nulla tergiversatione celari possit.

X. Periuri de periurio iudicialiter convicti et condemnati.

XI. Cogentes virgines, vel viduas invitas ingredi religionem.

XII. Bona ecclesiastica alienantes, vel alienata recipientes, sine eorum (ad quos pertinet dispositio) licentia.

XIII. Falsarii litterarum Episcopalium vel Officialium seu publicorum instrumentorum.

A Sacerdotibus commissis.

XIV. Omnes confessionum proditores, peccatum in confessione auditum verbo, vel signo detegentes ex industria.

XV. Concubinarii publici, et manifesti.

XVI. Qui mulierem aliquam cognoscit carnaliter, cuius prolem baptizavit, vel cuius confessionem excepit.

Cambrai 1606

[Guillaume de Berghes]

De casibus reservatis. Ex Synodo dioecesana anni 1604

P2608 **Cambrai 1606** p. 47-48

Ne multitudine casuum reservatorum infirmi, vel nimis verecundi à salutari poenitentiae Sacramento retrahentur, reservamus nobis, vicariis nostris, ac poenitentiario ea tantummodo quae sequuntur:

1. Haeresim.
2. Apostasiam.
3. Publicam et enormem in Deum vel Sanctos blasphemiam.
4. Homicidium voluntarium.
5. Incendium etiam voluntarium.
6. Incestum cum patre, matre, filio, filia, fratre, sorore, et cum mulieribus religiosis professis.
7. Maleficia.
8. Voluntarias parvulorum oppressiones.
9. Simoniam realem.
10. Sodomiam et eiusdem generis graviora.

Similiter reservamus nobis peccata mandantium, consulentium, auxilium et favorem praestantium in haeresi, homicidio, incendio, maleficiis et oppressione parvulorum, supra dictis.

Permittimus tamen, ut in unoquoque Decanorum Christianitatis districtu, quatuor parochi prudentiores, locis opportunis residentes, in eorum congregatione capitulari eligantur, et electorum nomina ad nos referantur, qui accepta à nobis licentia (sicut et ipsi Decani) à supradictis casibus, suorum respectivè districtuum Christi fideles in foro conscientiae tantum, absolvere possint et valeant. Nemo tamen praedictorum, virtute eiusmodi concessionis ac facultatis nostrae, quemquem praesumat ab haeresi absolvere, nisi specialem licentiam id faciendi in scriptis obtinuerit.

De Excommunicationibus reservatis. Ex eadem Synodo.

Quamquam praedecessores nostri Excommunicationes omnes, Suspensiones et interdicta synodalia sibi et successoribus suis reservaverint: nos tamen humanae fragilitati consulere cupientes, eas tantummodo reservamus in posterum quae in antiquis eorumdem praedecessorum nostrorum decretis iam de novo recusis reservatae declarantur. A caeteris absolvere poterunt omnes sacerdotes à nobis ad confessiones audiendas admissi, et deinceps admittendi, idque in foro conscientiae tantum.

Évreux 1606, 1621, 1706
Coutances 1609, 1618. Lisieux 1608, 1661

[Évreux 1606: Jacques Davy du Perron]

Formulaires de Paris 1601 avec variantes. *Voir* Paris 1601.

Saint-Omer 1606

Absence de cas réservés.

Rouen 1611/1612
Avranches 1613[19]

[Rouen 1611/1612: François de Joyeuse]
Casus reservati in hac Dioecesi

Deux listes de cas réservés: la première en latin p. 77 (chapitre Pénitence), la seconde la traduisant en français p. 347-348 (Prône).

Rouen 1611 p. 77
Divinatio, sortilegium, et omnis ars magica.

---

[19] Avranches 1613: édition de Rouen 1611/1612 sauf page de titre et mandement de l'évêque d'Avranches.

Blasphemia execrabilis contra Deum et sanctos.
Homicidium voluntarium. Oppressio liberorum, quae fit notabili negligentia.
Incestus, in primo et secundo gradu.
Violatio sanctimonialium.
Sacrilegium et rapina bonorum Ecclesiae.
Periurium coram Iudice.
Excommunicationes quaedam Episcopis reservatae, ut propter levem percussionem Clerici.
Quaedam graviora peccata, ut percussio violenta patris aut matris; ut adulterium notorium, et usurarii publici; aut qui semel in anno non confessi sunt, aut communionem sacram non perceperunt; aut duas uxores duxerunt simul; et qui carnes in Quadragesima comedunt vel aliis diebus prohibitis; detestabile Sodomiae crimen, et alia huiusmodi, etiam reservanda censentur.

Rouen 1611/1612
Avranches 1613. Sées 1634

[Rouen 1611/1612: François de Joyeuse]
Formulaire du Prosne
Les pechez reservez à monseigneur l'Archevesque[20] *en son Diocese*

P2610 **Rouen 1611 p. 347-348 (Sées 1634 p. 322-323)**
Il y a neuf sortes de pechez reservez en ce Diocese.
Le premier. Divination, enchantement, sortilege, et tout art magique.
Le 2. Blaspheme execrable contre Dieu et les Saincts. Et combien que les juremens et manieres de blasphemer plus ordinaires ne soient pas reservez: toutesfois on admonneste ceux qui sont enclins à tel peché, qu'ils ayent à s'en corriger, s'ils ne veulent encourir les maledictions prononcées en la saincte Escriture, contre les jureurs et blasphemateurs du nom de Dieu.
Le 3. Homicide volontaire, oppression des petits enfans par negligence notable de ceux et celles qui les mettent en leur lict avec eux, et les exposent au danger d'estre esteins [*sic*] et oppressez.
Le 4. Inceste au premier ou second degré, quand on commet le peché de luxure avec une sienne parente ou alliée.
Le 5. Violation des Religieuses, qui est specialement contre l'honneur de Dieu, auquel les Religieuses ont esté consacrées.

---

[20] Archevesque] Evesque Av. Sée.

CAS DE PÉCHÉS RÉSERVÉS AUX ÉVÊQUES 1289

Le 6. Sacrilege et usurpation des biens de l'Eglise.
Le 7. Parjure public en jugement.
Le 8. Excommunication reservée à l'Evesque pour certains cas defendus : comme pour avoir battu legerement un Prestre : pour avoir entré dans la closture des Religieuses : pour avoir fait ou consenty mariage entre parens ou alliez sciemment aux degrez prohibez.
Le 9. Commutation de voeux. Outres les susdits cas : Tout cas enorme, et jugé tel par ceux qui oyent les Confessions, comme de ceux qui battent pere et mere, ou qui font des pechez contre nature, ou qui mangent volontairement de la chair en Caresme, ou les Vendredis et Samedis, et autres semblables qui sont remis à la prudence du Confesseur, ayant esgard aux circonstances des lieux, du temps, des personnes, et de l'enormité du fait.

Genève 1612, 1632, 1643

[Genève 1612 : François de Sales]
Casus Episcopales Gebennensis Dioecesis

Genève 1612 p. 388-389
1. Incendium domorum, frugum, et aliarum rerum maioris momenti ex proposito factum.
2. Homicidium voluntarium actu perpetratum.
3. Parricidium, non tantum eorum qui parentes suos occidunt, sed etiam qui eos graviter mutilant, aut vulnerant.
4. Peccatum contra naturam, ut bestialitas, et sodomiticum.
5. Incestus, tam consanguinitatis, quam affinitatis, necnon spiritualis cognationis inter compatrem et commatrem, susceptos, et suscipientes.
6. Adulterium publicum.
7. Usura publica.
9. Veneficium, et maleficium, eorum praesertim qui per ligaturas, aut similes incantationes matrimonii consummationem impediunt.
9. Sacrilegium furti, rei sacrae notabilis, in loco sacro.
10. Item sacrilegium fornicationis cum moniali, vel cum alia quacunque persona in loco sacro.

Toulouse 1614, 1621, 1636, 1641, 1653, 1664, 1670, 1712, 1725, 1736
Albi 1647. Auxerre 1631
[Auch 1678 et province d'Auch[21]]. Vabres 1766

[Toulouse 1614 : Philippe Cospéan, évêque d'Aire,
administrateur du diocèse, le siège épiscopal vacant]

Les excommunications et cas reservez aux Evesques selon le droict commun

P2612   Toulouse 1614 p. 29-30[22]; Toulouse 1621, *Formulaire de Prosne*, p. 18

1. Tout leger battement des Ecclesiastiques, et Clercs tonsurez, soient seculiers, soient Religieux[a].

2. Les autheurs des vexations injustes faictes contre ceux qui ont justement excommunié, suspendu, ou interdit, durant les deux premiers mois apres la vexation : car apres elle est reservée au Pape.

3. Ceux qui mettent à escient le feu aux biens, fruicts et maisons d'autruy, et qui donnent conseil, support, aide et faveur ; ce qui se doit entendre quand ils ne sont pas excommuniez et denoncez : car alors le cas est reservé au Pape, comme il est cy dessus cotté.

4. Toute autre excommunication et sorte de peché reservé aux Evesques en leurs Statuts synodaux.

La dispense de tous les voeux est aussi reservée à l'Evesque, excepté des voeux solemnels, et du voeu simple de religion, de chasteté perpetuelle, et de pelerinage à Jerusalem, à S. Pierre de Rome, et à S. Jacques, la dispense desquels est reservée au Pape, *C. Etsi Dominici, de poenit. extra.*[b].

Variantes. [a] Reguliers] Tols. 1670-1736. – [b] *C. Etsi Dominici, de poenit. extra*] om. Tols. 1621.

Toulouse 1614, 1621, 1636, 1641, 1653, 1664, 1670, 1712, 1725, 1736
[Auch 1678 et province d'Auch]. Vabres 1766

Les cas reservez à l'Archevesque de Tolose

P2613   Toulouse 1614 p. 31-32 (*Advis particulier...*) ; Toulouse 1621, *Formulaire de Prosne*, p. 19-20

---

[21] Auch 1678 : Aucun exemplaire connu de ce rituel, probablement repris par tous les diocèses de la Province ; le rituel d'Auch 1678 est probablement l'édition de Toulouse 1670 avec quelques adaptations, comme le rituel d'Oloron 1679.

[22] Toulouse 1614 p. 29-30 de l'*Advis particulier pour le reglement d'un Curé*, faisant partie du *Recueil de diverses Ordonnances de Monseigneur l'illustrissime... Cardinal de Joyeuse, cy-devant Archevesque de Tolose, renouvellées et imprimées par l'autorité de Monseigneur le Reverendissime Evesque d'Aire. Avec ... les cas reservés ... A Tolose, par Raymond Colomiez ... M.DC.XIIII. ...* Molin Aussedat n°1306. Toulouse 1621 p. 18 du *Formulaire de Prosne*.

(a) Premierement tous Ecclesiastiques excommuniez, interdits, ou suspens, si devant l'absolution ils attentent de celebrer, ou faire aucun acte defendu par telle censure, ou Canons Ecclesiastiques, ou estant admonestez de leurs Pasteurs, ils ne sortent de l'Eglise.

2. Ceux qui prennent les Ordres plus hauts, sans prendre les precedens.

3. Ceux qui ont receu les Ordres d'autre que de leur Evesque sans Dimissoires[b].

4. Ceux qui exposent leurs enfans, principalement s'ils ont moyen de les nourrir[c].

5. Les homicides volontaires, ou qui tuent injustement.

6. Les sacrileges, ou violateurs d'Eglises.

7. Ceux qui auront violé les Nonains.

8. Ceux qui au second degré de consanguinité, ou plus proche, auront commis inceste, ou au premier degré d'affinité spirituelle.

9. Les ravisseurs des Vierges.

10. Ceux qui commettent le peché de sodomie, et bestialité.

11. Celuy qui en jugement aura dit faux tesmoignage.

12. Les parjures publiques.

13. Tous sorciers, enchanteurs, et devins, et ceux qui les consultent[d].

14. Ceux qui apres les fiançailles confirmées par jurement, contractent, ou se marient avec autre, sans dispense legitime.

15 Ceux qui auront battu ou frappé leur pere et mere.

16. Ceux qui se marient par mariage clandestin, ou qui assistent à tels mariages.

17. Les Notaires qui dans l'année ne denoncent les legats qui ont esté faicts pour choses pies, ou bonnes oeuvres[d].

18 Ceux qui falsifient, ou rongnent[e] la monoye.

19. Ceux qui couchent les enfans dans le lict avant l'an et jour[f][g].

Variantes. [a] De plusieurs excommunications qu'on trouve en usage, celles-cy sont les plus remarquables, et lesquelles il faut necessairement considerer, et lire souvent.] *add.* Tols. 1670. –[b] demissoires] Tols. 1621. –[c] principalement… nourrir] sans extreme necesité. *Et à ce cas est annexé l'excommunication.* Tols. 1621 sq. –[d] *Et à ce cas est annexé l'excommunication*] *add.* Tols. 1621 sq. –[e] rognent] Tols. 1670. –[f] Et à ce cas est annexée l'excommunication.] *add.* Tols. 1621 sq. –[g] 20. Les curez non residans] *add.* Tols. 1621 sq.

Bourges 1616

Absence de cas réservés.

Toul 1616, 1638, 1652

[Toul 1616 : Jean des Porcelets de Maillane]

Excommunicationes reservatae Episcopo, a quibus absolvere non licet habenti potestatem absolvendi a casibus reservatis, si talis potestatis

P2614 **Toul 1616 p. 85**

I. Percussio clerici non enormis, de quâ iam supra[23].

II. Submissio clerici facta sive in iudicio, vel per contractum quo se obligat in actione purè personali coram iudice, vel tabellione laicis. (Ex statuto Synodali).

III. Parentes, aliique omnes qui virgines, vel viduas ad habitum religiosum suscipiendum, vel in religione vota emittenda compellunt.

IV. Ea omnis excommunicatio Papalis, cuius absolutio ob iustum aliquod impedimentum haberi non potest a Papa, conceditur Episcopo. Sicut et absolutio ab omnibus casibus occultis etiam sedi Apostolicae reservatis [excepta haeresi :] item dispensatio in omnibus irregularitatibus, et suspensionibus ex delicto occulto provenientibus, excepta ea quae oritur ex homicidio voluntario, vel quae deducta est ad forum contentiosum.

Toul 1616, 1638, 1652

Casus Episcopo reservati

P2615 **Toul 1616 p. 86-87**

1. Maleficium.
2. Sortilegium, et omne divinationis, et maleficiae genus.
3. Sacrilegium, quod est rerum sacrarum furtum, et quaevis alia contumelia insignis erga res sacras.
4. Periuri, et usurarii in iudicio damnati.
5. Percussio patris, aut matris.
6. Qui partum perimunt, aut opprimunt, vel exponunt periculo mortis.
7. Homicidium scienter, vel voluntariè admissum.
8. Liberorum prostitutio.
9. Incestus inter consanguineos primi vel secundi gradus.
10. Sacrilegium, quod cum virginibus Deo per religionem dicatis perpetratur.
11. Raptus aliarum virginum.
12. Detestabile crimen sodomiae, vel bestialitatis.

---

[23] *Voir supra* Toul 1616-1652, *Excommunicationes reservatae Papae*.

13. Bonorum Ecclesiasticorum alienatio, vel alienatorum receptio, sine superiorum Ecclesiasticorum auctoritate.

14. Si quis bona clerici demortui, titulosque et documenta ad beneficium quod possederit spectantia invaserit, indebitéque retinuerit.

15. Falsarii publicorum instrumentorum, et monetarum.

16. Incendiarii.

17. Matrimonium clandestinè contrahentes, et eorum fautores.

18. Si quis diebus ab Ecclesia prohibitis carnes, vel ova absque Reverendissimi, vel eius vicarii : vel in casibus necessitatis proprii pastoris licentia comederit.

Meaux 1617

[Jean de Vieuxpont]

Casus reservati... Episcopo Meldensi

Formulaire de Paris 1601 avec des remaniements, et addition du dernier cas prohibant la lecture de la Bible en français sans permission.

Meaux 1617 f. 40-41

1. Mediocris percussio Religiosi vel Clerici, etiam primae tonsurae, dummodo habitum et tonsuram clericalem deferat, et actualiter Ecclesiae inserviat. Quae si atrocior fuerit, summo Pontifici reservatur : Atrocitatis autem judicium penes Episcopum.

2. Exustio domorum, frugum, et aliarum rerum de industria facta seu procurata et voluntaria, mandatum, auxilium et consilium in id praestitum, dummodo per sententiam latam non sint convicti et damnati tales ; quo casu ad summum Pontificem remittendi.

3. Idipsum de effractore et spoliatore aedium sacrarum et piorum locorum aedium intelligi etiam volumus.

4. Homicidium voluntarium, necnon etiam casuale quod accidit ex aliquo peccato mortali, in quo erat metus aut periculum homicidii.

Irregularitas autem quae inde contrahitur, Papalis est.

5. Monomachia, vel duellum, quo nomine continentur omnes pugnantes in duello, tum etiam qui vulgo dicuntur ipsorum patrini, et qui ad illud provocant, qui voluntarie intersunt, et quicunque consilium, auxiliumve aliquod praebent.

6. Conjugi mortem machinari.

7. Procuratio abortivi animati.

8. Oppressio parvulorum per supinam seu crassam incuriam.

9. Percussio patris vel matris de industria et animo laedendi.

10. Profiteri vel exercere maleficia, divinationes, sortilegia, ligaturas in uxoratos, caeteresque magicas artes. Idem esto judicium de iis qui ad magicas artes, veneficia, superstitiones, et caetera id genus, Eucharistiâ sacrosanctâ, Chrismate, oleo sancto, et aliis rebus seu precibus sacris abutuntur. Item qui ad ariolos [devins], divinos, magos et sortilegos adierint, ut secretas vel futuras res vel amissas noscant et recuperent, vel ejusmodi impias artes sectati fuerint, vel etiam ad sanitatem recuperandam.

11. Atrox et violenta percussio cum multa sanguinis effusione in Ecclesia.

12. Fornicatio in Ecclesia. Concubitus cum sanctimoniali. Fornicatio cum persona quam in baptismo susceperis, vel cuius confessionem audieris. Vivente propria uxore aliam ducere. Adulterium publicum. Raptus virginum, vel mulierum honestè viventium. Incestus. Concubinatus inter laïcos. Haec omnia si fuerint publica, et inde ortum scandalum tantum, ut pro salute animarum Parochis commissarum ad Reverendiss. mittendas oves visum fuerit eisdem Rectoribus expedire; alias non sunt reservati casus.

13. Sodomicum peccatum, et quod eo gravius est.

14. Sacrilegium, quo intelligitur quodcunque furtum rei sacrae in quovis loco, vel furtum rei profanae, in loco sacro.

15. Usura publica quae vel in judicio probata est, vel nullâ tergiversatione in tota vicinia celari potest.

16. Adultare monetam.

17. Simonia et confidentia occulta.

18. Carnes et alia vetita diebus ieiunii et abstinentiae ab Ecclesia indictis comedentes, nisi cum eis à superiore dispensetur.

19. Viri ingredientes claustra et loca regularia Monialium, et mulieres claustra religiosorum et eorum loca regularia, etiam devotionis praetextu, absque licentia.

20. Qui sacra Biblia gallico sermone legunt absque licentia superioris in scriptis obtenta.

Relaxatio votorum seu commutatio non est casus: tamen reservatur Reverendiss. vel summo Pontifici pro qualitate votorum.

Irregularitates omnes et suspensiones ex occulto delicto provenientes (excerptâ eâ quae oritur ex homicidio voluntario, et eâ quae deducta est ad forum contentiosum) Episcopis relictae sunt per Concilium Tridentinum, et ab iis absolvere possunt per se, vel per substitutos.

Praeterea iidem Episcopi ab omnibus occultis casibus etiam sedi Apostolicae reservatis absolvere possunt, per se, vel per Vicarios ad hoc deputatos, excerptâ haeresi, à qua soli per se, et non per Vicarios in foro conscientiae possunt absolvere, secundum supradictum Concilium Tridentinum...

Nantes 1617, 1665

Absence de cas réservés.

Vannes 1618, 1631

[Vannes 1618 : Jacques Martin]
Casus reservati Episcopo Venetensi

Vannes 1618 p. LXXVI– LXXXI.
Incestus, est copula carnalis cum consanguineis et affinibus aut spirituali cognatione per baptismum aut confirmationem iunctis, est etiam cum aliqui scienter contrahunt matrimonium in gradibus prohibitis.

Raptus, est vis illata mulieri sive illa sit virgo sive non. Similiter etiam cum mulier rapitur causa matrimonii quando non praecessit tractatus matrimonii et mulier non consentit. Huc spectat copula carnalis habita cum virgine decepta, sub falsis promissis futuri matrimonii.

Adulterium. Qui committit adulterium publicum et notorium, vel qui vivente propria uxore aliam scienter ducit, vel quae proprio viro vivente alteri nubit. Huc referuntur qui non expectant tempus pro reditu coniugis absentis à iure proximum, qui etiam contrahunt matrimonium clandestinum.

Sacrilegium, est furtum seu rapina rei sacrae in quolibet loco, aut non sacrae in loco sacro. Vulnerationes seu violenta sanguinis effusio in loco sacro. Est etiam sacrilegium cum aliquis saecularis sive vir sive foemina habet rem cum persona per votum religionis, aut castitatis Deo sacra, et vocari potest adulterium, vel incestus, cum persona Deo dicata sit sponsa spiritualis Dei, qui est omnium pater. Committit etiam sacrilegium qui in loco sacro copulam habet.

Sodomia, cum duo eiusdem sexus commiscentur, ut vir cum viro, foemina cum foemina, aut vir cum foemina extra vas naturale : bestialitas seu copula quae sit cum bruto animali, ad quem reducitur etiam coïtus cum daemone.

Periurium reservatum, est mendacium iuramento firmatum coram quolibet legitimo iudice, ut qui iuravit falso contra aliquem.

Falsitas, falsitatis crimen committunt qui assimilant seu falsant scripturas publicas, aut fidem solemniter datam violant, qui etiam falsum testimonium perhibent, tacendo verum, aut dicendo falsum coram iudice. Huc spectat peccatum admissum à iudice non iudicante ex aequo, ab advocatis et procuratoribus et aliis ostendendo scripturas partibus adversis, vel quodcunque modo prodendo litem suae partis.

Blasphemia, seu maledicentia publica et notoria contra Deum, B. Virginem et Sanctos ex malo voluntatis affectu. Ille autem dicit malum de Deo qui aufert ei bonum quod habet negando: vel imponit malum quod non habet affirmando.

Sortilegium, incantationes, divinationes, ligaturae, veneficium, invocationes daemonum, et profanus abusus rerum sacrarum: puta Eucharistiae, Chrismatis et similium.

Homicidium voluntarium aut realis membri abscissio seu actualis mutilatio si ex industria fiat, et exinde proveniat deturpatio aut grave incommodum.

Oppressio Prolis et procuratio abortus, si foetus sit vivus aut animatus, tunc enim est homicidium.

Percussio Clerici. Levis percussio presbyteri, religiosi aut clerici in sacris ordinibus constituti, si tamen laesio sit peccatum mortale, culpa enim venialis non est reservata. Quod si sit enormis percussio, solus papa absolvet. Vide hac de re Tolet.[anus][24] Nav.[arro][25] et alios.

Percussio Patris aut matris reservata, est violenta manuum iniectio cum laesione etiam levissima in patrem aut matrem voluntarie facta.

Incendium domorum, frugum, agrorum et aliarum rerum ex industria factum: et qui ista dolose incendunt excommunicandi sunt per sententiam Episcopi et post publicationem non possunt absolvi nisi per Papam.

Haeresis occulta. Peccatum haeresis tripliciter commitatur. Uno modo interius tantum in corde, et qui est haereticus hoc modo non est excommunicatus, potestque absolvi à proprio confessario. Secundo exterius tantum in opere, et haereticus isto modo non est etiam excommunicatus nisi in foro; exteriori, et solet absolvi ab Episcopo vel ab eius vicario. Tertio interius et exterius simul, et ab hoc haeresis crimine, si sit occultum, Episcopus habet facultatem absolvendi in foro exteriori, ex Concil. Trid. non autem eius vicarius.

Besançon 1619

Absence de cas réservés.

---

[24] Sur le Cardinal Francesco de Toledo, voir *infra* Auteurs cités, p. 1943.
[25] Sur Martin Aspilcueta, plus connu sous le nom de Navarro, voir *infra* Auteurs cités, p. 1943.

Poitiers 1619, 1637, 1655[26]

[Poitiers 1619 : Henri-Louis Chasteigner de La Rocheposay]
La forme de faire le prosne
Les cas reservez à Monseigneur le reverend Evesque de Poictiers

Poitiers 1619 p. [16] sign. A8v
Heresie.
Blaspheme enorme, public et scandaleux.
Homicide et mutilation volontaire et injuste : et procurer la mort du fruit animé au ventre de la mere.
Empoisonnement, devination [sic], sortilege, noüerie d'aiguillette, tout malefice, et invocation des esprits malins.
Inceste, adultere et concubinage public, et les pechez de la chair innominables [sic].
Faux tesmoignage et parjure en jugement, falcification [sic] et supposition de lettres prejudiciables, et fausse monnoye.
Incendie ou bruslement volontaire de maisons, forest, bleds, et semblables choses, et qui donnent à ce conseil, faveur et ayde.

Angers 1620, 1626, 1676
Saintes c. 1625[27], 1639, 1655[28]

[Angers 1620, 1626 : Guillaume Fouquet de La Varenne]

Angers 1620 p. 86-88. *Casus reservati Reverendo Domino Episcopo Andegavensi*
Saintes 1639 p. 20-24. *Casus reservati Reverendissimo Domini Episcopo Santonensi*

1. Incestus, id est, copula carnalis consummata inter consanguineos et affines carnales, intra tertium gradum inclusivè[a].
2. Stuprum, id est, defloratio virginis, facta vi, aut dolo sub praetextu matrimonii, vel fraude quacumque alia.
3. Homicidium deliberate consummatum, sive ex calore iracundiae, sive ex odio, invidiâ, aut alio quovis pravo affectu.
4. Transgressio votorum solemnium in personis Religiosis, quae carent Superioribus sui Ordinis, à quibus absolvi possint.

---

[26] Poitiers 1655 p. 34 : addition de : Duels et Duelistes.
[27] Saintes c. 1625 : édition disparue, attestée par l'ordonnance de Michel Raoul, évêque de Saintes de 1618 à 1631, en tête du prône de 1639.
[28] Saintes 1655 : édition disparue. Molin Aussedat n° 1176.

5. Falsum testimonium, et periurium, coram legitimo Iudice factum: necnon fabricatio falsorum contractuum, et aliorum instrumentorum.

6. Peccatum Magiae et Sortilegii, cum expressa Daemonum invocatione, vel cum abusu et contemptu Sacramentorum, rerum sacrarum, consecratarum, ac benedictarum, aut caeremoniarum Ecclesiae: aut per alios eiusmodi execrandos actus, ut putà cum horrore et turpitudine aliqua insigni, aut cum inhumanitate: vel denique per nodos, ligaturas, aut alia quaevis maleficia, ad impediendum usum matrimonii.

7. Sacrilegium, hoc est, furtum rei sacrae in loco sacro.

8. Percussio patris vel matris, aut avi aviaeve, aut alicuius alterius in linea ascendentium, facta cum excessu[b] scandalo.

9. Sodomia et Bestialitas, commissa à viro post annum aetatis decimumquartum, vel à femina post annum decimumsextum completum.

10. Abnegatio fidei et Religionis Catholicae, Apostolicae et Romanae, publicè vel solenniter, aut coram Iudice facta: vel quando quis voluntariè interest Coenae, concioni, precibus publicis, exequiis, matrimoniorum celebrationi, etiam sponsalibus de futuro, vel aliis huiusmodi superstitiosis caeremoniis haereticorum.

11. Incendium deliberate et animo nocendi factum.

12. Oppressio et suffocatio voluntaria infantis, vel iam nati, vel in utero matris iam animati: itemque suffocatio fortuita infantis positi in lecto, antequam habeat annum completum.

13. Blasphemia, prolata animo et voluntate deliberata detestandi et contemnendi Deum, vel Sanctos.

14. Haeresis, et schisma, quae quis exteriùs apertè profitetur: itémque si quis se haereticorum vel schismaticorum fautorem defensoremve praebuerit, in iis quae ad haeresim seu schisma tuendum pertinent: ac similiter lectio et retentio librorum tractantium ex professo de argumento haeretico: Et ejus carnium aliorumque ciborum prohibitorum, in diebus quibus ab Ecclesia prohibentur, extra casum necessitatis et inadvertentiae.

15. Adulterium publicum et notorium: necnon occultum, ex quo proles concepta aut nata sit: itemque adulterium spirituale, id est, copula carnalis consummata cum persona Religiosa professa.

16. Percussio Sacerdotis, aut Clerici vitam clericalem agentis.

Qui omnes casus brevius continentur his versibus.
Qui facit incestum: deflorans: aut homicida:
Transgressor voti: periurus: sortilegusque:

CAS DE PÉCHÉS RÉSERVÉS AUX ÉVÊQUES 1299

Sacrilegus[c] : *patrum percussor: vel Sodomita:*
Et mentita fides: faciens incendia: prolis
Oppressor: blasphemus: et haereticus: vel adulter[d] :
Pontificem super his adeat, clerum feriensque[29].

Quoniam vero saepe accidit, ut et Presbyteri à Casibus supradictis temerè absolvant, et poenitentes eiusmodi peccata audentius committant, ignorantes eorum absolutionem esse reservatam: quo facilius ad omnium notitiam perveniant, Parochis omnibus iniungitur, ut quotannis saltem semel, quando erit frequens conventus populi, in pronao Missae parochialis, omnes Casus supradictos[e] ad verbum lingua vernacula parochianis suis legant ac denuntient, et in Ecclesiis suis loco patenti in tabella descriptos exponant.

Variantes. [a] sive consanguinitas ex matrimoniali copula provenerit, sive ex illicita.] *add.* Angers 1676. –[b] aut] *add.* Saintes 1639, Angers 1676. –[c] Sacrilegius] Sai. –[d] Percutiens Clerum, veniam de Antistite quaerant.] *add.* Angers 1676. –[e] cum aliis quos D. Episcopus speciali statuto sibi reservavit, aut in posterum reservabit] *add.* Angers 1676.

Cambrai 1622, 1659, 1707, 1779

[Cambrai 1622: François Van der Burch]
De casibus reservatis

Cambrai 1622 p. 60-62

Ne multitudine casuum reservatorum infirmi, vel nimis verecundi à salutari poenitentiae Sacramento retrahentur, reservamus nobis, vicariis nostris, ac poenitentiario ea tantummodo quae sequuntur[30]. Sunt autem haec:

1. Haeresis: non ea quae solum est interna, nec ea quae solum est externa; sed interna quocumque signo exterius manifestata.

Sub qua continetur dubitans de fide, si voluntariè et ex pertinacia ac pravitate, seu sciens et prudens dubitat de veritate quam novit esse de fide, illudque suum dubium exterius prodit: secus si dubitet ex ignorantia, aut infirmitate.

2. Apostasia. A fide quidem, si animo simul et exterius ab ea ex toto deficiat. A religione, si professus religionem approbatam sine licentia eam deserit animo non redeundi ad illam, vel ad aliam, sed saeculariter vivendi. Et si habitum ea intentione dimittit, vel ut contra jus ad aliam transeat, vel etiam ad vagandum, est excommunicatus: similiter si habi-

---

[29] *Voir supra* la liste des rituels de Chartres 1490-1553 etc.
[30] Note marginale. Synod. Dioec. anno 1604.

tum abiicit ad fornicandum, alio ut se occultet assumpto[a]. Ab Ordine vero, si in maioribus Ordinibus constitutus propria auctoritate recedit ad statum saecularem: et[31] si uxorem duxerit, excommunicatus est.

3. Publica et enormis blasphemia in Deum, vel Sanctos. Enormis autem est quae deliberate sit, et ex odio vel ex affectu detestandi, contemnandi, aut irridendi Deum, vel Sanctos, Sacramentas, Imagines sacras, Reliquias. Id autem ex qualitate personarum, locorum, temporum, aliarumque circumstantiarum iudicandum est. Non censetur autem enormis (tametsi sit mortale peccatum) quae subito sit (cum advertentia tamen) ex aliqua passione, vel consuetudine. Publica autem est, quae sit coram pluribus, et innotescit maiori parti alicuius viciniae, Collegii, aut cuiuscumque congregationis, in qua sunt ad minus decem personae. Nolumus tamen reservari blasphemiam enormem, nisi simul sit publica: neque publicam, nisi simul sit enormis.

4. Homicidium voluntarium reipsa factum: et si sit Clerici, solus Pontifex, vel ab eo delegatam potestatem habens, absolvere potest.

5. Incestus cum patre, vitrico [beau-père], matre, noverca [belle-mère], filio, filia, privigno, privigna [gendre, belle-fille], fratre, sorore, reipsa commissus, et cum mulieribus religiosis professis.

6. Maleficia: per quae maleficus pacto expresso vel implicito cum daemone immediatè, vel mediatè, seu per tertiam personam scienter inito[b], alicui in anima, corpore, fama, honore, rebus et aliis quibuscumque reipsa nocet, quocumque modo id fiat, sive signis, ligaturis, characteribus, imaginibus, verbis, seu quibusvis rebus.

7. Simonia realis.

8. Sodomia cum eodem sexu, bestialitas, et eiusmodi graviora reipsa consummata[c].

9. Incendium Ecclesiae, domorum, frugum, aut aliarum rerum ex proposito factum.

10. Peccata item mandantium, consulentium, auxilium et favorem praestantium in haeresi, homicidio, incendio, maleficiis supra dictis.

11. Iniectio violenta manus in patrem, matrem, avum, aviam, proavum, proaviam, vitricum, novercam.

12. Crimen falsarii, si scripturae sint publicae, ut Regis, Principis, Magistratus, Iudicis, de publico tractantes.

13. Violatio Ecclesiasticae libertatis et immunitatis. Scilicet, edicta illi contraria faciens, servans, servari faciens, aut scribens, prohi-

---

[31] Note marginale: Clem[entina]. unica, tit. de consang. Clementinae: recueil de lois du pape Clément.

bensque subditis ne personis ecclesiasticis vendant, aut ab iis emant: delinquentem extrahens ab Ecclesia, Monasterio seu Conventu, Capella ab Episcopo ad inibi celebrandum deputata, Caemiterio, domo Episcopi, Hospitali, aliove loco privilegiato. Quae vero insuper violatio libertatis et immunitatis ecclesiasticae reservetur, nihil hîc dicimus, quia pertinet ad Pontificem[d].

Permittimus tamen, ut in unoquoque Decanorum Christianitatis districtu, quatuor parochi prudentiores, locis opportunis residentes, in eorum congregatione capitulari eligantur, et electorum nomina ad nos referantur, qui acceptâ à nobis licentiâ (sicut ipsi Decani) à supra-dictis casibus, suorum respectivè districtuum Christi fideles in foro conscientiae tantum, absolvere possint et valeant. Nemo tamen praedictorum, virtute eiusmodi concessionis ac facultatis nostrae, quemquem praesumat ab haeresi absolvere, nisi specialem licentiam id faciendi in scriptis obtinuerit[e].

Variantes Cambrai 1659-1707. [a] vel etiam ad vagandum... assumpto] vel ad vagandum, vel etiam ad fornicandum, alio habitu ut se occultet assumpto est excommunicatus Cam. 1659 et 1707. –[b] immediate... inito] *om.* Cam. 1707. –[c] et eiusmodi... consummata] *om.* Cam. 1707. –[d] Quae vero... Pontificem] *om.* Cam. 1659 et 1707 –[e] A peccato vero complicis in materia venerea exteriori actu commisso, nemo valide absolvere poterit, quamcumque à casibus reservatis absolvendi facultatem acceperit. Nemo autem vota castitatis à filiabus in confessionem exigat aut admittat, absque Archiepiscopi consensu, et nimiam earum familiaritatem etiam praetextu necessitatis, consilii, vel auxilii caveat, ne scandali detur occasio, vel sub specie caritatis, vitiosa foveatur cupiditas] *add.* Cam. 1707.

Cambrai 1622, 1659

[Cambrai 1622: François Van der Burch]
De Excommunicationibus reservatis[32]

Cambrai 1622 p. 63-66

Quanquam praedecessores nostri excommunicationes omnes, suspensiones, et interdicta synodalia sibi, et successoribus suis reservarint: Nos tamen humanae fragilitati consulere volentes eas tantummodo in posterum reservamus quae in antiquis eorum decretis iam de novo recusis, et infra positis reservatae declarantur. A caeteris absolvere poterunt omnes sacerdotes à nobis ad audiendas confessiones admissi, et deinceps admittendi, idque in foro conscientiae tantum[33].

---

[32] Formulaire absent de Cambrai 1707 et 1779.
[33] Nombreuses références marginales aux synodes et anciens décrets.

Adulteri publici, si intra quindecim dies à monitione non abstineant ab ista conversatione.

Agricolas arantes, vel ad agriculturam euntes aut redeuntes, semina portantes hostiliter capiens, vulnerans, interficiens, in Comitatu Cameracesii et fautores.

Baptizans alibi quam in Ecclesiis in quibus sunt fontes Baptismales, liberis Regum et Principuum exceptis, et excepto casu necessitatis.

Bona Ecclesiae perpetuo alienantes Clerici, et laici cum eis contrahentes.

Bona Clerici propter eius crimen ab Episcopo annotanda, vel sequestranda, iudex laicus confiscans et levans, in sequestrationem detinens vel detineri faciens, nisi statim ad Episcopi mandatum reddat.

Cameracensem civitatem, villas, nemora, prata, molendina, vivaria, et alia loca et iura ad Episcopum pertinentia violenter invadens aut occupans, cum fautoribus.

Capiens, carceri mancipans, vel à prosecutione litis cessare compellens bonis suis cedentes, aut cedere volentes, aut alias forum ecclesiasticum eligentes super his quae ad illud pertinent.

Celebrans scienter ubi est cessatio à divinis, suspenditur: et si suspensionem per sex dies sustinuerit, excommunicatur.

Censurae Ecclesiasticae contra laicos latorem occidens, capiens, aut licentiam dans: vel alias in persona, bonis suis vel suorum gravans ipsum, aut eos qui tales censuras protulerunt, vel easdem servant, vel taliter excommunicatis communicare nolunt, nisi licentiam revocaverit, vel bona capta infra octo dies restituerit, aut pro ipsis satisfecerit. Et si per duos menses in ea excommunicatione manserit, à solo Papa potest absolvi.

Clericus per iustitiae saecularis potentiam et favorem evitans aut evitare tentans Iudicis Ecclesiastici correctionem: et qui dant auxilium, consilium, iuvamen.

Clerici in sacris ordinibus constituti, qui se coram iudicibus laicis sistunt, fideiubent, aut se obligant, contrahunt, et se mutuo conveniunt.

Conspirantes contra suos praelatos, et presbiteros, et eorum libertates et iura, verbo, vel facto, publicè aut occultè: et auxilium, consilium, favorem, mandatum dantes, et alligationes, confoederationes, expensarum et sumptuum distributiones.

Duellatores, cum fautoribus.

Ecclesiam vel Caemeterium sanguinis effusione polluens, aut pollutionis causa existens, si à Curato requisitus infra mensem reconciliationem cum effectu non procuraverit.

CAS DE PÉCHÉS RÉSERVÉS AUX ÉVÊQUES 1303

Ecclesiarum vel Caemiteriorum obsessores adversus eos qui eo refugii causa confugerint, si moniti non recedant.

Excommunicati publicè, et interdicti, si nominatim moniti à celebrantibus Ecclesiam non extant, à solo Papa possunt absolvi: qui inhibent eis ne exeant, à solo Episcopo.

Excommunicati ab Episcopo, vel Officiali, si in articulo mortis à proprio curato fuerint absoluti, reincidunt in eandem excommunicationem, nisi infra mensem post suam convalescentiam Episcopo, et parti satisfecerint.

Homicidae.

Incendiarii, cum fautoribus, in Comitatu Cameracesii.

Matrimonialibus causis, aut illis annexis sese iudicialiter intromittens.

Matrimonium scienter contrahentes in casibus à iure prohibitis.

Matrimonio copulati qui sine iudicio Ecclesiae se separant, causâ divortii faciendi, nisi infra quadraginta dies redierint, aut actionem divortii intentaverint.

Moniales clausuram professae, sine licentia clausuram exeuntes, sive sint exemptae, sive non exemptae.

Ordines scienter et fraudulenter recipiens ab alieno Episcopo, sine consensu proprii: vel per saltum.

Poenitentiae Sacramentum negans afficiendis ultimo supplicio, si illud petierint.

Religiosi exempti, et non exempti, non servantes interdictum.

Religiosi matrimonia solennizantes, Sacramenta Eucharistiae, et Extremae Unctionis ministrantes sine licentia Parochi, cum fautoribus: aut absolventes à sententia per statutum Synodale promulgata sine licentia.

Schismatici.

Sortilegia faciens de Chrismate, de Corpore Christi, seu alio Sacramento.

Synodum malitiosè impediens.

Tonsuram scienter et fraudulenter recipiens ab alieno Episcopo sine licentia proprii.

Torneamenta [tournois] faciens, cum fautoribus.

Usurarii manifesti.

Cambrai 1622, 1659

Suspensiones reservatae[34]

P2622 **Cambrai 1622 p. 66-67**

Banna proclamans eorum qui sponsalia sine Parocho contraxerunt.

Beneficio curam animarum habenti deserviens ultra mensem sine Episcopi licentia.

Capellanus vel Officiatus sine Episcopi aut Vicarii eius consensu recipiens pecuniam ex redemptione reddituum fundationis sui beneficii, aut officii provenientem.

Curatus parochianos suos nominatim excommunicatos diebus dominicis et festivis non denuncians in facie Ecclesiae: quoties id scienter, gratiâ, amore, vel favore omiserit.

Decani et alii presbyteri matrimonialibus causis et aliis quibuscumque se iudicialiter intromittentes.

Executor portatorem litterarum Curiae prodens, ostendens, revelans, revelari faciens, aut mandatum insinuans, insinuari faciens, permittens, aut procurans parti adversae, antequam portator ad duo miliaria recesserit: dum scit aut videt insidias poni, aut periculum imminere portatori per partem adversam.

Matrimonium solennizans ex sponsalibus sine Parocho contractis.

Praesbiter ipsa evidentia rei notorius fornicator: et celebrando sit irregularis.

Praesbiter, Capellanus statuta Synodalia in casu cessationis scienter non observans.

Praesbiter, Capellanus, aut eorum Vicarius mulieres iacentes de partu damnato, coitu nefario, vel fornicario notorio et manifesto, ad purificationem recipiens sine Episcopi, vel Officialis, vel Decani speciali licentia.

Praesbiter leges Episcopo, et Archidiacono locorum debitas occultans, seu fraudem faciens in eisdem quominus legitime persolvantur, nisi infra mensem satisfecerit seu revelaverit.

Religiosi mendicantes audientes confessiones poenitentium sine licentia Episcopi.

Sepeliens in loco sacro eum qui excommunicationem authoritate Episcopi latam per annum et diem sustinuit, quamvis in articulo mortis per sacerdotem fuerit absolutus.

---

[34] Formulaire absent de Cambrai 1707 et 1779.

Ad Synodum non venientes Praelati, Patroni, Sacerdotes, Capitula, Collegia, et quivis alii qui de iure vel consuetudine venire tenentur, si dioecesani sint, nec sint legitimè excusati, nisi infra mensem super inobedientia sua emendam Episcopo, vel Officiali competenter praestiterint.

Soissons 1622

[Charles de Hacqueville]

Les cas reservez en ce Diocese de Soissons

Soissons 1622 p. 72-73

1. Le blaspheme public et enorme contre Dieu ou les Saincts.

2. L'effraction, vol et larcin des lieux sacrez, aussi la prophanation d'iceux par l'effusion du sang, ou par actes des-honnestes de la chair : comme pareillement le detestable abus des choses sacrées, tant de la saincte Eucharistie, que du sainct Chresme et autres choses sacrées.

3. Faire profession ou exercer les malefices, empoisonnemens, divinations, enchantemens, noüer l'eguillette, et autres actes de magie.

4. Battre ou offenser griefvement pere ou mere.

5. Homicide volontaire ; estouffer petits enfans ; comme aussi procurer des avortemens ou descharges [mises au monde].

6. Tout duël, souz lequel nom, sont compris tant les combattans, que leurs parreins, ceux qui y provoquent ou font l'appel, ceux qui y assistent volontairement, ou qui y donnent conseil, ou ayde en aucune sorte que ce soit.

7. Avoir battu legerement un Religieux ou Clerc constitué aux ordres sacrez. D'autant que l'avoir battu enormement, cela est reservé au sainct Pere.

8. Avoir volontairement mis le feu, et faict brusler quelque maison, pourveu que le boutte-feu n'ait esté denoncé publiquement, d'autant qu'il est reservé au Pape.

9. Avoir eu la compagnie charnelle d'une Religieuse ou de celle dont on a receu et ouy la confession sacramentelle.

10. L'adultere public, prouvé en justice, ou recogneu par tout le voisinage.

11. Inceste du premier ou du 2. degré de consanguinité ou affinité.

12. Le rapt de Vierges, ou de femmes vivant honnestement.

13. Le peché de Sodomie, et celuy qui est plus grief.

14. Usure publicque prouvée en jugement, ou recogneuë par tout le voisinage.

15. Simonie et confidences occultes.

16. Se faire ordonner par un autre Evesque que son ordinaire sans sa permission, tant aux ordres mineurs, qu'aux majeurs.

17. Le parjure ou faux tesmoignage faict devant un juge.

18 Toute irregularité ou suspense provenant de delict occulte, excepté celle qui se contracte par un homicide volontaire, ou qui auroit esté deferé en jugement.

Arras 1623, 1644

[Arras 1623 : Hermann Ortemberg]
Casus Episcopo Atrebatensi reservati

P2624 Arras 1623 [1° partie] p. 33-35

Iure antiquo, varii casus in hac Dioecesi Episcopo reservantur, ut videre est in Statutis Praedecessorum, Tit. Casus reservati[35]. Sed ne eorum multitudo nimiam adferat in Confessionis negotio perplexitatem, visum est hodie tria haec dumtaxat reservare, donec aliud iudicatum fuerit expedire:

Homicidium voluntarium.
Libidinem nefandam.
Excommunicationem maiorem.

Nam Haeresis crimen non est quod his adnumeretur, cum hodie sit casus Papalis, per Bullam Coenae reservatus.

Porro nomine Libidinis nefandae, ne circa eam aliqua dubitandi occasio relinquatur, declarat Rmus D. eius nomine intelligi illud dumtaxat peccatum libidinis, quod cum persona eiusdem sexus, vel (quod etiam horror est nominare) cum bruto fuerit consummatum.

Maioris autem excommunicationis nomine, intelligitur tam ea quæ à jure, quam quae ab homine lata sit. Caeterum quia variae sunt et multiplices excommunicationes, ne similiter earum reservatione conscientias illaqueari contingat; declarat idem Rmus D. praeter eas quas sibi Apostolica Sedes reservat, has solum deinceps quae sequuntur (nisi aliud jus emanare contingat) inter reservatas censendas esse.

1. Contra eos, qui maleficiis usum Matrimonii impediunt. Habetur in Statutis Prædecessorum. Tit. De Matrimonio.

---

[35] Références aux synodes d'Arras et de la province de Cambrai.

2. In eos, qui contra aliquod Matrimonii impedimentum dirimens contrahere praesumpserint. Ibid. Comprehensis etiam iis, qui huiusmodi Matrimonia scienter celebraverint. Clem. 1. De consanguinitate.

3. In Clericos beneficiatos aut Sacerdotes, tenentes notoriè Concubinam, aut continuè mulierem in domo suspectam. In dictis Statutis. Tit. De vita et honestate Clericorum.

4. Contra usurarios publicos. Ibid. Tit. De usuris. Ubi excommunicantur quidem generaliter omnes usurarii: Caeterum reservationem istius excommunicationis ad solos usurarios manifestos Rmus D. vult deinceps pertinere. Quorum etiam familia, uti hactenus, ecclesiastico interdicto subjecta permanebit; ita ut nec ad Communionem altaris admitti debeat, nec ecclesiastica honorari sepultura.

5. Contra Clericos sive saeculares sive regulares, bona Ecclesiae in perpetuum alienantes: nec non et contra Laicos cum iisdem contrahentes. In 2. Synodo Provinc. Camerac. Tit. 15. c. 2.

6. Contra Clericos in sacro Ordine constitutos fidejubentes, aut alias se obligantes cum renunciatione privilegii clericalis. Ead. Synod. Tit. 16. c. 2.

7. Contra Clericum sacri Ordinis, qui alium vel alios in sacro item Ordine constitutos convenire facit coram laicis judicibus actione personali. Ibid.

8. In eos, qui cum excommunicato excommunicatione Episcopo reservata communicant in crimine criminoso, id est, propter quod jam ante erat excommunicatus.

9. Denique reservatur Excommunicatio specialiter lata per sententiam Episcopi vel Officialis ejus, in personam vel personas determinatas. Ut qua excommunicatur Petrus, Joannes, etc. Secus autem de ea, quæ fertur generaliter et indeterminate in eos, qui hoc vel illud fecerint.

Isti igitur sunt casus et excommunicationes, quas Rmus D. statuit hodie sibi reservari. A quibus nihilominus permittit pœnitentem absolui per inferiorem confessarium, quando facit confessionem generalem, ad seriam vitæ emendationem, semel dumtaxat.

Ad extremum, monendi sunt parochi, aliique confessarii inferiores, quod licet absolvere possint a peccatis, quibus annexa est aliqua suspensio, irregularitas, vel interdictum, nisi ea aliunde reserventur; non posse tamen ipsos hujusmodi impedimenta tollere, vel in iis (uti nec in votis, aut juramentis) dispensare, nisi id a superiore specialiter iis concedatur.

Sens 1625

[Octave de Bellegarde]
Les cas par nous reservez

P2625 **Sens 1625 p. 69-72**

1. L'heresie, et lecture des livres heretiques.
2. La simonie.
3. L'apostasie des voeux solemnels, et des ordres sacrez.
4. Blaspheme notoire, et public contre Dieu, la Vierge et les Saincts.
5. Le sortilege, enchantement, devination [sic], recours aux devins et sorciers, pour sçavoir les choses secrettes.
6. Le venefice [empoisonnement], et malefice, soit pour empescher l'usage du mariage, soit à autre fin prejudiciable au prochain.
7. Le parjure, ou faux tesmoignage en jugement.
8. L'homicide injuste, ou cooperation à iceluy.
9. L'incendie, ou bruslement, et cooperation à iceluy.
10. Falsification de lettres publiques, sceaux autentiques [sic], et monoye.
11. Procurer qu'une femme avorte, ou soit sterile.
12. Oppression, ou suffocation d'enfans, par faute notable.
13. L'inceste entre les personnes proches par consanguinité, et affinité, jusques au troisieme degré inclusivement, et par alliance spirituelle, et le sacrilege avec un religieux ou religieuse profez.
14. L'adultere, et concubinage public, et notoire.
15. La sodomie, et le peché contre nature, qui est plus grief.
16. Le rapt, sous lequel est compris le violement de femmes ou de filles.
17. Supposition d'enfans estrangers à propres, et legitimes.
18. Battre, ou frapper griefvement, ou notablement, pere, et mere, et les ecclesiastiques.
19. Le sacrilege, soit par effraction, et rupture du lien sacré, ou larcin de choses d'importance, qui servent à l'autel.
20. L'usure publique, et notoire.
21. Manger de la chair, et des oeufs, sans permission de l'Ordinaire, aux jours defendus de l'Eglise.

Que nul ne soit si osé d'absoudre en ces cas, excepté nos vicaires generaux, nostre penitencier, et ceux qui auront le pouvoir de nous.

Il est toutes-fois permis à tous curez, et à leurs vicaires, d'absoudre les femmes de leurs paroisses, qui seront pecheresses occultes, et non pas notoires, de tous pechez d'incontinence, leur demeure estant distante de nostre ville metropolitaine de Sens, de trois lieuës. Principalement s'il y a juste crainte, qu'elles ne puissent avoir recours au superieur, sans peril de leur renommée, et sans se mettre en hazard de descouvrir leurs pechez.

Tournai 1625
[Maximilien Villain de Gand]
Casus Episcopo Tornacensi reservati

Tournai 1625 p. 61

Ne quis solita casuum reservatione à salutaris confessionis remedio retrahatur, vel quia sacerdotem qui eum absolvat, in promptu non habet, vel quod propter sumptus ad Episcopum, vel ejus delegatos proficisci differrat, huic rei consulere volens Reverendissimus Dominus, potestatem absolvendi à casibus nobis reservatis omnibus parochis usque ad revocationem commisit, exceptis tamen.

Homicidis.
Excommunicatis majori excommunicatione.
Suspensis.
Interdictis nostrâ authoritate.

Tournai 1625
Casus autem reservati à quibus ex commissione absolvere possunt Parochi, sunt hi

Tournai 1625 p. 61

Apostasia.
Sortilegium factum cum Eucharistiâ aut Chrismate.
Perjurium solemne.
Violatio voti solemnis.
Injectio violenta manuum deliberato proposito cum laesione in parentes.
Veneficium [Empoisonnement].
Procuratio sterilitatis vel abortus.
Sacrilegium excedens 40 solidos.
Usuria notoria.
Incendium voluntate deliberata procuratum.
Adulterium notorium.
Incestus cum sanctimonialibus, et consanguineis intra tertium gradum.
Sodomia.

Raptus virginum.
Falsum testimonium in judicio datum.
Crimen falsi.
Simonia realis, *et praedictis graviora in eodem genere peccati, Apostolicae tamen Sedi suis semper salvis.*
In statutis praedecessoris tit. de Sacram. paenit. cap. 7 et 8.

Bayeux 1627

Absence de cas réservés.

Chartres 1627, 1639, 1640
[Léonor d'Estampes de Valançay]
Casus seu peccata… Carnotensi Episcopo reservata, à quibus nullus Sacerdos, absque eiusdem D. Episcopi auctoritate praesumat absolvere

P2628 **Chartres 1639 p. 82-85**

Apostasia. Quando quis à fide, vel à sacro ordine, aliquo exteriori actu recedit, animo nunquam redeundi.

Blasphemia. Cum quis apertè et publicè, iniuriosum aliquid et contumeliosum in Deum, Beatam virginem, et Sanctos, profert, aut scribit.

Magia. Cum quis daemones invocat, cum eis paciscitur, et patrato [*sic*] aliquo superstitioso ritu aliquem ab eis effectum scienter exspectat : et est consultoria, vel divinatoria. Hoc casu comprehenduntur incantatores [enchanteurs], sortiarii [sorciers], magi [magiciens], divinatores [devins], ligulae nodatores [noueurs d'aiguillette], et qui sacris ad id, ipsoque Missae sacrificio impiè abutuntur, quique maleficium maleficio solvunt.

Haeresis. Cum quis errorem fidei contrarium pertinaciter contra Ecclesiam sustinet ac sequitur.

Periurium. Cum quis à suo iudice praestito iuramento de veritate dicenda, iuridicè interrogatus ; eam negat, aut maligna tergiversatione dissimulat.

Sacrilegium. Cum res sacra in quocumque loco sit, surripitur : cum locus sacer iniuriosâ sanguinis effusione, vel humani seminis voluntaria et culpabili emissione polluitur : cum persona solemni voto Religionis Deo dicata, damnato concubitu alteri commiscetur.

Simonia, quae vel in beneficio vel in ordine committitur, dummodo sit occulta : nam si publica et notoria fuerit S. P. reservatur. Quod etiam de confidentia dicitur.

Ingressus Monasteriorum Monialium, ubi est clausula ab Episcopo indicta, sine ius auctoritate.

Eius carnium, diebus prohibitis absque Episcopi dispensatione.

Promotio ad ordines. Cum sit ab alio Episcopo sine dimissoriis propriis Episcopi literis [sic], vel scienter per saltum.

Percussio gravis patris aut matris, avi aut aviae. Item percussio clerici quae sit mortalis, dummodo enormis non sit, tunc enim summo Pontifici reservatur.

Homicidium. Quando est voluntarium, vel etiam casu commissum, si detur opera rei illicitae, quae sub peccato mortali prohibeatur, et probabiliter mortis inductiva iudicari posset.

Oppressio parvulorum. Cum sit notabili negligentia, quae nullam omnino admittat excusationem.

Duellum. Cum aliqui singulari pugnâ decertant, aut alios ad certandum provocant, eosve comitantur [sic], aut operâ, consilioque adiuvant, aut saltem velut patrini pugnantibus astant.

Sodomia, et bestialitas contra naturam, peccata adeo detestanda, ut ultionem potiùs quàm absolutionem mereantur.

Incestus. Quando qui in gradibus prohibitis, affini, vel consanguineae carnaliter copulatur.

Raptus. Cum virgini, vel pudoratae mulieri ad libidinem vis infertur.

Adulterium, inter coniugatos, vel alterum coniugatum, dummodo publicum et notorium sit.

Concubinatus. Si sit publicus et notorius, cum quis foeminae cuidam ita adhaeret, ut uxori coniunx.

Matrimonium clandestinum. Cum sine Parocho, aut eius licentia, et duobus saltem testibus celebratur.

Incendium. Cum quis malitiosè aedibus alienis, aut rebus ignem iniecerit, nisi incendiarius sit denuntiatus, quia tunc reservatur S. P.

Monentur autem omnes nullum reservari peccatum sola cogitatione admissum: Puerorum ante pubertatis annos, id est quatuordecim, nisi anteà capaces doli manifestè appareant: quod tantum est veniale: et quod in dubio an sit mortale, an reservatum.

Omnes suspensiones et irregularitates delicto occulto provenientes, Episcopo reservantur (exceptis iis quae oriuntur ex homicidio voluntario, et aliis ad forum contentiosum deductis) et ab illis absolvere possunt, vel per se, vel substitutos.

Praeterea iidem Episcopi ab omnibus occultis casibus etiam sedi Apostolicae reservatis absolvere possunt per se, vel per Vicarios ad hoc deputatos ex Conc. Trid. Sess. 24. c. 6.

Verum ab omnibus istis casibus sive Papae, sive Episcopis reservatis, potest quilibet simplex Sacerdos quemlibet absolvere in articulo mortis, et quoties à Papa vel Episcopo huiusmodi facultatem ipsum habere contigerit: videlicet per speciale privilegium sibi vel poenitenti concessum, vel per generalem quandam indulgentiam plenariae remissionis, quâ fidelibus eligere permittitur, quem voluerint Confessarium, qui illos ab omnibus casibus et censuris possit absolvere.

Insuper hoc quoque diligenter advertendum est, à casibus summo Pontifici reservatis excipi impuberes, scilicet masculos ante decimum quartum annum quoniam in iis minus viget ratio.

Monachos ac regulares, qui non sunt sui iuris.

Foeminas, partim ob infirmitatem sexus, partim quia sunt sub virorum potestate: sed praecipuè ne zelus maritorum in eas implacabiliter exardescat. Iuniores autem viduas, ac puellas, propter periculum innocentiae.

Senes et valetudinarios, quia laborem itineris ferre non possunt.

Pauperes, maximè si fuerint conjugati: ne diuturna illorum absentia uxorem ac liberos obiiciat mendicitati vel flagitio.

Denique omnes quibus salvâ vitâ, libertate, et rebus suis, Romam adire non licet, saltem quamdiu durat huiusmodi impedimentum, non sunt ad Papam, sed ad Episcopum, vel ipsius Vicarium, aut Poenitentiarium mittendi, à quo absolvi possunt.

Porro etsi aliquando in confessione commutatio votorum facienda sit, non licet cuilibet Sacerdoti in votis dispensare, aut ea commutare, cum sola absolutio peccatorum, non votorum illi concessa sit, et ad Praelatos Ecclesiae tantum spectet dispensare et commutare vota. Solius enim S. P. vel ab eo potestatem habentis est, in his quinque votis dispensare, perpetuae continentiae, religionis, peregrinationis in Hierusalem vel Romam, vel ad sanctum Iacobum in Compostella. In caeteris votis alii Praelati inferiores, et qui ab eis potestatem habent, vel qui iurisdictionem Episcopalem sortiti sunt, dispensare possunt; alii nunquam, nisi et id Sacerdotibus per indulgentias concedatur.

Paris 1630

[Jean-François de Gondi]
Casus reservati Reverendissimo Domino Archiepiscopo Parisiensi

Formulaire de Paris 1601-1615 avec additions explicatives après certains cas, en italiques ou non, entre doubles crochets carrés ici. Les quatre premiers cas sont inchangés.

29 Paris 1630 f. 78v-78ter[36]

5. Monomachia vel duellum, quo nomine continentur omnes pugnantes in duello, tum etiam qui vulgo dicuntur ipsorum patrini, et qui ad illud provocant, qui voluntariè intersunt, et quicunque consilium auxiliumve aliquod praebent. [[*Qui provocant, intellige cum effectu seu secuto duello. Qui voluntariè intersunt, intellige quasi comites et faventes.*]]

6. Coniugis mortem machinari, [[*id est, reipsa tentare, licet forte non sequatur*[37]]].

7. Procuratio abortivi sive animati, sive inanimati. [[*Id est cum quis pharmaco vel aliâ causâ voluntarie foetum conceptum sive animatum sive inanimatum extra uterum expellit: nam si in utero illis artibus foetum occiderit, pertinebit ad quartum casum qui est de homicidio.*]]

8. Oppressio parvulorum per incuriam. [[*Cum sit notabili negligentiâ quae non admittit excusationem.*]]

9. Gravis[38] percussio patris vel matris. [[*Nomine patris et matris comprehenduntur avus et avia.*]]

10. Profiteri vel exercere maleficia, divinationes, caeterasque artes magicas. [[*Hoc casu comprehendi volumus non solum, incantatores, sortiarios* [sic], *magos, divinatores, ligulae nodatores et eos omnes qui actus illorum quos ab ipsis vel aliis didicerint, opere exequuntur: sed etiam qui eos adeunt et consultant.*]]

11. Profanatio et impius abusus rerum sacrarum, ut sacro sanctae Eucharistiae, chrismatis, olei sancti. [[Et ipsius missae sacrificii.]]

12. Atrox et violenta sanguinis effusio in Ecclesia, vel etiam talis percussio ex qua plurimus sanguis fundatur, licet non in Ecclesia.

13. Fornicatio in Ecclesia.

14. Concubitus cum Sanctimoniali. [[*Id est cum foemina, solemni voto religionis Deo dicata.*]]

15. [[Et]] cum persona [[etiam]] quam in baptismo susceperis, vel cuius confessionem sacramentalem exceperis; [[vel cum eo qui baptismi aut confess. Sacramentum administraverit.]]

16. Vivente propria uxore aliam ducere, [[vel proprio viro vivente, alteri nubere[39]]].

17. Adulterium publicum, quod vel iudicio probatum est, vel nulla tergiversatione in tota vicinia celari potest.

---

[36] Triple foliotation du f. 78.
[37] Id est, reipsa tentare, licet forte non sequatur] *add.* Paris 1615-1630.
[38] Gravis] *add.* Paris 1615-1630.
[39] Vel proprio viro viventi, alteri nubere] *add.* Paris 1615.

18. Raptus virginum, vel mulierum honestè viventium. [[*Nomine raptus intelligitur violentia erga personam raptam in ordine ad libidinem vel ad matrimonium.*]]

19. Incestus intra secundum gradum consanguinitati, [[et affinitatis.]]

[[Per affinitatem intelligitur ea affinitas quae oritur tam ex copula matrimoniali quam ex copula illicita extra matrimonium. V.G. cum quis commixtus fuit carnaliter cum Barbara si postea cognoscat eius sororem aut cognatam in secundo gradu quam vulgo nominant germanam, casus est reservatus: et vicissim si quae commixta fuit cum Ioanne, et postea cognoscat carnaliter eius fratrem vel cognatum in secundo gradu, quem vulgo nominant germanum, casus est reservatus, idipsum de patruis, avunculis, amitis, materteris.]]

20. Sodomiticum peccatum, et quod eo gravius est.

21. Sacrilegium, quo intelligitur quodcumque furtum rei sacrae in quovis loco, vel furtum rei profanae, in loco sacro.

22. Usura publica, quae vel in iudicio probata est, vel nulla tergiversatione in tota vicinia celari potest.

23. Falsum testimonium coram iudice.

[[*Id est si quis in testem vocatus, et praestito iuramento de veritate dicenda iuridicè interrogatus eam negat, vel maligna tergiversatione dissimulat.*]]

24. Crimen falsariorum qui adulterant litteras ecclesiasticas, sive occultum sit factum, sive publicum, modo non sint litterae aut Bullae S. Pontificis: harum enim falsificatio reservatur Papae, quando factum est notorium: nobis vero, si occultum est.

25. Adulterare monetam, aut maius sigillum regium.

26. Simonia et confidentia occulta.

27. Irregularitas omnis et suspensio ex delicto occulto proveniens, ea excepta quae oritur ex homicidio voluntario, vel quae iam deducta est ad forum contentiosum.

28. Ordinari ab alieno Episcopo, absque ordinarii sui facultate: quod de maioribus et minoribus ordinibus intelligi volumus.

29. Promoveri per saltum ad ordines, vel ante legitimam aetatem, vel falso aut supposito titulo, vel supposita alia persona ad subeundum examen.

Auxerre 1631

[Gilles de Souvré]

Formulaire de Prosne… du Diocese d'Aucerre

Les Excommunications et cas reservez aux Evesques selon le droict commun

Auxerre 1631 p. 14. *Voir* Toulouse 1614 (P2612).

Auxerre 1631

De plusieurs Excommunications qu'on trouve en usage, celles-cy sont les plus remarquables, et lesquelles il faut necessairement considerer, et lire souventes fois.

Les cas reservez a Monseigneur le Reverendissime Evesque

Auxerre 1631 p. 15

1. Tous Prestres ou autres Ecclesiastiques constituez aux ordres sacrez, qui vont à la taverne ou frequentent les brelans et lieux publics, sont excommuniez et l'excommunication reservée à Monseigneur l'Evesque.

2. Tous sorciers, enchanteurs, devins, ou magiciens, sont excommuniez.

3. Tous homicides volontaires.

4. Tous usuriers manifestes, sont excommuniez.

5. Tous concubinaires manifestes, sont excommuniez.

6. Tous confidentiaires, sont excommuniez.

7. Tous ceux qui auront battu leur pere et mere.

8. Ceux qui auront commis inceste, ou cognu charnellement une Religieuse.

9. Ceux qui auront commis le peché de sodomie.

10. Ceux qui font avorter les femmes, et qui le procurent.

11. Ceux qui desrobent les choses sacrées, ou autres choses dans les Eglises.

12. Ceux qui demeurent excommuniez l'espace d'un an.

13. Ceux qui contractent mariages clandestins contre les Decrets du sainct Concile de Trente.

Metz 1631

Voir Metz 1605.

Noyon 1631

[Henri de Baradat]

Casus reservati… Domino Episcopo Noviomensi

Noyon 1631 p. 129-131

1. Si quis in Deum vel sanctos enormiter blasphemus extiterit, sacrilegiumque commiserit. Quo intelligitur quodcumque furtum rei sacrae in quovis loco, vel furtum rei profanae in loco sacro.

2. Si quis sacrosanctam Eucharistiam, aut venerandas sanctorum reliquias pedibus conculcaverit, vel alia aliqua insignis contumelia affecerit.

3. Si quis ad magicas artes, veneficia et superstitiones eadem Eucharistia aliisve rebus seu factis, seu benedictis abusus fuerit.

4. Si quis divinos, magos, sortilegos adierit, vel huiusmodi impias artes sectatus fuerit.

5. Si quis in haeresim lapsus fuerit.

6. Si quis patrem vel matrem percusserit.

7. Si quis homicidium voluntarium perpetravit, necnon etiam casuale, quod accidit ex aliquo peccato mortali, in quo erat metus aut periculum homicidii.

8. Si quis abortum procuravit, aut ut contingeret quovis modo consilium aut consensum praebuerit.

9. Si quis prolem oppresserit, aut per negligentiam perire permiserit.

10. Si quis graviter, aut cum ignominia clericum in sacris ordinibus constitutum verberarit, aut verberari iusserit, etiam extra mutilationem, aut mortis periculum.

11. Si quis in duello pugnaverit, aut pugnantis patrinus fuerit, qui ad illud provocaverit, invitarit, qui voluntariè interfuerit, et quicumque consilium auxiliumve aliquod praebuerit.

Qui provocaverit, *intellige cum effectu, seu secuto duello.*

Qui voluntariè interfuerit, *intellige quasi comites et faventes.*

12. Si quis matrimonium post simplex votum continentiae, vel cum alia muliere post sponsalia iureiurando firmata contraxerit.

13. Si quis uxore vivente scienter aliam duxerit.

14. Si quis cum uxore, vel etiam reiecta uxore publicè concubinam fovet.

15. Si quis adulterium commiserit quod in iudicio probatum fuerit, vel nulla tergiversatione in tota vicinia celari possit.

16. Si quis incestum intra secundum consanguinitatis, vel intra primum affinitatis gradum commiserit.

17. Si quis sodomiticum peccatum, vel quod eo gravius est, commiserit.

18. Si quis cum Moniale fornicatus fuerit, et si Monachus aut Monialis cum aliquo, in eo genere peccaverit.

19. Si quis cum ea fornicatus fuerit, quam vel cuius filium filiamve è sacro fonte levaverit, vel cuius sacramentalem confessionem exceperit.

20. Si quis alienam domum, aut eius aream de industria exusserit, licet occultum sit delictum, idipsum de effractore, aut spoliatore aedium sacrarum, et piorum locorum, intelligi etiam volumus.

21. Si quis usuram commiserit, quae vel in iudicio probata fuerit, vel nulla tergiversatione in tota vicinia celari possit.

22. Si quis carnibus et aliis cibis vetitis sine licentia, et absque necessitate diebus prohibitis vescitur.

23. Si quis monetam adulteraverit, aut maius sigillum Regium.

24. Si quis falsum testimonium coram iudice tulerit.

25. Irregularitates omnes, suspensiones, et vota dispensanda pariter nobis reservamus.

Sées 1634

Voir Rouen 1611.

Beauvais 1637, 1725, 1783[40]

[Beauvais 1637 : Augustin Potier]
Casus reservati Domino Episcopo Bellovacensi

Beauvais 1637 p. 105-108

1. Qui voluntate deliberata, aut ex consuetudine non autem ex subitaneo quodam motu, coram septem aut octo personis in Deum, vel Beatam Virginem, aut Sanctos execrabilem blasphemiam protulerit.

2. Qui sacro-sanctam Eucharistiam, aut venerandas Sanctorum reliquias pedibus conculcaverit, aut aliqua insigni contumelia affecerit.

3. Qui magiam, sortilegium, divinationes, incantationes, maleficia, aliasve artes magicas cum expressa vel tacita dæmonum invocatione professus fuerit, vel exercuerit.

---

[40] Beauvais 1725 et 1783 : voir les variantes en notes.

CHAPITRE XXV

Hic comprehenduntur omnes qui ad veneficia, maleficia, aliasve artes magicas sanctissima Eucharistia, Chrismate, Oleo sancto, precibus, aliisve rebus sacris aut benedictis scienter abutuntur.

Qui Incantatores, Ariolos[a] [devins] *Divinatores* [sorcières] *aut Sagas adeunt et consulunt pro habenda rerum occultarum aut futurarum, vel deperditarum notitia.*

Qui per ligulæ nodos et ligaturas, aut alia quævis maleficia Matrimonii usum impediunt.

Qui ad febres, aliosve morbos curandos schedulas et scripta, in quibus quædam Scripturæ sacræ verba, vel alia profana, aut incognita continentur, e collo aut aliis corporis partibus, gestanda suspendunt; quique ut aliis hominum aut brutorum morbis et malis remedium quærant, magicis et superstitiosis verbis, aut rebus utuntur.

4. Qui ex calore iracundiæ, odio, aut alio quovis affectu pravo, deliberate per se, vel per alios gladio, vel veneficio, aut modo quolibet alio illicito homicidium consummarit.

Irregularitas, quæ inde contrahitur, Papalis est[b].

Hic etiam includitur homicidium casuale, quod accidit ex aliquo peccato mortali in quo erat metus aut periculum homicidii.

5. Qui abortivum procurarit. *Id est qui pharmaco, seu medicamento, aliave causa fœtum conceptum, sive animatum, sive inanimatum, malitiose extra uterum matris expulerit.*

6. Qui prolem per negligentiam oppresserit. *Ut qui infantem secum in lecto positum per supinam crassamque negligentiam, quæ excusationem non admittit, suffocarit, aut oppresserit; vel cujus incuria notabili ipse infantulus fuerit aut ab igne exustus, aut ab aquis suffocatus, aut a bestiis devoratus*[c].

7. Qui virgini per vim stuprum intulerit, aut mulierem honeste viventem per violentiam oppresserit seu rapuerit. *Nomine raptus intelligitur a domo abductio violenta, quæ fit a raptore, ipsa invita muliere, et virgine, aut aliis invitis et reclamantibus in quorum est potestate.*

8. Qui incestum commiserit, seu copulam carnalem inter consanguineos et affines intra secundum gradum inclusive consummarit.

Ea autem hîc intelligitur cognatio carnalis quæ tantum oritur ex matrimoniali copula: nam ea quæ nascitur ex copula illicita extra matrimonium, ultra primum gradum non reservatur.

Hic etiam comprehenditur spiritualis affinitas, cum scilicet susceptus vel suscepta in Baptismo cum Baptizante, vel altero ex suscipientibus carnaliter commiscentur. Peccatum pariter Sacerdotis, qui rem habuerit cum ea, cuius sacramentalem confessionem excepit, hic reservatur[d].

9. Concubitus seu copula carnalis consummata cum personis quæ solemne votum Religionis emiserint.

Hic comprehenduntur non tantum seculares seu laîcæ personæ, sive viri sive mulieres, quæ cum Religiosis publice professis, vel Monialibus; sed etiam ipsæ Religiosæ personæ, sive Monachi, sive Moniales, quæ invicem aut cum aliis secularibus personis carnaliter conjunguntur.

10. Qui vivente propria uxore aliam duxerit, vel quæ proprio viro vivente alteri nupserit, quique concubinam cum uxore, seu ea rejecta, et pariter uxor quæ adulterum publice foverit.

11. Quisquis post votum simplex castitatis, vel post sponsalia coram testibus contracta[e], matrimonium cum alio vel alia contraxerit, nulla legitima causa ab Episcopo probata[f].

12. Qui matrimonium in gradu prohibito, aut clandestinum non servata Concilii Tridentini forma, aut contradicente parocho, vel stante oppositione, aut iudicis Ecclesiastici prohibitione scienter contraxerit.

13. Adulterium publicum, quod vel iudicio probatum est, vel nulla tergiversatione in tota vicinia celari potest[g].

14. Fornicatio in Ecclesia[h]; atque etiam atrox et injuriosa percussio ibidem perpetrata, ex qua sit secuta notabilis sanguinis effusio.

15. Sodomiticum peccatum[i], et quod eo gravius est.

16. Qui Sacerdotem aut Clericum, etiam primæ tonsuræ habitum ac tonsuram clericalem deferentem, vel qui actualiter Ecclesiæ deserviat, graviter percusserit. *Si percussio fuerit atrocior, summo Pontifici reservatur. Atrocitatis autem judicium penes Episcopum*[j].

17. Qui sacrilegium, hoc est furtum rei sacræ, in quovis loco, vel rei profanæ in loco sacro commiserit: qui etiam locum sacrum malitiose effregerit.

[k] 18. Qui patrem vel matrem, avum aut aviam de industria et animo lædendi graviter percusserit, vel eos in trium aut quatuor personarum præsentia gravibus opprobriis affecerit.

19. Procurata et voluntaria domorum vel frugum exustio in damnum alterius notabile. *Quod si domorum incendiarius sit publice denunciatus, pro absolutionis beneficio est ad Papam remittendus.*

20. Monomachia *vel* duellum. *Quo nomine continentur omnes pugnantes in duello, tum etiam qui eorum Patrini vulgo dicuntur, et qui ad illud provocant, cum effectu scilicet, seu secuto duello; quique voluntarie, et animum hoc cruento spectaculo pascendi causa spectant, et qui quasi comites ac faventes intersunt: denique quicumque consilium vel auxilium præbent.*

21. Qui coram judice falsum testimonium dixerit[l]. *Quod fit, cum in testem vocatus, et cum quis præstito*[m] *sacramento de veritate dicenda, juridice interrogatus eam negat, vel maligna tergiversatione dissimulat. Hic comprehenduntur qui falsos contractus, aliaque instrumenta fabricarint, vel qui monetam, stateras et mensuras adulterarint, vel corruperint. Item falsum testimonium in causa Matrimonii.*

22. Simonia et confidentia simplex. Publica autem simonia Papæ reservatur.

23. Qui ab alieno Episcopo absque Ordinarii sui facultate, tam in maioribus, quam in minoribus fuerit ordinatus; aut per saltum promotus ad Ordines, vel ante legitimam ætatem; vel falso, aut supposito titulo, aliave persona ad subeundum examen supposita[n].

24. Qui in hæresim inciderit, eamque signis externis manifestarit[o].

25. Qui excommunicationis majoris ab homine latæ vinculo illigati tenentur.

26. Irregularitas omnis ac suspensio ex occulto delicto proveniens Episcopali absolutioni reservatur. Ea autem quæ oritur ex homicidio voluntario, atque etiam aliæ quæ jam deductæ sunt ad forum contensiosum, Papæ reservantur.

27. Relaxatio votorum seu commutatio, etsi non sit casus[p] nobis reservatur, vel summo Pontifici pro qualitate votorum[q].

Variantes Beauvais 1725 et 1783. [a] *Hariolos]* Bea. 1725 et 1783. –[b] *Papalis est]* summo Pontifici reservatur Bea. 1783. –[c] *Item hoc casu comprehenduntur mulieres etiam illae, quae partui proximae, non sufficienter sibi attendunt, vel in suscipiendis plus aequo itineribus, vel in oneribus gestandis]* add. Bea. 1725. – *Ut qui infantem… devoratus]* Item hoc casu comprehenduntur mulieres… [comme Beauvais 1725] … gestandis: et qui infantem secum in lecto positum… [comme Beauvais 1637-1725]… devoratus. Bea 1783. –[d] *Peccatum illud nobis, Vicariis nostris generalibus, ac Poenitentiario nostro, ita expresse reservamus, ut in concessione [sic] generali absolvendi a casibus reservatis non comprehendatur: ita etiam ut Sacerdos iste non possit sui hujus criminis, immo cujuscumque tactus impudici consortem absolvere, etiamsi facultatem habuerit generalem habuerit absolvendi, a casibus reservatis.]* add. Bea. 1725. – *Peccatum pariter Sacerdotis… hic reservatur]* Peccatum pariter Confessarii cum Pœnitente, et Pœnitentis cum Confessario. Casum hunc nobis, Vicariis nostris Generalibus, ac Pœnitentiario nostro expresse reservamus, ita ut in concessione … [comme Beauvais 1725] … a casibus reservatis, etiam tempore Jubilæi. Bea. 1783. –[e] *vel post sponsalia coram testibus contracta] om.* Bea. 1783 –[f] *nulla… probata]* nulla dispensatione ab Episcopo obtenta. Bea. 1783. –[g] 13. Adulterium publicum… potest] *om.* Bea. 1783. [D' où numérotation décalée à Beauvais 1783 des cas 13 à 17] –[h] aut in alio loco sacro et benedicto] add. Bea. 1783. –[i] inter ejusdem aut diversi sexus personas etiam virum et uxorem] add. Bea. 1783. –[j] Annexa est censura excommunicationis ipso facto, eaque reservata.] add. Bea. 1783. –[k] 17°. Qui clausuram regularem violaverit. *Quod fit tam per ingressum exter-*

CAS DE PÉCHÉS RÉSERVÉS AUX ÉVÊQUES 1321

narum cujuscumque sexus personarum intra septa Monialium absque licentia, quam per egressum Monialium extra septa clausuræ regularis, aut per secularium utriusque sexus absque licentia, aut legitima causa intra septa clausuræ regularis admissionem.] add. Bea. 1783. –[l] falsum testimonium dixerit] juramentum emiserit Bea. 1783. –[m] *Quod fit, cum in testem vocatus, et praestito] Quod fit cum quis præstito* Bea. 1783. –[n] *Annexa est suspensio ipso facto, eaque reservata.]* add. Bea. 1783. –[o] *Annexa est censura excommunicationis ipso facto, eaque reservata.]* add. Bea. 1783. –[p] etsi non sit casus] *om.* Bea. 1783. –[q] *Notandum autem nullum peccatum reservari, nisi sit mortale. – Nullum reservari, quando sola cogitatione est admissum. -Nullum etiam reservari, quando a pueris, aut puellis committitur ante pubertatis annos, id est in pueris ante annum ætatis decimum quartum, in puellis ante annum duodecimum.]* add. Bea. 1783.

Béziers 1638

[Clément de Bonzi]
Excommunications et Cas reservez de droit à tous Evesques

Béziers 1638 p. 17-18

1. Ceux qui frappent les Ecclesiastiques, pourveu que ce ne soit point griefvement, car en ce cas l'absolution est reservée au Pape: à ce cas est annexée l'excommunication.

2. Ceux qui vexent aux personnes ou aux biens. Ceux qui ont donné sentence de quelque censure, sauf si dans huict jours ils satisfont au dommage causé par ladite vexation, autrement apres deux mois il y a excommunication reservée au Pape.

3. Ceux qui secretement (?)[41] ensevelissent aux Eglises ou Cimetieres les heretiques manifestes, les excommuniez publics, ceux qui sont nommement interdits, et les usuriers manifestes: à ce cas est annexée l'excommunication.

4. Ceux qui de propos deliberé mettent le feu aux maisons, fruicts, et autres biens d'autruy, et qui à ce donnent conseil, ayde, faveur ou support, ce qui se doit entendre quand ils ne sont pas encore excommuniez et denoncez: car alors le cas est reservé au Pape.

5. Tous sacrileges, infracteurs et spoliateurs des Eglises avant qu'ils soient denoncez excommuniez: car apres, l'absolution en est reservée au Pape.

6. Tous homicides volontaires, leurs complices, fauteurs et autheurs, à ce cas sont comprises les femmes qui auront procuré leur abort s'il est advenu apres l'avoir procuré, ceux aussi qui à ce leur ont donné ayde ou conseil.

[41] Mot difficile à lire sur le seul exemplaire connu du rituel.

7. Tous Magiciens, Sorciers, Enchanteurs et Devins, et ceux qui les consultent, à ce cas sont compris ceux qui noüent l'aiguillette pour empescher la consummation ou le devoir du mariage.

8. La commutation et dispense de tous les voeus est aussi reservée aux Evesques, excepté des voeus solemnels, et du voeu simple de religion, du voeu aussi de chasteté perpetuelle, et du pelerinage en Jerusalem, à sainct Pierre de Rome, et à sainct Jacques en Galice, la dispense et commutation desquels est reservée au Pape.

Béziers 1638

Cas reservez à Monseigneur l'illustrissime Evesque et Seigneur de Beziers

P2634 **Béziers 1638 p. 19-20**

1. Les blasphemateurs publics contre Dieu, la Vierge Marie, et les Saincts.

2. Les peres et meres qui auront couché leurs enfans dans leur lict avant l'an et jour, bien qu'ils ne les ayent point suffoquez il y a excommunication annexée.

3. Celuy qui par soy ou par autruy aura battu son pere ou sa mere, ou attenté sur leurs vies.

4. Celuy qui aura derobé sur les autels, ou choses de consequence en quelque autre endroit des Eglises, ou aura notablement defraudé les dixmes.

5. Les Notaires qui n'auront denoncé dans l'an les legats faits pour choses piës ou pour bonnes oeuvres, en ce cas il y a excommunication.

6. Ceux qui auront commis inceste au premier ou second degré de consanguinité ou d'affinité, et aussi au premier degré de la cognation spirituelle.

7. Ceux qui par paroles, par lettres, par presens, ou par personnes interposées auront sollicité quelque Religieuses de leur honneur.

8. Les ravisseurs des Vierges et leurs fauteurs, il y a excommunication.

9. Ceux qui auront commis les pechez de sodomie et de bestialité.

10. Tous concubinaires publics, et adulteres manifestes.

11. Les Ecclesiastiques seculiers et reguliers concubinaires encore qu'occultes.

12. Les Curez non residens en leurs paroisses sans dispense.

13. Les Ecclesiastiques seculiers et reguliers qui seront allez aux cabarets sans necessité de voyage pour y boire, manger, joüer, ou pour

autres desseins scandaleux et mauvais, qui auront aussi frequenté les berlans, et la danse.

14. Les Usuriers publics.

15. Ceux qui sans necessité de maladie, ou sans permission auront mangé de la chair, des oeufs, du fromage ou autres laictages, au temps prohibé par l'Eglise.

16. Outre les susdits cas mondit Seigneur se reserve la distribution des biens qui devront estre restituez quand on ne sçaura à quelle personne la restitution en devra estre faite.

Troyes 1639
[René de Breslay]
Decret touchant les cas reservez in *Le Formulaire du Prosne... de Troyes...*

Troyes 1639 p. 26-27

Or pour sçavoir les pechez, que nous sommes reservez, en voicy la liste et le denombrement.

1. L'Heresie, et lecture des livres Heretiques.
2. La Simonie.
3. L'Apostasie des voeux solennels, et les Ordres sacrés.
4. Blaspheme notoire et public contre Dieu, la Vierge et les Saincts.
5. Le Sortilège, Enchantement, Devination, recours aux devins et sorciers, pour sçavoir les choses secretes.
6. Le venefice[42], et malefice, soit pour empescher l'usage du mariage, soit à autre fin prejudiciable au prochain.
7. Le Parjure, ou faux tesmoignage en jugement.
8. L'homicide injuste, ou coopération à iceluy.
9. L'incendie et bruslement, ou coopération à iceluy.
10. Falsification de lettres publiques, seaux authentiques et monnoye.
11. Procurer qu'une femme avorte, ou soit sterile.
12. Oppression, ou suffoccation d'enfans, par faute notable.
13. L'inceste entre les personnes proches par consanguinité, et affinité, jusques au troisiesme degré, inclusivement, et par alliance spirituelle, et le sacrilege avec un Religieux ou Religieuse profez.
14. L'Adultere, et concubinage public, et notoire.
15. La Sodomie, et le peché contre nature, qui est plus grief.

---

[42] Vénéfice : crime d'empoisonnement par suite de sortilège (P.-E. Littré, *Dictionnaire de la langue française*).

16. Le rapt, sous lequel est compris le violement de femmes, ou de filles.
17. Supposition d'enfans estrangers, comme propres, été legitimes.
18. Battre, ou frapper griefvement, ou notablement père et mere, et les Ecclesiastiques.
19. Le sacrilege, soit par effraction et rupture du lieu sacré, ou larcin de choses d'importance, qui servent à l'Autel.
20. Blesser malicieusement quelqu'un en un lieu sacré.
21. L'usure publique et notoire.
22. Manger de la chair, et des œufs, sans permission de l'Ordinaire, aux jours défendus de l'Eglise.

Et de tous cas et pechez, que nous nous sommes reservez, que nul ne soit si ose d'en absoudre, si ce ne sont nos Vicaires generaux, nostre Penitencier, et ceux qui en auront le pouvoir de nous.

Rouen 1640, 1651, 1707

[Rouen 1640 : François Ier de Harlay]

Deux listes de cas réservés, la première en latin dans le chapitre concernant la Pénitence; la seconde en français à la suite du *Formulaire du Prosne* (p. 450-451 de l'éd. 1640).

L'édition Rouen 1640 comporte deux états différents des cas réservés à l'Archevêque (l'exemplaire Paris, Arsenal présente une double pagination des p. 81-82, et des listes différentes des exemplaires Paris, Sainte-Geneviève et BnF).

Casus reservati Religiosissimo D. Archiepiscopo, cum Excommunicatione

P2635 **Rouen 1640 p. 79 [exemplaire Paris, Bibl. Sainte-Geneviève]**
1. Schismatici, Haeretici, fautores Haereticorum, legentes aut retinentes absque licentia libros haereticos, aut alios sub censurâ prohibitos : qui Haereticorum concionibus et caeremoniis interfuerunt.
2. Incantatores, Sortiarii, Magi, Divinatores, ligulae Nodatores, qui sacris ad haec impiè abutuntur, qui maleficium maleficio solvunt, eosque consulentes.
3. Clericos leviter percutientes.
4. Patris aut Matris percussores.
5. Duello decertantes, aut alios ad duellum provocantes, aut comitantes.
6. Monasteria Sanctimonialium ingredientes.
7. Matrimonio in gradibus prohibitis consentientes.

8. Impedientes directe vel indirecte Ecclesiasticos in liberâ sacrorum[a] proventuum perceptione, aut res et decimas Ecclesiae retinentes iniustè.

9. Qui Missae parochialis assistentiam dominicis, festisve diebus directe, vel indirecte dissuadent.

Rouen 1640, 1651, 1707

Casus eidem D. Archiepiscopo reservati absque Excommunicatione

Rouen 1640 p. 79-80 [exemplaires Paris, Bibl. Sainte-Geneviève et BnF]
1. Blasphemias execrabiles in Deum et Sanctos proferentes.
2. Homicidium voluntarium perpetrantes.
3. Parvulos cum notabili negligentia opprimentes.
4. Incestuosi in primo et secundo consanguinitatis aut affinitatis gradu.
5. Sanctimonialium sacrilegè abutentes.
6. Feminarum violatores.
7. Adulteri publici.
8. Detestabile bestialitatis aut sodomiae crimen commitentes.
9. Polygami[b].
10. Usurarii notorii.
11. Periuri coram iudice.
12. Cibis in Quadragesimâ, aliisve abstinentiae diebus vetitis, absque D. Archiepiscopi licentiâ utentes.
13. A peccatis et casibus sedi Archiepiscopali reservatis absque licentia absolvere praesumentes.
14. Sacrorum canonum ac censurarum ecclesiasticarum contemptores, obedientiam ac revelationem eis debitam directè vel indirectè dissuadentes.

Omnes suspensiones, et irregularitates ex delicto occulto provenientes, D. Archiepiscopo reservantur (exceptis iis quae oriuntur ex homicidio voluntario, et aliis ad forum contentiosum deductis) et ab illis absolvere potest, vel per se, vel per subsitutos.

Praeterea idem D. Archiepiscopus ab omnibus occultis casibus etiam Sedi Apostolicae reservatis absolvere potest per se, vel per vicarios ad hoc deputatos.

Verum ab omnibus istis casibus sive Papae, sive D. Archiepiscopo reservatis, potest quilibet simplex sacerdos quemlibet absolvere in articulo mortis, et quoties huiusmodi facultatem ipsum habere contigerit.

Porro etsi aliquando in confessione commutatio votorum facienda sit, non licet cuilibet sacerdoti in votis dispensare, aut ea commutare, cum sola absolutio peccatorum, non votorum illi concessa sit, et ad praelatos Ecclesiae tantum spectet dispensare et commutare vota. Solius enim Summi Pontificis vel ab eo potestatem habentis est, in his quinque votis dispensare: perpetuae continentiae, religionis, peregrinationis in Ierusalem, vel Romam, vel ad sanctum Iacobum in Compostellâ. In caeteris votis alii praelati, et qui ab eis potestatem habent, dispensare possunt; alii nunquam.

Variantes Rouen 1651 et 1707. [a] sacrorum] suorum. –[b] sive plures habentes uxores] *add.*

Rouen 1640, 1651, 1707

Casus reservati… D. Archiepiscopo

P2637   Rouen 1640 p. 81-82 [exemplaire Paris, Bibl. de l'Arsenal]

1. Schismatici, Haeretici, fautores Haereticorum, legentes aut retinentes absque licentia libros haereticos, aut alios sub censurâ prohibitos: qui Haereticorum concionibus et caeremoniis interfuerunt.

2. Incantatores, Sortiarii, Magi, Divinatores, ligulae Nodatores, qui sacris ad haec impiè abutuntur, qui maleficium maleficio solvunt, eosque consulentes.

3. Blasphemias execrabiles in Deum et Sanctos proferentes.

4. Homicidium voluntarium perpetrantes: Duello decertantes, aut alios ad duellum provocantes, aut comitantes: Parvulos cum notabili negligentia opprimentes.

5. Incestuosi in primo et secundo consanguinitatis aut affinitatis gradu: Sanctimonialibus [sic] sacrilegè abutentes: Feminarum violatores: Adulteri publici: detestabile Bestialitatis aut Sodomiae crimen commitentes: Polygami.

6. Usurarii notorii: Impedientes directe vel indirecte Ecclesiasticos in liberâ sacrorum proventuum perceptione, aut res et decimas Ecclesiae retinentes iniustè.

7. Periuri coram iudice.

8. Qui Missae parochialis assistentiam dominicis, festisve diebus directe, vel indirecte dissuadent.

9. Cibis in Quadragesima, aliisve abstinentiae diebus vetitis, absque D. Archiepiscopi licentia utentes.

10. A peccatis et casibus sedi Archiepiscopali reservatis absque licentia absolvere praesumentes.

11. Sacrorum Canonum ac Censurarum Ecclesiasticarum contemptores, obedientiam ac revelationem eis debitam directè vel indirectè dissuadentes.

Rouen 1640, 1651, 1707
Excommunicationes eidem D. Archiepiscopo reservatae

38   Rouen 1640 p. 82 [exemplaire Paris, Bibl. de l'Arsenal]
1. Monasteria Sanctimonialium ingredientes.
2. Clericos leviter percutientes.
3. Patris aut Matris percussores.
4. Matrimonio in gradibus prohibitis consentientes.

Omnes suspensiones, et irregularitates ex delicto occulto provenientes, D. Archiepiscopo reservantur… [comme l'autre état]

Rouen 1640, 1651, 1707
Les pechez réservez à Monseigneur l'Archevesque, avec Excommunication

39   Rouen 1640 p. 450-451 [Tous exemplaires]
1. Le Schisme, l'Heresie, favoriser les Heretiques, lire ou retenir les livres heretiques, et autres prohibez sous censure, assister aux presches et ceremonies des Heretiques.
2. Les Enchantemens, Sortileges, Magie, Divinations, nouëmens d'Esguilletes, abuser des choses sacrées à ces effets, desfaire un malefice par un autre malefice, aller au Devin, ou se servir des Sorciers ou Magiciens.
3. Frapper legerement les Ecclesiastiques.
4. Mettre la main sur pere et sur mere.
5. Se battre en duel, envoyer cartel de deffy, ou se trouver exprés present au duel.
6. Entrer en la closture des Religieuses sans avoir licence.
7. Consentir au Mariage en degrez prohibez.
8. Empescher directement ou indirectement les Ecclesiastiques de jouyr en toute liberté de leur revenu, ou retenir injustement les biens et dismes appartenantes à l'Eglise.
9. Dissuader directement ou indirectement les paroissiens d'assister à la Messe paroissialle aux dimanches et festes.

Rouen 1640, 1651, 1707

Autres pechez réservez à mondit Seigneur, sans Excommunication

P2640 **Rouen 1640 p. 451-452 [Tous exemplaires]**

1. Les Blasphemes execrables, qu'avec horreur et une extréme prophanation du nom chrestien, nous voyons trop fréquemment se commettre en ce temps.
2. Homicide volontaire.
3. Oppression des petits enfans avec negligence notable.
4. Inceste au premier et second degré de parenté ou d'alliance.
5. Le Sacrilege qui se commet avec les Nonnains et Religieuses.
6. Les violences et forcenemens de femmes et de filles.
7. L'Adultere public.
8. Les detestables crimes de Bestialité et Sodomie.
9. La Poligamie, c'est à dire avoir en mesme temps deux femmes ou plusieurs maris.
10. Les Usures notoires.
11. Les Parjures faits en jugement.
12. Manger des viandes defendües en Caresme et autres jours d'Abstinence, sans permission de monseigneur l'Archevesque.
13. S'ingerer d'absoudre de quelque cas reservé à Monseigneur l'Archevesque, sans en avoir pouvoir special et par escrit.
14. Dissuader directement ou indirectement, au mespris des saincts Canons et Censures, d'y obeyr, et venir à revelation à raison d'icelles.

Vous noterez qu'il ne suffit point de s'accuser en gros, et dire pour exemple, Je m'accuse d'avoir offencé Dieu au peché de luxure : mais on est tenu de declarer en quelle espece de luxure, si c'est en adultere, ou en sacrilege, ou en inceste, ou en defloration. Après on est tenu de declarer le nombre, combien de fois on peut avoir commis telle sorte de peché, au moins à peu prés, selon qu'il est possible d'en avoir cognoissance.

Celuy qui se confesse, doit estre asseuré que sa confession ne sera jamais revelée, et que ses péchez seront plus couverts, et viendront moins à la cognoissance des hommes, que si il ne les avoit point confessez : car sainct Augustin dit, que si l'homme descouvre ses pechez en la confession, Dieu les couvre et les tient secrets. Plusieurs n'ayans osé dire leurs pechez en confession, Dieu a permis qu'ils soient venus à la cognoissance des hommes.

Nul ne doit esperer l'Absolution, s'il n'a ferme propos de renoncer à tout peché mortel, et de s'en abstenir, et delaisser toutes les occasions du peché, que son confesseur et pere spirituel ordonne devoir estre delaissées. Car il se doit souvenir des paroles de sainct Paul aux Corinthiens. *Ne vous abusez point: ny les fornicateurs, ny les adulteres, ny ceux qui sont adonnez à quelque autre sorte du peché de luxure, ny les larrons, ny les avaricieux, ny les yvrongnes, ny les médisans, ny les ravisseurs du bien d'autruy, ne possederont point le royaume des cieux.*

En l'Epistre aux Galates, il fait semblablement une liste des pechez mortels, et dit: *Les œuvres de chair sont manifestes, c'est à sçavoir fornication, immondicité, impudicité, luxure, idolatrie, empoisonnement, inimitiez, contentions et jalousies, courroux, noises, dissensions, sectes ou heresies, envies, homicides, yvrongneries, banquets superflus et autres semblables pechez desquels je vous annonce et vous ay annoncé par cy devant, que ceux qui les commettent, n'obtiendront point le Royaume de Dieu.*

Bordeaux 1641, 1672[43]
Cahors 1642

[Bordeaux 1641: Henri d'Escoubleau de Sourdis]
Cas reservez aux Evesques par les ss. Canons

Bordeaux 1641, *Prosne pour le Dioceze de Bourdeaux*[44] p. 24
Cahors 1642, *Manuale proprium* p. 45

Bordeaux 1641 p. 24
1. Tout leger battement des ecclesiastiques, et clercs tonsurés.
2. Les auteurs des vexations injustes, faictes contre ceux qui ont justement excommunié, suspendu ou interdit durant les deux premiers mois apres la vexation: car apres elle est reservée au Pape.
3. Ceux qui dispencent, ou absolvent des voeux reservez aux Evesques.
4. Toute autre excommunication, et sorte de peché reservé aux Evesques en leurs statuts synodaux: tels que sont les pechez et cas ensuivants.

Bordeaux 1641, 1672
Cahors 1642

Cas des pechez et censures d'excommunication, particulierement reservés à Monseigneur l'... Archevesque de Bourdeaux (à Monseigneur... de Caors.) desquels nul prestre, ou confesseur ordinaire ne peut donner l'absolution, en façon quelconque à ceux qui en seront trouvez coulpables, si ce n'est à l'article de la mort.

---

[43] Les rituels bordelais antérieurs à 1641 ne contiennent pas de cas réservés.
[44] *Prosne...*: formulaires reliés à la suite des rituels de Bordeaux 1641 et 1672.

Bordeaux 1641, *Prosne pour le Dioceze de Bourdeaux* p. 24-27
Cahors 1642, *Manuale proprium Parochorum Cadurcensium* p. 46-48

P2642 **Bordeaux 1641 p. 24-27**
1. Tous sorciers, enchanteurs, devins ou magiciens.
2. Les sacrileges, ou violateurs des eglises, et autres lieux saincts, avant qu'ils soient denoncés : car apres ils doivent estre renvoyés au Pape.
3. Les notaires qui dans un mois n'ont denoncé à leurs recteurs, les legats qui ont esté faicts pour choses pies, ou bonnes oeuvres.
4. Les concubinaires publics, et adulteres notoires, qui ne tiennent compte de quitter leur mauvaise vie, apres estre admonestés.
5. Ceux qui falsifient les instrumens des notaires, ou leur font faire faux contracts, ou testamens.
6. Tous ceux qui appelleront, assisteront, et se battront en duel, ou les favoriseront en une si damnable et execrable manie.
7. En outre declarons que nous retenons, et reservons à notre seule personne l'absolution de ceux qui ont frappé si legerement que ce soit un prestre ou clerc, ou qui ont faict quelque griefve insolence à l'Eglise, comme d'avoir eu la hardiesse d'interrompre un predicateur ou le curé… ou ayant contre sa prohibition et deffence, enterré dans l'Eglise un corps, les declarans excommuniez d'excommunication reservée à nous. Dequoy nous deffendons à tous d'en cognoistre, soit seculiers, ou reguliers, quelques privileges pretendus qu'ils ayent.

Ceux qui sont tombez en quelqu'un de ces cas susdits reservez à Monseigneur l'Archevesque, doivent estre renvoyez par leur confesseur pardevant luy, ou Messieurs ses grands vicaires, ou penitencier.

Saint-Omer 1641

[Christophe de France]
Casus reservati … Domino Episcopo Audomarensi

P2643 **Saint-Omer 1641 p. 374**
1. *Maleficium,* per quod maleficus, pacto expresso vel implicito cum daemone, immediatè vel mediatè per tertiam personam scienter inito, alicui reipsa nocet in corpore, fama, honore, fortunis, vel aliis rebus, quocumque modo id fiat, sive signis, sive ligaturis, characteribus, imaginibus, verbis, etc.
2. *Iniectio volenta manus* in patrem vel matrem, avum vel aviam.

3. *Incendium* Ecclesiae, item domorum, aedificiorum vel frugum ex proposito factum.
4. *Homicidium.*
5. *Sodomia* cum eodem sexu. Bestialitas, et eiusdem generis graviora, reipsâ consummata.
6. *Violatio Sanctimonialis*, sive congressus cum muliere Religiosa professa.
7. *Incestus* in primo vel secundo gradu consanguinitatis vel affinitatis.
8 Casus nominatim excommunicatorum, nominatim suspensorum aut interdictorum.

Casus praedictos sic hodie Reverendissimus Dominus sibi reservare intendit, ut tamen ab illis permittat absolvi Poenitentem per inferiorem Confessarium, quoties Confessionem generalem ad seriam vitae emendationem instituit.

Auch c. 1642
Couserans c. 1642[45]. Lescar c. 1642[46].
Oloron c. 1644[47]. Tarbes c. 1644[48]

Les cas reservez à Monseigneur l'Archevesque avec Excommunication
[Auch c. 1642 : Dominique de Vic]

Auch 1642 p. 87-88

Premierement les Magiciens, Sorciers, Enchanteurs, Devins, Noüeurs d'esguilletes, et ceux qui les consultent sçachans qu'ils pactisent avec le Diable, ou ayans esté advertis que c'est un grand crime.

2. Ceux qui frapent les Clercs d'un leger battement.

---

[45] Aucun exemplaire connu du rituel de Couserans c. 1642, analysé dans *Revue de Gascogne* 1902, t. II, p. 85-86, et contenant apparemment les cas réservés d'Auch. Cf. Molin Aussedat n° 458.

[46] Aucun exemplaire ne subsiste du rituel de Lescar c. 1642, connu par la seule mention qu'en donne dans son *Mémoire* David Béquel, curé de Montaut [Pyrénées atlantiques] à partir de 1637 : «…acheté…» un rituel fait par Monsieur de Lascar [sic] qui côte la somme de 1 livre 10 sols. Cf. A. de Froissart, *Montaut, l'église Saint-Hilaire*, édité par les Amis des Églises anciennes du Béarn, 1997, p. 16.

[47] Édition du rituel d'Auch 1642 avec nouvelle page de titre et mandement de l'évêque d'Oloron Arnaud de Maytie, indiquant qu'il a fait insérer un calendrier et les cas réservés ; le prône et le calendrier manquent dans le seul exemplaire connu (Bayonne, Grand Séminaire). Les cas réservés auxquels l'évêque fait allusion sont sans doute ceux d'Auch, p. 87-90 du rituel. Molin Aussedat n° 816.

[48] Cf. Molin Aussedat n° 1268. Édition du rituel d'Auch 1642 avec quelques remaniements et additions. Cas réservés identiques à ceux d'Auch, sauf le titre : *Les cas reservez à Monseigneur l'Evesque avec excommunication.*
Aucun exemplaire connu des possibles rituels de Bayonne, Dax et Lectoure. L'édition de Comminges date de 1648.

3. Ceux qui battent leur Pere, ou Mere.

4. Ceux qui cognoissent charnellement les Religieuses.

5. Ceux qui enterrent dans l'Eglise, ou Cemetiere [sic] le corps d'un heretique, ou excommunié nommement.

6. Les ravisseurs des filles ou des femmes.

7. Ceux qui contractent mariage clandestinement, ensemble les assistans.

8. Ceux qui couchent avec eux, les enfans dans le lict avant l'an, si suffocation s'en ensuit.

9. Ceux qui par force, ou violence, ou menaces, ou intimidations, ou autre maniere quelconque, directement ou indirectement empéchent les Eglises, ou Ecclesiastiques, ou leurs Fermiers de joüir des fruicts decimaux, dependans des Eglises, ou de leurs benefices : ou les bailler a ferme [en fermage ?] au prix, ou à qui bon leur semble, ou qui par mesmes moyens empéchent les pretendans aux fermes [fermages] d'iceux de les prendre a ferme.

Et le pouvoir d'absoudre du contenu en cet article 9. n'est concedé par la faculté generale d'absoudre des cas reservez, s'il n'en est faite particuliere mention.

10. Tous cas et crimes contenus és Bulles du Pape, en-tant qu'ils sont occultes, ensemble les manifestes au cas ou ne puisse aller à Rome.

Sans Excommunication

Auch 1642 p. 88-90

11. Ceux qui n'ont satisfait au precepte de la Confession annuelle, et Communion de Pasques dans le temps designé.

12. Tous parjures, ou faux-tesmoins en jugement, ou faussaires d'actes publiques au prejudice notable d'autruy.

13. Tous incendiaires et boute-feux (non denoncez excommuniez) qui de propos deliberé mettent le feu aux Eglises, fruicts, maisons, et biens d'autruy, et qui donnent conseil, ayde, faveur, et support à ces mesfaicts.

14. Ceux qui couchent avec eux, les enfans dans le lict avant l'an.

15. Ceux qui esposent leurs enfans aux Hospitaus, ou ailleurs.

16. Les homicides volontaires, et ceux qui de guet à pens mutilent notablement.

17. Ceux qui en soy, ou en autruy procurent avortement.

18. Les femmes qui ayans conceu d'adultere, supposent leurs enfans adulterins au prejudice des vrais heritiers.

19. Ceux qui commettent inceste au premier ou second degré de consanguinité: ou premier d'affinité spirituelle.

20. Ceux qui comettent [sic] les pechez de sodomie, ou bestialité.

21. Les sacrileges qui desrobent les biens et meubles appartenens [sic] à l'Eglise. Les violateurs de l'immunité de l'Eglise, qui dans l'Eglise, ou partour d'icelle, ou dans le cemetiere battent, ou desrobent, ou commettent par oeuvre le peché de la chair.

22. Ceux qui auront esté promeus aux Ordres sacrés *per saltum*, ou qui les prennent d'autres Evesques, sans dimissoires de Monseigneur l'Archevesque.

23. Ceux qui ayant contracté mariage par parole de present, sans l'avoir faict dissoudre d'authorité de l'Eglise; ou par parole de futur le serment y estant intervenu, sans avoir obtenu permission ou dispence [sic] canonique, en contractent un autre.

24. Les concubinaires publicques et manifestes.

25. Les Notaires qui dans l'an ne denoncent les legats, fondations, et oeuvres pies.

26. Ceux qui sans necessité, ou licence mangent de la chair, ou des oeufs, ou autre viande prohibée ez jours defendus par l'Eglise.

27. Finalement, outre les susdits cas, est reservée la dispense des voeux, juremens, et irregularité.

Cahors 1642

[Alain de Solminihac]
Manuale proprium Parochorum Cadurcensium
Cas reservez aux Evesques par les Saincts Canons

Cahors 1642 p. 45

1. Tout leger battement des Ecclesiastiques, et Clercs tonsurez.

2. Les autheurs des vexations injustes faictes contre ceux, qui ont justement excommunié, suspendu ou interdit durant les deux premiers mois apres la vexation, car apres elle est reservée au pape.

3. Ceux qui dispensent, ou absolvent des Voeux reservez aux Evesques.

4. Toute autre Excommunication, et sorte de peché, reservé aux Evesques en leurs Status [sic] Synodaux, tels que sont les pechez et cas ensuivans.

Cahors 1642

Manuale proprium Parochorum Cadurcensium
Cas des pechez... particulierement reservez
à Monseigneur l'... Evesque... de Caors...

Cahors 1642 p. 46-48. Voir Bordeaux 1641 (P2641, P2642).

Orléans 1642

[Nicolas de Nets]
Les cas à nous reservés sont les suivants

P2646   **Orléans 1642 p. 114***-116*****

1. Tous ceux qui estants reservés à N. S. P. le pape sont commis par persones [sic] que le droict excuse d'aller à Rome. *Tels sont les religieux, les femmes et filles, les vieillards, les valetudinaires* [malades] *comme gouteux et autres detenus de longue maladie, les pauvres qui gaignent leur vie au jour la journée, ou qui mandient. Si quelqu'un de ceux là commet un des cinq cas raportez cy dessus, il n'est pas obligé d'aller à Rome, mais doit seulement venir à nous, ou à ceux qui ont de nous le pouvoir d'en absoudre.*

2. *L'heresie.* Lors qu'on fait profession publique d'une erreur contraire à la foy, la quelle on soustient avec obstination contre l'Eglise.

3. *Le Blaspheme.* Quand quelqu'un clairement et publiquement dict ou escrit quelque chose injurieuse contre Dieu, la Saincte Vierge, ou les Saincts, avec dessein et volonté deliberée de les mespriser.

4. *La Magie.* En ce cas nous voulons comprendre tous magiciens, enchanteurs, sorciers, devins, noüeurs d'esguillettes et tous ceux qui se servent de leurs inventions, ou qui les consultent.

5. *L'offence* [sic] commise contre son pere et sa mere, en les battant et frappant griefvement. *Soubs le nom de pere et de mere nous comprenons l'ayeul et ayeulle.*

6. *L'homicide* volontaire, ou celuy qui arrive par accident, quand ce qui en a donné l'occasion est un peché mortel, dans lequel on pouvoit apprehender ou prevoir probablement le danger dudit homicide.

7. *Le Duel.* Auquel sont compris ceux qui sont appeler [sic] à un combat singulier, qui portent l'appel, qui combattent, qui y assistent volontairement, ou qui le conseillent.

8. *L'offence* [sic] commise contre un homme promeu aux ordres sacrés, en le battant et frappant griefvement, pourvu que ce soit sans le tuer ny estropier, autrement ce seroit un cas reservé au Sainct Siege.

9. *La Sodomie et bestialité.* Pechés contre la nature, qui ne se peuvent mieux expier que par le feu.

10. *L'inceste.* Dans le second degré de consanguinité et affinité, soit que l'affinité provienne *ex matrimoniali copulâ*, soit ex *illicitâ*.

11. *Le Rapt.* C'est à dire une violence exercée à l'endroict d'une fille ou honeste femme, qu'on enleve à dessein d'avoir sa connoissance charnelle, soit par fornication, soit mesmes par mariage.

12. *L'adultere public,* lequel est, ou suffisamment prouvé en jugement, ou tellement notoire qu'on ne puisse par aucune tergiversation le celer dans le voisinage.

13. *Le Mariage clandestin.* Lors que quelqu'un se marie hors la presence de son propre curé et de deux tesmoings, si ce n'est de la permission dudit curé ou de ses superieurs. A ce cas nous raportons tous autres mariages qui demeurent nuls par la malice de ceux qui contractent : comme quand un homme marié sçachant que sa femme n'est pas morte, en espouse un'autre ; ou une femme mariée, qui sçait que son mary n'est pas mort, ne laisse de se marier à un autre homme.

14. *Le Sacrilege.* 1. Quand une personne astraincte par vœu solemnel à la chasteté, l'enfraint par la connoissance charnelle d'un'autre. 2. Quand on desrobe une chose sacrée en quelque lieu que ce soit. 3. Quand on desrobe quelque chose mesme prophane, dans l'Eglise qui est un lieu sacré. 4. Quand dans un lieu sacré on fait notable effusion de sang, par quelque violence et injure faicte à autruy. 5. Quand l'église est polluë *voluntariâ et culpabili humani seminis emissione*.

15. *Le Concubinage* public et notoire en telle sorte qu'il soit prouvé en jugement, ou tellement connû dans le voisinage, qu'il ne se puisse celer ; ce qui arrive lors qu'on voit une personne tellement attachée à l'autre, qu'ils vivent en toutes choses comme la femme et le mary.

16. *L'entrée des Monasteres de Religieuses,* où se garde la closture soubs nostre authorité, sans nostre expresse permission, ou de ceux qui ont de nous le pouvoir de la donner.

17. *L'usure* publique, prouvée en jugement, ou si notoire qu'on ne la puisse cacher.

18. *La fausse Monnoye.* Ce qui comprend aussy les rogneurs.

19. *L'incendie* volontaire de quelque maison que ce soit, et le vol des biens de quelque Eglise ou lieu pieux, fait en rompant les murailles, portes, serrures, fenestres ou autres choses semblables d'iceluy. *Pourveu que tels incendiares [sic] et voleurs ne soient pas encores denoncés publiquement, pour ce que lors le cas seroit réservé au Sainct Siege.*

20. *Le Parjure*. Quand après avoir presté serment en justice de dire la verité, on la nie ou dissimule par quelque tergiversation.

21. *La falsification* des Lettres Ecclesiastiques, soit notoire, soit occulte, pourveu qu'elles ne viennent point du Pape, car lors si le crime estoit notoire, il seroit reservé au Sainct Siege, et ne le seroit à nous, qu'en cas qu'il fut caché.

Seront advertis tous Curés et autres Ecclesiastiques qu'il appartiendra, qu'aucun peché n'est reservé, quand il est seulement veniel, quand mesmes on peut probablement douter s'il est mortel ou veniel, quand il n'est commis que par pensée ou qu'il est faict par quelqu'un qui n'a atteint l'aage de 14. ans, si ce n'est qu'on connoisse manifestement que la personne, qui est moins agée soit capable de telle malice.

Que si le Curé ou autre Confesseur connoist que le Penitent ne puisse venir pour lesdits cas, à nous, à nos grands Vicaires ou Penitenciers, sans manifester un crime qui est caché, ou sans perdre sa bonne renommée, nous permettons audit Curé ou Confesseur, de luy donner lors l'absolution (principalement si c'est quelque femme qui ne soit pas pecheresse publique) de peur d'un plus grand scandale; à la charge toutefois qu'il enjoigne ausdits Penitents de se representer de rechef à nous, à nos Grands Vicaires ou Penitenciers, quand ils le pourront faire plus commodement, et sans scandale.

Finalement nous declarons que toutes suspensions et irregularitez provenuës d'un delict occult [*sic*] (exceptées celles qui viennent d'homicide volontaire, ou d'autres delicts pour lesquelz il y a procés intenté) nous sont reservées, et qu'autres que nous ou ceux qui de nous ont le pouvoir, n'en peut absoudre. Ce qu'il faut pareillement observer pour la dispence et commutation des vœux non reservés au Pape.

Genève 1643

Absence de cas réservés.

Meaux 1645

[Dominique Séguier]
Casus seu peccata … Episcopo Meldensi reservata

P2647 **Meaux 1645 p. 77-79**

1. Gravis percussio Religiosi, vel Clerici in Sacris constituti, quae si atrocior fuerit, summo Pontifici reservatur.

2. Incendium domorum procuratum et voluntarium, dummodo incendiarius non sit publicè denunciatus, tunc enim summo Pontifici reservatur.

3. Idipsum de effractore et spoliatore sacrarum aedium intelligi volumus.

4. Homicidium voluntarium, vel etiam casuale, si detur opera rei illicitae, quae sub peccato mortali prohibeatur, et probabiliter mortis inductiva iudicari posset.

5. Monomachia, seu duellum, quo nomine continentur omnes pugnantes in duello, tum etiam qui vulgo dicuntur ipsorum patrini, et qui ad illud provocant scienter, si secuta fuerit pugna.

6. Conjugii mortem moliri.

7. Procuratio abortivi, sive animati, sive inanimati.

8. Percussio Patris vel Matris.

9. Profiteri vel exercere maleficia, veneficia, divinationes, ligaturas in uxoratos [mariés], et alia sortilegia, caeterasque artes magicas.

10. Profanatio et impius abusus sacrosanctae Eucharistiae, Chrismatis, et Olei sancti.

11. Atrox et violenta percussio cum multa sanguinis effusione in Ecclesia.

12. Fornicatio in Ecclesia.

13. Concubitus cum Sanctimoniali.

14. Concubitus cum persona, quam baptizaveris, vel in Baptismo susceperis, vel cuius Confessionem sacramentalem exceperis : vel cum eo qui tibi Baptismi, vel Poenitentiae Sacramentum administraverit, vel qui te in Baptismo susceperit.

15. Vivente propria uxore aliam ducere, et vivente proprio viro alteri nubere.

16. Adulterium publicum.

17. Raptus virginum, vel mulierum honestè viventium.

18. Incestus intra secundum gradum consanguinitatis, vel affinitatis.

19. Concubinatus notorius, si monitus in eo perseveraverit.

20. Sodomicum peccatum, et Bestialitas.

21. Sacrilegium, quo intelligitur quodcumque furtum rei sacrae in quovis loco, vel furtum rei profanae in loco sacro.

22. Usura publica, quae vel in iudicio probata est, vel nulla tergiversatione in tota vicinia celari non potest.

23. Crimen falsariorum, quo intelliguntur falsi testes coram iudice, et qui adulterant monetam : qui etiam falsant literas Ecclesiasticas :

modo tamen non sint literae, aut Bullae Apostolicae, harum enim falsificatio reservatur Papae, quando factum est notorium.

24. Simonia et confidentia occulta.

25. Promoveri ad Ordines maiores ab alieno Episcopo, absque Ordinarii sui facultate : vel per saltum, vel ante aetatem legitimam, vel supposita alia persona ad subeundum examen : vel falso, aut supposito titulo.

Paris 1646, 1654

[Jean-François de Gondi]

Casus reservati Domino Archiepiscopo[a]

P2648 **Paris 1646 p. 92-94**

1. Gravis percussio Religiosi, vel Clerici in sacris constituti, quae si atrocior fuerit summo etiam Pontifici reservatur.

2. Exustio domorum procurata et voluntaria, dummodo incendarius non sit publice denuntiatus : nam si denuntiatus est, reservatur Summo Pontifici.

3. Idipsum de effractore et spoliatore aedium sacrarum et piorum locorum intelligi etiam volumus.

4. Homicidium voluntarium.

5. Monomachia [combat singulier] vel duellum, quo nomine continentur omnes pugnantes in duello, tum etiam qui vulgo dicuntur ipsorum patrini, et qui ad illud provocant scienter.

6. Coniugi mortem machinari, id est, *reipsa tentare, licet forte non sequatur.*

7. Procuratio abortivi sive animati, sive inanimati.

8. Percussio patris vel matris.

9. Profiteri vel exercere maleficia, divinationes, caeteresque artes magicas, non vero Magos aut Divinos consulere.

10. Profanatio et impius abusus rerum sacrarum, ut sacro sanctae Eucharistiae, Chrismatis, et Olei sancti.

11. Atrox et violenta percussio cum multa sanguinis effusione in Ecclesia.

12. Fornicatio in Ecclesia.

13. Concubitus cum Sanctimoniali.

14. Concubitus Confessarii cum poenitente, et poenitentis cum Confessario.

15. Raptus virginum, vel mulierum honestè viventium.

16. Incestus intra secundum gradum consanguinitatis vel affinitatis.

17. Sodomiticum peccatum, et quod eo gravius est.

18. Sacrilegium, quo intelligitur furtum rei sacrae in sacro loco, vel rei profanae depositae in loco sacro.

19. Crimen falsariorum, quo intelliguntur falsi testes coram iudice, et qui falsam cudunt monetam, et etiam qui falsant litteras Ecclesiasticas, modo tamen non sint litterae aut Bullae S. Pontificis: harum enim falsificatio reservatur Papae, quando factum est notorium.

20. Simonia et confidentia occulta.

21. Promoveri ad Ordines maiores suppositâ aliâ personâ ad subeundum examen, vel falso aut supposito titulo.

Nota quod *suspensio* non est casus, sed censura, sicut nec *Irregularitas*, quae est impedimentum, seu inhabilitas; earumque dispensatio vel absolutio pertinent ad Episcopos, quando sunt ex delicto occulto, excepta irregularitate quae est ex homicidio voluntario[b]; haec enim reservatur summo Pontifici: exceptis etiam aliis deductis ad forum contentiosum.

Variantes Paris 1654. [a] Parisiensi] *add.* – [b] etiam occulto] *add.*

Admonitiones in praedicta.

1. Nullum peccatum reservari, nisi sit mortale, vel quando sola cogitatione est admissum, vel quando à pueris aut puellis committitur ante pubertatis annos, id est in pueris ante annum aetatis 14. in puellis ante annum 12.

2. Foeminas non esse remittendas pro casibus reservatis quando distant ab urbe plusquam tribus leucis, nisi forte prudens Confessarius iudicaverit aliter expedire.

Albi 1647

[Gaspard de Daillon du Lude]
Les Excommunications et cas reservez aux Evesques selon le Droit commun

Albi 1647 p. 78-79. *Voir* Toulouse 1614 p. 29-30 (P2612).

Albi 1647

Les Excommunications et Cas reservez par Monseigneur l'Evesque d'Alby dans son Diocese...

Albi 1647 p. 79-81

1. Tous sorciers, enchanteurs et devins, ou magiciens, et ceux qui les vont consulter, pour s'aider de leurs arts.

2. Les Sacrileges, qui ont violé quelque lieu sacré par larcin, luxure, ou effusion de sang, comme aussi ceux qui ont desrobé les choses sacrées ou appartenantes à l'Eglise.

3. Tous Confidentiaires [tenant un bénéfice ecclésiastique par substitution] ou Simoniaques.

4. Les Notaires, qui dans six mois n'ont pas declaré à leurs curez les legats faits pour choses pies, ou bonnes oeuvres.

5. Ceux qui ont battu leur pere ou leur mere.

6. L'homicide et meurtre volontaire, et mutilation de quelque membre.

7. Ceux qui exposent à l'abandon leurs enfans, et ceux qui les couchent dans le lict avant l'an et jour.

8. Les Femmes qui se font avorter, et tous ceux qui procurent l'avortement.

9. Ceux qui ont commis le peché de Sodomie ou brutalité [sic].

10. Ceux qui ont commis inceste au premier ou second degré de consanguinité, et d'affinité charnelle; et au premier degré de parenté spirituelle, comme seroit avec sa Filleule: Et ceux qui ont ravi ou violé quelque Vierge, ou cognu charnellement quelque Religieuse.

11. Les Concubinaires publics, et notoires.

12. Les faussaires d'escritures, mesures, poids et monoye; et les faux tesmoings, et celuy qui s'est parjuré en jugement.

13. Ceux qui retiennent sciemment les cedulles, ou instrumens, pour faire payer deux fois une mesme chose, ou qui retiennent injustement les biens appartenans à l'Eglise.

14. Les Boutefeux, qui à leur escient mettent le feu aux fruits, granges, et maisons d'autruy.

15. Ceux qui contractent Mariage clandestin contre les decrets du sainct Concile de Trente.

Boulogne 1647

[François Perrochel]

Casus seu peccata… Domino D. Episcopo Boloniensi reservata

Liste proche de Paris 1646.

P2650 **Boulogne 1647 p. 100-103**

1. Gravis percussio religiosi, vel clerici in sacris constituti, quae si atrocior fuerit summo etiam Pontifici reservatur.

2. Incendio domorum procuratum et voluntarium, sicut et effractio et spoliatio sacrarum aedium, et aliorum locorum piorum, dummodo incendiarii, effractores et spoliatores non sint publice denuntiati, tunc enim Summo Pontifici reservantur.

3. Simonia et confidentia occulta, tam quoad committentes quam eius mediatores: si vero publica, Summo etiam Pontifici reservatur.

4. Homicidium voluntarium.

5. Monomachia vel duellum, quo nomine continentur omnes pugnantes in duello, tum etiam qui vulgo dicuntur ipsorum patrini, et qui ad illud provocant scienter, si secuta fuerit pugna.

6. Coniugi mortem moliri, id est, reipsa tentare per aliquod medium, seu actionem aliquam ex se mortis inductivam, licet forte non sequatur

7. Procuratio abortivi, sive animati, sive inanimati.

8. Percussio patris vel matris, avi vel aviae.

9. Parvulos secum in eodem lecto recumbere antequam annum integrum attigerint; et (quod magis est) eosdem sic recumbendo opprimere.

10. Profiteri vel exercere maleficia, veneficia, divinationes, ligaturas in uxoratos, aliaque sortilegia; et alta (ut vocant) nomina distribuere, eadem scienter super se gestare, eosque qui supradicta et quasvis artes magicas profitentur, consulere.

11. Profanatio et impius abusus Sacrosanctae Eucharistiae, Missae sacrificii, Oleorum sanctorum, aquae, panis, et cerei benedicti.

12. Atrox et violenta percussio cum multa sanguinis effusione in Ecclesia.

13. Fornicatio in Ecclesia.

14. Concubitus cum Sanctimoniali. Concubitus etiam Confessarii cum poenitente, et poenitentis cum Confessario.

15. Incestus intra secundum gradum consanguinitatis, vel affinitatis.

16. Sodomiticum peccatum, et bestialitas.

17. Adulterium publicum, quod vel in judicio probatum est, vel nullâ tergiversatione in tota vicinia celari potest.

18. Concubinatus notorius, si ter à Parocho juridicè moniti concubinarii, in eo perseveraverint.

19. Raptus virginum, vel mulierum honestè viventium, etiamsi copula non sequatur. Sic et earumdem violentus abusus.

20. Vivente propria uxore aliam ducere, et vivente proprio viro alteri nubere.

21. Matrimonium clandestinum, tam respectu contrahentium, quam sacerdotis assistentis.

22. Carnibus et aliis cibis vetitis vesci diebus prohibitis.

23. Quodcunque furtum rei sacrae in quovis loco, vel furtum rei profanae depositae in loco sacro. Et naufragorum depredatio.

24. Usura publica quae vel in judicio probata est, vel nullâ tergiversatione in tota vicinia celari potest.

25. Crimen falsariorum. Quo intelliguntur falsi testes coram iudice; monetam adulterantes; litteras seu instrumenta publica, tam ecclesiastica quam civilia falsa conficientes, seu vera et legitima falsantes, earumque falsificationum testes et ministri.
26. Promoveri ad Ordines majores suppositâ aliâ personâ ad subeundum examen, vel falso aut supposito titulo.

Nota autem quod suspensio non est peccatum, sed censura, sicut nec irregularitas, quae est impedimentum, seu inhabilitas; earumque absolutio vel dispensatio ad Episcopum pertinet, quando sunt ex delicto occulto, exceptâ irregularitate quae est ex homicidio voluntario; haec enim reservatur summo Pontifici.

Verum ab omnibus istis Casibus sive Papae, sive Episcopo reservatis, potest quilibet simplex Sacerdos quemlibet absolvere in articulo mortis, et quoties à Papa, vel Episcopo hujusmodi facultatem ipsum habere contigerit: videlicet per speciale privilegium sibi vel poenitenti concessum, vel generalem quandam indulgentiam plenariae remissionis, quâ fidelibus eligere permittitur, quem voluerint Confessarium, qui illos ab omnibus casibus et censuris possit absolvere.

Insuper hoc quoque diligenter advertendum est, à casibus Summo Pontifici reservatis excipi impuberes, scilicet masculos ante decimum quartum annum, quoniam in iis minus viget ratio.

Monachos ac Regulares, qui non sunt sui juris.

Foeminas, partim ob infirmitatem sexus, partim quia sunt sub virorum potestate: sed praecipue ne zelus maritorum in eas implacabiliter exardescat. Juniores autem viduas, ac puellas, propter periculum incontinentiae.

Senes et valetudinarios, quia laborem itineris ferre non possunt.

Pauperes, maxime si fuerint conjugati: ne diuturna illorum absentia uxorem ac liberos objiciat mendicitati vel flagitio.

Denique omnes quibus salvâ vitâ, libertate, et rebus suis, Romam adire non licet, saltem quamdiu durat hujusmodi impedimentum, non sunt ad Papam, sed ad Episcopum, vel ipsius Vicarium, aut Poenitentiarium mitendi, à quo absolvi possunt.

Porro etsi aliquando in Confessione commutatio votorum, facienda sit... ad Episcopum tantum spectet dispensare et commutare vota. Solius enim ... Domini nostri Papae, vel ab eo potestatem habentis est, in his quinque subsequentibus votis dispensare, videlicet. Castitatis perpetuae, Religionis, Peregrinationis in Ierusalem, vel Romam, vel ad Sanctum Iacobum in Compostella. In caeteris votis, Episcopus, et qui ab eo potestatem habent dispensare possunt, alii numquam. Nisi et id Sacerdotibus per Indulgentias concedatur.

Le Mans 1647

[Emeric-Marc de La Ferté]
Casus reservati… D. Coenomensium Episcopi

Le Mans 1647 p. 107-108.
1. Haeresis.
2. Apostasia.
3. Publica blasphemia in Deum, in Sanctos, in Sacramenta, et res sacras.
4. Esus carnium et ovorum diebus prohibitis.
5. Sacrilegium, quod est violatio quaelibet locorum sacrorum, ac iniusta contrectatio rerum sacrarum.
6. Incestus, cum consanguinea et affine.
8. Sodomia.
9. Raptus, stuprum violentum.
10. Adulterium notorium scandalosum.
11. Concubinatus notorius.
12. Mutilatio membrorum iniusta.
13. Iniectio manuum in Parentes et in Clericos.
14. Veneficium.
15. Maleficium, seu sortilegium.
16. Incantatio.
17. Procuratio aborsus.
18. Oppressio prolis.
19. Periurium in Iudicio.
20. Falsum testimonium.
21. Falsificatio litterarum publicarum.

Comminges [1648][49]

[Gilbert de Choiseul]
Table, des Cas reservez à Monseigneur l'Illustrissime Evesque de Comenge

Comminges 1648 p. [86]-[88]
1. Tous legers battemens des Clercs tonsurez, ou autres personnes jouyssantes du privilege clerical.
2. Les jeux des cartes et dez, et toute autre sorte de jeu de hazard, exercé dans les tavernes, places, ou autres lieux publics, par des per-

---

[49] Comminges [1648] : édition du rituel d'Auch c. 1642 avec quelques adaptations pour Comminges ; les cas réservés à *l'Evesque de Comenge* remplacent les cas réservés d'Auch.

sonnes qui ont quelque Ordre sacré, ou Benefice ecclesiastique és lieux où nous l'avons defendu, à peine d'excommunication, ipso facto.

3. Les mascarades pratiquées par lesdites personnes sacrées, ou ayans Benefice.

4. Les menaces, monopoles, et toutes autres voyes illicites pour avoir les affermes [fermages] des biens ecclesiastiques, et empescher la liberté d'icelles, pratiquées par quelque personne que ce soit, sauf si elle avoit fait restitution des dommages qu'elle auroit causez.

5. L'indeuë detention de toutes sortes de biens, mesme des tiltres et documens appartenans aux Eglises, Bassins [sic], ou Fabriques d'icelles, Obits, Hospitaux, l'employ desdits biens en usages prophanes, les recellemens que font les Notaires des dons ou legats pour oeuvres pies, sauf si ceux qui sont tombez en ces cas ont satisfait a leurs obligations, en restituant lesdits biens, titres, ou documens, ou denonçant lesdits dons ou legats pour oeuvres pies.

6. La non residence des Curez au dela de trois mois continus, ou interrompus sans licence.

7. Toutes sorte de magie, sorcellerie, ou enchantement, et recours aux personnes qui en usent.

8. Les fraudes commises par les Pointeurs, qui ne marquent point fidelement les absens pour absens, et les presens pour presens.

9. Absoudre sacramentalement un penitent de quelque péché mortel, auquel on ayt esté complice, hors de l'article de la mort.

10. Se marier sciemment dans les degrez de consanguinité, ou affinité defendus : ou avec autre empeschement, dirimant le mariage, et assister aux mariages clandestins.

11. La sodomie et la bestialité.

12. Le battement de son pere, ou de sa mere.

13. Mettre malicieusement le feu au bien d'autruy.

14. Porter faux tesmoignage en jugement, faire, ou faire faire faux actes, s'en servir, suborner des tesmoins, si ce n'est que le dommage causé par tels actes ait esté suffisamment reparé.

15. L'homicide volontaire, ou mutilation des membres.

16. L'inceste jusqu'au troisiesme degré de consanguinité inclusivement, et au premier d'affinité. Comme aussi l'inceste commis entre personnes conjointes d'affinité spirituelle.

17. Le ravissement des Vierges.

18. Falsifier, ou roigner la monnoye.

19. Ne communier point au temps de Pasques, si apres un mois on n'y a satisfait.

20. Coucher les enfans dans le lict avant l'an et jour.

Les Prestres qui obtiendront permission d'absoudre des cas reservez à mondit Seigneur de Comenge, seront advertis qu'il n'entend pas par cette concession donner pouvoir de dispenser d'aucun voeu ny irregularité, ny d'absoudre de l'homicide volontaire, suffocation des enfans dans le lict, non residence des Curez, fraude des Pointeurs, n'y de l'excommunication laxée [sic] contre ceux qui taschent d'empescher la liberté des affermes des biens ecclesiastiques, hors du cas de restitution cy dessus specifié, si lesdits cas ne sont particulierement enoncez dans sadite concession.

Châlons-sur-Marne 1649
[Félix Vialart de Herse]
Casus seu peccata ... Domino D. Episcopo Cathalaunensi reservata

Châlons-sur-Marne 1649 p. 117

1. Homicidium voluntarium, et duellum, quo nomine continentur omnes pugnantes in duello, tum etiam qui vulgo dicuntur ipsorum patrini, et qui ad illud provocant scienter, si secuta fuerit pugna.

2. Concubinatus publicus, et qui eo gravior est incestus intra secundum gradum consanguinitatis vel affinitatis. etiam privatus, sodomia, et bestialitas.

3. Esus carnium scienter et sine necessitate, tempore prohibito.

4. Simonia et confidentia occulta, tam quoad committentes quam ejus mediatores : si vero publica, summo etiam Pontifici reservatur.

Admonitiones.

Nullum peccatum reservatur, nisi sit mortale, vel quando solâ cogitatione est admissum, vel quando à pueris aut puellis committitur ante annum decimum quartum.

Foeminas non sunt remittendae pro casibus reservatis quando distant à Confessario ad id approbato plusquam tribus leucis, nisi prudens Confessarius judicaverit aliter expedire. [proche Paris 1646]

Nullum peccatum nullaque censura in articulo mortis est reservata, si vero aeger convalescat, debet pro censuris adire Superiorem.

Quoniam vero nihil conformius Ecclesiasticae disciplinae et utilius ad eradicandos pravos et scandalos habitus, eâ reservatione casuum, districtè inhibemus, et sub poenis juris ne quis Sacerdos, saecularis aut regularis ab illis absolvere quempiam presumat sine facultate à nobis scriptis habitâ.

Nota autem, quod suspensio non est peccatum, sed censura, sicut nec irregularitas, quae est impedimentum, seu inhabilitas; earumque absolutio vel dispensatio ad Episcopum pertinet quando sunt ex delicto occulto: excepta irregularitate quae est ex homicidio voluntario; haec enim reservatur summo Pontifici. [comme Boulogne 1647]

Périgueux 1651, 1680, 1763

[Périgueux 1651: Philibert Brandon]

Périgueux 1651-1763: les cas réservés à l'évêque sont à chercher dans les Constitutions synodales:

P2654 **Périgueux 1651 p. 128**
Casus et peccata… D.D. Philiberti Brandon reservata huc non referimus, quia solet ea in Synodis pro re Dioecesis suae commutare, itaque petantur ea à constitutionibus Synodicis.

Chalon-sur-Saône 1653

[Jacques de Neuchèze]
Les cas reservez de droit à l'Evesque

P2655 **Chalon-sur-Saône 1653 p. 52**
1. L'excommunication qu'il s'est réservée.
2. Le blaspheme enorme, pour raison duquel le criminel est en justice.
3. Commutation et changement de voeu, fors de celuy de chasteté, de religion, de pelerinage à Rome, à Jerusalem, et à S. Jacques en Galice.
4. Dispensation des irregularitez et suspensions provenantes de delict caché.
5. L'incendiaire avant la denonciation.
6. Celuy que l'Evesque n'a point voulu absoudre.

Chalon-sur-Saône 1653

Les cas que coustumierement les Evesques reservent

P2656 **Chalon-sur-Saône 1653 p. 52-54**
1. L'heresie, et l'usage des viandes prohibées sans cause legitime, ou licence de ceux qui la peuvent donner.
2. Battre ou frapper griefvement une personne ecclesiastique, et si les coups sont excessivement outrageux, le cas est reservé au Pape.

3. L'incendiaire qui n'est publiquement denoncé et celuy qui rompt les portes des lieux sacrez, les spolie et pille; celuy qui viole les cemetieres et autres lieux d'immunitez; celuy ou celle qui sans permission entre dans une closture religieuse.

4. L'homicide volontaire et celuy qui est commis par quelque cas, au quel il y avoit crainte ou peril d'homicide.

5. Se battre en duel, y appeler quelqu'un, servir de parrain, assister de sa presence, ayde, ou conseil.

6. Celebrer un mariage clandestinement, s'épouser au prejudice de la foy donnée à une personne, dont on auroit abusé, convoler en secondes nopces avant le decez de sa partie, atter à sa vie, encore que la mort ne s'en soit point suivie.

7. Procurer la perte d'un enfant, au ventre de la mere, donner conseil et ayde à ce faire; l'estoufer par mesgard [sic]; estre cause de sa mort faute de soin, ou autrement; l'exposer ou abandonner aux bestes, et porter clandestinement aux hospitaux.

8. Se servir de sortilege, malefice, empoisonnemens, estre devin, sorcier, enchanteur, donner ou porter brevets, noüer l'esguillette, tourner le sac pour sçavoir ce qui s'est passé, guerir ou faire guerir par paroles, s'addonner [sic] enfin à quelque art et superstition magique.

9. Prophanation et abus impie des choses sacrées, et la negligence pour laquelle tels actes se commettent.

10. L'oeuvre de chair, notable effusion de sang et batture [sic] faite dans l'Eglise, comme tout peché qui de soy rend une Eglise polluë.

11. Violer une fille ou une femme de bonne reputation: la mere qui consent au regard de sa fille, le mary au regard de sa femme: l'adultere et le concubinage publique [sic], qui ne peut se celer en tout le voisinage.

12. L'inceste commis au second degré de consanguinité ou affinité.

13. Le peché de sodomie; celuy qui est encore plus abominable.

14. Acointance charnelle avec une religieuse, ou avec celle qu'on auroit baptizée ou entendue en confession, ou bien avec un Juif ou une Juive.

15. L'usure publique, c'est à dire qui est preuvée [sic] par sentence du juge, ou qui est tellement notoire en tout le voisinage, qu'elle ne se peut celer.

16. Le sacrilege, c'est à dire desrober quelque chose sacrée en quelque lieu que ce soit, ou bien quelque chose prophane, dans un lieu sacré. Retenir les legats pies des trespassez; les fondations et donations faictes aux Eglises, et aux pauvres; employer les fruits et revenus à autre usage, sans en avoir permission; delaissant les services à quoy

ils sont affectez : retenir les deniers des Confreries, et se les appliquer ; employer à d'autres usages l'espargne des deniers du service cessant.

17. Le faux tesmoignage et serment presté en Justice.
18. Corrompre les instrumens ecclesiastiques, encore qu'ils n'appartiennent au S. Siege.
19. Faire la fausse monnoye, falsifier les seaux [sic] du Roy.
20. La simonie et confidence cachée ; l'irregularité et suspension provenant de delict caché ; recevoir les ordres *per saltum*, ou par autre, que par son propre Evesque sans sa licence.
21. Assister estant Clerc aux sentences et jugements des crimes qui meritent punition corporelle.
22. Recevoir les ordres, celebrer et faire l'office dans l'Eglise estant suspend ou excommunié.
23. Enterrer les bons catholiques par negligence et mespris en lieu prophane, et les excommuniez en lieux saincts.

Outre cette defense generale faicte en tout l'Evesché, il y en a encore une autre particuliere, lors que pour quelque raison cogneuë l'Evesque defend à quelque Prestre seulement, d'absoudre de tel, ou tel cas : ce qui se doit religieusement observer. Car encore que le Prestre ait permission d'absoudre des cas reservez, il ne doit pourtant s'en servir en faveur de ceux qui en pourroient abuser. De peur toutefois que telles reserves ne fussent au prejudice de ceux, qui constitués en peril eminent de mort seroient saisis d'une vraye contrition et desir extreme d'estre absous par ceux qui en ont le pouvoir ; l'Eglise de Dieu s'en est relachée, et donne pouvoir à tous Prestres d'absoudre en tels cas tous penitens de tous pechez et censures, sans restriction ni limitation quelconque.

Chalon-sur-Saône 1653

Cas reservez à Monseigneur le reverendissime … Evesque et Comte de Châlon

P2657 **Chalon-sur-Saône 1653 p. 458-459**

1. Ceux qui auront violé ou debauché quelque fille vierge.
2. Ceux qui auront eu accointance charnelle avec quelque religieuse.
3. Celuy ou celle qui aura procuré la perte d'un enfant au ventre de la mere.
4. Les meres qui consentent que leurs filles se prostituent, et les maris qui consentent le semblable au regard de leurs femmes.
5. Qui aura commis inceste au second degré, ou plus prochain, de consanguinité.
6. Les boutefeux ou incendiaires.

7. Ceux qui par turpitude charnelle, ou par notable effusion de sang de leur prochain, faite malicieusement, et avec violence, auront pollué quelque eglise.
8. L'homicide volontaire, et de sang froid.
9. Qui aura outragé et battu son pere ou sa mere.
10. Les notaires, tabellions, et autres personnes qui celent les legs pieux, et donations faictes aux eglises, et aux pauvres.
11. Tous concubinaires notoires et publics, soient [sic] clercs ou laïques.
12. Les femmes qui seront entrées dans un monastere de Religieux. Et les hommes qui sans necessité ou permission de ceux auxquels il appartient de la bailler, seront entrez dans un monastere de Religieuses.
13. Ceux qui mangent chair, et autres viandes prohibées, pendant le sainct temps de caresme, sans cause legitime, ou sans licence de ceux qui la peuvent donner.
14. Ceux qui usurpent et detiennent les domaines affectez à l'Eglise, et pour le service divin, et les joignent à leur domaine, sans aucun legitime tiltre.
15. Les prestres qui s'enyvrent dans les cabarets.

Poitiers 1655

Les cas reservez à Monsieur l'Evesque,
duquels les Curez, Vicaires et autre Confesseurs ne peuvent absoudre,
sans sa commission speciale, ou celle de N.S. Pere le pape.

Voir Poitiers 1619-1637.

Clermont 1656

Absence de cas réservés.

Elne 1656

[Chapitre d'Elne ?[50] le siège épiscopal vacant]
Casus Episcopo reservati

58   **Elne 1656 p. 91-92**
Cum casus Episcopo reservati, quidam a jure, et quidam ex consuetudine, vel communi, vel propria cujusvis Episcopatus reserventur : nulla certa regula tradi potest, qua omnes compræhendantur. Et quamvis id possibile esset, nobis tamen omnes reservare non expe-

---

[50] La préface du rituel porte la signature du vicaire général Sebastianus Garriga.

diret : cum enim non æque ubique omnia perpetrentur peccata, non eadem ubi quæ sunt applicanda remedia : Casus quos nobis pro bono nostri Episcopatus regimine, et nostrarum ovium salute, reservandos duximus, sunt qui sequuntur.
 1. Peccatum Clerici quod habet annexam irregularitatem.
 2. Crimen incendiarii domorum, frugum, aut aliarum rerum ex supposito factarum, et consilium et auxilium ad id præstantes.
 3. Peccatum requirens pœnitentiam solemnem, quæ ob solum peccatum notorium, grave, et scandalosum imponitur.
 4. Blasphemia publica et notoria.
 5. Homicidium voluntarium, aut mutilatio membrorum. Item mandans vel consentiens.
 6. Crimen falsarii, seu falsi, videlicet qui falsat litteras vel scripturas. Testis falsus quando falsum dicit, vel quando tacet veritatem, dum dicere tenetur. Testis recipiens pecuniam ne verum dicat. Item Notarius, Advocatus, vel Procurator, qui instrumenta unius partis alteri ostendit.
 7. Violatio Ecclesiasticæ libertatis, qua scilicet personæ, vel res Ecclesiæ injuste gravantur.
 8. Violatio immunitatis, qua scilicet in Ecclesia, vel in loco sacro, aut spatio privilegiato in circuitu Ecclesiæ, proximum in persona vel rebus quis offendit.
 9. Sortilegium et divinatio.
 10. Retinentes bona Ecclesiastica in damnum Ecclesiarum.
 11. Raptores vel violatores virginum, vel monialium.
 12. Qui abortum procuraverint.
 13. Qui in secundo vel propinquiori gradu incestum commisserint, aut bestialitatem, vel crimen sodomiticum exercuerint.
 14. Ecclesiam polluentes.
 15. Qui parentes, per se vel per alios percusserint.
 16. Qui ignominiosa verba, aut minas graves, seu contumelias in Sacerdotes publice fuderint.
 17. Sacrilegi.
 18. Non solventes decimas, et primitias.
 19. Qui stateras [balances], mensuras [mesures], vel monetas adulteraverint, vel corruperint.
 20. Quicunque, tam regulares, quam seculares, qui sine Episcopi approbatione scripta confessiones audierint, vel absque ejus facultate a casibus reservatis absolverint.
 21. Qui matrimonium clandestinum non servata Concilii Tridentini forma, contraxerint, vel impedimentum falsum ad matrimonium malitiose impediendum attullerint.

22. Qui piis legatis satisfacere neglexerint, et Notarii illa malitiose non denuntiantes.
23. Concubinarii publici.
24. Viri et uxores, qui sine judicio Ecclediæ vivunt ad invicem separati.

Mâcon 1658
[Jean de Lingendes]
Prosne ordonné à tous les curez de ce Diocese... de Mascon[51]
Les cas reservez en ce diocese

Mâcon 1658 p. 38-40

Le premier, l'heresie occulte, bien que l'on n'en aye faict profession ou declaration en public.

Le second, le ravissement et forcement des filles, contre leur volonté, et celle de leurs parens.

Le troisiesme, le violement des Religieuses, professes dediées à Dieu.

Le quatriesme, la perte du fruict dêja animé licitement ou illicitement conçeû, procurée et recherchée par breuvages ou autres artifices damnables, par soy ou par autruy. L'estouffement des enfans par negligence ou malice, et ceux qui en ses [sic] faicts prestent ayde et conseil.

Le cinquiesme, l'inceste au premier et second degré.

Le sixiesme, l'homicide volontaire de soymesme ou des autres, de propos deliberé, et de guet-à-pend.

Le septiesme, la pollution des Eglises par l'effusion violente de sang en abondance, ou de semence charnelle en quelque acte deshonneste, qui aura esté reconeu par plusieurs.

Le huictiesme, le peché contre nature de malle avec malle [sic], ou de malle avec femme.

Le neufviesme, le brulement volontaire des maisons, granges, Eglises, et autres edifices à la ruyne de son prochain.

Le dixiesme, le vol et larrecin des choses sacrées que nous disons sacrileges, et l'abus des choses sacrées pour enchantemens, et sortileges.

L'onzième, les excommuniez, suspendus, irreguliers, et interdits par nous.

---

[51] *Prosne ordonné à tous les curez de ce Diocese, par Monseigneur l'... Evesque de Mascon. A Mascon, par Simon Bonnard... M.DC.LVIII.* Mâcon, Bibl. mun. Ouvrage non recensé par Molin Aussedat.

De tous lesquels cas, nous interdisons la cognoissance et le pouvoir d'en absoudre à tous Curez, Vicaires, et Prestres seculiers ou reguliers, quels qu'ils puissent estre. Voulons que ceux qui les auront commis, soyent renvoyez pardevant nous ou nostre grand Vicaire. Et que mesmes en l'article de la mort, lesdits Curez, Vicaires et Prestres n'en puissent absoudre, sinon avec condition, que si les malades reviennent en convalescence, ils se representeront pardevant nous ou nôtre dit grand Vicaire. Et afin que personne n'en pretende cause d'ignorance, nous ordonnons à tous lesdits Curez, de faire lecture, et publication de nosdits cas reservez, aux quatre festes principales de l'année, en leur prosne, sçavoir à Pasques, Pentecoste, la Toussaincts, et Noël, ou és dimanches immediatement precedans lesdittes festes.

Cambrai 1659

Voir Cambrai 1622-1779.

Troyes 1660

[François Mallier du Houssay]
Casus reservati in Dioecesi Trecensi, cum explicationibus

Troyes 1660 p. 95-99[52]

1. Hæresis cum qua etiam comprehendimus lectionem librorum in quibus hæretici de suis erroribus tractant.

2. Comestio carnium et ovorum temporibus ab Ecclesia prohibitis absque licentia ordinarii vel necessitate urgente.

3. Symonia et confidentia occulta. *Publica enim summo pontifici reservatur.*

4. Apostasia a votis solemnibus, seu a religione, quando quis sine necessitate deponit habitum religionis, ut vivat laïcorum more: Item apostasia ab ordinibus sacris, cum quis in ordinibus majoribus constitutus, habitum clericalem dimittit, animo illum numquam recipiendi, aut etiam matrimonium contrahit absque ulla summi pontificis dispensatione.

5. Blasphemia notoria et publica adversus Deum, sacram Virginem, et sanctos, cum dicitur aliquid contumeliosum Deo ejusque sanctis. Profiteri vel exercere maleficia, veneficia, divinationes, cæterasque artes magicas.

Eo casu comprehendi volumus non solum incantatores, sortiarios, magos, divinatores, ligulæ nodatores, et eos omnes qui actus illorum quos

---

[52] Les cas 3, 6, 8, 10, 11, 13-19, 22, 24 viennent de Paris 1630

ab ipsis vel aliis didicerint, opere exequuntur: sed etiam qui eos adeunt et consultant, scilicet animo credendi, non vero qui per ignorantiam aut ex levi curiositate vel joco, et risus gratia.

6. Profanatio et impius abusus rerum sacrarum, ut sacro-sanctæ Eucharistiæ, chrismatis, olei sancti, et ipsius missæ sacrificii.

7. Perjurium, seu falsum testimonium coram judice.

Id est, si quis in testem vocatus, et præstito juramento de veritate dicenda juridice interrogatus eam negat, vel maligna tergiversatione dissimulat.

8. Crimen falsariorum qui adulterant litteras ecclesiasticas, sive occultum sit factum, sive publicum.

Modo non sint litteræ aut bullæ summi pontificis: harum enim falsificatio reservatur papæ, quando factum est notorium. Nobis vero si occultum est: Item adulterare monetam et illegitimam facere.

9. Homicidium voluntarium, necnon etiam casuale, quod accidit ex aliquo peccato mortali, in quo erat metus, aut periculum homicidii.

10. Procuratio abortivi, sive animati, sive inanimati.

Id est, cum quis pharmaco vel alia causa voluntarie fœtum conceptum, sive animatum, sive inanimatum extra uterum expellit: nam si in utero illis artibus fœtum occiderit, pertinebit ad casum de homicidio.

Similiter procuratio sterilitatis quocumque modo id fiat modo reipsa sequatur sterilitas.

11. Oppressio parvulorum per incuriam.

Cum sit notabili negligentia, quæ non admittit excusationem.

12. Exustio domorum procurata et voluntaria, dummodo incendiarius non sit publice denunciatus.

Nam si denunciatus est, reservatur summo pontifici: Idipsum de effractore aut spoliatore ædium sacrarum et piorum locorum intelligendum volumus.

13. Fornicatio in ecclesia.

14. Concubitus cum sanctimoniali.

Id est cum fœmina solemni voto religionis Deo dicata.

Item cum persona quam in baptismo susceperis, vel cujus confessionem sacramentalem exceperis, vel cum eo qui baptismi, aut pœnitentiæ sacramentum administraverit.

15. Adulterium publicum.

Quod vel judicio probatum est, vel nulla tergiversatione in tota vicinia celari potest.

16. Vivente propria uxore aliam ducere, vel proprio viro vivente alteri nubere.

17. Raptus virginum, vel mulierum honeste viventium.

Nomine raptus intelligitur violentia erga personam raptam in ordine ad libidinem vel ad matrimonium.

18. Incestus intra secundum gradum consanguinitatis et affinitatis inclusive.

Per affinitatem intelligitur ea affinitas quæ oritur tam ex copula matrimoniali, quam ex copula illicita extra matrimonium v.g. cum quis commixtus fuit carnaliter cum Barbara, si postea cognoscat ejus sororem aut cognatam in secundo gradu, quam vulgo nominant germanam, casus est reservatus, et vicissim si quæ commixta fuit cum Joanne, et postea cognoscat carnaliter ejus fratrem vel cognatum in secundo gradu, quem vulgo nominant germanum, casus est reservatus idipsum de patruis, avunculis, amitis, materteris.

19. Sodomitum peccatum, et quod eo gravius est.

20. Suppositio liberorum pariter reservatur quando liberi alterius thori assumuntur et supponuntur pro legitimis ac propriis.

21. Gravis percussio clerici in sacris constituti, vel religiosi professi. *Quæ si atrocior fuerit, summo pontifici reservatur.*

22. Gravis percussio parentum, id est, patris vel matris, vel avi, aut aviæ.

23. Sacrilegium quo intelligitur quodcumque furtum rei sacræ in quovis loco, vel furtum rei profanæ in loco sacro, vel etiam effractio loci sacri.

24. Atrox et violenta sanguinis effusio in ecclesia, vel etiam talis percussio ex qua plurimus sanguis fundatur, licet non in ecclesia.

25. Usura publica et notoria quæ vel in judicio probata est, vel nulla tergiversatione in tota vicinia celari potest.

26. Celebratio alterius missæ eadem die extra necessitatem urgentem.
Id est cum est copia sacerdotis.
Admonitiones.
Nullum peccatum reservatur, nisi sit mortale… sine facultate à nobis scriptis habitâ. [comme Châlons-sur-Marne 1649]. Iuxta subsequentem declarationem[53].

Lisieux 1661

Voir Paris 1601.

---

[53] Declaratio Sacrae Congregationis Episcoporum, et Regularium, circa facultatem absolvendi à Casibus sedi Apostolicae, et Ordinario reservatis. *Rituale Trecense*, p. 101-102.

Le Mans 1662, 1680

[Le Mans 1662 : Philibert-Emmanuel de Beaumanoir de Lavardin]
Casus reservati… Domino, D. Cenomanensium Episcopo

Le Mans 1662 p. 113-114

[Formulaire de 1647 avec addition de trois nouveaux cas :]
4. Homicidium voluntarium.
7. Incestus, seu sacrilegium, cum persona Deo consecrata, videlicet Sacerdote, Monacho vel Moniali.
23. Praebere esculenta aut poculenta civibus et loci [sic] incolis tabernas et cauponas, dum celebratur divinum Officium frequentantibus, id est, dum Missa parochialis et vesperae decantantur diebus dominicis et festis in populo.

Metz 1662

Voir Metz 1605.

Bâle 1665

De Sacramento Poenitentiae

p. 46 : Casus reservati Papales continentur in bulla *Caenae*, Episcopales vero, ut et Papales summariè, in Synopsi Decretorum Synodalium.

Bourges 1666

[Anne de Lévis de Ventadour]
Les cas à nous réservés où il y a censure annexée

Bourges 1666 p. 276-277

I. L'Apostasie, quand quelqu'un quitte la foy catholique, apostolique et romaine, ou abandonne son ordre sacré, ou sa profession religieuse, dans le dessein de ne plus retourner.

II. L'Heresie, lors qu'on fait profession publique d'une erreur contraire à la foy, laquelle on soûtient avec obstination contre l'Eglise.

III. Le Blaspheme, quand quelqu'un, clairement et publiquement dit ou écrit quelque chose injurieuse contre Dieu, la sainte Vierge ou les Saints.

IV. La Magie. En ce cas nous comprenons tous sorciers, devins, noüeurs d'eguillette, et toutes autres personnes qui commettent des malefices, ou qui s'en servent ; mais en ce cas ne sont compris ceux qui les consultent seulement, lesquels commettent un peché mortel, mais non pas reservé et n'encourent aucune censure.

V. Le Duel, quand quelqu'un s'est battu en combat singulier avec un autre; de sorte que ceux qui se battent de cette maniere encourent l'excommunication: en ce cas aussi de Duel, sont compris ceux qui se portent sur le lieu pour se battre, quoy qu'ils ne combattent pas, ceux qui portent l'appel, ou qui assistent au combat pour le favoriser.

VI. La promotion aux Ordres sacrés, *per saltum*, ou d'une autre maniere illegitime; c'est à dire, prendre les Ordres avant l'âge competant, sans dispence legitime, ou sans dimissoire, ou sous un faux titre et faux dimissoire, ou prendre l'un ou l'autre, suffit, ou recevoir le Diaconat avant le Sous-diaconat, ou la Prestrise avant le Diaconat.

VII. L'entrée dans les monasteres des Religieux ou Religieuses; c'est à dire, toutes les femmes et filles qui entrent dans la clôture, les cloîtres et autres lieux reguliers des monasteres des Religieux ou Religieuses, ou dans les maisons particulieres qui sont dans l'enclos des monasteres, où logent les Religieux officiers d'un Monastere, sous quelque pretexte que ce puisse être, de devotion ou de charité: pareillement tous les hommes qui entrent dans les monasteres des Religieuses sans nôtre autorité et permission, commettent un peché reservé et encourent l'excommunication. Nottez que par ces maisons où logent les Religieux, on n'entend pas celles qui sont dans la cour commune où se fait la basse cour.

VIII. Le Mariage clandestin, lors que le mariage se fait hors de la presence de son propre curé et de deux témoins; si ce n'est de la permission dudit curé ou de ses superieurs: de maniere que le prêtre en presence de qui se fait le mariage, les parties qui contractent le mariage, ceux qui le conseillent ou le favorisent, ou qui assistent comme témoins au mariage, commettent un peché reservé et encourent l'excommunication. Dans ce cas nous comprenons les mariages qui demeurent nuls par la malice de ceux qui contractent, comme ceux qui contractent dans les degrez prohibez, le sçachant, ou quand un homme se marie n'étant pas assuré de la mort de sa femme; ou une femme n'étant pas certaine de la mort de son mary: de maniere que si les deux personnes qui contractent sçavent l'empêchement, ils commettent tous deux peché reservé, et encourent l'excommunication: de maniere que si les deux personnes qui contractent sçavent l'empêchement, ils commettent tous deux peché reservé, et encourent l'excommunication: pareillement le prêtre et les témoins qui sçavent aussi l'empêchement; les ignorans de l'empêchement ne sont compris en ce cas.

IX. La Simonie, soit en Ordre, soit en Benefice, où la Confidence réelle est neanmoins oculte [sic] et cachée; car si elle est publique, elle est reservée au saint Siege.

X. L'Adultaire [sic] et le concubinage public, prouvé en Justice, ou si notoire à tout le voisinage, qu'il ne peut estre celé et caché.

XI. La frequentation des cabarets pour les Ecclesiastiques, hors les cas portés par nôtre ordonnance, mise au chapitre du Sacrement de l'Ordre.

XII. L'offense commise contre une personne constituée aux Ordres sacrés, en la battant ou frappant griévement, sans neanmoins la tuer ou estropier, car ce seroit pour lors un cas reservé au saint Siege.

Bourges 1666

Les cas à nous reservés où il n'y a point de censure annexée

Bourges 1666 p. 278-279

I. L'offense commise contre son pere ou sa mere, son ayeul ou ayeule, en les battant ou frappant griévement: si legerement il n'est pas reservé.

II. L'Homicide volontaire, quand de volonté deliberée on tuë une personne. En ce cas sont comprises les femmes qui se procurent avortement, et aussi les peres ou meres qui étouffent leurs enfans dans le lit, par une negligence qui ne peut s'excuser valablement.

III. Le Sacrilege, premierement lors qu'une personne astrainte par vœu solennel à la chasteté, ou par la reception d'un des trois ordres sacrés, connoît charnellement un autre; le cas est reservé pour tous les deux qui commettent le peché, quand ils sçavent l'un et l'autre l'ordre ou le voeu dans lequel l'un des deux est engagé; secondement, quand on dérobe une chose sacrée, ou que l'on en abuse à des choses prophanes, par malice et mepris; troisiemement, quand dans un lieu sacré et beny, comme les églises, cimetieres ou chapelles on fait une notable effusion de sang par quelque violence et voye de fait; quatriémement, quand dans un de ces lieux, ou sous les porches des Eglises on commet action charnelle.

IV. La Sodomie et Bestialité, peché contre nature, dont le nom seul doit estre en horreur à tous Chrétiens.

V. L'Inceste dans les second degré de consanguinité ou d'affinité provenante [sic] *Ex matrimoniali copula*, seulement.

Outre tous ces cas reservés, nous nous reservons encore tous ceux qui étant reservés à N. S. P. le Pape, sont commis par personnes que le droit excuse d'aller à Rome ; tels sont les Religieux, les femmes et filles, les vieillards, les valetudinaires, comme gouteux et autres détenus de longue maladie, les pauvres qui gaignent leur vie au jour la journée, ou qui mandient.

Il faut aussi remarquer que le peché n'est pas reservé, quand il n'est pas mortel, ou quand il est seulement commis dans la pensée et dans la volonté, ou par des jeunes garçons avant l'âge de quatorze ans, ou des filles avant l'âge de douze ans.

Alet 1667, 1677, 1771

Absence de cas réservés.

Strasbourg 1670
[François-Égon de Furstenberg]
Casus episcopales

P2664 **Strasbourg 1670 p. 71**
Excommunicatio major a jure vel homine lata.
Blasphemia publica in Deum vel sanctos.
Commutatio vel dispensatio votorum.
Contractus matrimonii clandestini, vel contra interdictum Ecclesiæ.
Dispensatio irregularitatis in clerico.
Incendium dolo factum ; opere, consilio, auxilio vel mandato.
Oppressio parvulorum facta ex proposito.
Homicidium voluntarium.
Peccatum falsorium tam monetæ quam literarum, et instrumentorum publicorum.
Perjurium factum in judicio.
Peccatum cleri, propter quod incurrisset irregularitatem.
Enormis negligentia circa sacramenta.
Contractus matrimonii post votum castitatis.
Percussio parentum.
Violatio ecclesiasticæ libertatis vel immunitatis.
Crimina latrocinantium et insidiantium viatoribus etc.
Sepultura hæreticorum et publice excommunicatorum in loco sacro.
Crimen hæresis in foro conscientiæ juxta Concil. Trid. *sessione 24, cap. 6. de reform.* Et quando ob crimen aliquod publica pœnitentia est imponenda.

Toulouse 1670-1736

Voir Toulouse 1614-1736 (P2612-2613).

Laon 1671
[César d'Estrées]
Casus ill. D. Episcopo reservati

Laon 1671 *Pars prima*, p. 141-143

1. Haeresis, quâ quis errorem Catholicae fidei contrarium publicè et pertinaciter profitetur.

2. Blasphemia, quâ quis injuriosa quaedam contra Deum, Beatissimam Virginem, aut Sanctos profert, vel scribit publicè, expressè, et animo deliberato.

3. Sacrilegium, quo quis contumeliosè calcat, vel contrectat Sanctissimam Eucharistiam, aut Sanctorum Reliquias, vel iis abutitur ad sortilegia, magiam, et superstitiones.

4. Magia: quo casu intelliguntur ii qui magiam exercent, qui sortilegos et ariolos consulunt, item qui matrimonii usum per ligaturas impediunt.

5. Homicidium voluntarium: quo casu etiam comprehenduntur ii, qui mulierum uxoratarum vel non uxoratarum abortum pharmaco, vel alio quovis modo procurant, ii quoque quorum negligentiâ notabili infantes suffocantur.

6. Monomachia, seu duellum: quo nomine continentur tam pugnantes in duello, quam ii qui provocant, vel qui adsunt scienter et datâ operâ.

7. Percussio voluntaria et injuriosa Patris et Matris.

9. Sodomia et bestialitas, quae sunt peccata execranda.

10. Incestus in primo et secundo gradu consanguinitatis et affinitatis, sive proveniat ex copula licita, sive vel illicita.

11. Concubinatus publicus et notorius, qui celari non potest.

12. Matrimonium clandestinum, quod nempe sit absque praesentia proprii Parochi, et duorum testium. Ad hunc etiam casum revocantur, qui, vel quae scienter contrahunt viro aut uxore nundum mortuis.

13. Esus carnium diebus prohibitis, quando scienter committitur, et absque licentia aut necessitate.

14. Praedicatio Verbi divini, vel absolutio sacramentalis ab eo facta qui non est scripto approbatus ab Ordinario, vel qui nullo gaudet titulo curam animarum habente, ratione suspensionis annexae.

Admonitiones.

Nullum peccatum reservatur nisi sit mortale, vel quando rationabiliter dubitatur an mortale si aut veniale, vel cum sola cogitatione admissum est, vel cum à pueris aut puellis committitur ante annum decimum quartum.

Nullum peccatum, nullaque censura in articulo mortis reservata est, si vero aeger convalescat, debet postmodum adire Superiorem pro Censuris reservatis, non autem pro peccatis quibus nulla est annexa censura.

Rodez 1671
[Gabriel de Voyer de Paulmy]
Casus reservati illustrissimo Episcopo Ruthenensi

Rodez 1671 p. 123-126.

1. Suffocatio fructus animati in utero materno, et procuratio abortus respectu mulieris, et eorum qui concurrunt, quando sequitur effectus.

2. Homicidium voluntarium.

3. Suffocatio infantium, qui cum parentibus aliisve in eodem lecto decumbunt, antequam annum attigerint: in quo casu qui cum eo decumbunt, excommunicationem incurrunt.

4. Peccatum Sodomiticum et Bestialitas.

5. Concubinatus publicus.

6. Incestus intra secundum gradum consanguinitatis, vel affinitatis.

7. Sacrilegium commissum cum persona religiosa, vel poenitente.

8. Fabriqua ex proposito falsae monetae, et peccatum eorum qui pondus bonae monetae adulterant.

9. Clandestinum matrimonium, respectu partium, presbyteri, et testium.

10. Profiteri vel exercere maleficia, veneficia, divinationes, caeterasque artes magicas. Et consultatio daemonum.

11. Esus carnium scienter, et sine necessaitate, tempore prohibito.

12. Peccatum presbyterorum, aliorumque Ecclesiasticorum, eorumque qui beneficia obtinent, qui ordinationem transgrediuntur qua ipsis prohibetur potatio in cauponis.

13. Defectus residentiae parochorum, sine dispensatione.

14. Quaelibet falsitas commissa in instrumentis publicis, respectu notariorum, partium, testium, aliorumque iustitiae officialium, et in instrumentis particularibus respectu eorum qui suas pro aliis scripturas supponunt, vel qui suppositis scripturis utuntur, aut quavis ratione talibus cooperantur.

15. Sepulturae clandestinae aut latitationes corporum beneficiariorum respectu omnium complicium, et eorum omnium qui talibus cooperantur.

16. Injusta usurpatio decimarum, redituum, aliorumque Ecclesiae bonorum, et detentio contractuum, documentorum, et instrumentorum quae ad eam pertinent.

17. Latitatio priorum legatorum Ecclesiae respectu notariorum, qui ea fraudulenter occultant, nec ea declarare volunt.

18. Monomachia vel duellum respectu provocantium et acceptantium et cooperantium jussu, consilio et favore, et si duellum non sequatur, in quibus omnibus casibus, et praesertim cum duellum sortitur effectum suum excommunicatio annexa est.

Quando autem concedetur alicui potestas absolvendi à supradictis casibus reservatis: quinque ultimi ab illustrissimo Episcopo excipiuntur, quos sibi soli et vicariis generalibus reservat.

Nullum peccatum reservatur, nisi sit mortale, et actu non sola cogitatione commissum.

Nec etiam reservantur peccata in pueris, ante decimum quartum annum, neque in puellis ante duodecimum, quoniam in iis minus viget ratio.

Foeminae non sunt remittendae pro casibus reservatis, quando distant à confessario ad id approbato, plusquam tribus leucis, nisi in iis sibi ab illustrissimo Episcopo et suis vicariis generalibus specialiter reservatis, et quando prudens confessarius judicaverit aliter expedire.

Nullum peccatum, nullaque censura in articulo mortis est reservata, si vero aeger convalescat, debet pro censuris, adire superiorem.

Quoniam vero nihil conformius ecclesiasticae disciplinae, et utilius ad eradicandos pravos, et scandalosos habitus, ea reservatione casuum, districte inhibemus, et sub poenis juris ne quis sacerdos saecularis, aut regularis, ab illis absolvere quempiam praesumat, sine facultate à nobis scriptis habita.

Notandum autem quod suspensio non est peccatum, sed censura, sicut nec irregularitas, peccatum dici potest, sed impedimentum, seu inhabilitas. Earumque dispensationem vel absolutionem pertinere ad Episcopos, quando sunt ex delicto occulto, excepta irregularitate, quae est ex homicidio voluntario, exceptis etiam aliis deductis ad forum contentiosum.

Besançon 1674

[Antoine-Pierre de Grammont]
Casus in quibus incurritur Excommunicatio à jure,
et absolutio reservatur Episcopo

P2667 **Besançon 1674 p. 153-154**

1. Haeretici omnes occulti et fautores eorum ipso facto excommunicati sunt, et à solo Episcopo absolvi possunt, non à Vicario. Qui vero per sententiam fuerint jam condemnati, ad Papam remittuntur.

2. Inquisitores pecuniam modis illicitis extorquentes, si plenè satisfecerint, absolvuntur ab Episcopo : alioquin ad Papam remittuntur.

3. Qui Christianos naufragantes in rebus suis spoliant.

4. Qui authoritate propriâ incendunt villam, domum, mansionem, segetem.

5. Statuta condentes contra libertatem Ecclesiasticam, et secundum illa judicantes.

6. Qui represalias concedunt contra personas Ecclesiasticas, vel bona Ecclesiarum.

7. Qui compellunt Praelatos, vel personas Ecclesiasticas, vel bona Ecclesiarum.

8. Qui compellunt Praelatos, vel personas Ecclesiasticas ad submittendum Ecclesias, vel eorum bona laïcis.

9. Qui laedunt, occidunt, vulnerant, capiunt eos per quos vel propter quos excommunicati sunt : nisi intra duos menses satisfaciant, ad Papam remittuntur.

10. Qui temporale dominium obtinentes, prohibent suis subditis, ne praelatis aut clericis quicquam vendant, aut emant, ne bladum molant, aut panem coquant.

11. Qui impediunt sequestrationem beneficiorum contra mandata Apostolica, vel fructus occupant.

12. Qui regalia, custodiam, sive guardiam, advocationis, seu defensionis titulum in Ecclesiis vel Monasteriis vacantibus de novo praesumunt occupare.

13. Qui pedagia ab ecclesiasticis exigunt de rebus quas non negociandi causâ important, vel exportant.

14. Qui jurisdictionem ecclesiasticam evacuant, et qui ecclesias vel personas ecclesiasticas oneribus et angariis gravant, nisi moniti intra mensem desistant.

15. Qui vi vel metu absolutionem excommunicationis, vel revocationem interdicti extorquent.

16. Qui visitatores monialium, aut mulierum, quae vulgo Canonicae saeculares appellantur, impediunt, nisi moniti resipiscant.

17. Qui haereticos vel eorum fautores in loco sacro, scienter praesumpserint sepelire.

18. Qui scienter quoque sepelire praesumunt in coemeteriis tempore interdicti, vel excommunicatos publicè, vel nominatim interdictos, vel manifestos usurarios.

19. Qui scienter in gradibus consanguinitatis, vel affinitatis interdictis, aut in Monialibus contrahere matrimonium non verentur: nec non Religiosi, Moniales, et Clerici in sacris ordinibus constituti, matrimonium contrahentes, et inter eos qui scienter ea celebrant.

20. Religiosi qui decimas et alia quae Ecclesiis debentur, sibi usurpant dolo et injustè: nisi desistant intra mensem.

21. Qui scienter cum nominatim excommunicato communicat, in crimine criminoso ei consilium, auxilium, vel favorem imponendo.

22. Religiosi in scholis vel alibi habitum suae Religionis dimittentes, vel sine licentiâ suorum superiorum studia frequentantes, et doctores qui eos scienter docent, vel retinent.

23. Religiosi in suis sermonibus aliqua proferentes, ut auditores detrahant à solutione decimarum.

24. Religiosi tam exempti quam non exempti, qui interdictum quod Ecclesiam Cathedralem servare, vel Parochialem loci intellexerint, non servant.

25. Qui vocati ad dirigendas in electionibus suis moniales, discordias nutriverint.

26. Sacerdos officium gerens vicecomitis, vel praepositi saecularis, nisi monitus desistat.

27. Monachi qui sine licentiâ Praelatorum suorum intra septa Monasterii tenent arma.

28. Item excommunicatio seu casus de quo Episcopus noluit absolvere, vel quam, seu quem, sibi specialiter reservavit.

29. Incendiarius ante denuntiationem.

30. Enormis blasphemia ad forum contentiosum deducta.

31. Item excommunicatio, quae per mandatum in erectione seminarii publicatum lata est, in eos qui aliquo modo titulos patrimoniales falsificarunt.

32. Denique, suspensio in Clericos in sacris Ordinibus constitutos, qui habitum clericalem ad talos usque demissum, in locis residentiae suae non gestant; vel qui cauponas frequentant; et alii similes.

Besançon 1674

Casus reservati ab… Domino D. Archiepiscopi Bisuntino, in suâ Dioecesi, praeter eos supradictos qui à jure reservantur, quos nulli, nisi cum expressâ declaratione communicare intendit

P2668 **Besançon 1674** p. 155
1. Incestus in primo et secundo tam affinitatis quam consanguinitatis gradu.
2. Stuprum violenter illatum.
3. Carnalis concubitus cum Moniali etiam non professa.
4. Sodomia et bestialitas.
5. Adulterium publicum et notorium.
6. Sacrilegium in materia furti, tam rei sacrae in loco non sacro, quam rei non sacrae in loco sacro.
7. Perjurium sive testimonium falsum in judicio.
8. Falsificatio publici instrumenti.
9. Publica seu notoria infantium per incuriam crassam, vel affectatam oppressio. Delinquentes in hac materiâ remittendi sunt ad matricem Ecclesiam in die cinerum, suscepturi poenitentiam in forma juris.
10. Blasphemia contra Deum, B. Virginem, Sanctos, vel Ecclesiam, et ejus dogmata, cum animo seu assensu deliberato, et cum scandalo.
11. Injuriosa patris vel matris percussio.
12. Voluntarium alienarum domorum incendium.
13. Homicidium voluntarium actu profectum; sub quo comprehenditur abortus procuratus.
14. Usus magiae et maleficiorum.
15. Sollicitatio mulieris ad libidinem in Sacramento Confessionis, etiam effectu non secuto.

Supra memoratos casus volumus dumtaxat esse reservatos in iis, qui decimumquartum aetatis annum compleverint.

Genève 1674, 1747

[Genève 1674 : Jean d'Arenthon d'Alex]
Les cas reservez à l'Evesque dans le Diocese de Geneve

P2669 **Genève 1674,** *Appendix ad Rituale romanum,* p. 192-194
1. Le brûlement des maisons d'autruy fait volontairement, comme aussi des fruits et autres choses d'importance.
2. Le meurtre volontaire effectué[a].

3. Le parricide, qui se fait en tuant, ou battant[b], pere, mere, beau-pere, et belle-mere.
4. La bestialité, et la sodomie commises actuellement.
5. L'inceste au premier, et second dégré de consanguinité, et d'affinité, y comprenant[c] l'affinité spirituelle, sçavoir[d] entre le parrain, et la marraine, avec le pere, et la mere de l'enfant baptizé, et entre ledit enfant avec son parrain, et sa marraine, et le prêtre qui l'aura baptizé.
6. L'adultere public[e].
7. Le peché de la chair qui s'est commis avec les Nonains, et[f] Religieuses en quel [sic] lieu que ce soit: ou autres personnes en[g] lieu sacré.
8. Le violement et forcement des filles, et femmes.
9. Les faiseurs de rapt, leurs complices, et leurs assistans.
10. Toutes sortes de sorcelerie [sic], et charmes, noüemens d'aiguillette, qui se font contre l'effect du mariage, et autres especes de divination, et de magie[h].
11. Le pillement et larcin des choses sacrées de notable valeur.
12. Les parjures en jugement.
13. L'entrée dans la clôture des Religieuses hors des cas permis sans une permission par écrit.
14. L'exposition des enfans nouvellement nez des Catholiques à la porte des Hôpitaux, maisons des heretiques, et particulierement de la ville de Geneve, et ceux qui les font nourrir par des nourrices heretiques.
15. Les parens et heritiers des curez defunts, qui emportent hors de leur Eglise le ciboire, calice, et autres vases, et ornemens sacrez lors de leur decez, et les titres appartenans à l'Eglise.
16. La vexation, que font aux nouveaux mariez les abbez et gens de Basoche [gens d'Eglise ou professions juridiques][i].

Variantes Genève 1747. [a] commis illicitement] *add.* – [b] battant] frappant. – [c] y comprenant] y comprise. – [d] sçavoir] qui se rencontre. – [e] public] *om.* – [f] avec les Religieux ou] *add.* – [g] en] dans un. – [h] L'on comprend ici l'usage de la baguette pour découvrir des choses morales et arbitraires] *add.* – [i] 17. Le duel] *add.*

Genève 1674, 1747

Les censures encouriies ipso facto contenues dans les Statuts synodaux de ce Diocese

Genève 1674 p. 194-196

1. Il est defendu par les Statuts Synodaux de ce Diocese à tous Prestres, et specialement à tous Curés, Vicaires, Chapelains, Altariens,

sous peine d'excommunication *ipso facto incurrendae*, dont ils ne pourront estre absous la premiére fois que par leur Archiprestre, et la seconde que par l'Evéque, d'aller boire, et manger dans les hôteleries, tavernes[a], et cabarets, qui sont dans l'enclos de la paroisse, où ils font residence, hors les cas permis par les mesmes Statuts synodaux.

2. Il est défendu sous peine d'excommunication *ipso facto*, à tous Soudiacres, Diacres, et Prestres de ce Diocese de retenir chez eux en qualité de servante, ny autrement aucune fille, ou femme de quelque âge et condition qu'elles soient, hors celles, qui sont permises par les mêmes Statuts synodaux. Ceux en outre qui tiennent lesdites servantes pendant le jour, encore qu'ils ne permettent pas qu'elles demeurent pendant la nuit dans leur maison prebyterale, encourent la mesme excommunication.

3. S'il y avoit des Clercs si extravagans que de se masquer, ils encourront l'excommunication *ipso facto*, dont l'absolution est reservée à l'Evêque privativement à tout autre.

4. Il est ordonné aux Confesseurs par les Statuts synodaux soûs peine de suspension *ipso facto*, de ne point changer les vœux, ny d'en dispenser; comme aussi de n'absoudre des censures et cas reservez, soit au saint Siege, soit à l'Evêque sans en avoir une permission particuliere.

5. Il est defendu à tous Prestres, et autres personnes de ce Diocese, de quelque condition et qualité qu'elles soient, de baptiser ou faire baptiser les enfans dans les maisons privées : si ce n'est en cas de très pressante necessité, sous peine aux Prestres de suspension *à divinis ipso facto*, et aux laïques d'excommunication *ipso facto*.

6. Les peres, et meres qui depuis la publication des Statuts synodaux de ce Diocese, ne font pas suppleer les ceremonies du Baptesme de leurs enfans dans l'année après leur naissance encourent l'excommunication *ipso facto*.

7. Les Religieuses qui sortent de leur monastere, sans la permission de l'ordinaire, encourent l'excommunication *ipso facto*, et il est défendu aux Prestres sous peine de suspension *ipso facto*, de leur administrer les sacremens.

8. Tous ceux et celles qui sont entrez dans la clôture des Religieuses (hors les cas permis par le droit) de quelque qualité et condition qu'ils soient, s'ils ne sont privilegiez, ou s'il ne leur a esté permis par l'Evêque, ou par les constitutions desdites Religieuses, ont encouru *ipso facto*, l'excommunication portée par les saints canons.

9. Si une femme estoit si malheureuse que de procurer l'avortement, et la mort de l'enfant qu'elle porte dans son sein, par quelque brevage,

ou autrement elle encourroit l'excommunication *ipso-facto,* aussi-bien que ceux qui contribueroient[b], soit par leur ayde, et conseil, soit en fournissant des drogues pour cét effet.

Variantes Genève 1747. [a] tavernes] *om.* –[b] contribueront. –[c] 10. Il est défendu sous peine d'excommunication *ipso facto,* aux fiancés de se marier clandestinement, ou de surprendre leur curé sans observer les solemnités prescrites par l'Eglise] *add.*

Angers 1676

Formulaire d'Angers 1620-1626 avec quelques additions. *Voir* Angers 1620-1676 (P2619).

Quimper 1676

[François de Coëtlogon]
Abreviatio Ritualis Romani[54]…
Casus Domino Episcopo Cornubiensi reservata

Quimper 1676 p. 225-227

1. Gravis percussio Clerici nam si enormis, notoria et injuriosa sit summo Pontifici reservatur.
2. Incendiarii ex certa scientia aedium sacrarum, domorum profanarum, aut segetum. Si fuerint nominatim excommunicati Papae reservantur.
3. Effractores et spoliatores locorum sacrorum.
4. Qui monomachiam commiserunt aut singulare certamen provocaverunt.
5. Oppressio parvulorum sive voluntaria sive per incuriam, procuratio abortus animati seu inanimati.
6. Qui falsum testimonium coram judice tulit, aut falsum juramentum judicialiter emisit.
7. Homicidium voluntarium.
8. Percussio Patris vel Matris.
9. Incestus usque ad secundum gradum consanguinitatis inclusive nempe cum fratre vel sorore, cognato vel cognata respectu virorum tantum.
10. Sodomiticum peccatum, et quod pejus est, bestialitas.
11. Sacrilegus cum moniali coitus, quoad viros tantum.

---

[54] Molin Aussedat n° 1367. Rituel de poche (format in-24) imprimé en 1676 à Morlaix, contenant les cas réservés des évêques de Tréguier, Léon, et Quimper. Le titre de l'ouvrage ne mentionne aucun diocèse.

12. Haeresis publica.
13. Defloratio virginis per vim, quoad opprimentem tantum.
14. Adulterium notorium in tota vicinia, ita ut nulla tergiversatione celari possit.
15. Violatio voti solemnis, si nimirum religiosus professus in apostasiam labatur.
16. Sacrilegium cum quis rebus sacris, et ope daemonis utitur ad malum alteri inferendum.
17. Pernoctationes illicitae et nocturni ad nendum [sic] conventus.

De praefatis casibus parochus aut simplex sacerdos absolvere non valet, sed ad Episcopum, eius Vicarium aut Poenitentiarium pro beneficio absolutionis poenitentes remittere tenetur.
FINIS.

Saint-Pol-de-Léon 1676
[Pierre Le Neboux de La Brosse]
Abreviatio Ritualis Romani[55]…
Catalogus peccatorum quae Episcopo, id est, nobis sunt in Dioecesi Leonensi reservatae

P2672 **Saint-Pol-de-Léon p. 221-224**
[1] Blasphemia in Deum, vel in sanctos deliberatè prolata.
2. Sortilegium, id est, rerum quae naturae vi sciti[56] nequeunt indagatio [recherche] per sortes; profiteri vel exercere maleficia, veneficia, incantationes, caeterasque artes magicas, et ariolos consulere.
3. Profanatio, et impius abusus rerum sacrarum, ut sacrosanctae Eucharistiae, Chrismatis, olei sancti, etc.
4. Incendium domorum, frugum, aut aliarum rerum ex proposito factum, et consilium vel auxilium ad id prestitum.
5. Effractio, et spoliatio aedium sacrarum, et piorum locorum.
6. Clerici in sacris constituti vel religiosi levis percussio.
7. Homicidium voluntarium.
8. Monomachia, id est, eorum conflictus qui singulari certamine inter se dimicant, eorum hortatores, authores, aut qui eis consilium, auxilium ad id praebent, aut presentiâ suâ ad id animant.
9. Conjugi mortem machinari.

---

[55] Molin Aussedat n° 1367. Voir note 54.
[56] scitus: expérimenté.

10. Procuratio abortus, hoc est sive animati sive inanimati foetus ejectio.
11. Oppressio parvulorum per incuriam, eorumdemque expositio.
12. Fornicatio in Ecclesiâ, vel alio loco sacro.
13. Fornicatio cum persona quam de sacro fonte quis suscepit, vel cujus confessionem sacramentalem communiter excipit.
14. Concubinatus publicus.
15. Adulterium quod vel in judicio probatum est, vel nullâ tergiversatione in totâ vicinia celari potest.
16. Raptus virginum, vel mulierum honestè viventium.
17. Incestus intra gradum consanguinitatis vel affinitatis.
18. Peccatum Sodomiticum.
19. Bestialitas.
20. Usura publica.
21. Patris vel matris percussio.
22. Atrox, et violenta sanguinis effusio in Ecclesia.
23. Furtum rei sacrae in quovis loco, vel profanae in sacro.
24. Productio falsi instrumenti.
25. Falsum testimonium coram judice.
26. Adulterare litteras Ecclesiasticas.
27. Adulterare monetam aut sigillum Regium.
28. Deliberatum et solemne perjurium.
29. Noctualia publica, domorum ad illa locatio.
FIN.

Tréguier 1676
[Balthasar Grangier]
Abreviatio Ritualis Romani[57]…
Cas reservez à Monseigneur l'… Evêque et Comte de Treguier, conformément aux Statuts de son Diocese

673 **Tréguier 1676 p. 219-220**
Contre le premier Commandement.
1. L'Heresie et irregularité occulé [*sic* pour occultée].
2. Manger des oeufs et de la chair les jours deffendus.
3. Violer la closture des Moniales.
4. Sorcelerie ou Magie.
Contre le second Commandement.

---
[57] Molin Aussedat n° 1367. Voir note 54.

1. Le Blaspheme public.
Contre le cinquiesme Commandement.
1. Frapper des Ecclesiastiques, ou peres et meres.
2. Homicide ou empoisonnement.
3. Duels.
4. Procurer l'avortement des Femmes.
5. Suffocation des enfans.
Contre le sixiesme Commandement.
1. Adultere public.
2. Rapt, et stupre avec violence.
3. Sacrilege, c'est a dire peché charnel commis avec personne Religieuse, ou consacrée à Dieu.
4. Sodomie et Bestialité.
Contre le septiéme Commandement.
1. Usure manifeste, vendre à faux poix et fausse mesure.
2. Roigner la monnoye ou en fabriquer de fausse.
3. Incendie fait à escient.
4. Les Fileries [veillées] et Renderies[58] sans permission.
5. Dérober choses sacrées et retenir les deniers des fabriques [*sic*].
Contre le huictiéme Commandement.
1. Faux témoignage ou parjure en jugement, falsification d'actes publiques, comme tiltres de Soudiacre, dimissoires, contracts et cedules.
2. Suprimer les testaments. FIN.

Reims 1677

[Charles-Maurice Le Tellier]
Cas dont nous avons jugé à propos de nous reserver la connoissance

P2674 **Reims 1677 p. 82-83**
Tous ceux qui commettent les crimes cy-après exprimez, tombent dans ces cas.

Ceux qui proferent en public des blasphêmes atroces contre Dieu et les Saints, et qui commettent des sacrileges, en profanant publiquement les choses saintes.

Ceux qui foulent aux pieds la tres-sainte Eucharistie, ou les venerables reliques des Saints, ou qui les traitent avec indignité.

Ceux qui abusent de l'Eucharistie, ou des autres choses saintes, pour des actions de magie, des empoisonnemens, des superstitions, et autres choses semblables.

---

[58] Renderies : signification non trouvée.

Ceux qui consultent les Devins, Sorciers et Magiciens, et qui s'adonnent à la vanité et à l'impieté de leur art.

Ceux qui frappent par hazard leur pere ou mere, car s'ils le faisoient de propos deliberé, le cas seroit reservé à nôtre saint Pere le Pape, comme nous l'avons remarqué cy-dessus.

Ceux qui tüent volontairement un homme.

Ceux qui procurent un avortement, le conseillent, ou y contribuënt; ou qui tüent un enfant par hazard, soit en l'étouffant dans le lit sans y penser, ou par quelqu'autre maniere inopinée.

Ceux qui font violence à une Vierge, ou qui la corrompent après l'avoir seduite.

Ceux qui commettent un inceste; c'est à dire, qui se corrompent avec leurs parentes ou alliées au premier et second degré; et ceux qui commettent le detestable crime contre la nature.

Celuy qui durant la vie de sa femme en épouse une autre.

Celuy qui ayant fait un vœu simple de chasteté, se marie sans en avoir obtenu dispense: et celuy qui après avoir donné la foy à une fille qu'il a fiancée, se marie avec une autre, avant qu'elle luy ait rendu sa parole, ou qu'ils se soient degagez mutuellement.

Tout homme marié qui aiant sa femme, ou qui s'étant separé d'elle de son propre mouvement, entretient publiquement une concubine.

Celuy qui mange de la viande ou des œufs en Carême, et autres jours ausquels l'Eglise le défend, sans aucune necessité, et sans en avoir demandé et obtenu la permission du Curé ou autre superieur ecclesiastique.

Toutes les irregularitez et suspenses dans lesquelles on tombe, en commettant en secret les crimes par lesquels on encourt lesdites irregularitez ou suspenses, nous sont reservées; excepté celle dans laquelle on tombe par un homicide volontaire. Nous pouvons aussi absoudre de tous les cas reservez à nôtre saint Pere le Pape, qui ont été commis en secret, et qui ne sont point devenus publics.

L'absolution de l'heresie nous est aussi reservée; et nul confesseur de nôtre diocese, quoyqu'approuvé pour absoudre des cas reservez, ne doit entreprendre de la donner sans nôtre expresse permission.

Auch 1678 et province d'Auch

Auch 1678

Aucun exemplaire connu du rituel d'Auch 1678, probablement repris par tous les diocèses de la Province; seul nous est parvenu le rituel d'Oloron 1679, reprenant l'édition du rituel de Toulouse 1670.

Voir Toulouse 1614-1736 etc. (P2612-2613).

Limoges 1678

[Louis de Lascaris d'Urfé]

Casus D.D. Episcopo Lemovicensi reservati cum excommunicatione

P2676 **Limoges 1678** *pars prima* p. 136-137

Casus S. Pontifici reservati, si ob aliquam rationem cessat reservatio papalis, D.D. Episcopo sunt reservati. Praeter eos autem, sequentes reservantur.

1. Hæresis et Apostasia, fidem publicè abjurando, et hæresim profitendo.

2. Magia, Sortilegium, Incantatio, Divinatio, quæ fiunt per expressam dæmonis invocationem. Item omne Maleficium ad impediendam matrimonii consummationem, aut inferendum proximo damnum.

3. Percussio Clerici aut Religiosi, si non sit ita atrox, ut S. Pontifici reservata sit.

4. Duellum, quo nomine comprehenduntur, non solum duello decertantes, sed etiam ad illud suo vel alterius nomine provocantes: Immo et omnes, qui ad locum pugnæ destinatum animo decertandi se conferunt, etiam non secutâ pugnâ, si per ipsos non steterit.

5. Crimen Adulterii vel Concubinatus publicum et notorium, si ejusmodi criminum rei a parocho vel ab alio ipsius aut superioris crimine moniti non destiterint.

6. Usurpatio, vel detentio injusta bonorum Ecclesiæ, vel titulorum ac instrumentorum ejusdem Ecclesiæ in damnum ipsius.

7. Matrimonium clandestinum celebratum absque testibus, vel aliter quam præsente parocho, vel alio sacerdote de ejus licentiâ. In hunc casum incurrunt, non solum contrahentes, sed etiam testes, immo et ipse sacerdos. Item raptus. Item crimen eorum, qui minis vel pœnis, quascumque personas invitas ad matrimonium contrahendum adigunt.

Limoges 1678

Casus D.D. Episcopo Lemovicensi reservati absque excommunicatione

P2677 **Limoges 1678** *pars prima* p. 137-139

1. Blasphemiæ, aut verba impia, quæ ex directâ intentione contra honorem Dei vel beatæ Virginis, aut sanctorum proferuntur.

2. Perjurium coram judice.

3. Percussio patris vel matris.

4. Homicidium voluntarium. Abortus in se vel in alio procuratus. Item oppressio et suffocatio parvulorum ex notabili negligentia proveniens.

5. Incestus in 1 et 2. gradu. Item Sodomia, Bestialitas, Violatio fœminarum, Concubitus cum sanctimoniali.
6. Falsificatio in instrumentis publicis cum damno proximi. Item falsum testimonium coram judice.
7. Comestio publica carnium tempore Quadragesimæ, absque licentia, et necessitate, cum scandalo et contemptu.

Admonitio

1. Sunt et aliquot alii casus D. Episcopo reservati, in statutis synodalibus recens editis expressi, qui quidem hic prætermituntur [sic] : quia, cessante reservationis necessitate, et secuta emendatione, quam brevi futuram spes est, poterunt revocari.
2. Intelligere etiam debent sacerdotes, quibus conceditur facultas absolvendi à casibus reservatis, in prædicta facultate minime comprehendi potestatem absolvendi à suspensionibus quæ tum in jure canonico, tum in statutis synodalibus continentur : Neque etiam dispensandi in votis, juramentis, irregularitatibus etiam occultis, aut quibuslibet impedimentis matrimonii, sed specialem ad id potestatem requiri.
3. Demum advertere debet sacerdos fœminas, aliasque personas, quibus maxime difficilis est recursus ad D. Episcopum, aut ab eo deputatos ad absolutionem casuum reservatorum, non esse remittendas pro beneficio absolutionis casus reservati in quem incurrerunt, sed potius postulandam à D. Episcopo facultatem eas absolvendi, nisi forte prudens Confessarius aliter expedire judicaverit.

Langres 1679
[Louis-Marie-Armand de Simiane de Gordes]
Casus, seu peccata ... Domino D. Episcopo Lingonensi reservata

Langres 1679 p. 56-58
1. Hæresis.
2. Gravis percussio Clerici in Sacris constituti : quæ atrocior fuerit, Summo Pontifici reservatur.
3. Homicidium voluntarium.
4. Monomachia, seu Duellum : quo nomine continentur omnes pugnantes in Duello ; tum etiam qui vulgo dicuntur ipsorum Patrini, et qui ad illud provocant : quique illud acceptant, sive secuta fuerit pugna, sive non, modo per illos non steterit : qui voluntarie intersunt, et quicumque auxilium, consiliumve aliquod ad id præbent.

Hic quartus casus, nisi specialiter exprimatur, non censetur contineri in generali potestate absolvendi a Casibus reservatis aliquibus concessa.

5. Procuratio abortivi sive animati, sive inanimati.

6. Oppressio parvulorum per incuriam: vel causam dedisse etiam per latam culpam, vel alias, ipsorum neci.

7. Profiteri sortilegia, maleficia, veneficia, incantationes et divinationes: aliasque magicas artes et superstitiones exercere.

8. Violenta, eaque copiosa sanguinis effusio in Ecclesia, ac omne crimen aliud, quo per se Ecclesia polluta censetur.

9. Raptus virginum, vel mulierum honeste viventium.

10. Incestus intra secundum gradum consanguinitatis, aut affinitatis.

11. Sodomiæ et bestialitatis peccatum.

12. Concubitus cum Moniali.

13. Sacrilegium, quod est rei sacræ furtum, et quævis alia contumelia insignis erga res sacras.

14. Usura publica, quæ vel in Judicio probata est, vel nulla tergiversatione in tota vicinia celari potest.

15. Falsum testimonium coram Judice.

16. Simonia et Confidentia occulta: si vero manifesta aut publica sit, Papæ reservatur.

17. Falsificatio, seu adulteratio literarum Ecclesiasticarum, aut eis falsitate corruptis scienter uti, ac juvari.

18. Fornicatio Presbyteri cum ea cum qua domestice vivit, aut quam foris fovet, aut retegit.

19. Presbyterorum in cauponis seu tabernis absque urgenti necessitate habitatio, vel compotatio quælibet. Excipe nisi aut ab aliquibus viris eximiis iter agentibus, aut ab ipsis cauponibus honoris causa, aut ab aliis post peracta funeralia obsequia, in ejusmodi loca fuerint invitati, absitque omne intemperantiæ et scandali periculum.

20. Sponsalia clandestina contrahere, procurare, juvare, celebrare, seu benedicere. *Huc referendum crimen viri, qui vivente uxore, aliam duxerit; vel uxoris, qui viventi marito, nupserit alteri.*

21. Præter supradicti casus reservationem, Presbyteri omnes benedictionem nuptialem sponsalibus clandestinis impartientes, suspensionem a divinis ipso facto incurrunt, per Statuta Lingonensis Diœcesis. Hinc fit, ut si ab ea non soluti celebrent, incidant irregularitatem.

Nota quod suspensio non est peccatum, sed censura; sicut nec irregularitas, quæ est impedimentum, seu inhabilitas.

Oloron 1679

Oloron 1679
Édition du rituel de Toulouse 1670 avec nouvelle page de titre, addition du mandement (non daté) de l'évêque d'Oloron Arnaud-François de Maytie, calendrier des fêtes d'Oloron.
Un seul exemplaire connu, conservé à Pau, Arch. dép. Il y manque les 16 p. sous pagination séparée comprenant le formulaire du prône et les cas réservés au pape et à l'archevêque de Toulouse.
Voir Toulouse 1614-1736 etc.

Chartres 1680, 1689

[Ferdinand de Neufville de Villeroy]
Casus seu peccata… Carnotensi Episcopo reservata, quibus nullus Sacerdos, absque ejusdem D. Episcopi auctoritate praesumat absolvere

Chartres 1680 p. 116-118

[Formulaire de Chartres 1627-1640 avec addition de:]
Potatio Ecclesiasticorum apud caupones [beuveries des ecclésiastiques dans les cabarets].

Quimper 1680, c. 1717[59]

[Quimper 1680 : François de Coëtlogon]
Casus reservati Illustrissimo Domino Episcopo Corisopitensi

Quimper c. 1717 p. 200-206

1. Abusus rerum sacrarum ad magiam, sortilegium, incantationes et maleficium, vel ad ea recursus: et alia quaevis actio superstitiosa ope Daemonum facta etiam ad curandos morbos, tam humanos, quam animantium, spreta monitione prius facta.
2. Profanatio Templorum vel Coemeterii ex gravi percussione cum sanguinis effusione.
3. Homicidium voluntarium nec-non oppressio, seu suffocatio parvulorum, sive voluntaria, sive per incuriam fiat.
4. Duellum.
5. Gravis percussio, vel injuriosa Patris vel Matris, nec-non Clerici in sacris Ordinibus constituti, aut Religiosi professi, quae si atrocior fuerit Papae reservatur.

---

[59] Molin Aussedat n° 1017. Sur l'édition Quimper 1680, voir *supra* Cas réservés au pape, Quimper 1680, c. 1717, P2509.

6. Procuratio voluntaria abortus mulierum, vel earum sterilitatis.
7. Sodomia et bestialitas.
8. Incestus inter consanguineos, vel affines usque ad secundum gradum inclusive.
9. Sacrilegus personae per Ordines majores, vel per votum solemne Deo sacrae, vel cum ipsa coitus: quoad viros tantum.
10. Adulterium publicum id est, in judicium probatum, sive in vicinia notum nec-non etiam concubinatus notorius.
11. Raptus mulierum: et vis ad statum, sive Religionis, sive Matrimonii, injustè alicui illata.
12. Furtum rei sacrae vel ad Ecclesiam, aut ipsius Fabricam pertinentis, nec-non detentio litterarum et jurium ipsarum.
13. Exustio domorum voluntaria et occulta; si incendiarius sit publicè denunciatus, Papae reservatur.
14. Perjurium vel falsum testimonium coram judice, sive ecclesiastico, vel visitationis Commissario, sive Civili emissum, nec-non falsificatio testium vel litterarum publicarum in re gravi.
15. Convocationes seu conventus ad nendum, et alia hujusmodi, si ad populi divexationem[60] et oppressionem fiant: quo ad convocantes tantum.
16. Pernoctationes, quae cum scandalo fiunt ad coreas noctu agendas ab incolis plurium pagorum, seu vicorum.

De praefatis Casibus nullus Confessarius sive Saecularis, sive Regularis, extra mortis periculum, vel annos pubertatis absolvere validè potest, nec illud audeat sub poena suspensionis, nisi de expressa nostra vel Vicarii nostri Generalis licentia. Sciantque praeterea illi, quibus concessa fuerit praedicta facultas absolvendi à praefatis casibus, non posse tamen ea validè uti ad absolvendum à sententiis excommunicationis, neque à Censuris *ipso facto* per Statuta nostra, vel nominatim inflictis, neque ab irregularitatibus occultis, nisi de alia speciali licentia à Nobis obtenta, neque ad dispensandum in aliis Casibus Nobis à Jure reservatis, ut fusius habetur in Statutis nostris Synodalibus, unde praedictis casus excerpti sunt. Datum Corisopiti in Palatio nostro Episcopali die 13. Aprilis 1673.

---

[60] divexatio: persécution.

Vannes 1680, c. 1717

[Vannes 1680 : Louis Casset de Vautorte]
Casus reservati in Dioecesi Venetensi in quos incindunt presbyteri

Quimper 1717[61] p. 206-212

I. Promoti ad Ordines sacros, qui, contemptis Dioecesis Statutis, cauponam frequentant, ad illius januam, in illius hortu, aula aliisve locis ab ea pendentibus, invicis [*sic*], et via publica edunt vel vinum hauriunt.

Qui gravi cum scandalo inebriantur, et ebrii in vicis, Ecclesiis, et coetibus apparent.

In occultam Simoniam incidentes.

Cum maritata vel non nupta publica cum offensione viventes.

Ordinem non susceptum exercentes, vel à quo suspensi sunt, aut ad quem per fraudem admissi fuerunt.

Metum incurientes populo, eosque impedientes quo minus malos Presbyteros indicent, praesertim ebriosos.

Concubitus cum personis, quarum confessiones susceperunt.

Qui suspensi, aut non approbati, audiunt confessiones sacramentales.

Qui ebrii visitant infirmos, vel sacramentum aliquod infirmis vel validis conferunt.

Matrimonium clandestinum celebrantes.

Qui post frequentatam cauponam, suspensionem octo dierum non servant.

Diaconi et Subdiaconi qui frequentata caupona nummum non solvunt.

Percussores Religiosorum, Presbyterorum aut aliorum in Ordinibus sacris constitutorum.

Falsum testimonium coram judice ferentes, vel instrumenta publica cum alieno detrimento falsificantes.

Occultum domorum incendium : quod si fuerit publicum, summo Pontifici reservatur.

Falsum fictumque titulum Subdiacono ordinando dantes, vel hujusmodi conficiendi opem praestantes, aut de vita moribusque Subdiaconorum, Diaconorumque falsas testimoniales litteras concedentes.

Bona ecclesiastica, seu Ecclesiarum, et Capellarum publica instrumenta, titulosque bonorum Ecclesiasticis Beneficiis pertinentium detinentes.

---

[61] Les rituels de Quimper 1680 et 1717 contiennent les cas réservés aux évêques de Quimper et de Vannes.

Testes synodales, aliique Parochiani, qui in cursu nostrae Visitationis nos, aut alios ad id à nobis constitutos pravam Presbyterorum vitam, depravatosque Parochianorum mores celant.

Qui ebrietates, depravatosque mores Presbyterorum, Diaconorum, Subdiaconorum Beneficiaque possidentium cognoscentes litteris monitoriis, requirente Promotore, promulgatis nomen non apponunt.

Observatio.

Nullus Casus reservatur ante decimum quartum annum.

In articulo mortis nullus Casus reservatur, sed si infirmus convaluerit, moneat eum Sacerdos ut habentes potestatem ab eo absolvendi adeat.

Nullus Sacerdos saecularis aut Regularis à Casibus reservatis, quovis privilegio absolvere potest, nisi potestate prius in scripto obtenta.

Vannes 1680, c. 1717

Nos autem sequentes Casus nobis absolute reservamus

P2683 **Quimper 1717 p. 212-213**

Qui ultra annum in concubinatu et spurcitia vixerunt, sive simul habitaverunt, sive frequenti probrosaque consuetudine vicina loca offenderunt.

Qui de vita moribusque Presbyterorum interrogati verum celantes, falsum testimonium tulerunt.

Qui falso titulo Sacerdotali conficiendo operam suam navaverunt, necnon Presbyteri, Subdiaconique qui eo usu fuerint.

Presbyteri, qui post frequentatam cauponam, Missam per octiduum celebrant.

Diaconi, Subdiaconi, et Beneficarii, qui infra mensem à frequentatione cauponae, mulctam non solvunt.

Omnes excommunicationes à jure vel per sententiam judicis latae ab eo tantum auferri possunt qui eas tulit.

Subdiaconi, Diaconi, et Presbyteri excommunicati, aut suspensi, sacras functiones exercentes, ad sacra ministeria inhabiles sunt.

Coutances 1682

[Charles-François de Loménie de Brienne]
Casus et peccata… Constantiensi Episcopo reservata

Coutances 1682 p. 112-114

1. Mediocris percussio Regularis vel Clerici etiam primæ tonsuræ, dummodo habitum et tonsuram clericalem deferat.
2. Homicidium voluntarium, quo continetur procuratio abortivi, seu animati seu inanimati, et oppressio parvulorum per supinam incuriam.
3. Duellum quo continentur omnes pugnantes in duello, tum etiam qui vulgo dicuntur ipsorum patrini, et qui ad illud provocant scienter.
4. Percussio Patris vel Matris.
5. Peccatum magiæ et sortilegii ac maleficii, quo continetur profanatio seu impius abusus rerum sacrarum.
6. Atrox et violenta percussio in Ecclesia.
7. Concubitus Confessarii cum Pœnitente et Pœnitentis cum Confessario.
8. Adulterium publicum et concubinatus publicus.
9. Incestus intra secundum gradum consanguinitatis vel affinitatis.
10. Sodomiticum peccatum, et quod eo gravius est.
11. Furtum rei sacræ in quo vis loco.
12. Falsum testimonium coram judice.
13. Simonia et confidentia occulta.
14. Carnium esus in quadragesima.

Nota autem, quod suspensio non est peccatum, sed censura, sicut nec irregularitas, quæ est impedimentum, seu inhabilitas: earumque absolutio, vel dispensatio ad episcopum pertinet, quando sunt ex delicto occulto, excepta irregularitate quæ est ex homicidio voluntario, hæc enim reservatur summo Pontifici.

Verum ab omnibus istis casibus sive Papæ, sive Episcopo reservatis, potest quilibet simplex sacerdos quemlibet absolvere in articulo mortis, et quoties a Papa, vel ab Episcopo hujusmodi facultatem ipsum habere contigerit: videlicet per speciale privilegium sibi vel pœnitenti concessum, vel generalem quandam indulgentiam plenariæ remissionis, qua fidelibus eligere permittitur, quem voluerint confessarium, qui illos ab omnibus casibus et censuris possit absolvere.

Insuper hoc quoque diligenter advertendum est, a casibus summo Pontifici reservatis excipi impuberes, scilicet masculos ante decimum quartum annum, quoniam in iis minus viget ratio.

Monachos ac Regulares, qui non sunt sui juris.

Fœminas, partim ob infirmitatem sexûs, partim quia sunt sub virorum potestate: sed præcipue ne zelus maritorum in eas implacabiliter exardescat. Juniores autem viduas, ac puellas, propter periculum incontinentiæ.

Senes et valetudinarios, quia laborem itineris ferre non possunt.

Pauperes, maximè si fuerint conjugati: ne diuturna illorum absentia uxorem ac liberos objiciat mendicitati vel flagitio.

Denique omnes quibus salva vita, libertate, et rebus suis, Romam adire non licet, saltem quamdiu durat hujusmodi impedimentum, non sunt ad Papam, sed ad Episcopum, vel ipsius Vicarium aut Pœnitentiarium mittendi, a quo absolvi possunt.

Nota nullum peccatum reservari etiam Domino Illustrissimo Episcopo, nisi sit mortale, vel quando sola cogitatione est admissum, vel quando a pueris, aut puellis committitur ante pubertatis annos, id est in pueris ante annum ætatis 14. In puellis ante annum 12.

Nota etiam fœminas non esse remittendas pro casibus reservatis quando distant ab urbe vel a vicario rurali plusquam duabus leucis, nisi forte prudens Confessarius judicaverit aliter expedire.

Porro etsi aliquando in confessione commutatio votorum facienda sit, non licet cuilibet sacerdoti in votis dispensare, aut ea commutare, cum sola absolutio peccatorum, non votorum illi concessa sit, sed ad Episcopum tantùm spectet dispensare et commutare vota. Solius enim Sanctissimi Domini nostri Papæ, vel ab eo potestatem habentis est, in his quinque subsequentibus votis dispensare, videlicet perpetuæ continentiæ, religionis, peregrinationis in Ierusalem, vel Romam, vel ad sanctum Iacobum in Compostella. In cæteris votis, Episcopus, et qui ab eo potestatem habent dispensare possunt, alii nunquam, nisi et id Sacerdotibus per Indulgentias concedatur.

Mende 1686

Absence de chapitre concernant le sacrement de pénitence.

Metz 1686

[Georges d'Aubusson de La Feuillade]
Casus Domino Episcopo reservati

Metz 1686 p. 53-54

I. Homicidium voluntarium et duellum, quo nomine continentur omnes pugnantes in duello, tum etiam qui vulgo dicuntur ipsorum patrini, et qui ad illud provocant scientes, si secuta fuerit pugna.

II. Concubinatus publicus, et qui eo gravior est, incæstus [sic] intra secundum gradum consanguinitatis, vel affinitatis, etiam privatus, sodomia et bestialitas.

III. Hæresis.

IV. Simonia et confidentia occulta, tam quoad committentes quam ejus mediatores, si vero publica summo Pontifici reservatur.

Ab omnibus autem superioribus casibus, sive Papæ, sive Episcopo reservatis, potest quilibet simplex Sacerdos quemlibet absolvere in articulo mortis, et quoties a Papa, vel Episcopo hujusmodi facultatem ipsum habere contigerit, videlicet per speciale privilegium sibi, vel pœnitenti concessum, vel per generalem quandam indulgentiam plenariæ remissionis, qua fidelibus eligere permittitur quem voluerint confessarium, qui illos ab omnibus casibus, et censuris possit absolvere.

Insuper hoc quoque advertendum est, Episcopos posse quosdam a casibus etiam summo Pontifici reservatis absolvere propter justum impedimentum, sicuti sunt impuberes ante decimum quartum annum, quia in iis, minus viget ratio; Fœminæ ob infirmitatem sexus, et quia sunt sub potestate virorum, Senes et valetudinarii, qui laborem itineris ferre non possunt, et alii quibus salva vita, libertate, et rebus suis, Romam adire non licet, saltem quandiu durat hujusmodi impedimentum, ideoque per Sacerdotes erunt Episcopum seu ejus Vicarium, aut Pœnitentiarium mittendi, qui de legitima causa impedimenti judicantes, aut absolvent, aut ad summum Pontificem remittent.

Amiens 1687

[François Faure]
Cas reservez à Monseigneur l'Evêque

Amiens 1687 p. 136-138

1. L'Héresie, lors qu'on fait profession publique d'une erreur contraire à la foi, et qu'on la soûtient avec opiniâtreté contre l'Eglise.

2. L'Apostasie, quand quelqu'un quitte la foi catholique, apostolique et romaine, ou abandonne son ordre sacré, ou sa profession religieuse, dans le dessein de ne plus retourner.

3. L'abus avec profanation et impieté des choses consacrées, comme de la tres-sainte Eucharistie, du Saint Chrême, et des Saintes Huiles.

4. La magie. En ce cas, l'on comprend tous magiciens, sorciers, devins, noüeurs d'aguillettes, et autres personnes qui exercent des malefices.

5. Le faux serment fait en presence du Juge.

6. Le crime de ceux qui brisent ou pillent des Eglises, ou quelqu'autre lieu de pieté. Comme aussi le crime de ceux qui mettent à dessein le feu à quelque lieu que ce soit, sacré ou non sacré. Que si les auteurs êtoient publiquement denoncez, le cas seroit reservé au Pape.

7. La simonie, et la confidence occulte.

8. Le crime de celui qui frappe à dessein son pere ou sa mere; un clerc, ou un religieux promû aux ordres sacrez. S'il les frappoit cruellement, pour lors le cas seroit reservé au Saint Siege.

9. L'homicide volontaire, quand de la volonté déliberée on tuë une personne.

10. Le crime de ceux qui procurent l'avortement, soit que le fruit soit animé, soit qu'il ne le soit pas.

11. Lors que dans un lieu sacré et beni, comme les Eglises, ou cimetieres, on fait une notable effusion de sang, par quelque violence et voie de fait.

12. Lors qu'on dérobe une chose sacrée en quelque lieu que ce soit, ou qu'on dérobe une chose profane dans un lieu sacré.

13. La falsification des Lettres publiques ou particulieres, soit en matiere ecclesiastique ou civile. A l'égard du crime que l'on commet en falsifiant des lettres apostoliques, principalement si l'auteur en est connû, c'est un cas reservé à nôtre saint pere le pape.

14. L'usure publique.

15. La fornication commise dans l'Eglise.

16. L'adultere et le concubinage public, c'est à dire, prouvé en justice, ou si notoire à tout le voisinage, qu'il ne peut être celé.

17. L'inceste jusqu'au second degré de consanguinité ou d'affinité inclusivement.

18. Le crime de celui qui abuse d'une religieuse.

19. Le rapt, quand on enleve une fille ou une femme d'honneur de sa maison, par force et malgré elle, ou contre le gré des personnes, en la puissance de qui elle est.

20. La sodomie, et tout autre peché contre nature, encore plus enorme.

21. La promotion aux ordres *per saltum*, c'est à dire, lors qu'on reçoit un ordre superieur, sans avoir reçû l'ordre inferieur, comme le Diaconat avant le Soûdiaconat, ou la Prêtrise avant le Diaconat : comme aussi prendre la tonsure en quelque ordre que ce soit, d'un autre Evêque, que du sien, sans avoir obtenu des Lettres dimissoires.

22. L'Evêque peut absoudre de tous les pechez reservez à nôtre saint pere le Pape, qui ont été commis en secret, et qui ne sont pas devenus publics. Il peut aussi dispenser de toutes les irregularitez occultes, excepté de celle que l'on encourt par un homicide volontaire, laquelle est reservée au pape.

23. Le duel est reservé à la personne de Monseigneur l'Evêque. En ce cas, sont compris ceux qui se battent en duel, ceux qui assistent au combat pour le favoriser, et ceux qui portent l'appel avec connoissance, si le combat s'en est ensuivi.

24. Comme aussi le blasphême énorme et public contre Dieu et les Saints, auquel il y a une excommunication attachée, qu'on encourt *ipso facto*.

25. Enfin la suspense qu'encourent les Ecclesiastiques constituez dans les Ordres sacrez, qui vont boire au cabaret sans necessité, et qui s'enyvrent en quelque lieu que ce soit.

Tous les pechez reservez à Nôtre Saint Pere le Pape, qui sont commis par des personnes, que le droit exempte d'aller à Rome, sont aussi reservez à l'Evêque ; tels sont les Religieux, les femmes et les filles, les vieillards, les valetudinaires, et les pauvres.

Bayeux 1687

[François de Nesmond]

Casus reservati … Domino Bajocensi Episcopo

87 **Bayeux 1687** p. 82-83

1. Haeresis.

2. Sortilegium, magia, incantatio, divinatio, item omne maleficium ad impediendam matrimonii consummationem, aut aliud inferendum proximo malum.

3. Percussio clerici aut religiosi in habitu et tonsura, si tamen atrocior fuerit, reservatur S. Pontifici.

4. Percussio patris vel matris.

5. Homicidium voluntarium et procuratio abortûs, sive foetus sit animatus, sive non; sive fiat per violentiam sibi factam (si sit mulier gravida) sive per potionem, sive per venae sectionem, aut alio modo, ubi intelligi debent quoquo modo per consilium, aut operam cooperante.

6. Oppressio et suffocatio parvulorum ex notabili negligentia proveniens.

7. Sacrilegium, quo intelligitur furtum rei sacrae, aut rei profanae in loco sacro, et usurpatio bonorum Ecclesiae.

8. Profanatio et impius usus Eucharistiae, oleorumque sacrorum.

9. Atrox et violenta percussio in Ecclesia.

10. Fornicatio in Ecclesia.

11. Concubitus Religiosi aut Religiosae, aut alicujus in Ordine sacro constituti cum persona laïca, aut personae laïcae cum aliquo ex illis.

12. Incestus usque ad secundum gradum consanguinitatis et affinitatis inclusivè.

13. Raptus virginum vel mulierum honestè viventium.

14. Concubinatus publicus, et adulterium notoriè scandalosum.

15. Sodomiticum peccatum, et quae graviora sunt.

16. Crimen falsariorum, quo intelliguntur falsi testes coram judice, ipsorumque fabricatores; qui falsam cudunt monetam, vel qui falsificant quascunque litteras, in quibus proximus notabiliter laeditur.

17. Promotio ad Ordines sacros ante aetatem, aut supposito falso vel ficto titulo, aut sine litteris dimissoriis, aut per saltum.

18. Ingressus in clausuram monialium, vel illius effractio.

19. Omnis excommunicatio lata ab homine, sive sit ab Episcopo, sive ab eo inferiori.

20. Omnium votorum simplicium commutatio, exceptis votis castitatis perpetuae, religionis, peregrinationis ad limina Apostolorum, ad loca hierosolymitana, et sancti Iacobi Compostellani summo Pontifici reservatis.

21. Absolutio ab omnibus suspensionibus, et irregularitatibus ex delicto occulto provenientibus, iis exceptis quae ex homicidio voluntario proveniunt, summo enim Pontifici reservantur.

Bayeux 1687

Alii casus reservati… Episcopo Bajocensi, ejusque Vicario generali, à quibus extra mortis periculum nullus absolvere potest, quovis Privilegio sit insignitus, nisi speciatim exprimatur

Bayeux 1687 p. 83-84

1. Non residentia Pastorum aliorumque Beneficiatorum, quibus annexa est cura animarum secundum statuta Dioecesis.
2. Ingressus Ecclesiasticorum in cauponas seu tabernas et hospitia publica, et ibi biberint vel ederint secundum eadem statuta.
3. Ebrietas Ecclesiasticorum quocunque in loco.
4. Duellum quo nomine continentur omnes pugnantes in Duello, tum etiam qui vulgo dicuntur patrini, et qui ad illud provocant, verbo, scripto, aut ministerio alterius, et qui illud acceptant.

Agen 1688

[Jules Mascaron]
Cas dont nous nous réservons l'absolution

Agen 1688 p. 80

1. L'Herésie et la lecture des livres hérétiques sans nôtre permission.
2. Le parjure ou le faux témoignage en jugement, ou la falsification des Sceaux, des Testamens et de tous autres actes publics et juridiques.
3. Battre son pere ou sa mere.
4. L'homicide volontaire, la suffocation des enfans par faute notable, les coucher au lit avant l'an et jour.
5. L'inceste au premier degré de Consanguinité ou d'Affinité.
6. Boire et manger au cabaret excepté en un juste voyage, à l'egard des Ecclesiastiques.
7. Le Düel, dans lequel nous comprenons ceux qui appellent, qui se battent, qui y coôperent, qui y assistent et qui donnent conseil efficace.
8. Le sacrilege d'un Curé ou Vicaire avec sa Parroissienne, ou d'un confesseur avec sa Penitente.
9. L'incendie procuré par malice.

Declarons qu'à l'égard du sixiéme cas qui concerne les Prêtres qui boivent et mangent au cabaret, et le septiéme cas qui regarde le Düel, Nous nous les reservons à nôtre seule personne pour en absoudre.

La Rochelle 1689, 1744

[La Rochelle 1689 : Henri de Laval]
*Cas qui de Droit portent Excommunication ou autre Censure,
et sont reservez à l'Evêque dans le Diocése de la Rochelle*

P2690 **La Rochelle 1689 p. 147-148**

1. Avoir blasphemé publiquement et notoirement, en proferant par écrit, ou de vive voix des parolles injurieuses et atroces contre Dieu, contre la sainte Vierge, contre les Saints, contre la Religion.

2. Estre tombé dans l'apostasie en renonçant à la foy, à ses ordres sacrez, aux vœux solemnels, et à l'habit de religion.

3. Avoir aderé à l'heresie, ou au schisme; avoir favorisé les heretiques dans leurs erreurs, et les schismatiques dans leur schisme, avoir assisté à leurs predications et autres entretiens de doctrine; avoir participé et communiqué avec eux dans leurs actes de religion.

4. S'être servi, ou s'être adressé à ceux qui se servent de sorcelerie, d'enchantement, de magie, divination, nouëment d'éguillette, de malefices et autres superstitions, quand même ce seroit pour guerir des maladies d'hommes ou de bestiaux, ou pour dissoudre d'autres malefices.

5. Avoir frappé et battu outrageusement, sans que la mort ou mutilation s'en soit ensuivie, un clerc portant l'habit clerical et étant dans les ordres sacrez. Avoir commis à son égard quelque notable insolence: comme d'avoir eu la temerité d'interompre [sic] un predicateur: d'avoir troublé un curé dans ses fonctions: l'avoir violenté à faire quelque chose contre les ordonnances de l'Eglise.

6. Estre entré dans les monasteres des religieuses sans permission et sans necessité; avoir commis avec elles quelques actions contre la pureté. Comme aussi à l'égard des femmes et filles, d'estre entrées dans les maisons et convents [sic] des religieux hors le temps des processions qui se font dans leurs cloistres.

7. S'étre battu en duel; avoir servi de second dans ces sortes de combats; avoir fait ou fait faire des appels: les avoir acceptez: les avoir conseillez ou y avoir contribué, en sorte que le combat, ou du moins l'appel s'en soit ensuivi.

8. Avoir contracté mariage dans les degrez de consanguinité ou d'affinité qui sont deffendus le sçachant bien, et sans en avoir obtenu dispense: y avoir consenti et contribué soit en passant le contrat comme notaire ou y assistant comme témoin: soit en épousant les parties comme curé. Avoir épousé clandestinement sans la presence du

propre curé, sans témoins, sans publication de bans. Avoir en même temps plusieurs femmes : ou si c'est une femme plusieurs maris.

9. Avoir commis une simonie ou confidence réelle, mais occulte, soit à l'égard des ordres, soit à l'égard de quelque benefice.

10. S'être fait promouvoir aux ordres sacrés contre les saints canons : et principalement *per saltum*, avant l'âge competent, et sans dispense : sous un faux dimissoire : sous un faux titre patrimonial ou ecclesiastique, sous un nom emprunté : ayant substitué une autre personne à l'examen.

11. Avoir empêché directement ou indirectement les Ecclesiastiques de jouir du revenu de leurs benefices ; Avoir usurpé et joui injustement et contre sa conscience des dîmes et des fonds qui appartiennent à l'Eglise. Avoir volontairement retenu et recellé les titres, actes et papiers concernant les biens et droits de la même Eglise.

12. Etant Ecclesiastique, avoir mangé et bu dans les tavernes et cabarets contre les ordonnances du diocese : et lequel cas outre qu'il est réservé, emporte suspense des fonctions des ordres sacrés pendant quinze jours.

La Rochelle 1689, 1744

Cas qui n'emportent aucune Censure et néantmoins sont reservez à l'Evêque dans le Diocese de la Rochelle

La Rochelle 1689 p. 148-149

1. Avoir par malice et à dessein frappé ou battu son Pere, sa Mere, son grand Pere, sa grand Mere.

2. Avoir volontairement commis un homicide en quelque façon que ce soit : Avoir pris ou donné secretement ou autrement des breuvages, poudres, ou fait autre chose pour faire perdre à une femme grosse son fruit. Avoir suffoqué des enfans par mégarde, pour les avoir mis coucher au lit étant encore trop petits, ou pour autre notable negligence qui ne puisse s'excuser. Avoir pollu une Eglise par une effusion de sang violente : ou par toute autre maniere qui rend une Eglise pollue.

3. Avoir commis Inceste au premier ou second degré de consanguinité ou d'affinité. Avoir ravi ou violé une femme ou fille contre son consentement. Etre tombé dans les abominables pechez de sodomie et bestialité. Avoir continué dans un adultere ou dans un concubinage public après les monitions du curé, vicaire, ou confesseur.

4. Avoir fait un faux serment en Justice, en niant la vérité sur laquelle on estoit juridiquement interrogé : ou en rendant un faux témoignage.

5. Estant hoste ou hostesse tenant cabaret ou auberge, avoir donné sans necessité, et sans permission des viandes deffendues à manger pendant le carême, et autres jours deffendus par l'Eglise.

6. Estant notaire n'avoir pas declaré aux curez ou vicaires dans trois mois aprés le décedst [sic] de ceux qui ont fait testament, les legats qu'ils ont faits à l'Eglise, ou pour quelques œuvres pies.

7. Estant curé et ayant charge d'ames n'avoir pas resideé, et avoir esté absent de son benefice pendant trois mois, ou autre temps plus considerable, sans en avoir eu permission.

8. Estant curé ou vicaire avoir donné contre la verité et contre sa conscience des attestations de vie et de meurs [sic] aux aspirans aux Ordres sacrez.

La Rochelle 1689, 1744

Regles à observer, touchant les Cas reservez, soit au Pape, soit à l'Evêque

P2692 **La Rochelle 1689 p. 149-150**

1. Aucun peché n'est reservé, s'il n'est mortel, et s'il n'a esté commis par effet, et non pas seulement de pensée et de simple volonté.

2. Il n'y a point aussi de cas reservé à l'egard des jeunes gens qui n'ont pas atteint l'âge de puberté: c'est-à-dire, des garçons avant l'âge de quatorze ans accomplis, et à l'égard des filles avant l'âge de douze ans aussi accomplis.

3. Quand les cas reservez au Pape sont occultes et secrets, l'Evêque et ses grands vicaires en peuvent donner l'absolution.

4. Les personnes qui sont excusées par le droit d'aller à Rome: comme sont les religieux, et les religieuses: les femmes et filles: les viellards et valetudinaires: les pauvres qui étant chargez de femme et d'enfans sont obligez de travailler pour faire subsister leur famille: enfin ceux qui ne peuvent faire ce voyage sans courir risque de leur vie, de leur liberté, de leurs biens, doivent être renvoyez à l'Evêque, ou à ses grands vicaires pour les cas reservez au Pape.

5. Nul peché mortel contre le sixieme commandement n'est reservé, qu'il n'ait été effectivement consommé.

6. On ne doit pas renvoyer les femmes et les filles pour recevoir l'absolution des cas reservez où elles pourroient être tombées, à plus de trois lieues du lieu de leur demeure: si ce n'est que le confesseur par sa prudence n'en juge autrement. On ne renvoira pas même du tout les femmes grosses prêtes d'accoucher, ou qui nourrissent des enfans à la mamelle. Leur curé pourra leur donner l'absolution.

7. Ceux et celles qui se confesseront un jour ou deux avant que de se marier, pourront être absous par leurs confesseurs des cas reservez où ils seroient tombez, à cause des inconveniens qui pourroient en arriver : mais pour cette fois seulement.

8. Aucun prêtre seculier ou regulier ne donnera, hors l'article de la mort, l'absolution des cas reservez au Pape ou à Nous. Et ceux à qui ce pouvoir sera donné en general, seront avertis qu'en vertu de ce pouvoir general, ils ne peuvent absoudre ny les Ecclesiastiques qui ont contrevenu à la deffense de manger et boire dans les cabarets : ny ceux qui se sont effectivement battus en duel : ny ceux qui sont tombez dans les cas, qui dans ce diocese portent excommunication ou autre censure : mais que pour absoudre valablement ces trois sortes de personnes, il faut en avoir obtenu un pouvoir spécial et par écrit de Nous.

Nevers 1689

[Edouard Vallot]
Du Sacrement de Penitence. Des Cas reservés

93 **Nevers 1689 p. 39-40**

D. *Quels sont les cas reservés aujourd'hui dans ce Diocése, et quels sont ceux qui les encourent ?*

R. 1° Ceux qui proferent des blasphêmes atroces, et commettent des sacrileges, ou abusent des choses saintes pour des superstitions.

2° Ceux qui frapent griévement leur pere et mere.

3° Ceux qui tuent volontairement un homme.

4° Ceux qui procurent un avortement, ou y contribuent de conseil ou de fait; ou qui étouffent un enfant dans le lit sans y penser.

5° Ceux qui font violence à une vierge et en ont abusé.

6° Ceux qui commettent une inceste avec leurs parentes ou alliées au premier ou second degré.

7° Ceux qui commettent le detestable crime contre nature.

8° Celui qui ayant fait un vœu simple de chasteté se marie sans dispense ; ou qui aprés avoir donné la foy à une fille qu'il a fiancée, se marie avec une autre sans s'être mutuellement degagés.

9° Tout homme marié qui au sçu de tout le Public entretient une concubine.

10° Quiconque mange de la viande ou des œufs en Carême et autres jours deffendus par l'Eglise, sans en avoir obtenu la permission du Curé ou autre Superieur Ecclesiastique.

11° Quiconque est tombé en quelqu'irregularité ou suspense encouruë pour des crimes commis en secret, excepté le crime d'homicide volontaire.

12° L'heresie, le duel et le cabaret pour les Prêtres, sont des cas reservés à l'Evêque seul, et dont nul ne peut absoudre s'il n'en a expresse permission.

13° Tous ceux ou celles qui sans permission expresse, hors les cas d'extrême necessité, entrent dans des maisons Religieuses de different sexe; comme le Concile de Trente et tous ceux de France qui l'ont suivi l'ordonnent sous peine d'excommunication encourue *ipso facto*.

14° Tous les cas reservés même au Pape, lorsqu'ils sont encore occultes et ne sont pas devenus publics, ou qui ont été commis par personnes que le droit dispense d'aller à Rome : tels que sont les vieillards, les femmes ou filles, les pauvres et infirmes etc. ou quand il n'y a pas peché mortel, ou qu'il est commis par des enfans au dessous de 14. ans.

Verdun 1691
[Hippolyte de Béthune]
Cas à nous reservez

P2694   **Verdun 1691 p. 146-147**
1. L'Heresie.
2. User de magie, sortileges, malefices, deviner ou consulter les devins.
3. Commettre ou aider à commettre simonie ou confidence occulte, en ce qui est des Ordres et des Benefices.
4. Frapper injurieusement un Ecclesiastique, Religieux ou Religieuse.
5. Le Parjure en jugement.
6. L'Homicide, et dans ce cas sont compris ceux qui causent l'avortement d'une femme, les parens qui suffoquent leurs enfans, les faisant coucher avec eux dans leur lit, avant qu'ils aient un an accompli.
7. Le Duel, dans lequel sont compris ceux qui y provoquent, ou qui le conseillent.
8. L'Inceste dans le premier, ou second degré de parenté, ou d'affinité.
9. La Sodomie.
10. La Bestialité.
11. Le Sacrilege en matiere d'impureté, commis par, ou avec une personne consacrée à Dieu par l'Ordre, ou par le voeu solemnel. Ce cas s'étend aux pasteurs, ou aux confesseurs, qui solliciteroient à l'im-

pureté leurs paroissiennes ou leurs penitentes, ou qui useroient avec elles de libertés honteuses et criminelles, comme aussi ceux qui les permettroient.
12. Les Incendiaires occultes.
13. Boire ou manger au cabaret, excepté dans un juste voiage, et s'enivrer en tout autre lieu étant Ecclesiastique.

Lyon 1692

Absence de cas réservés.

Luçon 1693
[Henry de Barrillon]
Cas qui Nous sont reservez où il y a Censure attachée

Luçon 1693 p. 105-107
I. L'Apostasie de la Foy, l'Heresie, l'Apostasie des Ordres sacrez et des Voeux solemnels de Religion.
II. Le Blaspheme public, quand quelqu'un clairement et publiquement écrit ou profere des paroles injurieuses contre Dieu, la Sainte Vierge ou les Saints.
III. Le Sortilege, enchantement, devination, conjuration, recours aux Devins et Sorciers, pour sçavoir les choses secrétes; le venefice et malefice, soit pour empêcher l'usage du Mariage, soit à autre fin préjudiciable au prochain, y cooperer.
IV. Le Duel, le conseiller, y assister; se porter sur le lieu pour se battre.
V. La promotion aux Ordres sacrez ou à l'un d'eux; *Per saltum,* ou avant l'âge, ou sous un faux démissoire, ou sous un faux titre.
VI. Le Mariage clandestin de ceux qui se marient sans Prêtres; De ceux qui se marient devant un Prêtre qui n'est pas leur Curé, ni commis par luy ni par l'Ordinaire; De ceux qui se marient devant leur Curé ou autre Prêtre commis par luy pour les Mariages, ou par l'Ordinaire, mais sans observer les ceremonies de l'Eglise en la celebration de ce Sacrement; De ceux qui contractent sciemment étant dans les Degrez prohibez de consanguinité ou d'affinité, sans en avoir obtenu dispense; De ceux qui ayant été mariez, se sont remariez n'étant pas assurez de la mort de celui ou de celle qu'ils avoient épousez; Et non seulement ceux qui contractent mariage en l'une de ces manieres, commettent un peché mortel réservé et qui a une Censure attachée; mais encore

les Prêtres, les Notaires et les Témoins qui y assistent volontairement et qui les favorisent.

VII. L'Adultere et le Concubinage publics et notoires.

VIII. La frequentation des Cabarets pour la troisiéme fois à l'égard des Ecclesiastiques, à laquelle est annexée la suspense des Ordres sacrez.

IX. Fraper legerement un Ecclesiastique, portant les marques de son Etat et connu pour tel, par celui qui le frape pour luy faire injure.

Luçon 1693

Cas à Nous reservez, où il n'y a point de Censure attachée

P2696 **Luçon 1693 p. 107-110**

I. Battre son Pere, sa Mere, son Ayeul ou Ayeule, griévement en particulier, et legerement en public.

II. L'Homicide volontaire ou cooperation à ce peché;

Procurer l'avortement d'une Femme, ou d'une Fille enceinte;

Procurer qu'une Femme ou qu'une Fille soit sterile par breuvage ou autrement.

L'oppression ou suffocation des Enfans qui soit coupable, telle qu'est celle des Peres, Meres ou Nourrices qui les étouffent, pour les avoir mis coucher en même lit avec eux, avant qu'ils ayent un an accompli.

III. Le Sacrilege qui comprend le peché de la chair avec une Personne obligée à la chasteté perpetuelle, par la reception des Ordres sacrez, ou par la Profession solemnelle des Voeux de Religion; ce Cas est reservé à l'égard des deux personnes qui le commettent.

L'effusion notable de sang par violence, ou voye de fait dans l'Eglise ou dans le Cimetiere;

Le larcin dans l'Eglise d'une chose sacrée ou profane, et hors de l'Eglise d'une chose sacrée.

IV. La Bestialité, la Sodomie.

V. L'Inceste jusqu'au second degré de consanguinité ou d'affinité corporelle inclusivement; ou dans le premier degré d'affinité spirituelle.

VI. La falsification des Lettres d'Orde [sic], Benefice, d'Approbations et autres semblables.

VII. Le parjure en Justice, la supposition et falsification des Actes de Justice dommageables au Prochain.

VIII. Mettre le feu volontairement et par malice dans quelque lieu que ce soit, quand l'incendiaire n'est pas denoncé excommunié.

IX. Le peché que commettent les Cabaretiers, en donnant à boire ou à manger les jours de Dimanche et Fêtes, pendant la grand'Messe et Vêpres, aux Paroissiens du lieu sans necessité.
X. Absoudre des Cas reservez, ou dispenser des Voeux sans en avoir le pouvoir.
XI. Outre tous ces Cas reservez Nous nous reservons encore tous ceux qui étant reservez à nôtre S. Pere le Pape, sont commis par personnes que le Droit excuse d'aller à Rome, comme sont les Religieux, Religieuses, Femmes et Filles, Valetudinaires, Malades et les Pauvres.
XII. L'Evêque peut aussy absoudre les Diocesains au for de conscience par luy-méme, ou par ceux à qui il en donne le pouvoir, de tous Cas occultes et Censures reservées au S. Siege; comme aussi de toutes irregularitez et suspenses qui proviennent de pechez occultes, à l'exception de celles qui proviennent de l'homicide volontaire et des autres qui ont été porté [sic] au for contentieux.

Nous avertissons ceux à qui Nous avons donné le pouvoir d'absoudre des Cas reservez, d'en user avec moderation pour édifier, et non pour détruire, et d'observer avec soin les Régles établies par l'Eglise dans l'administration du Sacrement de Penitence…

Nous enjoignons à tous les Curez de nôtre Diocese, aussitôt qu'ils auront reçu la presente Ordonnance, de la publier au Prône de leur Messe paroissiale, afin que personne n'en prétende cause d'ignorance ; Et Nous leur ordonnons tant à eux qu'aux Superieurs des Maisons Religieuses de nôtre Diocese, de la faire mettre et afficher dans la Sacristie, et même aux Confessionnaux, s'il se peut, afin que tous la puissent lire et executer.

Donné à Luçon, le cinquiéme Avril 1681. Signé Henry, Evêque de Luçon. …

Sens 1694
[Hardouin Fortin de La Hoguette]
Cas reservés à Monseigneur l'… Archevêque de Sens

Sens 1694 p. 65-70
1. L'Heresie et la lecture des livres heretiques, et l'Apostasie des voeux solennels et des Ordres sacrés.
2. Le Blasphême notoire et public contre Dieu, la bien-heureuse Vierge, et les Saints. *Par ce Blasphême, on entend seulement certaines expressions énormes et impies.*
3. La Simonie.

4. Le Sortilege, Enchantement, Devination, Recours aux Devins et Sorciers pour sçavoir les choses secrettes, comme aussi toutes sortes de sorts faits pour empêcher l'usage du mariage, ou à autre fin préjudiciable au prochain.

5. Le Parjure, ou Faux-témoignage en jugement.

6. La Falsification des lettres publiques, et sceaux autentiques [sic], comme aussi celle des monnoyes.

7. L'Homicide volontaire, ou cooperation à iceluy, procurer qu'une femme soit sterile, ou qu'elle avorte, *etiam ante foetum animatum*. Oppression ou suffocation d'enfans par faute notable, comme de les mettre coucher avec soy en même lit avant qu'ils ayent au moins un an accomply.

8. Le Duel, le conseiller, y cooperer, ou y assister.

9. Battre ses Pere et Mere, frapper mêmes legerement un Ecclesiastique par rixe et par colere, ou blesser malicieusement quelqu'un dans un lieu sacré.

10. L'Adultere public, comme aussi le Concubinage public et notroire, et tous autres pechés d'impureté notoires et scandaleux.

11. La Sodomie et le peché de bestialité.

12. L'Inceste entre les personnes proches par consanguinité ou affinité, jusqu'au second degré inclusivement, et par alliance spirituelle au premier, comme aussi le sacrilege avec un religieux ou une religieuse.

Par Alliance spirituelle on entend non seulement celle qui se contracte dans le Sacrement de Baptême et de Confirmation, mais aussi celle qui provient de l'administration du sacrement de Penitence, et qui se trouve entre un Confesseur, et eam quae ipsi confessa est, etiam semel ; *conformément aux Saints Canons et aux Decrets des Papes.*

Il est neanmoins permis d'absoudre les femmes ou filles qui ne sont point des pecheresses publiques, et qui se trouveroient coupables de pechés occultes d'incontinence, de quelque espece qu'ils puissent estre, pour vû qu'elles soient penitentes, et hors des occasions prochaines du peché, et que leur demeure soit éloignée de plus de trois lieuës de la ville metropolitaine et des lieux où il y a des personnes qui ont de M. l'Archevêque le pouvoir d'absoudre des cas reservés, principalement si le Confesseur juge qu'elles ne puissent avoir recours aux Superieurs sans se mettre en danger de faire connoître leur peché au public, ou sans s'exposer à quelque peril de la vie et interesser notablement leur santé, comme seroient les femmes enceintes ou les nourrices.

13. Le Rapt, sous lequel est compris aussi le violement de femmes ou de filles.

14. L'Usure publique et notoire.

15. Le Sacrilege par effraction et rupture d'un lieu sacré, ou le larcin de choses importantes qui servent à l'autel.
16. Tout Incendie ou brûlement, malicieusement procuré par soy ou par autruy.
17. La Supposition d'enfans étrangers comme propres et legitimes.
18. Manger de la chair aux jours defendus par l'Eglise, ou en donner à manger aux autres sans permission de l'Ordinaire.
19. Boire et manger au cabaret estant ecclesiastique, hors la necessité d'un juste voyage ; et à ce cas est annexée la Censure de l'excommunication, *ipso facto*, specialement reservée, et dont aucun Confesseur ne peut absoudre sans commission speciale où ce cas soit exprimé, non plus que du cas suivant.
20. S'enyvrer estant Ecclesiastique, mêmes [sic] en maison particuliere.

Outre ces cas, toutes Censures prononcées par M. l'Archevêque contre quelqu'un nommément luy sont reservées de droit, comme aussi la dispense et commutation des Voeus, et toutes les Irregularités qui ne sont point reservées au Saint Siege, et tous les cas même reservés au Saint Siege, lorsqu'ils sont occultes, ou que ceux qui s'y trouvent engagés sont excusés par le droit d'aller à Rome…

Soissons 1694
[Fabio Brulart de Sillery]
Cas à Nous reservez

Soissons 1694 p. 74-75
1. Fouler aux pieds par malice la très-sainte Eucharistie, les Reliques, les Huiles sacrées, ou autres choses saintes, ou en abuser pour des actions de magie, des empoisonnemens, des superstitions, et autres choses semblables.
2. User de magie, sortiléges, maléfices, deviner ou consulter les devins.
3. Rompre les portes, fenêtres, vitres, serrures, ou toit d'une Eglise, Monastére et lieu de piété, et y entrant ensuite, piller ou dérober les biens qui y sont.
4. Frapper injurieusement un Ecclésiastique constitué dans les ordres sacrez, Religieux ou Religieuse.
5. Frapper de propos déliberé son pére ou sa mére, son grand pére, ou sa grand'mére.

6. L'homicide volontaire et dans ce cas sont compris ceux qui procurent un avortement, le conseillent ou y contribuënt, ou qui tuënt un enfant par hazard, soit en l'étouffant dans le lit sans y penser, l'y ayant couché avant l'an et jour.

7. Le duel dans lequel sont compris ceux qui y provoquent ou qui le conseillent ou qui le favorisent, s'il a été éxécuté.

8. Mettre le feu par malice en quelque lieu que ce soit, si l'autheur du crime n'a pas été dénoncé publiquement.

9. Voler les vases sacrez.

10. Le faux témoignage en justice, soit en disant des choses fausses, soit en taisant des véritez quand on est interrogé avec serment par un juge compétant [sic].

11. Confidence et simonie occulte.

12. Usure publique et prouvée en justice.

13. L'inceste dans le premier, ou second degré de parenté ou d'affinité.

14. La sodomie.

15. La bestialité.

16. L'adultére public.

17. L'adultére spirituel, c'est-à-dire, le crime qu'on commet avec une religieuse professe.

18. Ravir les vierges ou les honnêtes femmes.

19. Se marier clandestinement à l'insçû [sic] et sans l'agrément de ses parens, devant un autre prêtre que le pasteur, et sans témoins.

20. Durant la vie de sa femme en épouser une autre.

21. Entrer dans la clôture des religieuses, sans permission, de quelque sexe qu'on soit.

22. Se faire promouvoir à la tonsure et aux ordres par un autre Evêque que le sien, sans lettres dimissoires, ou *per saltum*, ou sur un titre faux et supposé, ou avant l'âge.

23. Falsifier des lettres dimissoires, ou testimoniales, ou d'ordination, ou provisions de bénéfices.

24. Mal-traiter quelqu'un dans l'Eglise ou dans le cimétiére, en sorte qu'il y ait une grande effusion de sang.

25. Un Confesseur ne pourra point absoudre des crimes dont il sera complice.

26. Toutes les irrégularitez et suspenses dans lesquelles on tombe, en commettant en secret les crimes par lesquels on encourt lesdites irrégularitez ou suspenses, nous sont reservées ; excepté celle dans laquelle on tombe par un homicide volontaire. Nous pouvons aussi absoudre

de tous les cas reservez à nôtre saint Pere le Pape, qui ont été commis en secret, et qui ne sont point devenus publics.

27. L'absolution de l'heresie professée publiquement nous est aussi reservée; et nul confesseur de nôtre diocese, quoy qu'approuvé pour absoudre des cas reservez, ne doit entreprendre de la donner sans nôtre expresse permission.

Sées 1695

[Mathurin Savary]
De Sacramento Poenitentiae. Casus reservati D. Episcopo Sagiensi

Sées 1695 p. 53-54

Haeresis id est schismatici, haeretici, et imprimentes libros Haereticorum.

Sortilegium et omnis ars magica: id est incantatores, magi, divinatores, ligulae nodatores, qui sacris ad hoc impié abutuntur, qui maleficium maleficio solvunt: caeterasque artes magicas exercentes eosque consultantes.

Homicidium voluntarium effectivè.

Procuratio abortus sive animatus sit foetus sive inanimatus. Id est cum quis pharmaco vel alio modo voluntariè abortum procurantes.

Oppressio parvulorum per notabilem negligentiam et incuriam.

Percussio parentum: id est patris et matris, avi et aviae.

Sic et percussio religiosi vel Clerici cujuslibet in sacris constituti Religiosum seu Clericalem habitum deferentis, etiam si levis et minus gravis sit.

Monomachia vel Duellum, quo nomine intelliguntur omnes pugnantes in duello, provocantes et acceptantes, tum etiam qui vulgo dicuntur ipsorum patrini.

Sacrilegium, id est usurpatio bonorum Ecclesiae et injusta detentio Titulorum, aut immunitatis et libertatis eius violatio, seu furtum rei sacrae: notabilis nec non violenta percussio in Ecclesiâ, ex quà plurimus sanguis effundatur in ea vel extra eam.

Fornicatio cuiusvis personae in Ecclesià, concubitus Confessarii cum poenitente suà et rursus poenitentis cum Confessario suo in quovis loco: sic et baptizantis cum persona quam baptizaverit, et etiam cuiuslibet cum persona Deo consecrata per votum solemne religionis cuiusvis sexus.

Adulterium notoriè scandalorum [*sic*], sicut et concubinatus publicus et raptus virginum vel mulierum honestè viventium.

Incestus in primo et secundo gradu consanguinitatis vel affinitatis quae oritur tam ex copula Matrimoniali, quam ex illicita Sodomiticum peccatum post pubertatem et quod eo gravius est contra naturam et bestialitas.

Exustio domorum de industria facta et voluntaria si publicè denunciatus incendiarius non fuerit: nam si denunciatus, reservatur Summo Pontifici.

Periurium et falsum testimonium coram iudice, id est si quis vocatus praestito iuramento de veritate dicenda juridicé interrogatur, eam negat vel malignà tergiversatione dissimulat.

Crimen falsariorum et qui adulterant monetam sivè occultum sit factum, sive publicum.

Simonia et confidentia occulta.

Irregularitas omnis et suspensio ex delicto occulto proveniens, eâ dumtaxat exceptà quae oritur ex homicidio voluntario, vel quae iam deducta est ad forum contentiosum.

Ordinati ab alieno Episcopo, absque ordinarii sui facultate, quod de Majoribus et Minoribus ordinibus intelligendum, sic et promoti per saltum vel ante legitimam aetatem, vel falso vel supposito Titulo, vel etiam supposita alia persona ad subeundum examen.

Blasphemia execrabilis: id est animo blasphemandi et iniuriam Deo et Sanctis aut rebus sacris inferendi prolata.

Esus carnium et ovorum temporibus ab Ecclesia prohibitis absque dispensatione et legitima excusatione.

Venatio clamosa [Chasse à courre] pro Clericis in beneficio et ordibus [sic] sacris constitutis[62].

Ebrietas publica scandalosa et culpabilis in Ecclesiasticis in ordinibus sacris constitutis: nec non eorum frequentatio popinarum seu tabernarum intra leveam recensionis suae quolibet tempore: laïcorum vero dominicis et aliis festivis diebus Missae Parochialis et vesperarum horis, quod tam de Popinaribus quam de popinariis intelligendum est.

Excommunicationes et omnes aliae censurae iuris dispositione Episcopis reservatae, et votum commutationes, exceptis illis majoribus castitatis perpetuae, Religionis et peregrinationis Romanae, Hierosolymitanae et Compostellanae votis sedi Apostolicae reservatis.

Quibus addendi sunt quos ius ipsum aut communis Ecclesiae consuetudo Episcopis reservavit, ut clausurae Monialium ruptura vel in earum septa ingressus tam virorum quam mulierum in septa Religiosorum claustralium.

---

[62] Cas absent de la liste en français à la fin du rituel.

Sées 1695

Formulaire du Prosne. Cas reservez à Monseign. De Sais. [sic]

Sées 1695 p.LXXIXX-LXXXII

1. L'Heresie, c'est à dire, tous Schismatiques, Heretiques et leurs Fauteurs, comme ceux qui impriment, lisent et gardent chez eux leurs livres, ou autres défendus et censurez, ou qui assistent à leurs presches et ceremonies.

2. Le Sortilege, c'est à dire, tous Enchanteurs, Sorciers, Magiciens, Devineurs et Noüeurs d'éguillette, et qui se servent des choses saintes pour faire leur sort ou magie; qui font un malefice pour en détruire un autre, et generallement tous ceux qui exerçent [sic] aucun art magique, ou qui consultent ces sortes de gens.

3. L'Homicide volontaire.

[4.] L'avortement d'enfant, soit qu'il soit animé ou inanimé, quand il est volontairement causé, par quelque breuvage, ou autre moyen.

5. L'oppression des petits enfans, par la negligence notable des parents, c'est à dire, par une negligence qui ne souffre aucune excuse legitime. [La liste passe de 5 à 7]

7. La percussion méme legere d'une personne constituée dans les Ordres sacrez, quand il porte son habit clerical, ou d'un Religieux quand il porte son habit monachal.

8. Le duel dans lequel sont compris non seulement ceux qui appelent [sic] et provoquent, mais aussi ceux qui acceptent, et tous ceux qui servent de Parains.

9. Le Sacrilege, c'est à dire, l'usurpation des biens de l'Eglise, la detention injuste de ses titres, et la violation de ses privileges, libertez et jurisdiction, le vol d'une chose sacrée, et la violence faite dans l'Eglise, quand il en sort du sang considerablement, soit qu'il soit répandu dans ladite Eglise, ou au dehors.

10. La fornication de quelque personne que ce soit quand elle est commise dans l'Eglise, celle du Confesseur avec sa penitente, d'un baptisant avec la personne qu'il a baptisée, et enfin de toute sorte de personne avec une autre consacrée à Dieu par le vœu solemnel de Religion en quelque lieu que ce puisse être.

11. L'adultaire notoirement scandaleux, le concubinage public, et le rapt de quelque femme que ce puisse être.

12. L'Inceste dans le premier et second degré de consanguinité ou d'affinité, soit qu'elle procede de copule licite ou défenduë, ce qui s'étend jusques aux oncles et tantes.

13. La Sodomie ou autre peché contre nature, comme la bestialité.

14. L'incendie et brûllement [sic] malicieux des maisons, quand le coupable n'est point dénoncé en Justice, car quand il est dénoncé c'est un cas reservé au Pape.

15. Le parjure et faux témoignage en Justice, c'est à dire, si quelqu'un êtant appelé devant son Juge, et interrogé du fait nieroit la verité qu'il en sçauroit, ou la dissimuleroit.

16. La falsification soit en faisant la fausse monnoye, ou falsifiant et alterant les Lettres du Prince, ou de l'Eglise, et si c'étoit les Bulles du Pape ce seroit un cas qui luy seroit reservé.

17. La Simonie ou confidence occulte, car si elle est publique et manifeste, elle est reservée à sa Sainteté.

18. L'irregularité et la suspense qui provient d'un délict occulte, pourveu qu'elle ne vienne pas d'un homicide volontaire, ou qu'elle n'aye pas êté portée en Justice.

19. La susception des Ordres sacrez, tant grands que mineurs par les mains d'autres que de son Evêque, ou sans son dimissoire ou permission, ce qui se doit étendre à ceux qui sont ordonnez *per saltum*, c'est à dire, qui ont receu un ordre sans avoir receu le premier, ou avant l'âge requis, ou sur un faux titre, ou pour avoir supposé une autre personne pour être examinée en leur place.

20. Le blasphéme execrable, c'est à dire, qui est proferé avec un esprit injurieux à la grandeur de Dieu, à l'honneur de ses Saints, ou des choses sacrées, et dans le dessein de les deshonorer.

21. L'usage de la chair ou des oeufs aux jours deffendus par l'Eglise, sans dispense, ou quelque legitime excuse.

22. L'yvrognerie ou yvraison dans un Ecclesiastique, quand elle provient de l'abondance du vin, ou autre liqueur, comme aussi la frequentation des cabarets pour y boire ou manger dans le circuit de la banlieuë de sa demeure en quelque temps que ce soit, et pour les laïques aux jours de Dimanches et Fêtes, pendant la Messe de paroisse, Vêpres, et le reste de l'Office divin dans la même étenduë d'une lieuë, ce qui s'étend aux Cabaretiers et Cabaretieres qui donnent à boire.

23. L'excommunication, et l'irregularité provenant d'un delit occulte, et autres censures qui sont reservées de droit aux Evéques, aussi bien que les changements de vœux, excepté ceux de chasteté, de religion et de pelerinage de Rome, de Jerusalem et de S. Jacques de Compostelle qui sont reservez au Pape. Et à tous ces cas il faut ajoûter ceux que le droit ou la coûtume de l'Eglise a reservée aux Evéques comme

la rupture des murailles, ou l'entrée dans l'enclos des Religieuses sans permission.

24. Et enfin l'absolution méme des cas reservez donnée par un Prétre qui n'en a pas le pouvoir.

Paris 1697, 1701
[Louis-Antoine de Noailles]
Casus reservati... Domino Archiepiscopo

Formulaire de Paris 1646-1654 avec quelques remaniements.

Paris 1697 p. 105-108
[1-6 : comme Paris 1646-1654]
7. Procurare abortivum, sive animatum, sive inanimatum ; etiamsi non sequatur abortus : item ad id dare consilium, aut remedia scienter ministrare.
[8-10 : comme Paris 1646-1654]
11. Atrox et violenta percussio in Ecclesia.
[12-18 : comme Paris 1646-1654]
19. Crimen falsariorum, quo intelliguntur falsi testes coram judice.
20. Qui falsam cudunt monetam.
21. Qui falsant litteras ecclesiasticas, modo tamen non sint litterae aut bullae summi Pontificis : harum enim falsificatio reservatur Papae, quando factum, est notorium.
22. Qui in causa matrimonii falsum testimonium dicunt coram D.D. Archiepiscopo, aut Parocho, de Patre aut Matre alterutrius contrahentium, de Tutore vel Curatore, de Majoritate, de Viduitate, de Domicilio, et de gradibus consanguinitatis et affinitatis.
23. Simonia et confidentia occulta.
24. Promoveri ad Ordines majores suppositâ aliâ personâ ad subeundum examen, vel falso aut supposito titulo.

Nota quod Suspensio non est casus, sed Censura, sicut nec Irregularitas, quae est impedimentum, seu inhabilitas ; earumque dispensatio vel absolutio pertinent ad Episcopos, quando sunt ex delicto occulto : excepta irregularitate quae ex homicidio voluntario, etiam occulto ; haec enim reservatur summo Pontifici : exceptis etiam aliis deductis ad forum contentiosum.

Notandum autem nullum peccatum reservari, nisi sit mortale.
Nullum reservari, quando sola cogitatione est admissum.

Nullum etiam quando à pueris aut puellis committitur ante pubertatis annos, id est in pueris ante annum aetatis quatuordecimum, in puellis ante annum duodecimum.

Notandum denique foeminas non esse remittendas pro casibus reservatis quando distant ab urbe plusquam tribus leucis, sed posse à Parocho absolvi, nisi fortè pro sua prudentia judicaverit aliter expedire.

Limoges 1698

[François de Carbonnel de Canisy]

Casus DD. Episcopo Lemovicensi reservati absque excommunicatione

Formulaires de Limoges 1678, avec addition d'un huitième cas aux *Casus DD. Episcopo Lemovicensi reservati absque excommunicatione* :

P2702 **Limoges 1698 p. 153**

8. In Statutis Synodalibus recens editis reservantur choreae publicae inter personas diversi sexus si ter lapsae fuerint; item propinatio vini, vel ciborum subministratio aliis quam extraneis facta à tabernariis, diebus dominicis vel festis, tempore Missae parochialis, Concionis, aut Vesperarum, si ter lapsi fuerint; demum convivia et choreae confratrum, quae fiunt occasione confraternitatis; quem ultimum casum reservatum incurrunt etiam tibicines.

Paris 1698

[Louis-Antoine de Noailles]

Casus reservati in Dioecesi Parisiensi. Casus reservati… D. Archiepiscopo

P2703 **Paris 1698.** 4 p. cartonnées à la fin de certains exemplaires du rituel de Paris 1697, dont celui de Paris, Ars., 4° T 878.

Formulaire de Paris 1697 avec quelques remaniements, dont addition de :
18. Lenocinium.
24. Qui Matrimonium per verba de praesenti contrahere praesumpserint coram testibus, et Parocho sine ejus benedictione aliisque solemnitatibus in celebrationes Sacramenti Matrimonii servari solitis; item Testes et Notarii, cum censura excommunicationis ipso facto.
26. Parochi et Sacerdotes qui Matrimonio jungunt haereticum vel haereticam, cum censura suspensionis ipso facto.
27. Negligentia gravis in oppressione parvulorum.

Bâle 1700, 1739

Absence de cas réservés.

Toul 1700, 1760

[Henri de Thyard de Bissy]
Les cas reservez à l'Evêque
Les cas réservez à l'évêque avec excommunication sont

Toul 1700 p. 149-150

1. L'outrage fait à un ecclésiastique ou à un religieux, lorsqu'il n'est pas énorme.
2. La soûmission volontaire par laquelle un ecclésiastique subit, ou s'oblige de subir la jurisdiction des juges séculiers en action pure personnelle.
3. La violence que les peres et meres ou autres font aux filles ou veuves, pour les obliger à se mettre en religion ou à y faire profession.
4. Tous les cas réservez au saint siége et dévoluts [sic] à l'évêque, à cause des empêchemens pour lesquels on ne peut avoir recours à sa Sainteté.
5. Tous les cas réservez au saint siége, tandis qu'ils sont occultes, à la réserve de l'hérésie, laquelle quoiqu'occulte est toûjours réservée au pape. L'évêque, mais non pas son vicaire, peut en absoudre dans le fore [sic] intérieur. [Note:] Les souverains pontifes ont coutume de donner aux évêques de Toul le pouvoir d'absoudre de l'hérésie dans le fore intérieur.
6. On met aussi parmy les cas réservez à l'évêque avec censure les suspensions et les irrégularitez *Ex delicto*, lorsqu'elles sont occultes, à la réserve de l'irrégularité qui naît de l'homicide volontaire, laquelle quoyqu'occulte est réservée au pape.

Toul 1700, 1760

Les cas réservez simplement à l'évêque sont

Toul 1700 p. 150-151

1. La magie, le maléfice, le sortilége et toutes sortes de divinations.
2. Le sacrilége qui se commet, soit en dérobant une chose sacrée ou dans un lieu saint, soit en faisant un outrage notable aux choses saintes, comme sont les églises, les sacremens, les réliques, les images, les vaisseaux sacrez, etc.

3. Le parjure et l'usure, quand ces crimes sont publics.
4. Avoir frapé son pere ou sa mere.
5. La suppression de part [enfant], la procuration de l'avortement, la suffocation des enfans, leur mort arrivée par la faute des peres et meres ou de ceux qui en sont chargez, les avoir exposez.
6. L'homicide volontaire, soit qu'on l'ayt fait, ou commandé, ou conseillé, ou qu'on y ayt contribué.
7. La prostitution des filles par leurs peres et meres ou autres, ou des femmes par leurs maris.
8. L'inceste entre parens au premier ou second degré.
9. Le sacrilége, en commettant le peché de la chair avec une religieuse.
10. Le rapt ou enlevement d'une fille.
11. La sodomie et la bestialité.
12. L'aliénation des biens d'église sans la permission du pape ou de l'évêque.
13. L'enlévement et la détention des biens, tîtres, papiers et enseignemens concernans les bénéfices des ecclésiastiques décédez.
14. Avoir fait de la fausse monnoie ou de faux actes publics.
15. L'incendie volontaire, soit qu'on l'ayt fait, commandé ou conseillé.
16. Les mariages contractez clandestinement, et tout ce qui a été fait pour les favoriser et y contribuer.
17. Avoir mangé de la chair ou des œuf, sans permission, pendant le carême.

Deux remarques importantes.

Les confesseurs à qui l'évêque donne pouvoir d'absoudre des cas réservez, ne peuvent pas, en vertu de ce pouvoir, absoudre de ceux auxquels il y a des censures annexées, mais seulement de ceux qui sont réservez simplement.

La suffocation des enfans dans le lict, ou leur mort arrivée par la négligence des peres et meres, ou de ceux qui en sont chargez, n'est pas comprise non plus dans le pouvoir que l'évêque donne d'absoudre des cas réservez; il faut pour ce cas, et pour ceux auxquels il y a des censures annexées, un pouvoir spécial et qui en fasse mention expresse.

CAS DE PÉCHÉS RÉSERVÉS AUX ÉVÊQUES

Auch 1701[63]
Bazas 1701. Comminges [1728][64]. Dax 1701. Oloron 1720[65]
Sarlat [1708][66]. Tarbes 1701

[Auch 1701: Anne-Tristan de La Baume de Suze]
Cas reservez à Monseigneur l'… Archevêque d'Auch

Auch 1701 p. 134-135

La magie, sortilege, enchantemens par caracteres, paroles, ligature, pour nuire par soy, ou par autruy aux corps, biens, et réputation du prochain.

Fraper [sic] son pere, sa mere, son ayeul, ou ayeule; si ce crime devient public, il est reservé au Pape.

L'incendie volontaire des Eglises, maisons, grains, etc.

L'homicide volontaire.

La sodomie, le peché de bestialité, et autres detestables, quand l'acte a été consommé; comme aussi le sacrilege *in opere consummato* avec une Religieuse professe, l'inceste avec une parente, ou alliée au premier ou second degré *in opere consummato*.

Les peres, meres ou autres, qui mettent coucher avec eux dans le même lit les enfans, avant qu'ils ayent du moins [sic] un an accompli.

Les peres qui font coucher avec eux dans le même lit leurs filles, quand elles ont passé l'âge de dix ans; ainsi que les meres qui couchent avec leurs garçons aprés le même âge.

Les peres, et meres qui mettent dans le même lit leurs garçons, et leurs filles; quand les uns et les autres ont atteint le même âge de dix ans.

Monseigneur l'Archevêque accorde à tous Confesseurs approuvés la permission d'absoudre des cas cy-dessus à lui reservés, quand un penitent *ad seriam vitae emendationem* fait une confession generale.

Il est à remarquer que dans les cas reservés cy-dessus sont compris ceux sur lesquels tombent les censures ecclesiastiques, il y faut aussi

---

[63] Aucun exemplaire connu des possibles rituels, probablement publiés en 1701 ou peu après, de Bayonne, Couserans, Lectoure et Lescar, faisant partie de la province d'Auch. Le rituel de Dax 1701 n'est connu que par l'article de P. Coste, « Histoire des Cathédrales de Dax », *Bulletin trimestriel de la Société de Borda*, t. 34 (1909), p. 81.

[64] Deux listes de cas réservés: à l'évêque de Comminges au début du rituel (P2729); à l'archevêque d'Auch p. 134-135.

[65] Deux listes de cas réservés: à l'évêque d'Oloron au début du rituel (P2719, P2720); à l'archevêque d'Auch p. 108-110.

[66] Édition d'Auch 1701 avec en tête l'ordonnance datée mai 1708 de l'évêque de Sarlat Paul de Chaulnes prescrivant le rituel d'Auch dans son diocèse.

comprendre les irregularités qui ne sont point reservées au S. Siege, et même les censures et irregularitez qui lui sont reservées quand elles sont occultes, à l'exception de l'irregularité pour homicide volontaire pour laquelle il faut avoir recours au S. Siege.

Autrefois qu'on étoit obligé d'aller en personne à Rome pour l'absolution des cas susdits reservés au Pape, les femmes, les filles, les valetudinaires, et les pauvres qui vivent du jour à la journée par le travail de leurs mains étoient dispensez de ce voiage; les garçons au dessous de l'âge de quatorze ans, et les filles au dessous de douze, ne sont point sujets aux cas reservez au S. Siege à cause de la foiblesse de leur âge et de celle de leur raison.

Pour la dispense ou la commutation des vœux, elle appartient particuliérement à Nos Seigneurs les Evêques, à la reserve de cinq, reservez au saint Siége; sçavoir.

1. Le vœu de chasteté perpétuelle.
2. L'entrée en une Religion approuvée.
3. Faire le voïage de Rome.
4. Celui de Jerusalem.
5. Celui de S. Jacques de Compostelle.

Tarbes 1701, [1746?][67]

[Tarbes 1701: François-Clément de Poudenx]
Cas reservez à Monseigneur l'Evesque de Tarbes

Tarbes 1701 p. [8]

Le faux témoignage en Justice, quand on est interrogé par Juge competant.

Le crime de ceux qui falsifient les actes publics, au préjudice notable d'autruy.

L'incendie fait volontairement, et de propos déliberé, des Eglises, fruits, maisons, et biens d'autruy.

Faire coucher les enfans dans le lit avant l'an et jour, quoy que suffocation ne s'en ensuive pas.

L'homicide volontaire, et la mutilation notable faite de guet-à-pens.

L'avortement et suffocation des enfans par breuvage, ou autrement.

L'inceste au premier et second degré de consanguinité et d'affinité naturelle, et premier degré d'affinité spirituelle.

---

[67] Deux listes de cas réservés: à l'évêque de Tarbes au début du rituel; l'autre à l'archevêque d'Auch p. 134-135.

Les pechez de sodomie et de bestialité.
La cohabitation des fiancez, *sub eodem tecto*.
La chasse dans les millets.
Les cas qui ont censure annexée, et l'irregularité pour un peché occulte.
Les cas reservez dans les Ordonnances pour les Ecclesiastiques.

Besançon 1705

[François-Joseph de Grammont]
Casus reservati in Dioecesi Bisuntina, à quibus Confessarius absolvere non potest sine peculiari licentia

Les listes de cas réservés à Archevêque diffèrent selon les exemplaires du rituel; elles reprennent avec des remaniements différents la liste de Besançon 1674 p. 155, *Casus reservati ab… Domino D. Archiepiscopi Bisuntino…* P2668

Besançon 1705 *Pars prima*, p. 117-118

[Exemplaire Paris, Séminaire Saint-Sulpice]
[Les cas 1-16 sont proches de Besançon 1674 p. 155; la suite est nouvelle]
In Statutis Synodalibus, *Tit. 14. de Poenitentia*, sequentes reservantur Casus.

1°. Incestus in primo et secundo gradu, tum consanguinitatis, tum affinitatis, et inter conjunctos cognatione spirituali.

2°. Stuprum violenter illatum.

3°. Carnalis copula cum Moniali, etiam non professa.

4°. Sodomia et bestialitas completa.

5°. Adulterium notorium.

6°. Sacrilegium in materia furti, tam rei sacrae in loco non sacro, quam rei non sacrae in loco sacro.

7°. Perjurium in judicio.

8°. Falsificatio publici instrumenti.

9°. Infantium per incuriam crassam vel affectatam oppressio; quae si notoria sit, delinquentes ad Ecclesiam Metropolitanam remittendi sunt statutis ad hoc diebus, ad publicam poenitentiam subeundam.

10°. Blasphemia et execratio in Deum, B. Virg. vel Sanctos cum assensu deliberato et scandalo.

11°. Injuriosa Patris vel Matris percussio.

12°. Occultum domorum incendium.

13°. Homicidium voluntarium.

14°. Abortus procuratus, etiam effectu non secuto, qui casus comprehendit omnes cooperantes. Quod si constet foetum fuisse animatum, specialis facultas requiritur, propter annexam excommunicationem, quam Ordinarius concedere potest, juxta Bullam Gregorii XIV.[68]

15°. Usus magiae et maleficiorum, divinationum, incantationum per artem magicam.

16° Sollicitatio mulieris ad libidinem in Confessione, vel in ordine ad illam, etiam effectu non secuto.

Hi omnes Casus non solum reservati in illis qui decimum quartum annum compleverunt.

Quoties vero conceditur facultas absolvendi ab his casibus, non extenditur ad Casus Papales Ordinario devolutos, nec ad eos qui ipsi à jure reservantur, neque etiam ad illos, quos sibi Ill. Archiepiscopus specialiter reservavit, quales sunt.

1°. Cum Clericus in sacris Ordinibus constitutus, vel ad vestem talarem ratione Beneficii obligatus, eam non defert in loco suae residentiae, vel in aliis locis in quibus commoratur ultra octo dies.

2°. Qui cauponas adit in loco residentiae suae sitas edendi vel bibendi causâ, vel in fraudem Statuti Synodalis se confert ad tabernas pagorum residentiae suae vicinorum.

3°. Qui ludis publicis intersunt, etiam in domibus privatis, ubi lusores convenire solent.

4°. Qui in aliena Dioecesi ad Sacerdotium promoti, in istas suas functiones exercere praesumunt sine Vicarii Generalis licentia.

5°. Qui curam animarum habentes, per dies quindecim Catechismum populos docere omittunt.

6°. Confessarii qui extra tribunalia confessiones mulierum audiunt, suspensionem incurrunt.

7°. Denique validè absolvere suos complices nequeunt in materia luxuriae.

8°. Prohibentur etiam absolvere mulieres in confessione à Sacerdote sollicitatas ad libidinem, nisi prius sollicitantem Ordinario patefecerint, juxta Constitutionem Gregorii XIV. Quae incipit: Universi Dominici Gregis.

---

[68] Grégoire XIV, pape de 1590 à 1591.

Besançon 1705

Casus reservati in Dioecesi Bisuntina, à quibus Confessarius absolvere non potest sine peculiari licentia

Besançon 1705 *Pars prima*, p. 117-118

[Exemplaires Paris, BnF et Bibl. de l'Arsenal]
[La liste reprend Besançon 1674 p. 155 avec minimes remaniements et des additions :]
In Statutis Synodalibus, *Tit. 14. de Poenitentia*, sequentes reservantur Casus.

1°. Incestus in primo et secundo, tam affinitatis quam consanguinitatis gradu...
[La suite identique à 1674, sauf :]
9°. Publica seu notoria Infantium per incuriam crassam oppressio. Delinquintes ... in forma juris, licet absoluti ab eo qui habet potestatem.
[Après le 15° cas, Supra memoratos casus... compleverint de 1674 devient :]
Hi omnes Casus solummodo sunt reservati in illis qui decimum quartum annum compleverunt.

Quoties vero conceditur facultas absolvendi à Casibus reservatis, non extenditur ad Casus Papales Ordinario devolutos, neque ad reservatos ipsi à jure, neque etiam ad illos, quos sibi Ill. Archiepiscopus specialiter reservavit, quales sunt.

1°. Cum Clericus in sacris Ordinibus constitutus, vel ad vestem talarem ratione Beneficii obligatus, eam non defert in loco suae residentiae, vel in aliis locis in quibus commoratur ultra octo dies.

2°. Cum cauponas in loco suae residentiae vel Paroissiae sitas adit, edendi vel bibendi causâ ; aut in fraudem Statuti Synodalis, nullâ negotiorum, sed solius comessationis causâ se confert ad tabernas Pagorum suae Paroissiae aut loci residentiae vicinorum.

3°. Cum ludis publicis interest, aut conventiculis seu in domibus privatis ad ludendum destinatis, ubi lusores convenire solent.

4°. Cum in aliena Dioecesi promotus, in istas suas functiones exercere praesumit sine Vicarii Generalis licentia.

5°. Cum Confessarius audit Mulierum confessiones extra Tribunalia.

6°. Cum habens curam animarum per dies quindecim omittit Catechismum docere populos.

7°. Nullus valide absolvere potest complices suos in materia luxuriae.

8°. Prohibentur omnes Confessarii absolvere Mulieres in confessione à Sacerdote ad libidinem sollicitatas, nisi prius sollicitantem Ordinario denuntiaverint, juxta Constitutionem Gregorii XIV[69]. Quae incipit: Universi Dominici Gregis.
Casus de jure Episcopis reservati habentur sub titulo de Censuris, eo quod aliqua Censura illis sit frequenter annexa.

Besançon 1705

De Censuris
De Excommunicationibus tum Papae tum Episcopis reservatis

Excommunications réservées au pape et aux évêques, faisant partie du chapitre *De Censuris*, différentes selon les exemplaires du rituel.

Excommunicationes vero reservatae à jure Episcopis sunt sequentes

P2710 **Besançon 1705** *Pars prima*, p. 125

[Exemplaire Paris, Séminaire S. Sulpice]
1. Contra sepelientes Haereticos et Excommunicatos vitandos in loco sacro.
2. Raptores Mulierum et praebentes auxilium.
3. Cogentes ad matrimonium, vel ad ingressum Religionis.
4. Docentes non esse necessarium habenti conscientiam peccati mortalis praemittere Confessionem ante Communionem.
5. Condentes Statuta contra libertatem ecclesiasticam, et ea exequentes.
6. Compellentes Personas Ecclesiasticas submittere Laïcis Ecclesias vel bona illarum.
7. Vi vel metu extorquentes absolutionem ab excommunicatione, vel revocationem Interdicti.
8. Sepelientes corpora Defunctorum in loco sacro tempore Interdicti.
9. Contrahentes matrimonium scienter in gradibus prohibitis.
10. Ingredientes claustra Monialium, non ob malum finem, quod locum habet in Foeminis ingredientibus domos Regularium.
11. Participantes cum Excommunicato vitando in crimine criminoso.
12. Religiosi, Moniales et Clerici in sacris Ordinibus constituti, qui matrimonium contrahunt.

---

[69] Grégoire XIV, pape de 1590 à 1591.

Besançon 1705
Excommunicationes Episcopis reservatae istae sunt

Besançon 1705 *Pars prima*, p. 124-125

[Exemplaires Paris, BnF et Bibl. de l'Arsenal]

1°. Illa quam Episcopus sibi reservavit in Statuto vel Mandato.
2°. Illa quam inflixit per sententiam.
3°. Illa quae incurritur propter levem percussionem Clerici.
4° Illa etiam quae incurritur propter gravem percussionem Clerici, quae contingit inter Clericos collegialiter viventes.
5°. Illa quae fertur contra procurantes abortum foetûs animati.
6°. Illa quae fertur contra scienter praesumentes sepelire in Coemeteriis tempore interdicti, vel excommunicatos publicè, vel nominatim interdictos, vel manifestos usurarios, vel haereticos, et eorum fautores in loco sacro.
7°. Illa quae fertur contra extorquentes per vim Absolutionem excommunicationis Episcopo reservatae. Si vero reservata esset Papae, similem excommunicationem incurrerent.
8°. Illa quae fertur contra participantes in crimine criminoso cum Excommunicato ab Episcopo. Si vero fuerit excommunicatus à Papa, excommunicatio Papae reservatur.
9°. Denique cum aliquis absolutus est ab excommunicatione Papae aut Episcopo reservata propter articulum mortis, aut aliud impedimentum, ab eo qui alios illos absolvere non poterat : si cessante impedimento, Superiori non se sistat, in eamdem censuram relabitur. Episcopo etiam reservantur omnes casus Papales, qui ad ipsum jure sunt devoluti.

Évreux 1706
[Jacques Potier de Novion]
Casus reservati… Domino Episcopi Ebroicensi [sic]. *Anno. 1620*

Évreux 1706 p. 59-60

[Formulaire d'Évreux 1606-1621[70] sauf :]
6. Coniugi mortem inferre.
7. Procuratio abortivi sive animati, sive inanimati ex quâ sequitur effectus.

---

[70] Voir Paris 1601-1615 et variantes Évreux (P2600).

8. Oppressio parvulorum per supinam, seu crassiam incuriam.
9. Profiteri vel exercere maleficia, divinationes, caeterasque artes magicas.
24. Crimen falsariorum qui adulterant litteras Ecclesiasticas, sive occultum sit factum, sive publicum, modo non sint litterae, aut Bullae Summi Pontificis, harum enim falsificatio reservatur Papae, quando factum est notorium : Episcopo vero, si occultum est.
28. Ordinati ab alieno Episcopo...

Bordeaux 1707, 1728
Sarlat 1729

[Bordeaux 1707 : Armand Bazin de Besons]
Cas reservez à Monseigneur l'Archevesque

P2713 Bordeaux 1707-1728 p. 134

1. Le Sortilege, l'Enchantement, la Devination, le recours aux Devins et Sorciers, toute sorte de malefices, *avec excommunication des Devins, Sorciers et Magiciens.*
2. L'Heresie et l'Apostasie des voeux solemnels et des ordres sacrez, *avec excommunication.*
3. La prophanation des lieux saints par larcin, fornication, ou effusion notable de sang avec violence et injure, *avec excommunication.*
4. La Simonie et confidence en matiere de Benefices, *avec excommunication.*
5. Battre outrageusement une personne constituée dans les Ordres sacrez, et même un clerc portant l'habit clerical, *avec excommunication.*
6. Battre son Pere ou sa Mere.
7. Faire coucher les Enfans avec soi dans le même lit, avant l'an et jour depuis leur naissance, *avec excommunication* s'il y a eu suffocation.
8. L'Homicide volontaire, sous lequel est compris l'avortement, *etiam ante foetum animatum*, et la cooperation à le commettre.
9. Le Duel, *avec excommunication.*
10. Le Sacrilege, ou peché d'impureté commis avec des religieuses.
11. La Sodomie ou Bestialité.
12. L'inceste au premier degré de parenté, d'alliance, ou d'affinité spirituelle.
13. Mettre volontairement le feu aux maisons ou aux biens d'autrui, *avec excommunication.*
14. Le silence des Notaires, qui dans un mois ne declarent pas aux Curez les legs pies.
15. La falsification de tous Actes publics ou juridiques.

16. Etant dans les Ordres sacrez, ou ayant benefice qui demande residence, avoir mangé et bû dans les cabarets, hors la necessité du voyage : ce peché outre qu'il est reservé, comporte suspense des fonctions des Ordres sacrez pendant un mois, de laquelle aucun Confesseur, même ayant les Cas reservez, ne peut absoudre les Curez, Vicaires perpetuels, ou autres possedans benefices qui obligent à residence.

17. Prendre ou retenir sciemment les biens de ceux qui ont fait naufrage sur mer.

Nul Confesseur, même ayant pouvoir d'absoudre des cas reservez, ne peut donner l'absolution d'aucun peché dont il est complice.

Cambrai 1707

Voir Cambrai 1622-1779.

Rouen 1707

Voir Rouen 1640.

Paris 1709-1713

[Louis-Antoine de Noailles]
Casus reservati D. Archiepiscopo

Paris 1709-1713[71] p. 7-10

Summo Pontifici reservati casus omnes redeunt, cum occulti sunt, ad D. Archiepiscopo ; cui et sequentes decem et octo reservantur, versibus sequentibus jamjam explicandis comprehendi.

Haereticus, Res, Personas, Loca sacra prophanans.
Et Magus; et Blasphemus : Percussorque parentis :
Vitam auferre homini ; vel procurare Duellum :
Conjugis ; Infantisve ; aut Foetûs quaerere mortem :
Raptus ; et Incestus ; Sodomorum infamia ; Leno ;
Igne cremare domos ; et bis duo crimina Falsi.

In praecepta primae tabulae Decalogi.
Haereticus, Res, Personas, Loca sacra prophanans.
Et Magus ; et Blasphemus.
I. Haeresis, hoc est, opinio aliqua contraria fidei…
II. … In quartum praeceptum. *Percussorque parentis…*

---

[71] 12 p. cartonnées reliées à la suite de certains exemplaires du rituel de Paris 1701 (Paris, Bibl. Sém. S. Sulpice), intitulées *Mandatum… DD. Cardinalis de Noailles… De Casibus reservatis*, datées janvier 1709, imprimées à Paris, chez Louis Josse en 1713.

Saint-Flour 1710
[Joachim-Joseph d'Estaing]
Cas reservez au Diocese de Saint-Flour

P2715 **Saint-Flour 1710 p. 24-26**
Sortileges, Enchantemens, Noüement d'eguilletes, Divinations, Conjuration.

Outrage mediocre, commis en la personne d'un Prêtre, Clerc ou Religieux.

Le Duël, dans lequel sont compris non seulement, ceux qui se battent, mais encore ceux qui provoquent, acceptent, portent l'appel, donnent conseil ou ayde.

L'homicide volontaire.

L'inceste au premier degré de consanguinité, ou affinité.

Copula carnalis, cum Moniali.

Nefanda Sodomiae, et Bestialitatis peccata.

L'usurpation, ou injuste detention des biens ecclesiastiques.

L'empêchement direct, ou indirect aux encheres, et beaux à ferme des dimes, ou autres revenus ecclesiastiques, ou à la levée, perception, et libre disposition desdits dimes et revenus, prêtant son nom, intimidant, ou usant des voyes semblables.

L'absolution donnée pour lesdits cas des dimes, et revenus ecclesiastiques, aux coupables de ce crime, directement ou indirectement par tout prêtre de nôtre diocese, que Nous suspendons *ipso facto*, contrevenant à notre ordonnance.

Le crime de faux, de toutes sortes de personnes, nommément des notaires et témoins.

L'usage des viandes défendües durant le carême, sans nôtre permission ou de nos vicaires generaux.

Les femmes qui nomment des peres supposés, et autres que les veritables peres, et ceux qui conseillent ces miserables d'en user, ou qui y cooperent.

Ceux et celles qui exposent leurs enfans aux hôpitaux, ou ailleurs.

L'entrée dans les monasteres, sans nôtre permission, ou de nos vicaires generaux.

La suffocation des enfans, et les femmes qui couchent leurs enfans dans le lict avant qu'ils ayent un an.

Ceux qui frequantent [sic] les cabarets, et les cabaretiers et cabaretieres, qui donnent à boire les fêtes, et dimanches, pendant l'office divin, dans le lieu de la paroisse.

Les danses baladoires le jour du patron, ou reynages[72], les menêtriers qui y joüent des instruments, et ceux qui les loüent.
Le cabaret des clercs, et prêtres, qu'il n'y aye une lieüe de leur residence.

Poitiers 1712, 1714

[Poitiers 1712 : Jean-Claude de La Poype de Vertrieu]
Ordonnances du Diocese de Poictiers[73]
Declaratio Casuum reservatorum Episcopo Pictaviensi

Poitiers 1712 p. 44-46

Declaramus de novo Casus ab antiquo reservatos Episcopo Pictaviensi ; quibus addendum, authoritate nobis commissa duximus, peccatum grande, quo Sacerdos (quod absit) mulieres quas in Confessione Sacramentali audierit, ad impudicitiam, quibuscumque signis, verbis, aut actibus sollicitare auderet. Hunc Casum Nobis expresse reservatum decimo loco posuimus. Declarantes nullum Confessarium posse complicem suam a quolibet peccato mortali contra castitatem exterius commisso, valide absolvere, nisi in mortis articulo. Sunt ergo decem et septem Casus nobis reservati.

1. Hæresis.
2. Veneficium.
3. Incestus in primo et secundo consanguinitatis gradu.
4. Peccata carnis innominata, id est, Sodomia et Bestialitas.
5. Monetæ falsificatio.
6. Domorum, Frugum, Villarum et Sylvarum voluntaria exustio.
7. Duellum.
8. Ingressus Tabernarum pro Clericis.
9. Matrimonium clandestine contractum.
10. Sollicitatio mulieris ab ejus Confessario.
11. Blasphemia enormis et scandalosa.
12. Homicidium voluntarium et Mutilatio.
13. Abortus fœtus animati, vel inanimati.
14. Divinatio, sortilegium, Maleficium impediens usum matrimonii, et expressa Dæmonum invocatio.
15. Adulterium publicum, Concubinatus item publicus seu notorius.
16. Falsum testimonium seu perjurium in judicio.
17. Litterarum seu Instrumentorum publicorum falsificatio.

---

[72] Signification non trouvée dans Godefroy et Huguet, *op. cités.*
[73] Les *Ordonnances du Diocese de Poitiers* font suite au rituel de 1712.

Licentiam concedimus Parochis absolvendi Parochianos suos a septem ultimis Casibus, temporibus infra notatis, scilicet in Paschalibus quindecim diebus. Tota Octava Pentecostes.
Die Festo Assumptionis Beatæ Mariæ Virginis.
Die Festo Omnium Sanctorum et tota Octava Nativitatis Domini.
Et eisdem Parochis die statuto cujuslibet mensis, quo ad Collationes Ecclesiasticas conveniunt, a septem prædictis ultimis omnes apud se confitentes, absolvendi.
Admonendo serio peccatores hujusmodi de gravitate ac reservatione horum Casuum.
Ac ipsis salutares pro qualitate peccatorum Pœnitentias injungendo.

Ad supradictorum Casuum intelligentiam sciant omnes nullam esse reservationem casus, qui non sit opere externo completus.

Nullam quoque dari reservationem pro impuberibus, sicuti nec pro agentibus in extremis; æger tamen si convalescat, ad superiorem, vel ad habentem potestatem, pro censuris, si quas incurrerit, remittendus est.

Senes præterea, infirmi, pauperes ad mendicitatem redacti, mulieres et puellæ ob varia pericula non debent ultra duas leucas remitti, pro quolibet casu reservato, sed possunt a propriis Parochis absolvi, nisi intra dictum spacium sit aliquis potestatem habens. Datum Pictavii in Palatio nostro Episcopali die 15. Martii 1706. Signatum + Joannes Claudius Episcopus Pictaviensis. *De Mandato*, Gervais, Secretarius.

Metz 1713
[Henri-Charles du Cambout de Coislin]
Casus reservati ... Episcopo Metensi

P2717 **Metz 1713** *Pars secunda*, p. 87-88
1. Maleficium, sortilegium, et divinatio.
Per Maleficium intelliguntur omnes modi quibus, sive hominibus, sive bestis alienis, morbi, aut mors inferuntur, etiamsi per causas naturales, sed secretas. v.g. per venena in herbas projecta etc.
Per sortilegium intelligitur quicquid sit, aut tentatur, ope daemonis. Licet enim qui aliquid tentaret agere per daemones, id non possit perficere; tentasse tamen casus reservatus est. v.g. morborum curationem per signa, aut verba procurare, aut tentare.
Per divinationes intelligitur quicquid agitur, per quod promittitur, aut speratur, futuri aut ignoti cognitio. Simplices autem superstitiones; ut dierum observatio, aliaeque variae observantiae non sunt reservatae.

2. Confidentia et simonia, etiam occultae.

3. Homicidium voluntarium, ad quod procurationem aborsus [sic], vel ante foetûs animationem, sicut et puerorum suffocationem revocamus.

4. Duellum, et crimen eorum, qui duelli sunt quovis modo consortes.

5. Percussio Clerici in sacris ordinibus constituti, Religiosi professi, atque Patris vel Matris.

6. Sodomia et bestialitas. Etiam attentata et non consummata.

7. Incestus intra secundum gradum consanguinitatis aut affinitatis, concubitus confessarii cum poenitente, aut poenitentis cum ipso, fornicatio tam ab iis, qui sacris ordinibus sunt initiati, quam à personis Religionis voto astrictis, vel cum ipsis commissa, absolutio complicis in peccato carnis tantum, raptus virginum atque mulierum honestè viventium, et matrimonium clandestinum.

Per incestum, concubitum, fornicationem, intelligitur illud peccatum carnis, quo sexus uniuntur, et vis et mulier fiunt una caro; idque etiamsi, per horrendam turpitudinem, ante operis consummationem, se separent, et foemina semen non recipiat. Qui enim hanc rem faciunt detestabilem, cum simul fuerint juncti, et facti sint una caro, reservationi subjacent: sic enim virgo deflorari potest; et per judicum sententiam adulteri declararentur conjugati, qui sic cum alienis conjugibus, fuissent conjuncti. Incestus autem est, et vere reservatus, etiamsi affinitas aut cognatio ex illicitâ copulâ ortae sint.

Absolutio complicis in peccato carnis intelligitur, non de sola fornicatione; sed de omni impudicitiâ exterius commissâ, vel per simplices tactus impudicos, cujusvis generis sint; vel per simplex osculum impudicum, vel etiam per aspectum voluntariè propter libidinem permissum; quando haec peccata sunt mortalia.

Raptus, etiam consentiente virgine, aut muliere; sed differentibus iis in quorum est potestate, reservatus est; etiamsi peccatum carnis non fuerit commissum. Si autem, consentiente muliere, fiat per simplicem abductionem, ut statim in loco tuto reponatur, si fornicatio cum eâ commissa fuerit, reservatus est; si vero spontè abducta, statim in locum tutum reposita fuerit, et fornicatio non fuerit commissa, non est reservatus. Non solum autem raptor sed complices, auxilium aut favorem praebentes etc. in casum reservatum incidant.

8. Usura publica.

Intelligitur ea de quâ talis est infamatio, ut apud multo aliquis pro usurario habeatur; etiamsi usuram suam excusare tentet, ut mos est cunctis qui ex simplici mutuo aliquid percipiunt.

9. Ebrietas Clericorum sacris ordinibus initiatorum.

Ea intelligitur quae exterius notabiliter apparet; ita ut, aut lingua balbutiat, aut corpus titubet; etiamsi mens non sit omnino vino sopita.
10. Cauponae frequentatio.

Frequentatio dicitur, dum viri plebeii bis, aut ter in mense, cauponam, sine necessitate adeunt; praesertim diebus dominicis et festis. Et talis esse debet, ut peccatum mortale committatur. v.g. dum quis bibit aut manducat plusquam decet; aut ea insumit, quae ad familiae sustentationem necessaria sunt; aut turpia loquitur, cantat, audit, agit; aut commoratur in popinâ, cum scandalo; aut sic est occasio jurgii, inter virum et mulierem, aut parentes; aut est causa vel occasio, cur alii in haec peccata incidant; etiamsi ipse ea devitet; aut est in popinâ, dum celebratur divinum officium.

Licet haeresis inter casus praedictos non recenseatur, tamen est semper reservata: ita ut iis quibus licentia à reservatis absolvendi conceditur, non concedatur licentia absolvendi ab haeresi; sicut neque absolvendi ab excommunicatione ab homine, sive per sententiam declaratâ; nisi expressè fiat de iis mentio, in licentiâ concessâ. Nemo igitur ab haeresi, neque publicè, neque privatim in tribunali, absolvat, nisi specialem licentiam absolvendi ab haeresi acceperit.

Quimper 1717

Voir Quimper 1680.

Vannes c. 1717

Voir Vannes 1680.

Aire [1720]

[Joseph-Gaspard de Montmorin de Saint-Herem]
Table des Cas Reservez à Monseigneur l'Illustrissime et Reverendissime Evêque d'Aire

P2718 **Aire 1720 p. VI-IX**

I. Le Sortilege, l'Enchantement, la Devination, le recours aux Devins, et Sorciers, toute sorte de malefices, pour empêcher l'usage du Mariage.

II. Tous ceux qui s'ingerent de guerir les maladies des Hommes, ou des Bestiaux, par paroles, caractere [*sic*], ou autres moyens superstitieux.

III. L'homicide volontaire.

IV. Batre [sic] outrageusement un Religieux, une personne constituée dans les Ordres sacrés, et même un Clerc portant l'habit clerical, *avec excommunication*, laquelle est reservée au Saint Siège (*Si percussio atrocior fuerit*).

V. Mettre volontairement le feu aux maisons ou biens d'autruy *avec Excommunication*.

VI. La profanation des Lieux saints, par larcin, fornication, ou effusion notable de sang, procurée avec violence et injure *avec Excommunication*.

VII. Usurper les biens des Fabriques et des Eglises, ou empêcher par des intrigues secretes, ou autres pratiques frauduleuses que lesdits Biens ne soient affermés au profit ou avantage des Eglises ou Fabriques.

VIII. Entrer dans les Monasteres des Moniales sans permission.

IX. L'Inceste au premier et second degré de consanguinité et d'alliance, même de celle, *quæ contrahitur ex copula illicita*, et l'Inceste au degré d'affinité spirituelle.

X. Prendre des remedes pour se faire avorter, soit que le fœtus soit animé ou non, quand même les remedes n'auroient point d'effet, dans le même cas sont compris ceux qui donnent ou conseillent lesdits remedes.

XI. Le sacrilege ou peché d'impureté commis avec une Religieuse ou du Confesseur avec sa Penitente, et celuy d'un Prêtre avec une Personne Laïque, *etiam copulâ non consummatâ*.

XII. Faire coucher avec soy dans le même lit les enfans avant l'âge d'un an accompli, *avec Excommunication*, s'il y a eu suffocation.

XIII. Fraper [sic] volontairement son pere ou sa mere, son ayeul ou ayeule.

XIV. Le Duel dans lequel sont compris tous ceux qui y contribuent.

XV. Les détestables pechés de Sodomie et de Bestialité.

XVI. La négligence des Notaires, qui dans un an ne declarent pas aux Curés les Legs pies.

XVII. Recevoir la Bénédiction nuptiale d'un prêtre qui n'est pas le Curé des parties, et qui n'a pas la permission de l'Evêque ou celle du Curé des parties contractantes.

XVIII. Falcifier [sic] toute sorte d'Actes publics et juridiqs [sic].

XIX. La Simonie et confidence occulte en matiere de Bénéfice.

XX. Manger sans necessité de la viande le Carême et les autres jours que l'Eglise le défend.

XXI. Les Peres qui font coucher avec eux dans le même lit leurs filles, quand elles ont passé l'âge de dix ans, et les Meres qui font coucher les garçons aprés le même âge.

XXII. Faire coucher dans le même lit les garçons et les filles, quand les uns ou les autres ont atteint l'âge de dix ans.

XXIII. Les Cabaretiers qui donnent à boire et à manger, et ceux qui boivent et mangent dans les Cabarets pendant les Offices divins les jours de fêtes et de dimanches, excepté les Etrangers qui sont en voyage.

Nous accordons à tous les Confesseurs approuvés de Nous, le pouvoir d'absoudre de tous les susdits Cas Reservés quand un Penitent fera une confession générale *ad seriam vitæ Emendationem*. Nous donnons aussi le même pouvoir aux Confesseurs à l'egard des personnes qui etans tombées dans quelques-uns desusdits Cas Reservés ne le declarant que lorsqu'elles sont sur le point de se marier, si elles ne peuvent être renvoyées sans scandale : Nous declarons qu'aucun Confesseur, même ayant les Cas Réservés ne peut donner l'absolution des pechés dont il est complice.

Il faut observer qu'un péché n'est point reservé : 1. Lorsque l'action n'a pas été consommée.

2. Lorsque le peché a eté commis avant l'âge de puberté, c'est à dire avant l'âge de 14. ans pour les Garçons, et de 12. ans pour les Filles.

3. Lorsque le péché n'est que veniel ou par le défaut d'advertence ou par la legereté de la matiere, et en cas qu'il y eut doute si le peché est mortel ou veniel, ou qu'il ne parut pas clairement qu'il est compris dans les pechés que Nous nous sommes reservés, Nous permettons à tous Prêtres approuvés dans ce Diocèse d'en absoudre.

Comme quelques-uns des cas que Nous nous sommes reservés ont des Censures annexées, il faut remarquer que celuy qui a le pouvoir d'absoudre des Cas Reservés peut en même tems absoudre de la Censure qui y est annexée, à moins qu'il n'en soit fait une exception particuliere.

Dans les Cas ci-dessus, Nous n'avons pas parlé du peché de ceux qui pour guerir de certaines maladies qu'ils croyent être des malefices, ont recours à des imposteurs, qui pour les délivrer de ces maladies se servent de plusieurs moyens illicites et superstitieux qui n'ont aucune connexion avec l'effet qu'ils veulent produire, parce que par nôtre Ordonnance du 15 Mars 1715 Nous nous sommes reservés specialement à Nous et à nos Grands Vicaires le pouvoir d'absoudre de ces Cas. Par la même Ordonnance Nous avons défendu sous peine de suspense encouruë par le seul Fait, à tous Prêtres et autres Ecclesiastiques Seculiers ou

Reguliers de nôtre Diocése ou y demeurant, d'entreprendre de guerir ces sortes de maladies, ou ces prétendus malefices par des exorcismes ou autres prieres telles quelles [sic] puissent être. Nous n'avons point neanmoins prétendu comprendre dans cette défense les Curés, Vicaires et autres Prêtres approuvés de Nous, qui pour la consolation des malades de leur Paroisse seulement pourront réciter des Evangiles et autres Prieres qu'ils trouveront dans ce rituel quand les Malades le souhaiteront. Mais ils ne s'ingereront point de faire aucun exorcisme, nul Prêtre n'en pouvant faire dans ces sortes de cas sans nôtre permission.

Tout Prêtre approuvé a pouvoir d'absoudre directement des Cas Reservés les Malades qui sont en peril de mort, c'est pourquoy il n'est pas necessaire alors d'avoir recours à ceux qui ont obtenu du Superieur la permission d'absoudre des Cas Reservés, ni obliger le Penitent à se presenter au Superieur aprés sa convalescence.

La Dispense ou Commutation des Vœux appartient particulierement à nos Seigneurs les Evêques, à la réserve de cinq reservés au Saint Siege, sçavoir.
1. Le Vœu de Chasteté perpetuelle.
2. L'entrée en Religion approuvée.
3. Faire le voyage de Rome.
4. Celuy de Jerusalem.
5. Celuy de Saint Jacques de Compostelle.

Oloron 1720[74]

[Joseph de Revol]
Table des cas reservez dans le Diocese d'Oleron

Trois listes de cas réservés aux évêques, les deux premières (P2719 et P2720) propres à Oloron ; la troisième (p. 109-110) reprenant la liste d'Auch 1701.

19 **Oloron 1720 p. [3]-[4]**
I. Le Sacrilege, en se servant à des usages prophanes et criminel[s], de la Saint[e] Eucharistie, du Saint Chrême, et autres choses saintes, sacrées ou benites.
II. La Magie, Sortilege et Enchantement.

---

[74] *Rituel romain à l'usage de la province ecclésiastique d'Auch. Reimprimé par l'ordre de Monseigneur ... Joseph de Revol Evêque d'Oleron. A Pau, chez Jérôme Dupoux ...* M.DCC.XX. 4°, [8]-609-[5] p. Oloron, Bibl. mun. ; Toulouse, Bibl. univ. Ouvrage non recensé par Molin Aussedat. Le rituel d'Oloron 1720 est une réimpression du rituel d'Auch 1701 avec quelques additions, dont les cas réservés à l'évêque d'Oloron.

III. S'immiscer à faire des Exorcismes, excepté les Curez dans leurs Paroisses, ou autres Prêtres approuvez de Nous et du consentement desdits sieurs Curez.

IV. Avoir, retenir, et lire sans permission speciale les Livres des Heretiques, traitans de religion.

V. Retenir les titres, papiers et biens appartenans à l'Eglise.

VI. Le vol d'une chose sainte dans un lieu saint, ou même d'une chose prophane dans un lieu sacré.

VII. L'incendie volontaire des Eglises, maisons, grains, meubles, champs, vignes, et autres choses importantes, si elle n'est pas publique et deduite au for exterieur.

VIII. Faire de faux Actes ou Contrats, ou s'en servir en Justice en connoissant la fausseté.

IX. Les Parjures en Justice.

X. Frapper son Pere ou sa Mere, son Ayeul ou son Ayeule.

XI. L'homicide volontaire.

XII. Faire avorter des Femmes enceintes, soit que le Foetus soit animé ou non.

XIII. A un Mary, prendre des mesures pour procurer la mort de sa Femme, ou à une Femme pour celle de son mari, quand même la mort ne s'ensuivroit pas.

XIV. Le Duel, tant pour ceux qui le commettent, ou même l'acceptent, que pour ceux qui le proposent, et en portent la parole, quand même le Duel ne s'en suivroit pas.

XV. Les crimes de Sodomie et Bestialité.

XVI. Le Sacrilege avec une Religieuse, ou d'une personne du Sexe avec un Religieux.

XVII. La Fornication et autres péchez plus enormes commis dans l'Eglise.

XVIII. Tout commerce charnel du Confesseur avec sa Penitente, et de la Penitente avec son Confesseur.

XIX. L'inceste au premier et second degré.

XX. Le crime de rapt.

XXI. Recevoir le Sacrement de mariage, d'autres que du Curé des parties contractantes, ou autrement que dans les formes prescrites par l'Eglise, avec excommunication « ipso facto ».

XXII. Exposer des enfans.

XXIII. Mettre coucher des enfans dans le lit, avant qu'ils ayent au moins un an accompli.

XXIV. Les Peres qui font coucher avec eux dans le même lit leurs filles, quand elles ont passé l'âge de dix ans; et les Meres leurs garçons aprés le même âge.

XXV. Faire coucher dans le même lit les garçons et les filles, quand les uns et les autres ont atteint le même âge de dix ans.

XXVI. Manquer deux années consecutives à satisfaire au devoir paschal.

XXVII. Les Cabaretiers qui donnent à boire ou manger pendant les Offices divins, les saints jours de fêtes et dimanches, excepté aux étrangers qui sont en voyage seulement et non aux voisins en partie de plaisir.

XXVIII. Les particuliers qui auront beu ou mangé au Cabaret, joué ou assisté aux jeux publics, dansé ou assisté aux danses publiques, pendant le même temps des Offices divins à ces saints jours, pour la troisiéme fois depuis la derniere confession.

XXIX. Ceux qui auront travaillé les saints jours de fêtes et dimanches, hors le cas d'une nécessité pressante, et sans permission de leurs curez, pour la troisiéme fois.

XXX. Les Cabaretiers qui donnent à manger de la viande aux jours ausquels l'usage en est defendu par l'Eglise, sans une necessité pressante et évidente.

XXXI. Ceux qui en mangent, soit en public ou en particulier aux jours prohibés, sans l'avis précedent de leurs Médecins ou autres qui les traitent dans leurs maladies et infirmitez, ou permission du Curé ou Vicaire de leur Paroisse, hors le cas d'une nécessité si pressante que l'on ne puisse y avoir recours.

XXXII. Les Peres et meres qui envoyent leurs Enfans à l'Ecole dans les Cabarets, jusques à ce qu'ils les en ayent retirez.

XXXIII. Les Regens ou Regentes qui enseignent les garçons et les filles ensemble au dessus de l'âge de dix ans.

Oloron 1720

Cas specialement reservez pour les prestres, et autres Ecclesiastiques dans les Ordres sacrez, ou Beneficiers

Oloron 1720 p. [7]

1. Avoir des Servantes au dessous de l'âge de cinquante ans sans permission speciale de nôtre part, avec suspense, ipso facto…

2. Garder avec eux des personnes du sexe avec lesquelles ils auroient malversé autre fois, ou des Enfans illegitimes, fruits de leurs crimes, avec excommunication, ipso facto.

3. Boire ou manger au Cabaret, hors le cas d'un voyage serieux, et non en partie de plaisir pour y aller manger exprés, avec interdiction ipso facto, par le cabaret nous entendons, les jarnis[75] [sic], enclos, pourpris [espaces] du cabaret, et maisons loüées ou empruntées au voisinage, in fraudem legis.

4. Danser ou se masquer, ce dernier avec excommunication, ipso facto.

5. Joüer au Lansquenet, Bassete, Pharaon, Dés, et autres jeux de hazard.

6. Entrer dans les Berlans publics, pour y joüer à quelque sorte de jeux que ce soit, y donner leur argent à joüer, ou y voir joüer, avec interdiction ipso facto.

7. Faire des Mariages d'autres que de leurs paroissiens, sans le consentement du curé, ou notre permission expresse, avec suspense ipso facto.

8. Dire la Messe, pendant la Messe de paroisse dans la même Eglise, avec suspense ipso facto.

9. Manquer à porter la soutane, à une lieue de sa residence.

10. Manquer à assister aux Conferences ecclesiastiques de leur Canton, sans excuse legitime dont ils auront informé le directeur, pour la deuxiéme fois consecutive.

Nous donnons pouvoir à tout prêtre approuvé de Nous, d'absoudre de tous lesdits cas, quand un penitent fera une confession generale, ad seriam vitae emendationem.

On doit être aussi averti qu'outre Messieurs nos Grands Vicaires et les autres messieurs qui composent nôtre Conseil, à qui nous avons donné pouvoir d'absoudre des cas reservez de tout nôtre Diocese, les Directeurs des Conferences ont aussi le pouvoir d'absoudre des cas reservez ausquels il n'y a point de censure attachée, pendant le temps de leur direction, et pour leur canton seulement, non les secretaires desdites Congregations, comme quelques uns l'ont crû.

Oloron 1720

Cas reservez à Monseigneur l'… Archevêque d'Auch
Oloron 1720 p. 109-110.
Voir Auch 1701.

---

[75] Signification non trouvée dans Godefroy et Huguet, *op. cités*.

Tournai 1721

[Johann-Ernst von Loewenstein-Wertheim]

Casus Episcopo Tornacensi reservati

Formulaire de Tournai 1625 avec additions, ici entre doubles crochets carrés.

Tournai 1721 p. 63

Ne quis solitâ casuum reservatione à salutaris confessionis remedio retrahatur, vel quia sacerdotem qui eum absolvat, in promptu non habet, vel quod propter sumptus, ad Episcopum, vel ejus delegatos proficisci differrat: praedecessorum nostrorum vestigiis inhaerentes, potestatem absolvendi à casibus nobis reservatis omnibus parochis usque ad revocationem committimus, exceptis tamen.

Homicidis.
Excommunicatis majori excommunicatione.
Suspensis.
Interdictis nostrâ authoritate.

[[Matrimonium sine bannis, et sine consensu Parochi, etiam in illius praesentiâ, ineuntibus. *Cui casui excommunicationis majoris ipso facto incurrendae poena jam dudum in hâc Dioecesi apposita est.* (Mand. ... D. de Choiseul... 1679)

His casibus piae et gloriosae memoriae D. de Salignac de la Motthe Fenelon exemplum secuti adjicimus.

Peccatum complicis in materiâ venereâ exteriori actu commissum.

A quo peccato, quemadmodum sapienter statuit pro suâ Dioecesi praefatus Metropolitanus noster, sic et in nostra statuimus ut nemo complex validè absolvere possit; quamcumque à casibus reservatis absolvendi facultatem acceperit, vel deinceps accepturus sit.]]

Tournai 1721

Casus autem reservati à quibus ex commissione absolvere possunt Parochi, sunt hi

Formulaire de Tournai 1625 avec additions, ici entre doubles crochets carrés.

Tournai 1721 p. 63-66

Apostasia.
Sortilegium factum cum Eucharistiâ aut Chrismate.
Perjurium solemne.
Violatio voti solemnis.

Injectio violenta manuum deliberato proposito cum laesione in parentes.
Veneficium.
Procuratio sterilitatis vel abortus.
Sacrilegium excedens quadraginta solidos.
Usuria notoria.
Incendium voluntate deliberata procuratum.
Adulterium notorium.
Incestus [[spiritualis]] cum sanctimonialibus, et [[incestus cum]] consanguineis intra tertium gradum.
Sodomia.
Raptus virginum.
Falsum testimonium in judicio datum.
Crimen falsi.
Simonia realis, *et praedictis graviora in eodem genere peccati, Apostolicae tamen Sedi suis semper salvis.*

[[A *praedictis autem casibus, à quibus ex commissione absolvere possunt parochi, sacerdotes caeteri tum saeculares tum regulares, qui expressam à casibus reservatis absolvendi facultatem non habuerint, absolvere non valeant.*

Quoad Puellas cum viris adolescentibus popinas adeuntes, *standum est decreto Synodi Diœcesanæ anni 1679. quod idcirco huc referimus.* Districte iterum præsentis totius Synodi suffragiis, omnibus Parochis, Vice-Pastoribus, cæterisque Confessariis tum sæcularibus tum regularibus inhibetur, ne ullas puellas hujusmodi popinas cum viris adeuntes, neque viros adolescentes cum puellis in tabernis potantes, atque etiam ipsos caupones, seu quoslibet alios in suas domos, hortos, aut recessus, puellas et juvenes viros simul admittentes sacramentaliter absolvant, aut ad alia omnino Sacramenta admittant, nisi eos videant vere pœnitentes, et sibi coram Deo sincere proponentes istud peccatum in posterum non committere. Et si in istud reciderint, ad Sacramenta nullatenus admittantur, nisi per sex menses abstinuerint cum proposito semper abstinendi. Pastoribus, Vicariis et respective cæteris Confessariis tum sæcularibus, tum regularibus declaratur, quod si secus fecerint, non solum alienorum peccatorum participes futuri sunt; sed etiam eorum, quorum salutem promovere debent, damnationis rei. Hoc porro singulis annis in concione Missæ Parochialis diebus Dominicis quatuor præcipua anni festa proxime antecedentibus promulgetur, et vulgari lingua populo explicetur.

Ne vero sex mensibus si removeantur a Sacramentis, nonnulli vel nimia absorbeantur tristitia, vel ex salutis incuria in suis peccatis magis insordescant; Pastorum, et Confessariorum qui absolvendi a casibus in hac Diœcesi reservatis facultatem habent, vel deinceps obtinebunt, prudenti judicio permittimus tempus illud contrahere pro pœnitentium dispositione: omniumque Confessariorum prudentiæ sit hac in re casus secernere, quos necessitas aliæve honestæ circumstantiæ excusant, ab iis quos mala cupiditas, periculumve peccandi noxæ implicat.

Postremo de frequentatione popinarum viris Ecclesiasticis prohibita, cum intelligamus sanctionem nostram 26. Martii 1717. latam effectu suo frustrari, eo quod pœnas non incurri a se trangressores nonnulli confidant; visum est sic esse statuendum, uti et nunc statuimus, ut nulli viro Ecclesiastico, cujuscumque sit ordinis, conditionis, vel dignitatis, frequentare popinas, aut eas adire ad potandum liceat in loco residentiæ suæ, aliisve locis citra spatium leucæ adjacentibus. Qui secus fecerit citationi, et temporali interdicto, prout casus tulerit, Promotore nostro instante sit obnoxius. Qui vero semel ob hoc delictum a Vicariis nostris Generalibus, Officialive reprehensus rursum in ejusmodi culpam inciderit, ipso facto ab officio suo, suique ordinis exercitio suspensus esto.

Declaramus insuper popinarum nomine hic comprehendi domos illas, quæ vulgo Caffé *nuncupantur, aut in quibus vinum adustum venale est, cum atriis et hortis suis.]]*

Quimper 1722

[François-Hyacinthe de Ploeuc de Timeur]
Cas reservez dans le Diocese de Quimper. Avec excommunication qui sera encouriie par le seul fait

Quimper 1722 p. 295-297

1. L'heresie.

2. La simonie et la confidence occulte.

3. Exercer le malefice, le sortilege, l'art de deviner, de guerir des maladies par billets ou paroles, ou autres sortes de magie.

4. Fraper [sic] griévement une personne dans les ordres sacrez ou qui a fait profession en religion.

5. L'oppression ou la suffocation des enfans, arrivée pour les avoir fait coucher avec soy dans le même lit, avant l'âge de jour et an.

6. L'incendie de moissons ou de maisons faite [sic] par malice, avant la dénonciation.

7. Boire et manger en cabaret dans sa paroisse durant la grand'-messe ou les vêpres les dimanches et fêtes : ou donner à boire et à manger aux habitans du lieu dans les mêmes circonstances.

8. Sonner ou danser publiquement durant l'office divin, et même durant les messes basses ; continuer de sonner ou de danser proche des Eglises les dimanches et fêtes à quelque heure que ce soit, aprés avoir été avertis par un ecclesiastique de cesser. Assigner ou jetter la soule[76] ces mêmes jours, à l'égard de ceux qui l'auront assignée ou jettée.

9. Violer les femmes et les filles ; les enlever lors même qu'elles y consentent ; et cela tant à l'égard des ravisseurs, que des complices et fauteurs du rapt.

Quimper 1722
Cas reservez qui n'ont point de censure annexée

P2724 **Quimper 1722 p. 298-303**

1. L'Homicide volontaire.

2. Fraper [sic] les Pere, Mere, Grand-Pere, Grand'-Mere, Beau-Pere et Bell'-Mere.

3. Causer volontairement quelque fausse couche ; prendre ou donner des brevages pour faire perir le fruit animé ou non animé, quand même l'effet n'en suivroit pas.

4. Faire coucher avec soy dans le même lit sous les draps, les enfans qui n'ont pas atteint l'âge de jour et an, quand l'oppression ou la suffocation ne s'ensuit pas.

5. Obliger par force ou par ménaces quelque personne à recevoir les saints Ordres, à faire profession en Religion, ou à se marier.

6. Porter faux témoignage en Justice, soit en taisant la verité, soit en disant des choses fausses, quand on est juridiquement interrogé par un juge ecclesiastique ou laïque.

7. Fabriquer des faux témoins, falsifier Dimissoires, Exeats, Contrats, Cedules, Quittances et autres actes publics, ou les signer les connoissant faux.

8. Fabriquer, falsifier ou alterer la monnoye ; distribuer de la fausse monnoye avec connoissance certaine.

9. Le blaspheme public et scandaleux, lorsque de propos deliberé on profere contre Dieu ou ses saints, en presence de trois personnes au moins, des paroles impies, et qui font horreur.

---

[76] La soule : signification non retrouvée

10. Le sacrilege où sont compris l'effusion notable de sang dans l'Eglise ou cimetiere, causée par quelque coup donné par malice; le larcin d'une chose sacrée en quelque lieu que ce soit, et d'une chose prophane appartenant à l'Eglise, ou que l'on y a mise en dépôt.
Concubitus Confessarii cum poenitente, et poenitentis cum Confessario; cujuscumque concubitus cum sanctimoniali in quocumque loco, vel cum aliâ qualibet personâ in Ecclesiâ.

11. Continuer à parler dans l'Eglise, et s'y entretenir durant la messe et l'office, aprés avoir été avertis par un Ecclesiastique ou un Religieux de se taire.

12. Mettre les enfans des deux sexes coucher ensemble aprés l'âge de cinq ans, et à l'égard des peres et meres de mettre les enfans coucher avec eux aprés le même âge.

13. La Sodomie et bestialité.

14. L'inceste entre parens ou alliés au second degré inclusivement.

15. Les veillées scandaleuses, les jeux, et les danses qui se font de nuit dans les campagnes: et cela à l'égard de ceux et celles qui prêteront leurs maisons, et des filles et femmes qui y viendront des autres villages.

16. Les assemblées pour les Rendries[77], Filleries [veillées], Aires neuves, Faucheries, Egobues [liages de gerbes], et autres choses pareilles, quand elles se font à la foule et à l'opression [*sic*] du peuple; et cela à l'égard de ceux et celles qui les convoquent.

17. Les Danses publiques les dimanches et fêtes gardées, tant pour ceux qui les convoqueront, que pour ceux qui y danseront.

Il n'y a point de cas réservez pour les enfans, qui n'ont pas encore atteint l'âge de puberté.

Quimper 1722

Cas reservez. Specialement pour les Ecclesiastiques

Quimper 1722 p. 303-305

Confesser sans approbation du Superieur, hors les limites de la permission; le temps de son approbation expiré, ou après la revocation de son pouvoir, avec suspense qui sera encouruë par le seul fait.

2. Faire les fonctions d'un Ordre dont on est suspens; recevoir le Soûdiaconat par un titre faux, supposé ou non suffisant, quand celui qui reçoit l'ordre en connoit la fausseté, nullité ou non valeur.

---

[77] rendries: signification non trouvée dans Godefroy et Huguet, *op. cités*.

3. Visiter les malades, ou conferer quelque sacrement étant yvre, ou paroître en cet état dans l'Eglise durant l'office les dimanches et fêtes.

4. Manger, ou boire du vin ou autres liqueurs dans le cabaret, dans les lieux ou on débite en fraude, à la porte, dans la cour, jardin et autres endroits qui en dépendent; dans les ruës, grands chemins et places publiques dans l'étenduë de sa paroisse, et même hors de sa paroisse si on n'est à une lieuë au moins de sa residance [sic], avec suspense d'un mois qui sera encouruë par le seul fait.

5. Avoir un commerce honteux et connu dans le voisinage.

Lyon 1724
[François-Paul de Neufville de Villeroy]
Cas reservés à Monseigneur l'Archevêque

P2726 **Lyon 1724 p. 178-181**

1. Tous Sorciers, Devins, Enchanteurs, Magiciens, tous ceux qui les consultent et s'en servent, notamment ceux qui noüent l'éguillette et empêchent la consommation du mariage.

2. Ceux qui proferent en public des blasphêmes atroces contre Dieu et les Saints, et qui commettent des sacrileges, en profanant publiquement les choses saintes.

3. Les sacrileges, violateurs et expoliateurs d'Eglise et autres lieux saints, avant qu'ils soient denoncés; car après la denonciation ils doivent être renvoyés au Pape.

4. Ceux qui sont tombés dans l'héresie.

5. Les Notaires et tous autres de quelque qualité et condition qu'ils soient, qui ayant par devers eux quelques testamens, titres ou autres papiers et écritures, concernans les droits des Eglises, Benefices, Hôpitaux et choses pies, ne les rendront ou reveleront à ceux qui y ont interêt.

6. Ceux qui frappent leur pere ou mere.

7. Les assassins et homicides volontaires, ou qui tuent injustement et à tort.

8. Ceux qui se sont battus en duel.

9. Ceux qui étouffent les petits enfans dans le lit sans y penser, et ceux qui les mettent coucher avec eux avant qu'ils ayent un an accompli.

10. Ceux qui procurent l'avortement et qui y donnent aide ou conseil.

11. Ceux qui frappent même légerement un Clerc, quand il est en habit ecclesiastique, et qu'il n'est point aggresseur.

12. Les concubinaires publics, ceux qui enlevent les femmes ou les filles, et ceux qui les violent.

13. Ceux qui commettent un inceste avec leurs parentes ou alliées au premier et second degré.

14. Ceux qui ont commis le peché de la chair dans une Eglise ou un lieu sacré.

15. Ceux qui ont commis le peché de la chair avec une Religieuse.

16. Ceux qui ont commis le détestable peché de Sodomie ou de bestialité.

17. Les Prêtres qui se sont servis de la confession, directement ou indirectement, par paroles, signes, attouchemens ou autres actions deshonnêtes, pour porter leurs penitentes à l'impudicité, soit qu'ils soient venus à bout de leurs mauvaises intentions ou non.

18. Ceux qui ont commis l'inceste spirituel, ce qui arrive lorsque les Confesseurs sans avoir sollicité leurs penitentes dans la confession, commettent avec elles le peché de la chair.

19. Les Parjures ou ceux qui portent faux témoignage en jugement.

20. Ceux qui font de faux actes de resignation de Benefices, permutation, demission, cession, nomination et presentation.

21. Ceux qui recelent les corps des Beneficiers decedés, et qui y donnent aide, conseil ou faveur.

22. Les Ecclésiastiques constitués dans les Ordres sacrés ou possedans des Benefices, qui ont bû dans le cabaret ou és lieux en dépendans et contigus, dans le lieu de leur residence, ou aux environs d'icelui ; si ce n'est en cas d'un juste voyage et à une lieuë de leur residence ordinaire, et ceux qui vont à la chasse avec des armes à feu, ou avec des chiens.

23. Les cabaretiers et traiteurs qui donnent à manger ou souffrent que l'on mange chez eux de la chair durant le saint tems du Carême, et ceux qui en mangent sans en avoir obtenu la permission de M. l'Archevêque, à moins qu'ils ne soient obligés de le faire par une maladie dangereuse, avant que de l'avoir obtenuë.

24. Les usuriers publics et ceux qui prêtent sur gages, et retirent des interêts chaque mois.

25. Ceux qui exposent leurs enfans, qui y donnent aide, conseil, ou faveur.

Beauvais 1725

Formulaire de Beauvais 1637 avec quelques variantes. *Voir* Beauvais 1637.

Orléans 1726

[Louis-Gaston Fleuriau d'Armenonville]
Les Cas qui Nous sont reservez

P2727 **Orléans 1726** p. 90-93

1. *Tous ceux qui étant réservez au saint Siège, sont commis par des personnes, qui sont dispensées par le droit d'aller à Rome.*

Telles personnes sont les Religieux, les femmes et filles, les vieillards, les valétudinaires, et les pauvres.

2. L'*Hérésie*. Lorsqu'on fait publiquement profession d'une erreur contraire à la Foi, et qu'on la soûtient avec obstination.

3. *Le Blasphème*. Lorsque quelqu'un clairement et publiquement, et avec quelques expressions énormes qui sentent le mépris et l'impieté, dit, ou écrit quelque chose d'injurieux et d'éxecrable contre Dieu, la sainte Vierge, ou les Saints.

4. *La Magie*. Sous ce nom nous comprenons les Magiciens, Enchanteurs, Sorciers, et Devins, et tous ceux qui se servent de poison, ou de maléfice, soit pour empêcher l'usage du mariage par des ligatures, ou pour causer au prochain d'autres dommages, et même pour rendre la santé aux hommes, ou aux bêtes, en vertu de quelque pacte avec les démons, exprès ou tacite, et tous ceux qui leur demandent aide, conseil, ou la connoissance des choses cachées.

5. *Fraper* [sic] *griévement son pere, sa mere, ayeul, ou ayeule.*

6. *L'homicide volontaire, ou même fortuit, qui arrive en faisant quelque chose d'illicite, ou en ne faisant pas ce qu'on doit faire; en sorte que cette action, ou omission soit un peché mortel, et qu'on en puisse et doive craindre, ou probablement prévoir le danger de l'homicide.*

Ceux qui tuent par eux-mêmes, ou par le ministere d'autrui, sont compris dans ce cas; de même que les parens, qui en dormant suffoquent leurs enfans, et ceux ou celles qui procurent à eux, ou à autrui l'avortement par violence, artifice, mauvais conseils, ou autrement.

7. *Le Duel.*

Tous ceux-là en sont coupables, qui provoquent à un combat singulier, ou par eux-mêmes, ou par autrui, qui y invitent par paroles ou par écrit, au nom de ceux qui provoquent, qui vont au rendez-vous, qui combattent, qui assistent volontairement, ou qui le conseillent.

8. *Fraper même legerement un Clerc constitué dans quelque Ordre sacré.*

On est censer fraper legerement, lorsqu'on le fait sans une blessure enorme, quoique d'ailleurs elle doive être assez grave, pour faire un peché mortel. Ceux qui frapent, qui ordonnent de fraper, qui aident, qui ratifient et aprouvent les coups donnez en leur nom, sont compris dans ce cas. Que si on frape par ordre d'un superieur, ou par correction, ou pour faire observer la discipline reguliere, ou en se defendant, ou par maniere de divertissement, ou ne sçachant pas que ce fut un Clerc constitué dans un Ordre sacré, ces cas ne sont point reservez.

9. *La Sodomie, et la Bestialité*, crimes détestables.

10. *L'Inceste dans le deuxiéme degré de consanguinité ou affinité, soit que l'affinité vienne* ex matrimoniali copula, *soit* ex illicita.

Nous comprenons dans ce cas l'inceste spirituel, qui se commet entre les personnes qui ont contracté affinité à raison du Batême, de même que celui qui se commet entre le confesseur et sa pénitente, et un curé ou vicaire et leur paroissiene [sic] : mais nous nous réservons si expressément ces deux derniers cas, que la permission générale que nous aurions donnée d'absoudre des cas à nous réservés, ne doit point s'étendre à ces deux cas, sans un pouvoir special de Nous.

11. *Le Rapt.* Lorsqu'une fille, ou femme, contre son gré, ou contre celui de ses parens, ou de ses tuteurs et curateurs, est enlevée par violence à mauvais dessein, pour satisfaire la passion, ou pour contracter mariage ; cette reserve a lieu, quoique l'effet de la passion n'ait pas suivi, et que le mariage n'ait pas été contracté, pourvu que l'enlevement ait été fait réellement et à cette fin.

12. *L'Adultere public*, lequel est ou suffisamment prouvé en Justice, ou si notoire, qu'on ne puisse par aucun subterfuge le cacher et le celer dans le voisinage.

13. *Le Mariage clandestin*. On y comprend les cas suivans, qui sont contre la validité, ou la sainteté du sacrement de mariage. 1. Ceux qui le contractent clandestinement, sans la presence du prêtre, et sans témoins. 2. Ceux qui le contractent en presence d'un prêtre, mais qui n'est pas leur propre prêtre. 3. Ceux qui le contractent en presence de leur propre prêtre, mais malgré lui, et nonobstant le refus qu'il fait de leur donner la bénédiction nuptiale. 4. Ceux qui contractent un second mariage, sçachant que la personne avec laquelle ils avoient contracté un precedent mariage, n'est pas décédée. 5. Ceux qui conseillent des mariages clandestins, ou qui les favorisent par leur presence.

14. *Le Sacrilège*, dont les especes suivantes sont réservées.

1. Lorsqu'une personne engagée par voeu solennel de chasteté, soit à raison d'un Ordre sacré, ou de la profession religieuse, y contrevient par un commerce charnel ; et ce cas s'entend aux deux complices.

2. Lorsqu'on polluë *voluntariâ et culpabili humani seminis effusione*, une Eglise, ou chapelle érigée par l'autorité de l'Evêque, pour y dire la Messe.

3. Lorsque de la violence et insulte faite à quelqu'un il s'ensuit une effusion de sang considerable dans les mêmes lieux, ou dans un cimetiere.

4. Lorsqu'on dérobe même une chose prophane dans une Eglise.

5. Lorsque même hors de l'Eglise on vole une chose sacrée.

15. *Le Concubinage public et notoire suffisamment prouvé en Justice, ou tellement connu dans le voisinage, qu'il ne peut être celé: ce qui arrive, lors qu'un homme et une femme demeurent ensemble, et se comportent en public, comme s'ils étoient mariez.*

16. *L'entrée dans les Monasteres de Religieuses de nôtre Diocése sans une permission speciale, de même que l'entrée des femmes dans les Couvens de Religieux.*

17. *L'Usure publique, prouvée en Jugement, ou si notoire, qu'on ne la puisse cacher.*

18. *La fausse Monnoye*: en ce cas sont aussi compris ceux qui contrefont la monnoye, ou l'alterent soit dans la matiere, soit dans le poids.

19. *L'Incendie volontaire de quelque maison que ce soit, et le vol des Eglises, soit avec effraction, pourvû que les coupables n'ayent point été dénoncez excommuniez,* car alors le cas seroit réservé au S. Siège.

20. *Le Parjure.* Lorsqu'après avoir prêté serment en justice, et promis de dire la verité, on la nie, ou on la dissimule par quelque subterfuge.

On comprend dans ce cas tous ceux qui engagent au parjure, ou qui par quelque mauvais artifice que ce soit, y sollicitent soit par eux, soit par autrui, pourvû que le parjure s'en soit ensuivi.

21. *La falsification des Lettres Ecclesiastiques, soit qu'elle soit publique et notoire, soit qu'elle soit occulte, pourvû que ces Lettres ne soient pas émanées du saint Siége;* car alors le cas seroit reservé au Pape.

22. *La maniere défenduë de tenir Ecole.*

Un Maître ne doit tenir Ecole que pour les garçons, et une Maîtresse que pour les filles: Lors donc qu'un Maître enseigne des filles, ou une Maîtresse enseigne des garçons dans leurs Ecoles, ou ailleurs que dans la maison paternelle des enfans, non seulement l'un et l'autre pechent, mais encore les peres et meres des enfans, et ceux qui leur en tiennent lieu, et ce peché est reservé.

On comprend sous le nom de Maître d'Ecole, les Curez, ou Vicaires qui en font les fonctions.

23. *Toutes les Excommunications majeures, et les Suspenses, qui sont reservées au Pape, ne nous sont réservées que lorsqu'elles procedent d'un*

délit occulte; de même que l'irrégularité, qui procede aussi d'un délit occulte, excepté celle qui provient de l'homicide volontaire, ou d'un délit porté au for contentieux, laquelle irrégularité dans ces deux cas est reservée au Pape.

24. *Enfin un Confesseur ne peut absoudre le complice de son crime.*

A l'égard des Vœux, on doit observer que tous ceux qui ne sont pas réservez au Pape, nous sont réservez pour les commüer, ou pour en dispenser.

Les Cas cy-dessus ne sont point réservez, 1. S'ils ne sont qu'interieurs; 2. S'ils ne sont que veniels; 3. Si on doute qu'ils soient mortels, ou véniels; 4. Si on les a commis avant l'âge de puberté.

Saint-Omer 1727

[François de Valbelle de Tourves]

Casus reservati … Episcopo Audomarensi

Saint-Omer 1727 p. 350-351

1. Apostasia a Fide. Item a Sacris Ordinibus aut a votis solemnibus Religionis.

2. Magia. Heresis.

3. Injectio violenta manus in Patrem, Matremve, Avum aut Aviam, sive percussio gravis sit, sed occulta; sive levis, sed publica.

4. Incendium ex deliberata malitia factum vel procuratum.

5. Homicidium voluntarium, aut ad id criminis cooperatio; procuratio abortus; oppressio vel suffocatio infantium: Infantem, primo ætatis anno necdum expleto, in uno eodem lecto secum collocare.

6. Duellum, quo in casu eorum etiam crimen comprehenditur, qui Duello decertantibus consilium, auxilium, aut favorem præstant, spectatores intersunt, quive ad certum locum, ut Duello confligant, ex condicto conveniunt, etiam Duello non secuto.

7. Sodomia, Bestialitas, violatio Sanctimonialis.

8. Incestus in primo vel secundo gradu consanguinitatis vel affinitatis.

9. Omnis et quilibet actus libidinosus Confessarii cum sua pœnitente, et pœnitentis cum Confessario.

10. Casus virorum Ecclesiasticorum, qui de Jure suspensiones incurrunt per Statuta Synodalia latas.

11. Confessarius, cui concessa est facultas absolvendi à Casibus reservatis, non potest absolvere pœnitentem complicem in materia impudicitiæ sub pœna suspensionis ipso facto.

Observandum autem eos etiam, quibus absolvendi a Casibus reservatis concessa licentia est, absolvere non posse a crimine Confessarii cum sua pœnitente, neque a Casibus virorum Ecclesiasticorum, qui suspensiones per dicta Statuta latas incurrunt, nisi specialem et scripto datam ab iis absolvendi facultatem a Domino Episcopo Audomarensi acceperint. Quod itidem in casu Apostasiæ a Fide et Hereseos servandum erit.

Comminges [1728][78]

[Gabriel-Olivier de Lubière du Bouchet]
Table des cas reservez a Monseigneur l'Evêque de Comenges

P2729 Comminges 1728 p. [3]-[4]

1. Pratiquer la magie, sortileges, par caracteres, paroles, ligatures, etc. pour nuire, par soi ou par autrui, aux corps, biens et reputation de son prochain, ou par quelqu'autre chose que ce soit.

2. Les mascarades pratiquées par les personnes constituées dans les Ordres sacrez ou ayant Benefice ecclesiastique, et la Simonie occulte.

3. Manger, boire, joüer, etc. dans les cabarets, les jours de dimanche ou fêtes, pendant les Offices divins ; c'est-à-dire pendant la Messe de Paroisse, la prédication du catéchisme annoncé au son de la cloche, et les Vêpres, à moins qu'on ne soit en voyage ; comme aussi pour les Hôtes, recevoir ou souffrir dans leurs cabarets, pour y manger, boire, etc. d'autres personnes que des voyageurs, pendant le susdit tems des divins Offices, lesdits jours de dimanches ou fêtes ; et depuis huit heures du soir en Hyver, et dix en Eté, quelque jour que ce soit, en la même maniere que le Roi l'a ordonné par sa Declaration du 4. Janvier 1724. On entend ici par Hyver, depuis la Toussaints jusqu'à la Pâque, et par Eté, depuis la Pâque jusqu'à la Toussaints.

4. La danse publique pendant les jours de dimanches ou fêtes, jusqu'après l'office de Vêpres. Monseigneur l'Evêque accorde pourtant à Messieurs les Curez le pouvoir d'absoudre ou de faire absoudre par leurs vicaires ou autre prêtre approuvé qu'ils jugeront à propos, ceux de leurs paroissiens qui n'auront dansé que hors le tems des divins offices ci-dessus specifiez.

5. Frapper son Pere ou sa Mere, son Ayeul ou Ayeule, etc. Si ce crime devient public, il est réservé au Pape.

---

[78] Comminges [1728] : édition du rituel d'Auch 1701 avec, après la page de titre, 4 p. cartonnées contenant le *Mandement de Monseigneur l'Evêque de Comenges,* daté septembre 1728, suivi des cas réservés à l'évêque de Comminges. Ce rituel contient donc deux listes de cas réservés à l'évêque : celle de l'évêque de Comminges, et celle de l'archevêque d'Auch p. 134-135 du rituel.

6. Frapper legerement un Clerc ou autre personne qui joüit du privilege clerical.

7. L'Homicide volontaire, et procurer la suffocation des enfans dans le sein de leur mere, comme aussi le Duel, tant pour ceux qui le presentent, que pour ceux qui l'acceptent, ou qui en sont les porteurs de parole.

8. Les Peres et Meres ou Nourrices qui mettent coucher avec eux, dans le même lit, les enfans, avant qu'ils ayent un an accompli.

9. La Sodomie, la Bestialité, et l'Inceste *in opere consummato*, au premier et au second degré de consanguinité ou affinité, et entre des personnes conjointes d'affinité spirituelle.

10. La cohabitation du Fiancé sous le même toit avec sa Fiancée, aprés qu'ils auront été avertis par le Curé du lieu de se separer.

11. Les Peres qui font coucher avec eux dans le même lit leurs Filles, quand elles ont passé l'âge de dix ans. Les Meres qui couchent avec leurs Garçons, aprés qu'ils ont atteint le même âge susdit. Les Peres et Meres qui mettent dans le même lit leurs garçons avec leurs filles, quand les uns et les autres ont atteint le susdit âge de dix ans.

12. L'incendie volontaire des Eglises, maisons, grains, etc. pourvû que l'Incendiaire n'ait pas été dénoncé ni publiquement excommunié ; car dans cette circonstance, ce cas seroit réservé au Pape.

14. L'empoisonnement des rivieres, etangs et ruisseaux, reservé à Monseigneur l'Evêque personnellement.

14. La chasse avec des chiens dans les petits millets, lorsqu'ils approchent de leur maturité, et qu'on risque d'en égrainer les épis.

15. Les menaces, monopoles, et toutes autres pratiques illicites, pour avoir les affermes [fermages] des biens ecclesiastiques, et empêcher la liberté d'icelles, à moins que le dommage n'ait été pleinement reparé.

16. Le recellement ou injuste détention de toute sorte de papiers, titres et documens concernant les Droits, tant du spirituel, que du temporel des Cures ou autres benefices, des Fabriques, des Fondations d'obits, et tous Actes contenant des Legats pour œuvres pies.

17. Porter faux témoignage en jugement, faire ou faire faire de faux actes, s'en servir malicieusement, suborner des témoins, faire de faux mandemens pour quête, quêter avec de tels mandemens faux. Tous les cas contenus au present article sont specialement reservez à Monseigneur l'Evêque.

18. Fabriquer la fausse monnoye, ou rogner la veritable.

19. Absoudre sacramentalement un Pénitent, hors l'article de la mort, de quelque peché dont on a été complice.

20. Ne communier point au tems de Pâques, si après un mois on n'y a satisfait.

Aux susdits cas reservez, il faut joindre tous ceux sur lesquels tombent les Censures ecclesiastiques reservées à Monseigneur l'Evêque, soit qu'elles soient portées par les sacrez Canons et Loix de l'Eglise universelle, soit par les Ordonnances particulieres du present Diocèse. Il y faut aussi comprendre les Irregularitez qui ne sont point reservées au Saint Siege, et même les Censures et Irregularitez qui lui sont reservées, quand elles sont occultes, à l'exception de l'Irregularité provenant de l'Homicide volontaire, laquelle est toûjours reservée au Pape.

... Monseigneur l'Evêque, suivant ce qui est marqué au present rituel p. 135, accorde à tous Confesseurs approuvez, la permission d'absoudre des cas ci-dessus à lui reservez, quand un Pénitent, non dans la vûe d'éluder la Loi, mais *ad seriam vitae emendationem*, fait une Confession generale. ...

Il est ordonné à tous Curez et Vicaires de faire la publication des susdits Cas reservez, tant à Notre Saint Pere le Pape, qu'à Monseigneur l'Evêque, tous les six mois, au Prône de la Messe paroissiale; sçavoir, le Dimanche de la Passion et avant la Fête de Noël.

Avignon 1729
Vabres c. 1729

Absence de cas réservés.

Auxerre 1730

[Charles de Caylus]
Casus D. Domino Episcopo reservati

P2730   **Auxerre 1730 p. 96-97**

1° Casus omnes summo Pontifici reservati, modo commissi sint ab iis qui jure non tenentur Romam petere, qualis sunt foeminae, senes, infirmi, pauperes, religiosi, etc.

2° Haeresis, cujus absolutio nobis est reservata, et interdicta quibuscunque confessariis, ne quidem iis exceptis qui licentiam absolvendi à casibus reservatis à nobis obtinuissent. Per Haeresim autem hîc intelligimus professionem publicam erroris articulo fidei ab Ecclesia definito et proposito contradictorii, cum obstinatione publica, in loco publico, et cum scandalo, et coram pluribus testibus.

3° Blasphemia, seu atrox et scandalosa in Deum, in Christum, in Crucem, in Beatam Virginem, aut in alios Sanctos contumelia, cum intentione et voluntate deliberata eos contemnendi.

4° Perjurium, seu falsum testimonium coram Judice, id est, si quis in Judicium vocatus, et praestito juramento de veritate dicenda juridicè interrogatus, tam in sua quam in aliena causa veritatem negat, vel malignâ tergiversatione dissimulat.

5° Profiteri vel exercere maleficia, v.g. ligulae nodationes, veneficia, divinationes cum invocatione Doemoniorum; Magos aut Divinos consulere.

6° Homicidium voluntarium in se.

7° Procuratio abortûs, sive fœtus sit animatus, sive non sit animatus, et licet abortus non sequatur. Ad procurationem abortûs dare consilia, si consilium executioni mandatum fuerit, aut remedia scienter subministrare.

8° Oppressio parvulorum cum gravi negligentia.

9° Duellum, cujus criminis reservati, rei sunt omnes cooperantes et suadentes.

10°. Gravis percussio Patris vel Matris, vel Avi vel Aviae.

11°. Gravis percussio Clerici in sacris constituti.

12°. Sodomiticum peccatum.

13°. Bestialitas.

14°. Incestus intra primum et secundum gradum consanguinitatis inclusivè, et intra primum affinitatis, sive affinitas sit e copula licita, sive ex illicita.

15°. Adulterium publicum et concubinatus publicus, quae vel in judicio declarata sunt, vel ita notoria, ut nulla tergiversatione celari possint.

16°. Concubitus cum Sanctimoniali, vel Sanctimonialis cum alio.

17°. Concubitus Confessarii cum Poenitente, et Poenitentis cum Confessario, licet non completo opere carnali.

18°. Matrimonium clandestinum, scilicet eorum qui matrimonium contrahunt absque praesentia proprii parochi et testium, vel etiam praesente parocho, sed reluctante et non benedicente.

19°. Qui scientes vivere proprium maritum, vel propriam uxorem, cum alio vel alia matrimonium contrahunt.

20°. Raptus violentus virginum, vel mulierum honestè viventium. Nomine raptûs intelligitur violentia erga personam raptam in ordine ad libidinem, vel ad matrimonium.

21°. Masculi qui absque licentia intrant in monasteria vel septa monialium, vel foeminae quae sine eadem licentia introeunt domos et claustra Religiosorum. Item Religiosi et Moniales ingressibus istis faventes.

22°. Clerici, vel Beneficiati, vel in sacris ordinibus constituti, qui in loco suae residentiae popinas adeunt et ibi compotant.

Auxerre 1730

Catalogus Censurarum D. Domino Episcopo reservatarum

P2731 **Auxerre 1730 p. 111-112**

1°. Sacerdotes tam regulares quam saeculares qui à D. Episcopo non approbati, fidelium confessiones audiunt, aut qui limites tum quoad tempus, tum quoad personas, tum quoad censuras aut casus reservatos ab eodem D. Episcopo praescriptos scientes excedunt, ipso facto sunt suspensi.

2°. Parochi et alii sacerdotes tam regulares quam saeculares munia pastoralia excercentes [sic], qui absque parentum, tutorum aut curatorum consensu, celebrant matrimonium filiorum vel filiarum-familias, etiam viduarum minorum viginti-quinque annis, poenam suspensionis incurrunt.

3°. Sacerdotes qui fideles absque consensu proprii parochi matrimonio conjungunt, ipso facto sunt suspensi.

4°. Fideles utriûsque sexûs, qui adhibitis notario et testibus, absque praesentia proprii parochi, vel alterius sacerdotis de ejus licentia, matrimonium contrahere attentarent, aut qui, matrimonium non celebrante parocho, adhibitis similiter notario et testibus, coram ipso se sisterent, declarantes se simul matrimonium contrahere, ipso facto excommunicatur una cum notario et testibus.

5°. Parochi qui absque expressa et scripta D. Episcopi licentia, ultra mensem è sua parochia aberunt, suspensionis poenam incurrunt.

6°. Parochi, qui per se, vel per alium sacerdotem pueros catechisare, et fideles publicè instruere, praeter solitam Pronaï lectionem, saltem semel in mense negligerent, suspensionis poenam incurrunt.

Blois 1730

[Jean-François Lefebvre de Caumartin]
Cas reservez à Monseigneur l'Evêque de Blois

P2732 **Blois 1730 p. 85-87**

1° Le blasphème public, quand on avance par écrits publics, ou quand on prononce dans un lieu public ou en presence de trois ou quatre personnes au moins, des paroles injurieuses à la Majesté divine, ou contre l'honneur dû à la Sainte Vierge et aux Saints.

2° La magie, contre ceux qui par l'invocation des demons et tous actes superstitieux, même par des voies naturelles, tenteroient de faire des enchantemens, sortileges et autres malefices, specialement d'empêcher l'effet du mariage, et de causer la mortalité des bestiaux. Contre ceux qui dans ces abominables pratiques, même en tout usage prophane employeroient des choses sacrées, comme la sainte Eucharistie, les saintes Huiles, etc. Contre ceux enfin qui tenteroient par l'art de la magie et de la divination de révéler et découvrir au peuple des choses cachées ou futures.

3° L'apostasie, quand on renonce exterieurement à la Religion chrétienne, ou à la profession religieuse; quand un Ecclésiastique, après avoir reçû quelque Ordre sacré, se marie, ou reprend l'état laïque sans dispense legitime.

4° L'hérésie, quand on soutient exterieurement et avec opiniatreté une erreur contraire à la foi catholique; il y a excommunication *ipso facto* reservée à l'Evêque.

5° Le parjure en justice, lorsqu'étant interrogé et pris à serment par un juge competent, on dépose le faux, ou on taît et suprime [*sic*] malicieusement la verité.

6°. La simonie réelle et la confidence en matiere d'ordre sacré ou de bénéfice, lorsqu'elles sont occultes: il y a excommunication *ipso facto* reservée à l'Evêque.

7°. Le sacrilege, quand on vole une chose sacrée en quelque lieu que ce soit: *vel cum locus sacer violentâ sanguinis effusione, aut carnali concubitu polluitur.*

8°. Frapper un Ecclésiastique en ordre sacré ou une persone religieuse portant l'habit de leur état, pourvû que l'offense soit reputée grave suivant l'opinion commune de personnes sages: il y a excommunication *ipso facto* reservée à l'Evêque.

9°. Fraper [*sic*] aussi grièvement ses pere et mere, grand pere et grande mere.

10°. L'homicide volontaire qui comprend aussi ceux *qui procurant abortum, etiam ante foetum animatum,* ou qui participent à ces crimes par leur aide et conseil, si l'effet s'est ensuivi. Nous y comprenons aussi les meres et les nourrices qui par négligence étoufferoient des petits enfans.

11°. Le duel, qui comprend ceux qui se battent, ceux qui leur servent de seconds dans le combat, ou qui les y excitent par leurs conseils et par leurs actions ; il y a excommunication *ipso facto* reservée à l'Evêque.

12°. *Sodomiticum peccatum inter ejusdem aut diversi sexûs personas. Item, quod eo gravus est, bestialitas.*

13°. *Incestus seu carnalis copula cum personâ intrà secundum gradum consanguineâ vel affini. Item, carnalis conjunctio Confessarii cum suâ Poenitente, et cujuslibet cum Moniali solemne religionis votum professâ.* La reserve s'étend aux deux complices.

14°. Le rapt, lorsqu'on enleve par violence ou par seduction une femme ou une fille, soit pour la corrompre, soit même pour l'épouser. La reserve s'étend aussi à la femme ou fille enlevée si elle a consenti à cet enlevement.

15°. *Adulterium inter conjugatos vel alterum conjugatum, dummodo publicum et notorium sit. Item concubinatus publicus ac notorius.*

16°. Le mariage qui se contracte sans la présence du curé des parties, ou d'un autre prêtre ayant permission du Curé ou de l'Evêque, sans le consentement des peres et meres, tuteurs ou curateurs pour le mariage des enfans mineurs, sans la proclamation des trois bans, si l'Evêque n'en a dispensé ; en tous ces cas il y a reserve pour les parties contractantes.

17°. L'incendie volontaire des maisons, edifices, et autres biens temporels ; il y a excommunication *ipso facto* reservée à l'Evêque.

18°. L'usage de la viande aux jours d'abstinence prescrits par l'Eglise, à moins qu'on n'en ait obtenu une dispense legitime, ou qu'on ne se trouve dans une pressante nécessité.

19°. Nous declarons suspens de plein droit les Ecclésiastiques qui se font ordonner sur de fausses lettres de tonsure, d'ordre, sur de faux dimissoires, ou de faux titres, dont nous nous reservons l'absolution.

20°. Nous nous reservons aussi l'absolution des ecclésiastiques en ordre sacré, bénéficiers, et autres aspirans aux saints ordres, qui boivent et mangent dans les cabarets, caffez, et autres lieux où l'on vend du vin et autres liqueurs, s'ils n'y sont obligez par la nécessité d'un juste voyage, ou s'ils n'y sont invitez chez leurs propres parens, ou par des personnes constituées en dignité ecclésiastique ou séculiére que la bienséance et le devoir ne leur permettent pas de refuser.

On doit sçavoir que pour absoudre des excommunications, ou autres censures reservées, il faut un pouvoir special, et qu'il ne suffit pas d'avoir en général le pouvoir d'absoudre des cas reservez.

Clermont 1733

[Jean-Baptiste Massillon]
Cas reservez à Monseigneur l'Evêque de Clermont

33 **Clermont 1733 p. 269-272**

Quand une Censure est attachée à un cas reservé, l'absolution de la censure est reservée aussi bien que l'absolution du péché.

1. L'Apostasie, c'est-à-dire le crime de ceux qui renoncent extérieurement à la foy de J. C. pour se faire, par exemple, Turcs, Juifs, Payens, Calvinistes, Luthériens etc. *Item*, le crime des Religieux et Religieuses qui quittent leur habit après leur profession, et renoncent à leurs vœux solemnels. L'excommunication y est attachée *ipso facto*.

2. L'adhérence à l'Héresie ou au Schisme, et la communication avec les Hérétiques ou Schismatiques dans les actes de Religion, la profession publique de leurs erreurs. L'excommunication est attachée à ce crime *ipso facto*.

3. La Simonie réelle et la confidence, si ces crimes sont cachez, car s'ils sont publics, ils sont reservez au pape. L'excommunication y est attachée *ipso facto*.

4. Le péché de magie, venéfices [sic], noüement d'aiguillette, sortileges; L'excommunication y est attachée *ipso facto*.

5. L'usage impie de la Sainte Eucharistie, ou des Saintes Huiles, ou du Saint Chrême pour des choses mauvaises ou criminelles.

6. Le crime de ceux qui par leur faute rendent une Eglise polluë, de maniere qu'elle ait besoin d'être reconciliée.

7. Le Blasphême proferé par écrit ou de vive voix, de sang froid et sans colere; par le mot de blasphême on entend les paroles injurieuses à Dieu, ou à la Sainte Vierge, ou autres Saints, ou à la Religion; L'excommunication *ipso facto* y est attachée.

8. Le péché de ceux qui frappent injurieusement leur pere ou leur mere, leur grand-pere, ou leur grand-mere, ou autres ascendans, bisayeul, trisayeul etc.

9. L'exposition et abandon des enfans par leur pere ou mere, s'ils ont de quoy les nourrir.

10. Le péché des peres ou des meres qui font coucher et dormir avec eux dans un même lit leurs enfans qui n'ont pas encore l'âge d'un an et d'un jour.

11. Le péché de ceux qui frappent griévement un Clerc ou Religieux constituez dans les Ordres sacrez; l'excommunication y est attachée *ipso facto*. Si le coup est énorme, le cas est reservé au Pape.

12. L'homicide volontaire, l'empoisonnement, le duel, le péché de ceux qui sont complices d'un duel : l'excommunication y est attachée *ipso facto*.
13. L'avortement procuré, soit que le fruit soit animé ou non.
14. Le rapt des Vierges, soit qu'elles y consentent, soit qu'elles n'y consentent pas.
15. Leur defloration sous promesse de mariage.
16. Le viol des filles ou des femmes mariées, ou veuves.
17. Le péché de la chair consommé avec une Religieuse.
18. L'inceste au premier et au second degré de consanguinité ou d'affinité, spirituelle ou charnelle, *tam ex copula licita quam ex copula illicita*.
19. *Concubitus confessarii cum poenitente, et Poenitentis cum Confessario. Item Parochi cum Parochiana, et Parochiana cum Parocho*. Ces deux derniers cas sont un inceste spirituel. Nota. Sur ces derniers cas, que quand un prêtre aura une fois été complice de quelque péché mortel d'impureté que ce puisse être, commis par action exterieure avec une autre personne ; en ce cas là nous lui ôtons à jamais tout pouvoir de confesser cette personne...
20. Les péchez abominables de sodomie et de bestialité.
21. Le mariage clandestin, ou contracté avec quelqu'autre nullité canonique ou civile, connuë par celui ou celle qui se marie.
22. L'incendie des Eglises ou Monasteres, ou autres lieux saints ; lorsque l'Incendiaire n'est pas dénoncé en justice. *Item*, le vol de ces mêmes lieux fait avec effraction, lorsque le voleur n'est pas dénoncé en justice : l'excommunication *Ipso facto* est attachée à ces deux cas.
23. L'incendie volontaire des maisons même profanes, ou des champs, des vignes, des arbres ; lorsque l'Incendiaire n'est pas dénoncé en justice : l'excommunication *Ipso facto* y est attachée. *Item*, le peché de ceux, qui pour offenser leur prochain, coupent ou arrachent ses vignes, ou arbres ; ou qui le font faire par autruy.
24. Le péché de ceux qui empêchent directement ou indirectement et injustement les Ecclesiastiques de jouir du revenu de leurs bénéfices ; qui usurpent ou jouissent injustement et contre leur conscience des dixmes et des fonds qui appartiennent à l'Eglise ; qui retiennent et recelent volontairement les titres, actes et papiers concernant les biens et droits de l'Eglise ; l'excommunication y est attachée *ipso facto*.
25. Le péché des Notaires qui laissent écouler plus de trois mois sans donner avis aux parties interessées des legs pieux, après la mort des testateurs dont ils ont reçû les testamens.

26. Le péché des Ecclesiastiques qui contre leur conscience se font ordonner sous un faux titre patrimonial ou ecclesiastique, ou avant l'âge compétant [sic] sans dispense, ou sous un faux dimissoire, ou ayant substitué une autre personne à l'examen, ou qui reçoivent deux Ordres sacrez le même jour, ou qui sont ordonnez *Per saltum*, c'est-à-dire qui reçoivent un Ordre supérieur sans avoir reçû l'inferieur. *Item* le péché de quiconque se fait examiner sous le nom d'autruy pour lui procurer un Ordre ou un Bénéfice : la Suspense est attaché *Ipso facto* à tous ces crimes.

27. Le faux témoignage fait en justice, et la falsification des Sceaux publics ou de Lettres patentes, Arrests, Sentences ou autres actes publics.

28. Le crime de ceux et celles qui entrent sans permission de l'Evêque ou du Supérieur dans la clôture des Religieuses : l'excommunication *ipso facto* y est attachée.

29. Le crime des Religieuses qui sortent de leur clôture sans permission par écrit de leur Evêque ou de leur Supérieur, ou qui laissent entrer dans leur clôture des personnes de l'un ou de l'autre sexe sans pareille permission : L'excommunication *Ipso facto* y est attachée.

30. Le crime des Religieux qui laissent entrer des filles ou des femmes dans leur cloître, maison ou jardin de leur clôture. *Item* celui des filles et des femmes qui y entrent : L'excommunication *Ipso facto* y est attachée.

Nantes 1733, 1755[79]

[Nantes 1733 : Christophe-Louis Turpin Crissé de Sanzay]
Casus reservati D.D. Episcopo Nannetensi

Nantes 1733 p. 39-49. Nantes 1755 p. 70-77.

In praecepta primæ Tabulæ.

I. Hæresis, *hoc est opinio aliqua fidei contraria animo pertinaci scripta vel prolata, quo comprehenditur* Apostasia a fide, *seu infidelitas quâ Christus et fides Christiana jam suscepta penitus abnegantur.*

Hûc revocantur.

1°. Schisma, *hoc est, defectio ab unitate catholicâ*[80].

2°. Defendere animo pertinaci libros seu libellos hæreticos, aut schismaticos, illos edere tam scripto quam typis, legere, retinere, vendere, distribuere.

---

[79] Les variantes de l'édition 1755 sont indiquées dans les notes.
[80] Ligne omise dans l'édition 1755 p. 68.

His omnibus casibus annexa est censura excommunicationis Ipso facto, *eaque reservata*[81].

II. Apostasia ab Ordine sacro vel Religione, dimisso vel retento habitu religionis.
Dimissioni habitus religionis annexa est censura excommunicationis. Cap. Ut periculosa *ne clerici vel monachi* in 6°.

III. Sacrilegium, *cujus tres sunt species*[82].

Prima in res sacras.
Intelliguntur hîc.

1°. Infantem baptisare domi per se, vel per alium extra casum necessitatis absque licentia D. Episcopi.

2°. Audire fidelium confessiones, vel absolvere à casibus reservatis non obtenta à D.D. Episcopo facultate.
Annexa est censura suspensionis Ipso facto.

3°. Matrimonium clandestinum contrahere, vel tali matrimonio consilio vel auxilio favere, aut scienter, aut libere interesse[83].

4°. Matrimonium scienter contrahere in gradibus consanguinitatis et affinitatis interdictis.
Annexa est censura excommunicationis Ipso facto, *eaque reservata Conc. Nann. anno 1127.*

5°. Furtum rei sacræ in quovis loco.

6°. Injusta detentio rerum Ecclesiis delegatarum.
Annexa est excommunicatio ex Concil. Turon. ann. 562[84]. *Can.* 25.

Secunda species Sacrilegii in personas sacras.

1°. Gravis percussio Clerici in ordine sacro constituti, aut Beneficiati, Religiosi vel Monialis Professæ.
Excommunicatio Ipso facto, *eaque reservata.*

2°. Fornicatio[85] confessarii cum Pœnitente et Pœnitentis cum Confessario.

---

[81] Nantes 1755 ajoute, p. 68 : *Dicuntur libri hæretici, ii in quibus hæresis ex professo propugnatur. Nec censuram nec reservationem incurrunt legentes libros antiquiorum Hæreticorum contra quos agebant SS. Patres.*
[82] Ligne omise dans l'édition 1755 p. 68.
[83] Nantes 1755 ajoute, p. 69 : *Peccatum consulentis, aut auxilium præbentis non reservatur, nisi reipsa contrahatur ejusmodi matrimonium.*
[84] Nantes 1755 dit, p. 69 : *ann.* 567.
[85] Fornicatio] Copula carnalis, etiam tantummodo tentata ... Nantes 1755.

Ab hoc casu absolvere non possunt ii quibus facultas generalis vel specialis concessa fuerit absolvendi à casibus reservatis, nisi id a D.D. Episcopo expresse illis concessum fuerit[86].
3°. Copula carnalis cum persona a Deo dicata sive per Ordinem sacrum, sive per Professionem religiosam.
Peccatum est reservatum pro utraque parte, sive alterutra duntaxat, sive utraque sit Deo dicata. Sacerdos qui illud crimen admiserit, neque licite, neque valide potest complicem ab eo absolvere[87]: *si quid contrarium attentaverit absolutio ab eo impertita est irrita ac nulla, et insuper est* Ipso facto *excommunicatus.*
Copulam habens cum Moniali professa subjicitur excommunicationi à Conc. Turon. 1 ann. 461. Can. 6.

Tertia species Sacrilegii in loca sacra.

1°. Violenta et injuriosa percussio in ecclesia aut in alio loco sacro et benedicto.
2°. Violatio clausuræ regularis per ingressum externarum cujuscumque sexûs personarum intra septa monialium absque licentia.
Annexa est censura excommunicationis Ipso facto, *eaque reservata.* Conc. Trident. §. 25. Cap. 5. de Regularibus.
3°. Egressus Monialium extra septa clausuræ regularis, aut sæcularis cujuslibet sexûs admissio intra septa clausuræ regularis Monialium absque licentia.
Annexa est excommunicatio Ipso facto, *eaque reservata.* Concil. Trid. §. 25.Cap. 5. de Regul. Conc. Tur. ann. 1583. Tit. 17.
4°. Ingressus aut introductio mulierum intra septa monasteriorum virorum.
Annexa est excommunicatio Ipso facto, *eaque reservata.* Concil. Turon. ann. 1583. Tit. 16[88].

IV°. Magia. *Comprehenduntur hoc nomine* Divinatio, Sortilegium, Maleficia cum dæmonis expressa invocatione.

---

[86] Nantes 1755 ajoute p. 70 : *Non censetur Pœnitens, quoad hujusce casus reservationem, quando Presbyter cum ea peccans nullam ipsius a duobus annis integris audivit Confessionem.*
[87] Nantes 1755 ajoute p. 70 : *sub quocumque pretextu, nisi in articulo mortis, si alius Confessarius non adsit.*
[88] Nantes 1755 ajoute p. 71 : *In tribus hisce casibus, peccatum reservatur, et incurritur censura excommunicationis ipso facto eaque reservata, licet ingressus, egressus, aut introductio fiant per muros aliqua parte perruptos.*

Annexa est censura excommunicationis. Stat. Olivarii Episcopi Nannetensis post medium sæculi 14[89]. *Joannis Episcopi Nannetensis versus annum* 1385[90]. *Concil. Tur. an.* 1583. *Tit.* 9.

Item magos ac divinos aut eos qui divinos seu magos agunt consulere serio et adhibita eis fide, non autem joco, ex levi curiositate, aut per ignorantiam.

V°. Blasphemia publica.

Blasphemare autem hic est scripto aut voce Deo apertè renunciare, vel execrationes et maledicta impiis quibusdam verbis valde injuriosis et vicinis odio et contemptui ex animo proferre in Deum vel in sanctam Virginem, vel in alios sanctos seu sanctas. Unde hac reservatione non comprehenduntur tum juramenta ac sacramenta per Deum, per Dei vitam, mortem etc. nisi ex directa intentione contra honorem Dei, vel beatæ Virginis aut Sanctorum proferantur; tum corrupta et dimidiata verba quibus non nulli videntur Deo abrenuntiare aut injuriam facere.

Blasphemia hic dicitur publica quando fit coram pluribus[91].

In præcepta secundæ Tabulæ.
In quartum præceptum.

VI. Percussio patris, aut matris, avi aut aviæ, aut alterius ex ascendentibus.

In quintum præceptum.

VII. Homicidium voluntarium. *Comprehenduntur consilium aut favorem dantes*[92]

Hûc revocantur

1°. Duellum : *Cujus rei sunt omnes certantes in duello, socii certaminis seu patrini qui dicto vel facto ad illud scienter provocant vel provocationem denuntiant, aut provocati illud acceptant, illud consulunt, et qui arma aliave subsidia ad id scienter subministrant, licet non sequatur pugna.*

Annexa est excommunicatio Ipso facto, eaque reservata.

---

[89] Oliver Salahaddin (c. 1339-1354).
[90] Joannes de Monstrelais (1384-1391).
[91] Nantes 1755 p. 72 précise : *quando in vicinia ita nota est, ut nulla tergiversatione celari possit.*
[92] Nantes 1755 p. 72 précise : *etiam si non patretur homicidium.*

2°. Procurare mulieris abortum sive fœtus animatus sit, sive non sit, ad id consilia dare, aut remedia scienter subministrare[93].

3°. Positio infantis ad cubandum secum in eodem cubili ante decimum ætatis ejus mensem expletum[94].

In sextum præceptum.

VIII. Raptus virginum vel mulierum, seu ipsæ invitæ, seu invitis eorum patre ac matre aut curam gerente, rapiantur sive ad matrimonium contrahendum, sive ad explendam libidinem.

Comprehenduntur in illo casu non solum raptor, sed etiam omnes consilium, auxilium aut favorem illi præbentes[95].

Raptui violentiæ ad matrimonium contrahendum annexa est excommunicatio Ipso facto, *cui subjiciuntur raptor et cæteri mox enumerati*[96]. *c. Trid. §. 24. de Reform. Cap. 6.*

IX. Adulterium publicum: Concubinatus publicus.

Adulterium est violatio legitimi tori sive proprii, sive alieni. Est autem vel simplex, cum maritus solutam aut solutus uxorem carnaliter cognoscit, vel duplex cum conjux cognoscit uxorem alienam: priori unus, posteriori duplex torus violatur. Utrumque est reservatum.

Concubinatus est continuata fornicatio viri cum fœmina. Peccatum est in utroque reservatum. Hæc peccata censentur publica quantum ad reservationem, quando in vicinia nota sunt.

X. Incestus intra secundum gradum consanguinitatis vel affinitatis etiam ex illicita copula.

Quando maritus incidit in hunc incestum cum consanguinea uxoris, vel uxor cum consanguineo mariti, eo ipso amittit jus postulandi debitum conjugale, ac illo jure privatur donec in id restituatur speciali dispensatione, cujus dispensationis concedendæ potestas licet non contineatur in facultate generali absolvendi à casibus reservatis, censetur tamen hac in Diœcesi inclusa in potestate quam superior concedit absolvendi à declarato sibi hoc peccato.

---

[93] Nantes 1755 p. 73 précise: *etiamsi non sequatur abortus.*
[94] Nantes 1755 p. 73 ajoute: *Comprehenduntur consentientes qui in eodem lecto accubant. Non censetur consentiens, saltem sufficienter ad reservationem incurrendam, qui serio et ex sincera intentione peccatum impediendi, admonet ponentem infantem in cubili, rem illicitam ab eo, vel ea, fieri.*
[95] Nantes 1755 p. 73 ajoute: *licet raptus non fiat.*
[96] Nantes 1755 p. 74 ajoute: *si raptu revera contingat.*

XI. Sodomiticum peccatum inter ejusdem aut etiam diversi sexûs personas non modo consummatum, sed etiam reipsa et actu ad id ex se tendente tentatum[97]. Item et eadem ratione peccatum quod illo gravius est, seu Bestialitas.[98]

XII. Lenocinium, cujus casus rei sunt qui aliorum ejusdem inter se, vel diversi sexûs libidinem, ac impudicitiæ crimen scienter et voluntarie procurant aut adjuvant, invitando, consulendo, locum præbendo seu quæstus causa seu absque quæstu[99].

XIII. Peccatum parentum qui pueros diversi sexus septennio majores reponunt cubituros simul in eodem lecto, aut[100] secum, aut cum famulis, aut cum aliis.

In octavum præceptum.

XIV. Crimen falsi, *quo comprehenduntur.*
1°. Falsam monetam cudere, aut adulterare legitimam.
2°. Falsum testimonium, seu sacramentum falso præstitum in propria, vel in aliena causa coram Judice aut eo qui vices gerit judicis, cujusmodi dicitur Commissarius.
3°. Falsum testimonium in causa matrimonii, sive a contrahentibus aut ab aliis mala fide et dolo præstitum scripto aut viva voce, ut a ministris Ecclesiæ matrimonium irritum aut quavis ratione illicitum celebretur[101].
4°. Falsificatio litterarum Ecclesiasticarum aut contractuum seu instrumentorum Officiariorum publicorum, puta Notariorum, vulgo, *Falsification des Actes.*

In diversas obligationes.

XV. Peccatum constitutorum in Ordine sacro qui intra parochiam suam, aut intra leucam à domicilio edunt aut bibunt in tabernis, vel in

---

[97] Nantes 1755 p. 75, les mots «sed etiam reipsa et actu ad id ex se tendente tentatum» sont remplacés par «etiam inter maritum et uxorem».
[98] Quod illo ... bestialitas] bestialitatis Nantes 1755.
[99] Nantes 1755 p. 75 ajoute: *Consulens, adjuvans, invitans, et locum præbens, incidunt in casum reservatum, licet peccatum sodomiæ, aut copulae carnalis minime committatur.*
[100] Nantes 1755 p. 75 ajoute: puerum diversi sexus septennio majorem reponunt cubiturum.
[101] Nantes 1755 p. 76 ajoute: etiamsi celebratum non fuerit.

areis, hortis, cubiculis, domibus, aut in aliis locis ad cauponam pertinentibus[102].

XVI. Tertia ex tribus ebrietatibus a sacris initiato admissis intra duodecim menses; et omnes aliæ subsequentes quandiu is (licet à prioribus absolutus) toto anno non abstinuerit ab ebrietate[103].

XVII. Choreæ publicæ quæ in vicis, plateis, areis etc. fiunt diebus dominicis et festivis tempore Missæ parochialis, aut Vesperarum parochialium.

Cæterum curabunt Rectores et Confessarii ut fideles a cœtibus et choreis, præsertim nocturnis omnino abstineant.

XVIII. Peccatum eorum qui intra propriam parochiam, aut intra leucam a proprio domicilio potant in tabernis tempore Missæ parochialis, aut Vesperarum parochialium diebus dominicis et festivis.

Item peccatum Cauponum qui iisdem diebus et eodem tempore vinum ministrant iis qui commorantur in parochia aut domicilium habent intra leucam a taberna[104].

Nantes 1733, 1755[105]

De Censuris reservatis D.D. Episcopo Nannetensi

Nantes 1733 p. 49-50. Nantes 1755 p. 78-79
Excommunicationem reservatam incurrunt.
1°. Omnes de quibus in primo casu agitur. *page 39.*
2°. Ii de quibus agitur in secunda Sacrilegii specie. *Num.* 1°[106]. et 3°. *page 41.*

[102] Nantes 1755 p. 76-77 ajoute: *Incidunt in casum reservatum, Clerici in sacris ordinibus constituti, qui intra propriam parochiam edunt aut bibunt in taberna, aut aliis locis ad eam pertinentibus, quantumvis taberna, vel illa loca distent ab eorum domicilio. Non incurritur hæc reservatio, si præfati Clerici consanguinei sint vel affines cauponis, vel ejus filii, et ab alterutro sine fraude invitentur ad prandium sumendum in taberna. Id tamen fiat raro et separatim ab iis quibus cibi vel potus venduntur. Item non incurritur, si ad prandium ibidem sumendum invitentur à personis in dignitate ecclesiastica, vel sæculari constitutis, quibus non obtemperare non sinat debita ipsis reverentia.*

[103] Nantes 1755 p. 77: XVI. *Ebrietas a clerico sacris initiato admissa in taberna, vel in hortis, areis, cubiculis, domibus, aut aliis locis ad eam pertinentibus, etiam extra propriam Parochiam et leucam a domicilio. Sub nomine tabernæ, in hocce casu et in præcedenti, comprehenduntur loca in quibus vinum ibidem potandum cuique obvio furtim divenditur.*

[104] Nantes 1755 p. 77: XVIII. *Peccatum cauponis qui tempore missæ parochialis, aut vesperarum parochialium, diebus dominicis et festivis, vinum ministrat iis qui commorantur in parochia, aut domicilium habent intra leucam a taberna, nisi sint viatores. Si caupo non nisi vi coactus vinum ministraverit, non incidit in casum reservatum; at reservatur peccatum vim inferentis.*

[105] Les variantes de l'édition 1755 sont indiquées dans les notes.

[106] Nantes 1755 p. 78 remplace la suite par ces mots: *et sacerdos absolvens complicem a peccato copulæ carnalis, etiam tantummodo tentatæ seu non consummatæ; ac quicumque cum*

3°. Ii de quibus agitur in tertia Sacrilegii specie. *Num.* 2°. 3°. et 4°. *page* 42. et 43.
4°. Ii de quibus agitur casu VII. *Num.* 1°. *page* 44.
5°. Denique reservatur, et quidem specialissime, (*Id est requiritur facultas particularis absolvendi ab hac Censura*) Excommunicatio lata adversus eos qui ex vi Monitorii tenentur revelare, nec tamen revelant.
Suspensionem reservatam incurrunt.
1°. Qui ordinantur ab alieno Episcopo, absque licentia Ordinarii sui. *Ab hac censura absolvere competit Episcopo ordinati.*
2°. Qui suscipiunt Ordinem sacrum supposito titulo ad eum requisito.
3°[107]. Parochus qui sponsos alterius parochiæ sine illorum Parochi aut Episcopi licentia, *vel* quilibet alius Sacerdos qui fideles matrimonio conjungit et benedicit absque illorum Parochi aut Episcopi licentia.
Ab hac censura absolvere competit Ordinario ejus Parochi qui matrimonio interesse debebat, seu a quo benedictio suscipienda erat[108].

Nantes 1733, 1755
Monita circa absolutionem à Casibus et Censuris reservatis

P2736 **Nantes 1733** p. 50-53. **Nantes 1755** p. 79-83
1°. Illi quibus maximè difficilis esse recursus ad Superiorem, non sunt remittendi ad illum, sed ab ipso postulanda est facultas eos absolvendi, nisi prudens Confessarius aliter expedire judicaverit.
2°. Facultati absolvendi à Casibus reservatis annexa est facultas absolvendi à Censuris non reservatis, sed non à Censuris reservatis. Unde qui audit in Confessione ligatum Excommunicatione reservatâ debet eum remittere ad superiorem, priusquam eum absolvat à peccatis[109].
3°. Nullus Presbyter saecularis, aut regularis, licet approbatus à D.D. Episcopo ad audiendas confessiones, potest, vi etiam indulti aut privilegii à summo Pontifici obtenti ad absolvendum ab omnibus Casibus Sedi Apostolicae reservatis, absolvere à Casibus reservatis D.D. Episcopo. ...
... 9°. Denique ad absolvendum in foro conscientiae et in tribunali poenitentiae, à Censuris etiam reservatis, nihil à Confessario addi opus est consuetis verbis, seu formae absolutionis.

---

moniali professa copulam habet consummatam, ipsaque monialis, de quibus numero tertio.
[107] Ce numéro 3 est coté 4 à Nantes 1755 p. 79 qui insère p. 78 sous une cote 3 : Qui fidelium confessiones audiunt, vel absolvunt a casibus reservatis, non obtenta facultate a D.D. Episcopo.
[108] Nantes 1755 p. 79 ajoute : *Conc. trid. Sess. 24a de reformatione matrimonii c. 2°. D.D. Episcopus potestatem facit omnibus sacerdotibus approbatis absolvendi ab omnibus aliis censuris hactenus sibi reservatis, nisi sint* ab homine.
[109] Facultati absolvendi... : § remanié en 1755.

Rodez 1733

[Jean-Armand de La Vove de Tourouvre]
Cas réservés à Monseigneur l'Evéque de Rodez

Rodez 1733 p. 142-144

Le sortilège, l'enchantement, la devination, le recours aux devins, et toute sorte de maléfices; *avec excommunication.*

La prophanation des lieux saints par larcin, fornication, ou effusion notable de sang avec violence et injure; *avec excommunication.*

Le péché de ceux qui mettent la main violente sur les ecclésiastiques; avec excommunication.

L'homicide volontaire; *avec excommunication.*

La suffocation du fruit animé, et la procuration d'avortement à l'égard de tous ceux qui y cooperent, quand l'effet s'en ensuit.

Le péché de ceux et celles, qui couchent des enfans avec eux dans le même lit avant l'an et jour depuis leur naissance; avec excommunication à nous reservée, s'il y a eu suffocation

Sodomia propriè dicta viri ad virum, foeminae ad feminam.
Copula carnalis cum bestiâ.
Copula carnalis etiam non completa cum sanctimoniali aut cum poenitente…

L'inceste au premier et second degré de parenté ou alliance naturelle.

Le violement des filles ou femmes.

Le concubinage public; *avec excommunication.*

La mariage clandestin, tant à l'égard des parties que du Prêtre et des Témoins qui y assistent.

Le péché des ecclésiastiques, même simples tonsurés, qui boivent dans les cabarets, caffés, hôtelleries et lieux en dépendans; ou qui font écot dans les maisons bourgeoises où l'on vend du vin au détail, si ce n'est lors qu'ils sont en voyage et à une lieuë de distance du lieu de leur résidence. Ce péché, outre qu'il est réservé dès la premiére fois, emporte *suspense ipso facto*, dès qu'on y tombe trois fois dans un an. On ne comprend pas dans la susdite défense, ceux qui boivent dans la maison de leur pere ou mere, oncle ou tante, frere ou sœur, neveu ou niéce, y étant invités gratuitement et sans forme d'écot.

L'entrée des ecclésiastiques dans les berlans, pour y joüer, ou faire joüer leur argent; *avec suspense ipso facto, à nous réservée.*

La non-résidence des curés au delà de deux mois sans nôtre permission; *avec suspense ipso facto.*

L'omission du catéchisme par les Curés ou Vicaires sans cause légitime pendant trois dimanches consécutifs, hors le tems de la récolte exprimé par les Statuts Synodaux *avec suspense ipso facto*.

Le péché des cabaretiers, qui donnent à boire pendant les Offices divins; c'est-à-dire pendant la Messe de Paroisse, le Prône, Vêpres et autres Priéres publiques, prescrites ou usitées dans les Eglises paroissiales, les jours de Fête et de Dimanche. Ils pourront néanmoins donner du vin aux personnes étrangéres qui voyagent actuellement et sans fraude.

Le péché de ceux qui mangent de la viande en tems prohibé sans nécessité.

Le violement de la cloture reguliere, soit par la sortie des religieuses hors de leur cloture, sans la permission de leur Superieur, soit par l'entrée ou l'introduction des personnes etrangeres de l'un et de l'autre sexe dans la cloture des Religieuses, et l'entrée des Filles ou Femmes dans la cloture des Religieux; *avec excommunication*.

L'altération ou falsification des monnoyes; *avec excommunication*.

Le faux témoignage fait en jugement.

La falsification des Actes publics ou particuliers, portant ou pouvant porter préjudice notable, tant à l'égard de ceux qui contrefont les écritures, ou qui les altèrent notablement par quelque changement, addition ou retranchement, qu'à l'égard de ceux qui y coopérent réellement, ou qui se servent sçiemment de ces sortes d'écritures.

Le recellement et la sépulture clandestine des corps des Bénéficiers, à l'égard de tous ceux qui y coopérent.

L'injuste usurpation des biens de l'Eglise, et la détention injuste des titres qui luy appartiennent; *avec excommunication à nous réservée*.

Le duel, appel, acceptation d'iceluy, et le port de cartel, tant à l'égard des parties, que de ceux qui y coopérent, bien que le duel ne s'en ensuive pas; *avec excommunication*.

La profession publique de l'hérésie, et l'apostasie des voeux solemnels et des ordres sacrés; avec excommunication à nous reservée.

Il faut observer qu'aucun péché n'est réservé, s'il n'est mortel, et s'il n'est commis extérieurement, et non par la seule pensée ou desir.

…

Nous accordons à tous les Vicaires forains, dans leur district, le pouvoir d'absoudre tous les fidéles du Diocése des cas réservés, à l'exception des cinq derniers et de ceux qui sont réservés au Pape.

Nous donnons la même permission à tous les Curés pendant le tems pascal, pour ceux des autres paroisses, qui leur seront adressés par leurs Curés. ...

Meaux 1734
[Henri de Thyard de Bissy]
Cas reservés à Monseigneur l'Evêque de Meaux

Meaux 1734 p. 83-85

1°. L'Hérésie, par laquelle on entend une opinion contraire à la foi, soutenue en présence d'une ou plusieurs personnes avec opiniâtreté, c'est-à-dire, en résistant à une décision connue de l'Eglise, ou professée en assistant dans ce dessein à une assemblée d'hérétiques, quand même on ne l'auroit fait que par crainte et contre ses vrais sentiments.

2°. La simonie et la confidence réelles et occultes.

3°. Professer ou exercer l'art magique, s'en servir pour nuire au prochain, pour causer la mortalité des bestiaux, pour deviner choses cachées, passées, présentes ou futures, pour guérir les maladies des hommes ou des animaux, pour empêcher l'effet du mariage. Faire tout autre sortilège.

4°. Profaner ou faire servir à des usages impies la très-sainte Eucharistie, le saint Chrême ou les saintes Huiles.

5°. Recevoir les Ordres sacrés d'un autre que de son propre évêque, sans avoir obtenu de lui des lettres dimissoires: être promu à un ordre supérieur sans avoir reçu l'inférieur; être ordonné avant l'âge réglé par les canons ou sur l'examen d'une personne supposée, ou enfin sur un titre faux et supposé.

6°. Le mariage d'une partie catholique avec une hérétique. La partie catholique encourt par le seul fait l'excommunication réservée.

7°. Se marier du vivant de son mari ou de son épouse.

8°. Frapper grièvement un clerc vivant cléricalement, un religieux ou une religieuse.

9°. Frapper quelque personne que ce soit dans l'église outrageusement, avec violence et grande effusion de sang.

10°. Le sacrilège, par lequel on entend ici tout vol de chose sacrée en quelque lieu qu'on le commette et même le vol d'une chose profane commis en un lieu sacré.

11°. Entrer avec violence et effraction dans les églises, chapelles, monastères ou autres lieux saints; voler et piller les églises et chapelles publiques, même sans effraction.

12°. *Fornicatio; sub qua hic adulterium aut alia graviora crimina comprehenduntur, in ecclesia aut in alio loco sacro et benedicto; non pollutio.*

13°. Violer la clôture régulière. On comprend dans ce cas 1°. les personnes de l'un et de l'autre sexe qui entrent dans les monastères des religieuses exemptes et non exemptes, sans permission des supérieurs. 2°. Lesdites religieuses qui les y admettent sans cette permission. 3°. Les religieuses exemptes ou non exemptes qui sortent de leur monastère sans la permission de l'évêque. Ceux et celles qui tombent dans l'un de ces trois cas, encourent de plein droit l'excommunication réservée.

14°. *Concubitus cum persona quam baptizaveris, vel in baptismo susceperis, aut cujus confessionem sacramentalem etiam unica vice exceperis; aut cum eo qui tibi baptismi, vel pœnitentiæ sacramentum administraverit, vel qui te in baptismo susceperit. Item, concubitus parochi cum parochiana et parochianæ cum parocho: sacerdotis autem, quocum hoc concubitus crimen, aut aliud quolibet tactu impudico admissum est, ne ab hoc delicto absolvere illum aut illam possit cum quo aut cum qua illud admisit, ita revocatur, ipso facto, facultas omnis (quamvis etiam proprius pastor foret) ut erga criminis sui participem plane irrita ac nulla declaretur, quamcumque antea obtinuerit, aut obtinere postea possit, seu generalis seu specialis facultas absolvendi a casibus reservatis.*

15°. *Crimen confessarii pœnitentem in sacramento pœnitentiæ ad turpia sollicitantis.*

Ut autem animarum vitetur pernicies, personæ quæ sollicitatæ fuerint, nec tamen peccato consenserint, moneantur obligationis quæ ipsis jure naturali incumbit sollicitatorem suum superioribus denuntiare. Si autem denuntiationi obstare videatur difficultas quædam gravissima, consulatur D. episcopus, sed ita caute, ut confessionis revelatio nulla subsequi possit.

Voyez sur ces deux derniers cas l'observation ci-devant faite au titre général des cas réservés.

16°. *Concubitus cum sanctimoniali, non modo consummatus, sed etiam tentatus actu ad consummationem proxime ex se ducente.*

17°. Frapper son père ou sa mère, son ayeul ou ayeule, ou autre ascendant en ligne directe.

18°. L'homicide volontaire. On tombe dans cette réserve, non seulement en tuant un homme de propos délibéré; mais encore lorsqu'on le tue par accident en commettant une action défendue sous peine de péché mortel, et dont on pouvoit juger que probablement la mort d'un homme pourroit s'ensuivre.

19°. Le duel, ou rencontre préméditée. On y comprend ceux qui s'y battent premiers, seconds, ou plus grand nombre, en quelque forme ou manière que ce soit: ceux qui font des appels, portent des paroles ou cartels de défi, et ceux qui les acceptent, quand même le combat ne s'ensuivroit pas, s'il n'a pas tenu à eux.

20°. Machiner la mort de son époux ou de son épouse.

21°. Faire coucher avec soi des enfans qui n'ont pas encore un an accompli.

22°. *Procurare data opera abortum fœtus sive animati, sive inanimati, etiamsi abortus non sequatur, ad id dare consilia, aut remedia scienter subministrare.*

23°. *Raptus virginum vel mulierum honeste viventium, seu invitæ ipsæ, seu invitis aut ignorantibus earum patre ac matre, aut curam gerente rapiantur. Quo casu raptor ipse ac omnes consilium, auxilium, aut favorem illi præbentes includuntur, et excommunicationi omnes subjacent.*

24°. *Incestus intra secundum gradum consanguinitatis vel affinitatis, etiam ex illicita copula. In quem casum cum incidit conjux, eo ipso amittit jus postulandi debitum conjugale a sua comparte, ac illo jure privatur donec in id restituatur speciali dispensatione, quæ tamen inclusa censeri debet, et si nominatim non exprimatur, in facultate non generali quidem absolvendi a casibus reservatis, sed speciali absolvendæ personæ conjugatæ ab hoc peccaro.*

Non amittitur tamen prædictum jus incestu illo qui fit cum persona non consanguinea conjugi perpetrantis incestum; V.G. Si vir duas sorores cognoscat non consanguineas uxori suæ, licet incestus ille sit casus reservatus.

25°. *Concubinatus notorius; concubinatus autem nomine intelligitur crimen illius qui cum muliere sibi extranea veluti cum propria uxore in eadem domo conversatur.*

26°. *Adulterium publicum, seu graviter scandalosum, et de quo est diffamatio.*

27°. *Lenocinium, cujus rei sunt qui aliorum ejusdem inter se aut diversi sexus libidinem ac impudicitiæ crimen scienter et voluntarie procurant aut adjuvant quæstus causa.*

28°. *Sodomiticum peccatum, inter ejusdem aut diversi sexus personas, etiam virum et uxorem, non modo consummatum, sed etiam re ipsa et actu ad consummationem proxime ducente tentatum, item peccatum quod illo gravius est, seu bestialitas eodem modo.*

29°. L'usure publique, c'est-à-dire, celle qui a été prouvée juridiquement, ou qui est tellement connue dans le voisinage, qu'il n'est plus possible de la révoquer en doute.

30°. Le crime de faux, que commettent ceux qui rendent faux témoignage en justice ; les faux monnoyeurs ; ceux qui supposent ou falsifient des lettres ecclésiastiques autres que des bulles ou brefs apostoliques ; car pour ces derniers il faut recourir au saint Siège, lorsque le crime est notoire.

On ne rapporte ici que les cas dont la réserve est ordinaire dans ce diocèse ; il y en a d'autres qui sont réservés extraordinairement par les mandemens des évêques, et dont les confesseurs pourront s'instruire par la lecture desdits mandemens. Tels sont la lecture de certains livres, etc.

On a marqué sous le titre de la suspense les cas ausquels les statuts du diocèse ont attaché cette censure avec réserve à monseigneur l'évêque.

Les confesseurs s'instruiront pareillement des cas extraordinaires ausquels les mandemens des évêques ont attaché ou pourroient attacher dans la suite des censures réservées.

Angers 1735

[Jean de Vaugirault]

Casus reservati D.D. Episcopo Andegavensi cum Censura excommunicationis

P2739 **Angers 1735 p. 88-89**

1°. Apostasia à Fide, Ordine et Religione.

2°. Haeresis quam quis exteriùs apertè profitetur, lectio vel retentio librorum haereticorum, item interesse concionibus aliisve haereticorum religionis actibus.

3°. Magia et sortilegium cum expressa Daemonum invocatione ; necnon profanatio seu impius usus sacrosanctae Eucharistiae, Chrismatis et olei sancti.

4°. Infantem per se vel per alium domi baptizare absque licentia Episcopi extra casum necessitatis.

5°. Audire fidelium confessiones, vel absolvere à Casibus reservatis, non obtentâ à D. Episcopo facultate.

6°. Concentum fidicinum, vernaculè *aubade*, dare alicui in solemni Processione festi Corporis Christi.

7°. Matrimonium clandestinum contrahere, vel tali Matrimonio consilio, vel auxilio favere, aut scienter et liberè interesse.

8°. Gravis percussio Clerici, aut Religiosi in sacris Ordinibus constituti. Simoniae realis in Ordine vel Beneficio, necnon Confidentiae crimen, si occultum sit.

9°. Violatio clausurae regularis vel per ingressum externarum utriusque sexûs personarum intra septa Monialium, vel per ingressum personarum muliebris [sic] sexûs intra septa Monasterii virorum cujuscunque Ordinis.

10°. Incendium deliberatè et animo nocendi factum.

11°. Duellum, item procuratio abortûs, sive foetus animatus sit, sive inanimatus, opere subsecuto.

12°. Falsum testimonium in causa Matrimonii coram Episcopo, Officiali vel Parocho, à contrahentibus aut ab aliis scripto aut vivâ voce praestitum.

13°. Suppositio seu falsificatio tituli Clericalis circa substantiam aut valorem illius, item venditio absque licentia Episcopi vel emptio rerum seu fundorum in quibus titulus clericalis assignatus est.

14°. Occultatio seu suppressio testamenti personae defunctae.

Angers 1735

Casus reservati D.D. Episcopo Andegavensi absque excommunicatione

Angers 1735 p. 89-90

1°. Furtum rei sacrae in loco sacro.

2°. Fornicatio etiam inchoata Confessarii cum poenitente et poenitentis cum Confessario, item Parochi cum Parochiana et Parochianae cum Parocho.

3°. Copula carnalis etiam non consummata cujuslibet personae cum persona religiosa, et vicissim personae religiosae cum qualibet alia persona.

4°. Blasphemia prolata animo et voluntate deliberata detestandi vel contemnendi Deum.

5°. Percussio patris vel matris, avi aut aviae facta cum excessu aut scandalo.

6°. Homicidium deliberatè commissum vel per se vel per alium, item suffocatio etiam fortuita infantis positi in lecto antequam habeat annum completum.

7°. Incestus intra tertium gradum consanguinitatis vel affinitatis ex licita copula proveniens et intra secundum gradum affinitatis ex illicita copula.

8°. Violatio seu violenta oppressio cujuslibet foeminae, sodomia, necnon et bestialitas.

9°. Adulterium coram Judice probatum, aut toti viciniae adeo notorium ut occultari ac celari non possit, necnon occultum ex quo proles certo concepta sit.

10°. Falsum testimonium et perjurium falsorum scilicet testium coram Judice factum, item fabricatio falsorum contractuum, et aliorum instrumentorum.

11°. Esus carnium aliorumque ciborum vetitorum iis diebus quibus ab Ecclesia prohibentur.

12°. In coetu nuptiali, tempore quo clausae sunt nuptiae, choreas habere, fidicines conducere, vel hasce saltationes, ac choreas in aedibus suis tolerare.

Quoniam vero accidit, ut et Presbyteri à Casibus supradictis temerè absolvant, et poenitentes ejusmodi peccata audentius committant, ignorantes eorum absolutionem esse reservatam, quo facilius ad omnium notitiam perveniant; Parochis omnibus injungitur, ut quotannis saltem semel, quando erit frequens conventus populi, in pronao Missae parochialis, omnes Casus supradictos cum aliis quos D. Episcopus speciali statuto sibi reservavit, aut in posterum reservabit, ad verbum linguâ vernaculâ parochialis suis legant ac denuntient, et in Ecclesiis suis loco patenti in tabella descriptos exponant.

Chalon-sur-Saône 1735

[François de Madot]

Cas réservés à Monseigneur l'... Evêque et Comte de Chalon

P2741 **Chalon-sur-Saône 1735 p. 53-54**

♪1. Tous les cas ci-dessus réservés au Pape, quand ils n'ont pas été portés au for contentieux, ou lorsque la réserve cesse pour quelqu'une des raisons exprimées.

♪2. L'hérésie soutenue avec opiniâtreté.

♪3. La magie, la divination, le sortilège, l'enchantement par invocation expresse du démon, et toutes sortes de maléfices pour empêcher la consommation du mariage.

4. Proférer devant plusieurs personnes quelques paroles d'éxécration contre Dieu, la sainte Vierge, ou quelqu'autre Saint.

5. Le crime du confesseur avec sa pénitente.

6. L'inceste au premier ou au second dégré de parenté ou d'alliance.

7. *Nefandum sodomia peccatum, et qua adhuc atrocior est bestialitas.*
8. L'homicide volontaire. ♪Le duel, y comprenant non-seulement le péché de ceux qui se battent, mais encore de ceux qui le conseillent, le procurent, le favorisent, ou y servent de parreins ou de seconds.
9. Procurer l'avortement par conseil, breuvage, ou autrement, soit avant, soit après l'animation du *fœtus*.
10. Coucher avec soi un enfant en un même lit, avant qu'il ait un an et jour.
11. Fraper injurieusement son pere ou sa mere.
12. Les Notaires ou autres personnes publiques qui célent les legs pieux, et ceux qui usurpent ou détiennent injustement les biens apartenans [sic] à l'Eglise.
♪13. Les femmes ou filles, qui sans permission, entrent dans les Monasteres des religieux ou des religieuses ; et les hommes, qui pareillement, sans permission entrent dans les Monasteres des religieuses.
14. Manger publiquement de la viande dans le saint tems de Carême, sans permission, ni nécessité, avec mépris et scandale.
15. Se parjurer en justice.
16. Le péché des bénéficiers ou personnes constituées dans les Ordres sacrés, qui contre les ordonnances du Diocèse, boivent ou mangent dans les cabarets de leur résidence, ou dans ceux qui n'en sont pas éloignés au moins d'une lieuë, ce qui porte outre la réserve, la suspense encourue par le seul fait.

Les cas marqués d'une étoile [ici croche ♪], *outre la réserve qui y est annéxée, sont encore sujets à l'excommunication majeure encourue par le seul fait ; mais le Confesseur qui a reçu un pouvoir général d'absoudre des cas réservés, poura* [sic] *absoudre pareillement des censures, sans qu'il puisse commuer les vœux, ni dispenser des irrégularités, s'il n'en a reçû un pouvoir spécial.*

Narbonne 1736
[René-François de Beauvau]
Cas reservez à Monseigneur l'Archevesque.
Portant excommunication ipso facto

Narbonne 1736 p. 41-42
1. Tous les cas reservés au Pape, lors qu'ils ne sont pas publics.
2. L'heresie.
3. Frapper même legerement un Clerc ou Religieux.

4. La suffocation des enfans.

5. Le duel et appel au duel, porter l'appel, conseiller ou accepter le duel, quoique le combat ne s'en soit pas ensuivi.

6. L'entrée des hommes dans les monastères des Religieuses; celle des femmes dans les monastères des Religieux et Religieuses, et ceux et celles qui les y admettent.

7. Attenter de se marier malgré le curé, et luy faire des actes pour declarer qu'on se marie en sa presence, ou contribuer à tels actes, en qualité de notaire ou temoin.

8. Receler le corps des beneficiers decedés, ou donner ayde, conseil, ou favoriser un tel recelement.

9. La simonie ou confidence.

10. Faire des actes faux ou des antidates de resignation, demission, cession, permutation, titre, mise de possession concernant les benefices, ou y contribuer en qualité de notaire ou temoin.

11. Faire, aprés avoir resigné, une revocation d'intelligence, aux fins d'être toûjours le maître du benefice resigné.

12. Les simples clercs beneficiers qui tiennent chez eux des femmes ou des filles, si elles ne sont de bonne reputation, et n'ont atteint l'âge de cinquante ans, à moins que ce ne soit leur mere, leur soeur, leur tante, ou leur niece au 1er degré.

13. Les simples clercs beneficiers qui joûent aux cartes, dez, billard dans les lieux publics, assistent aux spectacles publics: mangent ou boivent au cabaret (excepté en voyage) le tout pour la troisiéme fois, soit que les autres peines portées par les anciennes ordonnances, ayent été declarées, ou non.

14. Les prêtres seculiers et reguliers qui administrent le sacrement de Penitence, sans approbation, excepté le cas de peril de mort, au deffaut d'un prêtre approuvé.

15. Donner (sans en avoir reçu le pouvoir) l'absolution des censures et cas reservés enoncés dans la presente liste à ceux qui ont atteint l'âge de puberté (excepté le cas de peril de mort).

16. Se marier devant autres que les curés, vicaires, ou autres prêtres commis par Monseigneur l'Archevêque, ou lesdits curés, et ceux qui cooperent à tels mariages clandestins.

Narbonne 1736

Cas reservez à Monseigneur l'Archevesque, portant Suspense, ipso facto

P2743 **Narbonne 1736** p. 42-43

1. Sont suspens les Ecclesiastiques qui étant dans les Ordres sacrés tiennent chés eux des femmes ou filles, si elles ne sont de bonne reputation, et n'ont atteint l'âge de cinquante ans, à moins que ce ne soit leur mere, leur soeur, leur tante, ou leur niece au 1er degré.

2. Ceux qui étant aussi dans les Ordres sacrés joûent aux cartes, dez et billard dans les lieux publics; assistent aux spectacles publics; mangent ou boivent au cabaret, (excepté en voyage) le tout pour la troisiéme fois, soit que les autres peines portées par les anciennes Ordonnances ayent été declarées ou non.

3. Ceux qui ayant été pourveus de cure par ceux qui pretendent en être les collateurs ne reçoivent pas de Monseigneur l'Archevêque le Regime des Ames[110], avant d'y faire aucune fonction.

4. Les Curés qui ne remettent pas à leurs successeurs les Registres de la paroisse dans quinze jours au plus tard, aprés la prise de possession.

5. Ceux qui ayant été ordonnés sous-diacres, sur un titre de patrimoine y renoncent, sans avoir d'ailleurs de quoy vivre.

6. Tous prêtres qui entreprenent de faire des mariages, n'étant ni les curés des contractans, ni vicaires de la paroisse, ni commis par Monseigneur l'Archevêque, ou par lesdits Curés.

Narbonne 1736

Cas reservez à Monseigneur l'Archevesque, qui ne portent point Censure

Narbonne 1736 p. 43-44

1. Detenir les droits et tous biens appartenant à l'Eglise, legs pies, testamens, et toute sorte de titres, actes, et documens appartenant aux Eglises, Hôpitaux et Benefices.

2. Profaner les lieux saints par larcin, fornication, ou effusion de sang humain.

3. L'homicide volontaire: l'avortement ou y contribuer soit que le *foetus* soit animé, ou non.

4. Exposer et abandonner les enfans; les coucher avec d'autres personnes dans le même lit avant l'an et jour de leur naissance: ou être couché avec lesdits enfans.

5. Les peres qui font coucher avec eux dans le même lit leurs filles aprés l'âge de sept ans, ainsi que les meres qui aprés le même âge font coucher avec elles leurs fils; de plus les peres et meres qui permettent

---

[110] le Regime des âmes: la charge des âmes (*cura animarum*).

que leurs enfans de different sexe, couchent dans le même lit aprés ledit âge de sept ans.

6. Frapper son pere ou sa mere, son beaupere ou bellemere.
7. L'empoisonnement, quoique la mort n'ait pas suivi.
8. La sodomie, bestialité, inceste au premier et second degré de consanguinité ou d'affinité, et au premier degré d'affinité spirituelle. *Sacrilegium cum moniali: item Confessarii cum poenitente, et vicissim: haec omnia in opere consummato.*
9. Le concubinage public.
10. La falsification des actes publics.
11. Le faux temoignage en justice.
12. La falsification, ou rogneure de monoye.
13. Les sortileges, enchantemens, malefices: consulter les sorciers, enchanteurs, magiciens, et devins.
14. Le rapt.
15. Manger de la viande en carême sans necessité.
16. Les notaires qui ne revelent pas dans trois mois les legs pies.

Rouen 1739
[Nicolas de Saulx-Tavanes]

Casus reservati DD. Archiepiscopo Rotomagensi

P2745 **Rouen 1739 p. 118-119**

1° Crimen haeresis: quo casu comprehenduntur haeretici, schismatici, eorum in haeresi aut schismate fautores, vel qui eorum conventiculis intersunt, cum intentione ipsis adhaerendi, *cum excommunicatione ipso facto, eaque reservata*: item qui legunt aut retinent absque licentia libros haereticos, aut alios sub censura prohibitos, *cum excommunicatione.*

2° Blasphemia publica in Deum, B.V. Mariam, aliosve sanctos, cum attentione et ex impietatis animo prolata.

Notandum. *1° peccatum blasphemiae committi posse tam scripto quam voce. 2° Hac in reservatione non comprehendi juramenta seu sacramenta per Deum, Dei vitam, mortem… et similia quae ex consuetudine pessima certè et abolenda, inter loquendum saepissimè proferuntur; nisi qui ea profert intentionem expressam habeat Deo maledicendi et renuntiandi.*

3° Prophanatio aut impius usus specierum SS. Eucharistiae, Chrismatis et alterutrius olei Sancti, Catechumenorum scilicet et Infirmorum.

4° Divinatio, sortilegium, incantatio atque omne magicum exercitium; quin etiam tum excommunicationem ipso facto annexam habet ac reservatam, si juratum sit explicitum cum daemone pactum, aut saltem facta fuerit expressa ejus invocatio.

5° Sacrilegium, quo intelligitur violenta et atrox percussio in Ecclesia, aut in alio loco sacro vel benedicto; item furtum rei sacrae: atque etiam non sacrae depositae in loco sacro vel benedicto. Hoc etiam casu comprehenduntur fornicatio, adulterium, et alia graviora crimina contra sextum praeceptum in Ecclesia aliove loco sacro aut benedicto commissa.

6° Gravis percussio Clerici, vel Religiosi, Clericali aut Religionis habitu induti, *cum excommunicatione ipso facto et reservata.* Si sit atrox, reservatur summo Pontifici.

7° Simonia et Confidentia occulta tam quoad committentes, quam quoad mediatores.

8° Sacrilegus Sanctimonialium abusus.

9°. Clausurae regularis violatio.

10°. Incendium voluntarie factum, opere, consilio, auxilio, mandato; sicut et effractio et spoliatio sacrarum aedium, monasteriorum, et aliorum piorum locorum, ante publicam denuntiationem.

11°. Raptus virginum vel mulierum honestè viventium: quo casu non raptor solus, sed et qui ei auxilium aut consilium praebent comprehenduntur, *cum excommunicatione ipso facto et reservata.*

12°. Incestus in primo et secundo gradu consanguinitatis, vel affinitatis: item stuprum violentum et lenocinium.

13°. Detestabilia bestialitatis aut sodomiae crimina.

14°. Homicidium voluntarium.

15°. Duellum; quo nomine intelliguntur omnes certantes in duello, qui ad illud provocant scienter, aut cooperantur; *cum excommunicatione ipso jure ac reservata.*

16° In vitam conjugis insidiosa machinatio, licet mors non sequatur.

17°. Procuratio abortûs, sive foetus sit animatus sive non, opere, consilio, vel auxilio, etiamsi non sequatur: item sumptio remediorum eo fine ut procuretur sterilitas.

18° Oppressio parvulorum ex proposito, vel ex gravi negligentia.

19°. Percussio patris et matris et aliorum ascendentium, sicut et soceri ac socrûs, *cum excommunicatione ipso facto et reservata.*

20°. Perjurium coram judice Ecclesiastico vel Laïco.

21°. Usus ciborum in Quadragesima aliisve abstinentiae diebus vetitorum absque necessitate.

22°. Contractus Matrimonii clandestini, *cum excommunicatione reservata ipso facto, incurrenda etiam ab ipsis testibus.*

23° In eadem causa Matrimonii, testimonium falsum à contrahentibus aut ab aliis malâ fide ac dolo praestitum, scripto aut vivâ voce, ut à ministris Ecclesiae matrimonium in se nullum benedicatur et celebretur, *cum excommunicatione ipso facto et reservata.*

24° Peccatum falsariorum tam monetae quam litterarum ecclesiasticarum, modo non sint Bullae aut Litterae summi Pontificis: harum enim falsificatio ipsi reservatur, si sit notoriè denuntiata.

Rouen 1739
Lodève 1744

Casus quibus ipso facto annexa est suspensio
DD. Archiepiscopo (Episcopo) reservata

P2746   Rouen 1739 p. 119
Suspensionem incurrunt.

1°. Qui scienter absolvunt poenitentem aliquem ab haeresi absque licentia DD. Archiepiscopi *cum excommunicatione reservata.*

2°. Qui scienter absolvunt poenitentem à censuris et casibus reservatis absque licentia ejusdem DD. Archiepiscopi, extra mortis periculum et tres casus supra memoratos, Tit. *de Casibus reservatis.*

3°. Qui matrimonium jungunt Catholicum cum haeretica, vel haereticum cum Catholica, aut haereticum cum haeretica.

4°. Qui alterius Parochiae sponsos, non obtentâ Parochi vel DD. Archiepiscopi licentiâ, benedicunt.

5°. Qui matrimonio junxerint castra sequentes vel vagabundos absque DD. Archiepiscopi licentiâ.

6° Qui deferunt SS. Eucharistiam ad extinguenda incendia arcendasve tempestates vel tonitrua, etc.

7°. Qui benedictiones exorcismosve alios à praescriptis in Missali, vel hoc Rituali faciunt, formulasve alias propria authoritate adhibent. *Haec suspensio ab ipsis etiam qui se exemptos dicunt incurritur, si in locis non exemptis talia audeant, aut in loco exempto circa personas non exemptas.*

8°. Qui absque necessitate cibum potumve sumunt apud caupones, in locis à domicilio duabus leücis integris non distantibus.

9°. Qui celebrant Missam absque veste talari integra, vel sine ea Sacramentum aliquod administrant extra casum necessitatis.

Évreux 1741

[Pierre de Rochechouart]
Cas à Nous réservés

Évreux 1741 p. 165-168

1°. L'Hérésie, par laquelle on entend une opinion contraire à la foi, soutenue par écrit ou de vive voix en présence d'une ou de plusieurs personnes avec opiniâtreté, c'est-à-dire, en résistant positivement et non en doutant, à une décision connue de l'Eglise, ou professée, en assistant dans ce dessein à une assemblée d'hérétiques ; quand même on ne l'auroit fait que par crainte et contre ses vrais sentimens. *Il y a excommunication réservée qui est encourue par le seul fait.*

Dans cette réserve et dans cette censure, sont compris ceux qui sans permission lisent ou retiennent des livres défendus par l'Eglise, et spécialement par nous, ou par nos prédécesseurs, sous peine de censure réservée. On y comprend aussi ceux qui soutiennent la doctrine de ces livres, ou qui en soutiendroient une autre condamnée par des mandemens particuliers de nous ou de nos prédécesseurs, sous peine de censure réservée.

2°. Le parjure devant un Juge ecclésiastique ou laïque, lorqu'après avoir prêté serment en Justice, et promis de dire la vérité, on la nie ou on la dissimule malicieusement par quelque subterfuge, soit dans sa propre cause, soit dans celle d'autrui.

3°. Le sacrilège dont les espèces suivantes sont réservées. 1°. Profaner ou faire servir à des usages impies la très-sainte eucharistie, le saint chrême ou les saintes huiles. 2°. Tout vol de chose sacrée, en quelque lieu qu'on le commette, et même le vol d'une chose profane commis en un lieu sacré ou béni. 3°. Frapper quelque personne que ce soit dans un lieu sacré ou béni, avec violence et grande profusion de sang. *Item fornicatio, adulterium, sodomia, aut bestialitatis crimen in loco sacro vel benedicto.* 4°. *Concubitus cum sanctimoniali.*

4°. La simonie et la confidence réelles et occultes. *Il y a excommunication réservée encourue par le seul fait.*

5°. L'entrée des personnes de l'un et de l'autre sexe dans les monastères des Religieuses sans permission. *Il y a excommunication réservée encourue par le seul fait.* On comprend aussi dans cette réserve l'entrée des personnes du sexe dans les monastères des Religieux.

6°. La magie ; sous ce nom nous comprenons les magiciens, enchanteurs, sorciers, devins, qui font profession de deviner et révéler choses cachées et inconnues, passées, présentes ou futures ; qui se servent de maléfice, pour empêcher l'usage du mariage, ou pour nuire au prochain dans sa personne ou dans ses biens. Il y a excommunication réservée encourue par le seul fait.

7°. Frapper grièvement, quoique ce ne soit pas d'une manière énorme, un Clerc ou un Religieux portant l'habit clérical ou de religieux, qui ne seroit pas l'aggresseur. *Il y a excommunication réservée encourue par le seul fait.*

8°. Frapper son père et sa mère, ayeul ou ayeule.

9°. Le duel et le crime de ceux qui le conseillent ou qui l'authorisent par leurs actions ou par leur présence : ceux qui font des appels, quoique le duel ne s'en suive pas. *Il y a excommunication réservée encourue par le seul fait.*

10°. L'homicide volontaire : on tombe dans cette réserve, non seulement en tuant un homme de propos délibéré ; mais encore lorsqu'on le tue par accident, en commettant une action défendue sous peine de péché mortel, et dont on pouvoit et devoit juger que probablement la mort d'un homme pourroit s'ensuivre ; tel qu'un homicide commis dans l'yvresse, ou dans une grande colère.

On comprend aussi dans cette réserve, *procuratio abortus sive animati sive inanimati, etiam si non sequatur effectus. Ad id dare consilia aut remedia scienter subministrare : item oppressio parvulorum ex gravi culpa et negligentia.*

11°. *Incestus intra secundum gradum consanguinitatis et affinitatis : item incestus spiritualis qui committitur cum persona quam quis in Baptismo suscepit.* La réserve s'étend aux deux complices, ainsi que dans le cas suivant.

12°. *Concubitus confessarii cum pœnitente. Nullus autem sacerdos absolvere potest a peccato carnis complicem sui criminis in dicto peccato, quamcumque obtinuerit aut obtinere postea possit, seu generalem seu specialem potestatem absolvendi a casibus reservatis. Ad id enim etiam tempore Jubilæi ita revocatur omnis facultas, ut omnino irrita ac nulla declaretur. Per peccatum autem carnis non solum intelligitur peccatum completum, sed etiam peccatum quod quolibet aliquo tactu impudico voluntarie committitur.*

13°. *Sodomia tam in agente quam in patiente inter ejusdem sexus personas. Item peccatum quod illo gravius est, seu bestialitas.*

14°. Contracter un second mariage, sçachant que la personne avec qui on en a contracté un premier est vivante.

15°. *Raptus virginum aut mulierum honeste viventium, cum invitæ ipsæ, seu invitis earum patre vel matre aut curam gerente, rapiuntur ad libidinem explendam, aut ad matrimonium contrahendum, etiam si nec libido expleta sit, nec matrimonium contractum; sufficit ut eo fine abducta sit: quo casu raptor ipse, ac omnes consilium, auxilium aut favorem illi præbentes includuntur, cum censura excommunicationis ipso facto eaque reservata. Locum habet pariter hic casus quando virgini vel mulieri honestæ ad libidinem vis infertur, et reipsa expletur libido, licet e nullo loco abducatur.*

16°. L'usure publique, c'est-à-dire, celle qui a été prouvée juridiquement, ou qui est tellement connue dans le voisinage, qu'il n'est plus possible de la révoquer en doute.

17°. L'incendie volontaire des maisons et autres biens temporels du prochain; de plus, le vol des églises et chapelles avec effraction. *Il y a excommunication réservée encourue par le seul fait.* Si les coupables dans l'un et l'autre cas étoient publiquement dénoncés, le crime seroit réservé au Pape.

18°. Le crime de faux que commettent ceux qui font la fausse monnoie ou qui altèrent la vraie; ceux qui supposent ou falsifient des lettres ecclésiastiques autres que des bulles ou lettres apostoliques.

19°. L'usage sans nécessité de la viande ou d'autres mets défendus aux jours d'abstinence prescrits par l'Eglise.

20°. Boire dans les cabarets du lieu de sa résidence pendant la messe de paroisse des jours de dimanche ou de fête chomée; on comprend aussi dans la réserve les hôtes et hôtesses qui donnent à boire à ces personnes pendant ce tems-là.

21°. Etant ecclésiastique dans les ordres sacrés, ou bénéficier, avoir bu ou mangé dans les cabarets qui ne sont pas éloignés au moins d'une lieue du lieu de la résidence, *avec excommunication réservée encourue par le seul fait.* Par cabaret, dans les deux derniers cas, on entend tous les lieux, soit maison, soit enclos ou jardin, où l'on vent [sic] du vin, du cidre ou autres liqueurs.

22°. Tous les cas réservés au Pape, lorsqu'ils sont occultes, ou qu'ils ont été commis par ceux que le droit exempte d'aller à Rome. On peut voir ce que nous avons dit ci-dessus à ce sujet en parlant des censures.

Avranches 1742

[César Le Blanc]
Casus reservati in Diœcesi Abrincensi

Avranches 1742 p. 7-14
I Hæresim exterius profiteri.

II Sacrilegium in res sacras: quo nomine intelligimus furtum rei sacræ in quovis loco, aut rei prophanæ depositæ in loco sacro.

III Sacrilegium in personas sacras; id est 1°. Percussio gravis ecclesiastici, religiosi, aut sanctimonialis, cum cognoscuntur ut tales: si vero percussio si atrox reservatur summo Pontifici. 2°. Concubitus cum religioso aut sanctimoniali.

IV Sacrilegium in loca sacra, quo casu comprehenduntur. 1°. Exustio voluntaria, item effractio loci sacri, quandiu incendiarius aut effractor non sunt publice denuntiati. 2°. Actus impudicitiæ consummatus in loco sacro. 3°. Effusio sanguinis, mutilatio, percussio facta per vim, iram, aut malum consilium in loco sacro.

V Sortilegium; divinatio; sortilegos aut divinos consulere ad cognoscendas res secretas; veneficium, et maleficium sive ad impediendum usum matrimonii, sive ob alium finem proximo nocivum.

VI Simonia, item confidentia occulta: Simonia vero et confidentia, dummodo sit publica, reservatur Summo Pontifici.

VII Blasphemia publica et notoria in Deum, Beatam Mariam Virginem aut Sanctos.

VIII Transgressio votorum solemnium.

IX Dispensatio et commutatio votorum præter vota castitatis perpetuæ, religionis, peregrinationis Jerosolymam, Romam, et ad Sanctum Jacobum in Compostella; quæ quidem vota reservantur summo Pontifici.

X Percussio gravis patris aut matris, avi aut aviæ.

XI Homicidium voluntarium actione, persuasione, aut alia qualibet cooperatione: Opressio parvulorum ex proposito, vel ex gravi negligentia. Abortus voluntarie procuratus per potiones, vim, aut alium quemlibet modum, sive fœtus sit animatus, sive non sit. Sterilitas mulieris voluntarie procurata.

XII Adulterium publicum et notorium: adulterium viri novum contrahentis matrimonium, legitima uxore superstite; item uxoris ad nuptias convolantis, viro superstite; in quo sacrilegium adulterio conjunctum est. Concubinatus publicus et notorius; id est, commercium impudicum et criminosum quod fovetur inter virum et mulierem, aut puellam matrimonio minime conjunctos, diu, notorie, et cum scandalo.

XIII Sodomia. Bestialitas.

XIV Incestus in primo et secundo consanguinitatis vel affinitatis gradu; aut in primo gradu affinitatis spiritualis.

XV Raptus virginis aut mulieris; item stuprum.

XVI Ancillarum quæ quadragesimum quintum ætatis annum ad minus non habuerint apud parochos cæterosve presbiteros, atque ecclesiasticos in sacris ordinibus constitutos commoratio.

XVII Omnis substractio, et omne furtum scripturarum, et instrumentorum spectantium jura et titulos possessionum ecclesiasticarum.

XVIII Usura publica et notoria.

XIX Exustio voluntaria domorum prophanarum ante publicam Incendiarii denuntiationem.

XX Falsificatio quæ sit proximo nociva, omnium actuum, scripturarum, litterarum, sigillorum, instrumentorum sive publicorum, sive particularium.

XXI Falsum testimonium, seu sacramentum in judicio, falso præstitum.

XXII Falsam monetam cudere, eamdemve exponere ex condicto cum falsariis.

XXIII Venumdatio aut sumptio potus in cauponis, locisve ab iisdem cauponis pendentibus, dum celebratur officium divinum, diebus dominicis aut festivis.

XXIV Semel in anno peccata non confiteri, neque alias temporis paschalis obligationes implere.

XXV Carnibus vesci, aliisve ministrare carnes quibus vescantur temporibus ab Ecclesia prohibitis, non obtenta licentia.

XXVI Censuræ *ab homine*.

XXVII Censuræ et irregularitates occultæ, aut ex delicto occulto, excepta irregularitate ex homicidio, et exceptis censuris ad forum contentiosum devolutis.

XXVIII Veritatem in injustitia detinere, cujus casus reus est qui id quod scit circa factum aliquod in Monitorio expressum revelare renuit.

XXIX Omnes casus sedi apostolicæ reservati, sive cum sunt occulti, sive cum ii qui prædictis casibus implicantur, Romam pergere nequeunt, ut senes, valetudinarii, pauperes ex labore quotidiano victitantes, mendici, puellæ ac mulieres.

Avranches 1742

Casus quos D.D. Episcopus Abrincensis specialiter sibi reservat

Avranches 1742 p. 14-17

I Promotio ecclesiasticorum ad unum pluresve ordines sacros sine litteris dimissoriis.

II Egressus presbyterorum extra diœcesim, ut alibi domicilium figant, non obtenta a D.D. Episcopo licentia.

III Suspensiones quas incurrunt presbyteri ob venationem, gestationem, et usum armorum quæ ope pulveris pyrii disploduntur.

IV Item suspensiones quas incurrunt presbyteri manducantes et bibentes in cauponis, locisve ab iisdem cauponis pendentibus.

V Absentia (quæ ultra mensem protrahitur) parochorum vel presbyterorum quibus parochiarum cura incumbit, non obtenta a D.D. Episcopo licentia.

VI Administratio baptismi absque cæremoniis ordinariis extra casum necessitatis: quo casu non solus baptismi minister, sed et prædictæ Baptismi administrationis autores comprehenduntur.

VII Dilatio baptismi infantis ultra diem tertium ab infantis ortu: in quo quidem trium dierum spatio neque diem ortus infantis, neque diem baptismi includimus. Item dilatio cæremoniarum baptismi ultra diem octavum: in quo quidem octo dierum spatio neque diem quo supplentur cæremoniæ, neque diem baptismi comprehendi intendimus.

VIII Peccatum impudicitiæ confessarii cum pœnitente respectu confessarii tantum.

IX Duellum, hoc est, in duello decertare, duellum consulere, præsentiave sua promovere.

Not. Nulla est reservatio in articulo mortis.

Nullum peccatum est reservatum, nisi sit mortale, et in sua specie perfecte completum.

Nullum peccatum est reservatum quando sola cogitatione est admissum.

Nullum est peccatum reservatum quando a pueris aut puellis committitur ante annos pubertatis, id est, in pueris ante annum ætatis decimum quartum completum, et in puellis ante annum ætatis duodecimum completum.

Sacerdotes qui facultatem a casibus reservatis absolvendi non habent, caveant ne a quolibet casu reservato absolvant eos qui non sunt in articulo mortis, tametsi gravi morbo laborent; aut eos qui brevi matrimonio jungendi sunt; aut etiam infantes qui nondum participes facti sunt corporis Domini, si sint puberes, atque crimen aliquod reservatum admiserint.

Lisieux 1742, 1744

[Henri-Ignace de Brancas]

Lisieux 1742 : *Casus reservati D.D. Episcopo Lexoviensi*

Lisieux 1744 : *Casus D.D. Episcopo minus specialiter reservati*

Lisieux 1742 p. 43-45

1° Mediocris percussio Clerici vel Religiosi, etiam primæ tonsuræ, dummodo vestem et tonsuram clericalem deferat, cum *Censura excommunicationis*[a] *ipso facto*. Si percussio sit atrox, reservatur summo Pontifici.

2°. Exustio domorum procurata et voluntaria, cum *Censura excommunicationis*[a] *ipso facto*. Si incendiarius sit publice denuntiatus, reservatur summo Pontifici.

Idipsum de effractione et spoliatione sacrarum ædium, aut piorum locorum intelligendum præcipit D.D. Episcopus[b].

3°. Atrox et violenta percussio in Ecclesia.

4°. Notabilis et injuriosa percussio patris vel matris[c].

5°. Prophanatio et impius usus S.S. Eucharistiæ, Chrismatis et Olei sancti, catechumenorum scilicet et infirmorum.

6°. Simonia et confidentia occulta, *cum censura excommunicationis ipso facto*[d].

7°. Professio vel exercitium maleficiorum, incantationum, divinationum, caeterarumque artium magicarum : item consultatio Magorum et Divinorum.

8°. Falsum testimonium coram Judice, ecclesiastico vel laïco.

9°. Homicidium voluntarium.

10°. Procuratio abortûs, sive sit, sive non sit fœtus animatus; et hîc comprehenduntur ii omnes qui præbent, accipiunt, aut consulunt potiones medicas, aut alia id genus remedia, quibus prolis conceptio impediatur.

11°. Concubinatus publicus.

12°. Adulterium notorie scandalosum. Publicum autem et notorium intellige, quod est aut in judicio probatum, aut in tota vicinia ita cognitum, ut nullâ tergiversatione celari possit. Publico opponitur occultum.

13°. Incestus intra secundum gradum consanguinitatis, vel affinitatis[e].

14°. Sodomiticum peccatum, et quod eo gravius est.

15°. Ministratio cibi, vel potûs facta a cauponibus diebus dominicis et festivis, tempore Missæ parochialis et Vesperarum, *cum censura excommunicationis*[f] *ipso facto*.

Idipsum intellige de improba extorsione cibi vel potûs, facta, reluctantibus cauponibus, ab edentibus et bibentibus in cauponis, diebus et tempore prædictis.

Variantes Lisieux 1744. (a) Censura excommunicationis] excommunicatione. –(b) Idipsum... Episcopus] 3°. Effractio et spolatio sacrarum aedium, aut piorum locorum *cum excommunicatione ipso facto.* Si effractor et spoliator sit publice denuntiatus, reservatur summo Pontifici. –(c) et aliorum ascendentium, sicut et soceri ac socrûs] *add.* –(d) Simonia... *facto*] *om.* –(e) aut affinitatis gradum] *add.* –(f) Censura excommunicationis] excommunicatione.

Lisieux 1742

Casus specialiter reservati D.D. Episcopo, Vicariis ejus generalibus, ac Pœnitentiario

P2751   Lisieux 1742 p. 45-46

1°. Duellum, quo nomine intelliguntur omnes in duello decertantes, et socii certaminis : tum etiam qui vulgo dicuntur eorum patrini, et qui ad illud provocant scienter, *cum censura excommunicationis ipso facto.*

2°. Fornicatio Confessarii cum pœnitente, et vicissim pœnitentis cum Confessario.

3°. Oppressio parvulorum per notabilem incuriam.

4°. Dilatio Baptismi facta a parentibus ultra diem octavum ab infantis ortu, *cum censura excommunicationis ipso facto.*

5°. Ingressus in monasteria Monialium, absque licentia D.D. Episcopi aut Superioris : item ingressus mulierum in monasteria monachorum, *cum censura excommunicationis ipso facto.*

6°. Comestio aut potatio Clericorum in sacris constitutorum, in cauponis a domicilio una leuca non distantibus, aut in locis cauponæ vicinis, si ex ea cibus potusve ministretur, *cum censura suspensionis ipso facto.*

7°. Ebrietas Clericorum cum scandalo, in quocumque loco accidat.

Notandum autem primo, nullum reservari peccatum, nisi sit mortale, et nisi actus fuerit consummatus.

Secundo, nullum reservari, si sola cogitatione sit commissum.

Tertio, nullum reservari in pueris et puellis ante pubertatis annos, id est, in pueris ante annum ætatis decimum quartum, in puellis tantum ante annum duodecimum.

Quarto denique, nullum peccatum, nec Censuram reservari in articulo mortis, neque onus imponi sic absoluto a peccatis reservatis, adeundi Superiorem, si convaluerit : secus de Censuris.

Strasbourg 1742

[Armand-Gaston de Rohan-Soubise]
Casus reservati DD. Episcopo et Principi Argentinensi

Strasbourg 1742 p. 134

I. Blasphemia publica in Deum, Beatam Virginem Mariam, aliosve Sanctos, cum attentione et ex impietatis animo prolata.
Notandum 1°. *peccatum blasphemiæ committi posse tam scripto, quam voce.* 2°. *Hac in reservatione non comprehendi juramenta seu sacramenta per Deum, Dei vitam, mortem, et similia quæ ex consuetudine pessima certe et abolenda, inter loquendum, sæpissime proferuntur, nisi qui ea profert, intentionem expressam habeat Deo maledicendi et renuntiandi, quod dijudicandum Confessariis relinquimus: eos autem adhortamur, ut omni studio in id incumbant, quo a nefandis illis loquendi modis, Christiani deterreantur.*

II. Prophanatio, aut impius usus specierum SS. Eucharistiæ, vel etiam Chrismatis et alterius Olei sancti; Catechumenorum scilicet et infirmorum.

III. Divinatio, sortilegium, incantatio, atque omne magicum exercitium.

IV. Violenta et atrox percussio in ecclesia, aut in alio loco sacro vel benedicto. Item furtum rei sacræ, atque etiam non sacræ depositæ in loco sacro vel benedicto. Item fornicatio, adulterium, et alia graviora crimina contra sextum præceptum in ecclesia, aliove loco sacro aut benedicto commissa.

V. Simonia et confidentia occulta tam quoad committentes, quam quoad mediatores.

VI. Sacrilegium cum sanctimoniali. Item sacrilegium parochi aut vicarii cum sua parochiana, et confessarii cum pœnitente, et vice versa.

VII. Raptus virginum, vel mulierum honeste viventium: quo casu non raptor solus, sed et qui auxilium et consilium præbent, comprehenduntur.

VIII. Incestus in primo et secundo gradu consanguinitatis vel affinitatis. Item stuprum violentum et lenocinium.

IX. Detestabilia bestialitatis aut sodomiæ crimina.

X. Homicidium voluntarium.

XI. Duellum, quo nomine intelliguntur omnes certantes in duello, qui ad illud provocant scienter, aut cooperantur.

XII. In vitam conjugis insidiosa machinatio, licet mors non sequatur.

XIII. Procuratio abortus, sive fœtus sit animatus, sive non, opere, consilio vel auxilio, etiamsi abortus non sequatur. Item sumptio remediorum eo fine, ut procuretur sterilitas.

XIV. Oppressio parvulorum ex proposito, vel ex gravi negligentia.
XV. Percussio patris, vel matris, vel aliorum ascendentium.
XVI. Perjurium factum in judicio sive ecclesiastico sive laïco.
XVII. Peccatum falsariorum tam monetæ, quam Litterarum publicarum ecclesiasticarum : falsificatio autem Bullarum seu Litterarum apostolicarum, cum notorie denuntiata est, reservatur S. Pontifici.

Nota : Qui habet facultatem absolvendi a casibus DD. Episcopo reservatis, et modo enumeratis, potest quoque absolvere a censuris a jure iisdem casibus annexis, non tamen ab iis, quæ sequuntur, neque etiam ab illis, quæ casibus aliis, hic non memoratis, a jure annexæ sunt et reservatæ.

Strasbourg 1742

Censuræ reservatæ DD. Episcopo et Principi Argentinensi

P2753 **Strasbourg 1742 p. 135**
I. Excommunicatio annexa crimini hæresis.
II. Excommunicatio annexa gravi percussioni clerici, vel religiosi, clericali, aut religionis habitu induti. *Si percussio sit atrox, reservatur Summo Pontifici.*
III. Excommunicatio annexa incendio templorum, necnon domorum prophanarum voluntarie procurato, opere, consilio, auxilio, mandato; sicut et effractioni ac spoliationi sacrarum aedium, monasteriorum, et aliorum piorum locorum, ante publicam denuntiationem. *Post denuntiationem enim reservatur Summo Pontifici.*
IV. Excommunicatio annexa contractui matrimonii clandestino.
V. In eadem causa matrimonii excommunicatio annexa falso testimonio, a contrahentibus, aut ab aliis, mala fide, sive scripto, sive viva voce præstito, ut a ministris Ecclesiæ matrimonium in se nullum benedicatur et celebretur.

Nota quod is, qui habuerit facultatem absolvendi a censuris reservatis in genere, non ideo possit absolvere ab excommunicatione lata contra hæresim publice professam, sine speciali ad hoc DD. Episcopi licentia, ut superius dictum est.

Strasbourg 1742

Suspensionem reservatam ipso facto *incurrunt*

P2754 **Strasbourg 1742 p. 135-136**
I. Qui, absque licentia DD. Episcopi, scienter absolvunt pœnitentem aliquem ab hæresi, extra mortis periculum.

II. Qui, absque licentia DD. Episcopi, scienter absolvunt pœnitentem a censuris et casibus reservatis, extra mortis periculum, nisi pœnitens positus sit in aliqua cicumstantiarum illarum, quæ superius p. 133. mutato charactere[111], descriptæ sunt.

III. Qui matrimonio jungunt catholicum cum hæretica, vel hæreticum cum catholica.

IV. Qui alienæ parochiæ parochianos, non obtenta proprii parochi, vel DD. Episcopi licentia, matrimonio jungunt.

V. Qui deferunt ss. eucharistiam ad extinguenda incendia, arcendasve tempestates vel tonitrua, etc.

VI. Qui ad benedictiones vel exorcismos, alias a præscriptis in hoc Rituali (vel Missali, Pontificali aut Rituali Romanis) formulas, inconsultis nobis, adhibent.

VII. Qui, absque DD. Episcopi licentia, exorcismos, etiam hoc in Rituali inferius præscriptos faciunt ad expellendos Dæmones sive e corporibus, sive e domibus, aut locis, quæ ab ipsis obsideri, vel infestari dicuntur.

Hæ duæ posteriores suspensiones ab ipsis etiam, qui se exemptos dicunt, incurruntur, si in locis non exemptis talia audeant, aut in loco exempto circa personas non exemptas.

Observa hos septem casus, modo enumeratos, reservatos non esse; sed suspensionem ipsis annexam esse reservatam, a qua nullus Sacerdos absolvere potest; nisi facultatem habeat absolvendi a censuris reservatis.

Strasbourg 1742

In casibus sequentibus suspensio ipso facto non incurritur, sed infligetur vi præsentis nostri statuti semper commonentis

Strasbourg 1742 p. 135-136

I. Qui Matrimonio junxerint castra sequentes vel vagabundos, absque DD. Episcopi licentia.

II. Qui celebrant Missam sine veste talari, vel sine illa Sacramentum aliquod, extra necessitatis casum, administrant.

III. Qui absque necessitate cibum potumve sumunt apud caupones in locis, non una leuca integra a domicilio suo distantibus.

---

[111] p. 133 : « *Ex speciali licentia DD. Episcopi, hac in Diœcesi poterit quilibet Sacerdos approbatus absolvere a quolibet casu reservato, et censura, si quæ casui annexa sit : 1°. Eos quos gravis morbus lecto affixit. 2°. Eos qui proxime matrimonio jungendi sunt. 3°. Mulieres prægnantes partui proximas. 4°. Denique eos, qui pro prima vice sacram communionem debent percipere.* »

IV. Qui aleâ, quive in nundinis, et aliis in locis ad usus publicos destinatis, ludunt.

V. Qui tonsuram, qui linteos colli amictus clericales non gestant, quive habito non nigro induti in publicum prodeunt.

VI. Qui suis in ædibus famulatui adstrictas retinent fœminas, quæ ad quadragesimum ætatis annum non pervenere; aut mulieres alias a matre, sorore, avia, amita, matertera, et filia fratris, vel sororis apud se habitare sinunt.

Bayeux 1744
Coutances 1744[112], 1777

[Bayeux 1744: Paul d'Albert de Luynes;
Coutances 1744: Léonor Gouyon de Matignon]
Casus D.D. Episcopo minus specialiter reservati

P2756 **Bayeux 1744 p. 137-138**

1°. Hæresis. Hujus criminis reus est qui Ecclesiæ definitioni pertinaciter resistendo, errorem fidei contrarium coram uno vel pluribus testibus externo profitetur actu.

In casu reservationis comprehenditur etiam is qui sciens et volens, sine licentia retinet aut legit hæreticorum libros vel alios sub censura prohibitos.

Annexa est censura excommunicationis ipso facto, eaque reservata.

2°. Sacrilegium in res sacras, id est, prophanatio SS. Eucharistiæ, *non tamen communio indigna*[a]: item chrismatis aut alterutrius olei sancti.

Hoc etiam nomine intelligitur furtum rei sacræ quovis in loco, aut rei prophanæ in loco sacro, et usurpatio bonorum Ecclesiæ.

3°. Sacrilegium in personas sacras, scilicet injusta et gravis, etsi non enormis aut atrox, percussio Clerici aut Religiosi tonsuram aut[b] vestem suam clericalem aut religiosam gestantis.

Annexa est censura excommunicationis ipso facto, eaque reservata.

Item copula carnalis cujuslibet cum Religioso vel Moniali, aut cum Clerico in sacris Ordinibus constituto; reservatur casus pro utraque persona committente peccatum.

4°. Sacrilegium in loca sacra, nempe atrox et violenta percussio in ecclesia, aut in alio loco sacro et benedicto; item fornicatio in iisdem locis.

5°. Magia, eo in casu comprehenduntur maleficia, veneficia, divinationes, dæmonis ad prædicta aut similia invocationes, totius magicæ artis exercitium aut quilibet actus.

---

[112] Les mandements respectifs des évêques de Bayeux et de Coutances en tête de leurs rituels sont datés 14 avril 1743.

Annexa est censura excommunicationis ipso facto, eaque reservata.
Item Magos et Divinos[c], serio et adhibita fide, *non autem per jocum et ignorantiam*, consulere.

6°. Percussio patris vel matris, avi vel aviæ, aut alterius ex ascendentibus, item socri aut socrus.

7°. Homicidium voluntarium et injustum.

8°. Oppressio parvulorum ex proposito, vel ex notabili negligentia proveniens.

9°. Procurare abortum[d], sive fœtus animatus sit, sive non, ad id dare consilia, aut remedia scienter subministrare.

Quo in casu comprehenditur etiam mulier gravida, quæ sciens et volens objicit se periculo verisimili abortus[e].

10°. Duellum, cujus casus rei sunt omnes certantes in duello, qui certantium patrini vocantur; qui ad illud etiam non secuturum provocant aut illud acceptant, quacumque ratione illud suadentes, ex condicto spectatores et qui locum ad id, arma, aliave subsidia scienter subministrant[f].

Annexa est censura excommunicationis ipso facto, eaque reservata.

11°. Raptus virginum aut mulierum honeste viventium, quo in casu non solum raptor ipse, sed et omnes consilium, auxilium aut favorem ipsi præbentes includuntur[g].

Annexa est censura excommunicationis ipso facto, eaque reservata.

12°. Concubinatus publicus, et adulterium notorie scandalosum: quid autem ad publicitatem aut notorietatem requiratur superius dictum est.

13°. Incestus usque ad secundum gradum consanguinitatis aut affinitatis inclusive.

14°. Sodomicum peccatum inter ejusdem aut diversi sexus personas, *etiam non consummatum*, sed reipsa et actu ad id ex se ducenti tentatum.

Item et eadem ratione peccatum quod illo gravius est, bestialitas[h].

15°. Crimen falsariorum, quo in casu comprehenduntur qui testimonium aut juramentum falso præstant coram judice; qui fabricant falsos testes; qui falsificant quascumque litteras, in quibus proximus notabiliter læditur et qui falsam cudunt monetam[i].

16°. Falsum testimonium in causa matrimonii, a contrahentibus matrimonium, aut ab aliis mala fide ac dolo præstitum, scriptum[j], aut viva voce, ut a ministris Ecclesiæ matrimonium nullum vel quavis alia ratione illicitum celebretur.

Annexa est censura excommunicationis ipso facto, eaque reservata.

17°. Violatio clausuræ regularis per ingressum externarum cujuscumque sexus personarum intra septa monialium absque licentia.

Item ingressus mulierum intra septa religiosorum[k].

Variantes Coutances. [a] *non tamen communio indigna]* om. –[b] aut] et. –[c] Divinos] Divinatores. –[d] abortum] abortivum. –[e] etiam si abortus non sequatur] *add.* –[f] cujus casus... subministrant] quo continentur omnes pugnantes in duello; tum etiam qui vulgo dicuntur ipsorum patrini; et qui ad illud scienter provocant. –[g] quo in casu... includuntur] om. –[h] Sodomicum peccatum... bestialitas] Sodomiticum peccatum, et quod gravius est, bestialitas. –[i] qui fabricant... monetam] om. –[j] scriptum] scripto. –[k] Item ingressus... religiosorum] om.

Bayeux 1744
Coutances 1744, 1777

Casus DD. Episcopo specialius reservati

P2757 **Bayeux 1744 p. 138**
In illos casus incidunt:
1°. Qui ordinatur ab alio Episcopo absque licentia Ordinarii sui, vel a proprio Episcopo, supposito falso aut ficto titulo.
Annexa est suspensio quæ ipso facto incurritur, eaque reservata.
2°. Qui missam celebrat, vel extra casum summæ necessitatis aliquod administrat sacramentum[a], vel divinis cum superpelliceo interest officiis, non indutus veste talari.
Vestis autem illa non censetur esse talaris, quæ licet ad talos, usque demittatur, non dependet a collo, sed circa lumbos subnectitur.
Annexa est suspensio quæ ipso facto incurritur, eaque reservata.
3°. Sæcularis aut regularis qui absque licentia excipit confessiones fidelium, vel absolvit a casibus et censuris reservatis[b].
Annexa est suspensio quæ ipso facto incurritur, eaque reservata.
4°. Qui matrimonio jungit Catholicum cum Hæretica, aut Hæreticum cum Catholica, aut Hæreticum cum Hæretica.
Annexa est suspensio quæ ipso facto incurritur, eaque reservata.
5°. Qui residentiam non facit in loco beneficii cui adjunctum est regimen animarum, aut ab eo in anno[c] sine licentia DD. Episcopi trium ad summum[d] mensium spatium continuum vel interruptum abesse præsumit.
6°. Clericus sæcularis aut regularis in sacris Ordinibus constitutus, vel etiam beneficiarius qui ingreditur in cauponas, aut alia loca in quibus vinum aut alii liquores publice vel secreto divenduntur, si ibi biberit vel ederit, nisi tamen sit in itinere constitutus, et a loco residentiæ plus[e] leuca distans, vel alia aliqua suborta sit vera et legitima necessitatis causa.

CAS DE PÉCHÉS RÉSERVÉS AUX ÉVÊQUES 1481

7°. Clericus qui in ebrietatem incidit, quovis in loco id fiat[f].

Variantes Coutances. [a] administrat sacramentum] sacrum publice administrat. – [b] Saecularis… reservatis] Qui non approbatus ab Ordinario, confessiones excipit; aut sine licentia absolvit a casibus et censuris reservatis. –[c] in anno] *om.* –[d] trium ad summum] duorum. –[e] plus] *om.* –[f] 7°. Clericus… fiat] *om.*

Lisieux 1744

Casus DD. Episcopo minus specialiter reservati

Lisieux 1744 p. 137. Voir supra Lisieux 1742, 1744, P2750.

Lisieux 1744

Casus DD. Episcopo specialius reservati

[Formulaire proche de Lisieux 1742 p. 45-46, P2751.]

Lisieux 1744 p. 137-138

1°. Crimen haeresis; quo casu comprehenduntur Haeretici, Schismatici, eorum in haeresi aut schismate fautores, vel qui eorum conventiculis intersunt, cum intentione ipsis adhaerendi, *cum excommunicatione ipso facto, eaque reservata*; item qui legunt aut retinent absque licentia libros Haereticos, aut alios sub censura prohibitos, *cum excommunicatione.*

2°. Duellum; quo casu comprehenduntur comnes… [comme Lisieux 1742 1°] *cum excommunicatione ipso facto.*

3°. Oppressio… [comme Lisieux 1742].

4°. Dilatio… [comme Lisieux 1742] *cum excommunicatione ipso facto.*

5°. Ingressus… [comme Lisieux 1742] … in monasteria Religiosorum, *cum excommunicatione ipso facto.*

6°. Simonia et confidentia occulta, *cum excommunicatione ipso facto.* Publica reservatur summo Pontifici.

7°. Fornicatio Confessarii cum pœnitente; item pœnitentis cum Confessario.

8°. Comestio… [comme Lisieux 1742 6°].

9°. Ebrietas… [comme Lisieux 1742 7°].

Lodève 1744
[Jean-Georges de Souillac]
Casus reservati DD. Episcopo

P2759   **Lodève 1744 p. 136-137**

1°. Crimen haeresis; apostasia à votis solemnibus, seu sacris Ordinibus, cum excommunicatione.

2°. Librum Haereticorum [lectio].

3°. Sortilegium, incantatio, devinatio, atque omne magicum exercitium; quo casu comprehenduntur omnes qui recursum habent ad magos, incantatores, devinos, cum excommunicatione contra dictos magos, devinos, incantatores.

4°. Sacrarum aedium profanatio, sive furto, sive fornicatione, vel effusione copiosâ sanguinis violenter et injuriose illata, cum excommunicatione.

5°. Simonia et confidentia occulta sive circa Ordines, sive circa Beneficia versetur tam quoad committentes, quam quoad mediatores, cum excommunicatione.

6°. Percussio patris et matris, soceri et socrus.

7°. Infantes secum in eodem lecto recumbere antequam diem supra annum attigerint propter periculum oppressionis.

8°. Homicidium voluntarium.

9°. Procuratio abortûs sive foetus sit animatus, sive non, opere, consilio, vel auxilio, etiamsi non sequatur.

10°. Duellum, quo nomine intelliguntur omnes certantes in duello, et qui ad illud provocant scienter et cooperantur, quamvis singulare certamen non contigerit.

11°. Sacrilegus sanctimonialium abusus.

12°. Raptus virginum, vel mulierum honestè viventium.

13°. Incestus in primo et secundo gradu consanguinitatis vel affinitatis etiam spiritualis.

14°. Detestabilia bestialitatis et sodomiae crimina.

15°. Incendium voluntariè factum, cum excommunicatione.

16°. Concubinatus, et adulteria publica.

17°. Perjurium coram judice tum Ecclesiastico, tum Laïco.

18°. Contractus matrimonii clandestini, cum suspensione ipso facto in Sacerdotes qui hujusmodi matrimoniis intersunt.

19°. Usus ciborum in Quadragesimâ, aliisve abstinentiae diebus vetitorum absque dispensatione et necessitate.

20°. Peccata semel in anno proprio Parocho non confiteri, et Eucharistiam in propriâ parochiâ tempore paschali non percipere.

21°. Confessiones audire absque approbatione, et à casibus reservatis absolvere non acceptâ potestate.

22°. Bona ecclesiastica usurpare; quo casu comprehenduntur qui vi, minis [menaces], vel quocumque alio modo bonorum ecclesiasticorum locationes impediunt, et pacificam possessionem perturbant.

23°. Detentio actorum et documentorum Ecclesiarum, et Beneficiorum hujusce Dioeceseos; hoc etiam casu comprehenduntur notarii qui intra mensem pia legata non denuntiant; Fabriciani, Nosocomiorum rectores qui computa reddere, et pecunias Ecclesiae, vel pauperum restituere detrectant.

24°. Missam parochialem per tres dies dominicas successive non audire.

25°. Peccatum Clericorum qui cibum potumve sumunt absque necessitate apud caupones, cum suspensione ipso facto per mensem, eaque reservata contra eos qui in sacris Ordinibus sunt constituti vel Beneficium possident.

26°. Peccatum Confessarii cum Poenitente contra castitatem quoquomodo exterius commissum à quo Confessarius etiamsi pro casibus reservatis approbatus non poterit complicem valide absolvere.

Lodève 1744

Casus quibus ipso facto annexa est suspensio DD. Episcopo reservata

Lodève 1744, p. 137-138. *Voir* Rouen 1739 (P2746).

La Rochelle 1744

Voir La Rochelle 1689.

Sées 1744

[Louis-François Néel de Christot]
Casus DD. Episcopo reservatione generali reservati

Sées 1744 p. 137-138

1°. Haeresis. Hujus criminis reus est qui Ecclesiae definitioni pertinaciter resistendo, errorem fidei contrarium coram uno vel pluribus testibus, externo profitetur actu, *cum excommunicatione ipso facto.*

Eo in casu comprehenditur is qui sciens et volens sine licentia retinet, aut legit libros Haereticos, aut alios ab Ecclesiâ, aut à nobis vel praedecessoribus nostris prohibitos, et qui tales libros imprimunt, *cum excommunicatione ipso facto.*

2°. Blasphemia execrabilis, id est animo injuriam Deo, Beatae Mariae et Sanctis inferendi prolata.

3°. Professio et exercitium alicujus actis magiae, vel sortilegii, aut divinationis, veneficii, aut maleficii diabolici cum cognatione malitiae illorum actuum, *cum excommunicatione ipso facto.* Item Magos ac Divinos serio et adhibitâ iis fide consulere.

4°. Percussio levis Clerici vel Religiosi tonsuram et vestem suam clericalem, aut religiosam gestantis.

5°. Homicidium voluntarium et injustum. Oppressio parvulorum, ex proposito vel notabili negligentiâ proveniens. Item procurare abortum, sive foetus sit animatus, sive non; ad id dare consilia, aut remedia scienter subministrare, etiamsi abortus non sequatur.

6°. Percussio etiam levis, patris vel matris, avi, vel aviae, aut alterius ex ascendentibus, item soceri et socrûs.

7°. In duellum pugnantes, provocantes, acceptantes, et patrini.

8°. Sacrilegium, id est usurpatio bonorum Ecclesiae, ac injusta detentio titulorum: furtum rei sacrae quovis in loco, vel rei profanae in loco sacro; percussio violenta et atrox in ecclesiâ, aut in alio loco sacro et benedicto; item fornicatio in iisdem locis, sive peccatum sit consummatum, sive non.

9°. Incestus etiam non consummatus in primo et secundo consanguinitatis, aut affinitatis gradu; concubinatus publicus, et adulterium notoriè scandalosum; quid autem ad publicitatem aut notorietatem requiratur superius dictum est.

10°. Sodomiae etiam non consummatae detestabile peccatum, etiam inter conjugatos; et abominabile bestialitatis crimen.

11°. Raptus virginum vel mulierum honestè viventium, quo casu non solum raptor ipse, sed et omnes consilium, auxilium, aut favorem illi praebentes includuntur, *cum excommunicatione ipso facto.*

12°. Esus carnium et ovorum, temporibus ab Ecclesiâ prohibitis, absque necessitate.

13°. Ebrietas scandalosa et culpabilis Clericorum quocumque in loco. Peccatum Clericorum qui in cauponis edunt aut bibunt in locis à domicilio unâ leucâ integrâ non distantibus.

Incidunt pariter in casum reservatum Laïci, 1°. Qui dominicis et festivis diebus, missae parochialis et vesperarum horis in cauponis edunt aut bibunt, aut otiosè remanent intra limites parochiae suae. 2°. Propinatores qui ipsis ministrant. 3°. Qui praedictis diebus in fraudem legis extra limites parochiae suae pergunt non alia quam potandi causa, si comedant aut bibant in cauponis, missae suae parochialis et vesperarum horis, aut missae parochialis et vesperarum horis illius parochiae in qua cauponae sitae sunt.

Sées 1744

Casus DD. Episcopo specialiter reservati

Sées 1744 p. 138

1°. Copula carnalis etiam non consummata Confessarii cum Poenitente, aut cujuslibet cum Religioso, Moniali, aut Clerico in sacris ordinibus constituto. Pro utroque peccatum admittente.

2°. Sacerdotes aut Parochi qui matrimonio scienter jungunt Haereticum vel Haereticam, item Laïci qui, ad edocendos se, aut natos, Haereticos vel Haereticas eligunt.

3°. Violatio clausurae regularis, seu per rupturam, seu per ingressum externarumque cujusque sexûs personarum intra septa Monialium absque licentiâ. Item ingressus puellarum aut mulierum intra septa Religiosorum etiamsi nostrae jurisdictioni subditi non forent.

5°. Simonia et confidentia occulta.

6°. Peccatum Sacerdotum qui celebrant missam absque veste talari integrâ vel sine ea sacramentum aliquod ministrant, *cum suspensione ipso facto incurrenda.*

7°. Peccatum Sacerdotis saecularis, aut regularis qui absque licentia absolveret à casibus et censuris reservatis, *annexa est suspensio ipso facto incurrenda.*

8°. Falsum testimonium, aut juramentum falso praestitum coram judice, ac etiam falsorum testium fabricatio, item falsam monetam cudere, vel falsificare quascumque litteras in quibus proximus notabiliter laeditur.

Bourges 1746

[Frédéric-Jérôme de Roye de La Rochefoucauld]

Casus D.D. Archiepiscopo reservati, cum annexâ excommunicationis censurâ

Bourges 1746 p. 202-203

1. *Apostasia.* Quando quis à fide, vel à sacro ordine, vel a professione religiosa aliquo exteriori actu recedit, animo non redeundi.

2. *Haeresis.* Cum quis errorem fidei oppositum pertinaciter et ex animo contra cognitam Ecclesiae definitionem, voce vel scripto asserit vel defendit.

3. *Blasphemia.* Cum quis perspicuè coram duobus vel pluribus cum enormi aliqua expressione quae contemptum et impietatem redolet, contumeliosum et execrabile seu verbum, seu scriptum profert in Deum, aut beatissimam Virginem, vel Sanctos.

4. *Magia.* Hoc casu comprehenduntur. 1°. Omnis explicita Daemonis invocatio, aut pactum expressum cum eo initum ad exercendum aliquod opus magicum, etsi nullum opus reipsâ exerceatur. 2°. Quilibet artis magicae aut vanae observantiae actus ab illo elicitus [sic], qui certo noverit illum actum esse graviter malum aut vetitum, vel saltem qui de illius malitia et gravitate jam semel fuerit à confessario suo specialiter admonitus. Omnis ergo incantatio, sortilegium, ligulae nodatio, maleficium, divinatio, etc. reservantur respectu illius qui haec diabolica opera exercet, consulit, aut exigit.

5. *Duellum.* Hoc casu comprehenduntur qui ad certamen singulare, seu per se seu per alium provocant, qui certamen ineunt, qui in arenam certaturi descendunt, etiamsi absque pugna abeant, qui duellum aliis consulunt, necnon qui certantes fovendi animo comitantur.

6. *Illegitima sacri Ordinis receptio.* Cum quis Ordinem sacrum suscipit per saltum, vel ante legitimam aetatem absque canonica dispensatione, vel sine titulo legitimo, vel ab alio Episcopo sine litteris dimissoriis, aut cum falsis et suppositis.

7. *Ingressus in Monasteria, aut intra septa Monasteriorum etiam aliquâ ex parte perrupta, Monialium quidem pro utroque sexu, Religiosorum et Monachorum pro sexu muliebri tantum, absque Episcopali autoritate, etiamsi sub praetextu pietatis aut charitatis fiat.*

8. *Matrimonium illegitimè contractum.* Hoc casu comprehunduntur, 1°. Qui Matrimonium clandestinum aut aliunde invalidum scienter contrahunt. 2°. Qui hujusmodi matrimonia consulunt illisve favent, aut favendi animo intersunt.

9. *Adulterium, item Concubinatus coram judice probata, aut in tota vicinia adeo notoria, ut nulla tergiversatione celari possint.*

10. *Clericorum in popinis comestio vel potatio.* Hunc casum, qui solum suspensionem ipso facto habet annexam, incurrit omnis Beneficiarius, vel in sacro Ordine constitutus, qui manducat aut bibit in taberna, nisi in itinere positus à duabus leucis domicilii sui. *Videatur infra in collectione Censurarum quae per Statuta Synodica latae sunt,*

p. 204 col. 2. *quid per Tabernam intelligatur, et quibus in casibus licita sit Clericis in eâ comestio vel potatio.*

11. *Gravis percussio Clerici sive saecularis sive regularis in sacro Ordine constituti.*

12. *Omnes casus summo Pontifice reservati, cum sunt occulti, vel ab his commissi quos ab eundo Romam jura dispensant, ut supra fusius dictum est*, p. 190.

Bourges 1746

Casus eidem D.D. Archiepiscopo reservati, quibus censura non est annexa

Bourges 1746 p. 203-204

1. *Gravis percussio patris aut matris, avi aut aviae.*
2. *Homicidium voluntarium per se, vel per alium commissum.*
3. *Procuratio voluntaria et directè intenta abortûs, sive fœtus sit animatus, sive non sit, opere etiam non secuto.* Hoc casu comprehenditur quaelibet persona quae seu sibi, seu aliis, vi, arte, consilio, aut alio quovis modo sciens et volens abortum procurat, aut procurare nititur.
4. *Suffocatio seu oppressio fortuita infantis cum parentibus vel aliis personis in lecto positi infrà secundum ejus aetatis annum.* Hoc casu comprehenduntur. 1°. Qui infantem secum in lecto positum oppresserint. 2°. Pater et mater, nutrix et nutritius infantis oppressi, si de eorum consensu fuerit cum ipsis vel cum aliis in lecto positus.
5. *Sacrilegium.* Cujus hae species reservantur, 1°. Furtum rei sacrae in quovis loco. 2°. Impia rei sacrae ad profanos usus ex malitiâ et contemptu usurpatio. 3°. Pollutio etiam non publica loci sacri per injustam hominis occisionem aut mutilationem, vel per injuriosam et violentam sanguinis effusionem, necnon per carnalem concubitum. 4°. Copula carnalis etiam non consummata, scienter tamen habita cum persona sacro Ordine aut solemni voto Deo dicata, utriusque vero complicis peccatum reservatur, et ab hoc peccato nullus Confessarius etiam pro casibus reservatis approbatus, aut in posterum approbandus poterit criminis sui complicem, nisi in mortis articulo, valide absolvere.
6. *Sodomiticum peccatum inter ejusdem aut diversi sexus personas, etiam virum et uxorem non modo consummatum, sed etiam reipsâ et actu ad id ex se ducente tentatum. Item et eodem modo detestandum bestialitatis peccatum.*
7. *Incestus intra secundum gradum consanguinitatis et affinitatis ex matrimoniali copula provenientis.*

Genève 1747

[Joseph-Nicolas Deschamps de Chaumont]

Genève 1747 deuxième partie, p. 194-196
Formulaire de Genève 1674 avec quelques remaniements.
Voir Genève 1674 (P2669).

Avignon 1748

[Joseph de Guyon de Crochans]
Tabella casuum reservatorum in Dioecesi Avenionensi, publicata in prima Synodo, et iterum publicata, et approbata in ultimo Concilio Provinciali

P2763bis   Avignon 1748 p. 7-12 n.ch. du *Formulaire pour faire le Prône*.

I. Qui Deum, aut Beatam Virginem Mariam blasphemaverint publicè et notoriè.

II. Qui ad magicas artes, veneficia, superstitiones, et alia hujus generis, Eucharistiâ, sacrisque rebus abutuntur.

III. Ecclesiam polluentes.

IV. Qui parentes percusserint.

V. Homicidiae voluntarii, mandantes, item consilium aut favorem dantes.

VI. Mulier, quae anno nondum expleto, infantem sine cautione debitâ, id est, sine parvis incunabulis, cum periculo vitae infantis, in lecto renuerit, secutâ, seu non secutâ suffocatione.

VII. Incendiarii, et qui, vindictae injuriaeve causâ, vites, messes, arbores alienas incenderint, et consilium auxiliumve dederint.

VIII. Internuntii Simoniae cujuscumque, etiam confidentialis: Notarii qui Instrumenta confecerint.

IX. Casus Restitutionis incertorum, quae incertum est cui restitui debeant.

X. Qui Moniales violaverint, aut sollicitaverint.

XI. Qui, usque ad quartum gradum inclusivè, incestum commiserint.

XII. Qui nefandum Sodomiae crimen perpetrarint, etiam cum brutis.

XIII. Scripturarum falsarius, aut qui in judicio falsum deposuerit.

XIV. Casus item omnes, quibus annexa major Excommunicatio, de jure Episcopis reservata.

XV. Procurantes quâvis ratione abortum in se, vel in aliis, secuto effectu, sive fœtus animatus fuerit, sive non.

XVI. Qui, vel procurant aliquâ arte prostitui virgines, et inducunt, vel receptant, vulgò Lenones.

XVII. Qui, vel quae coutuntur famulis, vel famulabus haereticis, aut infidelibus, et tales secretò domi detinent.

XVIII. Qui mittunt filios ad Civitates, vel Universitates Haereticas, aut de Haeresi suspectas, studendi causâ.

XIX. Patres et matres qui illicitae copulae filiarum suarum, etiam sub spe matrimonii, consentiunt, aut cooperantur.

XX. Adeuntes Parochum fraudulenter, aut aliàs quoquo modo, ut captiosè coram eo matrimonium contrahant: ac testes fraudis conscii, aliique consentientes, aut consilium in iis praebentes.

XXI. Notarii, aut alii quicumque, qui Instrumenta aut Scripturas publicas detinent, Ecclesias aut Ecclesiastica Beneficia tangentes, et concernentes, et non revelant iis quorum interest, aut Reverendissimo Episcopo, vel ejus Vicario generali, quoties opus est et occasio, cum moderato salario, non expediunt.

Accedit ad hancce Tabellam Casus sequens ex Concilio Aven. desumptus, et ita soli Episcopo reservatus, ut eum exceptum voluerint Patrum Concilii[113], cum facultas conceditur absolvendi à Casibus reservatis in genere. Casus autem de quo igitur, hîc est.

XXII. Sacrilegium consummatum à Parocho cum Parochianâ, et vicissim: Item omne peccatum incontinentiae cujuscumque Confessarii cum Poenitente, et vicissim.

Qui incurrunt Ordinem Suspensionem reservatam.

I. Omnes Ecclesiaticae Personae, quae aut in Sacris sunt constitutae, aut Dignitates, Personatus, Officia seu Beneficia qualiacumque obtinent, si vestem talarem nigri coloris diù noctùque in publico deferre neglexerint, suspensionem incurrant, etiam pro primâ vice.

II. Qui ex praedictis, cauponas, seu tabernas adeunt, ut in eis manducent, vel bibant, praeterquàm in itinere unius diei.

III. Qui ex iisdem larvati incedunt quomodocumque.

IV. Parochi, qui, vel Prioris suae Ecclesiae, vel loci Dominorum saecularium exactiones, seu arrentamenta suscipiunt directè vel indirectè: ac etiam quicumque et quomodocumque debitorum nomina emunt.

V. Item, qui ex supradictis intersunt publicis Spectaculis, vulgò *Opera*, *Comédie*, seu ludis publicis, vulgò *Brelans*, *Billards*, *Jeux de Paume*, seu hortis in quibus promiscuè utriusque sexus personae liberum habent aditum.

[113] Référence en bas de page: Tit. 30. de Sacr. Poenit. c. 7.

Extractum ex Originalibus ultimorum Synodi Dioecesanae et Concilii Provincialis Avenionensis per me Secretarium et Cancellarium Archiepiscopatûs Aven. In quorum fidem subscripsi Avenione hac die vigesimâ mensis Februarii anni millesimo septingentesimo trigesimo sexto. Philip, Secret et Cancell.

Toulon 1749, 1778, 1790
Mâcon 1778

[Toulon 1749 : Louis-Albert Joly de Choin]
Cas qui sont spécialement réservés à Monseigneur l'Evêque de Toulon

P2764 Toulon 1749[114], premiere partie, p. 310-313

1. Tous les Cas réservés au Souverain Pontife, lorsqu'ils ne sont pas publics, et dans quelques autres circonstances. C'est pourquoi les Confesseurs doivent renvoyer ordinairement à Mgr. l'Evêque ceux qui tombent dans ces cas ; afin qu'il examine s'il peut les en absoudre, ou si la réserve au Pape subsiste.

Item. Tous les péchés auxquels sont attachées *ipso facto* les Suspenses marquées ci-après comme réservées à Mgr. L'Evêque.

2. L'Apostasie, c'est-à-dire, le crime de ceux qui renoncent extérieurement à la Foi de J. C., pour se faire, par exemple, Turcs, Juifs, Payens, Calvinistes, Luthériens, etc. *Item.* Le crime des Religieux, ou Religieuses qui quittent leurs habits après leur profession, et renoncent à leurs voeux solennels ; et celui des Prêtres, Diacres, ou Soûdiacres qui renoncent à leurs Ordres sacrés, soit en se mariant, soit en reprenant l'état laïque, sans dispense légitime.

3. L'Hérésie, par laquelle on entend une erreur contraire à la Foi, soûtenue en présence d'une ou plusieurs personnes, ouvertement et avec opiniâtreté ; c'est-à-dire, en résistant à une décision connue de l'Eglise ; ou une union avec une Secte d'Hérétiques professée en assistant dans ce dessein, à une de leurs Assemblées, en communiquant avec eux dans les actes de Religion ; quand même on ne l'auroit fait que par crainte, par dissimulation, et contre ses vrais sentimens. *Item.* L'adhérance au Schisme, et la communication avec les Schismatiques dans les actes de Religion.

4. Toute action, tout discours contraire, en quelque maniére que ce soit, au respect, à l'obéissance et à la soûmission sincère et intérieure

---

[114] Titre édition Toulon 1749 : *Instructions du Rituel du Diocése de Toulon…* Paris, BnF, B. 1701.

qui est dûe à la Constitution *Unigenitus*[115], comme à un Jugement dogmatique et irréformable de l'Eglise universelle.

Item. Lire, retenir, donner, acheter, vendre, louer, prêter, ou échanger, sans permission légitime, des Livres, des Ecrits hérétiques ; ou ceux par qui le but et le corps de l'Ouvrage, sont contraires en quelque maniére que ce soit, au respect, à l'obéissance, et à la soûmission dûe à la Constitution Unigenitus ; ou tous autres défendus sous peine de Censure.

5. *Sacrilegus cujuslibet personae voto solemni, sive ratione Ordinis, sive ratione Professionis, ad castitatem adstrictae, cum quâlibet, sive ejusdem, sive diversi sexûs personâ concubitus etiam imperfectus, id est non modo consummatus, sed etiam tentatus actu ad consummationem proximè ex se ducente: et vice versâ idem sacrilegus concubitus cujuslibet, sive ejusdem, sive diversi sexûs personae cum quâlibet personâ voto solemni, sive ratione Ordinis, sive ratione Professionis, ad castitatem adstrictâ.*

6. *Concubitus etiam imperfectus cum personâ quam baptisaveris, vel in Baptismo susceperis, aut cujus Confessionem Sacramentalem etiam unicâ vice exceperis ; aut cum eo qui tibi Baptismi, vel Poenitentiae Sacramentum administraverit, vel qui te in Baptismo susceperit.*

7. *Crimen Sacerdotis cujuslibet, sive Saecularis, sive Regularis, qui personas, quaecumque illae sint, ad inhonesta, sive inter se, sive cum aliis quomodolibet perpetranda, in actu Sacramentalis Confessionis, sive antea, vel post immediate, sive occasione vel praetextu Confessionis hujusmodi, etiam ipsâ Confessione non secutâ, sive extra occasionem Confessionis in Confessionario, aut in loco quocumque ubi Sacramentales Confessiones audiuntur, seu ad Confessionem audiendam electo, simulans ibi Confessiones audire, sollicitare vel provocare tentaverit, aut cum eis illicitos et inhonestos sermones, sive tractatus habuerit.*

S'il arrivoit… que ce Cas eût lieu dans ce Diocèse… nous avons crû devoir ajouter… les observations suivantes.

Il seroit du bien public et de celui de la Religion, de ne pas souffrir, quand on pourroit l'empêcher, un Confesseur qui oseroit se servir pour la perte des ames, d'un Sacrement qui est des plus utiles à l'Eglise. C'est pourquoi il est nécessaire de savoir, quand on doit obliger la personne sollicitée, à dénoncer au Supérieur, un Ministre qui seroit si abominable et si dangereux. …

---

[115] Bulle *Unigenitus* promulguée le 8 septembre 1713 par le pape Clément XI à la demande de Louis XIV à l'encontre des écrits jansénistes de Pasquier Quesnel.

Il faut donc observer attentivement, que la prudence est ici nécessaire… pour que cette dénonciation soit utile… et pour prevenir les suites facheuses qu'elle pourroit avoir…

… il est important de ne se charger de faire cette dénonciation, que lorsqu'on est suffisamment assuré de la probité et de la sincérité de la personne qui dit avoir été sollicitée ; de peur que ce ne soit une calomnie inventéer par malice et par un esprit de vengeance, contre un innocent.

Enfin on ne doit pas engager à cette dénonciation, quand on peut connoître que le Confesseur coupable n'est tombé que par le malheur d'une fragilité passagère, dont il s'est aussi-tôt repenti, et qu'il a tâché de réparer par une sincère pénitence. …

8. *Raptus. Quando scilicet quis virginem vel mulierem, seu invitam ipsam, vel invitis, sive scientibus et reluctantibus, sive ignorantibus et tantum praesumptis invitis ejus parentibus aut curam gerentibus, per vim abducit, vel retinet, sive ad libidinem explendam, sive ad matrimonium contrahendum; etiamsi nec libido secuta sit, nec matrimonium contractum. Quo casu Raptor ipse, ac omnes consilium, auxilium, aut favorem illi praebentes includuntur.*

9. *Incestus intra primum aut secundum consanguinitatis vel affinitatis naturalis gradum, etiam ex illicitâ copulâ. In quem Casum cum incidit Conjux, eo ipso amittit jus postulandi debitum conjugale à suâ comparte, ac illo jure privatur, donec in id restituatur speciali dispensatione; quae dispensatio concedi non poterit à Confessario, nisi à D. Episcopo specialem ac expressam ad hoc obtinuerit facultatem.*

Non amittitur tamen praedictum jus incestu illo qui sit cum personâ non consanguineâ Conjugi perpetrantis incestum. v.g. Si vir duas sorores cognoscat non consanguineas Uxori suae : et tamen incestus ille est Casus reservatus.

Toulon 1749, 1778, 1790

Cas qui sont réservés à Monseigneur l'Evêque de Toulon

P2765 **Toulon 1749 premiere partie, p. 313-316**

1. Frapper, même légérement, un Clerc vivant cléricalement, ou une personne Religieuse connue pour telle.

2. Le peché de Magie, de Sortilège, d'Enchantement, de Devination, Vénéfices, et toutes sortes de Maléfices ; de tous ceux qui s'en servent pour nuire au Prochain, pour causer la mortalité aux bestiaux, pour deviner choses cachées, passées, présentes, ou futures, pour guérir les

maladies des hommes ou des animaux, pour empêcher l'effet du mariage; de tous ceux enfin qui par l'invocation du démon, et tous actes superstitieux, même par des voyes naturelles, tentent de faire des Enchantemens, et autres Maléfices, quand même ce péché ne renfermeroit qu'un pacte implicite ou l'invocation tacite du démon. *Item.* Le recours aux Devins, Sorciers, et à tous ceux qui se disent tels ou feignent de l'être, lorsqu'on s'addresse [sic] à eux sérieusement et en ajoutant foi à tout ce qu'ils disent.

3. Le Sacrilège. Dans lequel cas sont compris I. La profanation ou l'usage impie de la Très-Sainte Eucharistie, du St. Chrême, ou des saintes Huiles, et autres choses saintes et sacrées. 2. Le péché de celui qui frappe quelqu'un outrageusement, notablement, avec violence et grande effusion de sang, dans une Eglise, une Chapelle, ou un Oratoire destiné par l'autorité Episcopale pour y dire la Messe, ou dans un Cimetiére béni. 3. *Fornicatio; sub quâ hic comprehenduntur Adulterium et alia graviora crimina contra sextum Praeceptum in Ecclesiâ, aut in alio loco sacro et benedicto. 4. Opus alias licitum, carnalis inter conjugatos copulae in Ecclesiâ.* 5. Le péché de ceux qui entrent avec violence et effraction dans les Eglises, Chapelles, Monastères, ou autres lieux saints. *Item.* Le péché de ceux qui volent et pillent les Eglises et Chapelles où on célèbre la Messe, même sans effraction. *Item.* Tout vol de chose sacrée, en quelque lieu qu'on le commette; et même le vol d'une chose profane commis en un lieu sacré. 6. Le péché de ceux qui violent la clôture régulière. On comprend dans ce Cas. 1. les personnes de l'un et de l'autre sexe, qui entrent dans les Monastères des Religieuses exemptes ou non exemptes, sans permission des Supérieurs. 2. Lesdites Religieuses qui les y admettent, ou introduisent sans cette permission. 3. Les Religieuses qui sortent de leur Monastère sans la permission de l'Evêque. 4. Les Femmes ou Filles qui entrent dans les Monastères des Religieux.

4. Le Blasphême public, ou scandaleux. Nous entendons ici par blasphême public, celui qui a été prouvé juridiquement; ou qui est tellement connu dans le voisinage, qu'on n'en peut raisonnablement douter, et qu'il ne peut être caché par aucune tergiversation.

Celui-là blasphême avec scandale, qui blasphême à la vûe de ceux qui sont présens; et qui par-là ou sont excités à en faire autant, ou qui sont frappés d'horreur et d'indignation de l'entendre. Il suffit que le blasphême soit scandaleux, pour être un péché réservé, quoiqu'il ne soit pas public; quand même il ne se commettroit que devant une seule personne.

Il s'agit ici du blasphême proféré par écrit, ou de vive voix, en reniant Dieu, en prononçant de sang froid et sans colère, ou par colère, volontairement, et de propos délibéré, des exécrations et malédictions par des paroles impies, très-injurieuses, et pleines de mépris ou de haine, défendues même sous de sévères peines par l'autorité des Loix civiles, contre Dieu, la Sainte Vierge, les Saints et Saintes, ou la Religion.

Ne sont pas compris dans cette réserve les simples juremens, quoique très-coupables, et de grands péchés ; que les Confesseurs doivent par conséquent être très-attentifs à défendre leurs Pénitens, en refusant l'absolution à ceux qui sont dans l'habitude de les proférer, jusqu'à ce qu'ils se soient corrigés.

5. Frapper son Pére ou sa Mére, son Ayeul ou Ayeule, ou autre Ascendant en ligne directe, ou son Beau-Pére, ou sa Belle-Mére.

6. L'homicide volontaire, ou par soi-même, ou par le ministère d'un autre. On tombe dans cette réserve, non seulement en tuant un homme de propos délibéré, mais encore lorsqu'on le tue par accident en commettant une action défendue sous peine de péché mortel, et dont on pouvoit juger que probablement la mort d'un homme pourroit s'ensuivre.

Sont compris dans ce cas.

1. Le Duel ou la rencontre préméditée, dont sont coupables ceux qui s'y battent premiers, seconds, ou en plus grand nombre, en quelque forme ou maniére que ce soit ; ceux qui font des appels, portent des paroles ou cartels de défi, et ceux qui les acceptent, quand même le combat ne s'ensuivroit pas, s'il n'a pas tenu à eux. Il faut encore y comprendre ceux qui les y excitent par leurs conseils, et leurs actions ; ou qui coopérent sciemment, en quelque maniére que ce soit, à ces criminels combats ; qui en sont les spectateurs ; et qui prêtent pour cet effet des armes, le lieu, et les autres secours nécessaires pour se battre. Et cela quant à ces derniers, et tous ceux qui y coopérent en aidant, en favorisant, en conseillant, en excitant, quand même le même combat ne s'ensuivroit pas.

2. Machiner la mort de son Epoux ou de son Epouse ; c'est-à-dire, tenter et prendre les mesures pour la procurer, quand même la mort ne s'ensuivroit pas.

3. *Procuratio voluntaria abortûs, seu sibi, seu aliis, per vim, artem, aut consilium ; sive foetus animatus sit, sive non, et licet abortus non sequatur. Item. Si mulier gravida objiciat se sciens periculo alicui verisimili abortûs. Item. Sumptio remediorum, eo fine ut procuretur sterilitas.*

4. La suffocation des enfans, arrivée par une négligence griéve; c'est-à-dire, lorsque les Péres et Méres, ou autres personnes qui ont soin des enfans, les ont étouffés dans leur lit pour les avoir mis coucher avec eux, avant qu'ils eussent un an accompli[116].

7. *Crimen impudicitiae, nempe Sodomia inter ejusdem aut diversi sexûs personas, etiam inter Virum et Uxorem, et quidem non modo consummata, sed etiam reipsâ et actu ad consummationem proximè ducente tentata.*

Item. Bestialitas non solum consummata, sed etiam eodem modo tentata.

Item. Concubinatus publicus et notorius; id est, qui in judicio probatus sit, vel qui nullâ tergiversatione in totâ viciniâ celari possit. Concubinatûs autem nomine intelligitur crimen illius qui cum muliere sibi extraneâ, veluti cum propriâ Uxore in eâdem domo conversatur.

Item. Adulterium publicum, seu graviter scandalosum, et de quo est diffamatio.

Item. Stuprum per vim illatum foeminae, vel puellae.

Item. Lenocinium; cujus rei sunt qui aliorum ejusdem inter se aut diversi sexûs libidinem, ac impudicitiae crimen scienter et voluntariè procurant, aut adjuvant, invitando, consulendo, locum praebendo, epistolas scribendo aut deferendo, vel alio quovis modo, seu quaestûs causâ, seu absque quaestu.

8. Le crime de Faux que commettent les Ecclesiastiques qui se font ordonner sur de fausses Lettres de Tonsure, ou d'Ordre, sur de faux Dimissoires, ou de faux Titres, ou sur un faux Nom; ceux qui rendent faux témoignage, ou qui se parjurent en Justice, étant juridiquement interrogés par un Juge compétant [sic]; les Faux-Monnoyeurs; ceux qui rendent faux témoignage, soit par écrit, soit de vive voix, afin de faire célébrer un Mariage nul, ou illicite par le défaut des formalités ordonnées par l'Eglise, ou de quelqu'unes seulement, soit que ce faux témoignage soit rendu par les Contractans eux-mêmes, ou par d'autres.

9. Le Mariage contracté sans la présence du Curé des Parties, ou d'un autre Prêtre ayant permission de l'Evêque, ou de ce Curé; sans le consentement des Péres et Méres, pour le Mariage des enfans mineurs; sans la proclamation des trois Bans, si l'Evêque n'en a dispensé. En tous ces cas il y a réserve pour les Parties contractantes, pour les témoins qui ont assisté de mauvaise foi à de pareils Mariages, et pour le Prêtre qui a osé les célébrer.

---

[116] Les cas 5 et 6 sont absents.

10. L'usage de la viande aux jours d'abstinence prescrits par l'Eglise ; à moins qu'on n'en aît obtenu une dispense légitime, ou qu'on ne se soit trouvé dans une pressante nécessité.

Item. Avoir aux mêmes jours susdits d'abstinence, donné à manger de la viande sans nécessité, et sans permission ; de quelque état et condition que l'on soit.

11. Jouer de la Flutte [*sic*] ou de quelqu'autre Instrument dans des places et pour des danses publiques, les jours de Fête et Dimanche.

12. Le péché des Péres et des Méres, parens, et autres qui mettent les enfans de différent sexe coucher dans un même lit, ou avec eux, ou avec leurs serviteurs et servantes, au-dessus de l'âge de cinq ans.

13. Faire coucher avec soi des enfans qui n'ont pas encore un an accompli.

14. Le péché des Péres et Méres, qui refusent d'instruire ou de faire instruire leurs enfans de ce qu'ils doivent savoir pour être sauvés. *Item.* Le péché des Maîtres et Maîtresses qui sachant que leurs domestiques ont besoin de ces Instructions, refuseront de les leur procurer. Nous entendons par Refus qui donnera lieu à cette réserve, celui dans lequel persisteront les Péres et Méres, Maître et Maîtresses, qui après avoir été avertis deux fois par leur Curé, ou par leur Confesseur, de s'acquitter de cette obligation, continueront à y manquer.

15. L'Usure publique, c'est-à-dire, celle qui a été prouvée juridiquement ; ou qui est tellement connue dans le voisinage, qu'il n'est plus possible de la révoquer en doute.

Toulon 1749, 1778, 1790
Censures encourues par le seul fait, qui sont spécialement réservées à Monseigneur l'Evêque de Toulon

P2766 **Toulon 1749 premiere partie, p. 316-318**

1. Toutes les Censures qui sont attachées aux Cas réservés au Pape, toutes les fois que l'absolution de ces mêmes Cas appartient à Monseigneur l'Evêque.

2. L'excommunication encourue par ceux qui tombent dans les second, troisiéme, quatriéme, et huitiéme des Cas qui sont spécialement réservés, et dans le premier des Cas réservés de la seconde classe, c'est-à-dire, qui ne le sont pas spécialement ; par ceux qui violent la clôture Religieuse, de la maniére qu'il a été marqué ci-dessus ; par ceux qui sont tombés dans le Cas de duel, ou comme acteurs, ou comme complices et fauteurs, ainsi qu'il a été expliqué ci-dessus.

3. La Suspense qu'encourroit tout Prêtre soit Séculier, soit Régulier, qui oseroit marier des personnes dont il ne seroit pas le propre Curé, sans la permission de Mgr. l'Evêque, ou celle du propre Curé, si le propre Curé est de ce Diocèse ; l'absolution de cette Censure étant réservée à l'Evêque du Curé qui devoit être présent au Mariage.

4. La Suspense qu'encourt celui qui reçoit un Ordre sacré per saltum ; c'est-à-dire, sans avoir reçu l'Ordre inférieur ; s'il n'a point fait les fonctions de l'Ordre ainsi reçû.

5. La Suspense qu'encourt celui qui a été promû aux Ordres sacrés par un Evêque étranger, sans permission de son propre Evêque, ou sur un faux Dimissoire.

6. La Suspense qu'encourt celui qui s'est fait ordonner sous un titre faux et insuffisant, soit de Bénéfice, soit de Patrimoine ; si le titre est de Patrimoine, sous un titre collusoire, avec pacte de ne rien demander au Donateur prétendu. Celui qui se fait ordonner sous un titre que des témoins affidés font valoir plus qu'il ne vaut, ou dont le titre est grevé d'Hypotéques par lesquelles le fond doit être absorbé en tout ou en partie, encourt la même Suspense.

Il faut remarquer...

Boulogne 1750, 1780

[Boulogne 1750 : François-Joseph de Partz de Pressy]
Cas qui sont réservés dans le Diocese de Boulogne. Cas à Nous reservés

Boulogne 1750 p. 142-143

1°. Professer extérieurement l'hérésie, ou la favoriser : apostasier en renonçant sa foi, ses voeux de Religion, ou les Ordres sacrés qu'on a reçus : tenir des discours injurieux contre l'Eglise et le Souverain Pontife.

2°. Blasphémer en public, soit contre Dieu, ou contre les Saints : par où l'on n'entend pas toutefois ces juremens, tout détestables qu'ils sont, où l'on employe le nom de Dieu, la mort, le sang de J. C. etc., ni certains mots corrompus, et à demi prononcés, qui outragent Dieu et ses Saints.

3°. Profaner la sainte Eucharistie, ou les saintes Huiles : on ne comprend pas sous cette réserve la réception indigne, ni l'administration des sacremens en état de péché.

4°. S'adonner à la magie, aux maléfices, à la divination : dire ou faire dire à mauvaise fin, et à dessein de nuire, des oraisons superstitieuses ; consulter les devins.

5°. Le parjure et le faux témoignage devant le Juge, soit ecclésiastique, soit laïque, ou son délégué.

6°. Le vol des Eglises, Chapelles et maisons religieuses; l'incendie fait à dessein, et par malice.

7°. Violer la clôture religieuse; ce qui s'entend, ou de la sortie des Religieuses hors l'enceinte de leurs monasteres, ou de l'entrée des personnes de l'un et de l'autre sexe dans la même enceinte, ou enfin de l'entrée des femmes et filles dans le cloître[a] des Religieux, sans notre permission.

8°. Piller les effets échoués; les prendre sans user de violence, en acheter, ou les receler sciemment.

9°. La Simonie, la confidence occultes; ceci regarde même ceux qui ne font que coopérer à l'une ou à l'autre.

10°. Fraper[b] son pere ou sa mere, son beau-pere ou sa belle-mere, son ayeul ou son ayeule; fraper[b] rudement un Clerc ou un Religieux.

11°. Tuer ou mutiler volontairement quelqu'un: *Procurare abortum, sive inanimati foetûs, et oppressio parvulorum etiam per incuriam.*

12°. Se battre ou appeler en duel, ou coopérer à ce crime, de quelque maniere que ce soit.

13°. *Violenta sanguinis effusio in Ecclesiâ, seu in loco sacro.*

14°. *Adulterium publicum, concubinatusque notorius.*

15°. *Incestus intra secundum gradum consanguinitatis et affinitatis; idem sentiendum de incestu in primo gradu affinitatis spiritualis, id est inter Baptisantem et Baptisatum aut Baptisatam, inter patrinum aut matrinam, et Baptisatum aut Baptisatam.*

16°. L'yvresse des Ecclésiastiques, publique et scandaleuse.

17°. *Peccatum carnis consummatum cum Clerico in sacris Ordinibus constituto, aut cum Religioso vel Moniali pro utrâque personâ commitente. Ad aliud vero peccatum committendum etiam simplex sollicitatio sive in tribunali, sive extra tribunal facta per alterutrum, Confessarium scilicet aut Poenitentem, Parochum sive vices ejus tenentem, aut Parochianam.*

18°. *Sodomiticum peccatum inter personas sive ejusdem, sive diversi sexûs, non modo consummatum, sed et actu ad id per se ducente tentatum: item peccatum quod illo gravius est, seu Bestialitas.*

19°. Nous réservons aussi à Nous, et à quelques Prêtres spécialement désignés, la Suspense qu'encourent.

1°. Les Ecclésiastiques en Ordre sacré, qui gardent chez eux en qualité de servantes, ou de fileuses, ou à quelqu'autre titre que ce soit, des femmes ou filles, avant qu'elles ayent atteint l'âge de quarante ans, prescrit par les Statuts de notre Diocese.

2°. Ceux aussi en Ordre sacré, qui boivent, ou mangent, ou jouent dans les cabarets, hors les cas portés par nos Statuts.

Nous réservons encore le péché que commettent les Clercs et les Acolytes qui boivent, ou mangent, ou jouent dans les cabarets.

Variantes Boulogne 1780. [a] le cloître] les lieux réguliers. –[b] Fraper] Frapper.

Auch 1751
Lectoure 1751. Oloron 1751[117]. Glandève 1751[118]

[Auch 1751 : Jean-François de Montillet]
Casus reservati… Domino Archiepiscopo Auscitano

Auch 1751 p. XI-XIV

1°. Magia, sortilegium, incantatio cum expressâ Daemonis invocatione, etiamsi effectus non sequatur, et omne maleficium cum intentione nocendi per se, vel per alium proximo, in corpore, famâ, honore, fortunis, vel aliis rebus, quomodocumque id fiat; sive signis, sive verbis, ligaturis, caracteribus, imaginibus, etc.

2°. Persussio Patris vel Matris, Avi, vel Aviae; quod si crimen sit publicum reservatur summo Pontifici.

3°. Incendium voluntarium Ecclesiae, domorum, aedificiorum, vel frugum.

4°. Homicidium ex proposito factum, seu per se, seu per alium.

5°. Sodomia et bestialitas reipsà consummata.

6°. Copula carnalis etiam non consummata cujuslibet personae cum personâ quâlibet castitatis voto solemni ligatâ.

7°. Incestus in primo vel secundo gradu consanguinitatis, vel affinitatis seu licitae, vel illicitae.

8°. Casus eorum qui in eodem lecto parvulos secum vel cum aliis reponunt, vel secum reponi patiuntur, sive de die, sive de nocte, ad dormiendum, antequam dicti parvuli annum completum attigerint.

9°. Casus patrum, qui cum filiabus suis decem annos natis, et matrum quae cum filiis suis in dictâ aetate constitutis in eodem lecto de nocte cubare non dubitant.

10°. Item parentum qui liberos suos dissimilis sexûs jam decennes uno eodemque lecto simul de nocte uti patiuntur. Vide infrà notam octavam.

11°. Ingressus puellarum, vel mulierum in Monasteria Religiosorum.

---

[117] Les rituels de Lectoure et Oloron contiennent uniquement la liste des cas réservés à l'archevêque d'Auch, contrairement aux autres diocèses de la Province qui les remplacent par les cas réservés à l'évêque de leur diocèse.

[118] Glandève : province d'Embrun. Glandève 1751 : édition du rituel d'Auch 1751 sauf les XIV p. du début contenant les cas réservés de Glandève suivis de *Nota* très proches d'Auch (P2778).

12°. Illi omnes casus in quos cadunt censurae Ecclesiasticae reservatae.

Nota 1°. Omnes censuræ quæ sunt ab homine, scilicet quæ feruntur per sententiam specialem contra quemdam delinquentem in particulari, vel etiam contra plures, verbi gratiâ, contra renuentes parere monitorio, de se sunt reservatæ; etiamsi reservationis expressè mentio non fiat.

2°. Casus sequentes habent annexam excommunicationem, quæ in Galliâ partim ex jure, partim ex consuetudine reservatur Episcopis, nempe Hæresis, cujus nomine hic intelligi volumus, opinionem fidei contrariam, pertinaciter et ex animo coram pluribus quasi dogmatisando et agnitæ Ecclesiæ definitioni resistendo assertam: Duellum, quo non tantum crimen certantium, sed etiam positivè cooperantium comprehenditur: Incendium voluntarium: Rapina rerum Ecclesiæ cum effractione ante denunciationem rapientis: Violatio clausuræ Monialium sive per earum è Monasterio egressum, sive per Exterorum ingressum in Monasterium; Levis percussio Clerici, vel Monachi; Procuratio abortûs animati secuto effectu.

3°. Præter casus varios, in quibus ex nostris Statutis Synodalibus decernitur pœna Suspensionis, eaque reservata, sunt plures alii quibus eadem censura ex jure communi annectitur, et Episcopis reservatur. Sic in suspensionem incurrit Beneficiarius præsentans Clericum ad titulum sui Beneficii, ut illi conferantur Ordines cum pacto non petendi fructus ad sui sustentationem: sic Qui in loco interdicto celebrant; Qui per saltum Ordines suscipiunt, id est, Qui ad Ordinem superiorem promoventur prætermisso inferiori, v. g. ad Diaconatum omisso Subdiaconatu; Qui sine sui Episcopi dimissoriis Litteris ab Episcopo extraneo se promoveri curant. Parochus etiam, vel alius Sacerdos quilibet, seu sæcularis, seu regularis, qui alterius Parochi sponsos, sine illorum Parochi licentiâ, matrimonio conjungere aut benedicere ausus est, ipso jure tamdiu suspensus manet quamdiu ab Ordinario ejus Parochi qui Matrimonio interesse debebat, seu à quo benedictio suscipienda erat, absolvatur. Sunt insuper et aliæ quamplures in jure Canonico latæ Suspensiones Episcopis reservatæ, de quibus satis fusè Cabassutius lib. 5° de theoria et praxi juris Canonici[119], atque etiam Cardinalis Toletus lib. 1° Instructionis Sacerdotum[120], et alii autores multi. Sed advertendum ducimus multas ex ejusmodi suspensionibus aut reservationibus in Galliis vim non habere, ut notant Auct. Collat.

---

[119] Sur Jean Cabassut, canoniste français du XVIIe siècle, oratorien (1604-1685), voir *Dictionnaire de droit canonique*, t. 2 (1937), col. 1185.

[120] Sur Francisco de Toledo, s.j., voir *infra* Auteurs cités, p. 1943.

Andegav., Gibertus, etc. Cæterum his et aliis ad Casuum et Censurarum reservationem attinentibus accuratè studeant Confessarii, et ubi in quibusdam Casibus hærebunt, Nos, aut Vicarios nostros generales consulant, memores sibi poenam suspensionis ipso facto incumbere, si quidquam in administrando poenitentiae Sacramento faciant extra modum sibi crditae potestatis[121].

4°. Confessarius qui habet potestatem generalem absolvendi à Casibus reservatis, non potest tamen, sine speciali mandato absolvere in iis casibus, qui cum Papales essent fiunt Episcopales, ut loquuntur Theologi, id est, quorum absolutio reservata summo Pontifici, ex circumstantiis quæ in hoc Rituali pag. 119 explicantur, pertinet ad Episcopum: neque etiam poterit Confessarius ille absolvere aut à censuris reservatis, aut à peccatis quibus censura reservata annexa est.

5°. Quando quis postulat à superiore potestatem absolvendi à casu reservato, vel à censura reservata, debet exprimere quæ sit ea censura, atque etiam, nisi aliqua gravis obstet circumstantia, quis sit ille casus, ut videat superior quid sit statuendum. Caveat autem ne personam ullo pacto designet.

6°. Quilibet Confessarius legitimè approbatus eum à casibus reservatis absolvere poterit, qui Confessionem generalem ad seriam vitæ emendationem peragit, tum et eos qui peccata sua deponunt ad sacratissimum Eucharistiæ Sacramentum pro primâ vice accessuri. Eadem quoque facultas conceditur Rectoribus, eorumque Vicariis in tota nostra Diœcesi respectu Fidelium utriusque sexus in eorum Parochiis degentium qui intra tres vel quatuor dies conjungendi sunt in matrimonium: nec tamen poterit Confessarius, etiam in tribus illis circumstantiis absolvere aut à peccatis, aut à Censuris de quibus diximus supra Art. 4 necessariam esse specialem facultatem absolvendi.

7°. Si quis versatur in imminenti periculo mortis, quilibet Sacerdos, etiam non approbatus si alius non adsit, potest illum absolvere tum à peccatis omnibus reservatis, tum etiam à censuris quibus arcetur à perceptione Sacramentorum; is vero pœnitens qui absolutionem à Censura reservata Ministerio Sacerdotis ratione periculi mortis potestatem habentis solum consecutus est, tenetur, si convalescat, recurrere ad Superiorem vel ad ejus Delegatum.

8°. Non excusantur à peccato, licet casus non sit reservatus, patres et matres qui etiam ante decennium filios aut filias suas jam malitiæ capaces, vel secum in eodem lecto reponunt, vel unà simul dormire sinunt,

---

[121] memores sibi poenam ... potestatis] *om.* Glandève 1751.

vel etiam cum aliis personis dissimilis sexus, sive parentes sint, sive famuli, aut famulæ cubare patiuntur : unde nec absolvantur facilè donec certo constet eos saluti et integritati liberorum suorum accuratius consulere.

9°. Peccatum non est reservatum, 1°. Quando non est in actu consummato, nisi aliter in lege illud reservante, expressum fuerit. 2°. Quando peccatum ante pubertatem commissum est, hoc est ante decimum-quartum annum puerorum, et duodecimum puellarum. 3°. Quando peccatum est tantum veniale ratione aut inadvertentiæ, aut levitatis materiæ. Ubi autem revera dubium est an peccatum sit vel mortale, vel veniale, facultas ab eo absolvendi cuilibet competit Presbytero approbato.

Nota tandem. Vix ac ne vix quidem fieri potest ut non sit quodammodo illusoria, atque sacrilega confessio et absolutio, dum Confessarius poenitentem absolvere praesumit à crimine externo cujus et ipse complex est, cujusque reum esse Confessarium Poenitens certo novit. Hujuscemodi confessiones jam de se satis superque prohibitas, nos praeterea graviter prohibemus : imo monemus Sacerdotes ne facilius credant se posse sine suo, vel sine poenitentis periculo eum vel eam audire cum quo vel cum quâ alias peccaverint. Hanc autem habemus fiduciam in Domino nunquam in id genus impietatis venturos quos approbamus Sacerdotes, ut quam potestatem acceperunt in aedificationem, eam vertant in ruinam, et in certiorem damnationem animarum[122].

Bayonne 1751

[Guillaume d'Arche]
Cas réservés à Monseigneur l'Evêque auxquels il n'y a pas de censure annexée

P2769 **Bayonne 1751 p. IX-X**

I. L'attentat des enfans qui vont jusqu'à battre leur pere ou leur mere.

II. Le recours aux devins, magiciens et sorciers.

III. Le parjure ou le faux serment commis devant un tribunal public, quand on est dûement interrogé par son juge légitime.

IV. L'empoisonnement, l'assassinat et tout homicide volontaire commis avec trahison et dessein prémédité, sous lequel est compris l'avortement ; *etiam ante foetum animatum quocumque modo fiat*, et la coopération à les commettre.

---

[122] Nota tandem … damnationem animarum] *om.* Glandève 1751.

V. Faire coucher avec soi dans le même lit les enfans avant l'an et jour depuis leur naissance.

VI. La cohabitation des fiancés, qui contre la défense que nous en faisons, demeurent ensemble dans la même maison, depuis qu'avec le consentement de leurs parens ils se sont promis en mariage.

VII. Le péché des cabaretiers qui donnent à boire, à manger, ou à jouer aux habitans de la paroisse les jours de fête et dimanche pendant les offices divins, et pareillement celui des habitans de la paroisse qui mangent et boivent dans les cabarets, ou qui jouent à la paume, à la pelote, ou aux autres jeux publics durant la célébration desdits offices.

VIII. Mettre volontairement le feu aux maisons, ou aux autres biens d'autrui.

IX. Prendre et retenir sciemment les effets naufragés.

X. *Ebrietas sacerdotum.*

XI. *Stuprum virgini [sic] per vim illatum, ac nefarius puellae seu viduae raptus, incestus quoque cum personâ spiritualiter cognata vel cum consanguinea in primo et secundo gradu. Item bestialitas peccatumque sodomiticum non modo consummatum, sed et actu ad id per se ducente tentatum. Sacrilegus pariter cum sanctimoniali coitus ac nefandum sacerdotis scelus qui tribunali poenitentiae abutitur ut poenitentes suas ad libidinem provocet, sive istae in flagitium consenserint sive non. Peccatum denique impudicitiae externum et mortale confessarii cum poenitente, à quo non poterit complicem absolvere, etiam si facultatem obtinuerit à reservatis absolvendi.*

XII. Le péché des personnes qui disputent et se querellent dans l'Eglise, et qui étant averties par le Curé ou les Magistrats, ne font pas cesser le scandale qu'elles causent.

Bayonne 1751

Cas réservés, avec les censures encourues par le seul fait

Bayonne 1751 p. X-XII

I. Le crime d'hérésie, l'apostasie des vœux solemnels et des Ordres sacrés, avec excommunication.

II. Le sortilége, le maléfice, la divination ; et en un mot, tout exercice de l'art magique, avec excommunication.

III. La suffocation des enfans qu'on a mis coucher avec soi dans le même lit avant l'an et jour, avec excommunication.

IV. Le sacrilége de ceux qui battent outrageusement un Ecclésiastique, ou un Religieux qui porte l'habit de son état, avec excommunication.

V. Le duel avec le crime de tous ceux qui y cooperent soit en le présentant, ou en l'acceptant, soit en le conseillant, en le commandant ou en donnant aide et moyen pour le faire commettre, quand même le combat ne s'en seroit pas ensuivi; avec excommunication.

VI. La violation de la cloture religieuse, qui se commet par ceux et celles qui entrent dans les Monasteres des Religieux ou Religieuses, hors le cas permis par le droit et sans la permission requise, obtenue de Nous ou de nos Vicaires généraux, avec excommunication.

VII. Le péché des peres et meres qui différent le baptême de leurs enfans plus de huit jours, avec excommunication.

VIII. Le péché des personnes qui par des fausses oppositions obligeront les ministres de l'Eglise à célébrer leurs mariages nuls, avec excommunication.

IX. La desobéissance des Ecclésiastiques constitués dans les ordres sacrés, ou ayant bénéfice demandant résidence, qui boivent, mangent dans les cabarets, ou dans les jardins, basse-cours, places publiques, et autres endroits contigus auxdits cabarets, ou en dépendans, ainsi qu'il est exprimé dans les ordonnances du Diocèse, si ce n'est en cas de voyage et de nécessité, avec suspension, *ipso facto*, de laquelle aucun confesseur même ayant les cas réservés, ne pourra absoudre.

X. La célébration des mariages clandestins, en quoi est compris non-seulement le péché de ceux qui se marient ainsi contre les régles, mais encore celui du curé ou autre prêtre qui leur donne la bénédiction nuptiale; avec suspense, *ipso facto*, contre ledit prêtre ou curé qui auroit entrepris un tel mariage.

XI. La desobéissance des prêtres, qui contre les défenses du diocèse, confessent des femmes ou des filles dans les sacristies; sous peine de suspense, *ipso facto*.

XII. Entreprendre de confesser sans approbation, ou excéder quant au lieu, au tems et aux personnes les bornes des pouvoirs qu'on a obtenus pour confesser; à peine de suspense, *ipso facto*.

XIII. Marier une personne catholique avec un hérétique; à peine de suspense, *ipso facto*.

XIV. Nous défendons à tous confesseurs d'absoudre des cas à nous réservés, sans notre permission expresse, à peine de suspense, *ipso facto*.

Nota. Le péché n'est pas réservé lorsqu'il aura été commis avant l'âge de puberté, c'est-à-dire, avant l'âge de quatorze ans pour les garçons, et de douze pour les filles. Lorsque les confesseurs douteront si un péché est mortel ou véniel, ou que le pénitent doutera s'il s'en est confessé autrefois, ou même s'il l'a commis, nous permettons à tout confesseur approuvé d'accorder le bienfait de l'absolution.

Nota 2°. Quand un pénitent coupable d'un cas réservé, même avec censure, s'est confessé de bonne foi, à un prêtre qui avoit le pouvoir de l'en absoudre, la réserve et la censure sont ôtées par rapport à lui, et s'il veut dans la suite s'en confesser de nouveau, pour tranquilliser sa conscience, tout prêtre approuvé pourra lui en donner l'absolution.

Nota 3°. Nous donnons aussi à tous les prêtres approuvés de notre diocèse, le pouvoir d'absoudre des cas à nous réservés, même avec censures, les personnes qui voudront faire une confession générale, dans le desir sincere de réparer le desordre de leur vie passée, pourvû que l'occasion en soit ôtée et qu'il y ait plus d'un an que le péché réservé ait été commis.

Bazas 1751, 1752

[Jean-Baptiste-Grégoire de Saint-Sauveur]
Casus reservati … D D. Episcopo Vasatensi

Bazas 1751 p. IX-XII

I. Apostasia a fide, a votis solemnibus, aut ab Ordinibus sacris; Haeresis seu pervicacia in aliqua opinione contraria fidei, et definitioni Ecclesiæ; In hæreticorum Conventu assistentia; Hæreticorum librorum lectio.
Annexa est censura Excommunicationis ipso facto.

II. Profanatio rerum locorumque sacrorum, furto, exustione, fornicatione, sanguinis effusione ex violenta, atroci et injuriosa percussione. Item violatio clausuræ regularis per egressum aut ingressum absque licentia.
Annexa est censura Excommunicationis ipso facto.

III. Blasphemia publica vel scandalosa in Deum, in sacrosanctam Virginem, aut alios Sanctos ex proposito et impietatis animo prolata.

IV. Magia, seu exercitium maleficiorum, veneficiorum, divinationum cæterarumque artium magicarum; item consultatio Divinorum seu Magorum, cum serio fit et adhibita iis fide.
Annexa est censura Excommunicationis.

V. Simonia et confidentia etiam occulta in Beneficiis, Ordinibus, et Religionis ingressu, tam quoad committentes quam quoad mediatores.

Annexa est censura Excommunicationis.

VI. Percussio Patris, Matris, Avi, Aviæ, aut alterius ex ascendentibus soceri ac socrus: Item Clerici, vel Religiosi Clericali aut religionis habitu induti, dummodo enormis non sit, tunc enim summo Pontifici reservatur.

VII. Sacrilegium cum Moniali vel cum Religioso; Confessarii cum pœnitente; Item Parochi seu Vicarii cum Parochiana, et vice versa. Nullus Confessarius ne quidem is, cui facultas absolvendi à casibus reservatis concessa est, potest absolvere ab ullo peccato impudicitiæ externo cujus conscius et particeps est.

VIII. Incestus in primo et secundo consanguinitatis et affinitatis gradu, et in primo gradu affinitatis spiritualis.

IX. Sodomiticum peccatum inter ejusdem aut diversi sexus personas, etiam virum et uxorem, non modo consummatum, sed etiam reipsa et actu ad id ex se ducente tentatum: item et eadem ratione, gravius et detestabilius bestialitatis crimen.

X. Exustio voluntaria domorum, arearum, aut rerum alienarum etiam occulta.

Annexa est censura Excommunicationis.

XI. Silentium Notariorum Legata pia Parocho intra mensem non revelantium; aut eorum qui Tituli Clericalis vitium, vel Matrimonii impedimentum scientes, non detegunt.

Annexa est censura Excommunicationis.

XII. Retentio voluntaria Actuum ad Ecclesiam pertinentium cujuscumque sint naturæ.

XIII. Perjurium: Crimen falsi: Falsificare Litteras ecclesiasticas, et quæcumque instrumenta juridica et publica, aut falsa fabricare.

XIV. Falsum Testimonium, seu Sacramentum falso præstitum in propria vel aliena causa coram quocumque Judice aut ejus vices gerente.

XV. Matrimonium clandestine contrahere, ad id testem adesse, aut Notarium qui actum conficiat.

XVI. Duellum, cujus casus rei sunt omnes certantes in duello, socii certaminis, qui certantium Patrini dicuntur, qui ad illud etiam non secuturum provocant, vel consulunt, qui ex proposito spectatores fiunt, et qui locum ad id, arma, aliave subsidia scienter suppeditant.

XVII. Homicidium voluntarium: Negligentia gravis in oppressione parvulorum: Conjugis mortem machinari et reipsa tentare licet mors non sequatur: Abortum procurare sive fœtus sit animatus, sive non sit, et licet abortus non sequatur; ad id dare consilia, aut remedia scienter subministrare; Item scienter sumere, docere, vel præbere medicamenta ad impediendam conceptionem; Item si mulier gravida objiciat se sciens periculo alicui verisimili abortus.

XVIII. Delictum patrum aut matrum qui secum in eodem lecto infantes reponunt antequam diem supra annum attigerint atque eorum qui post decimum ætatis annum filios et filias secum cubare faciunt.

XIX. Potatio et esus Ecclesiasticorum apud Caupones, scilicet qui intra unam e proprio domicilio leucam, et extra necessarii itineris casum in Cauponis edunt et bibunt.

XX. Peccatum eorumdem qui veste clericali in loco residentiæ, in administratione Sacramentorum, et in Conventibus ecclesiasticis non utuntur; Eorum quoque qui arma gestant, aut ludis ludunt publicis et prohibitis.

XXI. Quando laïci apud Caupones et Tabernarios in diebus dominicis vel festivis tempore divini Servitii, nempe durante Missa parochiali et solemni, vesperis et instructionibus edunt, bibunt vel ludunt, qui casus respectu urbium intelligendus est de missa solemni et vesperis quæ in ecclesia principali celebrantur, et quando caupones et tabernarii istius divini servitii tempore aliis quam peregrinis, et justa de causa peregrinantibus, cibaria, vinum, aut ludos ministrant: item qui in diebus dominicis et festivis per hocce tempus Divini Servitii saltationibus intersunt et choreas ducunt.

XXII. Esus carnium et adipum in diebus prohibitis absque dispensatione vel necessitate urgente.

XXIII. Vanæ observantiæ vel superstitiones, eisque fidem adhibere.

Notandum 1°. quod Confessarius qui habet potestatem absolvendi à casibus DD. Episcopo reservatis supra recensitis, potest quoque a Censuris iisdem casibus annexis absolvere, excipiendæ tamen quæ sunt ab homine, et irregularitates.

Notandum 2°. nullum peccatum reservari nisi sit mortale, externum, et opere completum.

Notandum 3°. nullum etiam reservari si, commissum fuerit a pueris aut puellis ante pubertatis annos, id est in pueris ante annum decimum-quartum completum, in puellis ante annum duodecimum completum.

Notandum 4°. nullum quoque reservari cum dubitatur utrum peccatum sit mortale, vel veniale, utrum sit reservatum vel non reservatum.

Notandum 5°. quod quilibet Confessarius approbatus, a supradictis Casibus reservatis poterit absolvere, 1°. Eos qui ad primam Sacram Communionem disponuntur; 2°. ægrotos qui sacro Viatico reficiendi sunt; 3°. mulieres prægnantes quæ partui sunt proximæ; 4°. nupturos qui instante Matrimonii celebratione ad sacrum Tribulal sincere accedunt.

Comminges 1751

[Antoine de Lastic]

Casus reservati Domino Episcopo

P2772 **Comminges 1751** p. 2-7

Contrà primum Decalogi Praeceptum.

I. *Haeresis*, externa; *Apostasia*, vel ab Ordinibus sacris, vel à votis solemnibus. *Annexa est Censura Excommunicationis...*

II. *Magia*, quo; nomine comprehenduntur, maleficia, veneficia, divinationes, ligamina, Daemonis invocationes, ad sibi aut alteri nocendum vel consulendum, in bonis, corpore, famâ, usu matrimonii: totiusque artis magicae exercitium, aut actus quilibet; per se vel per alium elicitus; *Annexa est Censura Excommunicationis...*

Item *Magos ac Divinos*, aut eos qui tales dicuntur, ferio et iis adhibitâ fide, non autem per ignorantiam facti, *consulere*: pariter, adhibitâ fide, *mediis vel remediis ab eis propositis uti.*

III. *Percussio gravis*, non tamen atrox, *Clerici vel Religiosi*, qui Clericali gaudet privilegio; *Annexa est Censura Excommunicationis...*

IV. *Simonia*, conventionalis, *in Beneficiis;* etiam non impleta nisi ab unâ parte.

[Absence du *Contrà secundum Decalogi Praeceptum*]

Contrà tertium Decalogi Praeceptum.

I. *Diversorium*, id est, manducare, bibere, ludere, manere cum scandalo, in diversorio vel tabernâ, *diebus dominicis vel festivis*, tempore Missae parochialis, Praedicationis, Catechismi, Vesperarum; nisi sint viatores.

Ejusdem casûs reservati sunt hospites, vel alii in domibus privatis vinum vendentes, eorum Uxores, Liberi, Servi, Ancillae; qui, iisdem temporibus, alios quam viatores, excipiunt, reficiunt, patiuntur.

Eodem sensu, et ergà easdem personas, prohibetur *Diversorium tempore nocturno;* (ad mentem Legis per Reges Christianissimos latae) id est, post horam octavam vespertinam tempore Hyemali, et post decimam vespertinam tempore AEstivo. Per tempus Hyemale intelligimus à Festo Omnium Sanctorum ad Dominicam *in Albis* inclusivè; per tempus AEstivum, à Feriâ secundâ post illam Dominicam ad Vigiliam Omnium Sanctorum.

II. *Saltatio publica*, id est, vel in loco publico, vel domi si ad illam plures sint invitati, *diebus dominicis et Festivis*, usque post celebratas Vesperas, aliaque exercitia spiritualia in Ecclesiâ completa.

III. *Labor servilis publicus*, si per horam duraverit, per *dies Dominicos et Festivos;* ab ortu solis ad ejus occasum.

Contrà quartum Decalogi Praeceptum.

Percussio Patris, Matris, Avi, Aviae, aut alterius ex ascendentibus, in lineâ rectâ consanguinitatis, vel affinitatis legitimae. *Si factum sit publicum reservatur Summo Pontifici.*

Contrà quintum Decalogi Praeceptum.

I. *Homicidium,* voluntarium: quo comprehenduntur, occidentes, mandantes si mandatum non fuit revocatum ante occisionem, consulentes, adjuvantes, media ad illud ex intentione praebentes; sive ferro, vel veneno, vel alio modo, mors evenerit.

II. *Procurare abortivum,* sive foetus, sit animatus, sive non; licet abortus non sequatur; ad id dare mandata, consilia, aut remedia scienter administrare: item, si *Mulier gravida se,* scienter et cum intentione, *objiciat periculo verosimili abortûs.*

III. *Duellum;* cujus casus rei sunt, certantes in Duello, Socii certaminis, qui Patrini certantium dicuntur, qui ad illum etiam non secutum provocant scienter, consulentes, ex proposito spectatores, qui ad id arma aliave subsidia scienter administrant, qui verba invitatoria scienter ferunt. *Annexa est censura Excommunicationis...*

IV. *Periculum,* verosimile, *oppressionis Parvulorum;* cujus peccati reos intelligimus, patres, matres, nutrices, alios vel alias, qui, cum periculo verosimili mortis puerorum, cubare faciunt in lecto illos aut illas qui vel quae annum completum nondum attigerunt: licet oppressio non sequatur.

V. *Expositio Parvulorum* qui tertium aetatis annum nondum attigerunt: quo comprehenduntur, exponentes, mandantes, consulentes, media scienter administrantes, scienter ferentes, latorum comites ex animo, inventores qui graviter negligunt commonere quos oportet.

Contrà sextum Decalogi Praeceptum.

I. *Incaestus,* in opere consummato, intra secundum gradum consanguinitatis aut affinitatis legitimae, vel in primo spiritualis.

Quo peccato Conjux reus vel rea eo ipso amittit jus postulandi debitum conjugale, donec dispensationem ab Episcopo obtinuerit; quam dispensationem concedendi facultas includitur in facultate speciali ab illo nominatim casu absolvendi, non autem in facultate generali absolvendi à Casibus aut Censuris reservatis.

In ulteriori gradu Incaestus non est casus reservatus, nec amittitur jus postulandi debitum.

Jus autem illud non amittitur si Incaestus non sit commissus cum personâ consanguineâ conjugi illius personae quae incaestum perpetrat; v.g. Vir duas cognoscens Sorores, non consanguineas intra secundum gradum Uxori suae, jus ad postulandum debitum non amittit.

II. *Sodomia*, inter ejusdem aut diversi sexûs personnas, etiam Virum et Uxorem; *Bestialitas*: utrumque peccatum, non modo consummatum, sed etiam actu ad id ex se ducente, tentatum.

III. *Incaestus* Puerorum, vel *illius periculum imminens;* cujus peccati reservati reos intelligimus, Patres qui secum Filias suas, Matres quae secum Filios suos, postquam Filii vel Filiae annum decimum completum attigerunt; Patres vel Matres, qui vel quae, Filios cum Filiabus praedictae aetatis utriusque adeptae, cubare faciunt.

Contrà septimum Decalogi Praeceptum.

I. *Venatio*, cum canibus vel equis, *in agris millio consitis*, quo tempore granum illud maturescit.

II. *Veneni immissio*, in flumina, fluvios, rivos, stagna, *ad pisces capiendos:* cujus casûs reservati rei sunt imminentes; immitti jubentes, consulentes, docentes, adjuvantes; venenum scienter et ex animo vendentes.

Sciant Parochi et Parochianos doceant peccatum illud esse de se mortale, et ad restitutionem adigere.

III. *Injusta detentio Titulorum*, vel aliorum Documentorum, quibus statuuntur jura, tùm in spiritualibus, tùm in temporalibus Beneficiorum Ecclesiasticorum, Fundationum, Obituum, Fabricarum, aliarumve Donationum Ecclesiae factarum; et priorum Legatorum.

IV. *Raptus Virginis* vel *Mulieris*, etiam viduae, etiam consentientis, ad Matrimonium cum illâ contrahendum, quo comprehenduntur, Raptores, et omnes, consilium, auxilium, favorem, praebentes; *Annexa est censura Excommunicationis...*

Contrà octavum Decalogi Praeceptum.

I. *Perjurium*, id est, falsum testimonium cum juramento praestitum coram Judice ecclesiastico vel seculari, vel eo qui vices Judicis gerit, in causis propriis; aut aliorum civilibus vel criminalibus, quando perjurus non est consanguineus, nec affinis intra quartum gradum lineae, vel rectae, vel collateralis, neutri parti collitiganti [sic] : licet non sit locus restitutioni.

II. *Falsos Testes adhibere*, coram Judice, aut eo qui vices Judicis gerit: alios *Testes corrumpere.*

III. *Falsos actus cudere;* aut cudi, docere, mandare, consulere, excitare, adjuvare: *Iis uti,* cognitis ut falsis.

IV. *Falsum Testimonium in causâ Matrimonii*, circa Sponsorum, domicilium, aetatem, libertatem, à contrahentibus, vel cognatis, vel testibus, praestitum scriptis aut vivâ voce, etiam sine juramento, *coram Parocho* vel *Vicario*, ut Matrimonium irritum, vel quâvis ratione illicitum, ab illo celebretur; etiam *coram Judice Ecclesiastico*, in dispensationibus obtinendis, vel obtentis: etiam *coram Commissariis*, ab Episcopo designatis ad habendas inquisitiones circa dispensationem in Matrimonio contrahendo vel contracto.

V. *Falsificatio Litterarum Episcopalium publicarum: falsas cudere; falsis scienter uti*: inter quos annumerandi sunt qui falsa ad Quaestum mandata conficiunt, vel vera falcificant, vel cum illis Quaestoris munus exercent; qui dispensationes ab impedimentis dirimentibus aut impedientibus Matrimonii falsas conficiunt, vel veras falsificant, vel falsis scienter utuntur.

VI. *Falsam Monetam cudere*, aut *adulterare legitimam*.

Praeter illos casus, à quibus absolvendi facultatem non habent Confessarii, tres sunt aliae circumstantiae in quibus Jurisdictio Confessarii restringitur: scilicet:

1° Facultas absolvendi à *quolibet peccato lethali externo contrà castitatem tactu commisso*...

2° Numquam censeri debet data vel restituta, cuilibet Confessario, etiam Parocho, nisi nominatim et expresse detur aut restituatur, etiam tempore cujuscumque Jubilaei, facultas absolvendi Poenitentem *à quocumque peccato mortali ad restitutionem adigente*...

3° Nullus Confessarius, etiam Parochus, facultatem habet ad validè absolvendum necessarium, Poenitentem *à peccato mortali ebrietatis*, etiam secretae, cujus peccati confessarius foret particeps.

Comminges 1751

Censurae reservatae D. Episcopo

Comminges 1751 p. 7-8

I. Quatuor inter casus reservatos suprà enumeratae.

II. *Suspensio* quam incurrit *ipso facto*, qui alterius Parochiae Sponsos, sine illorum Parochi aut Episcopi licentiâ, Matrimonio conjungit. ...

III. *Suspensio ab Ordinibus susceptis* quam incurrit *ipso facto*, qui aliquem è Minoribus aut sacris Ordinibus recipit ab alieno Episcopo, absque licentiâ suis Episcopi...

IV. *Suspensio* quam incurrit *ipso facto* qui, in audiendis confessionibus, vel absolvendo aut à Casibus aut à Censuris reservatis, sive Papae, sive Episcopo, vel in votis aut juramentis dispensando, vel vota commutando, Jurisdictionis, sive Ordinariae, sive delegatae, sibi ab Episcopo concessae limites infringit scienter, vel circà tempus, vel circà loca, vel circà personas, vel circà peccata ; extrà casum articuli mortis.

V. *Suspensio ab officio Pastorali* quam incurrit *ipso facto* Parochus vel Vicarius qui matrimonio conjungit eos quos certo noverit, aliâ tamen quam confessionis viâ, aliquo dirimente impedimento irretitos.

VI. *Excommunicatio* quam incurrit *ipso facto* qui vel quae, absque licentiâ ; intrà septa Monasterii Monialium ingreditur ; cujuscumque sit generis, conditionis, sexûs, aut aetatis.

VII. *Excommunicatio* quam incurrit *ipso facto*, persona sexus foeminei, quae intrà Septa vel Moasterium Religiosiorum ingreditur.

VIII. *Excommunicatio* quam incurrit *ipso facto* qui matrimonium, absque benedictione sacerdotali, contrahunt per verba de praesenti coram Parocho vel Vicario, et Testibus : pariter qui ad id Testes adsunt : pariter Notarius qui actum conficit.

IX. *Excommunicatio* quam incurrunt *ipso facto* qui Matrimonium contrahunt in nostrâ vel alienâ Dioecesi coram Sacerdote qui neutriûs partis est Parochus, absque proprii Parochi aut Episcopi licentiâ.

Comminges 1751

Liste des censures que les Laïques peuvent encourir,
portées par les Statuts Synodaux

P2774   **Comminges 1751 p. 9-10**

Excommunication *ipso facto* à Nous reservée contre les Hérétiques, et ceux qui lisent, retiennent, distribuent des livres hérétiques ou condamnés par l'Eglise.

Excommunication *ipso facto* reservée au Pape contre tous ceux qui participent directement ou indirectement à une Symonie, soit comme parties principales, soit comme médiateurs.

Excommunication *ipso facto* à Nous reservée contre les personnes de quelque sexe, état et condition qu'elles soient, qui entrent sans permission dans les Monastères des Religieuses.

Excommunication *ipso facto* à Nous reservée contre les femmes qui entrent dans les Monastères des Religieux.

Excommunication *ipso facto* à Nous reservée contre ceux, qui sans le consentement de Nous ou de leur Curé, reçoivent la Bénédiction nuptiale, soit dans notre Diocèse, soit dans un autre, d'un Prêtre qui n'est pas le propre Curé d'aucune des parties.

Excommunication *ipso facto* à Nous reservée contre ceux qui font des Actes au Curé ou Vicaire pour lui déclarer qu'ils se marient en sa présence; comme aussi contre le Notaire qui reçoit l'Acte et les Témoins qui y assistent.

Excommunication *ipso facto* contre tous Devins et Devineresses, Sorciers et Sorcieres, Enchanteurs et Magiciens.

Excommunication *ipso facto* contre toutes sortes de personnes qui forcent en quelque maniere que ce soit, hors le cas de Droit, une fille, femme ou veuve, de prendre le voile dans un Monastère, ou d'y faire la Profession Religieuse: sont soûmis à la même peine tous ceux qui donnent aide, faveur ou conseil, et ceux qui empêchent une personne de se faire Religieuse, lorsqu'elle le veut librement.

Excommunication *ipso facto* contre tous ceux qui retiennent injustement les Biens, Papiers, Titres des Eglises ou des Bénéfices, Obits, Fondations, Légats pies; et contre ceux qui empêchent par des voyes injustes l'Eglise ou les Bénéficiers de joüir des biens, dîmes, fruits, honneurs et revenus qui leur appartiennent.

Excommunication *ipso facto* contre toutes sortes de personnes qui, hors le cas de Droit, forcent quelqu'un à se marier, ou l'empêchent de se marier librement.

Excommunication contre les Laïques adulteres ou concubinaires publics.

Excommunication contre les Laïques quêteurs, et autres qui exposent à la vénération publique des Reliques nouvelles qui n'ont pas été verifiées par Nous, qui publient de nouveaux Miracles ou de nouvelles Indulgences sans notre permission.

Excommunication contre ceux qui recelent les corps des Bénéficiers décédés, ou qui déterrent les morts sans permission légitime.

Interdit de l'entrée de l'Eglise pendant la vie, et de la Sépulture Ecclésiastique après la mort, contre ceux qui ne se confessent pas une fois par an à leur propre Prêtre, ou à un autre de notre agrément, ou de celui du propre Prêtre; ou qui ne communient point dans leur Paroisse pendant la Quinzaine de Pâques.

Couserans 1751

[Jean-François de Macheco de Prémeaux]
*Casus reservati... Episcopo Conseranensi
juxta Statuta Synodalia Dioecesis Conseranensis*

P2775 Couserans 1751 p. IX-X

I. Atrox et violenta percussio Clerici vel Religiosi.

II. Homicidium voluntarium. Item, percussio Patris vel Matris.

III. Exustio voluntaria Ecclesiarum Domorumque. Idipsum de effractore et spoliatore aedium sacrarum.

IV. Simonia realis in Ordinibus vel in Beneficiis. Item Confidentia. *Si casus illi notorii fiant, summo Pontifici reservantur.*

V. Clericorum ingressus in tabernas ad bibendum vel edendum, nisi viatores sint, et quidem à loco domicilii plùs quàm leucâ distent. Eorum ebrietas.

VI. Profiteri vel exercere maleficia, veneficia, divinationes, incantationes, caeterasque artes magicas. Item magos et divinos consulere. Infestatio fluminum, ex quâ sequatur piscium destructio.

VII. Duello decertare: decertantibus consilium, auxilium, aut favorem praestare.

VIII. Falsum dicere testimonium in Judicio. Item silentium super Decreta monitoria ad revelationem.

IX. Procurare abortum Foetûs animati. Parvulos projicere, projectosque derelinquere.

X. Incestus intrà secundum gradum consanguinitatis, vel affinitatis.

XI. Copula illicita inter Desponsatos ad futurum matrimonium. Eorumdem cohabitatio sub eodem tecto.

XII. Concubitus cum Sanctimoniali. Item Confessarii cum Poenitente.

XIII. Peccatum sodomiticum, et quae eo graviora sunt.

XIV. Venatio super messem aut per vineas, cum ipsarum devastatione.

XV. Profanatio aut illicitus usus Chrismatis vel Olei sancti.

Vicarii Foranei à sequentibus casibus absolvere possunt.

XVI. Profanatio dierum dominicorum atque festorum per opera quaelibet servilia illicita.

XVII. Frequentatio tabernarum dominicis festisque diebus, dum divina celebrantur officia, vel per noctem, horâ indebitâ (excusantur Viatores). Item potûs et escarum ministratio.

XVIII. Puerorum ante annum in eodem lecto cum Patre vel Matre cubatio. Eorumdem simul, vel cum Patre et Matre, si diversi sexûs, in eodem lecto cubatio post annum decimum.

Meminerint Confessarii *nullam esse reservationem in articulo mortis, atque ideo omnes Sacerdotes quoslibet Poenitentes à quibusvis peccatis et censuris absolvere posse: extra quem articulum Sacerdotes, cum nihil possint in casibus reservatis, id unum Poenitentibus persuadere nitantur ut ad Superiores et legitimos Judices pro beneficio absolutionis accedant.* Ex. Trid. Synodo, Sess. 14. Cap. 7.

Dax 1751

[Louis-Marie de Suarez d'Aulan]
Cas réservés à Monseigneur l'Evêque, avec les Censures encourues par le seul fait, lesquelles sont aussi réservées

Dax 1751 p. IX-X

I. L'Hérésie, qui consiste à soutenir opiniatrément quelque sentiment contraire à la Foi, de même que la témérité des personnes, qui sciemment et sans permission lisent, font lire, retiennent ou prêtent des Livres, Libelles ou Ecrits hérétiques composés pour défendre des erreurs condamnées par l'Eglise, avec excommunication encourue par le seul fait.

II. L'entrée des femmes ou filles dans les Monastères des Religieux, sous quelque prétexte que ce soit, de même que l'entrée, sans permission des personnes de l'un et de l'autre sexe, dans les Monastères des Religieuses hors les cas permis par le droit, avec excommunication encourue par le seul fait, laquelle comprend même lesdites personnes, qui entrent dans lesdits Monastères, lorsqu'il y a une brêche dans le mur de cloture.

III. L'attentat des personnes, qui par malice, frappent sciemment et griévement, pourvû que ce ne soit pas d'une maniére atroce, quelque Ecclésiastique, ou quelque personne consacrée à Dieu par les vœux de Religion; avec excommunication encourue par le seul fait.

IV. Le Duel avec la coopération des personnes qui y ont assisté comme témoins du combat, ou contribué par conseil ou instigation, par commandement donné, par cartel ou paroles portées, ou par secours prêté, quand même le combat ne s'en seroit pas suivi, avec excommunication encourue par le seul fait.

V. La suffocation d'un enfant, qu'on a mis coucher avec soi dans le même lit, avant qu'il n'eut un an et un jour accomplis, avec excommunication encourue par le seul fait.

VI. *Peccatum Beneficiatorum, vel in sacris Ordinibus constitutorum, qui (exceptis matre, sorore, amitâ, materterâve vel nepte propriâ) pro ancillis habent, sive per diem, sive per noctem, aut apud se retinent, sub quocumque prætextu, etiam charitatis, quamcumque feminei sexûs personam, nisi completum attigerit quadragesimum ætatis suæ annum sub pœna suspensionis, ipso facto incurrendæ ... qui vero feminam (præter suprà exceptas) quinquagenaria minorem retinuerit, absque licentiâ nostrâ, suspensionis pœnam incurret.*

VII. *Peccatum Sacerdotum, qui sine veste talari celebrant Missam, vel aliquod Sacramentum administrant, extrà casum necessitatis, qui contingit, cum minister Sacramenti, vel Pœnitentiæ, vel Baptismi privati, non potest se tali veste induere, absque probabili periculo mortis subjecti, sub pœna suspensionis, ipso facto incurrendæ.*

VIII. *Ausus Sacerdotis tàm sæcularis quàm regularis, qui non approbatus, attentaret absolvere quemquam à peccatis, vel, absque licentiâ nostrâ speciali à casibus, censurisve nobis reservatis; sub pœnâ suspensionis, ipso facto incurrendæ.*

Dax 1751

*Cas réservés à Monseigneur l'Evêque,
auxquels il n'y a point de censure annexée*

Dax 1751 p. XI-XIV

I. Le crime des personnes qui par des sortileges ou par des superstitions tentent de guérir des maladies, de prédire l'avenir, d'appaiser les orages, ou de nuire par soi ou par autrui au corps, à l'ame ou aux biens du prochain; aussi-bien que le crime des personnes qui y ont recours avec connoissance de ces superstitions.

II. La confidence ou la simonie réelles par rapport aux Ordres, aux Bénéfices, ou à l'entrée en Religion, quand ces crimes sont occultes.

III. Tout sacrilege commis dans l'Eglise ou en tout autre lieu saint par notable fraction, par vol, par fornication ou par notable effusion de sang procurée injustement et avec violence, quand ces crimes n'ont pas été portés en justice; comme aussi tout scandale notable et public commis dans ces mêmes lieux.

IV. Le péché des hôtes ou cabaretiers, qui donnent ou font donner à boire, à manger ou à jouer aux habitans de la même Paroisse les jours de Dimanche ou de Fête, pendant les offices divins, ou à des heures indues des nuits, qui précédent ou suivent immédiatement ces jours ; aussi-bien que le péché des personnes (autres que celles de la maison) qui alors y boivent, mangent ou joüent.

V. Le crime des personnes, qui prennent ou retiennent sciemment des effets naufragés, dont la valeur soit matiére de péché mortel.

VI. Le blasphême scandaleux écrit ou prononcé, au moins devant trois ou quatre personnes ; sous lequel est compris le blasphême des peres, meres, maîtres ou maîtresses dans leur famille.

VII. Le péché des personnes, qui par malice et sans légitime raison forment opposition à un mariage.

VIII. Le parjure fait en jugement, soit ecclésiastique, soit laïque.

IX. Le crime des personnes qui fabriquent ou aident à fabriquer quelque acte ou quelque titre faux ; ou qui falsifient notre Scel et nos Lettres pour s'en servir.

X. L'attentat des personnes, qui frappent leurs pere, mere, ayeul, ayeule, beau-pere ou belle-mere.

XI. Tout homicide volontaire, sous lequel est compris l'avortement, de quelque maniére qu'on le procure (*etiam antè animatum fœtum*) et la coopération des personnes qui y ont aidé, quand même l'effet ne s'en seroit pas suivi.

XII. L'imprudence des peres, meres ou autres personnes, qui mettent coucher avec soi, dans le même lit, un enfant avant qu'il n'ait un an et un jour révolus.

XIII. La cohabitation des fiancés, qui, contre les défenses que nous en faisons, demeurent habituellement ensemble dans la même maison. Le concubinage, les mariages clandestins, avec la coopération à un tel mariage.

XIV. L'incendie volontaire des fruits, forêts ou maison d'autrui, tandis que ces cas sont occultes.

XV. L'imprudence d'un pere qui fait coucher avec soi sa fille âgée de sept ans ; d'une mere qui fait coucher avec soi son fils âgé aussi de sept ans ; ou des mêmes qui souffrent que leurs enfans ou domestiques d'un sexe différent, et âgés de sept ans couchent ensemble.

XVI. L'inceste au premier et second dégré de parenté ou d'affinité (*etiam ex illicitâ copulâ*) aussi bien que de l'affinité spirituelle contractée par le Baptême.

XVII. *Raptus puellæ aut mulieris honestè viventium ; sicut et vis eis illata, si copula carnalis (etsi non consumata) subsecuta fuerit.*

XVIII. *Sodomia sive consummata, sive tentata per actum ad eam tendentem. Item bestialitas, etsi tantum tentata fuerit per actum ad eam tendentem. Lenocinium.*
XIX. *Copula carnalis (etsi non consummata) tùm Clerici in sacris Ordinibus constituti cum feminâ, ad quam extenditur etiam reservatio; tùm cujuslibet cum Religioso aut Sanctimoniale.*
XX. *Crimen Confessarii actualis ad turpia sollicitantis pœnitentem suam, vel turpia patrantis cum eâ sive intrà, sive extrà confessionale.*

Nota 1°. *Quod Confessarius, etiamsi habeat potestatem absolvendi à reservatis, non potest absolvere a peccatis quorum est complex.*

Nota 2°. Un péché n'est point réservé, 1°. Lorsqu'il n'est point consommé, à moins que la réserve ne s'explique autrement. 2. Lorsqu'il est commis avant l'âge de puberté, qui est fixé à quatorze ans pour les garçons, et à douze pour les filles. 3°. Lorsqu'il n'est pas mortel. 4°. Lorsqu'il n'est qu'intérieur. 5°. Lorsqu'il est douteux. Il est question ici d'un doute de fait; lorsque, par exemple, le pénitent, ou même le Confesseur, sur son exposé doute prudemment s'il a commis, consommé ou même confessé autrefois un tel péché à un Confesseur qui pouvoit l'en absoudre : car dans le doute de droit, c'est-à-dire, lorsque certain du péché, le Confesseur doute, s'il est compris dans la reserve, il doit recourir à Nous pour s'en éclaircir, ou, si le cas y échoit, pour obtenir le pouvoir d'en absoudre, tout comme dans le doute de fait, ou de droit par rapport aux cas réservés au Pape.

Nota 3°. Qu'il n'y a aucune réserve à l'article de la mort; et qu'alors tout Confesseur peut absoudre directement et des cas et des censures reservées.

Nota 4°. Que, quand aux approches des nôces, le Confesseur trouve les époux dans quelque cas reservé, Nous lui permettons de les en absoudre; pourvû qu'ils soient bien disposés d'ailleurs, et qu'on ne puisse pas facilement recourir à Nous.

Nota 5°. Que nous permettons à tous Prêtres approuvés dans notre Diocèse, d'absoudre de tous les cas et des censures à Nous reservées, les personnes qui feront une confession générale, dans le sincére désir de mettre ordre aux embarras de leurs consciences.

Nota 6°. Qu'un pénitent qui a fait une confession sacrilége à un Confesseur, qui pouvoit l'absoudre des cas reservés, est tenu de les soumettre de nouveau (s'il en avoit quelqu'un) à un Confesseur, qui ait un pouvoir spécial d'en absoudre; à quoi il n'est point tenu, si sans sa faute, il n'a fait qu'omettre les cas reservés; parce qu'en recevant l'absolution des autres péchés, il a reçu indirectement l'absolution des reservés.

Nota 7°. Que la permission d'absoudre d'un péché reservé, auquel est attachée une censure reservée, tombe aussi sur cette censure; au lieu que la permission générale d'absoudre simplement des cas reservés, ne donne pas celle d'absoudre des censures, qui le sont.

Nota 8°. Que pour absoudre des censures reservées dans le tribunal de la pénitence, il ne faut point se servir d'autre forme que de celle-ci: *Absolvo te ab omni vinculo excommunicationis, suspensionis et interdicti*, qui précéde immédiatement la forme de l'absolution des péchés.

Glandève 1751
[André-Jean-Baptiste de Castellane]
Casus reservati DD. Episcopo

Glandève 1751 p. x-xiv

I. Professio hæreseos exterior.

II. Homicidium voluntarium, et procuratio abortus etiam effectu non secuto.

III. Duellum atque ad illud cooperatio et quodvis adjumentum, etiam ubi non sequitur effectus.

IV. Percussio Patris vel Matris, Avi aut Aviæ, Vitrici aut Novercæ, Socri aut Socrus.

V. Percussio Ecclesiastici.

VI. Sodomia et bestialitas.

VII. Incestus in primo et secundo cognationis, vel affinitatis naturalis gradu, et in primo gradu affinitatis spiritualis.

VIII. Crimen Confessarii cum sua Pœnitente, et Pœnitentis cum suo Confessario, etiam non consummatum. A quo crimine (si umquam committeretur), Confessor, licet potestate a reservatis absolvendi instructus, nulla ratione posset pœnitentem suam absolvere, nisi ea in imminenti mortis periculo constituta, omnis alius Confessarius deesset. Sollicitatio in sacro Pœnitentiæ Tribunali eodem modo reservatur.

IX. Mulieris aut virginis raptus consummatus.

X. Patrum, Matrumve aut nutricum imprudentia, qui infantes unum annum integrum nondum natos secum in eodem lecto collocaret, ubi id ter contigerit, vel si infans fuerit suffocatus.

XI. Falsum testimonium coram judice cum juramento latum, seu res falsas enunciando, seu veritatem tacendo.

XIII. [sic] Confidentia et simonia occulta; in quam reservationem, non modo iniquos ejusmodi contractus ineuntes, sed etiam mediatores incurrunt.

XIV. Adulteratio seu corruptio, aut falsificatio Actorum publicorum et Litterarum Ordinum Litterarum [sic] seu Dimissoriarum.

XV. Delictum quod Notarii, aut quicumque alii admittunt, cum Codices parochialium Actorum, Testamenta, Titulos aut instrumenta et scripta quævis, quæ ad Ecclesiarum, Beneficiorum, aut Nosocomiorum jura aut ad pia legata pertinent, apud se retinent, atque iis, quorum interest, non reddunt nec indicant.

XVI. Occultare corpora defunctorum Ecclesiastico Beneficio, dum viverent, præditorum: necnon favor aut patrocinium, consilium, auxiliumque ejusmodi facinus patrantibus præstitum.

XVII. Diebus prohibitis carnes edere, vel aliis edendas apponere.

XVIII. Pueros et puellas a ludimagistro aut magistra admitti simul et in eodem cubiculo docendos.

XIX. Denique in casum reservatum incidunt Clerici qui una leuca a suæ commorationis loco non disjuncti, manducant bibuntve in popinis: tum qui ludo vulgata lingua dicto *de reste*, aut aliis ludis publicis ludunt; item Sacerdotes qui feminarum confessiones in sacrario excipiunt.

Nota 1°. Casus reservatos Romano Pontifici haberi et explicari in hoc Rituali, pag. 119.

Nota 2°. Omnes censuræ quæ sunt ab homine, scilicet quæ feruntur per sententiam specialem...

[La suite reprend le formulaire d'Auch 1751 Nota 1°. Omnes censurae quae sunt... en l'abrégeant légèrement. *Voir supra* Auch 1751 (P2768)].

Lectoure 1751

Voir Auch 1751.

Lescar 1751

[Hardouin de Chalons]
Table des Cas réservés à Monseigneur l'Evêque dans le Diocèse de Lescar

P2779   **Lescar 1751 p. X-XII**

I. Les Magiciens, Sorciers, Enchanteurs, Noueurs d'éguillette, Devins et ceux qui les consultent, sçachant ou ayant été avertis que c'est un grand crime.

II. Ceux qui battent les Ecclésiastiques d'un léger battement; (à ce cas est annexée l'excommunication *ipso facto*) et si le battement est considérable, le cas est réservé au Pape.

III. La simonie ou confidence réelle occulte; car si elle est publique, elle est réservée au Pape; et dans l'un et l'autre cas, on encourt l'excommunication *ipso facto*.

IV. Les sacriléges; c'est-à-dire, ceux qui prennent la sainte Eucharistie pour la prophaner; qui dérobent les biens et meubles appartenant aux Eglises; qui battent quelqu'un, ou commettent quelque péché d'impureté dans les saints lieux, ou dans les Monasteres.

V. Ceux qui par force, violence, ou autre maniere quelconque, directement ou indirectement, empêchent les Eglises, les Ecclésiastiques ou leurs Fermiers, de jouir des fruits, biens et dîmes dépendans des Eglises, ou de leurs Bénéfices, ou de les donner à ferme à qui bon leur semble; ou qui, par mêmes moyens, empêchent les prétendans aux fermes d'iceux de les prendre à ferme. *Et Monseigneur l'Evêque se réserve tellement le pouvoir d'absoudre du cas contenu en cet article, qu'il ne veut pas même qu'il soit compris dans la permission générale qu'il avoit donné à quelques Confesseurs d'absoudre des cas réservés, à moins qu'il n'en fait mention spéciale.*

VI. Ceux qui falsifient les Lettres et Expéditions des souverains Pontifes. (si le cas est public, il est réservé au Pape.) Pareillement ceux qui falsifient les Lettres et Expéditions des Evêques: et à ce cas est annexée l'excommunication *ipso facto*.

VII. Ceux qui battent leur pere ou leur mere.

VIII. Les homicides volontaires, ou ceux qui de guet-a-pens mutilent notablement; et sous ce cas sont compris ceux et celles qui procurent avortement en elles, ou en autrui.

IX. Ceux qui se battent en duel; ou qui y servent de seconds.

X. Ceux qui couchent les enfans avec eux dans le lit avant l'an, si suffocation s'en ensuit.

XI. Ceux qui ravissent ou enlevent des femmes ou des filles.

XII. Ceux qui commettent le crime de sodomie ou de bestialité.

XIII. Ceux qui commettent inceste au premier ou second degré de parenté, d'alliance, ou au premier degré d'affinité spirituelle.

XIV. Les adulteres et concubinaires publics.

XV. Tous les incendiaires occultes, qui de propos délibéré mettent le feu aux Eglises, maisons, fruits et biens d'autrui. (si le cas est public, il est réservé au Pape), et sous ce cas sont compris ceux qui leur donnent conseil, aide et secours pour commettre ces crimes.

XVI. Les faux témoins en jugement et les fabricateurs d'actes faux et publics, au préjudice notable d'autrui.

XVII. Ceux qui, sans une véritable nécessité, mangent de la viande aux jours défendus par l'Eglise.

XVIII. Les Ecclésiastiques qui habitent ou entrent dans les cabarets ou dépendances d'iceux, pour y boire et manger, soit dans le lieu de leur résidence, ou à une lieue d'icelle, et partout ailleurs, hors le cas de voyage, autres néanmoins que ceux qu'ils feront aux marchés.

Outre les susdits cas, la dispense des voeux, des promesses confirmées par jurement, et de l'irrégularité occulte, est pareillement réservée à Monseigneur l'Evêque.

Oloron 1751

Voir Auch 1751.

Tarbes 1751

[Pierre de La Romagère de Roncessy]
Casus D.D. Episcopo Tarbiensi reservati

P2780 **Tarbes 1751 p. IX-XI**

1. Magia, Sortilegium, Incantatio, Divinatio, quae per artem aut invocationem daemonis fiunt. Item omne maleficium ad impediendam matrimonii consummationem.

II. Blasphemiae aut verba impia, quae contra Deum, aut B. Virginem, aut Sanctos cum scandalo proferuntur; aut cum haeresis aut infidelitatis malitiam includunt. Item haeresis et crimen eorum, qui haereticis opem ferunt in damnum Religionis Christianae.

III. Sacrilegium, quo res sacrae vel Deo dicatae cum scandalo violantur: Ecclesiarum pollutio per humani seminis aut sanguinis effusionem criminosam: Item percussio Presbyteri aut Clerici insignia clericalia gestantis.

IV. Percussio malitiosa Patris vel Matris, Avi vel Aviae, quae sit peccatum mortale.

V. Absentia Parochorum, qui non obtentâ licentiâ, aut alterum sacerdotem approbatum non subrogantes, à suis parochiis Diebus Dominicis aut Festivis, ante officia peracta absunt aut discedunt, nisi in casu necessitatis, cujus objectum sit bonum aliquod spiritale, aut saltem temporale. Item discessus Sacerdotum à nostrâ dioecesi absque obtentâ à nobis licentiâ, quae vulgo dicitur *Exeat*.

VI. Inobedientia Clericorum Beneficiariorum, vel in Sacris existentium, qui in loco residentiae vestem talarem gestare negligunt: eorumque inobedientia, imo et aliorum poenitentium circa obsequium debitum Constitutionibus summorum Pontificum, quae toti Ecclesiae propositae, ejusdem Ecclesiae accedente consensu, in hoc Regno, et praesertim in hac Dioecesi à nostris Decessoribus fuerunt promulgatae. Ibi agitur etiam de iis omnibus, qui contra praefatas Constitutiones scriptis aut verbis pugnare, vel illis obsistere profitentur. Imo attendant Confessarii ad poenas et Censuras latas in hujusmodi refractario.

VII. Homicidium voluntarium: crimen eorum qui abortum inferunt, aut suadent, vel in illum influunt. Item peccatum mulierum, quae pueros in cubili secum collocant, antequam primum aetatis annum et diem expleverint, etiam suffocatione non secutâ.

VIII. Incestus in primo et secundo gradu cognationis aut affinitatis naturalis; ac etiam in primo gradu cognationis spiritualis, in opere consummato. Item concubinatus, et adulterium, quando fiunt cum scandalo. Detestanda peccata Sodomiae et bestialitatis in opere consummato.

IX. Incendium voluntarium, incendiario nondum publicè denuntiato. Item perjurium, falsum testimonium in judicio.

X. Venatio à Canonibus Ecclesiae prohibita Clericis: quae venatio vocatur clamosa, quaeque sit cum strepitu et scandalo, in quâ exercen[tes?][123] deponuntur insignia clericalia.

XI. Potatio, manducatio, imo et lusio in cauponis et tabernis, diebus dominicis et festivis, tempore Missae parochialis, Concionis, Catechismi. Ab hoc casu excipiuntur viatores. Sed eumdem incurrunt ipsi caupones et tabernarii, qui praefatis diebus et temporibus vinum et cibos aliis quam viatoribus apponunt.

XII. Ingressus tam virorum quam mulierum in septa Monialium: item mulierum in septa Regularium.

Tarbes 1751

Censurae D.D. Episcopo Tarbiensi reservatae

Tarbes 1751 p. XI-XII

I. Confidentia et Simonia reales, etiam occultae, in Ordine vel Beneficio, prohibentur sub poenâ excommunicationis *ipso facto* incurrendâ.

---

[123] Mot illisible sur l'exemplaire consulté.

II. Qui ad Duellum provocant, excommunicantur *ipso facto*; necnon qui acceptant; imo et qui consilio auxiliove favent, etiam non secuto certamine, si per ipsos non steterit.

III. Excommunicantur *ipso facto* Moniales exemptae vel non exemptae, quae suis è Monasteriis egrediuntur absque licentiâ à Nobis aut Vicariis nostris Generalibus, aliisve Superioribus quorum interest, scripto concessa traditâque. Omnibus vero Sacerdotibus tam Secularibus quam Regularibus prohibetur, ne coram dictis Monialibus Missam non parochialem celebrent, ac ne illis circa mortis periculum Sacramenta ministrant. Quod utique observandum est erga Moniales etiam cujuscumque alterius Dioecesis, in nostrâ fortè degentes.

IV. Comestio, potatio Clericorum in cauponâ, vel in locis ad caupones pertinentibus, aut in quibus caupones ministrare consueverunt, prohibetur sub poenâ suspensionis *ipso facto* incurrenda: excepto casu gravis necessitatis aut itineris ultra leucam à loco in quo habitant.

V. Suspenduntur *ipso facto* Sacerdotes, qui confessiones in nostrâ Dioecesi excipiunt, nisi aut parochiale Beneficium habeant, aut approbationem à Nobis obtinuerint. Eâdemque suspensionis poenâ *ipso facto* plectuntur Sacerdotes, qui sine speciali approbatione confessiones Monialium in nostrâ Dioecesi excipiunt: imo et qui sine speciali licentiâ à Casibus reservatis, extra mortis periculum, absolvere praesumpserint.

VI. Excommunicantur *ipso facto* Regulares, qui fidelium corpora exportant, vel sepelienda excipiunt absque Praesentia Parochi vel ejus Vicarii, aut sine consensu alterutrius....

Tarbes 1751

Censurae non reservatae

P2782 Tarbes 1751 p. XII-XIII

Excommunicantur *ipso facto*, qui injustè impediunt ne Clerici bona et reditus suorum Beneficiorum percipiant. Pari censurâ feriuntur, qui injustè detinent et abscondunt Titulos vel Acta, aliave hujusmodi instrumenta ad aliquam Ecclesiam pertinentia.

II. Prohibetur sub poena Excommunicationis, corpora Beneficiariorum mortuorum recondere.

III. Suspenduntur Parochi et Vicarii, qui matrimonia filiorum familias ante celebranda denuntiant, quam parentum consensus accesserit. Item qui Minorum, priusquam ipsis innotuerit legitimus Tutorum vel Curatorum interventus. Demum qui personarum jam raptarum, quamdiu manent in potestate raptoris.

IV. Nullus Confessarius sub poenâ suspensionis, personarum foeminei sexûs audeat confessiones audire in Sacristiâ, vel alio quolibet loco extra sedem confessionalem, nisi surditas aut alia gravis infirmitas coegerit.

V. Sub poena suspensionis omnibus prohibetur Sacerdotibus ne pro administratione Sacramentorum quidquam directè vel indirectè exigant. Eis tamen liceat accipere quidquid ultro illis offertur : imo et exigere quod à nobis Mandato de juribus Parochorum statutum est.

Nota. 1°. Omnes supradictas Censuras è Statutis Synodalibus hujusce Dioecesis esse excerptas.

2°. Sacerdotem, cui concessa fuit facultas absolvendi à Censuris per simoniam aut confidentiam contractis, non idcirco gaudere privilegio restituendi in Titulum Beneficii, aut etiam condonandi fructus.

3°. Censuram *à jure* in Canonibus Ecclesiae aut Statutis Episcoporum contineri : per modum legis latae et permansurae. *Ab homine* vero tam generalem quam particularem, per modum percepti transitorii.

4°. Censuram *latae sententiae* incurri *ipso facto*, absque ullâ Iudicis sententiâ, peccato patrato : non idem de Censurâ *ferendae sententiae*, quae non incurritur ante sententiam Iudicis ; Et ideo dicitur *Comminatoria* ; quippe quae sit potius comminatio seu monitio, quam Censura.

p. xiii-xviii *Observationes quaedam et Decisiones circa Casus reservatos, Censuras, Irregularitates et Vota.* ...

Soissons 1753

[François de Fitz-James]
Casus reservati in Dioecesi Suessionensi… Casus reservati D.D. Episcopo

Soissons 1753 tome 1, p. 193

1°. Blasphemia publica publicitate juris.

2°. Profanatio et impius usus rerum sacrarum, ut sacro-sanctae Eucharistiae, Chrismatis et Olei sancti.

3°. Simonia aut confidentia occulta.

4°. Percussio gravis Clerici in sacris ordinibus constituti.

5°. Percussio gravis patris et matris, avi aut aviae.

6°. Homicidium voluntarium per se vel per alium commissum.

7°. Procuratio voluntaria et directè intenta abortûs, sive fœtus sit animatus sive non sit, licet abortus non sequatur. Hoc casu comprehenditur quaelibet persona quae seu sibi, seu aliis, vi, arte, consilio, aut alio quovis modo sciens et volens abortum procurat, aut procurare nititur.

8°. Suffocatio aut oppressio parvulorum, etiam involuntaria, si sit ex gravi negligentia.

9°. Duellum, cui reservationi subjacent cooperantes et suadentes.

10°. Sodomiticum peccatum inter ejusdem et diversi sexûs personas, non modo consummatum, sed attentatum. Item bestialitas etiam attentata.

11°. Incestus intra secundum gradum consanguinitatis aut affinitatis. Item incestus spiritualis, quo nomine intelligitur confessarii cum poenitente, poenitentis cum confessario, et parochi cum paroeciana concubitus. Circa quod statuimus nullum sacerdotem (si casus evenerit, quod avertat Deus) nunquam posse absolvere complicem peccati mortalis exterius commissi contra sextum Decalogi praeceptum, nisi in articulo mortis, ubi non reperitur alius sacerdos; talique sacerdoti in perpetuum interdicimus confessionem sacramentalem personae sui criminis complicis.

12°. Exustio domorum voluntaria, per se vel per alium commissa.

13°. Usura publica et coram judice probata.

Nantes 1755

[Pierre Mauclerc de La Muzanchère]
Casus reservati D.D. Episcopo Nannetensi
De Censuris reservatis D.D. Episcopo Nannetensi
Monita circa absolutionem à Casibus et Censuris reservatis

P2784 **Nantes 1755** p. 70-77

Formulaires de Nantes 1733 avec remaniements et additions.Voir Nantes 1733 p. 39-53. Le *Mandatum ... Episcopi Nannetensis* daté 1758, relié à la suite du rituel apporte (p. 6-23) de nouveaux remaniements aux cas réservés à l'évêque, repris en 1776.

Arras 1757

[Jean de Bonneguise]
Casus R.R. Domino Episcopo reservati

P2785 **Arras 1757** p. 70-72

I. Homicidium voluntarium : sub quo comprehendi debet voluntaria procuratio abortûs, sive animati, sive inanimati foetûs, et quaevis ad illus crimen deliberata cooperatio.

II. Sodomia, id est, coïtus inter personas ejusdem sexûs; item, quod gravius est, bestialitas.

III. Perjurium coram judice: quando quis à judice legitimo juridicè interrogatus, praestito de veritate dicendâ juramento, scienter falsum affirmat, vel verum negat[124].

IV. Oppressio parvulorum facta à quibuscumque personis, cum iis in eodem lecto recumbentibus, ante primum aetatis annum completum.

V. Incestus intra primum et secundum consanguinitatis vel affinitatis gradum.

VI. Peccatum carnis consummatum cum Clerico in sacris Ordinibus constituto, aut cum Religioso, vel Moniali; tam pro dictis personis, quam pro complicibus. Nullus Confessarius, etiam pro casibus reservatis approbatus, vel in posterum approbandus, poterit complicem suum, aut suam, in quolibet peccato mortali contrà castitatem exteriùs commisso, validè absolvere à dicto peccato, nisi in mortis periculo[125].

VII. Peccata sequentia quibus est annexa excommunicatio major:

1°. Crimen illorum qui maleficiis utuntur ad impediendum usum matrimonii, modo effectus sit secutus.

2°. Peccatum quod committitur ab iis qui matrimonium cum aliquo impedimento dirimente scienter contrahunt.

3°. Usura publica seu notoria.

4°. Peccatum Clericorum sivè saecularium, sivè regularium, qui bona Ecclesiae suae in perpetuum alienant; nec-non Laïcorum cum iisdem contrahentium[126].

5°. Peccatum quod committitur ab illo, qui cum eo, qui ligatur excommunicatione majori Episcopo reservatâ, et nominatim denonciato, communicat in crimine criminoso, id est, propter quod jam antè erat excommunicatus.

Praedicti casus, atque censurae iis annexae, RR. Episcopo reservantur, à quibus omnes Sacerdotes pro reservatis approbati poterunt absolvere. Idem RR. DD. Permittit poenitentem, quando facit confessionem generalem ad seriam totius vitae emendationem, ab iis per quemlibet Confessarium absolvi semel duntaxat;[127] modo ille Poenitens nullam aliam in totâ vitâ fecerit Confessionem generalem, in quâ jam ab aliquo peccato reservato fuerit absolutus, sivè à Confessartio pro casibus reservatis approbato, sivè ab alio pro his casibus non approbato.

---

[124] Note marginale: Synod. Atrebat. Die 13. Decemb. 1687.
[125] Note marginale: Mandat. RR. DD. Episc. Die 19. Nov. 1689.
[126] Note marginale: Synod. Prov. Cameracensis tit. 15. c. 2.
[127] Note marginale: Statut. Synod. Atreb. Die 12. Dec. 1687.

Arras 1757

Casus specialiter reservati

P2786   **Arras 1757** p. 72-75

Sequentes casus, RR. DD. Episcopo, Vicariis ejus Generalibus et Poenitentiario ità reservantur, ut nullus alius Sacerdos, virtute facultatis à casibus reservatis absolvendi generatim et indistinctim sibi concessae, validè possit ab iis absolvere, nisi insuper specialem id faciendi licentiam obtinuerit.

1°. Gravis percussio Religiosi aut Clerici, tonsuram seu coronam et vestem clericalem gestantis.

Notandum quod, ut percussio sit reservata, et per eam incurratur excommunicatio, oportet ut actio sit injusta et ità injuriosa, ut sit mortaliter peccaminosa. Non vero sufficit ut procedat ex intentione, seu affectu interno mortali : requiritur enim ut ipsa actio exterior secundum se habeat gravitatem. Si enim aliquis, intendens Clericum graviter percutere, illum tamen non nisi leviter percutiat ; tunc quamvis peccet mortaliter ratione malae intentionis, non incurrit excommunicationem : nihilominus, si percussio esset quidem ex se, seu physicè levis, sed tamen gravis ratione circumstantiarum, tunc percutiens non eximeretur ab excommunicatione.

Non incurritur vero excommunicatio. 1°. Si percutiens invincibiliter ignoret illum quem percutit esse Clericum. 2°. Si percussio facta sit per jocum. 3°. Si fiat subito motu, absque advertentiâ, vel sine eâ deliberatione quae ad peccatum mortale requiritur. 4°. Si quis Clericum, vim inferre volentem, percutiat ad justam sui defensionem cum debito moderamine. 5°. Si percutiatur Clericus, dum turpiter agit, id est, actum impudicum exercet cum matre, vel uxore, vel filiâ, vel sorore percutientis. 6° Si Praelatus, aut Pater, aut Mater Clericum sibi subditum percutiat, correctionis causâ, modo in castigatione non sit notabilis excessus.

2°. Effractio Ecclesiae seu Aedium sacrarum ; item earumdem Aedium spoliatio ; item earumdem sacrarum Aedium vel profanarum exustio, ante denuntiationem.

3°. Raptus virginum, vel mulierum honestè viventium : Excommunicatio huic crimini annexa, incurritur quoque ab iis, qui raptori consilium, auxilium, aut favorem praebuerint[128].

---

[128] Note marginale : Conc. Trid. Sess. 24. cap. 6.

4°. Violatio clausurae Regularis, quae committitur, sivè per egressum Monialium extrà septa Monasterii, sivè per ingressum personarum cujuscumque sexûs intrà eadem septa, sine licentiâ Episcopi.

5°. Haeresis, per quam intelligitur error voluntarius, et cum pertinaciâ contra aliquam fidei veritatem, ut talem ab Ecclesiâ propositam.

Hîc advertendum quod juxtà id, quod suprà dictum est, haeresis merè interna, non habeat annexam excommunicationem, neque reservationem, nisi sit etiam externa; id est, nisi aliquo signo exteriùs prodierit. Ut si, v.g. qui eâ infectus est, sive coram aliis, sive in occulto, motivo haeresis conculcet Sanctorum imagines, Missam, cum possit, diebus dominicis et festivis, non audiat, et audire contemnat, vel alia signa praebeat quae sint sufficientia ad haeresim manifestandam.

6°. Apostasiâ à Fide, seu infidelitas quâ quis Christum, fidemque christianam jam susceptam penitus abnegat; ut quando amplectitur Paganismum, vel Judaïsmum, vel Mahumetismum. Item apostasia à Religione, quâ quis ab Ordine Religioso discedit, cum animo deferendi statum Religiosum quem professus est.

Praeter praedictos casus RR. DD. Episcopo reservatos, illi qui Summo Pontifici reservantur, quando sunt publici, eidem RR. DD. Episcopo solum sunt reservati, quando sunt occulti. Tunc enim, ut communiter dicitur, *Casus Papales sunt Episcopales.* Ab iis autem casibus, qui ex Papalibus facti sunt Episcopales, Confessarii, etiam pro casibus reservatis approbati, non possunt absolvere, nisi ad id specialem facultatem à RR. DD. acceperint.

Arras 1757

RR. DD. Episcopo insuper reservantur Irregularitates et Censurae sequentes

Arras 1757 p. 75-77

1°. Omnes Irregularitates et Suspensiones Sedi Apostolicae reservatae, ex delicto occulto provenientes, exceptâ eâ quae oritur ex homicidio voluntatio, et exceptis aliis ad forum contentiosum deductis, ut suprà dictum est.

2°. Excommunicatio lata per Statuta Synodalia hujus Dioeceseos, contra eos qui matrimonium per verba de praesenti contrahere praesumpserint coram testibus et parocho, sine ejus benedictione, aliisque solemnitatibus in Sacramento Matrimonii servari solitis. Hanc excommunicationem incurrunt quoque testes et Notarii, si adhibeantur[129].

3°. Suspensio *ipso, facto* à Concilio Tridentino et à Statutis hujus Dioeceseos lata, contrà quemlibet Parochum aut alium Sacerdotem,

---

[129] Note marginale. Synod. Atreb. Die 25. April. 1675. Et 13. Octob. 1684.

sivè saecularem, sivè regularem, qui etiam praetextu privilegii, vel immemorabilis consuetudinis, alterius Parochiae sponsos, sine Episcopi vel alterutrius Parochi licentiâ, matrimonio conjungere, aut benedicere ausus fuerit. *Conc. Trid. Sess. 24. C. 1.*

4°. Suspensio per quindecim dies duratura, quam ipso facto incurrunt Sacerdotes, tam saeculares, quam regulares, qui intra limites parochiae in quâ resident, vel si commorentur in urbe, aut in ejus suburbiis, intra limites hujus urbis, et ejus suburbiorum, in quâvis cauponâ seu popinâ comedunt, vel bibunt vinum, vel cervisiam, aut alium quemcumque liquorem[130], exceptis casibus expressis in Statutis Dioecesanis.

Nomine cauponae seu popinae, hic comprehunduntur illius atria, horti, aliique loci annexi ab eâ dependentes, nec-non et illi qui vulgo vocantur *Caffés*, atque etiam omnes, in quibus publicè simul et minutim, qualescumque liquores inibi bibendi divenduntur.

5°. Denique RR. DD. Episcopo reservantur censurae latae per sententiam illius specialem, vel ejus Officialis, quibus aliquis nominatim fuerit excommunicatus, suspensus vel interdictus.

Demum monentur Parochi, aliique Confessarii, quod licet ipsasmet irregularitates et censuram suspensionis tollere non valeant, nec in votis aut juramentis dispensare, nisi haec facultas à Superiore eis specialiter concedatur; ab ipsis tamen peccatis, quibus annexa est aliqua Irregularitas, vel Suspensio, absolvere possint, nisi haec peccata sint reservata. Si vero censura, quâ poenitens ligatur, sit excommunicatio; non potest absolvi à peccatis, quin prius ab hâc absolvatur. Haec enim censura privat usu sacramentorum. Similiter, si quis ob crimen à se commissum, privetur receptione sacramentorum per interdictum personale, simul et speciale, non debet à peccatis absolvi, antequam absolvatur seu liberetur, ab hoc interdicto. Illi quoque, qui per aliquod delictum causam dederunt interdicto locali, vel qui ad perpetrandum delictum, ob quod illud interdictum latum est, praebuerunt consilium, vel auxilium, non sunt extrà mortis articulum absolvendi, nisi prius satisfecerint, vel de satisfactione dederint cautionem. *Ita ex Cap.* Alma *de sent. Excom. In 6.*

Caveant, qui facultatem à peccatis reservatis absolvendi accipiunt, ut eâ, non ad destructionem, sed ad aedificationem utantur: Poenitentibus exponant horum peccatorum gravitatem, et congruentes eis satisfactiones injungant; ut inde majorem illorum horrorem concipiant, et ab eis iterum perpetrandis efficaciûs avertantur.

---

[130] Note marginale: Ex libro Statutorum Dioeces. Atreb.

Belley 1759
[Gabriel Cortois de Quincey]
Casus reservati D.D. Episcopo Bellicensi

Belley 1759 p. 225-226

I. Haeresis et apostasia publicae. *Eis adjuncta et excommunicatio, eaque reservata.*

II. Blasphemia contra Deum, B. Virginem, Sanctos, res sacras, vel Ecclesiam et ejus dogmata, cum animo seu assensu deliberato, et cum scandalo.

III. Sacrilegium, id est, rei sacrae furtum, et quaevis contumelia insignis erga res sacras.

IV. Perjurium, sive testimonium falsum in judicio, et falsificatio publici instrumenti, in damnum proximi.

V. Usus magiae et maleficiorum.

VI. Injuriosa patris, vel matris percussio. *Ei adjuncta est excommunicatio.*

VII. Gravis percussio Clerici, vel Religiosi in sacris constituti. *Ei adjuncta est excommunicatio reservata ipso facto.*

VIII. Homicidium voluntarium, sub quo comprehenduntur, abortus procuratus, vel etiam machinatus, et oppressio seu suffocatio parvuli, ex quâcumque causâ, etiam ex incuriâ.

IX. Monomachia, seu duellum. *Hic casus annexam habet excommunicationem ipso facto, eamque reservatam.*

X. Incestus in primo et secundo tam affinitatis sive spiritualis, sive carnalis, quam consanguinitatis gradu.

XI. Peccata quae adversus sextum Decalogi praeceptum patrata sunt contra naturalem usum, quae nec nominentur in nobis.

XII. Incendium voluntarium.

XIII. Usura publica, quae vel in judicio probata est, vel nulla tergiversatione in totâ viciniâ celari potest.

XIV. Simonia et confidentia occulta.

XV. Sponsalia clandestina contrahere, juvare, benedicere. *Presbyteri benedictionem nuptialem sponsalibus clandestinis impertientes, suspensionem à divinis ipso facto incurrunt.*

Supra memorati casus duntaxat reservantur in iis qui decimum-quartum aetatis annum compleverunt.

Facultas absolvendi à casibus reservatis non extenditur ad casus Papales illustrissimo Episcopo devolutos, nec ad eos quos sibi specialiter reservavit, aut quibus aliqua censura est adjuncta.

Périgueux 1763

[Jean-Chrétien de Macheco de Prémeaux]

P2789   Périgueux 1763 p. 91

Casus et peccata ... Episcopo Petrachoricensi reservata huc non referimus, quia solet ea pro re Dioecesis suae commutare; itaque petantur ea à Constitutionibus synodicis.

[Renvoi aux Constitutions synodales]

Carcassonne 1764

[Armand Bazin de Bezons]

Casus D. D. Episcopo reservati (in Dioecesi Carcassonensi)

P2790   Carcassonne 1764 p. 200-201

1. Percussio gravis Clerici in sacris Ordinibus constituti.
2. Simonia, et confidentia occulta.
3. Blasphemia, cum quis perspicuè coram duobus vel pluribus cum enormi aliqua expressione quae contemptum, contineat, execrabile seu verbum, seu scriptum profert in Deum aut beatissimam Virginem, vel Sanctos.
4. Ingressus in Monasteria, aut intra septa Monasteriorum, etiam aliqua ex parte perrupta; Monialium quidem pro utroque sexu; Religiosorum et Monachorum, pro sexu muliebri tantum; absque Episcopali autoritate; etiamsi praetextu pietatis aut charitatis fiat.
5. Homicidium voluntarium per se vel per alium perpetratum.
6. Adulterium, item Concubinatus, coram Judice probata, aut in tota vicinia adeo notaria ut nullâ tergiversatione celari possit.
7. Percussio gravis Patris, Matris, Avi aut Aviae.
8. Procuratio voluntaria et directè intenta abortûs, sive fœtus sit animatus sive non sit, licet abortus non sequatur. Hoc casu comprehenditur quaelibet persona quae seu sibi, seu aliis, vi, arte, consilio, aut alio quovis modo sciens et volens abortum procurat, aut procurare nititur.
9. Incendiariorum crimen; quo casu comprehenduntur quicumque per se aut per alios, seu noctu, seu diu, ignem areis eo animo admovent vel tritu eliciunt, ut domos, horrea, ovilia, stabula, pabula et cujuscumque generis grana comburant, etiamsi exustio domorum nondum secuta fuerit.
10. Matrimonium illegitimè contractum: hoc casu comprehenduntur, 1°, qui matrimonium clandestinum aut aliundè invalidum scienter

contrahunt; 2°, qui hujusmodi matrimonia consulunt, illisve favent, aut favendi animo intersunt.

11. Duellum, hoc casu comprehenduntur qui ad certamen singulare, seu per se, seu per alium provocant; qui certamen ineunt, qui in arenam certaturi descendunt, etamsi absque pugna abeant; qui duellum aliis consulunt, necnon qui certantes favendi animo concitantur.

12. Sodomiticum peccatum inter ejusdem et diversi sexus personas, non modo consummatum, sed attentatum. Item bestialitas etiam attentata.

13. Incestus intra secundum gradum consanguinitatis aut affinitatis. Item incestus spiritualis; quo nomine intelligitur Confessarii cum poenitente, poenitentis cum Confessario, et Parochi cum paroeciana concubitus. Circa quod statuimus nullum sacerdotem, si casus evenerit, quod Deus avertat, numquam posse absolvere complicem peccati mortalis exterius commissi contra sextum Decalogi praeceptum, nisi in articulo mortis, ubi non reperitur alius sacerdos; talique sacerdoti in perpetuum interdicimus confessionem sacramentalem personae sui criminis complicis.

14. Suffocatio aut oppressio parvulorum, etiam involuntaria, si sit ex gravi negligentia.

15. Usura publica et coram Judice probata.

16. Profanatio et impius usus rerum sacrarum, ut sacro-sanctae Eucharistiae, Chrismatis et Olei sancti.

17. Omnes casus Summo Pontifici reservati, si sint occulti, vel ab his commissi quos ab eundo Romam jura dispensant.

Senlis 1764

[Jean-Armand de Roquelaure]

Casus... DD. Episcopo Silvanectensi reservati

Senlis 1764 p. 101-103

I. Blasphemia enormis et publica in Deum, vel in Sanctos.

II. Sacrilegium, quo intelligitur furtum rei sacrae in loco sacro.

III. Magia, maleficium: quibus casibus comprehenduntur tum qui pessimas istas artes exercent, tum qui ad eos recurrunt.

IV. Percussio gravis patris, aut matris, avi, aut aviae.

V. Homicidium voluntarium.

VI. Abortus voluntarius, sive foetus animatus sit, sive inanimatus; ad id crimen remedia adhibere, vel ministrare, etiamsi effectus non sequatur.

VII. Incestus intra primum et secundum consanguinitatis aut affinitatis gradum.

VIII. Peccatum sodomiticum: item quod eo pejus est, Bestialitas.

IX. Perjurium coram judice; quando quis à judice legitimo juridicè interrogatus, praestito de veritate dicendâ juramento, scienter falsum affirmat, vel verum negat.

RR. DD. Episcopus permittit poenitentem, quando facit confessionem generalem ad seriam totius vitae emendationem, à casibus sibi reservatis per quemlibet Confessarium absolvi semel duntaxat; modo ille Poenitens nullam aliam in totâ vitâ fecerit Confessionem generalem, in quâ jam ab aliquo peccato reservato fuerit absolutus, sivè à Confessario pro casibus reservatis approbato, sivè ab alio pro his casibus non approbato.

Praeter praedictos casus RR. DD. Episcopo reservatos, illi qui Summo Pontifici reservantur, quando sunt publici, eidem RR. DD. Episcopo solum sunt reservati, quando sunt occulti. Tunc enim, ut communiter dicitur, *Casus Papales sunt Episcopales*. Ab iis autem casibus, qui ex Papalibus facti sunt Episcopales, Confessarii, etiam pro casibus reservatis approbati, non possunt absolvere, nisi ad id specialem facultatem à RR. DD. acceperint.

Denique RR. DD. Episcopo reservantur censurae latae per sententiam illius specialem, vel ejus Officialis, quibus aliquis nominatim fuerit excommunicatus, suspensus vel interdictus.

Demum monentur Parochi, aliique Confessarii, quod licet ipsasmet irregularitates et censuram suspensionis tollere non valeant, nec in votis aut juramentis dispensare, nisi haec facultas à Superiore eis specialiter concedatur; ab ipsis tamen peccatis, quibus annexa est aliqua Irregularitas, vel Suspensio, absolvere possint, nisi haec peccata sint reservata. Si vero censura, quâ poenitens ligatur, sit excommunicatio; non potest absolvi à peccatis, quin prius ab hâc absolvatur. Haec enim censura privat usu sacramentorum. Similiter, si quis ob crimen à se commissum, privetur receptione sacramentorum per interdictum personale, simul et speciale, non debet à peccatis absolvi, antequam absolvatur seu liberetur, ab hoc interdicto. Illi quoque, qui per aliquod delictum causam dederunt interdicto locali, vel qui ad perpetrandum delictum, ob quod illud interdictum latum est, praebuerunt consilium, vel auxilium, non sunt extrà mortis articulum absolvendi, nisi prius satisfecerint, vel de satisfactione dederint cautionem. *Ita ex Cap.* Alma *de sent. Excom. In 6.*

Caveant, qui facultatem à peccatis reservatis absolvendi accipiunt, ut eâ, non ad destructionem, sed ad aedificationem utantur: Poenitentibus exponant horum peccatorum gravitatem, et congruentes eis satisfactiones injungant; ut inde majorem illorum horrorem concipiant, et ab eis iterum perpetrandis efficaciûs avertantur[131].

Poitiers 1766
[Martial-Louis de Beaupoil de Saint Aulaire]
*Casus reservati DD. Episcopo Pictaviensi,
quibus annexa est Censura reservata*

Poitiers 1766 p. 100

1. Crimen hæresis: quo Casu comprehenduntur hæretici, schismatici, eorum in hæresi aut schismate fautores, vel qui eorum conventiculis intersunt, cum intentione ipsis adhærendi; *Cum excommunicatione majore.*

2. Duellum: quo nomine intelliguntur omnes certantes in duello, qui ad illud provocant scienter, aut cooperantur; *Cum excommunicatione majore.*

3. Matrimonium clandestine contractum; *Cum excommunicatione majore.*

4. Ingressus externarum utriusque sexus personarum in puellarum Monasteria: item ingressus mulierum in Monasteria virorum, absque necessitate, etiam sub prætextu murorum ruinæ; quo Casu comprehenduntur omnes personæ Religiosæ ingressui faventes; *Cum excommunicatione majore.*

5. Ingressus in tabernas sive publicas, sive secretas, una leuca integra a domicilio non distantes, pro omnibus Ecclesiasticis, qui in ipsis manducaverint vel biberint; nisi adsit necessitas, aut invitati fuerint a patribus, matribus, patruis, avunculis, amitis et materteris, vel etiam ab aliis personis summas dignitates sive ecclesiasticas, sive seculares obtinentibus, et iter agentibus, non vero aliter; *Cum suspensione pro Clericis in Sacris Ordinibus constitutis.*

6. Ingressus in easdem tabernas, vel alia loca ad usus publicos destinata, pro omnibus Ecclesiasticis qui in ipsis vacaverint ludis, aleæ v. g. foliorum lusoriorum (vulgo chartarum), pilæ, globorum, vel alii cuicumque; aut cum ludentibus in iisdem locis, societatem inierint, vel pro ipsis spoponderint; *Cum suspensione pro Clericis in Sacris Ordinibus Constitutis.*

---

[131] Le texte, à partir de *RR. DD. Episcopus permittit…* vient d'Arras 1757 avec quelques remaniements.

Nomine loci ad usus publicos destinati, is intelligitur in quo, pro certo lucro, præbentur cuicumque petenti instrumenta ludendi.

Poitiers 1766

Casus reservati DD. Episcopo, quibus non est annexa Censura reservata

P2793 **Poitiers 1766** p. 100-101

1. Sodomia inter ejusdem aut diversi sexus personas, etiam virum inter et uxorem, non modo consummata, sed etiam reipsa et actu ad id ex se ducente tentata; item bestialitas, non modo consummata, sed etiam eo modo quo mox dictum est, tentata.
2. Incestus in primo et secundo consanguinitatis gradu.
3. Domorum, frugum, villarum et sylvarum voluntaria exustio.
4. Monetæ falsificatio.
5. Litterarum seu Instrumentorum publicorum falsificatio.
6. Veneficium.
7. Homicidium voluntarium: quo casu comprehenditur oppressio parvulorum, sive ex proposito, sive ex gravi negligentia proveniat.
8. Sollicitatio mulieris ab ejus Confessario.
9 Negligentia Parochorum seu Rectorum qui per se vel per alios, juxta Statutorum Dioecesis articulum decimum, tribus Dominicis continuis, Catechismum Dioecesis pueris exponere, et instructionem seu Fidei Christianæ explicationem ad populum, nisi legitime aut improvise impediti, facere omittent, excepto tamen tempore messis et vindemiæ.
10. Profanatio, aut impius usus Specierum Sanctissimæ Eucharistiæ, Chrismatis, et alterutrius Olei Sancti, Catechumenorum, scilicet et Infirmorum.
11. Divinatio, sortilegium atque omne magicum exercitium, ab illo peractum, qui noverit illud esse graviter malum aut vetitum.
12. Blasphemia enormis et scandalosa in Deum, beatam Virginem Mariam aliosve Sanctos, cum attentione et ex impietatis animo prolata.
13. Procuratio abortus, sive fœtus sit animatus sive non, opere, consilio, vel auxilio, etiamsi non sequatur; item, sumptio remediorum, eo fine ut procuretur sterilitas.
14. Adulterium publicum, concubinatus item publicus seu notorius.
15. Falsum testimonium seu perjurium coram Judice.
16. Usus carnium in quadragesima aliisve abstinentiæ diebus, absque necessitate; item, earumdem carnium appositio a cauponibus, facta personis quas certo noverint iis non indigere.

Poitiers 1766

Casus non reservati, quibus annexa est *Suspensio DD. Episcopo Pictaviensi reservata*

Poitiers 1766 p. 101

Suspensionem reservatam ipso facto incurrunt.

1. Qui Missam celebrant sine veste talari, vel sine illa Sacramentum aliquod ministrant, extra necessitatis casum.

2. Qui scienter matrimonio jungunt Catholicum cum hæretica, vel hæreticum cum Catholica, aut hæreticum cum hæretica.

3. Qui matrimonio jungunt filiosfamilias, vel minores, sine consensu parentum, tutorum, aut curatorum; item, qui nonobstante oppositione bannorum denuntiationi facta et sufficienter notificata, ultra progrediuntur, non expectata sententia Judicis aut revocatione scripto data, servatis servandis.

4. Qui alterius Parochiæ sponsos, non obtenta Parochi vel DD. Episcopi licentia, benedicunt.

Si, quod avertat Deus, Confessarius cum pœnitente actum aliquem externum et mortaliter peccaminosum contra castitatem admitteret, sciat se non posse complicem ab hujusmodi peccato lethali valide absolvere, nisi in mortis articulo, ubi non reperiretur alius Sacerdos.

Vabres 1766

Voir Toulouse 1614-1736.

Luçon 1768

[Claude-Antoine-François Jacquemet Gaultier]
Casus D.D. Episcopo Lucionensi reservati, cum annexa censura

Luçon 1768 p. 101-102

1, *Apostasia*, quando quis a fide, vel a sacro ordine, vel a professione Religiosa, aliquo exteriori actu, recedit, animo non redeundi; cum Excommunicatione.

2, *Hæresis*, quo casu conprehenduntur Hæretici, Schismatici, eorum in Hæresi vel Schismate fautores, vel qui eorum conventiculis intersunt; cum Excommunicatione, cujus absolutio D.D. Episcopo, aut ejus Vicariis generalibus specialiter reservatur.

3, *Blasphemia*, enormis et scandalosa, in Deum, aut Beatam Virginem Mariam, aliosve Sanctos, cum attentione et ex impietatis animo prolata; cum Excommunicatione.

4, *Magia*; Hoc Casu comprehenduntur, 1°. Omnis explicita dæmonis invocatio, aut pactum expressum cum eo initum, ad exercendum aliquod opus Magicum, etiam si effectus non sequatur; 2°. Quilibet artis Magicæ aut vanæ observantiæ actus, ab illo elicitus qui certo noverit illum actum esse graviter malum aut vetitum, vel saltem qui de illius malitia et gravitate jam semel fuerit a Confessario suo specialiter admonitus. Omnis ergo incantatio, Sortilegium, Ligulæ nodatio, Maleficium, Divinatio, etc. reservantur respectu illius qui hæc diabolica opera exercet, consulit, exigit, aut ad ea, quocumque modo, scienter concurrit; cum Excommunicatione.

5, *Duellum*; Hoc Casu comprehenduntur qui ad certamen singulare, seu per se, seu per alium, provocant, qui certamen ineunt, qui in arenam certaturi descendunt, etiamsi absque pugna recedant; qui Duellum aliis consulunt; necnon qui certantes, favendi animo, comitantur; cum Excommunicatione.

6, *Illegitima Sacri Ordinis receptio*; Cum quis Ordinem Sacrum suscipit, per saltum, vel ante legitimam ætatem, absque canonica dispensatione, vel sine titulo legitimo, vel ab alio Episcopo, sine litteris dimissoriis, aut cum falsis et supposititiis [*sic*]; cum Excommunicatione.

7, *Ingressus in Monasteria, aut intra septa Monasteriorum, etiam aliqua ex parte perrupta; Monialium quidem pro utroque sexu, Religiosorum et Monachorum pro sexu muliebri tantum, absque Episcopali autoritate, etiamsi sub prætextu pietatis aut charitatis fiat*; cum Excommunicatione, cujus absolutio D.D. Episcopo aut ejus Vicariis generalibus specialiter reservatur.

8, *Matrimonium illegitime contractum*; Hoc Casu comprehenduntur; 1°. Qui Matrimonium clandestinum, aut aliunde invalidum, scienter contrahunt; 2°. Qui hujusmodi Matrimonia consulunt, illisve favent, aut favendi animo, intersunt; cum Excommunicatione.

9, *Adulterium publicum*; *Concubinatus item publicus*; cum Excommunicatione.

10, *Spoliatio Naufragorum*; Quo Casu comprehenduntur, non solum ii qui naufragos necant, aut in eos desæviunt, aut ipsorum spolia possint sibi vindicare; verum etiam ii, qui ipsorum bona, sub quocumque prætextu, sive in littore maris inventa, sive ex undis erepta, auferunt cum animo retinendi, vel vendunt, vel consumunt: qui rapientibus favent, aut consentiunt : qui rapta occultant, aut etiam emunt scientes esse rapta, aut non restituunt, cum rapta esse deprehenderint ; cum Excommunicatione, cujus absolutio D.D. Episcopo, aut ipsius Vicariis generalibus, specialiter reservatur.

11, *Audire fidelium Confessiones, vel absolvere a casibus et censuris reservatis non obtenta facultate ;* cum Suspensione.

12, *Ingressus in Tabernas, sive publicas, sive secretas una leuca integra a domicilio non distantes, pro omnibus Ecclesiasticis qui in ipsis, manducaverint vel biberint, nisi adsit necessitas, aut invitati fuerint a Patribus, Matribus, Patruis, Avunculis, Amitis, et Materteris, vel etiam ab aliis summas dignitates, sive Ecclesiasticas sive sæculares, obtinentibus ;* cum Suspensione pro Clericis in Sacris Ordinibus constitutis, vel etiam simpliciter Beneficiariis.

13, *Ingressus in easdem Tabernas, vel alia loca ad Ludos publicos destinata, pro omnibus Ecclesiasticis qui in ipsis vacaverint ludis, aleæ, v. g. foliorum lusoriorum (vulgo Chartarum) pilæ, globorum, etc. aut cum ludentibus, in iisdem locis, societatem inierint, vel pro ipsis sponderint ;* cum Suspensione pro Clericis in Sacris Ordinibus constitutis, vel simpliciter Beneficiariis[132].

Luçon 1768

Casus eidem D.D. Episcopo reservati quibus non est annexa censura reservata

Luçon 1768 p. 102-103

1, *Percussio Patris, aut Matris, aut Avi, aut Aviæ.*

2, *Homicidium volontarium* [sic], *per se, vel per alium, commissum.*

3, *Procuratio abortus, sive fœtus sit animatus, sive non, opere, consilio, vel auxilio, etiamsi non sequatur abortus ; item sumptio remediorum eo fine ut procuretur sterilitas.*

4, *Suffocatio, seu oppressio, etiam fortuita, infantis, cum parentibus, vel aliis personis, in lecto positi, infra primum ejus ætatis annum completum.* Hoc casu comprehenduntur etiam, 1°. Qui infantem, infra primum ætatis annum completum, secum in eodem lecto posuerint, licet oppressio non sequatur, si sese periculo ipsum opprimendi exponant. 2°. Pater et mater, neutrix et nutritius infantis, si, de eorum consensu, fuerit cum aliis in eodem lecto cum eodem periculo positus. 3°. Patrinus, matrina nutrix, et obstetrix, qui infantem recens natum, ad Ecclesiam deferentes baptisandum, aut, post Baptismum, domum referentes, tabernas, sive

---

[132] Les cas 12 et 13 sont très proches de Poitiers 1766, cas 5 et 6.

publicas, sive secretas, potandi aut epulandi causa, ingrediuntur, nisi adsit necessitas, cujus judicium Confessariorum prudentiæ relinquimus.

5, *Sacrilegium*, Cujus hæ species reservantur : 1°. Furtum rei sacræ in quovis loco, et rei cujuslibet in loco sacro. 2°. Impia rei sacræ ad profanos usus ex malitia et contemptu usurpatio. 3°. Pollutio, etiam non publica, loci sacri, per injustam hominis occisionem, aut mutilationem, vel per injuriosam et violentam sanguinis effusionem, necnon per carnalem concubitum. 4°. Copula carnalis, etiam non consummata, scienter tamen habita, cum persona sacro ordine aut solemni voto Deo dicata, pro utroque complice. 5°. Sollicitatio mulieris ab ejus Confessario, sive in Tribunali, sive extra Tribunal confessionis, vel Parochianæ a Parocho.

Si (quod avertat Deus) Confessarius cum pœnitente actum aliquem externum, et mortaliter peccaminosum, contra castitatem admitteret, sciat se non posse complicem ab hujusmodi peccato lethali valide absolvere, quamcumque generalem vel specialem facultatem obtinuerit, nisi in mortis articulo, ubi non reperietur alius Sacerdos.

6, *Sodomiticum peccatum*, inter ejusdem aut diversi sexus personas, etiam virum et uxorem, non solum consummatum, sed etiam re ipsa et actu ad id ex se ducente, tentatum ; item et detestandum bestialitatis peccatum, non modo consummatum, sed etiam, eo modo, quo mox dictum est, tentatum.

7, *Incestus, in primo et secundo gradu consanguinitatis et affinitatis.*

8, *Litterarum, seu instrumentorum publicorum, falsificatio.*

9, *Falsum testimonium, seu perjurium coram judice.*

10, *Occultatio vel suppressio testamenti personæ defunctæ,vel titulorum ad Ecclesiam pertinentium.*

11, *Domorum, frugum, villarum et sylvarum voluntaria exustio.*

12, *Comestio et potatio, diebus Dominicis et Festivis, in tabernis tum publicis, tum secretis, dum celebratur Officium Parochiale, sive matutinis sive vespertinis horis :* quo Casu comprehenduntur etiam caupones qui vinum aut escas subministrant ; excipiuntur autem viatores *una leuca integra* a domicilio distantes et longius iter prosequentes.

Statuit D. D. Episcopus non alios Casus in sua Diœcesi reputandos fore sibi reservatos, præter eos quorum tenor duobus Paragraphis immediate præcedentibus descriptus est.

Nota 1°, Nullum peccatum reservari nisi sit 1°, mortale. 2°, Externum, id est, non sola cogitatione aut desiderio commissum. 3°, A puberibus commissum, a masculis quidem post decimum quartum ætatis suæ annum completum, a feminis vero post duodecimum annum completum. 4°, Certo commissum.

In dubio autem an aliquod peccatum commissum, iis terminis comprehendatur quibus reservatus casus expressus est, quod dubium juris vocari potest, Confessarius temere non absolvat, sed recurrat ad superiorem qui legis sensum exponat.

At quando dubitatur tantum an peccatum sit commissum, an sit mortale, vel an fuerit jam dimissum in confessione ac declaratione prius facta Sacerdoti habenti facultatem a Casibus reservatis absolvendi, in tali dubio, quod facti dicitur, censeri non debet reservatum.

Nota 2°, In articulo mortis nullam esse peccatorum reservationem.

Troyes 1768

[Claude-Matthias-Joseph de Barral]
Cas à Nous réservés (dans le Diocèse de Troyes)

97   **Troyes 1768** p. 115-117

1. L'Hérésie, par laquelle on entend une opinion contraire à la foi, soit qu'on soutienne cette opinion par écrit, ou de vive voix, en présence d'une ou de plusieurs personnes avec opiniâtreté, c'est-à-dire, en résistant positivement, et non en doutant, à une décision connue de l'Eglise; soit qu'on en fasse profession, en assistant dans ce dessein à une assemblée d'Hérétiques.

Dans cette réserve sont compris ceux qui impriment, retiennent, lisent, donnent, vendent ou achetent des Livres Hérétiques.

2. L'usage de la viande et des oeufs dans les tems défendus par l'Eglise, sans permission ou sans nécessité pressante.

3. La Simonie et la Confidence réelles, mais occultes. *Si elles sont publiques, elles sont réservées au Pape.*

4. Le Blasphême exécrable; c'est-à-dire, quand on ose prononcer ou écrire à dessein des choses injurieuses et outrageantes contre Dieu, la Sainte Vierge, ou les Saints.

5. La Magie; ce qui comprend les maléfices et les enchantements, et ceux qui invoquent le Démon à cet effet; les Sorciers et Devins, et ceux qui les employent, ou les consultent sérieusement et avec confiance.

6. Le Parjure ou faux Témoignage devant un Juge ecclésiastique ou laïque, lorsqu'après avoir prêté serment en justice, et promis de dire la vérité, on la nie, ou on la dissimule malicieusement par quelque subterfuge.

7. Le crime de Faux, que commettent ceux qui font de la fausse monnoye, ou qui altérent la vraie; et ceux qui falsifient des Lettres

ecclésiastiques, ou d'autres où le prochain seroit notablement lèzé : *si c'étoit des Bulles ou autres Lettres du Pape, le cas lui seroit réservé.*

8. L'Homicide volontaire : on tombe dans cette réserve, non seulement en tuant un homme de propos délibéré, mais encore lorsqu'on le tue par accident, en commettant une action défendue sous peine de péché mortel, et dont on pouvoit et devoit juger, que probablement la mort d'un homme pourroit s'en suivre, tel qu'un homicide commis dans l'yvresse, ou dans une grande colère.

9. *Procuratio abortûs, sive foetus animatus sit, sive non, et licet non sequatur effectus : Consilia ad id data, aut remedia scienter administrata ; necnon procuratio sterilitatis.*

10. La suffocation des petits Enfans, par une grande et coupable négligence ; comme quand les Meres et les Nourrices les font coucher et dormir avec elles, avant qu'ils ayent un an accompli.

11. Le Duel, tant pour ceux qui le proposent que pour ceux qui l'acceptent.

12. L'Incendie des maisons volontairement procuré ; *quand les Incendiaires n'ont pas été publiquement dénoncés.*

13. *Concubitus cum Sanctimoniali, id est, cum feminâ solemni voto Religionis Deo dicatâ : Item cum personâ, quam quis in Baptismo susceperit, vel cujus confessionem sacramentalem exceperit ; et vice versâ, cum eo qui Baptismi, aut Poenitentiae Sacramentum administraverit.*

14. L'Adultère et le Concubinage publics et notoires, et le Rapt des filles ou des femmes vivantes [*sic*] honnêtement.

Par le Rapt, on entend la violence commise à l'égard d'une personne qu'on enlève pour satisfaire sa passion, ou même pour l'épouser : et dans ce cas sont compris, non seulement le ravisseur, mais tous ceux qui le conseillent, l'aident ou le favorisent à cet effet.

15. Le Mariage contracté malgré un empêchement canonique, qu'on connoît, et dont on n'a pas dispense.

16. *Incestus in primo vel secundo consanguinitatis, aut affinitatis gradu.*

17 *Sodomiticum peccatum, etiam non consummatum, inter ejusdem vel diversi sexûs personas. Item, quod isto gravius est.*

18. Frapper griévement un Clerc, ou Religieux, portant la tonsure et l'habit clérical, ou religieux. *Quand le mauvais traitement est énorme, le cas est réservé au Pape.*

19. Frapper, même légèrement, son Pere ou sa Mere, son grand-Pere, ou sa grand-Mere.

20. Le Sacrilège : dans ce cas sont compris l'usurpation des biens des Eglises, et l'injuste détention de leurs titres ; le vol d'une chose sacrée

en quelque lieu que ce soit; les coups violents donnés dans une Eglise ou autre lieu sacré; *Item. Fornicatio in iisdem locis.*
21. L'Usure publique et notoire.
22. Dire deux Messes dans le même jour, sans permission de l'Ordinaire, quand on n'y est pas tenu par son titre. *Sur quoi voyez le Statut VII du Synode de 1722.*

Troyes 1768

Cas spécialement réservés à Nous et à nos Vicaires Généraux, lesquels ne sont point compris dans la permission générale d'absoudre des Cas Réservés

Troyes 1768 p. 117

1. Toutes les suspenses encourues en vertu des Statuts du Diocèse; et l'irrégularité qui vient de péché secret: *Elle est réservée au Pape, quand ce péché est public et notoire.*
2. L'Yvresse scandaleuse et coupable des Ecclésiastiques: ils tombent aussi dans cette réserve, s'ils boivent dans des cabarets distants de moins d'une lieue de leur résidence.
3. La faute des Cabaretiers, qui les jours de dimanches et de fêtes chomées, donnent à boire sans nécessité durant la Messe paroissiale ou les Vêpres.
4. Celle de ceux qui entrent sans nécessité le soir ou la nuit dans les endroits d'assemblée, connus sous le nom de *Veilleries* ou *Ecreignes*.
5. Violer une clôture régulière: on encourt cette réserve, sans distinction de sexe, quand on entre sans permission, par force ou autrement, dans l'Enclos des Religieuses; il en est de même pour les filles ou femmes qui entreroient dans l'Enclos des Religieux, encore qu'ils ne fussent pas soumis à notre juridiction.

Alet 1771

Absence de Cas réservés.

Rouen 1771

[Dominique de La Rochefoucauld]
Casus reservati DD. Archiepiscopo Rotomagensi

Rouen 1771 p. 110-111

1° Haeresis, hoc est opinio aliqua contraria fidei, non dubitanter, vel inter sermocinandum prolata, sed pertinaciter coram pluribus quasi dogmatisando, et agnitae Ecclesiae definitioni resistendo asserta ac defensa, aut in haereticorum communione vel conventu etiam ex timore, aut simulando declarata, *cum excommunicatione ipso facto, eaque reservata*. Item qui legunt aut retinent absque licentiâ libros in quibus haeresis, impietasve ex professo propugnatur, *cum excommunicatione ipso facto, eaque reservata*.

2° Blasphemia in Deum, B. Mariam V. et alios Sanctos, ex impietatis animo coram pluribus prolata.

Notandum. 1° Peccatum blasphemiae committi posse tam scripto quam voce. ... [comme Rouen 1739]

3° Profanatio seu impius usus SS. Eucharistiae; non tamen communio indigna: item Chrismatis aut alterutrius Olei sancti.

4° Omne magicum exercitium cum pacto explicito, aut cum expressa daemonis invocatione, *cum excommunicatione ipso facto, eaque reservata*.

5° Sacrilegium, quo intelligitur violenta et atrox percussio in Ecclesia, aut in alio loco sacro vel benedicto; item furtum rei sacrae. Hoc in casu comprehenduntur fornicatio, adulterium in Ecclesia aliove loco sacro, vel benedicto commissa.

6° Gravis percussio Clerici... [comme Rouen 1739]

7° Simonia realis; item Confidentia. In utroque casu comprehenduntur mediatores.

8° Ingressus intrà septa Monialium, etiam quâ parte diruta sunt maenia [*sic* pour moenia?], *cum excommunicatione ipso facto, eaque reservata*.

9° Incendium voluntariè procuratum, opere, consilio, auxilio, mandato, sicut et effractio et spoliatio sacrarum aedium, monasteriorum, et aliorum piorum locorum, ante publicam denuntiationem.

10°. Raptus virginum, aut mulierum honestè viventium, seu invitis ipsis, seu invitis eorum patre, matre, aut curam gerente, rapiantur : quo casu non raptor solus, sed et qui ei auxilium aut consilium praebent, comprehenduntur, *cum excommunicatione ipso facto et reservata*.

11°. Incestus in primo et secundo gradu consanguinitatis, vel affinitatis, etiam quae oritur ex copula illicita; eoque incestu amittitur ex parte conjugis peccantis jus petendi debitum matrimonii : item stuprum violentum, et lenocinium; quo ultimo casu intelligitur crimen parentum qui prostituunt liberos, ac eorum omnium qui scienter et voluntariè locum praebent ad impudicitiae scelus procurandum, seu quaestûs causâ, seu sine quaestu.

12°. Detestabilia Bestialitatis aut Sodomiae crimina non modo consummata, sed etiam actu ad id per se ducente tentata.

13°. Homicidium voluntarium. [comme Rouen 1739]

14°. Duellum... [comme Rouen 1739]
15° In vitam conjugis... [comme Rouen 1739]
16°. Procuratio abortûs, sive foetus sit animatus... [comme Rouen 1739]
17° Oppressio parvulorum ex gravi negligentia; item notabilis incuria ex qua ipsis quoquo modo mors accideret.
18°. Percussio patris et matris... [comme Rouen 1739]
19°. Perjurium coram judice Ecclesiastico vel Laïco. [comme Rouen 1739]
20°. Usus ciborum in Quadragesima... [comme Rouen 1739]
21°. Contractus matrimonii clandestini... [comme Rouen 1739]
22° In eadem causa Matrimonii, testimonium falsum... [comme Rouen 1739]
23° Peccatum falsariorum tam monetae quam litterarum... [comme Rouen 1739]

Rouen 1771

Casus reservati quibus ipso facto annexa est suspensio
DD. Archiepiscopo reservata

Rouen 1771 p. 112
Suspensionem incurrunt tam Seculares quam Regulares;
1°. Qui absque speciali licentiâ D.D. Archiepiscopi scienter absolvunt, sive in foro poenitentiae sive extra, poenitentem aliquem ab haeresi, quae publicam cum Ecclesia reconciliationem exigat, *cum excommunicatione ipso facto eaque reservata.*
2°. Qui non approbati, et extra casum necessitatis excipiunt confessiones; item qui à casibus et censuris reservatis scienter, vel ex ignorantiâ culpabili extra mortis periculum absolvunt poenitentem absque licentiâ D.D. Archiepiscopi.
3°. Qui matrimonium jungunt Catholicum cum haeretica... [comme Rouen 1739]
4°. Qui parochianos non suos matrimonio jungunt, non obtentâ parochi, vel D.D. Archiepiscopi licentiâ.
5°. Qui absque DD. Archiepiscopi licentiâ, vagantes et domicilium fixum non habentes matrimonio jungunt.
6° Qui spretis benedictionum exorcismorumve formulis in Missali, vel Rituali praescriptis, alia propriâ authoritate adhibent; item qui exorcizant adjurantve energumenos seu à Daemone vexatos, non obtentâ prius D.D. Archiepiscopi licentiâ.

7°. Qui in sacris ordinibus constituti absque necessitate cibum potumve sumunt apud caupones, in locis à domicilio duabus leucis integris non distantibus.

8°. Qui sine veste talari integrâ, Missam celebrant vel Sacramentum administrant; exceptis tamen Baptismo, Poenitentiâ et Extremâ-unctione in casu summae necessitatis.

Besançon 1773, 1789

Absence de chapitre concernant la Pénitence.

Lodève 1773
[Jean-Félix-Henri de Fumel]
Cas reservés à Monseigneur l'Evêque

Les cas réservés à l'évêque reprennent en partie ceux de Bordeaux 1707-1728 avec dix nouveaux cas et sept cas qui portent suspense, certains proches de Lodève 1744.

P2801 **Lodève 1773 p. 112-114**

1. Le Sortilege, l'Enchantement, la Devination, le recours aux Devins et Sorciers, toute sorte de Malefices, *avec excommunication des Devins, Sorciers et Magiciens*, et ceux qui y ont recours.

2. L'Hérésie et l'Apostasie des Voeux solemnels et des Ordres sacrez, *avec excommunication*.

3. La profanation des lieux saints par larcin, fornication, ou effusion notable de sang avec violence et injure, *avec excommunication*.

4. La Simonie et confidence cachées, tant à l'égard des auteurs que des complices, en matière de Bénéfices, *avec excommunication*.

5. Battre outrageusement une personne constituée dans les Ordres sacrés, et même un Clerc portant l'habit clérical, *avec excommunication*.

6. Battre son Pere ou sa Mere, son Beau-pere ou sa Belle-mere.

7. Faire coucher les Enfans avec soi dans le même lit, avant l'an et jour depuis leur naissance, *avec excommunication*.

8. L'Homicide volontaire, sous lequel est compris l'Avortement, *etiam ante foetum animatum*, et la coopération à le commettre.

9. Le Duel, lorsqu'il a lieu, *avec excommunication*.

10. Abuser d'une Religieuse.

11. Le crime abominable de la Sodomie ou de Bestialité.

12. Le Rapt.

13. L'inceste au premier degré de parenté ou d'alliance, même spirituelle.

14. Mettre volontairement le feu aux maisons ou aux biens d'autrui, *avec excommunication*.

15. Le silence des Notaires, qui dans un mois ne déclarent pas aux Curés les legs pies.

16. La falsification de tous Actes publics ou juridiques.

17. Etant dans les Ordres sacrés, ou ayant bénéfice qui demande résidence, avoir mangé et bû dans les cabarets, hors la nécessité du voyage : ce peché outre qu'il est reservé, emporte [sic] suspense des fonctions des Ordres sacrés pendant un mois, de laquelle aucun Confesseur, même ayant les Cas reservés, ne peut absoudre les Curés, Vicaires, ou autres possédans bénéfices qui obligent à résidence.

18. Le Concubinage et l'Adultere public.

19. Manger des viandes défendues en Carême ou autres jours d'abstinence, sans nécessité.

Nota. Les Fidéles qui seront nécessités de transgresser la loi de l'abstinence, dans le Carême principalement, en demanderont la permission aux Supérieurs, et à leur défaut à leur Curé, sur quoi les Confesseurs les interrogeront à Pâques.

20. Manquer la Confession annuelle et la Pâque.

21. Envahir les biens de l'Eglise.

22. Retenir les Actes et les Titres des Eglises et des Bénéfices de ce Diocese. Sur quoi les Confesseurs auront soin d'interroger exactement les Pénitens qu'ils pourroient soupçonner d'être dans le cas, et refuseront l'absolution jusqu'à ce qu'ils ayent remis les Titres dont ils sont détenteurs.

23. Manquer sans nécessité la Messe de paroisse trois dimanches consécutifs. N'entendant point par là que les personnes qui entendront la Messe de paroisse d'une autre paroisse que la leur, encourent le cas reservé : comme aussi que dans les lieux où il y a deux Messes, c'est-à-dire, celle du curé et du vicaire, ou prêtre desservant, ces deux Messes ne puissent pas être réputées Messe de paroisse ; les curés devant d'ailleurs pourvoir à ce que, à chacune des deux Messes, il y ait Prône ou Instruction et publication des Bans.

24. La danse publique, aux jours de dimanche et fêtes, pendant les Offices divins seulement ; et aux dits jours, comme à tous les autres, devant les Croix, ou devant les Eglises en tout tems. Si on ne faisait pourtant que passer, en dansant, devant les Croix ou les Eglises, ce seroit une grande indécence, mais le cas ne seroit pas réservé.

Item les Mascarades et les Bals.

25. Les Cabaretiers, donnant à manger ou à boire les dimanches et les fêtes pendant les Offices divins.

Lodève 1773

*Cas spécialement reservés à Monseigneur l'Evêque,
et en son absence à ses Vicaires généraux*

P2802 **Lodève 1773**

26. *Peccatum Confessarii cum Poenitente contra castitatem exterius commissum. A quo Confessarius, etiamsi pro casibus reservatis approbatus, non poterit complicem valide absolvere, etiam tempore Jubilaei.*

27. Lire les livres des Hérétiques, ceux des nouveaux Philosophes du siécle; ce qui comprend tous les Livres modernes ou Libelles contre la Religion, ses dogmes, sa morale, ses ministres, et l'autorité de l'Eglise (*)[133].

28. Etre refractaire à toute Bulle, ou Constitution émanée du Saint Siége, et reçue en France par le Corps Episcopal comme un Jugement dogmatique et irréformable de l'Eglise. Comme aussi lire ou retenir sans permission tous Livres, Ecrits, Libelles, et Manuscrits contre lesdites Bulles ou Constitutions (**)[134].

Lodève 1773

Cas qui portent suspense par le seul fait, reservés à Monseigneur l'Evêque

P2803 **Lodève 1773 p. 114**

1. Entendre les Confessions, ou absoudre des Cas reservés et des Censures, sans en avoir reçu le pouvoir.

2. Marier un Catholique avec une Hérétique, ou un Hérétique avec une Catholique, ou deux Hérétiques entr'eux.

3. Donner la Bénédiction nuptiale aux habitans d'une autre Paroisse sans la permission du propre Curé, ou de Monseigneur l'Evêque.

4. Marier les Soldats, ou les Vagabonds, sans la permission de Monseigneur l'Evêque.

---

[133] Note bas de page: (*) *Voyez nos Instructions pastorales de 1759 et 1765 sur l'Incrédulité.*
[134] Note bas de page: (**) *Voyez le Mandement de M. de Phelyppeaux, Evêque de Lodeve, de 1714, les Actes de l'Assemblée du Clergé de 1765, et les Pièces y renfermées.* Item, *Notre Mandement en adhésion auxdits Actes, publié par Nous-mémes, dans notre Eglise Cathédrale, au mois d'octobre de la même année.*

5. Porter l'Eucharistie pour éteindre les incendies, ou pour détourner les tonnerres et les tempêtes.
6. Employer de sa propre autorité d'autres bénédictions ou exorcismes que ceux qui sont prescrits dans le Missel, ou dans le rituel du Diocèse.

Nota. Cette Suspense est encourue par les Réguliers, et ceux qui se disent exempts, s'ils font ce qui est ici défendu dans des lieux non exempts, ou dans des lieux exempts sur des personnes non exemptes.

7. Ceux qui célèbrent la sainte Messe sans soutane, même avec une soutane sans manches, ou qui administrent quelque Sacrement sans soutane, hors le cas de nécessité.

Monseigneur l'Evêque déclare, que tout Prêtre approuvé pour une Paroisse de son Diocèse, est approuvé pour toutes les Paroisses, en demandant toutefois le consentement du Curé, à moins que ledit Seigneur ne limite son approbation.

Item, que tout Prêtre approuvé dans son Diocèse a le pouvoir d'absoudre de tous les cas reservés ceux qui sont retenus au lit par une maladie mortelle, ceux qui sont sur le point de se marier, et les enfans qui doivent communier pour la première fois.

Limoges 1774
[Louis-Charles du Plessis d'Argentré]
Casus reservati DD. Episcopo Lemovicensi.
Cum excommunicationis Censura ipso facto *incurrenda*

Limoges 1774 p. 190-191

1. Omnes casus summo Pontifici reservati, si sint occulti, vel si ob aliam rationem cesset ista reservatio.

2. Apostasia a fide, vel ab ordine, vel a professione religiosa.

3. Hæresis, cum quis errorem fidei oppositum pertinaciter et ex animo contra cognitam Ecclesiæ definitionem, voce vel scripto asserit aut defendit; item lectio vel detentio librorum hæreticorum, aut alias sub excommunicationis pœna prohibitorum absque D. Episcopi licentia.

4. Magia. Hoc casu comprehenduntur. 1°. Omnis explicita Demonis invocatio, aut pactum expressum cum eo initum ad exercendum aliquod opus magicum, etsi nullum opus reipsa exerceatur. 2°. Quilibet artis magicæ aut vanæ observantiæ actus ab eo elicitus, qui certo noverit illum actum esse graviter malum aut vetitum, vel saltem qui de illius malitia et gravitate jam semel fuerit a confessario suo specialiter admonitus. Omnis ergo incantatio, sortilegium, ligulæ nodatio, male-

ficium, divinatio, etc. Reservantur respectu illius, qui hæc diabolica opera exercet, consulit, aut exigit.

5. Gravis percussio Clerici sive Secularis sive Regularis in sacro ordine constituti, item Monialis.

6. Duellum, quo nomine comprehenduntur non solum duello decertantes et socii certaminis, sed etiam tale certamen ex animo consulentes, et ad illud provocantes pugna subsecuta.

7. Usurpatio vel detentio injusta bonorum vel titulorum sive instrumentorum Ecclesiæ cum gravi illius damno.

8. Matrimonium clandestinum celebratum absque testibus vel aliter quam presente parocho aut alio sacerdote de ejus, vel D. Episcopi, licentia. Hunc casum incurrunt tum contrahentes tum testes.

9. Matrimonium scienter vel dubitanter cum impedimento dirimente contractum. Hunc casum pariter incurrunt omnes impedimentum hujusmodi cognoscentes, nec illud ante matrimonii celebrationem revelantes.

10. Crimen eorum qui minis vel sævitiis ad matrimonium contrahendum, vel ad emittenda religionis vota, quascumque personas adigunt.

11. Raptus virginum vel mulierum honeste viventium; quo casu omnes consilium, auxilium aut favorem raptori præbentes, includuntur.

12. Lenocinium; cujus criminis rei sunt, qui publicæ libidini favent, loci vel personarum subministratione.

13. Ingressus vel admissio externarum cujuscumque sexus personarum, absque licentia vel necessitate, intra monasteria monialium, etiam in casu ruinæ parietum; item egressus monialium extra septa clausturæ regularis, absque D. Episcopi consensu.

Limoges 1774

Casus reservati DD. Episcopo Lemovicensi.
Cum Suspensionis Censura ipso facto incurrenda

P2805 **Limoges 1774 p. 192**

Suspensionis censuram *ipso facto* incurrunt.

I. Sacerdotes hujus Diœcesis, qui sine licentia D. Episcopi proficiscuntur ad alias Diœceses, ut ibi domicilium figant.

II. Clerici in Sacris, vel Beneficiarii, qui decumbunt in cauponis, vel qui bibunt aut edunt in iisdem locis, vel ab iis dependentibus, aut in viis et hortis adjacentibus, illis etiam quibus caupones utuntur ad ministrandos cibos solis Ecclesiasticis, nisi fiat in casu itineris a duabus leucis domicilii sui, vel necessitatis causa, vel apud consanguineum aut affinem ad secundum gradum inclusive, secluso scandalo, vel ad id invitentur ab Episcopis, Provinciæ Præfecto aut alia persona in dignitate præcellenti constituta iter agente et per breve tempus commorante.

III. Presbyteri tum seculares tum regulares, qui extra casus in jure expressos, confessiones in hac Diœcesi audiunt absque approbatione.

IV. Presbyteri tum seculares tum regulares, qui matrimonium celebrant sine testibus, vel absque Parochi aut D. Episcopi licentia; vel sine trium bannorum in Ecclesia Parochiali intra Missarum solemnia proclamatione, vel dispensatione.

V. Parochi aut alii curam animarum habentes, qui a Parochia sua absunt per dies quindecim, nec in locum suum sufficiunt alium Presbyterum approbatum.

VI. Parochi aut alii curam animarum habentes, qui personas antea conjugatas Matrimonio jungunt, nisi testimonium habeant de morte prioris conjugis approbatum ab Episcopo Diœcesis in qua decesserit, sigilloque ejus munitum et ab Episcopo Lemovicensi visum et approbatum. Ab hac lege eximitur testimonium a Parocho contiguæ Parochiæ datum, modo de ipsius veritate certissime constiterit.

VII. Parochi aut alii curam animarum habentes, qui unius anni curriculo, per trium mensium spatium, etiam interruptum, plebes sibi commissas, intra Missarum solemnia, per se vel per alios erudire prætermiserint.

Limoges 1774

Casus Sub pœna Suspensionis

Limoges 1774 p. 193

Parochis et Sacerdotibus quibuslibet sive secularibus, sive regularibus, prohibitum est sub pœna suspensionis.

I. Ne extra casum urgentis necessitatis Sacramenta conferant monialibus extra monasteria sua degentibus, nisi illæ ostendant licentiam a D. Episcopo Lemovicensi scripto datam, vel nisi in itinere constitutæ facultatem exeundi e monasterio suo datam ab Episcopo loci exhibeant.

II. Ne monialium peccata audiant sine approbatione speciali, nisi in casibus a jure expressis.

III. Ne alterius sexus personarum confessiones excipiant in sacristiis.

IV. Ne in privatis domibus vel sacellis baptismi Sacramentum conferant sine necessitate, vel licentia D. Episcopi: item ne extra ecclesiam parochialem baptismi ceremonias suppleant.

V. Ne matrimonium celebrent extra ecclesias parochiales, sine D. Episcopi licentia.

VI. Ne matrimonium celebrent ante auroram, vel post meridiem.

VII. Ne in domibus suis habeant famulas, nisi sint bene moratæ et quinquaginta annos natæ.

Limoges 1774

Casus reservati DD. Episcopo Lemovicensi. Absque Censura

Limoges 1774 p. 193-194

I. Blasphemiæ seu verba, vel scripta impia, quæ proferuntur cum scandalo et contemptu Dei, vel Beatissimæ Virginis Mariæ vel Sanctorum.

II. Perjurium sive falsum testimonium coram judice, vel judicis vices agente.

III. Crimen falsi in instrumento publico, cum gravi damno proximi.

IV. Percussio injuriosa patris aut matris, avi aut aviæ.

V. Homicidium voluntarium per se vel per alium, etiam in ebrietate aut ira, perpetratum; item abortus voluntarie sibi aut alteri procuratus; item suffocatio seu oppressio parvulorum, ex gravi negligentia proveniens.

VI. Crimen adulterii vel concubinatus ita notorium, ut nulla tergiversatione celari possit. 2. Incestus in primo vel secundo gradu consanguinitatis aut affinitatis, etiam ex illicita copula proveniens. 3. Incestus spiritualis inter personas spirituali cognatione ex baptismo orta conjunctas. 4. Vis illata Virgini aut mulieri honeste viventi. 5. Sodomia etiam non consummata, sed actu ad id ex se ducente tentata, inter personas ejusdem vel diversi sexus; et eodem modo, quod est horrendum magis, bestialitatis peccatum.

VII. Esus vel ministratio carnium diebus prohibitis absque dispensatione vel necessitate, cum scandalo, et ex contemptu legis.

VIII. Ministratio cibi vel potus a cauponibus facta incolis parochiæ, vel vicinis infra duas leucas, diebus Dominicis vel Festis tempore Missæ Parochialis, aut Vesperarum, extra casum itineris vel necessitatis.

IX. Ingressus puellarum vel mulierum intra septa religiosorum, vel etiam intra eorum claustra, nisi id fiat occasione processionum, ubi mos invaluit.

Nota. 1°. Concessa facultate tum generali absolvendi a casibus, tum speciali absolvendi ab incestu, conceditur simul facultas restituendi, si opus fuerit, in jus petendi debitum conjugale.

Not. 2°. Diligenter advertant confessarii, quamcumque absolvendi potestatem obtinuerint, se non posse, etiam tempore Jubilei, valide absolvere pœnitentem a quolibet actu externo et mortali luxuriæ vel impudicitiæ, cujus (quod avertat Deus) ipsi participes fuerint.

Le Mans 1775

[Louis-André de Grimaldi]

Casus reservati quibus ipso facto annexa est suspensio DD. Episcopo reservata

Listes proches de Rouen 1771.

Le Mans 1775 p. 92

Suspensionem incurrunt tam Seculares quam Regulares;

1°. Qui absque speciali licentiâ D.D. Episcopi scienter absolvunt, sive in foro poenitentiae, sive extra, poenitentem ab haeresi, quae publicam cum Ecclesiâ reconciliationem exigit.

2°. Qui non approbati, et extra casum necessitatis, excipiunt confessiones. Item, qui à casibus et censuris reservatis scienter, vel ex ignorantiâ culpabili extra mortis periculum absolvunt poenitentem absque licentiâ D.D. Episcopi.

3°. Qui matrimonium jungunt Catholicum cum Haereticâ, vel Haereticum cum Catholicâ, aut Haereticum cum Haeretica.

4°. Qui Parochianos non suos matrimonio jungunt, non obtentâ Parochi, vel D.D. Episcopi licentiâ.

5°. Qui absque DD. Episcopi licentiâ, vagantes et domicilium fixum non habentes matrimonio jungunt.

6° Qui exorcizant adjurantve energumenos, seu à Daemone vexatos, non obtentâ prius D.D. Episcopi licentiâ.

7°. Qui in sacris Ordinibus constituti, absque necessitate cibum potumve sumunt apud caupones, in locis à domicilio leucâ integrâ non distantibus.

8°. Qui sine veste talari, Missam celebrant, aut extra casum summae necessitatis, Sacramentum aliquod administrant.

Vestis autem illa non censetur esse talaris, quae, licet ad talos usque demittatur, non dependet à collo, sed circa lumbos subnectitur.

Excommunicationem DD. Episcopo reservatam incurrunt ipso facto qui ordinantur sine legitimo titulo; vel ab alieno Episcopo sine litteris dimissoriis, aut cum falsis et supposititiis [*sic*].

Le Mans 1775

Casus reservati DD. Episcopo

P2809 **Le Mans 1775 p. 92-94**

1° Haeresis, quo casu comprehenduntur, 1°. qui Ecclesiae definitioni pertinaciter resistendo, errorem fidei contrarium, coram uno vel pluribus testibus, exterius profitentur; vel etiam scripto, quamvis sine teste, adstruere nituntur. 2°. Qui legunt, absque licentiâ, libros in quibus haeresis, vel impietas ex professo propugnantur: *cum excommunicatione ipso facto, eaque reservata.*

2° Blasphemia in Deum, Beatam Virginem Mariam, aliosve Sanctos ex impietatis animo coram pluribus prolata.

Notandum. 1° Peccatum blasphemiae committi posse tam scripto quam voce. 2° Hâc in reservatione non comprehendi, juramenta seu sacramenta per Deum, Dei vitam, mortem... et similia quae ex consuetudine pessima certè et abolenda, inter loquendum saepissimè proferuntur; nisi qui ea profert, intentionem expressam habeat Deo maledicendi et renuntiandi.

3° Profanatio SS. Eucharistiae; *non tamen indigna Communio;* item profanatio Chrismatis aut alterutrius Olei sancti.

4° Divinatio, sortilegium, incantatio, atque omne magicum exercitium. Hanc reservationem incurrunt, non modo qui operationi magicae vacant, sed etiam qui postulando, requirendo, ipsi occasionem praebent.

Item, qui Magos et Hariolos, serio et adhibitâ iis fide, consulunt. Quin etiam excommunicationem *ipso facto* annexam habet ac reservatam, si juratum sit explicitum cum Daemone pactum, aut facta fuerit expressa ejus invocatio.

5° Sacrilegium, quo intelligitur violenta et atrox percussio in Ecclesiâ, aut in alio loco sacro vel benedicto. *Item,* Furtum rei sacrae atque etiam non sacrae, depositae in loco sacro vel benedicto. Hoc etiam casu comprehenduntur fornicatio et adulterium, in Ecclesiâ, aliove loco sacro, aut benedicto commissa.

6° Gravis percussio Clerici, vel personae Religiosae, *cum excommunicatione ipso facto et reservatâ.*

7° Simonia realis, item confidentia, utraque occulta; in utroque casu comprehenduntur mediatores.

8°. Concubitus cujuslibet personae cum personâ Religiosâ, utraque reservationem incurrit.

9° Ingressus externarum utriusque sexûs personarum intrà septa Monialium, et mulierum intra septa Monachorum, etiamsi ex aliquâ parte diruta sint.

CAS DE PÉCHÉS RÉSERVÉS AUX ÉVÊQUES 1555

10° Incendium voluntariè factum, opere, mandato, auxilio, consilio.

11°. Effractio cum spoliatione sacrarum aedium, monasteriorum *ante publicam denuntiationem.*

12°. Raptus virginum vel mulierum honestè viventium : quo casu non raptor solus, sed et qui ei auxilium aut consilium praebent, comprehenduntur, *cum excommunicatione ipso facto et reservatâ.*

13°. Incestus in primo et secundo gradu consanguinitatis vel affinitatis. *Item,* Stuprum violentum, et lenocinium.

14°. Detestabilia Bestialitatis aut Sodomiae etiam inter personas diversi sexûs, crimina, non modo consummata, sed etiam actu ad id per se ducente tentata.

15°. Homicidium voluntarium, vel per se, vel per alium, sive mandando, sive consulendo.

16°. Duellum ; quo nomine intelliguntur omnes certantes in duello, qui ad illud provocant scienter, aut cooperantur ; *cum excommunicatione ipso jure ac reservatâ.*

17° In vitam Conjugis insidiosa machinatio, licet mors non sequatur.

18°. Procuratio abortûs, sive foetus sit animatus sive non, licet abortus non sequatur. *Item,* Sumptio remediorum eo fine ut procuretur sterilitas, licet pariter non sequatur. In utroque casu comprehenduntur qui dant consilia et scienter remedia administrant. In eumdem casum incidit mulier gravida quae, verisimili abortûs periculo, sciens et olens, et cum abortûs intentione, se objecerit, etiamsi effectus non sequatur.

19° Oppressio Parvulorum ex proposito, vel ex gravi negligentiâ.

20°. Percussio Patris, Matris, et aliorum Ascendentium, sicut soceri ac socrûs ; *cum excommunicatione ipso facto et reservatâ.*

21°. Perjurium testium coram Judice Ecclesiastico vel Laïco.

22°. Contractus Matrimonii clandestini ; *cum excommunicatione ipso facto et reservatâ, incurrenda etiam ab ipsis testibus.*

23° In eâdem causâ Matrimonii, testimonium falsum à contrahentibus aut ab aliis malâ fide, ac dolo praestitum, scripto aut vivâ voce, ut à ministris Ecclesiae matrimonium in se nullum benedicatur et celebretur ; *cum excommunicatione ipso facto et reservatâ.*

24° Peccatum falsariorum tam monetae quam Litterarum ecclesiasticarum : *falsificatio autem Bullarum aut Litterarum summi Pontificis ipsi reservatur. Item,* fabricatio aut falsificatio, vel per se vel per alium, contractuum, aut aliorum titulorum seu instrumentorum.

Sacerdos conscius alicujus peccati mortalis contra castitatem exterius commissi, etiamsi pro Casibus reservatis approbatus foret, vel potest approbandus, non poterit complicem absolvere à dicto peccato, etiam tempore Jubilaei; excipitur tamen mortis articulus, si non adsit alius Sacerdos approbatus. Expedit autem quam-maxime ut in posterum nullam ejusmodi complicis confessionem excipiat.

Aire 1776
[Playcard de Raigecourt]

P2810   **Aire 1776** p. 131

Touchant les cas reservés au Saint-Siége et à Monseigneur l'Evêque, on se conformera au Mandement de Monseigneur l'Evêque sur cette matiére.

Angers 1776

Voir Angers 1620-1776.

Châlons-sur-Marne 1776
[Antoine-Eléonor Le Clerc de Juigné]
Casus ... D.D. Catalaunensi Episcopo reservati

P2811   **Châlons-sur-Marne 1776** Pars prima p. 502-503

1°. Casus Pontifici maximo reservati, dum sunt occulti (sicut et censura iis annexa): iidem casus etiam publici, erga religiosos, sanctimoniales, fœminas, senes, infirmos, pauperes, eos tandem omnes qui sui juris non sunt, vel qui alias sine gravi incommodo aut periculo Romam petere nequeunt.

2°. Homicidium voluntarium.

3°. Abortus, sibi vel alteri, sive animato, sive inanimato fœtu, voluntarie illatus.

4°. Duellum, erga omnes in duello pugnantes, quin etiam erga ipsosmet qui ad illud scienter provocant, si secuta fuerit pugna. *Annexa est censura excommunicationis* ipso facto, *sed non reservata.*

5°. Concubinatus publicus.

6°. Incestus, etiam occultus, intra secundum consanguinitatis aut affinitatis legitimæ gradum.

7°. Sodomia, inter ejusdem aut diversi sexûs personas.

8°. Bestialitas.

9°. Carnium esus tempore prohibito, scienter et absque necessitate.

10°. Matrimonium, sine legitima dispensatione, cum plena canonici impedimenti conscientia susceptum. *Annexa est censura excommuni-*

cationis ipso facto, *quoad impedimenta consanguinitatis vel affinitatis, voti solemnis, vel ordinis sacri; sed hæc censura non est reservata.*

11°. Ingressus in popinam ad sumendum cibum vel potum, quoad clericos beneficiatos, vel in sacris ordinibus constitutos: exceptis casibus expressis ubi *de vita et moribus clericorum.* Vide Compendium statutorum, *Cap. I. pag. 20 et 21.*

12°. Hæresis pseudoreformatorum, eam publice profitentium. Porro ad absolvendum ab illo casu, etiam in foro interno, requiritur specialis facultas scripto concessa, quæ quidem inclusa non censetur in generali facultate a casibus reservatis absolvendi.

Requiritur etiam specialis et scripto concessa facultas ad publicam a prædicta hæresi absolutionem, et ad recipiendam abjurationem, quæ præire semper debet absolutioni sacramentali, nisi, gravibus de causis, abjurationem publicam omittendam censuerimus, aut ipsi præmittendam absolutionem sacramentalem.

Châlons-sur-Marne 1776

Censuræ ... D.D. Catalaunensi Episcopo reservatæ

Châlons-sur-Marne 1776 p. 503-504

1°. Excommunicatio ab iis *ipso facto* incurrenda, qui parocho, vicario, seu cuilibet sacerdoti pastoralia munia obeunti, recitatis actis, denuntiaverint se coram ipso matrimonium contrahere, licet ipse nullam adhibeat benedictionem nuptialem; simulque notarius qui litteras hac de re confecerit aut susceperit; ac denique testes falso hujusmodi matrimonio astantes.

2°. Suspensio quam *ipso facto* incurrit parochus aliusve sacerdos, sive sæcularis, sive regularis, qui scienter et sine licentia, alterius parochiæ sponsos matrimonio conjungit. *Hæc censura reservatur episcopo illius pastoris, qui matrimonium interesse debebat, seu a quo benedictio suscipienda erat.*

3°. Censura omnis *ab homine*, reservatur superiori qui eam tulit: sive in aliquem nominatim per sententiam, sive in contumaces ignotos per monitorium, ipsam tulerit, sive alias hanc sibi speciatim reservaverit.

4°. Nullus, sive sæcularis, sive regularis sacerdos, a qualibet censura publice et extra pœnitentiæ tribunal quemquam absolvere potest, nisi de licentia episcopi, eaque scripta et speciali: quæ quidem in generali a casibus censurisque reservatis absolvendi facultate inclusa non censetur.

Quod pertinet ad cæteros casus cæterasve censuras, quæ nobis, sive a jure, sive alias reservata essent, cuicumque presbytero ad audiendas confessiones approbato licentiam impertimur ab iis in foro conscientiæ absolvendi.

Ut vero, quantum in Domino possumus, animarum periculis occurramus, atque a sacerdotalis ministerii verendique tribunalis sanctitate omnem turpitudinis occasionem, sacramentorum contemptum, Ecclesiæque injuriam longe submoveamus: si quis (quod Deus malum avertat) per solum etiam tactum ex natura sua impudicum animoque impudico habitum, cum sua pœnitente peccaverit, sive sæcularis sive regularis presbyter, is nunquam (ne ipso quidem jubilæi tempore) delicti participem ab eo delicto, nec licite, nec valide absolvere poterit: tali confessario, quicumque ille sit, circa hujusmodi peccatum ita omnem *ipso facto* subtrahimus facultatem, ut reddita censeri nunquam possit: excepto mortis articulo, sive tunc adsit, sive non adsit alius sacerdos approbatus.

Châlons-sur-Marne 1776

Præcipuæ censuræ quæ in diœcesi Catalaunensi ipso facto incurruntur.
Nec tamen sunt reservatæ.
Excommunicationes

P2813 Châlons-sur-Marne 1776 p. 504-505
Excommunicationem *ipso facto* incurrunt.

1°. Qui cum impedimento consanguinitatis vel affinitatis, vel post emissum religionis votum solemne, vel post susceptum ordinem sacrum, matrimonia scienter contrahunt. *Vide casum 10 D.D. Episcopo reservatum.*

2°. Qui, sive in nostra, sive in aliena Diœcesi, absque nostra vel parochi licentia, benedictionem nuptialem suscipiunt a sacerdote qui neutrius partis sit proprius pastor.

3°. Divini, incantatores, magi et quicumque ad mali dæmonis operationem confugiunt.

4°. Hæretici denuntiati et Schismatici.

5°. Simoniaci, eorumque fautores; et Confidentiarii.

6°. Fœneratores.

7°. Qui Presbyterum, Clericum, vel Religiosum percutiunt, præterquam vim vi repellentes.

8°. Qui decimas, Ecclesiæ bona et jura malitiose ac scienter usurpant, vel injuste retinent; qui ipsius jurisdictionem injustis viis impediunt; qui Ecclesiæ aut beneficiorum, obituum, fundationum, legatorum piorum titulos, instrumenta, documenta subducunt, distrahunt vel occultant.

9°. Qui, dum res divina præcepti diebus agitur, histrionum ludis et spectaculis vacant.

10°. Qui, extra casum juris, aliquem ad nubendum compellunt, vel ne libere nubat, quacumque ratione prohibent.

11°. Qui similiter, extra casum juris, puellam aut fœminam ad velum in monasterio suscipiendum, vel ad religionem nuncupatis votis in eo profitendam compellunt : qui pariter, absque legitima causa, personam aliquam ne religiosum institutum libere amplectatur, quomodocumque prohibent.

12°. Cujusvis ætatis, sexus et conditionis personæ, quæ, sine licentia, sanctimonialium monasteria ingrediuntur.

Vide insuper unam ejusdem generis excommunicationem, in casibus D.D. Episcopo reservatis, n° 4.

Châlons-sur-Marne 1776

Suspensiones

Châlons-sur-Marne 1776 p. 505

Suspensionem *ipso facto* incurrunt.

1°. Qui scienter ante legitimam ætatem ordinantur.

2°. Qui ordinantur *per saltum*.

3°. Qui aliquem e sacris Ordinibus aut etiam e minoribus, ab alieno Episcopo, sine proprii Episcopi licentia suscipit, exceptis casibus a jure expressis.

4°. Qui scienter sub titulo falso aut fallaci ad subdiaconatum promovetur.

5°. Sacerdos qui sine veste talari (id est, ab humeris ad talos demissa) sacrosanctum missæ sacrificium celebrat.

6°. Parochi et Vicarii qui, a festo Sanctorum omnium ad diem Paschæ, tribus dominicis continuis, suâ culpâ et negligentiâ, a catechizando abstinent.

7°. Qui sciens (alia tamen quam confessionis via) et volens, Hæreticum matrimonio conjungit.

Si quæ præterea sint aliæ Censuræ quæ *ipso facto* incurruntur, eæ tolluntur per hæc absolutionis verba : *Absolvo te primum ab omni vinculo excommunicationis, (suspensionis) et interdicti, in quantum possum et indiges.*

Châlons-sur-Marne 1776

Censuræ comminatoriæ

P2815 Châlons-sur-Marne 1776 p. 506-507
Excommunicationes.
Sub pœna Excommunicationis prohibetur.

1°. Ne quis Confessarius, sive sæcularis, sive regularis, sine speciali, scriptoque concessa facultate, ab hæresi denuntiata publicè absolvat.

2°. Ne liberorum Baptismum ultra dies quatuor vel quinque differant parentes.

3°. Ne quis, ubi nulla urget necessitas, Baptismum extra ecclesiam conferat, ejusque cæremonias ab illo sejungat.

4°. Ne, diebus dominicis et festis, dum res divina, *Pronaum*, aliæque religiosæ institutiones in ecclesiâ peraguntur, incolis aut vicinis cibum vel potum ministrent, eosve in suis tabernis aut ludis adesse pariantur caupones, seu tabernarii, et qui pilæ ludos vel quoscumque alios tenent.

5°. Ne quis masculini sexûs fœminas et puellas in vigiliis nocturnis ad laborandum congregatas adeat, et cum eis consistat. Sub eadem pœnâ prohibetur ne mares ullos ad supradictas vigilias admittant, neve cum iis ludant aut saltent fœminæ et puellæ.

6°. Ne patres vidui cum filiabus suis, vel matres viduæ cum filiis in eodem cubili pernoctent; ne liberos secum in lecto assumant parentes; aut liberos mares cum ancillis, vel fratres simul et sorores, grandiusculæ saltem ætatis, in eodem lecto collocent.

7°. Ne ulla persona, sub quocumque prætextu, infantem ante annum completum in cubili secum habeat, propter suffocationis periculum.

8°. Ne qua Religiosa, *exempta* vel *non exempta*, monasterio suo egrediatur, etiam ad breve tempus, et quolibet obtentu, sine legitima causa licentiaque a nobis seu vicariis nostris generalibus atque etiam a suo superiore, si quem præter nos habeat, impetrata.

9°. Ne quis Parochiarum nisi de Pastoris vel Episcopi licentiâ, extra parochialem ecclesiam pro exequendo paschali officio communicet.

10°. Ne quis *Fabricarum* bona vendat, oppigneret, vel ad communitatis negotia, ullumve usum ab ecclesiæ utilitate diversum impendat.

11°. Sub pœna Excommunicationis præcipitur, ut matrimonii publice denuntiati impedimenta, vel in ipso sponsalium procinctu, revelentur; et sub eadem pœna prohibetur ne quis commentitium proferat impedimentum, malitioseque et sine causa matrimonio se interponat.

12°. Sub eadem pœna prohibetur ne quis, ipso die sponsalium, absque legitima dispensatione, matrimonio jungatur.

Châlons-sur-Marne 1776

Suspensio, et aliæ censuræ

2816 Châlons-sur-Marne 1776 p. 507

1°. Sub pœna Suspensionis prohibetur ne quis ex oratoriis, capellis, atque omnino ex aliis locis quam ex ecclesia parochiali, et sine parochi licentia, ad infirmos parocho subditos Eucharistiam ullus deferat, sive sæcularis, sive regularis presbyter.

2°. Sub pœna Censurarum ecclesiasticarum prohibetur ne parochi aut vicarii ultra dies quindecim eam differant parochialem institutionem, qua, præter catechismum, singulis diebus dominicis festisque solemnibus populum suum in fide et moribus christianis erudire ex officio tenentur.

3°. Denique in hac Diœcesi viget comminatio interdicti ab ingressu ecclesiæ per vitam, et à sepultura ecclesiastica post mortem, in eos qui gemino præcepto per canonem *Omnis utriusque sexûs* constituto non satisfecerint.

Nantes 1776

[Jean-Augustin Fretat de Sarra]
Casus reservati D.D. Episcopo Nannetensi

2817 Nantes 1776 p. 71-80

[Formulaire reprenant le *Mandatum... de Casibus reservatis* de 1758 relié à la suite du rituel de 1755, comprenant des additions sur les livres hérétiques, et sur les sacrilèges concernant les personnes sacrées :]

p. 71 *In Præcepta primæ Tabulæ.*

... *Dicuntur Libri haeretici, ii in quibus haeresis non quasi aliud agendo, sed ex professo traditur,id est, in quibus haeresis est materia principalius vel libri totius, vel partis ejusdem, putà capituli, articuli, conclusionis, notae, etc.*

p. 72-74 *Secunda species Sacrilegii in Personas sacras.*

... 2. Tactus immediatus partium pudendarum inter Confessarium et Poenitentem, sive ejusdem, sive diversi sexûs, et inter Poenitentem et Confessarium. Item, et à fortiori, Sodomiticum peccatum inter eosdem, etiam minime consummatum.

Peccatum est pro utrâque parte reservatum.

Adest reservatio, sive pudenda tangantur manu, sive quâcumque aliâ corporis parte, modo tactus sit immediatus. ...

Ab hoc casu absolvere non possunt ii quibus facultas generalis vel specialis absolvendi à Casibus reservatis concessa fuerit, nisi id à D.D. Episcopo expressè concedatur.

3. Copula carnalis, etiam tantummodò tentata, vel, et à fortiori, peccatum Sodomiticum, etiam non consummatum, cum personâ Deo dicata, sive per Ordinem sacrum, sive per Professionem religiosam.

Peccatum est pro utrâque parte reservatum, sive alterutra duntaxat, sive utraque Deo dicata sit.

Copula carnalis tentata est actus quo, inter personas diversi sexûs, pudenda à pudendis immediate tangantur.

Peccatum Sodomiticum, de quo in hocce Casu, reservatur etiam dum commissum est inter personas diversi sexûs.

Sacerdos, qui à tempore quo Subdiaconatus factus est, copulam carnalem etiam tantummodo tentatam habuit, aut peccatum Sodomiticum, etiam non consummatum, commisit cum personâ etiam Deo minime dicatâ... neque valide directè absolvere potest, sub quocumque pretextu, nisi in articulo mortis, si alius Confessarius non adsit. ...

Nantes 1776

Censurae reservatae D.D. Episcopo Nannetensi
Monita circa absolutionem à Casibus et Censuris reservatis

P2818   **Nantes 1776** p. 80-81 et 81-85
Formulaires de Nantes 1755. **Voir** Nantes 1733, 1755.

Paris 1777, 1786

[Paris 1777 : Christophe de Beaumont]
Casus reservati D. Archiepiscopo

P2819   **Paris 1777** p. 108-115
Summo Pontifici reservati casus omnes redeunt, cum occulti sunt, ad D. Archiepiscopum; cui et sequentes decem et octo reservantur, versibus sequentibus jamjam explicandis comprehensi.

Haereticus; Res, Personas, Loca sacra profanans;
Et Magus; et Blasphemus; Percussorque parentis:
Vitam auferre homini: vel procurare Duellum:
Conjugis; Infantisve; aut Foetûs quaerere mortem:
Raptus; et Incestus; Sodomorum infamia; Leno:
Igne cremare domos: et bis duo crimina Falsi.

In praecepta primæ tabulæ Decalogi.
Hæreticus; Res, Personas, Loca sacra profanans;
Et Magus; et Blasphemus.

I. *Hæresis*, hoc est opinio aliqua contraria fidei; non dubitanter vel inter sermocinandum prolata, sed pertinaciter et ex animo coram pluribus, quasi dogmatizando et agnitæ definitioni Ecclesiæ resistendo, asserta ac defensa; aut in hæreticorum communione vel conventu, etiam ex timore aut simulando, declarata.

Annexa est censura excommunicationis ipso facto, eaque reservata.

Qui hæreseos alia ratione reus erit, poterit eum confessarius approbatus absolvere a peccato et ab excommunicatione ei annexa.

II. *Sacrilegium in res sacras.* Quo nomine intelliguntur hic

1. *Profanatio* seu impius usus sanctissimæ *Eucharistiæ*, non tamen communio indigna. Item chrismatis, aut alterutrius olei sancti.

2. *Matrimonium*; *absque* benedictione sacerdotali et aliis *solemnitatibus* ad celebrationem sacramenti matrimonii præscriptis, *contrahere* per verba de præsenti coram parocho, seu ejus vices gerente, ac testibus. Ad id testem adesse, aut notarium qui actum conficiat.

Annexa est censura excommunicationis ipso facto, eaque reservata.

3. *Furtum rei sacræ* in quovis loco, aut rei profanæ depositæ in loco sacro.

III. *Sacrilegium in personas sacras.* Intelliguntur hic

1. *Gravis*, non enormis tamen ac atrox, *percussio Clerici vel Religiosi* in sacris Ordinibus constituti.

Annexa est censura excommunicationis ipso facto, eaque reservata.

2. *Concubitus Confessarii cum Pœnitente, et Pœnitentis cum Confessario.* Item Parochi cum Parochiana, et Parochianæ cum Parocho.

Sacerdotis autem, quocum hoc crimen, aut aliud quodlibet tactu aliquo impudico admissum est, ne absolvere illum aut illam possit, cum quo aut cum qua crimen admisit, ita revocatur ipso facto facultas omnis, ut erga criminis sui participem plane irrita ac nulla declaretur, quamcumque antea obtinuerit, aut obtinere postea possit, seu generalis, seu specialis facultas absolvendi a casibus reservatis; nec ipse hanc ejus confessionem audire possit unquam, sub prætextu cujuscumque facultatis, etiam tempore Jubilæi.

3. *Concubitus cum sanctimoniali.*

IV. *Sacrilegium in loca sacra.* Intelliguntur hîc

1. *Atrox*, violenta ac injuriosa *percussio in Ecclesia*, aut in alio loco sacro et benedicto.

2. *Fornicatio*, sub qua hîc adulterium et alia graviora crimina comprehenduntur, *in Ecclesia*, aut in alio loco sacro ac benedicto.

3. *Exustio, aut cum spoliatione effractio Templorum* aut ædium sacrarum ; quandiu incendiarius, aut effractor ac spoliator non est publice denuntiatus.

Annexa est censura excommunicationis ipso facto.

4. *Violatio clausuræ regularis* per ingressum externarum cujuscumque sexus personarum intra septa Monialium absque licentia.

Annexa est censura excommunicationis ipso facto.

Item, egressus Monialium extra septa clausuræ regularis. Aut secularem quemcumque vel quamcumque absque licentia aut legitima causa intra septa clausuræ regularis Monialium admittere.

Annexa est censura excommunicationis.

V. *Magia.*

Comprehenduntur hoc nomine maleficia, veneficia, divinationes, dæmonis ad prædicta aut similia invocationes, totiusque artis magicæ exercitium, seu actus quilibet.

Est annexa censura excommunicationis.

Item *Magos ac Divinos*, aut eos qui divinos seu magos agunt, serio et adhibita iis fide, non autem joco, ex levi curiositate, aut per ignorantiam *consulere.*

VI. *Blasphemia publica vel scandalosa.*

Blasphemia publica dicitur, quæ *vel in judicio probata est, vel nulla tergiversatione in tota vicinia celari potest.*

Cum scandalo blasphemat, qui blasphemat iis qui præsentes sunt advertentibus, et aut ad quid simile moliendum excitatis, aut inde offensis et horrore quodam perculsis. Quod quidem solum, etsi publica blasphemia non fuerit, sufficit ut casus sit reservatus. Et hoc non raro domi accidit patri aut domino coram aliquibus v. g. duobus e liberis aut famulis suis.

Blasphemare autem hic est, scripto aut voce Deo aperte renuntiare ; vel execrationes et maledicta, impiis quibusdam, valde injuriosis, vicinis odio ac contemptui, et legum etiam civilium autoritate prohibitis sub severa pœna, verbis, in Deum, vel in sacro-sanctam Virginem aut alios Sanctos seu Sanctas ex animo proferre.

Quare hac reservatione non comprehenduntur, etsi gravia peccata sint, et omnino abolanda, tum juramenta ac sacramenta per Deum, per Dei vitam, mortem, etc., nisi forte ea veluti execratione proferantur quæ indignabundi, contemnentis aut quodammodo odio habentis animi motum contineat ac designet; tum corrupta aut dimidiata verba quædam, quibus Deo abrenuntiare aut injuriam facere quidam videntur.

In præcepta alterius tabulæ Decalogi.
In quartum præceptum.
Percussorque parentis.

VII. *Percussio patris, matris*, avi, aviæ, aut alterius ex ascendentibus; item soceri ac socrus.

In quintum præceptum.
Vitam auferre homini; vel procurare duellum;
Conjugis; Infantisve, aut Fœtûs quærere mortem.

VIII. *Homicidium voluntarium*: quale esse illud etiam censendum est, quod ab ebrio aut ira percito et acto perpetratur.

IX. *Duellum*. Cujus casus rei sunt omnes certantes in duello, socii certaminis; qui certantium patrini dicuntur, qui ad illud, etiam non secuturum, provocant scienter, consulentes, ex proposito spectatores; et qui locum ad id, arma aliave subsidia scientes subministrant.
Annexa est censura excommunicationis ipso facto.

X. *Conjugi mortem machinari*, id est, non solum mente meditari, sed reipsa tentare, licet forte mors non sequatur.

XI. *Negligentia gravis in oppressione parvulorum*; aut ex qua parvulo nondum ratione utenti acciderit vulnus malumve aliud grave.

XII. *Procurare abortivum*, sive fœtus animatus sit, sive non sit; et licet abortus non sequatur. Ad id dare consilia, aut remedia scienter subministrare. Item si mulier gravida objiciat se sciens periculo alicui verisimili abortus.

In sextum præceptum.
Raptus; et Incestus; Sodomorum infamia; Leno.

XIII. *Raptus* virginum vel mulierum honeste viventium, seu invitæ ipsæ, seu invitis earum patre ac matre, aut curam gerente rapiantur.

Quo casu raptor ipse, ac omnes consilium, auxilium aut favorem illi præbentes includuntur.

Annexa est censura excommunicationis ipso facto.

XIV. *Incestus* intra secundum gradum consanguinitatis vel affinitatis, etiam ex illicita copula. In quem casum cum incidit conjux, eo ipso amittit jus postulandi debitum conjugale a sua comparte, ac illo jure privatur, donec in id restituatur speciali dispensatione; quæ tamen inclusa censuri debet, etsi nominatim non exprimatur, in facultate non generali quidem absolvendi a casibus reservatis, sed speciali quam superior concedit absolvendi a declarato sibi hoc peccato.

In aliis ulterioribus gradibus incestus non est casus reservatus, neque ad D. Archiepiscopum aut ad Pœnitentiarium recurrere opus est, ut pars rea restituatur in jus petendi debitum conjugale.

Cœterum non amittitur prædictum jus incestu illo qui fit cum persona non consanguinea conjugi perpetrantis incestum v. g. Si vir duas sorores cognoscat non consanguineas uxori suæ. Et est tamen incestus ille, casus reservatus.

XV. *Sodomiticum peccatum*, inter ejusdem aut diversi sexus personas, etiam virum et uxorem, non modo consummatum, sed etiam reipsa, et actu ad id ex se ducente tentatum. Item et eadem ratione, *peccatum quod illo gravius est*, seu bestialitas.

XVI. *Lenocinium*: cujus rei sunt qui aliorum ejusdem inter se aut diversi sexus libidinem ac impudicitiæ crimen, scienter et voluntarie, procurant, aut adjuvant, invitando, consulendo, locum præbendo, epistolas scribendo aut deferendo, vel alio quovis modo, seu quæstus causa, seu absque quæstu.

In septimum et octavum præceptum.
Igne cremare domos; et bis duo crimina falsi.

XVII. *Exustio voluntaria domorum profanarum*; Si incendiarius non est publice denuntiatus.
Annexa est censura excommunicationis ipso facto.

XVIII. *Crimen falsi.*
Quo comprehenduntur hic
1. *Falsam monetam cudere*, aut adulterare legitimam.
2. *Falsum testimonium*, seu sacramentum falso præstitum in propria aut aliena causa *coram Judice*, aut eo qui vices Judicis agit, cujusmodi est qui vocatur Commissarius.

3. *Falsum testimonium in causa matrimonii* a contrahentibus matrimonium, aut ab aliis mala fide ac dolo præstitum scripto aut viva voce, ut a Ministris Ecclesiæ matrimonium nullum vel quavis ratione illicitum benedicatur et celebretur.
Annexa est censura excommunicationis ipso facto, eaque reservata.
4. *Falsificatio litterarum ecclesiasticarum.*

Paris 1777, 1786

Censuræ quas reservat D. Archiepiscopus

Paris 1777 p. 115

Excommunicationes reservatæ quatuor recensentur inter casus reservatos ; scilicet casibus I, II n. 2, III n. 1, et XVIII n. 3.
Suspensionem reservatam incurrit ipso facto qui
I. Ordinatur ab alieno Episcopo absque licentia Ordinarii sui ; aut a proprio Episcopo, suppositâ aliâ personâ ad subeundum examen, aut supposito titulo ad majores Ordines requisito.
II. SS. Eucharistiam defert ad extinguenda incendia.
III. Missam celebrat non indutus veste talari.
IV. Alterius Diœcesis Sacerdos in hac celebrat absque obtenta licentia D. Archiepiscopi, et honorarium percipit, post dies ab accessu in hanc diœcesim quindecim.
V. Matrimonio jungit hæreticum vel hæreticam.
VI. Alterius Parrochiæ sponsos sine illorum Parrochi aut Episcopi licentia matrimonio conjungit aut benedicit.
Ab hac censura absolvere competit Ordinario ejus Parrochi qui matrimonio interesse debebat, seu a quo benedictio suscipienda erat.

Soissons 1778

Absence de cas réservés.

Cambrai 1779

De Casibus reservatis

Voir Cambrai 1622-1659.

Boulogne 1780

Voir Boulogne 1750.

Toulouse 1780[135]

[Étienne-Charles de Loménie de Brienne]
Cas réservés à l'Archevêque de Toulouse

P2821 **Toulouse 1780 p. 255-258**

1. Premièrement, tous Ecclésiastiques excommuniés, interdits ou suspens, si avant l'absolution ils attentent de célébrer, ou faire aucun acte défendu par telle censure, ou Canons Ecclésiastiques, ou étant admonestés par leurs Pasteurs ils ne sortent de l'Eglise.
2. Ceux qui prennent les ordres plus hauts, sans prendre les précédens.
3. Ceux qui ont reçu les Ordres d'autre que leur Evêque sans dimissoires.
4. Ceux qui exposent leurs enfans sans extrême nécessité ; *et à ce cas est annexée l'excommunication.*
5. Les homicides volontaires, ou qui tuent injustement.
6. Les sacrilèges ou violateurs d'Eglise.
7. Ceux qui auront violé les Nonains.
8. Ceux qui au second degré de consanguinité, ou plus proche, auront commis inceste, ou au premier degré d'affinité spirituelle.
9. Les ravisseurs des Vierges.
10. Ceux qui commettent le péché de sodomie et bestialité.
11. Celui qui en jugement aura dit faux-témoignage.
12. Les parjures publics.
13. Tous sorciers, enchanteurs, et devins, et ceux qui les consultent ; *et à ce cas est annexée l'excommunicarion.*
14. Ceux qui après les fiançailles confirmées par jurement, contractent ou se marient avec autre, sans dispense légitime.
15. Ceux qui auront battu ou frappé leurs Père et Mère.
16. Ceux qui se marient par mariage clandestin, ou qui assistent à tels mariages.
17. Les Notaires qui dans l'année ne dénoncent les légats qui ont été faits pour choses pies ou bonnes œuvres ; *et à ce cas est annexée l'excommunication.*
18. Ceux qui falsifient, ou rognent la monnoie.
19. Ceux qui couchent les enfans dans le lit avant l'an et le jour : *et à ce cas est annexée l'excommunication.*
20. Les Curés non résidens.

---

[135] Il s'agit d'une réédition des rituels de poche intitulés *Extrait du Rituel romain, afin de bien administrer les sacremens*, avec cas réservés pour Toulouse. Molin Aussedat n° 1325.

CAS DE PÉCHÉS RÉSERVÉS AUX ÉVÊQUES 1569

Ceux qui sont tombés en quelqu'un des susdits cas réservés, doivent être renvoyés par leur Confesseur à mondit Seigneur l'Archevêque, ou à son Vicaire général.

Laon 1782

Casus ... Episcopo reservati

822 **Laon 1782** *pars prima* p. 146-153
Renvoi au Mandement du cardinal de Rochechouart daté du 12 février 1751. Instructions complémentaires sur les cas réservés à l'évêque.

Toulouse 1782

[Étienne-Charles de Loménie de Brienne]
*Casus reservati D.D. Archiepiscopo Tolosano,
quibus est annexa censura reservata*

823 **Toulouse 1782** p. 137*[136]

1°. Crimen apostasiæ et hæreseos : quo casu comprehenduntur Hæretici, Schismatici, eorum in hæresi fautores, vel qui eorum conventiculis intersunt, cum intentione ipsis adhærendi : cum excommunicatione majori.

2° Matrimonium clandestine contractum ; cum excommunicatione majori, ipso facto, incurrenda, etiam, ab ipsis testibus.

3°. Ingressus externarum utriusque sexus Personarum, in Puellarum Monasteria ; item ingressus Mulierum in Monasteria Virorum, etiam sub prætextu murorum ruinæ : cum excommunicatione majori.

4°. Duellum ; cui reservationi subjacent, cooperantes et suadentes : cum excommunicatione majori.

Toulouse 1782

Casus reservati D.D. Archiepiscopo, quibus non est annexa censura reservata

824 **Toulouse 1782** p. 137*

1°. Sodomia inter ejusdem, aut diversi sexus personas ; item bestialitas.

2°. Incestus in primo et secundo gradu consanguinitatis et affinitatis.

3°. Incestus spiritalis, id est Confessarii cum Pœnitente, et Pœnitentis cum Confessario, concubitus.

---

[136] Cinq pages sont chiffrées 137*.

4°. Sollicitatio quælibet ad turpia, facta a Confessario, sive intra Tribunal, sive extra.

5°. Homicidium voluntarium per se, vel per alium, commissum.

6°. Veneficium.

7°. Procuratio abortus, sive fœtus sit animatus, sive non sit, opere, consilio vel auxilio, licet abortus non sequatur.

8°. Oppressio Parvulorum, etiam involuntaria; si sit ex gravi negligentia.

9°. Illatum, per vim, stuprum.

10°. Falsum testimonium, seu perjurium, coram Judice

11°. Monetæ adulteratio, seu imminutio.

12°. Litterarum seu Instrumentorum publicorum suppositio et falsificatio.

13°. Divinatio, sortilegium, atque omne magicum exercitium, ab illo peractum qui noverit illud esse, graviter, malum, ac vetitum.

14°. Percussio Patris, Matris, Avi, Aviæ, aut alterius ex Ascendentibus; item Soceri, ac Socrus.

Toulouse 1782

Casus quibus, ipso facto, annexa est suspensio, D.D. Archiepiscopo, reservata

Toulouse 1782 p. 137*

Suspensionem incurrunt

1°. Presbiteri, sive Sæculares, sive Regulares.

1. Qui, extra casum necessitatis, substantiam Baptismatis, ab illius Sacramenti cæremoniis, separant, non obtenta, prius, D.D. Archiepiscopi vel Vicariorum ejus Generalium, licentia.

2. Qui Sacramentum Pœnitentiæ administrant; absque licentia D.D. Archiepiscopi, vel Vicariorum ejus Generalium.

3. Qui, extra necessitatem, fœminarum confessiones in Sacristia, aut alibi; nisi in sede confessionali, patenti loco, sita et debite cancellata, audiunt.

4. Qui, scienter absolvunt, Pœnitentem a censuris et casibus reservatis; absque licentia D.D. Archiepiscopi, vel Vicariorum ejus Generalium.

5. Qui, Sponsos, sine illorum Parochi, vel D.D. Archiepiscopi, aut Vicariorum ejus Generalium, licentia, Matrimonio conjungere aut benedicere præsumunt.

2°. Presbiteri, sive Sæculares, sive Regulares; item omnes Clerici, in sacris Ordinibus, constituti.

1. Qui ingrediuntur tabernas et diversoria, quæ, una leuca integra, a domicilio non distant; nisi adsit necessitas, aut causa visitandi Patres, Matres, Patrinos, Avunculos, Amitas, et Materteras; vel, etiam, alias personas, summas Dignitates, sive ecclesiasticas, sive sæculares obtinentes, et iter agentes; non, vero aliter.

2. Qui, sine licentia, D.D. Archiepiscopi, vel Vicariorum ejus Generalium; Ancillas, seu Mulieres, secum domi detinent; quæ, quinquagesimum ætatis annum, nondum, attigere: exceptis Matre, Sorore; Amita, vel Matertera.

3°. Archipresbiteri, Curati, Vicarii, aliique sacerdotes curam animarum habentes.

1. Qui, per tres dies Dominicos continuos, exceptis mensibus Julii, Augusti, et Octobris, legitimo cessante impedimento; Parochianis suis, tum in Ecclesia Parochiali, tum in Annexis, sive per se, sive per alios a D.D. Archiepiscopo approbatos, Doctrinam Christianam exponere; aut, inter Missarum solemnia, Verbum Dei annuntiare et explanare, omittunt.

2. Ii, quorum negligentia, Parochianus e vivis excessisset, absque Sacramentorum perceptione.

3. Archipresbiteri et Curati qui, absque D.D. Archiepiscopi, vel Vicariorum ejus Generalium licentia, ultra octo dies, si non habeant Vicarium; si vero habeant, ultra quindecim dies, ab Ecclesia Parochiali sua, absunt.

4°. Regulares.

1. Qui, sine licentia D.D. Archiepiscopi, Verbum Dei annuntiare præsumunt; etiam in suis Ecclesiis.

Notandum.

1°. Suspensionem nullam incurri, nisi ab iis qui sunt in sacris Ordinibus constituti.

2°. Censuras *ipso facto* a Prædecessoribus nostris latas, quæ hic non describuntur, jam nunc locum non habere, spectandasque esse ut censuras *ferendæ* tantum *sententiæ*.

3°. Nullum peccatum reservari, nisi sit mortale, externum et opere completum, non autem sola cogitatione admissum, aut sine plena rationis advertentia commissum.

4°. Nullum reservari, in pueris, ante annum ætatis decimum-quartum completum, et in puellis, ante annum duodecimum completum : nullum quoque reservari in fidelibus, cum, pro prima vice, ad sacram Mensam debent accedere.

5°. Nullum quoque reservari, respectu eorum quorum matrimonium non posset, absque scandalo, retardari ; vel mulierum partui proximarum ; si, tunc, difficilis sit ad nos recursus.

6°. Nullam esse reservationem in mortis articulo.

7°. Sacerdotem cui concessa fuit potestas absolvendi a casibus reservatis in genere, non ideo posse absolvere ab hæresi et censuris nobis reservatis, aut vota commutare ; hæc enim in rescripto nostro debent exprimi.

8°. Casum vere esse reservatum, etiamsi reservatum peccator ignoraverit.

9°. Nullum, denique, Sacerdotem (si casus evenerit quod Deus avertat) unquam, posse absolvere complicem peccati mortalis, exterius, commissi contra sextum Decalogi præceptum ; nisi, in articulo mortis ; ubi non reperiretur alius Sacerdos ; talique Sacerdoti, in perpetuum, interdici confessionem sacramentalem Personæ sui criminis complicis.

Albi 1783

[François-Joachim de Pierre de Bernis]

P2826 **Albi 1783 p. 361**

Casus Reservatos tum summo Pontifici, tum... D.D. Cardinali, Archiepiscopo Albiensi, cum hic describendi, propter jam ampliorem materiae copiam, locus non sit, ad Libellum cui titulus : *Monita ad Confessarios* recurrendum est, quibus monitis, pauca haec addenda esse censuimus.

Notandum.

1°. Suspensionem non incurri, nisi ab iis qui sunt in sacris Ordinibus constituti. ...

Beauvais 1783

[François-Joseph de La Rochefoucauld]

Casus reservati D.D. Episcopo Bellovacensi. Reservationem incurrit

P2827 **Beauvais 1783 p. 120-122**

Formulaire de Beauvais 1637 et 1725 avec variantes. *Voir* Beauvais 1637.

Saint-Dié 1783

[Barthélemy-Louis-Martin de Chaumont]

Casus… Episcopo et Comiti Sanc-Deodatensi reservati

Saint-Dié 1783 p. 88-89

I°. Omnes casus Summo Pontifici reservati, dum sunt occulti : iidem casus etiam publici, erga Religiosos, sanctimoniales, fœminas, senes, et eos omnes qui sui juris non sunt, vel sine gravi incommodo Romam petere non possunt.

II°. Publica hæresis professio : porro ad absolvendum ab illo casu, etiam in foro interno, requiritur specialis facultas scripto concessa, quæ quidem inclusa non censetur in generali facultate a casibus reservatis absolvendi.

Requiritur etiam specialis et scripto concessa facultas ad publicam a prædicta hæresi absolutionem, et ad recipiendam abjurationem quæ præire semper debet absolutioni sacramentali.

III°. Homicidium voluntarium.

IV°. Abortus, sibi vel alteri, sive animato, sive inanimato fœtu, voluntarie illatus.

V°. Suffocatio vel enecatio quæcumque partus, etiam occulta.

VI°. Infantem nondum biennem secum in lecto ponere, si exinde suffocatio ejus, etiam fortuita, obvenerit, *cum censura excommunicationis, eaque reservata.*

VII°. Incestus intra secundum consanguinitatis aut affinitatis legitimæ gradum.

VIII°. Sodomia inter ejusdem aut diversi sexus personas, etiam non consummata.

IX°. Peccatum bestialitatis, etiam non consummatum.

X°. Concubitus Confessarii cum pœnitente, et pœnitentis cum Confessario.

XI°. Ingressus quarumlibet fœminarum intra regularium claustra ; ingressus aut admissio personarum cujusque sexus intra septa monialium : et egressus monialium extra septa monasterii, absque licentia ordinarii : *his casibus annexa est censura excommunicationis, eaque reservata.*

Saint-Dié 1783

Censurae reservatae… Episcopo comiti Sanc-Deodatensi

Saint-Dié 1783 p. 104

I. Omnes censuræ *ab Homine*, decreto particulari latæ.

II. Excommunicationes quas incurrunt qui monitorio non parent.

III. Excommunicationes quæ recensentur inter casus reservatos ; scilicet casibus VI et XI.

Saint-Dié 1783

Suspensionem reservatam incurrunt

P2830   **Saint-Dié 1783** p. 105

I°. Qui, sciens, ante legitimam ætatem ordinatur ; qui ordinatur per saltum ; qui aliquem e sacris ordinibus aut etiam e minoribus, ab alieno episcopo, sine proprii episcopi licentia suscipit ; qui, sciens, sub titulo fraudulento et infra valorem lege diœcesana præfixum constituto, ad subdiaconatum promovetur.

II°. Sacerdos qui sine veste talari S.S. Missæ sacrificium celebrat, aut sacra munia obit.

III°. Qui præter necessitatis casum, in capellis domesticis vel privatis domibus mulierum puellarumve confessiones excipit, aut in ecclesiis vel sacrariis, sine crate interposita.

IV°. Sacerdos cujus culpa hostiæ in sacra pyxide mucescunt, aut corrumpuntur.

V°. Qui a parochia cujus ipsi cura incumbit, ultra quindecim dies abest, sine expressa licentia.

VI°. Quilibet sacerdos qui sciens et volens, absque obtenta ordinarii facultate, absolvit a quovis casu aut censura reservatis.

Observandum est eum qui una ex istis suspensionibus ligatus, functionem sacram ordinis propriam obit, irregularitatem (*de qua inferius dicetur*) pariter reservatam incurrere.

Si quæ præterea sunt aliæ censuræ quæ ipso facto incurrantur, eæ tolluntur per hæc absolutionis verba : *absolvo te ab omni vinculo excommunicationis (suspensionis) et interdicti, in quantum possum et tu indiges.*

Saint-Papoul 1783

[Guillaume-Joseph d'Abzac de Mayac]
*Casus reservati D.D. Episcopo Sancti Papuli,
quibus est annexa censura reservata*

P2831   **Saint-Papoul 1783** p. 121-122

1°. Crimen Hæreseos, et Apostasiæ : quo casu comprehenduntur Hæretici, Schismatici, eorumque in hæresi fautores ; ac etiam qui legunt libros ab Ecclesia damnatos, aut contra Religionem scriptos.

2°. Percussio Clerici in sacris Ordinibus constituti, et Religiosi professi.

3°. Simonia et Confidentia realis in Ordine, aut Beneficio, quando sunt occultæ.

4°. Ingressus externarum utriusque sexus Personarum, in Puellarum Monasteria: item ingressus Mulierum in Monasteria Virorum, etiam sub prætextu murorum ruinæ.

5°. Exustio domorum et frugum.

6°. Duellum, cujus casus rei sunt, non solum certantes, sed etiam invitantes, cooperantes, et suadentes.

7°. Matrimonium clandestine contractum, cui reservationi subjacent, qui scienter intersunt, ac etiam testes.

8°. Excommunicatio quam incurrunt qui Litteris Monitoriis non obediunt.

Saint-Papoul 1783

Casus reservati D.D. Episcopo Sancti Papuli,
quibus non est annexa censura reservata

Saint-Papoul 1783 p. 122-123

1°. Enormis blasphemia in Deum, aut in Sanctos.

2° Transgressio voti solemnis, aut simpliciis [sic] castitatis perpetuæ.

3°. Sortilegium, Divinatio, et quodcumque maleficium, cui reservationi subjacent, tam qui divinandi artem exercent, quam qui hos consulendi causa adeunt.

4°. Sacrilegium, scilicet. 1°. Furtum rei sacræ, aut ipsius abusus ad quid profanum. 2°. Ecclesiæ aut Sacrorum locorum profanatio. 3°. Concubitus cum persona Deo consecrata.

5°. Litterarum, seu instrumentorum publicorum suppositio aut falsificatio.

6°. Solemne perjurium.

7°. Injectio manuum in parentes.

8°. Homicidium per se vel per alium commissum; ac etiam involuntarium, vacando rei illicitæ et periculosæ.

9°. Oppressio parvulorum per incuriam; cui reservationi subjacent Parentes, Nutrices, aliæque personæ, quæ Infantes annum et diem nondum adeptos in lecto secum reponunt.

10°. Procuratio abortus, sive fœtus sit animatus, sive non sit, opere, consilio, vel auxilio, licet abortus non sequatur.

11°. Sodomia inter ejusdem aut diversi sexus personas; item Bestialitas.

12°. Incestus in primo et secundo gradu consanguinitatis et affinitatis.

13°. Incestus spiritalis, crimen scilicet Confessarii cum Pœnitente, et Pœnitentis cum Confessario; ac Parochi cum Parochiana, et Parochianæ cum Parocho. Item sollicitatio ad inhonesta facta a Confessario, tam in Confessione, quam extra.

14°. Adulterium publicum, et Concubinatus notorius.

15°. Stuprum per vim illatum, et Raptus mulieris honestæ.

Saint-Papoul 1783

Casus reservati quibus, ipso facto, annexa est suspensio D.D. Episcopo reservata

Saint-Papoul p. 123

1°. Suspensio, qua ad octo dies afficiuntur Presbyteri sive Seculares, sive Regulares, cœterique Ecclesiastici in Sacris Ordinibus constituti, qui popinas et loca ab ipsis dependentia, edendi vel bibendi causa adeunt, quæ una leuca integra a domicilio non distant.

2°. Suspensio, qua plectuntur Confessarii sive Seculares, sive Regulares, qui potestatis sibi per approbationis litteras concessæ, tam pro locis et tempore, quam personis et peccatis limites prætergrediuntur; ac etiam qui falsas litteras præstant pro obtinenda approbatione.

3°. Suspensio, quam incurrunt ii qui alterius parochiæ sponsos, absque proprii illorum parochi, vel D.D. Episcopi, aut Vicariorum ejus generalium licentia matrimonio conjungere aut benedicere præsumunt.

4°. Suspensio, in quam incidunt Parochi, Vicarii, aliique Sacerdotes curam animarum habentes, qui ultra quindecim dies, absque D.D. Episcopi, aut Vicariorum ejus generalium licentia, a parochia sua absunt.

5°. Suspensio qua plectuntur Parochi, omnesque Presbyteri, aut Clerici in Sacris Ordinibus constituti, qui ancillas aut mulieres secum domi detinent, quæ quadragesimum quintum ætatis annum nondum attigeret exceptis matre, sorore, amita, vel matertera.

6°. Suspensio qua afficiuntur Regulares tam exempti quam non exempti, qui sine licentia D.D. Episcopi, verbum Dei annuntiari præsumunt, etiam in suis ecclesiis.

Amiens 1784

Absence de cas réservés.

Tournai 1784

[Guillaume-Florent von Salm-Salm]
Casus Episcopo Tornacensi reservati

Tournai 1784 p. 108-111

Ne quis solita casuum reservatione a salutaris Confessionis remedio retrahatur, vel quia Sacerdotem qui eum absolvat, in promptu non habet vel quod propter sumptus, ad Episcopum, vel ejus delegatos proficisci differat: prædecessorum nostrorum vestigiis inhærentes, potestatem absolvendi a casibus nobis reservatis omnibus Parochis usque ad revocationem committimus, exceptis tamen
1. Hæreticis et a Fide Apostatis.
2. Homicidis.
3. Nostra auctoritate Excommunicatis excommunicatione majori, Suspensis et Interdictis.

Huc pertinet Suspensio ab omni exercitio sanctorum Ordinum quam ipso facto incurrunt Ecclesiastici sive Sæculares sive Regulares cujuscumque sint ordinis, conditionis vel dignitatis, qui popinas frequentaverint aut eas ad potandum adierint in loco residentiæ suæ, aliisve, infra spacium leucæ a domo habitationis suæ adjacentibus.

Non incurritur hæc Suspensio, si præfati Clerici consanguinei sint, vel affines cauponis: aut alia honesta ratione eis, aliisve inibi domicilium habentibus conjuncti, et ab illis sine fraude invitentur ad prandium sumendum in taberna. Id tamen fiat raro et separatim ab his, quibus cibi vel potus venduntur. Item non incurritur si ad prandium ibidem sumendum invitentur a personis in dignitate Ecclesiastica vel Sæculari constitutis, quibus non obtemperare haud sinat debita illis reverentia.

Par sit ratio de Presbytero, qui interesse debet redditioni computus Ecclesiæ, Fabricæ, Mensæ pauperum, aliarum piarum fundationum aut Parochiæ vel in taberna versari occasione elocationis Decimarum, vel a Decimatoribus, aut deputatis eorum ad prandium invitati fuerint. Idem esto judicium in auctionibus publicis lignorum cæduorum, in generalibus redituum aut censuum annuorum perceptionibus. Item dum infirmos visendi alteriusve muneris Pastoralis gratia tales ædes frequentaverint, aut quid sibi oblatum sumpserint. Consectaria hæc sunt e verbis legis, quæ tamen sigillatim expressa timoratæ conscientiæ pacem et tranquillitatem donant. Omnium porro regula sint verba S. Hieronymi Nepotianum hortantis: « *Convivia, inquit, tibi vitanda sunt sæcularium et maxime eorum, qui honoribus tument. Turpe est ante fores Sacerdotis Christi crucifixi et pauperis, et qui cibo quoque vescebatur alieno, Lictores Consulum et Milites excubare, Judicemque Provinciæ melius apud te prandere, quam in Palatio. Quod si ostenderis te facere hæc, ut roges pro miseris atque subjectis, judex sæculi plus deferet Clerico continenti, quam diviti: et magis sanctitatem venerabitur quam opes. Aut si talis sit, qui non audiat Clericos pro quibuslibet tribulatis, nisi inter phyalas: libenter carebo hujusmodi beneficio, et Christum rogabo pro judice, magis, quia et citius subvenire potest quam judex. Melius enim est confidere in Domino, quam sperare in Principibus* ».

4. Matrimonium sine bannis, et sine consensu Parochi etiam in illius præsentia ineuntibus.

Cui casui excommunicationis majoris ipso facto incurrendæ pœna jam dudum in hac Diœcesi apposita est.

5. His adjicimus crimen Sacerdotis ad inhonesta personam pœnitentem sollicitantis in actu Sacramentalis Confessionis, sive antea sive post immediate, seu occasione vel pretextu Confessionis, quemadmodum in Bullis Gregorii XV. et Benedicti XIV. ab omni Confessario attente legendis latius explicatur. Caveantque Confessarii ne Pœnitentibus, quos noverint jam ab alio sollicitatos, Sacramentalem absolutionem impertiant, nisi prius sollicitantem Ordinario denuntiaverint, vel saltem se delaturos spondeant.

6. Item peccatum complicis in materia venerea exteriori actu commissum.

A quo peccato nemo complex valide absolvere poterit, quamcumque a casibus reservatis absolvendi acceperit, vel deinceps accepturus sit facultatem.

Tournai 1784

Casus autem reservati, a quibus ex commissione absolvere possunt Parochi, sunt hi:

P2835 **Tournai 1784 p. 111-116**

1. Apostasia ab Ordine Sacro vel Religione, dimisso vel retento habitu Religionis.

Dimissioni habitus Religionis annexa est censura excommunicationis Cap. Ut periculosa. Tit. Ne Clerici vel Monachi in 6°.

In eamdem pariter incidit Clericus, qui ab Ordine Sacro ad Nuptiarum fœdera transfugerit. Clement. unic. De Consanguinit. et Affin.

2. Prophanatio aut impius usus Specierum SS. Eucharistiæ, vel Chrismatis aut alterius Olei Sancti, Catechumenorum scilicet vel In-

firmorum : sub hoc tamen casu non comprehenditur Communio, vel administratio sacrilega Eucharistiæ alteriusve Sacramenti.

3. Perjurium solemne, quod vel coram Judice fit in Judicio, vel elevata in Cœlum manu, aut ad pectus apposita, aut alia præscripta forma celebratur extra Judicium.

4. Violatio voti solemnis.

5. Injectio violenta manuum deliberato proposito cum læsione in Patrem aut Matrem, Avum aut Aviam, Vitricum, Novercam, Socerum aut Socrum.

6. Veneficium.

7. Procuratio abortus, sive fœtus animatus sit sive non, opere, consilio, vel auxilio, etamsi abortus non sequatur. *Item*, remedii alicujus adhibitio eo fine, ut procuretur sterilitas.

8. Sacrilegium seu furtum sacrilegum excedens quadraginta solidos, seu quatuordecim florenos Belgicos.

9. Usura notoria.

10 Incendium voluntate deliberata procuratum.

11 Adulterium notorium.

12. Incestus spiritualis cum Sanctimonialibus, et incestus cum Consanguineis intra tertium gradum.

13. Falsum testimonium in Judicio datum.

14. Falsificatio Litterarum Curiæ Episcopalis.

15. Simonia realis.

16. Raptus Virginum.

17. Sodomia et alia peccata in hoc genere graviora. v. g. Bestialitas, etc.

A prædictis autem casibus, a quibus ex commissione absolvere possunt Parochi, Sacerdotes cæteri tum sæculares, tum regulares, qui expressam a casibus reservatis absolvendi facultatem non habuerint, absolvere non valeant.

Cæterum ne ex tam salutari disciplinæ Ecclesiasticæ regula, quis animæ detrimentum patiatur, omnibus Presbyteris ad excipiendum Christi fidelium in Diœcesi nostra Confessiones approbatis, et admissis facultatem concedimus absolvendi a casibus et censuris tum Sanctissimo Domino Papæ, tum Nobis reservatis.

1°. Pœnitentes morbo ex natura sua gravi et periculoso affectos.

2°. Eos, qui passuri sunt medicam operationem maxime periculosam, qualis est quorumdam membrorum amputatio ; hi absolvi possunt a die immediate præcedenti operationem.

3°. Eos, qui ad primam Communionem disponuntur.

4°. Eos, qui disponuntur ad Confirmationem ; qui absolvi possunt statim atque Episcopus suam indixit visitationem.

5°. Eos, qui Matrimonio proxime, seu tertio saltem subsequenti die jungendi sunt.

6°. Quemlibet Sacerdotem, qui ex officio et urgente necessitate hic et nunc Sacramentum aliquod administrare, vel Missæ Sacrificium celebrare tenetur; si desit alius Sacerdos necessaria facultate instructus, sicque aliter vitari scandalum non possit.

7°. Eos omnes, qui ad seriam morum emendationem totius ante actæ vitæ, seu diuturni temporis (trium saltem annorum) Confessionem emiserint.

8°. Carceribus inclusos, item capite damnatos.

Præterea quando Confessarius approbatus, non obtenta prius a casibus reservatis absolvendi facultate, ex ignorantia aut inadvertentia absolvit ab ejusmodi casu, existimans illum non esse reservatum, vel ad illius reservationem non attendens; concedimus, ut valide absolvat. Quin etiam si Sacerdos approbatus scienter absolvat a reservatis non obtenta facultate, licet sacrilegium perpetret, eum tamen, ne aliquis Ministri iniquitate pereat valide absolvere benigne indulgemus; si Pœnitens bona fide existimet peccatum suum non esse reservatum, vel Sacerdotem cui illud declarat a reservatis absolvendi potestatem habere, et aliunde sit rite dispositus.

Idem concedimus pro casu, quo Confessarius evoluti termini approbationis sui immemor aliquos bona fide absolverit, vel etiam audire cœperit; compleri scilicet posse Confessionem taliter inchoatam valideque ac licite absolutionem impertitum iri.

Si contingat Pœnitentem habere plures casus reservatos, dum confitetur Superiori aut ejus hac in parte delegato, et unius aut alterius oblivisci, poterit nihilominus etiam ab his, quorum oblitus est, postmodum per inferiorem Sacerdotem absolvi.

Quod si Confessio, qua Pœnitens casus reservatos confitetur Superiori, aut alteri Sacerdoti pro reservatis approbato, fuerit invalida ob defectum culpabilem integritatis, vel contritionis necessariæ, eo in casu, modo absit fraus et dolus ex parte Pœnitentis, neque dedita opera et scienter invalidam Confessionem fecerit, declaramus Nos ad sublevandas conscientias tollere reservationem eorumdem peccatorum Nobis reservatorum; ita ut liceat eidem Pœnitenti illorum absolutionem a quolibet Confessario obtinere, quando ei rite confitebitur.

Cum aliquem a peccato reservato absolvendi peculiaris indulta erit Confessario facultas, hanc erga eamdem personam, circa ejusdem speciei delicta post facultatis concessionem et ante absolutionem commissa, valere annuimus.

Si quis Confessarius licentiam obtinuerit a casibus reservatis absolvendi, non expressis casuum speciebus, nec eorum numero (quod observari aliquando necesse est, ne quid detrimenti capiat Sigillum Sacramentale); tunc talem talesve Pœnitentes ab omnibus, quos usque ad Confessionem omnino adimpletam declaraverint, casibus absolvere poterit; etiamsi in aliquot ejusmodi casus post concessam Presbytero facultatem inciderent. Ea si quidem in gratiam Pœnitentis conceditur facultas, neque ad ullum casum restringitur. Casus et censuræ Episcopo reservatæ, duo sunt communiter distincta; unde potestas a casu reservato absolvandi per se non includit potestatem absolvendi a censura, etiam casui annexa; nec vicissim. Nos tamen quotiescumque specialem concesserimus facultatem circa paccatum, cui annexa sit aliqua censura, toties utramque modo dictam potestatem simul concessam haberi intendimus.

Ut autem casuum dictorum memoria in promptu habeatur, Pastores omnes et Sacerdotes hortamur et monemus, ut non solum catalogum peccatorum Summo Pontifici, et Nobis reservatorum sæpe legant, sed et illum ipsum catalogum describant ad calcem sui Breviarii, vel Diurnalis, vel alterius libri; quem dum Confessiones audient in manibus habere possint, ut si opus sit, eum velut aliud agentes inspiciant et consulant.

Tournai 1784

Excommunicationes non reservatæ, quas ipso facto incurrunt omnes et singuli

Tournai 1784 p. 116-117

1°. Qui quovis modo quemquam cœgerint, quominus libere Matrimonium contrahat. *Synod. Trid. Sess. XXIV. de Reform. Matrim. Cap. IX.*

2°. Raptor ac omnes illi consilium, auxilium et favorem præbentes. *Ibid. Cap. VI.*

3°. Qui (divino timore postposito in suarum periculum animarum) scienter in gradibus consanguinitatis, et affinitatis constitutione canonica interdictis, aut cum Monialibus contrahere non verentur: nec non Religiosi et Moniales ac Clerici in sacris Ordinibus constituti Matrimonia contrahentes. *Concil. Generale Viennense 1311. Clement. L. 4. Cap. unic. de Consang. et Affinit.*

4°. Qui quomodocumque coegerint feminei sexus personam invitam, præterquam in casibus in jure expressis ad capessendum statum Religiosum; item et illi, qui sanctam Virginum aut aliarum Mulierum voluntatem veli accipiendi, vel voti emittendi, quoquomodo sine justa causa impedierint. *Concil. Trid. Sess. 25. de Regular. et Monial. Cap. XVIII.*

Tournai 1784

Censuræ comminatoriæ

P2837   **Tournai 1784** p. 117-120

A pluribus retro sæculis ab illustribus et sanctæ memoriæ in hac Cathedra Decessoribus nostris complurium Synodorum decretis cautum fuit ne Dominicis Festisque diebus in popinas aut tabernas illo tempore, quo Divina celebrantur Officia ejusdem loci incolis citra gravem necessitatem ullus pateret ingressus, aut daretur accessus. Subsequentes deinde Synodi populum omnem, at præ cæteris virgines et puellas Parochorum instructionibus a frequentatione tabernarum deterreri jubent, cum id absque scandalo et pudicitiæ periculo fieri vix possit. Id autem Synodi 1589. et 1600. parem ob causam insuper viduis et conjugatis absente marito omni studio cavendum sanxere. Quas posteriores deinceps Synodi secutæ, et pastoralia documenta gliscenti malo qua paternarum monitionum, qua pœnarum Ecclesiasticarum præsidiis occurrere non desierunt, nec eo tamen successu; quin ut succisa tantisper illa mala, e radice amaritudinis sursum germinent, et per illa inquinentur multi. *Quoniam vero monet Sapiens, quod* viæ inferi domus *eorum, penetrantes in interiora mortis. Ne forte silentii nostri vitio plures de grege nobis commisso eo incauti abripiantur: sub pœna excommunicationis prohibemus, ne ulli adolescentes (nisi justa et pro rei momento sufficiens causa aliud requirat) secum puellas ad popinas adducant, neque puellæ cum viris adolescentibus tabernas adeant, neve in iis extra casum necessitatis cum ipsis tam grandi animarum suarum discrimine conversentur. Item ne caupones aut quilibet alii in suas domos, hortos aut recessus puellas et juvenes viros simul admittant, districte præcipientes omnibus Parochis, Confessariis et quibusvis animarum Directoribus, ne in re tanti plena periculi, quale nihil apprehendit passionum tenebris obcæcata juventus, oscitanter aut perfunctorie munus suum expleant, ac sanguinem tot animarum, quæ in hanc impietatis voraginem demerguntur de manu eorum requirat* Dominus in illa die justus judex.

2°. *Sub pœna excommunicationis præcipitur, ut Matrimonii publice denuntiati impedimenta quantocyus revelentur; et sub eadem pœna prohibetur, ne quis commentitium proferat impedimentum, malitioseque et sine causa Matrimonio se interponat.*

3°. *Item ne Patres vidui cum Filiabus suis, vel Matres viduæ cum Filiis in eodem cubili pernoctent: ne Liberos secum in lecto assumant parentes; aut Liberos mares cum ancillis; vel Fratres simul et Sorores, grandiusculæ saltem ætatis, in eodem lecto collocent.*

4°. *Ne ulla persona, sub quocumque pretextu Infantem ante annum completum in cubili secum habeat, propter suffocationis periculum.*

5°. *Sub pœna Suspensionis prohibetur, ne quis ex Oratoriis, Capellis, atque omnino ex aliis locis, quam ex Ecclesia Parochiali, et sine Parochi licentia ad infirmos Parocho subditos Eucharistiam deferat, sive Sæcularis, sive Regularis Presbyter. Eadem sub pœna vetitum sit omnibus Presbyteris, ne sine habitu talari ad Altare accedant sacra Mysteria celebraturi: quem in finem toga talari induti sint, togam enim sine manicis in solo itinere permittimus.*

6°. *Sub pœna Censurarum Ecclesiasticarum prohibetur, ne Parochi aut Vicarii legitimo impedimento haudquaquam detenti, ultra dies quindecim eam differant Parochialem institutionem, qua præter Catechismum, singulis diebus Dominicis Festisque solemnibus, populum suum in fide et moribus Christianis erudire ex officio tenentur.*

7°. *Denique huc referri potest comminatio Interdicti ab ingressu Ecclesiæ per vitam, et a sepultura Ecclesiastica post mortem in eos, qui gemino per Canonem Omnis utriusque sexus constituto non satisfecerint.*

Ne dictæ reservationes, censuræque tum latæ sententiæ tum ferendæ inutiles evadant, ac multi eorum ignari proni in peccata corruant, a quibus, gnari prohibitionis et pœnæ abhorruissent, incumbant Parochi, Vicarii, aliique ad id muneris assumpti, ut de his omnibus prudenter, et frequenter fideles instruantur, et in salutis via depulso hoc obice conserventur.

Montauban 1785

[Anne-François-Victor Le Tonnelier de Breteuil]
Casus reservati ... Episcopo Montalbanensi

Montauban 1785 p. 190

1. Incendiarii, et sacrarum Ædium spoliatores.
2. Usurarii, et concubinarii manifesti.
3. Qui polluerit Ecclesiam.
4. Qui Clericum percusserit.
5. Qui puellam violaverit.
6. Mulier quæ sibi procuraverit abortum, aut nisa fuerit procurare, quique ad hoc opem et consilium dederit.
7. Parentes qui infantes suos, in eodem secum lecto, ante elapsum annum collocaverint.
8. Qui admiserit incestum in secundo, aut in propinquiori gradu consanguinitatis, vel affinitatis.

9. Confessarius qui Pœnitentem suam, et Parochus qui Parochianam suam carnaliter cognoverit, et vicissim.

10. Qui peccatum Sodomiæ, vel, quod pejus est, bestialitatis commiserit.

11. Qui legerit libros ab Ecclesia prohibitos.

12. Qui carnes solidas, tempore prohibito, absque necessitate, comederit.

13. Ingressus utriusque sexus personarum in puellarum Monasteria. Item ingressus puellarum vel mulierum in Monasteria virorum ultra Salutatorium et Claustrum, etiam sub pretextu murorum ruinæ, in utroque casu.

14. Qui falsificaverit titulos ecclesiasticos, quique falsum testimonium dixerit coram Judice, et in casu Matrimonii, coram Episcopo vel Parocho.

15. Qui magiam, divinationes vel maleficia profitetur et exercet; quique Divinos consulit, atque Magorum arte et opera utitur.

16. Qui Eucharistia, Chrismate aut Oleo sancto ad pravos usus utitur.

17. Qui decimas non solverit, vel titulos bonorum Ecclesiæ reconditos detinuerit.

18. Duellum.

19. Homicidium voluntarium.

20. Clericus qui per saltum, vel sine litteris dimissoriis, se promoveri fecerit ad majores Ordines; item qui interdictus, suspensus, aut excommunicatus, ausus fuerit celebrare.

21. Sacerdos qui sine approbatione confessiones audierit, vel sine facultate administraverit Sacramentum Matrimonii, aut etiam Baptismi, extra casum necessitatis.

22. Qui sine licentia Episcopi celebraverit in loco prophano.

23. Qui mortuos in Cæmeterio polluto sepelierit.

24. Simonia et confidentia.

Notandum, 1°. nullum peccatum reservari, nisi sit mortale; 2°. nullum reservari, quando sola cogitatione commissum est; 3°. nullum etiam reservari, quando committitur ante pubertatis annos, id est in pueris ante ætatis annum decimum-quartum, in puellis ante annum duodecimum.

Tours 1785
[François de Conzié]
Casus ... D.D. Turonensi Archiepiscopo reservati

Tours 1785 p. 148

1°. Hæresis et apostasia.
2°. Magia.
3°. Sacrilegium.
4°. Percussio gravis licet non enormis Clerici in sacris constituti, et Religiosi expresse professi.
5°. Solemne perjurium.
6°. Ingressus in monasteria.
7°. Incendium domorum et frugum.
8°. Injectio manus in parentes.
9°. Homicidium.
10°. Opressio parvulorum.
11°. Procuratio abortus.
12°. Duellum.
13°. Peccatum sodomiticum; item, quod illo gravius est, bestialitas.
14°. Incœstus.
15°. Stuprum.

Supra scriptos inter Casus D.D. Archiepiscopo, Vicariis Generalibus et Pœnitentiario specialiter reservantur:

1°. Crimen confessarii cum pœnitente et pœnitentis cum confessario.
2°. Apostasia a fide.
3°. Hæresis.

His adjungatur peccatum mox referendis suspensionibus annexum. Quapropter observandum eos etiam quibus absolvendi a casibus reservatis concessa licentia est, aut in posterum concedetur, ab istis absolvere non posse, nisi dicti casus in concessa facultate nominatim designentur.

Notandum est quod nullus confessarius, etiam is cui concessa est facultas absolvendi a casibus reservatis, imo et specialis a crimine inter confessarium et pœnitentem, possit absolvere pœnitentem complicem in materia impudicitiæ. *Quanquam,* inquit autor Collationum Andegavensium, *non coarctetur potestas horumce sacerdotum, nisi respectu criminis cujus participes fuerunt, sublata etiam culpa per pœnitentiam et absolutionem ab alio datam, si sibi et pœnitentium saluti consulere velit, deinceps confessionem non excipiet personæ quacum peccavit, quamvis sincera morum emendatio et in sacerdote et in pœnitente contigerit, ne scilicet præteriti delicti memoria relapsus occasio sit.*

De casibus supradictis attente legatur mandatum D.D. Archiepiscopi et sedulo observentur cicumstantiæ, declarationes et modificationes ibidem expressæ.

Tours 1785

Censuræ ... D.D. Turonensi Archiepiscopo reservatæ

P2840 **Tours 1785** p. 149

1°. Excommunicatio quæ ab hæreticis *ipso facto* incurritur.

2°. *Suspensio ipso facto* incurrenda a sacerdotibus, tam secularibus, quam regularibus, cujuscumque sint ordinis vel congregationis, qui sine approbatione exceperint confessiones, vel qui limites facultatum excesserint.

3°. *Suspensio* quam *ipso facto* incurrit sacerdos sive secularis sive regularis, qui matrimonia personarum alterius parochiæ celebraverit sine consensu expresso vel D.D. Archiepiscopi, vel proprii eorum parochi.

4°. *Suspensio* octo dierum qua *ipso facto* innodantur presbyteri, qui in popina, vel locis ab ea dependentibus edunt, vel bibunt, præterquam in itinere et loco a suis domiciliis una leuca distante; exceptis tamen iis qui a cauponibus propinquis ad secundum gradum inclusive invitantur.

5°. Censura *ab homine.*

Quod pertinet ad cæteros casus cæterasve censuras, quæ D.D. Archiepiscopo sive a Jure, sive alias reservata essent; cuicumque presbytero ad audiendas confessiones approbato licentia facta est ab iis in foro conscientiæ absolvendi.

Paris 1786

Voir Paris 1777.

Quimper 1786

Absence de cas réservés.

Lyon 1787

[Antoine de Malvin de Montazet]

Casus reservati D.D. Archiepiscopo Comiti Lugdunensi, Galliarum Primati

Lyon 1787 première partie, p. 263

1° Haeresis, Schisma, Apostasia à Religione christianâ, vel à voto Religionis solemni, vel ab Ordinibus sacris.

2° Blasphemia publica publicitate juris.

3° Perjurium coram Judice.

4° Homicidium voluntarium per se vel per alium commissum.

5°. Abortus, etiam ante foetûs animationem procuratus vel tentatus, et auxilium vel consilium ad id datum.

6°. Duellum propriè dictum.

7°. Incestus in primo aut secundo consanguinitatis vel affinitatis gradu.

8°. Infandum [abominable] crimen Sodomiae inter ejusdem vel diversi sexûs personas. Item, portentosum [monstrueux] crimen Bestialitatis.

9°. Peccatum quo Confessarius vel Parochus Poenitentem vel Parochianam dictis vel factis ad turpia sollicitat, sive in tribunali Poenitentiae, sive extra. *Item,* omne peccatum mortale opere commissum contra sextum Decalogi praeceptum, inter Confessarium et Poenitentem, inter Parochum et Parochianam; cui reservationi subjacent ambo complices. Nulli Confessario, etiam pro Casibus reservatis approbato, unquam ullove praetextu liceat complicem peccati mortalis à se exterius commissi (quod advertat Deus) contra sextum Decalogi praeceptum, absolvere, nisi in articulo mortis, ubi alterius Sacerdotis copia haberi non potest. Imo talem Sacerdotem monemus hortamurque, ne confessionem ullam sacramentalem personae sui peccati complicis, absque urgenti necessitate, in perpetuum audiat.

10°. Violatio Clausurae regularis, sive per ingressum virorum intra septa Monialium, sive per egressum Monialium extra septa Monasterii, sive per ingressum foeminarum intra monasteriis seu conventus Religiosorum.

Verdun 1787

[Henri-Louis-René Desnos]

Casus reservati ... D.D. Episcopo Virdunensi

Verdun 1787 p. 223-225

1°. Haeresis. Per hæresim intelligi debet propositio scriptis, aut verbis, serio et pertinaciter asserta, contra catholicam fidem. *Annexa est censura excommunicationis, eaque reservata.*

2°. Verbis, aut scriptis, serio et pertinaciter asserere aliquam e propositionibus damnatis per definitiones dogmaticas, ab universa Ecclesia receptas. *Annexa est censura excommunicationis, eaque reservata.*

3°. Legere sine licentia libros, aut adversus religionem christianam, aut adversus fidem catholicam, aut adversus definitiones dogmaticas, ab universali Ecclesia receptas, scriptos. Eos disseminare, aut retinere.

4°. Artem magicam, et sortilegam exercere; magos et ariolos consulere, veneficia, et maleficia adhibere.

5°. Simonia realis occulta in beneficiis, aut in ordinibus; item confidentia occulta, et crimen eorum, qui sponte, seu scienter, vel simoniæ reali, vel confidentiæ cooperantur. *Annexa est censura excommunicationis, eaque reservata.*

6°. Gravis, vel injuriosa, ex ira, aut vindicta, percussio patris, vel matris.

7°. Gravis, ex ira, percussio clerici, in sacris ordinibus constituti, et clericali habitu induti, aut religiosi proprium suæ professionis habitum gestantis. *Annexa est censura excommunicationis, eaque reservata.* Si percussio esset enormis et atrox, casus esset summo Pontifici, cum excommunicatione reservatus.

8°. Falsum, coram Judice, testimonium, aut juramentum.

9°. Homicidium voluntarium. Procurare sterilitatem, aut abortum, etiam ante fœtus animationem; vel etiam remedia, aut alia media adhibere, aut suppeditare, aut indicare, aut sumere ad alterutrum, etiam non secuto effectu. Infantis suffocatio inde orta, quod a persona suffocante, ad decumbendum in eodem lecto, fuerit repositus, ante primum ætatis annum completum.

10°. Duello confligere; ad id provocare; id ipsum acceptare. Erit etiam casus reservatus illud suadere, si effectus sequatur. *Annexa est censura excommunicationis, eaque reservata.*

11°. Incestus in 1°. et 2°. consanguinitatis, aut affinitatis gradu.

12°. Sodomia inter ejusdem, aut diversi sexus personas, nonmodo consummata, sed etiam actu ad id ex se ducente, solummodo attentata.

13°. Bestialitas itidem, etiam si esset simpliciter attentata.

14°. Concubitus duorum, qui, vel quorum alter, sunt, voto solemni, aut sacro ordine, Deo consecrati.

15°. Incendium occultum, malitiose, et data opera, procuratum. *Annexa est censura excommunicationis, eaque reservata.*

16°. Ebrietas in ecclesiastico, in sacris ordinibus constituto. Per statum ebrietatis intelligimus alienationem mentis, ortam ex nimia vini potatione.

17°. Caupones incidunt in casum reservatum, cum diebus dominicis, aut festivis, tempore missæ parochialis, aut vesperarum, vinum præbent parochianis loci, ad illud potandum, sive in sua taberna, sive in locis a sua taberna dependentibus.

Lavaur 1788

Absence de cas réservés.

Narbonne 1789
[Arthur-Richard Dillon]
Cas portant excommunication ipso facto, à nous réservés

843   Narbonne 1789 p. 77-80

[Formulaire proche de Narbonne 1736.]
1. Les cinq Cas ci-dessus ne sont réservés au Pape que lorsqu'ils sont publics[137] ; et ils nous sont réservés lorsqu'ils sont occultes. *Réserv. spécial.*
II. L'Hérésie. *Réservée spécialement si elle est publique.*
III. Frapper, même légèrement un Prêtre ou Clerc, Séculier ou Régulier.
IV. La suffocation des enfans. *Réserv. spécial.*
V. Le Duel et appel au Duel ; non seulement pour ceux qui se battent, mais encore pour ceux qui portent l'appel, et qui conseillent le Duel, quoiqu'il ne soit pas consommé. Semblablemenrt, pour ceux qui l'acceptent, quoique le combat ne s'en soit pas ensuivi.
VI. L'entrée des hommes dans les Monastères des Religieuses ; et celle des femmes dans les Monastères des Religieux et Religieuses.
VII. Attenter de se marier malgré le Curé, et lui faire des Actes, pour déclarer qu'on se marie en sa présence ; ou contribuer à tels Actes, en qualité de Notaire ou de Témoin.
VIII. Ceux qui recèlent le corps des Bénéficiers décédés, et qui y donnent conseil, aide ou faveur.
IX. Ceux qui font des Simonies ou Confidences. *Réserv. spécial.*
X. Ceux qui font des Actes faux ou des antidates de Résignation, Démission, Cession, Permutation, Titre, Mise de possession, concernant les Bénéfices, et les Notaires et Témoins qui y contribuent.

---

[137]   *Voir supra* Cas réservés au Pape, Narbonne 1736, 1789.

XI. Ceux qui, après avoir fait une Résignation, font une révocation, aux fins d'être toujours les maîtres du Bénéfice.

XII. Ceux qui, étant simples Bénéficiers, tiennent chez eux des femmes ou des filles sans permission, ou les emploient pour leur service journalier, quand même elles ne coucheroient pas dans leurs maisons ; si elles ne sont de bonnes moeurs et réputation, et si elles n'ont atteint l'âge de cinquante ans, à moins que ce ne soit leur mère, leur soeur, ou leur tante.

XIII. Ceux qui, étant simples Bénéficiers, jouent au Mail, Billards et autres jeux publics ; entrent dans les Brelans, pour y jouer ou faire jouer leur argent ; assistent aux Spectales publics et aux Représentations de Théâtre ; chassent avec armes à feu ; mangent ou boivent au Cabaret, (excepté en voyage), le tout pour la troisième fois, soit que les autres peines portées par l'Article I. du Titre X. des Statuts Synodaux ayent été déclarées ou non.

XIV. Tous les Prêtres, Séculiers et Réguliers, qui administrent le Sacrement de Pénitence, sans avoir obtenu notre Approbation, (excepté le cas de péril de mort, et au défaut d'un Prêtre approuvé). *Réserv. spécial.*

XV. Semblablement les Prêtres qui donnent l'absolution des Censures et Cas à nous réservés, énoncés en la présente liste, à ceux qui ont atteint l'âge de puberté, sans en avoir reçu le pouvoir, (excepté le cas de péril de mort, et les autres cas qui sont marqués dans les Avis ci-dessous).

XVI. Ceux qui se marient devant autre que leurs Curés, Vicaires, ou Prêtres commis par nous ou lesdits Curés, et ceux qui coopèrent à tels Mariages clandestins.

Narbonne 1789

Cas portant suspense ipso facto, *à nous réservés*

P2844 **Narbonne 1789 p. 80-81**

Sont suspens :

I. Ceux qui, étant dans les Ordres sacrés, tiennent chez eux des femmes ou des filles, ou les emploient pour leur service journalier, etc. comme il est porté ci-dessus à l'article XII. des Excommunications.

II. Ceux qui, étant dans les Ordres sacrés, jouent au mail, billards et autres jeux publics, etc. comme il est porté ci-dessus à l'article XIII. des Excommunications.

III. Ceux qui, ayant été pourvus de cure par autres que par nous, (qui prétendent en être les collateurs) ne reçoivent pas de nous le régime des Ames avant d'y faire aucune fonction.

IV. Les curés qui ne remettent pas à leurs successeurs, les registres de la paroisse dans un mois au plus tard, après la prise de possession de leurs successeurs.

V. Ceux qui, ayant été ordonnés sous-diacres, sur un titre de patrimoine, y renoncent sans avoir de quoi vivre d'ailleurs. *Réserv. spécial.*

VI. Tous prêtres qui entreprennent de faire des mariages, n'étant pas les curés des contractans, les vicaires de la paroisse ou commis par nous ou par lesdits curés. *Réserv. spécial.*

Narbonne 1789

Cas à Nous réservés[138]

845 Narbonne 1789 p. 81-82

I. Détenir les biens de l'Eglise, legs pies, testamens et toutes sortes de titres, actes et documens appartenant aux églises, hôpitaux et bénéfices.

II. Profaner les lieux saints, par larcin, fornication ou effusion de sang humain.

III. L'homicide, l'avortement; ou contribuer à l'un ou à l'autre de ces crimes. *Réserv. spécial.*

IV. Coucher les enfans dans le lit avant l'an et le jour de leur naissance. *Vid. Art. 2* ci-dessous.

V. Exposer et abandonner les enfans.

VI. Frapper son père ou sa mère, son beau-père ou sa belle-mère.

VII. L'empoisonnement, quoique la mort n'ait pas ensuivi.

VIII. La sodomie.

IX. La bestialité.

X. Le concubinage public. *Réserv. spécial.*

XI. L'inceste, au premier ou second degré de consanguinité ou d'affinité; et au premier degré d'affinité spirituelle.

XII. *Sacrilegium cum moniali; item, confessarii cum pœnitente, et pœnitentis cum confessario.* Réserv. spécial.

Na. [Nota] Nullus sacerdos absolvere potest a peccato carnis complicem sui criminis, quamcumque a nobis obtinuerit, vel obtinere postea possit generalem vel specialem potestatem absolvendi a casibus reservatis.

XIII. La falsification des actes publics.

XIV. Le faux témoignage en justice.

XV. La falsification ou rognure de monnoie.

---

[138] Formulaire daté 1764 et signé de l'archevêque A.R. Dillon.

XVI. Les sortilèges, enchantemens et maléfices ; consulter les sorciers, enchanteurs et magiciens. *Vid. Art. 2.*
XVII. Le rapt.
XVIII. Manger de la viande en carême, sans nécessité.
XIX. Ne pas révéler les legs pies dans trois mois, si l'on est notaire.

Narbonne 1789

Avis sur les cas réservés ci-dessus

P2846 **Narbonne 1789 p. 83-86**

1°. Nous déclarons que nous ne nous réservons aucune censure et cas, si le crime auquel la réserve ou censure est attachée, a été commis avant l'âge de puberté, c'est-à-dire, quatorze ans accomplis pour les garçons, et douze ans pour les filles.

2°. Conformément aux statuts synodaux, *pag. 165, Art. XXIII.* nous donnons pouvoir à tous recteurs, curés et autres prêtres approuvés de nous, d'absoudre, pendant la quinzaine de Pâques, des cas IV. et XVI. marqués dans la liste ci-dessus, sous le titre de *Cas à nous réservés*; lequel pouvoir nous accordons également pendant le cours de l'année, toutes les fois qu'il s'agira de disposer un pénitent à satisfaire au devoir paschal, ou de faire faire à quelqu'un une confession générale.

3°. Nous accordons de plus, aux confesseurs, tous les cas et censures que nous nous réservons *généralement*, et non ceux que nous nous réservons *spécialement*, suivant ce qui sera expliqué ci-dessous, *Art. VI.* lorsqu'il s'agira de disposer des personnes à la première communion ou à la confirmation.

4°. Tout confesseur peut également absoudre des mêmes censures et cas qui nous sont seulement *généralement* réservés dans la circonstance d'un mariage prêt à être célébré, si on n'a pas le temps suffisant pour recourir au supérieur ou à un prêtre approuvé pour les cas réservés ; laquelle permission nous n'étendons cependant point au pouvoir de dispenser d'aucun empêchement de mariage, de quelque espèce qu'il soit, et quelque secret qu'il puisse être.

5°. *Si quis parochus vel vicarius, vel alius presbyter curam animarum habens, reus (quod absit) alicujus peccati nobis reservati* generaliter *tantum, vel cui annexa sit censura eo modo* generali *reservata, teneatur ex officio suo missam celebrare, ut puta diebus dominicis vel festivis, vel sacramentum administrare, et propter distantiam loci vel brevitatem temporis, non possit ad nos recurrere, aut ad nostros vicarios generales, vel ad confessarium qui habeat licentiam absolvendi a casibus et censuris reser-*

vatis, tunc potest absolvi a quovis confessario approbato, cum onere tamen accedendi quam primum potuerit ad nos, vel nostros vicarios generales, vel saltem ad sacerdotem pro reservatis approbatum ut monita salutis accipiat.

6°. Nous déclarons que dans les pouvoirs accordés, dans les trois derniers articles précédents, d'absoudre, en certaines circonstances, des cas et censures qui ne nous sont que *généralement* réservés, comme aussi dans les permissions générales et ordinaires, qui nous seront demandées dans la suite, ou à nos grands-vicaires, d'absoudre de toutes censures et cas réservés, nous n'entendons jamais comprendre les censures et les cas qui sont notés dans la liste ci-dessus, d'un *caractère italique*, lesquels nous nous réservons *spécialement*, à cause de leur énormité et de leurs suites. Nous exigeons donc, que pour absoudre desdits cas ou censures, ils nous soient expressément énoncés. Nous déclarons que notre intention est de ne jamais accorder la permission d'en absoudre, à moins que nous ne le spécifions expressément.

7°. Nous révoquons la suspense portée ci-devant, contre ceux qui, devant, selon les statuts de ce diocèse, se trouver aux conférences, négligeoient de s'y rendre. Ordonnons néanmoins que ceux qui, sans cause légitime, manqueront deux fois, dans le cours de l'année, ou d'assister aux conférences, ou d'envoyer leurs réponses par écrit, seront exclus desdites conférences, et que leurs pouvoirs seront limités à leurs paroisses, sans qu'ils puissent prêcher dans d'autres églises, ou confesser d'autres que leurs paroissiens, excepté dans le cas de nécessité.

Donné à Montpellier, pendant la tenue des Etats, le 22 Décembre 1764. Arthur-Richard, Archevêque et Primat de Narbonne.

Langres 1790[139]

[César-Guillaume de La Luzerne]
Casus reservati Illustrissimo… DD. Episcopo Lingonensi. Qui annexam habent excommunicationis censuram[140]

Langres 1790 p. 218-223

I. Tous les cas ci-dessus[141], quand ils sont secrets. *Omnes supradicti Casus summo Pontifici reservati, quando sunt occulti, vel ea carent notorietate quam canonicae Constitutiones requirunt unt sanctae Sedi re-*

---

[139] *Instruction sur l'administration des Sacremens, par M. César-Guillaume de La Luzerne, évêque de Langres.* Langres, chez Laurent-Bournot. (s.d.) p. 3. *Instructions sur le Rituel de Langres.*
[140] Chacun des cas est suivi d'un long commentaire en français.
[141] Voir supra Cas réservés au pape, Langres 1790.

serventur. Item, quando poenitentes impedimento gravati Romam adire non possunt. …

II. Hérésie. *Haeresis ab Ecclesiâ damnatae publica professio.* …

III. Mauvais traitement à un Clerc. *Percussio gravis et ex malitiâ, licet non atrox, scienter illata Clerico in sacris constituto, vel religioso.* …

IV. Coups donnés à un pere. *Percussio patris, aut matris, Avi, aut Aviae, aut alterius ex ascendentibus.* …

V. Avortement. *Abortus tentatio vel procuratio datâ operâ. Item consilia vel remedia ad hunc damnandum finem data, vel quaelibet alia cooperatio voluntaria.* …

VI. Duel. *Duellum, vel ad illud provocatio, vel illius acceptatio, vel quaevis alia cooperatio, etiam pugnâ non secutâ.* …

Langres 1790

Casus reservati Illustrissimo… DD. Episcopo Lingonensi.
Qui non habent censuram annexam[142]

P2848 **Langres 1790 p. 224-239**

I. Livres contre la Religion. *Peccatum eorum qui libros aut libellos sive typis mandatos, sive manuscriptos contra veritatem Religionis christianae, ut tales cognitos legunt vel retinent, vel disseminant, vel publici juris faciunt, vel componunt.* …

II. Mariage nul. *Matrimonium cum impedimento dirimenti absque dispensatione scienter et liberè contrahere vel celebrare. Cui reservationi subjacent parentes, tutores, ac testes, scienter ad tale matrimonium cooperantes.* …

III. Vol d'une chose sacrée. *Furtum rei sacrae in loco sacro.* …

IV. Violation de la clôture religieuse. *Violatio clausurae regularis. Hâc reservatione obstringuntur 1°. personae utriusque sexûs quae Monialium septa absque licentiâ Episcopi ingrediuntur. 2°. Moniales quae absque Episcopi licentiâ extra monasterium exeunt. 3°. Mulieres quae in conventus Religiosorum intrant, et Religiosi qui ipsas admittunt. Restringitur haec ultima reservatio ad loca regularia, id est ad dormitoria et claustra in quocumque conventu, et ad alias partes juxta usum cujusque monasterii.* …

V. Homicide. *Homicidium voluntarium etiam inchoatum, id est actio occisiva, licet ex eâ mors non sequatur, et cooperatio directa ad idem crimen.* …

---

[142] Chacun des cas est suivi d'un long commentaire en français.

VI. Application du feu. *Ignis applicatio voluntaria ad aedes, sylvas, segetes ex malitiâ,licet exustio secuta non fuerit. Extenditur haec reservatio ad sceleris complices.* ...
VII. Faux témoignage. *Falsum testimonium contra proximum coram Judice prolatum, cui reservationi subjacent et subornatores.* ...
VIII. Falsification des actes. *Falsificatio per se, vel per alium, contractuum aut aliorum instrumentorum : item eorumdem usus, notâ falsitate.* ...
IX. Prédication ou confession sans pouvoirs. *Praedicatio verbi divini, vel confessionum auditio absque titulo legitimo, aut approbatione Episcopi.* ...
X. Inceste. *Incestus inchoatus, licet non consummatus in primo et secundo consanguinitatiis gradu, vel in primo gradu affinitatis naturalis, etiam si affinitas sit ex illicitâ copulâ.* ...
XI. Commerce criminel avec des personnes consacrées à Dieu. *Fornicatio etiam incohata, cujuslibet personae, sive ratione voti solemnis, sive ratione ordinis, ad castitatem adstrictae. Reservatur etiam pro complice.* ...
XII. Rapt. *Raptus virginis vel mulieris, sive ad libidinem explendam, sive ad matrimonium contrahendum, licet neutrum secutum fuerit. Hâc reservatione innodantur et sceleris complices.* ...
XIII. Péché contre nature. *Pessimum Sodomiae, etiam inter personas diversi sexûs peccatum. Item, quod et gravius est, bestialitas, etiam si peccata non sint consummata.* ...

Mende 1790

Absence de cas réservés.

Rieux 1790

[Pierre-Joseph de Lastic]
Cas réservés à Monseigneur l'Evêque de Rieux

Rieux 1790 p. 188-189
1. L'hérésie manifestée extérieurement, et la lecture des livres hérétiques, sans permission légitime.
2. Faire ou faire faire des sortilèges, divinations ou maléfices ; employer des pratiques superstitieuses, sachant que c'est chose défendue.
3. Le blasphème formel et réfléchi, c'est-à-dire, proféré avec intention de blasphémer ; le parjure ou faux serment, en déposant ou répondant en justice.

4. L'inceste au premier ou second degré, tant de consanguinité, que d'affinité charnelle.

5. Le concubinage public, et l'adultère aussi public.

6. Le viol ou le rapt des femmes ou filles, donner conseil et aide pour cet effet.

7. Le sacrilège qui se commet par le péché de la chair avec un religieux ou une religieuse, de part et d'autre; et celui du confesseur avec sa pénitente, aussi de part et d'autre.

8. Fornicatio præsbyteri, aut alterius viri ecclesiastici, in sacris ordinibus constituti, aut beneficiati, cum soluta vel non soluta, ex parte tantum viri ecclesiastici.

9. Le péché de sodomie entre quelques personnes que ce soit, même mari et femme; et la bestialité.

10. L'homicide commis volontairement; l'avortement procuré ou conseillé, quand l'effet a suivi.

11. Le duel exécuté, ou même simplement donné et accepté, quoique le combat ne s'en soit pas ensuivi; y avoir coopéré par conseil ou autrement.

12. L'exposition des enfans, sans extrême nécessité, les coucher avec soi dans le même lit avant l'an et jour de leur naissance, encore que la suffocation ne s'en soit pas ensuivie.

13. L'entrée dans les monastères des religieuses, sans licence ou sans urgente nécessité, tant pour les hommes que pour les femmes et filles; et l'entrée dans les couvents des religieux pour les femmes et filles, aussi sans licence ou nécessité pressante.

14. Mettre la main violente sur les prêtres ou clercs vivans cléricalement, séculiers ou réguliers, les offensant et battant, même légèrement.

15. Usurper les droits de l'Eglise; s'emparer de ses fonds, les détenir injustement; retenir les titres et documens qui la concernent, et aussi retenir sans droit les registres des baptêmes, mariages et sépultures, soit anciens, soit nouveaux.

16. Le silence des notaires qui manquent de dénoncer, dans l'an et jour, au recteur de la paroisse ou à ses vicaires, les fondations ou legs pieux portés aux actes par eux reçus, ou dont ils sont les détenteurs.

17. L'absence des curés qui demeurent hors de leurs paroisses, sans une juste cause, au-delà de deux mois par an, tout compté, ainsi qu'il est expliqué dans les statuts du diocèse, l'omission de leur part de faire ou faire faire le prône pendant trois dimanches consécutifs, sans raison légitime; et encore manquer de faire ou faire faire la doctrine chrétienne ou catéchisme, sans excuse suffisante, pendant trois fois consécutives, hors les temps et jours exceptés par les statuts.

18. La désobéissance des ecclésiastiques qui mangent ou boivent dans des cabarets hors le temps de voyage, et autres cas exceptés par les statuts.

19. Battre son père ou sa mère, ou quelqu'un des ascendans en ligne directe.

20. Manger ou faire manger de la chair en temps prohibé, sans nécessité.

21. Manquer de révéler sur des monitoires dûment publiés par trois fois, encore qu'il n'y ait pas eu de fulmination d'excommunication.

22. L'incendie fait par malice ; le vol avec effraction dans les églises et autres lieux saints ; l'un et l'autre lorsque le coupable n'est pas publiquement dénoncé.

23. La profanation des églises ou lieux saints par l'effusion du sang humain répandu par malice, ou par le péché de la chair entre personnes libres ou non libres, même par l'usage du mariage.

24. La falsification de tous actes publics ou juridiques, ou s'en servir les connoissant faux.

25. La simonie réelle et la confidence, tant aux ordres qu'aux bénéfices quand elles sont occultes.

Il n'y aura pas d'autres péchés réservés à monseigneur l'évêque dans ce diocèse que ceux marqués dans la présente liste, quand même ils seroient exprimés dans les textes du droit canonique.

Ceux des cas ci-dessus auxquels l'excommunication est annexée sont l'hérésie et la lecture des livres hérétiques sans permission ; l'exposition des enfans sans extrême nécessité ; *les coucher avec soi dans le lit avant l'an et jour de leur naissance* ; le sortilège et divination ; se battre en duel ; y coopérer par conseil ou autrement ; l'entrée dans les Monastères des Religieuses sans licence ou nécessité ; l'incendie par malice ; le silence des notaires sur les fondations et legs pieux ; mettre la main violente sur les Prêtres ou Clercs vivans cléricalement ; l'usurpation ou la rétention injuste des biens de l'Eglise ; la rétention sans droit des registres des paroisses concernant les baptêmes, mariages et sépultures ; la simonie réelle et la confidence ; et la falsification des actes émanés de l'autorité ecclésiastique.

CHAPITRE XXVI

ENSEIGNEMENT DE LA FOI

1. Aides-mémoire

Les rituels d'une trentaine de diocèses présentent, principalement au XVIe siècle, de petits aides-mémoire en latin ou en français, énumérant les commandements de Dieu et de l'Église, les œuvres de miséricorde corporelles et spirituelles[1], les sacrements, vertus, béatitudes, péchés, vices[2], remèdes contre les péchés, etc.[3]

Ces listes codifiées, souvent versifiées, sont parfois considérées comme de brefs examens de conscience (Reims 1506-c. 1540), ou comme devant donner aux confesseurs les connaissances indispensables à leur fonction (Reims 1585), ou encore comme de petits catéchismes (Strasbourg 1590); elles font souvent partie du prône dominical. Certaines sont spécialement développées, en particulier à Elne 1509, Maguelonne 1533, Verdun 1554, ainsi que les listes allemandes de Strasbourg 1590 et Metz 1605.

Quelques catéchismes contiennent des listes du même type: *Exposition de la Doctrine Chrestienne* de Rouen 1611/1612, *Sommaire de la Doctrine chrestienne* de Toulouse 1616-1653[4], *La Doctrine chrestienne* de Sens 1625, *Catechisme ou briefve instruction de la Doctrine chrestienne* d'Orléans 1642, *Modus docendi doctrinam christianam* d'Elne 1656[5].

---

[1] Six œuvres de miséricorde dans Matthieu 25, 31-46; une dans Tobie 1, 18 (ensevelissement des morts). Voir I. Noye, «Miséricorde (Œuvres de)», *Dictionnaire de Spiritualité*, t. 10 (1980), col. 1328-1349.

[2] Pour une vue de l'origine et de la classification des vertus et des vices depuis l'Antiquité gréco-latine jusqu'au Moyen-Âge, voir J. Longère, *Œuvres oratoires de Maîtres parisiens au XIIe siècle. Étude historique et doctrinale*, 2 vol., Paris, 1975.

[3] On trouve des exemples de ces aides-mémoire dans Guillaume de Vuerte, *Libellus de modo penitendi et confitendi*, Paris, 1495, et *La Confession Maistre Jehan Jarson* [sic]... s.d., opuscules reliés à la suite du *Modus confitendi* d'André de Escobar, Strasbourg, 1507 (Paris, BnF, Rés. D. 5092).

[4] Les *Sommaire de la Doctrine chrestienne* des rituels toulousains, généralement reliés à la suite de ceux-ci, sont considérés comme y faisant suite.

[5] *Voir infra* Catéchismes.

Reims 1506 n.st.-c. 1540
Auxerre 1536. Beauvais 1544. Langres 1524-1612. Laon 1538
Paris 1542, [1552], 1559. Rennes c. 1510, 1533. Saint-Brieuc [1506]
Sens 1555, c. 1580. Toul 1524, 1525. Troyes c. 1505-1573
[Reims 1506 : Guillaume Briçonnet]

P2850   **Reims 1506 n.st. f. A8**

Decem precepta Decalogi[a]
Unum crede Deum, ne iures vana per ipsum.
Sabbata sanctifices, et venerare parentes.
Non sis occisor, fur, mechus, testis iniquus.
Alterius nuptam, resque caveto suas[6].

Septem sacramenta Ecclesie. Ordo, coniugium, fons, confirmatio, panis.
Unctio postrema, confessio, sunt sacramenta[7].

Que reiterantur et que non. Ordo, baptismus, firmatio[b] non iterantur.
Cetera que restant, iterari non prohibentur.

Septem sunt peccata mortalia que per litteras huius nominis *Saligia* intelliguntur[c].

Septem sunt opera misericordie corporalia.
V. *Pasce famescentes, pota*[d] *nimium sitientes.*
Indue nudatos, redimas[e] *carcere captos.*
Egros conforta, peregrinos collige porta.
Defunctos sepeli, sic sumas[f] *gaudia celi.*

Septem sunt opera misericordie spiritualia.
Corrige peccantes, ac instrue pauca scientes.
Consule non doctis, exora pro tribulatis.
Conforta mestos, porta patiens onerosos.
Offensus sponte, ledenti corde remitte.

---

6   Liste proche de celle du *Sacerdotale* de Castellano intitulée *Forma brevis interrogandi secundum decem praecepta legis, et septem peccata mortalia in versibus.* Éd. 1560 f. 50v : *Unum cole Deum, ne iures vana per ipsum. Sabbata sanctifices, habeas in honore parentes. Non sis occisor, fur, mechus, testis iniquus. Alterius sponsam, nec rem cupias alienam.* Sur Alberto Castellano, voir *infra* Bibliographie sélective – sources, p. 23.

7   Présentation originale – reprise par Lyon 1542 et Metz 1543 – commençant par les états de vie et continuant par les sacrements dits aujourd'hui de l'initiation.

Septem dona Spiritus Sancti scilicet Donum timoris. Pietatis. Scientie. Fortitudinis. Consilii. Intellectus et Sapientie.

Casus reservati episcopo. *Qui facit incestum...* P2579. **Casus reservati pape.** *Per papam feriens clerum...* P2447.

Variantes. (a) Decalogi] legis Pa. 1542; formulaire manquant à Paris 1552-1559. –(a) Firmatio] Confirmatio Bea. Lao. Pa. –(b) Per s intelligitur superbia. Per a avaricia. Per l luxuria. Per i invidia. Per g gula. Per i ira. Per a accidia] *add.* Pa. 1552, 1559.
Versus. *Dic michi saligia, que sunt peccata cavenda.*
Sunt tumor, accidia, gula, luxuria, simul ira.
Livor, avaricia, septem mortalia dira. (rare). *add.* Sen.
Sequuntur peccata in spiritum sanctum. *Impugnans verum...* (comme Metz 1543, P2854) *add.* Sen.
(d) poto] Sen. –(e) a] *add.* Pa. – in] *add.* Sen. –(f) sumes] Sen.

Elne 1509
[Jacques de Serra]
Speculum Fidei

Elne 1509 f. A1-A2v

Septem sunt articuli divinitatis, scilicet.
Credere unum Deum esse omnipotentem. Esse Filium. Esse Spiritum Sanctum. Creatorem celi et terre visibilium et invisibilium. Peccatorum remissionem, Carnis resurrectionem.

Septem articuli humanitatis sunt.
Credere quod I. C. filius Dei fuit in utero virginali, Conceptus per opus Spiritus Sancti. Natus ex Maria virgine. Passus sub Poncio Pilato, Descendit ad inferos. Surrexit tertia die. Ascendit ad celos, Venturus est iudicare Vivos et mortuos[8].

Decem precepta legis.
Unum cole Deum. Ne iures vana per eum, Sabbata sanctifices, Venerare quoque parentes. Noli mechari, Nolique de cede notari. Furta

---

[8] Le Synodal de Rodez 1289 indique que la foi catholique repose sur quatorze articles qui traitent de la Trinité et de l'Incarnation : sept ont rapport avec la Divinité, sept avec l'humanité. Cf. Mansi, *Sacrorum Conciliorum nova, et amplissima collectio...*, Venetiis, t. 24 (1780), col. 968 : Consistit autem fides catholica in XIV. articulis fundatis de summa Trinitate et Incarnatione Verbi Dei. Quorum VII. pertinent ad Deitatem, et VII. alii ad humanitatem. Illorum qui pertinent ad Deitatem, primus respicit in se essentiam divinam, et alii tres immediate sequentes, personas essentiae divinae. Cf. J. Longère, « La prédication d'après les statuts synodaux du Midi au XIIIe siècle », *La prédication en Pays d'Oc (XIIe-début XVe siècle)*, Toulouse, 1998, p. 266.

cave fieri. Ne sis testis nisi veri. Ne cupias nuptias, Neque quere res alienas.

Quinque precepta Ecclesie.
Confiteri semel in anno in pascha resurrectionis.
Communicari semel in anno eodem tempore.
Audire missam diebus dominicis et festis precipuis.
Ieiunare temporibus ab Ecclesia institutis.
Solvere decimas et premicias.

Septem peccata mortalia que comprehenduntur in isto nomine Saligia. Superbia. Avaricia. Luxuria. Ira. Gula. Invidia. Accidia.
Superbia habet octo ramos: Discordia. Inobediencia. Iactantia. Ipocrisis, Inanis gloria. Obstinatio. Presumptio. Singularitas.
Avaricia habet vii ramos: Furtum. Fraus. Prodictio. Periurium. Rapina. Simonia. Usura.
Luxuria habet septem ramos: Affectus presentis seculi. Amor sui. Odium sui. Inconsideratio. Incontinencia. Instabilitas. Precipitatio.
Ira habet septem ramos. Blasphemia. Clamor. Furor. Odium. Indignatio. Rixa. Tumor mentis.
Gula habet septem ramos. Crapula. Ebrietas. Ebetudo sensus. Immundicia. Inepta leticia. Multiloquium. Scurrilitas.
Invidia habet septem ramos. Detractio. Dolor. Homicidium. Machinatio. Plausus in adversi. Scelus. Susurratio.
Accidia habet septem ramos. Bonarum rerum obmissio. Desperatio. Error. Ociositas. Pusilanimitas. Tristicia. Vagatio mentis.

Septem [*sic* pour **Tres**] **virtutes principales.** Fides. Spes. Charitas.

Quatuor cardinalis [*sic*]. Prudencia. Temperancia. Fortitudo. Iusticia.
Prudencia habet septem filias. Diligentia. Consilium. Providentia. Timor domini. Ratio. Scrutabilitas. Discretio.
Temperantias [*sic*] *habet septem filias.* Tollerentia. Sobrietas. Ieiunium. Modus. Benignitas. Contemptus mundi. Castitas.
Fortitudo habet septem filias. Longanimitas. Silentium. Stabilitas. Requies. Perseverentia. Non extolli in prosperis. Non dejici in adversis.
Iusticia habet septem ramos. Juris observantia. Judicium. Veritas. Lex. Correctio. Severitas. Rectitudo.

Dona Spiritus Sancti sunt septem.
Timor contra superbiam.
Pietas contra invidiam.

Sciencia contra iram.
Fortitudo contra accidiam.
Consilium contra avariciam.
Intellectus contra gulam.
Sapientia contra luxuriam.

Peccata contra Spiritum Sanctum.
Invidia fraterne gratie.
Impugnatio veritatis agnite.
Desperatio.
Presumptio.
Obstinatio mentis.
Et in penitencia finalis.

Potencie anime quibus similatur Deo.
Memoria. Intelligentia. Voluntas. Propter unitatem in essentia et trinitatem in potentiis.

Tres sunt dotes anime.
Dilectio. Tentio. Fruitio.

Dotes corporis gloriosi sunt quatuor.
Sublimitas. Agilitas. Claritas. Impassibilitas.

Sensus corporis sunt quinque que comprehenduntur in hoc vocabulo Vagot.
Visus. Auditus. Gustus. Odoratus. Tactus.

Opera misericordie sunt septem spiritualia, et septem corporalia.
Opera misericordie spiritualia.
Unde versus Consulere nescientibus. Docere ignorantes. Corripere delinquentes. Remittere iniuriantibus. Cansolare [*sic*] tristes. Sustinere importunos. Orare pro persequentibus.
Unde versus. Consule: doce: castiga: remitte: sollare: fer: ora.

Opera misericordie corporalia septem.
Pascere esurientem. Potare sitientem. Vestire nudos. Visitare infirmos. Redimere captivos. Colligere hospicio vagos. Sepelire mortuos. *Unde versus:* Visito: poto: cibo: redimo: tego: colligo: condo.

Septem sacramenta Ecclesie. Baptismus. Confirmatio. Penitencia. Communio. Ordo. Matrimonium. Extrema unctio.

Octo beatitudines. Beati pauperes spiritu. Beati mittes. Beati, qui lugent. Beati qui esuriunt et sitiunt iusticiam. Beati misericordes. Beati mundo corde. Beati pacifici. Beati qui persecutionem patiuntur propter iusticiam.

Parte confessionis sunt IIII.
Cordis contritio. Oris confessio. Operis satisfactio. Firmum propositum non peccandi.

Tria requiruntur ad veram penitentiam et confessionem.
Cognitio peccati.
Considerare bonum quod perdidit propter peccatum.
Considerare penam quam meretur propter peccatum.
Finis.

Maguelonne 1533
[Guillaume Pellissier]
Le Livre de Jesus[9]

P2852   **Maguelonne 1533 f. 101v-102v**
Les sept vertus contraires aux sept pechez mortels.
Humilité contre Orgueil. Charité contre Envie.
Chasteté contre Luxure. Patience contre Ire.
Abstinence contre Glotonie. Liberalité contre Avarice.
Diligence contre Paresse.

Les sept sacremens de saincte Eglise, comparez aux sept vertus.
Le premier est le sacrement de Baptesme qui est comparé a Foy.
Le second Confirmation, comparé a Esperance.
Le tiers de l'Autel, comparé a Charité.
Le IIII Penitence, comparé a Prudence.
Le v l'Extreme unction, comparé a Justice.
Le vi Prestrise, comparée a Force.
Le septiesme est le sacrement de Mariage, comparé a Temperance.

Les oeuvres de misericorde corporelles.
Donner a menger aux pouvres.
Donner a boire a ceulx qui ont soif.

---

[9] *Le Livre de Jésus (pour les simples gens)* : petit recueil présent au XVIe siècle dans plusieurs rituels de la moitié sud de la France, plus développé à Maguelonne qu'ailleurs. Le texte de Maguelonne débute par les conseils de dévotion habituels (voir volume II/6 : *Prônes dominicaux. Conseils de dévotion*) suivis de conseils de vie chrétienne (P2971) et de l'aide-mémoire de la foi (P2852).

Revestir les nuds.
Visiter les malades.
Loger les pouvres de Dieu.
Visiter les prisonniers.
Ensepvelir les mors.

Les oeuvres de misericorde spirituelles.
Enseigner les ignorans.
Conseiller les mal advisez.
Chastier les pecheurs.
Comforter les desolez.
Pardonner les injures.
Supporter les imperfections d'aultruy.
Prier pour les trespassez.

En quatre manieres on peult ayder aux ames des fideles trepassez.
Par oblation des prestres.
Par les prieres des amys.
Par jeusnes.
Et par aulmosnes.

Et toutes ces choses se doivent faire pour l'amour de Dieu principalement sans autre remuneration. Celluy est trop avaricieux a qui Dieu ne souffist pour son loyer.

Les douze empeschemens qui gardent de faire penitence.
Faulte d'ajouster foy a la doctrine de Jesuchrist.
Amour de peché.
Crainte de restituer.
Coustume de mal faire.
Exemple de peché.
Honte de bien faire.
Esperance de se repentir en la fin.
Negligence de penser de soy.
Crainte de ne se povoir garder de peché.
Desesperance de la misericorde de Dieu.

L'asseurance qu'on a es pardons, indulgences, messes et sacrifices, dont procede negligence de faire penitence, et y prent le peuple occasion et hardiesse de mal faire.

La folle attente qu'on a es prieres et es bienffaictz de ses parens et amys apres sa mort.

Les six pechez contre le Sainct Esperit.
Hayne et tristesse du bien spirituel d'aultruy.
Contredire a la verité manifeste et congneue.
Obstination en son mal et peché, et s'en vanter.
Presumption trop grande de la misericorde de Dieu.
Desesperance de ne pouvoir estre saulvé.
Finablement sans nulle penitence, se laisser mourir en son peché.

Les cinq pechez qui cryent a Dieu vengence.
Homicide et effusion de sang chrestien.
Peché contre nature et sodomitique.
Opprimer ses subjectz par violence.
Retenir le salaire qu'on doit pour labeur.
Usure en prest, ou soubz umbre de marchandise.

Les sept pechez qui procedent d'aultruy.
Commander de mal faire.
Donner conseil de faire mal a aultruy.
Soy consentir avec aultruy a mal faire.
Louer le pecheur en son mal et peché.
Recueillir et entretenir les malfaicteurs.
Participer es biens prins de l'aultruy.
Celer par malice aucun larrecin.
Ne garder point de mal faire quant on le peult.
Ne manifester la chose desrobée.

Lyon 1542
[Hippolyte d'Este]

Formulaire précédé d'un long examen de conscience, P1381.

P2853 **Lyon 1542 f. 94-94v**

Versus. *Sis humilis. Largus. Castus. Patiens. Moderatus. Compatiens. Fortis. Septem mortalia tollis.* [aussi Toul 1559]

Decem precepta Decalogi.
Unum crede Deum, nec iures vana per ipsum.
Sabbata sanctifices, habeas in honore parentes.
Non sis occisor, fur, mechus, testis iniquus.
Alterius nuptam, nec rem cupias alienam[10].

---

[10] Cette liste versifiée des dix commandements diffère en partie de celle de Reims 1506-c. 1540.

Quinque sensus.
Gustus, odoratus, auditus, visio, tactus.

Opera misericordie corporalia.
Visito, poto, cibo, redimo, tego, colligo, condo.

Opera misericordie spiritualia.
Corripit, ignoscit, solatur, consulit, orat.
Sustinet, informat, qui pius est animo.

Septem sacramenta.
Ordo, coniugium, fons, confirmatio, panis.
Unctio postrema, confessio, sunt sacramenta. [comme Toul 1559]

Metz 1543
[Jean de Lorraine]

Metz 1543 f. 1-3v

In primis, quia quilibet Christianus **decem precepta Decalogi** necessario et scire et custodire tenetur. Nam in custodiendis illis retributio multa. Ideo ea primo hic subiiciuntur, non tamen ut scientibus sint onerosa, sed ut sepius perlecta proficiant ad salutem.
Unum crede Deum, ne iures vana per ipsum... [comme Lyon 1542]

Articuli fidei spectantes ad divinitatem.
Unum crede Deum, personis hunc fore trinum.
Est pater, est natus, est pneuma sacrum, Deus unus.
Cuncta creans, peccata lavans, et premia donans.

Articuli spectantes ad humanitatem.
Conceptus, natus, cruce mortuus, infera fregit.
Surrexit, scandit, cunctos censere redidit.

Septem sacramenta Ecclesie.
Ordo, coniugium, fons, confirmatio, panis. Unctio postrema, confessio, sunt sacramenta.
Que reiterantur, et que non. Ordo, baptismus, firmatio, non iterantur.
Cetera que restant, iterari non prohibentur [comme Reims 1506]
Quorum quinque sunt necessaria, videlicet, Baptismus, Confirmatio, Eucharistia, Confessio, et Extrema unctio. Sacer vero ordo, et Matrimonium, non sunt necessaria, sed ab initio voluntaria.

Septem dona Spiritus sancti.
Sapientia. Intellectus. Consilium. Fortitudo. Timor. Pietas. Scientia.

Septem opera misericordie corporalia.
Pasce famescentes, pota nimium sitientes. ... [comme Reims 1506]

Septem opera misericordie spiritualia.
Corrige peccantes, ac instrue pauca scientes. ... [comme Reims 1506]

Quatuor virtutes Cardinales.
Prudentia, qua cognoscitur quod agendum sit.
Iustitia, qua redditur unicuique quod suum est.
Fortitudo qua animus in adversis non frangitur, et in prosperis non extollitur.
Temperantia qua coercetur appetitus a turpiter appetendis.

Tres virtutes Theologales.
Fides sine qua nemo salvari potest.
Spes, que per desiderium, et suspirium, introducit ad quietis gaudium.
Charitas, qua diligimus Deum, et proximos nostros sicut nosipsos.

Modus confitendi.
Elige prudentem, te solvere iure potentem.
Ut reminiscaris, hoc ordine confitearis.
Dic de criminibus mortalibus, et speciebus.
Dic de mandatis Domini, per te violatis.
De male perceptis, dicas etiam sacramentis.
Si contempsisti virtutes, vel caruisti.
De septem factis pietatis, dic malefactis.
Dic sensus quinque, nec cetera membra relinque.

Septem peccata mortalia.
Ut tibi sit vita, semper saligia vita.
Monstrat saligia, que sunt mortalia septem.
Saligie S Superbia
A Avaritia
L Luxuria
I Ira
G Gula
I Invidia
A Accidia

Quinque sensus exteriores.
Visus, et auditus, cum tactu, gustus, odorque.
Sensibus his quinque, haurit homo scelera.

Sex peccata in Spiritum Sanctum.
Impugnans verum, presumens, spemque relinquens.
Hinc induratus, odiens quoque fratris amorem.
Emendam spernens, impugnat pneuma beatum. [aussi Sens 1555- c. 1580, P2850]

Quatuor peccata clamantia in celum pro vindicta.
Clamitat in celum vox sanguinis, et sodomorum.
Vox oppressorum, merces detenta laborum.

[Cas réservés au pape et à l'évêque][11]

Quando dicitur *Gloria in excelsis*... [etc.]
Exhortatio ad sacerdotem pro horis dicendis.
Cum Christo psalles, psallendo tu tria serves. ...
Cause sex quare vocaliter orare debemus.
Collige sex causas, quare vocaliter oras. ...
Quomodo sacerdos se regere debet.
Presbyter attente capias, hec dogmata mente. ...

Verdun 1554

[Nicolas Psaulme]
Brevis instructio sacerdotum elementa christiane religionis succincta brevitate complectens[12]

855   Verdun 1554 f. 172v-177v

[Livres nécessaires aux prêtres]

Sacerdotibus necessaria sunt ad discendum. Liber sacramentorum, Lectionarius, Baptisterium, computus, Canon penitentialis, Homilie per circulum anni dominicis diebus et singulis festivitatibus apte, ex quibus omnibus, si unum defuerit sacerdotis nomen vix in eo constabit: quia valde periculose sunt evangelice mine, quibus dicitur Matthei xv. *Si cecus ceco ducatum prestet, ambo in foveam cadunt.*

---

[11]   Voir *supra* Cas réservés.
[12]   *elementa… complectens*: addition au titre, indiquée dans la table des matières.

[Extraits des statuts synodaux de 1549 recommandant la bonne façon d'administrer les sacrements]

Ex Constitutionibus Synodalibus anno millesimo quingentesimo quadragesimonono per nos editis et promulgatis.

Exhortamus omnes et singulos nostre diocesis presbiteros, ut priusquam ad alicuius sacramenti administrationem accedere attentant, sint contriti et confessi, et illud magna cum fide, devotione, gravitate, modestia, et cautela suis ministrent parrochianis, necnon sub administratione cuiuslibet sacramenti breviter admoneant quid in huiusmodi arcano agatur, ut fidelium fides in Deum excitetur, et populus virtutem, fructumque cuiuslibet sacramenti intelligat.

[*Credo. Pater. Ave*]

Catholice et apostolice fidei Symbolum. (Titre courant:) Symbolum apostolorum.
Prima pars de creatione. Petrus. *Credo in Deum patrem omnipotentem, creatorem celi et terre*[13]...
Oratio dominica. *Pater noster qui es in celis...*
Salutatio angelica. *Ave Maria gratia plena*[14]...

[Commandements de Dieu. Préceptes évangéliques]

Decem precepta Dei, in veteri testamento in duabus tabulis lapideis per Moysen data, et in novo testamento explicata, et ad perfectionem adducta.
Prime Tabule precepta. *Ego sum Dominus Deus tuus.* ...
Hec autem precepta in evangelio sumuntur in duobus ut docet[15]...

[Livres de la Bible]

Tota Biblia dividitur in duo testamenta.
Vetus. Inducens ad observationem legis veteris, per timorem penarum.
Novum. (Inducens ad observationem legis) nove, per amorem virtutum.
Ecclesiasticus Canon librorum veteris Testamenti.
Pentateuchus 1 Quinque libri Moysi. *Genesis. Exodus...* Hos libros vocant Legales.
Pentateuchum sequuntur libri. *Josue. Iudicum...* Hos historiales. [Etc.]

---

[13] *Credo* dit «des douze apôtres». Voir A. Aussedat-Minvielle, «Le Credo des douze Apôtres dans les premiers rituels imprimés français», voir *infra* Bibliographie sélective – Enseignement de la foi, p. 30-31.
[14] Texte de ces prières dans le volume II/6: *Prônes dominicaux. Conseils de dévotion.*
[15] Voir volume II/6: *Prônes dominicaux. Conseils de dévotion.*

Septem sacramenta ecclesie Catholice.
Sacramentum Baptismi. I.
Sacramentum Confirmationis. II.
Sacramentum Eucharistie. III.
Sacramentum Penitentie. IIII.
Sacramentum Ordinis. V.
Sacramentum Matrimonii. VI.
Sacramentum extreme unctionis. VII.

Quilibet sacerdos exacte sacramentorum formam, et debitam materiam, et ea que sunt sacramento essentialia aut congruentia teneat et sciat. In administratione autem eorum generaliter tria requiruntur, sine quibus non fieret sacramentum, nempe materia, forma, et minister.

Sunt autem sacramenta a Christo principaliter instituta, ut sint presentissima remedia contra peccatum, et certa efficaciaque signa voluntatis et gratie Dei, proindeque sic sunt signa, ut non tantum signent, sed et sanctificent.

Tres virtutes theologice sic vocate, quod circa illas tota Theologia versetur.
Fides. I.
Spes. II.
Charitas. III. [comme Elne 1509]

Quatuor virtutes officiales, que et cardinales vocantur.
Prudentia. I.
Justitia. II.
Fortitudo. III.
Temperantia. IIII.

Septem dona Spiritus Sancti, quibus virtutes theologice, et cardinales ad genuinam operationem moventur et expediuntur.
Spiritus sapientie. I.
Spiritus intellectus. II.
Spiritus consilii. III.
Spiritus fortitudinis IIII.
Spiritus scientie. V.
Spiritus pietatis. VI.
Spiritus timoris domini. VII.

Octo beatitudines perficientes hominem quas dona ista Spiritus Sancti in nobis efficiunt.

Beati pauperes spiritu, quoniam ipsorum est regnum celorum. ...
[Mat. 5, 3-10]

Tria opera quibus placemus Deo.
Ieiunium. Elemosina. Oratio.

Septem opera misericordie corporalis.
Pascere esurientem. I.
Potare sitientem. II.
Colligere hospitem. III.
Operire nudum. IIII.
Visitare infirmum. V.
Solari seu redimere captivum. VI.
Sepelire defunctum. VII.
Thobie primo[16].

Septem opera misericordie spiritualis.
Ferre patienter infirmitatem fratris, tametsi offendat aut obledat.

Consilio iuvare dubitantem, et ambigentis intricatam conscientiam salutaribus suasionibus et documentis expedire et explicare, viamque bonam qua secura conscientia incedat et pergat demonstrare.

Docere ignorantem, seu errantem instruere. III.

Consolari in tribulatione et angustia constitutum, tristem et pusillanimem. IIII.

Corripere peccantem vel in te privatim, vel publice si manifeste delinquat. Corripere item inquietum et prefractum. V.

Remittere offensam delinquenti, idque ex animo ad quod tenetur offensus. VI.

Orare denique pro persequentibus et calumniantibus nos. VII.

Consilia evangelica.
Primum et excellens, perpetuam virginitatem et corpore et mente servare. I.

Huic consilio affine et vicinum est post primas nuptias absolutas in casta viduitate permanere. II.

Rerum seu bonorum secularium proprietatem relinquere, et se vite communi vel solitarie addicere, vel facultates omnes abdicare, et in pauperes distribuere. III.

---

[16] Tobie 1, 18.

Tertium addunt d. Basilius[17] et ceteri sancti patres qui de vita monastica scripserunt. Quod est se addicere voto in obedientiam perpetuam alicui homini tanquam patri suo spirituali propter Christum.

f. 176v **Duo genera peccatorum.** Originale. I. Actuale. II.
Peccatum actuale duplex. Mortale. I. Veniale. II.
Triplex est rursus actuale peccatum. Peccatum cordis. I. Peccatum oris. II. Peccatum operis. III.
Utrumque rursum duplex. Commissionis. I. Omissionis. II.
Origo omnis peccati actualis, concupiscentia remanens in nobis a baptismo.
Que triplex est.
Concupiscentia carnis. I.
Concupiscentia oculorum. II.
Superbia vite. III.

Ad cognoscenda et discernenda peccata numerantur **septem peccata capitalia** seu mortalia que sunt veluti septem fontes et scaturigines omnium peccatorum actualium.
Superbia. I. Invidia. II. Ira. III. Accidia sive tristitia seculi. IIII. Avaritia. V. Gula. VI. Luxuria. VII.

Septem virtutes capitales, que ab octo beatitudinibus non multum differunt.
Humilitas. I.
Charitas. II.
Patientia. III.
Gaudium in Spiritu sancto. IIII.
Mundi contemptus. V.
Sobrietas. VI.
Castitas. VII.

Novem modis communicamus peccatis alicuius.
Consilio. I. Iussione. II. Consensu. III. Adulatione. IIII. Receptatione. V. Participatione. VI. Silentio. VII. Obsistendo. VIII. Non manifestando. IX.

Quattuor [sic] peccata clamantia in celum.
Homicidum voluntarium. I.

---

[17] Saint Basile (c. 329/330-379), évêque de Césarée en Cappadoce, rédigea des règles monastiques. Voir *Clavis Patrum Graecorum*, t. II (1974) n° 2877 et 2895. G. Bardy, « Basile (Saint) », *Dictionnaire de Spiritualité*, t. 1 (1937), col. 1273-1283.

Peccatum sodomiticum. II.
Oppressio pauperum. III.
Merces operariorum fraudata. IIII.

Species peccati in Spiritum Sanctum.
Presumptio impunitatis peccati. I.
Desperatio venie. II.
Impugnatio agnite veritatis. III.
Invidentia seu odium fraterne gratie. IIII.
Obstinatio. V.
Impenitentia finalis. VI.

Regule penitentiales.
Peniteas cito peccator cum sit miserator
Iudex, et sunt hec quinque tenenda tibi:
Spes venie, cor contritum, confessio culpe.
Pena satisfaciens, et fuga nequitie.

Conditiones bone confessionis.
Sit simplex, humilis, confessio pura, fidelis.
Atque frequens, nuda, discreta, libens, verecunda.
Integra, secreta, lachrymabilis, accelerata
Fortis et accusans, et sit parere parata.

Quinque sensus exteriores.
Visus. I. Auditus. II. Odoratus. III. Gustus. IIII. Tactus. V.
Cerimonie, ritus et mores per ecclesiam
Per hos quinque sensus tanquam per fenestras quasdam peccatum, et per peccatum mors in animam ingreditur. ...

Toul 1559

[Toussaint d'Hocédy]

P2856   **Toul 1559** f. [9]-[10]v

Partes anni. Festum Clementis, hyemis caput est orentis...
Ieiunia per annum observanda. Quatuor tempora semper celebrantur in feriis quartis proximis post dies s[ancte] Lucie...
Regula sponsalium. Ex instituto Ecclesie non licet nuptias et matrimonia celebrare a primo die dominico Adventus...
De Adventu. Adventus Domini sequitur solennia Lini. ...

Decem precepta Decalogi.
Unum crede Deum, ne iures vana per ipsum.
Sabbata sanctifices, habeas in honore parentes.
Non sis occisor, fur, mechus, testis iniquus.
Alterius nuptam cupias, nec res alienas. [proche de Reims 1506]

Septem sacramenta Ecclesie.
Abluo, firmo, cibo, piget, ungens, ordinat, uxor.

Que sacramenta sunt iteranda et que non.
Ordo, fons, chrisma non; cetera sunt iteranda.

Septem opera misericordie corporalia.
Visito, poto, cibo, redimo, tego, colligo, condo. [comme Lyon 1542] Id est.
   Pasce famescentes, pota nimium sitientes.
   Indue nudatos, redimas quoque carcere captos.
   Egros conforta, peregrinos collige, porta.
   Defunctos sepeli, sic sumas gaudia celi. [proche de Reims 1506 et Metz 1543]

Septem opera misericordie spiritualia.
Consule, castiga, solare, remitte, fer, ora. Id est.
Corrige peccantes, ac instrue pauca scientes.
Consule non doctis, exora pro tribulatis.
Conforta mestos, porta patiens onerosos.
Offensas sponte ledenti corde remitte.

Septem peccata mortalia que per literas huius dictionis *Saligia* intelliguntur.
   Scilicet. Superbia, avaritia, luxuria, ira, gula, invidia, acedia.
   Versus. Fastus, avaritia, tristitia, livor et ira.
   Et gula, luxuria, sunt septem primo vitanda.

Virtutes et remedia contra vii peccata mortalia.
Sis humilis, largus, castus, patiens, moderatus.
Compatiens, fortis, septem mortalia tollis. [comme Lyon 1542]

Forma penitendi.
Peniteas cito peccator, cum sit miserator... [comme Verdun 1554]

Conditiones bone confessionis.
Sit simplex, humilis... [comme Verdun 1554]

Methodus confitendi.
Elige prudentem... [comme Metz 1543]

Quinque sensus naturales.
Gustus, odoratus, auditus, visio, tactus.
Sunt sensus quinque, aut vite vel mortis origo. [proche de Lyon 1542]

Casus reservati episcopo. Casus reservati pape. ...

Peccata in Spiritum sanctum.
Presumptio de impunitate peccati.
Desperatio venie.
Invidentia fraterne gratie.
Impugnatio veritatis.
Obstinatio in peccatis.
Finalis impenitentia.

Virtutes cardinales quatuor.
Prudentia. Temperantia. Fortitudo. Justitia.
In his versatur vita humana tanquam in cardine, et istis utimur ad proximum.

Virtutes theologales, tres.
Fides, Spes, Charitas
et his utimur ad Deum.

Dona Spiritus sancti.
Donum timoris, Pietatis, Scientie, Fortitudinis, Consilii, Intellectus et Sapientie. [comme Reims 1506]

Articuli fidei spectantes ad divinitatem Christi.
[comme Metz 1543, sauf:] Est pater, est natus, pneuma est sacrum, Deus unus.

Articuli fidei spectantes ad humanitatem Christi.
Conceptus, natus, passus, descendit ad ima.
Surgit, et ascendit, venietque decernere cuncta.

Quomodo finiende sint orationes.
Per Dominum dicas si Patrem quilibet oras. ...

Quomodo incipiende et finiende sint orationes in exorcismis.
Omnibus Oremus faciendis exorcistis prohibemus. ...

Soissons 1576
[Charles de Roucy-Sissone]

Soissons 1576 f. a8v-2v

Decem precepta Decalogi.
Unum crede Deum, ne iures vana per ipsum.
Sabbata sanctifices, et venerare partres.
Non sis occisor, mechus, fur, testis iniquus.
Alterius nuptam, res nec aveto suas.

Quinque precepta Ecclesie.
Quorum primum est, Audire missam singulis diebus dominicis et festis.

Secundum, Observare omnes dies festos ab Ecclesia vel ab Episcopo et clero statutos.

Tertium, Omnia peccata criminalia, semel in anno confiteri proprio sacerdoti, vel ab eo commisso, debent omnes qui ad annos discretionis pervenerint, et iniunctam penitentiam adimplere.

Quartum, Eucharistie sacramentum, saltem in Pascha, reverenter suscipere.

Quintum, Ieiunia quatuor temporum, vigiliarum indictarum, et quadragesime observare et ieiunare.

Septem Ecclesie sacramenta.
Baptismus, Confirmatio, Penitentia, Sacer ordo [*sic*], sacra Eucharistia, Matrimonium, et Extrema unctio.

Quorum tria hec, Baptismus, Confirmatio, et Ordo, non iterantur: cetera vero possunt iterari.

Septem peccata criminalia.
Superbia, Avaritia, Luxuria, Invidia, Gula, Ira, et Acedia.

Nemo potest absolvere ab huiusmodi peccatis, nisi sacerdos, auctoritate aut potestate non sua, sed divina.

Diaconus igitur non debet audire confessiones penitentium, quia non potest absolvere, nec aliquod sacramentum ministrare, nisi sacram hostiam iussu sacerdotis: quam tamen consecrare non potest, nec baptizare, nisi de pastoris permissu, vel in necessitate: nec matrimonio coniungere, nec ungere infirmum: sed potest predicare suis parochianis, si habeat animarum curam.

Sacerdos ministrans sacramentum penitentie, debet in primis monere confitentem, ut vere peniteat, et sua peccata sine ulla fictione defleat, et sine simulatione doleat ex animo se peccasse, et omnia sua peccata precipue criminalia, confiteatur ore proprio, et nullum reticeat scienter, sed humiliter, et cum dolore seipsum accuset, et omnem peccandi affectum deponat, proponatque de cetero, vitam suam, et mores in melius commutare, et non amplius peccare, et hoc faciendo, certo speret se veniam accepturum per meritum passionis domini nostri I. C., et misericordiam Dei, et per ministerium absolutionis.

Quod si secus fecerit, si non doleat peccasse, si aliquod peccatum scienter reticeat, si non deponat affectum peccandi, vel, si non speret veniam, frustra confitetur, frustra absolutionem sperat. Nam venia non datur, nisi penitenti et converso. His et aliis similibus verbis, debet sacerdos confitentem docere et monere.

Chartres 1580
[Nicolas de Thou]
[Aide-mémoire faisant suite au prône dominical]

P2858   Chartres 1580 f. 206-207v

Vertus qu'il convient ensuyvre.
Elles sont sept en nombre. Sçavoir, trois theologales, et quatre morales.

Les Theologales sont, Foy, Esperance, et Charité.

Sans foy n'est possible invoquer Dieu, et luy plaire. La premier voix du Chrestien venant aux fons de Baptesme est, Je croy: et pour ce est appellé fidele. Ce qu'il doit croyre, est, que J. C. a esté proposé propiciateur du genre humain...

Par Esperance attendons la jouissance des promesses de Dieu.

Par Charité l'aymons sur et avant toutes choses, et pour son respect nostre prochain comme nous mesmes...

Ces trois vertus sont dites Theologales, par ce qu'elles ont Dieu pour seul object... Elles sont aussi dictes Chrestiennes, par ce qu'elles sont propres et peculieres [sic] aux Chrestiens.

Les quatre autres sont, Force, Temperance, Justice, Prudence.

Elles sont dites **morales**, parce qu'elles instruisent l'homme és bonnes moeurs, le rendent preux, hardy, magnanime, patient, ferme, constant, sobre, continent, modeste, equitable, provident [prudent], discret, et le douënt de toutes qualitez requises à la vie civile, et societé humaine.

L'on les appelle **cardinales**, parce que ... en ces quatre vertus qui sont politiques, l'homme est dressé en toute decence et honnesteté.

Par la **force** il est armé és adversitez, pour les porter en patience.

La **temperance** luy apprend de bien user de la prosperité, et reprimer toutes concupiscences depravées.

Par **prudence** il prouvoit [*sic*] à soy, et regle ses actions à la raison.

Par **justice** se comporte comme apartient à l'endroict de son prochain.

Ces quatre vertus sont si connexes, *ut qui unam* (dit sainct Hierosme) *non habuerit, omnibus careat*.

Des dons du Sainct Esprit.

Outre lesdictes vertus, l'homme a besoing des dons et graces du Saint Esprit… Ils sont sept en nombre. Sçavoir sapience, intelligence, conseil, force, science, pieté, et crainte.

Sapience consiste en la contemplation de Dieu.

Intelligence en sa cognoissance, et de ses sacrez mysteres.

Conseil en deliberation, et jugement de ce qu'est à faire pour sa gloire.

Force en courage de souffrir toutes choses pour son respect.

Science à bien faire, et decliner le mal.

Pieté au cult [*sic*] et service, qui luy est deu.

Crainte en l'observation de ses saincts commandemens, en toute reverence et affection filiale.

Les curez se dilateront en l'exposition desdicts dons et graces, par l'interpretation des saincts docteurs de l'Eglise…

Des oeuvres de misericorde.

… Les **corporelles** sont.

donner pour l'amour et l'honneur de Dieu à manger et boire à ceux qui ont faim et soif.

vestir les nuds.

visiter et delivrer les pauvres prisonniers.

consoler les malades.

loger les pauvres estrangers passans.

ensevelir et inhumer les morts.

Les **spirituelles** sont :

corriger les defaillans.

enseigner les ignorants.

pardonner à ses ennemis.

avoir compassion des miseres d'autruy.

conseiller les desvoyez.

prier pour les pecheurs, soyent amis ou ennemis.

porter patiemment les adversitez.

Les dix commandemens de la Loy. *Un seul Dieu tu adoreras…*

Oraison dominicale. *Nostre pere qui es és cieux. Sanctifié soit ton nom. …*

Salutation angélique. *Je te saluë Marie pleine de grace, nostre Seigneur est avec toy. Tu es beniste sur toutes femmes, et benist est le fruict de ton ventre Jesus. Saincte Marie mere de Dieu, prie pour nous maintenant et à l'heure de la mort. Amen.*

Symbole des apostres. *Je croy en Dieu le pere tout-puissant. …*

Les commandemens de l'Eglise. *Les dimanches la messe orras, et es festes devotement*[1]*…*

Reims 1585, 1621
Amiens 1586, 1607. Châlons-sur-Marne 1606. Laon c. 1585, 1621
Senlis 1585. Saint-Brieuc 1605

[Reims 1585 : Louis III de Lorraine, cardinal de Guise]
De Sacramento Poenitentiae
[Aide-mémoire faisant suite au prône dominical]

P2859   **Reims 1585 f. 35-36v**

Quae sequuntur adiecta sunt ad maiorem confessariorum commoditatem : sunt enim huiusmodi, ut absque illorum competenti cognitione poenitentium conscientias probè discutere nequeant.

Virtutes theologicae sive christianae, tres.
Fides, Spes, Charitas. [comme Elne 1509 et Verdun 1554]

Virtutes cardinales, seu morales, quatuor.
Iustitia. Temperantia. Prudentia. Fortitudo.

Dona Spiritus Sancti, septem.
Sapientia, Intellectus, Consilium, Fortitudo, Scientia, Pietas, et Timor Domini.

Fructus Spiritus Sancti, duodecim.
Charitas, Gaudium, Pax, Patientia, Benignitas, Bonitas, Longanimitas, Mansuetudo, Fides, Modestia, Continentia, et Castitas.

Fructus sive opera carnis his opposita.
Aemulatio, Ira, Rixa, Sectae, Homicidia, Inimicitiae, Veneficia, Idolorum servitus, Impudicitiae, et his similia.

---

[1] Voir ces formules dans le volume II/6 : *Prônes dominicaux. Conseils de dévotion.*

Tria vota monastica.
Paupertas voluntaria, Castitas perpetua, Obedientia integra.

Opera misericordiae spiritualia septem[2].
1. Docere ignorantem.
2. Corrigere peccantem.
3. Consilio iuvare indigentem.
4. Consolari afflictum.
5. Ferre patienter iniurias.
6. Remittere offensam.
7. Orare pro vivis et defunctis, et pro persequentibus.

Opera misericordiae corporalia septem.
1. Pascere esurientem. [la suite comme Verdun 1554, sauf:]
6. Visitare eos qui sunt in carcere, et captivum redimere.
7. Sepelire mortuum.

Beatitudines octo.
1. Beati pauperes spiritu, quoniam ipsorum est regnum caelorum… [Mat. 5, 3-10]

Tres gradus, quibus inducimur ad peccandum.
Suggestio, Delectatio, Consensus.

Septem peccata capitalia seu principalia, ut vocat D. Gregor[3]. ex quibus nimirum reliqua omnia oriuntur. Superbia, Avaritia, Luxuria, Invidia, Gula, Ira, et Pigritia.

Septem virtutes his contrariae.
Humilitas, Liberalitas, Castitas, Charitas, Abstinentia, Patientia, Diligentia.

Sex peccata in Spiritum Sanctum.
Desperare, Invidere fratri charitatem et virtutes, Impugnare agnitam veritatem, Praesumere de salute et peccatorum remissione absque poenitentia, Citra metum ullum Dei obstinatè peccare, Mori sine poenientia.

Quinque peccata in caelum clamantia.
Homicidium voluntarium, Usura, Scelus contra naturam, Mercedis defraudatio; Viduarum, Pupillorum, Peregrinorum oppressio[4].

---

[2] Meaux 1617 f. 38v-39, Paris 1630, Noyon 1631, reproduisent *Opera misericordiae spiritualia septem. Opera misericordiae corporalia septem.*
[3] Grégoire le grand, pape, *Moralia* XXXI, 87, PL 76, 621 A.
[4] Meaux 1617 f. 38v-39 et Beauvais 1637-1725 reproduisent: *Quinque peccata in caelum clamantia. Sex peccata in Spiritum sanctum.*

Modi communicandi peccatis alienis novem.
Iubere, Consulere, Consentire, Fructum capere ex rebus malè partis, Adulari, Improborum suscipere patrocinium, Connivere ad peccata, Provocare, Celare rem subductam[5].

Tres poenitentiae partes.
Contritio, Confessio, et Satisfactio.

Contritionis et Satisfactionis partes duae.
Commissa peccata plangere, Futura cavere[6].

Vetus et communis Confessionis regula. *Confiteor Deo omnipotenti, et beatae Mariae semper virgini…*
Misereatur nostri omnipotens Deus… Indulgentiam, absolutionem, et remissionem…

Satisfactionis opera.
Oratio, Eleemosyna, Ieiunium, Restitutio, et eiusmodi fructus poenitentiae, quae dicuntur satisfactorii, non per se, sed per Christi meritum, quod sibi quisque fide, et fidei fructu, sive opere applicat.

Quatuor novissima omnibus memoranda.
Mors, Iudicium extremum, Infernus, Regnum coelorum.

Duo Angelorum genera. Angeli boni in bono confirmati, qui hominum sunt studiosi ; Angeli mali, in malo obdurati, qui humani generis hostes.

Strasbourg 1590
[Jean de Manderscheid]
Der klein Catechismus
[Petit catéchisme en allemand sous forme d'aide-mémoire]

Le *klein Catechismus* de Strasbourg 1590 contient quelques listes inconnues des rituels de langue française, parfois proches de celles de Trèves 1574, *Docenda populum*, p. 229-238[7].

---

[5] *Modi communicandi…* : liste reprise à Meaux 1617.
[Traduction :] *Les neuf façons de participer aux péchés d'autrui* : ordonner, conseiller, consentir, tirer du fruit de choses mal partagées, flatter les gens, accepter la protection de gens malhonnêtes, être de connivence avec les péchés, provoquer, cacher une chose dérobée.
[6] [Traduction :] *Les deux parties de la contrition et de la satisfaction* : pleurer les péchés commis. Les éviter à l'avenir.
[7] Le texte allemand de Strasbourg 1590 a été revu par Luc Jocqué.

860 **Strasbourg 1590** p. 339-342

Der klein Catechismus.
Im namen des Vatters, und des Sons, und des heiligen Geists.
Das Vatter unser. Vatter unser der du bist in den Himmlen. Geheiliget werde dein Nam. Zukomme uns dein Reich. Dein will geschehe wie im Himmel, also auch auff Erden. Unser täglich Brot, gib uns heut. Und vergib uns unsere Schulden, als auch wir vergeben unseren Schuldigern. Und füre uns nit in Versuchung. Sonder erlöse uns von dem Ubel, Amen.
Der Englisch Gruss. Begrüsst seyst du Maria voller Gnaden, der Herr ist mit dir, du bist gebenedeyet under den Weibern, und gebenedeyet ist die Frucht deines Leibs, Jesus Christus. Heilige Maria Mutter Gottes, bitt für uns arme Sünder, nun, und in der Stund unsers Tods, Amen.
Der Christlich Glaub. Ich glaub in Gott den Vatter Allmechtigen, Schöpffer Himmels und der Erden. Und in Jesum Christum seinen einigen Son unsern Herren. Der empfangen ist von dem heiligen Geist, geboren auss Maria der Jungfrauwen, Gelitten under Pontio Pilato...

Die Zehen Gebott Gottes. [*Les dix commandements de Dieu*]
I. Ich bin der Herr dein Gott, Du solt nit frembde Gotter vor mir haben. Du solt dir kein geschnisst Bild machen, dasselbig anzubetten.
II. Du solt den Namen Gottes deines Herrn nit vergeblich füren.
III. Gedenck dass du den Sabbath heiligest.
IIII. Du solt deinen Vatter, und deine Mutter ehren, damit du lang lebest im Land, das dir dein Gott geben wirdt.
V. Du solt nit tödten.
VI. Du solt nit Ehebrechen.
VII. Du solt nit stelen.
VIII. Du solt kein falsch Gezeugnuss geben wider deinen Nechsten.
IX. Du solt nit begeren deines Nechsten Weibs.
X. Du solt nit begeren deines Nechsten Hauss, Knecht, Magd, Ochsen, Esel, noch alles was sein ist.

Die Fünff fürnembste Gebott der Christlichen Kirchen. [*Les cinq commandements de l'Eglise chrétienne*[8]]

---

[8] *Les cinq commandements de l'Église chrétienne.* I. Tu dois fêter les fêtes légales chrétiennes. II. Tu dois écouter pieusement la messe les jours de fête. III. Tu dois respecter la différence entre les repas ordinaires et les jours de jeûne prescrits. IV. Tu dois te confesser au prêtre dont tu dépends au moins une fois par an. V. Tu dois recevoir au moins une fois par an le saint sacrement de l'autel pour être prêt pour Pâques.

I. Du solt die gesetzte Fest der Kirchen feyren.
II. Du solt das heilig Ampt der Mess an Feyertagen mit andacht hören.
III. Du solt das underscheiden der speiss, und die verordnete Fastag halten.
IIII. Deine Sünd zum wenigsten soltu alle Jar deinem verordneten Priester beichten.
V. Du solt das heilig hochwirdigste Sacrament des Altars, auffs wenigst im Jar einmal, nemlich, umb die Osterliche zeit von deinem Pfarrherrn empfahen.

Von Sacramenten. [*Des Sacrements*]
I. Der Sacramenten sind sieben. Als. I. Der Tauff. II. Die Firmung. III. Das Sacrament des Altars. III. Die Buss. V. Die letzte Oelung. VI. Die Weihung der Geistlichen Personen. VII. Und der Ehestand.

Von Christlicher Gerechtigkeit. [*De la justice chrétienne*[9]]
Der Christlichen Gerechtigkeit sind zwey stück, nemlich das Böss oder die Sünd fliehen, und das Gut thun.

Von der Sünd. [*Du péché*[10]]
Die Sünd ist ein ubertrettung Göttliches Gebotts. Dise ist zweyerley: Eine wirdt genant die Erbsünd, die andere die wirckliche Sünd. Die Erbsünd wirdt uns angeboren, und durch das Sacrament des Tauffs vergeben. Aber wirckliche Sünd ist alles, was man redet, thut, oder begert wider Gottes Gesetz und Christliche Gerechtigkeit, Und dise ist oder tödtlich oder lässlich.

Die sieben Hauptsünd. [*Les sept péchés capitaux*[11]]
I. Hoffart.
II. Geiss.
III. Unkeuschheit.
IIII. Neyd.
V. Frass oder Fülleren.
VI. Zor

VII. Trägheit in Gottes dienst.

Die vier in Himmel schreyende Sünd. [*Les quatre péchés criant au ciel*[12]]
I. Fürsetzlicher Todtschlag.
II. Sodomitische Sünd.
III. Undertruckung der Armen.
IIII. Entziehung des verdienten Lidlohns.

Von guten Wercken. [*Des bonnes œuvres*[13]]
Der fürnembsten guten Werck sind drey. Als.
I. Fasten.
II. Betten.
III. Und Almusen geben, oder barmhertzig sein.

Von Wercken der Barmherzigkeit. [*Des œuvres de miséricorde*[14]]
Die Werk der Barmhertzigkeit sind zweyerlei, etliche Leibliche, etliche Geistliche. Leibliche seind sieben [*Les sept œuvres de miséricorde corporelles*] Nemlich.
I. Die Hungerigen speisen.
II. Die Dürstigen tränken.
III. Die Nackenden bekleiden.
IIII. Die Gefangenen erledigen.
V. Die Krancken besuchen.
VI. Die Frembden beherbergen.
VII. Und die Todten begraben.

Der Geistlichen seind auch sieben. [*Les sept œuvres de miséricorde spirituelles*[15]]
Als. I. Die Sünder straffen.
II. Die Unwissende lehren.
III. Denen so zweiffeln, rechtrathen.

---

[12] *Les quatre péchés criant au ciel.* I. Homicide intentionnel. II. Péché de sodomie. III. Oppression des pauvres. IV. Privation du salaire gagné.
[13] *Des bonnes œuvres.* Les bonnes oeuvres sont au nombre de trois : I. jeûne. II. Prière. III. Faire l'aumône ou être miséricordieux.
[14] *Des œuvres de miséricorde.* Les oeuvres de miséricorde sont de deux sortes, les unes corporelles, les autres spirituelles. *Les sept œuvres de miséricorde corporelles.* I. Donner à manger à ceux qui ont faim. II. Donner à boire à ceux qui ont soif. III. Vêtir ceux qui sont nus. IV. Racheter les prisonniers. V. Visiter les malades. VI. Héberger les étrangers. VII. Et ensevelir les morts.
[15] *Les sept œuvres de miséricorde spirituelles.* I. Punir les pécheurs. II. Enseigner les ignorants. III. Conseiller ce qui est juste à ceux qui doutent. IV. Prier Dieu pour le salut de son prochain. V. Consoler les affligés. VI. Supporter patiemment les injures. VII. Pardonner volontairement les offenses.

IIII. Gott umb des Nechsten Heil bitten.
V. Die Betrübten trösten.
VI. Das unrecht gedultig leiden.
VII. Und denen, so uns beleidigen, gern verzeihen.

Die acht Seligkeiten. [*Les huit béatitudes*]
I. Selig seind die Armen im Geist, dann ir ist das Reich der Himmeln.
II. Selig seind die Sanfftmütigen, dann sie werden das Erdreich besitzen.
III. Selig seind die da weinen, dann sie werden getröst werden.
IIII. Selig seind die da hungert und dürstet nach der Gerechtigkeit, dann sie werden ersettiget werden.
V. Selig seind die Barmherzigen, dann sie werden Barmhertzigkeit erlangen.
VI. Selig seind die eines reinen Hertzen seind, dann sie werden Gott anschawen.
VII. Selig seind die Friedsamen, dann sie werden genennet werden Kinder Gottes.
VIII. Selig seind die da Verfolgung leiden umb der Gerechtigkeit willen, dann ir ist das Reich der Himmel.

Die drei Evangelische Räth. [*Les trois conseils évangéliques*[16]]
I. Willige Armut.
II. Keuschheit.
III. Und Gehorsam.

Die vier Letzte ding. [*Les quatre fins dernières*[17]]
I. Der Tod.
II. Das Gericht.
III. Die Hell.
IIII. Das Himmelreich.

Die fünffzehen fürnembste Geheimniss unseres Herren Jesu Christi zubetrachten, wann man den Rosenkranz bettet, welche genant werden[18].

Fünff Freudenreiche Geheimniss. [*Les cinq mystères joyeux*]
I. Verkündigung der Menschwerdung Christi. Luc. 1.
II. Heimsuchung Elizabet. Luc

---

[16] *Les trois conseils évangéliques.* I. Pauvreté volontaire. II. Chasteté. III. Obéissance.
[17] *Les quatre fins dernières.* I. La mort. II. Le jugement. III. L'enfer. IV. Le royaume des cieux.
[18] Contemplation des quinze mystères de la vie de N.S.J. C. quand on prie le Rosaire.

III. Geburt. Luc. 2.
IIII. Opfferung. Luc. 2.
V. Erfindung Christi im Tempel. Luc. 2.

Fünff Betrübliche Geheimniss. [*Les cinq mystères douloureux*]
I. Das Gebett Christi im Garten. Luc. 22.
II. Geisslung. Joan. 19.
III. Krönung. Matth. 27.
IIII. Die Creutztragung. Joan. 19.
V. Die Creutzifgung und absterben Christi. Matt. 27.

Fünff der Herrlichkeit Christi. [*Les cinq* [*mystères*] *glorieux du Christ*]
I. Aufferstehung am dritten tag. Marci 16.
II. Himmelfart Christi. Act. 1.
III. Sendung des heiligen Geists. Actor. 2.
IIII. Himmelfart der Mutter Gottes. Cant. 8.
V. Krönung der Mutter Gottes. Cant. 4.

Ein gemeine Christliche Beicht. [*Confession chrétienne habituelle*[19]]

Ich armer Sündder widersage dem bösen Feind, allem seinem eingeben, Raht und that. Ich glaub in Gott den Vatter, in Gott den Son, und in Gott den heiligen Geist, Ich glaub gentzlich, was die gemeine Christliche Kirch befilcht zu glauben. Mit disem heiligen Glauben, komme ich zu Beichten und bekenne Gott dem Allmechtigen, Marie seiner Hochwirdigen Mutter, allen lieben Heiligen, und geb mich schuldig, dass ich von meinen Kindlichen tagen an, biss auff dise stund, offt und vil gesündiget hab, mit Gedancken, Worten, Wercken, und

---

[19] *Confession chrétienne habituelle.* Moi pauvre pécheur, je rejette l'esprit mauvais et toutes ses inspirations, conseils et actes. Je crois en Dieu le Père, en Dieu le Fils, en Dieu le Saint Esprit. Je crois fermement ce que l'Église chrétienne ordonne de croire. Avec cette sainte foi, je viens me confesser, et je reconnais Dieu comme le tout-puissant, Marie comme sa mère très vénérable; je crois à tous les chers saints, et je confesse que depuis mon enfance jusqu'à cette heure-ci, je suis coupable d'avoir souvent et beaucoup péché en pensée, en parole, par action, et par omission de nombreuses bonnes oeuvres, secrètement ou publiquement, consciemment ou inconsciemment, contre les dix commandements de Dieu, les sept péchés mortels, et les cinq sens de mon corps, contre Dieu, contre mon prochain, et contre le salut de ma pauvre âme. Ces péchés, et tous mes autres péchés, je les regrette de tout mon coeur, et avec humilité je te demande, Dieu éternel et miséricordieux, de me donner ta grâce divine, et de ne pas terminer ma vie avant d'avoir pu me confesser et faire pénitence, pu obtenir ta divine miséricorde, et, après cette vie misérable, obtenir les joies éternelles et la béatitude. Pour cela je frappe mon coeur pécheur. Parle au pécheur plein d'espérance que je suis: Seigneur mon Dieu aie pitié de moi pauvre pécheur.

underlassung viler guter Werck, wie dann solches alles geschehen ist, heimlich oder offentlich, wissentlich oder unwissentlich, wider die Zehen Gebott, in den sieben Todtsünden, an den fünff Sinnen meines Leibes, wider Gott, wider meinen Nechsten, und wider das Heil meiner armen Seel. Solche und alle meine Sünde, seind mir leid von Hertzen. Bitt derhalben demütiglich, dich Ewiger Barmhertziger Gott, du wöllest mir dein Göttliche Gnade verleihen, mein Leben fristen, so lang biss dass ich hie meine Sünd möge beichten und büssen, deine Göttliche Huld erwerben und nach disem elenden Leben die ewige Freude und Seligkeit erlangen. Klopff derhalben an mein sündiges Hertz, und spreche mit dem offennen Sünder, O Herr mein Gott, biss gnedig mir armen Sünder. Amen.

[Profession de foi du concile de Trente]
Comme à Trèves, la profession de foi tridentine en latin et en allemand suit le petit catéchisme; à cette époque, cette profession de foi n'a encore été publiée dans aucun rituel de langue française.

p. 343-345 *Formula professionis fidei catholicae, a Pio IIII… edita, quae parochis serviet, cum in suscipiendis sacellanis et ludi magistris, tum in informandis illis qui ab errore ad Ecclesiae gremium revertuntur.*

Ego N. firma fide credo et profiteor omnia et singula, quae continentur in Symbolo fidei, quo sancta romana Ecclesia utitur, videlicet: credo in unum Deum…

p. 346-349 ***Bekantnuss des Allgemeinen Catholischen und Apostolischen Glaubens. Ich N. glaub vestiglich…***
[Confession du Credo catholique et apostolique. …]

Paris 1601

Praefatio pro Poenitentia
[Aide-mémoire de foi catholique utilisé comme examen de conscience]

P2861 **Paris 1601 f. 57-60**
Si vero viderit (confessarius) ignarum poenitentem, ut modum confitendi nesciat, illum iuvabit… interrogando ita ut sequitur.
De Decem praeceptis. De Praeceptis Ecclesiae. …[20].

---

[20] *Voir supra* Examens de conscience (P1389).

Toulouse 1602[21], 1614, 1621, 1636, 1641, 1653, 1664[22]
Auxerre 1631. Saintes c. 1625, 1639, 1655[23].

[Toulouse 1602 : François de Joyeuse]
Formulaire de Prosne

Toulouse 1614 p. 11-16

En outre, nous vous enjoignons que par cinq ou six Dimanches ou Festes de l'année, vous recitiez en vostre Prosne, les douze articles de la Foy, en François; l'explication des Commandemens de Dieu; les Vertus Cardinales et Theologales; les sept pechez mortels[24]; les sept Sacremens; et les oeuvres de Misericorde, en la forme suivante…

Le Symbole des Apostres, autrement appellé le Credo, contient douze Articles.

Le premier est. 1. Je croy en Dieu le Pere tout puissant, Createur du Ciel et de la Terre. …[25]

Explication en prose des **Commandemens de Dieu, et de l'Eglise**, lesquels nous vous avons recités en vers[26].

Les **Vertus cardinales** sont quatre. Prudence. Temperance. Justice. Force.

Les **Vertus theologales** sont trois. Foy. Esperance. Charité.

Les **pechez mortels**[27] sont sept. 1. Superbe. 2. Avarice. 3. Luxure. 4. Ire. 5. Envie. 6. Gourmandise. 7. Paresse.

Les **Sacremens de l'Eglise** sont sept. Baptesme. Confirmation. Eucharistie. Penitence. Extreme-Onction. L'ordre de Prestrise. Le Mariage.

Les **oeuvres de misericorde spirituelles** sont sept.
1. Corriger ceux qui faillent.

---

[21] Édition disparue, attestée par la mention *Donné à Tolose le 4. Janvier. 1602* à la fin des formulaires de 1614 et 1621.

[22] Les prônes datés 1653 et 1664 sont reliés à la suite de certains exemplaires du rituel toulousain de 1641. A partir de 1670, ces prônes ne comportent plus la récitation du *Credo*, l'explications des commandements de Dieu et de l'Église, et les listes qui les suivent. L'orthographe est modernisée.

[23] Le prône de Saintes 1639, réimprimé en 1655, est une réédition du prône de Michel Raoul, évêque du diocèse de 1618 à 1631, auteur de l'Ordonnance au début du formulaire de 1639. Ces prônes sont une compilation des prônes de Toulouse 1602-1621 et d'Angers 1620-1626.

[24] mortels] capitaux Toulouse 1621.

[25] Formule du *Je croy en Dieu*. Voir volume II/6 : *Prônes dominicaux. Conseils de dévotion*.

[26] Commandements de Dieu et de l'Église. Voir volume II/6 : *Prônes dominicaux. Conseils de dévotion*.

[27] mortels] capitaux Toulouse 1621.

2. Donner conseil à ceux qui en ont besoin.
3. Consoler les affligez.
4. Endurer patiemment les injures.
5. Pardonner les offenses.
6. Prier pour les vivans et trespassez.
7. Et pour ceux qui nous persecutent.

Les **oeuvres de misericorde corporelles** sont sept.
1. Donner à manger à ceux qui ont faim.
2. Donner à boire à ceux qui ont soif.
3. Loger les Pelerins et Estrangers.
4. Vestir ceux qui sont nuds.
5. Visiter les malades, et ceux qui sont detenus en prison.
6. Racheter les captifs.
7. Ensevelir les morts.

Metz 1605, 1631

[Metz 1605 : Charles II de Lorraine]

Oratio dominica, una cum Salutatione angelica, Mandatisque Dei et Ecclesiae, et aliis populo singulis dominicis diebus, aut saltem bis in mense post Pronaum à Sacerdote, aut alio per eum deputato clarè et distinctè recitandis…

Liste à réciter clairement après le prône, au moins deux fois par mois ; la liste française est suivie d'une liste allemande plus développée, parfois proche de celle de Trèves 1574, *Docenda populum*, p. 229-238.

P2863 **Metz 1605 p. 155-160**

L'Oraison dominicale. Nostre Pere qui es és cieux… [texte de P. Milhard][28]

La Salutation angelique. Je te saluë Marie pleine de grace ; le Seigneur est avec toy… [texte de P. Milhard]

Les douze articles de la Foy. Je croy en Dieu…

Les dix commandemens de Dieu, que chacun Chrestien doibt sçavoir et garder, pour parvenir à la vie eternelle.
Un seul Dieu tu adoreras… [texte de P. Milhard]

---

[28] Sur Pierre Milhard, voir *infra* Auteurs cités, p. 1943. Textes des prières dans volume II/6 : *Prônes dominicaux. Conseils de dévotion.*

Les Commandemens de nostre mere saincte Eglise, que tous Chrestiens doivent garder sur peine de peché mortel, sans legitime empeschement.
Les dimanches Messe ouyras, et les festes de commandement. ... [texte de P. Milhard][29]

Les sept Sacremens de l'Eglise.
Baptesme, Confirmation, Eucharistie, Poenitence, Ordre, Mariage, et l'Extreme Onction.

Les trois vertus Theologales.
Foy, Esperance, Charité.

Les quatre vertus Cardinales.
Prudence, Justice, Force, Temperance.

Les sept dons du sainct Esprit.
1. Le don de Sapience. 2. Le don d'Entendement. ... Conseil. ... Force. ... Science. ... Pieté. ... Crainte de Dieu.

Les huict Beatitudes.
Bien-heureux sont les pauvres d'esprit, d'autant qu'à eux apartient [sic] le Royaume des cieux.

Bien-heureux sont les debonnaires, pource qu'ils possederont la terre.

Bien-heureux sont ceux qui pleurent, d'autant qu'ils seront consolez.

Bien-heureux sont ceux qui ont faim et soif de justice, car ils seront saoulez.

Bien-heureux sont les misericordieux, d'autant qu'ils obtiendront misericorde.

Bien-heureux sont ceux qui ont le coeur net, d'autant qu'ils verront Dieu.

Bien-heureux sont les pacifiques, d'autant qu'ils seront appellez enfans de Dieu.

Bien-heureux sont ceux qui endurent persecution pour la justice, d'autant que le royaume des Cieux est pour eux.

Les sept oeuvres de Misericorde corporelles.
1. Repaistre ceux qui ont faim.
2. Donner à boire à ceux qui ont soif.

---

[29] Commandements de Dieu et de l'Église, voir volume II/6: *Prônes dominicaux. Conseils de dévotion. Commandements.*

3. Loger les pelerins estrangers.
4. Vestir ceux qui sont nuds.
5. Rachepter les prisonniers.
6. Visiter les malades.
7. Ensevelir les morts.

Les sept oeuvres de Misericorde spirituelles.
1. Corriger les deffaillans.
2. Enseigner les ignorants.
3. Donner bon conseil à autruy.
4. Prier Dieu pour le salut de son prochain.
5. Consoler les affligez.
6. Porter les injures patiemment.
7. Pardonner les offenses.

Les sept pechés mortels.
Orgueil, Avarice, Luxure, Envie, Gloutonnie, Ire, Paresse.

Les sept vertus contraires.
Humilité, Liberalité, Chasteté, Benignité, Temperance, Patience, Devotion.

Les six pechés contre le sainct Esprit.
1. Presomption de la misericorde de Dieu, ou de l'impunité de peché.
2. Desespoir de son salut.
3. Impugner [combattre] à escient la verité cognuë.
4. Avoir envie de la charité et biens de son frere chrestien.
5. Estre obstiné en son erreur.
6. Perseverer en son peché, et estre impoenitent jusques à la mort.

Les quatre pechés qui crient vengeance à Dieu.
1. Homicide volontaire.
2. Le peché de Sodomie.
3. Oppression des pauvres, des vefves, et orphelins.
4. Retenir les loyers des serviteurs et ouvriers.

Les quatre dernieres fins de l'homme.
La mort, le jugement, la gloire coeleste, et l'enfer.

Metz 1605, 1631

Recitanda post Pronaum à Sacerdote, aut alio per eum deputato. Pro Germanis

Liste en langue allemande plus développée que la précédente en français, parfois proche de celle de Trèves 1574, *Docenda populum*, p. 229-238[30].

Metz 1605 p. 160-167

In namen des Vatters, und des Sohns, und des heyligen Geystes, Amen.

Das Vatter unser. Vatter unser der du bist in den Himmeln. Geheyliget werde dein Nam. Zukomme dein Reich. Dein wil geschehe, wie im Himmel, also auch auff Erden. Gib uns heuth unser täglich Brod. Und vergib uns unsere Schuldt, als auch wir vergeben unseren Schüldigern. Und nicht führe uns in versuchung, Sonder erlöse uns von dem Ubel, Amen.

Der Engelisch Gruss. Begrüsset seyst du Maria, vol der gnaden, der Herr ist mit dir, du bist gebenedeyet under den Weiberen, und gebenedeyet ist die frucht deines leibes Jesus. Heilige Maria Mutter Gottes, bitt für uns Sünder, nun, und in der stundt unsers Todts, Amen.

Der Christlich Catholisch Glaub. Ich glaub in Gott Vatter Almächtigen, Schöpffer Himmels und der Erden. Und in Jesum Christum seinen einigen Sohn unseren Herrn. Der empfangen ist von dem heyligen Geist, geboren auss Maria der Jungfrawen, Gelitten under Pontio Pilato…

Die Zehen Gebott Gottes. [*Les dix commandements de Dieu*]

1. Ich bin der Herr dein Gott. Du solt kein ander Götter neben mir haben. Du solt dir kein geschnitz Bildt machen, dasselbig anzubetten.
2. Du solt den Namen Gottes deines Herrn nicht vergeblich führen.
3. Gedenck dass du den Sabbath heiligest.
4. Ehre dein Vatter, und dein Mutter, damit du lang lebest auff Erden.
5. Du solt nicht Tödten.
6. Du solt nicht Ehebrechen.
7. Du solt nicht Stelen.
8. Du solt kein falsche Zeugnuss reden wider deinen nechsten.
9. Du solt nicht begeren deines nechsten Weib.
10. Du solt nicht begeren deines nechsten Hauss, Acker, Knecht, Magd, Ochsen, Esel, noch alles was sein ist.

---

[30] Le texte allemand de Metz 1605 a été revu par Luc Jocqué.

Die fünff fürnembste Gebott der Christlichen Kirchen. [*Les cinq commandements de l'Eglise chrétienne*[31]]
1. Die gebottene heylige tag soltu feyren.
2. Alle Feyrtagen soltu das Ampt der heyligen Mess mit andacht hören.
3. Die Gebottene Fastagen, und das underscheiden der Speyss, soltu halten.
4. Du solt alle Jahren, zum wenigsten ein mahl, deinem verordneten, oder einem andern Gewalthabenden Priester, beichten.
5. Du solt im Jahr, zum wenigsten ein mahl, zu Osteren, die Hochwirdigsten Sacramenten des Altars empfahen.

Von den heiligen Sacramenten. [*Des saints sacrements*]
Der heiligen Sacrament seindt sieben, alss nemblich. 1. Der Tauff. 2. Die Firmung. 3. Das Sacrament des Altars. 4. Die Buss. 5. Die letzte Oelung. 6. Die Priesterliche Weyhung. 7. Der Ehestandt.

Die drei Göttliche Tugenten. [*Les trois vertus théologales*[32]]
Der Glaub, die Hoffnung, und die Lieb.

Die vier fürnemste haupt Tugenten. [*Les quatre vertus cardinales*[33]]
Fürsichtigkeit, Gerechtigkeit, Mässigkeit, unnd Starckmütigkeit.

Die sieben Gaben des heiligen Geists. [*Les sept dons du Saint-Esprit*[34]]
1. Die Gab der Weissheit. 2. dess Verstandts. 3. des Rathts. 4. Der Wissenheit. 5. Der Stercke. 6. Der Gottseligkeit. 7. Der Forcht Gottes.

Die acht Seligkeiten. [*Les huit béatitudes*]
1. Selig seindt die Armen im Geist, dan ihr ist das Reich der Himmeln.
2. Selig seindt die Sanfftmütigen, dan sie werden das Erdrig besitzen.
3. Selig seindt die da Weynen, dan sie sollen getröstet werden.
4. Selig seindt die da Hüngeren und dürsten nach der Gerechtigkeit, dan sie sollen ersettiget werden.

---

[31] *Les cinq commandements de l'Église chrétienne.* 1. Tu dois fêter les jours saints. 2. Tous les jours de fête, tu dois aller à la messe. 3. Tu dois faire la différence entre les jours de jeûne et les jours ordinaires. 4. Tu dois te confesser tous les ans au moins une fois à ton prêtre ou à un prêtre qui en a le pouvoir. 5. Tu dois tous les ans, au moins une fois à Pâques, recevoir le très vénérable sacrement de communion.
[32] *Les trois vertus théologales.* La Foi, l'Espérance, et la Charité.
[33] *Les quatre vertus cardinales.* Prudence, Justice, Force, Tempérance.
[34] *Les sept dons du Saint-Esprit.* 1. Le don de la sagesse. 2. de l'intelligence. 3. du conseil. 4 de la science. 5. de la force. 6. de la piété. 7. de la crainte de Dieu.

5. Selig seindt die Barmhertzigen, dan sie werden Barmhertzigkeit erlangen.
6. Selig seindt die eines reinen hertzen seindt, dan sie werden Gott anschawen.
7. Selig seindt die Friedsamen, dan sie sollen kinder Gottes genandt werden.
8. Selig seindt die da Verfolgung leiden umb der Gerechtigkeit willen, dan ihr ist das Reich der Himmeln.

Die sieben Leibliche Wercken der Barmhertzigkeit. [*Les sept œuvres corporelles de misericorde*[35]]
1. Die Hungerigen speisen.
2. Die Dürstigen trencken.
3. Die Nackenden kleiden.
4. Die Frembden beherbergen.
5. Die Krancken besuchen.
6. Die Gefangenen erlösen.
7. Die Todten begraben.

Die sieben Geistlichen Wercken der Barmhertzigkeit. [*Les sept œuvres spirituelles de miséricorde*[36]]
1. Die Sünder straffen.
2. Die Unwissende lehren.
3. Den Zweiffelhafftigen recht rahten.
4. Vor seinen Nechsten Gott bitten.
5. Die Betrübten trösten.
6. Unrecht gedültig leiden.
7. Dennen so uns beleidigen, gern verzeigen.

Die drey fürnembste gute Wercken. [*Les trois bonnes œuvres les plus nobles*[37]]
1. Betten.
2. Fasten.
3. Almusen geben.

---

[35] *Les sept oeuvres corporelles de la misericorde.* 1. Donner à manger à ceux qui ont faim. 2. Donner à boire à ceux qui ont soif. 3. Vêtir ceux qui sont nus. 4. Héberger les étrangers. 5. Visiter les malades. 6. Racheter les prisonniers. 7. Ensevelir les morts.

[36] *Les sept oeuvres spirituelles de la miséricorde.* 1. Punir les pécheurs. 2. Enseigner les ignorants. 3. Donner bon conseil à ceux qui doutent. 4. Prier Dieu pour son prochain. 5. Consoler ceux qui pleurent. 6. Supporter patiemment l'injustice. 7. Pardonner à ceux qui nous offensent.

[37] *Les trois bonnes oeuvres les plus nobles.* Prier. Jeûner. Faire l'aumône.

Die zwölff freuchten des heyligen Geists. [*Les douze fruits du Saint-Esprit*[38]]
1. Lieb. 2. Freud. 3. Fried. 4. Gedult. 5. Langmütigkeit. 6. Gütigkeit. 7. Miltigkeit. 8. Sanfftmütigkeit. 9. Glaub, oder Trew. 10. Mässigkeit. 11. Abbruch. 12. Keuschheit.

[*Trèves 1574:* Charitas. Gaudium. Pax. Patientia. Longanimitas. Bonitas. Benignitas. Mansuetudo. Fides. Modestia. Continentia. Castitas.]

Die drei fürnemste Evangelische Räthe. [*Les trois conseils évangéliques les plus nobles*[39]]
1. Willige Armut.
II. Ewige Keuschheit.
III. Volkommener Gehorsam.

[*Trèves 1574:* Tria Consilia Evangelica. Paupertas voluntaria. Castitas perpetua. Obedientia integra.]

Die drey Kräfften der Seelen. [*Les trois forces des âmes*[40]]
1. Verstandt. 2. Wille. 3. Gedächtnuss.

Die fünff Sinn des Leibs. [*Les cinq sens corporels*[41]]
1. Gehen. 2. Hören. 3. Riechen. 4. Schmäcken. 5. Greiffen.

Die drey Feind des Menschen, durch welche er zu den sünden angereitzet wirdt. [*Les trois ennemis de l'homme nous conduisant au péché*[42]]
1. Der Teuffel. 2. die Welt. 3. das Fleisch.

Die drey Staffel zu den Sünden. [*Les trois marches menant au péché*[43]]
1. Böse eingebung. 2. Böses wolgefallen. 3. Verwilligung zum bösen.

[*Trèves 1574:* Tribus gradibus ad peccandum deducimur. Suggestione. Delectatione. Consensu.]

Die sieben haupt Todtsünden. [*Les sept péchés mortels*[44]]
1. Hoffart. 2. Geitz. Unkeuschheit. Neydt. 5. Fratz und Vollerey. 6. Zorn. 7. Trägheit.

---

[38] *Les douze fruits du Saint-Esprit.* 1. Amour. 2 Joie. 3. Paix. 4. Patience. 5. Longanimité. 6. Bonté. 7. Bienveillance. 8. Douceur. 9. Foi ou fidélité. 10. Tempérance. 11. Maitrise de soi (?). 12. Chasteté.
[39] *Les trois conseils évangéliques les plus nobles.* Pauvreté volontaire. Chasteté perpétuelle. Obéissance parfaite.
[40] *Les trois forces des âmes.* 1. Intelligence. 2. Volonté. 3. Mémoire.
[41] *Les cinq sens corporels.* 1. Marcher. 2. Entendre. 3. Sentir. 4. Goûter. 5. Toucher.
[42] *Les trois ennemis de l'homme, qui nous conduisent au péché.* 1. Le diable. 2. Le monde. 3. La chair.
[43] *Les trois marches menant au péché.* 1. Mauvaise inspiration. 2. Mauvais plaisir. 3. Mauvais consentement.
[44] *Les sept péchés mortels.* 1. Orgueil. 2. Avarice. 3. Luxure. 4. Envie. 5. Gourmandise et gloutonnerie. 6. Colère. 7. Paresse.

Die sieben Tugendten den haupt Sünden zu wieder. [*Les sept vertus opposées à ces péchés*[45]]
1. Demut. 2. Miltigkeit. 3. Keuschheit. 4. Lieb. 5. Mässigkeit in essen und drincken. 6. Gedült. 7. Andacht, oder fleissiger Gottesdienst.
[*Trèves 1574*: Humilitas. Largitas. Castitas. Benignitas. Temperantia. Patientia. Devotio, seu sedula pietas.]

Die sechs Sünden in den heyligen Geist. [*Les six péchés contre le Saint Esprit*[46]]
1. Auss vermessenheit auff Gottes Barmhertzigkeit sundigen.
2. An Gottes gnad verzweiffeln.
3. Der erkandten Warheit widerstreben.
4. Der Brüderlicher lieb missgünstig, und neydig sein.
5. Ein verstocktes Herz haben.
6. In unbüssfertigkeit fürsetzlich verharren.
[*Trèves 1574*: 1. Praesumptio Misericordia Dei, vel de Impunitate peccati. 2. Desperatio. Agnitae veritatis impugnatio. 4. Fraternae charitatis invidentia. 5. Obstinatio. 6. Impoenitentia]

Die vier Sünden, so in den Himmel schryen. [*Les quatre péchés criant au ciel*[47]]
1. Mutwilliger Todtschläg.
2. Die Sodomitische Sünde.
3. Undertrückung der Armen Witwen, unnd Waysen.
4. Auffenthaltung des verdienten Taglohn.

Die neun frembde Sünden dern die Menschen sich theilhafftig machen. [*Les neuf manières par lesquelles nous sommes coresponsables du péché d'autrui*[48]]
1. Raht. 2. Geheiss. 3. Verwilligung. 4. Anreitzen. 5. Loben oder schmeichlen. 6. Stilschweigen. 7. Zusehen oder verhengen. 8. Mitwir-

---

[45] *Les sept vertus opposées à ces péchés*. 1. Humilité. 2. Douceur de coeur. 3. Chasteté. 4. Charité. 5. Tempérance dans la nourriture et la boisson. 6. Patience. 7. Piété ou assistance assidue à la messe.
[46] *Les six péchés contre le saint Esprit*. 1. Mettre en doute la miséricorde de Dieu. 2. Désespoir envers la grâce divine. 3. Résistance à la vérité reconnue. 4. Dénigrer et être jaloux de l'amour du prochain. 5. Avoir un coeur obstiné. 6. Résister avec obstination à la pénitence.
[47] *Les quatre péchés criant au ciel*. 1. Homicide intentionnel. 2. Péché de Sodomie. 3. Oppression des pauvres, des veuves, et des orphelins. 4. Retenue du salaire gagné.
[48] *Les neuf manières par lesquelles nous sommes coresponsables du péché d'autrui*. 1. Conseil. 2. Ordre. 3. Consentement. 4. Stimulation. 5. Louange ou flatterie. 6. Silence. 7. Connivence ou indulgence. 8. Coopération ou participation à une chose acquise par injustice ou par péché. 9. Défense d'une mauvaise action.

cken, oder wan wir theilhafftig werden, dessen das mit unrecht, oder sünden gewonnen. 9. Letzlich wan wir die bossheit verthädtigen.

[*Trèves 1574* : Peccata aliena, quae imputantur nobis, novem modis sunt, scilicet. 1. Consilio. 2. Iussione. 3. Consensu. 4. Irritatione. 5. Laudatione. 6. Reticentia culpae alienae. 7. Conniventia, vel Indulgentia. 8. Participatione rei alienae. 9. Defensione prava, facti alieni.]

Die siebenzehen Werck des Fleisch. [*Les dix-sept œuvres de la chair*[49]]
1. Hurerey. 2. Unreynigkeit. 3. Unschämigkeit. 4. Unkeuschheit. 5. Abgötterey. 6. Zauberey 7. Feindtschafft. 8. Hader. 9. Neidt. 10. Zorn. 11. Zanck. 12. Zweytracht. 13. Secten. 14. Hass. 15. Mordt. 16. Trunckenheit. 17. Fresserey.

[Trèves 1574 : *Opera carnis,* quae recenset D. Paul. ad Galat. 6. sunt. Fornicatio. Immundicia. Impudicitia. Luxuria. Idolorum servitus. Veneficia. Inimicitiae. Contentiones. AEmulationes. Rixae. Dissentiones. Sectae. Invidiae. Homicidia. Ebrietates. Commessationes et his similia.]

Die vier lessten ding des Menschen. [*Les quatre fins dernières des hommes*[50]]
1. Der Todt. 2. Das Urttheil. 3. Die Hell. 4. Das Himmelreich.

Saint-Flour 1710
[Joachim-Joseph d'Estaing]
[Prône dominical]

P2865 **Saint-Flour 1710 p. 19-21**

Le Curé ajoûtera, quelque fois pendant l'année, aprés avoir donné l'absolution au peuple, les Vertus Cardinales, et Theologales, les pechez mortels, et les Sacremens de l'Eglise, et les oeuvres de misericorde.

Les Vertus Cardinales sont quatre.
1. Prudence. 2. Temperance. 3. Force. 4. Justice.

Les Vertus Theologales sont trois.
1. Foy. 2. Esperance. 3. Charité.

Les pechez mortels sont sept.
1. Superbe. 2. Avarice. 3. Luxure. 4. Ire. 5. Envie. 6. Gourmandise. 7. Paresse.

---

[49] Les dix-sept oeuvres de la chair. 1. Prostitution. 2. Impureté. 3. Indécence. 4. Impudicité. 5. Idolatrie. 6. Sorcellerie. 7. Inimitié. 8. Refus de pardon. 9. Jalousie. 10. Colère. 11. Discorde. 12. Discorde. 13. Secte. 14. Haine. 15. Homicide. 16. Alcoolisme. 17. Gloutonnerie.

[50] Les quatre fins dernières des hommes. 1. La mort. 2. Le jugement. 3. L'enfer. 4. Le royaume des cieux.

Les Sacremens de l'Eglise sont sept.
1. Bapteme. 2. Confirmation. 3. Eucharistie. 4. Penitence. 5. Extréme-Onction. 6. L'Ordre. 7. Le Mariage.

Les œuvres de misericorde spirituelle sont sept.
1. Corriger ceux qui faillent.
2. Donner conseil à ceux qui en ont besoin.
3. Consoler les Affligez.
4. Endurer patiemment les injures.
5. Pardonner les offenses.
6. Prier pour les vivans, et pour les trépassez.
7. Et pour ceux qui nous persecutent.

Les œuvres de misericorde corporelle sont sept.
1. Donner à manger à ceux qui ont faim.
2. Donner à boire à ceux qui ont soif.
3. Loger les Pelerins, et les Etrangers.
4. Habiller ceux qui sont nûs.
5. Visiter les malades et les prisoniers.
6. Rachetter les captifs.
7. Ensevelir les morts.

Listes chiffrées dans les aides-mémoire

Deux

Duo genera peccatorum. Verdun 1554.
Les Commandemens de la loy de nature sont deux. Lyon c. 1580.
Les Commandemens de la charité sont deux. Lyon c. 1580.
Contritionis et Satisfactionis partes duae. Reims 1585.
Duo Angelorum genera. Reims 1585.
Der Christlichen Gerechtigkeit sind zwey stück. Strasbourg 1590.
Estos deu manaments se enclouen en dos: ço es en amar à Deu sobre totes les coses, y al prohisme com à tu mateix. Elne 1656.

Trois

Tria requiruntur ad veram penitentiam et confessionem. Elne 1509.
Tres sunt dotes animae. Elne 1509.
[Tres] potencie anime quibus similatur Deo. Elne 1509.
Tres poenitentiae partes. Reims 1585.
Tres virtutes theologales. Metz 1543, Toul 1559.

Tres virtutes theologice. Verdun 1554. Évreux 1606.
Septem [sic pour *Tres*] *virtutes principales.* Elne 1509 [comme Toul 1559].
Tres virtutes theologicae sive christianae. Reims 1585 [comme Elne et Toul].
De tribus virtutibus theolog. Paris 1601-1630.
Les trois vertus theologales. Metz 1605. Rouen 1611.
Die drei Göttliche Tugenten. Metz 1605.
Les virtuts Theologals son tres. Elne 1656.

[*Tria*] *Consilia evangelica.* Verdun 1554.
Die drei Evangelische Räth. Strasbourg 1590.
Die drei fürnemste Evangelische Räthe. Metz 1605.
Les III conseils evangeliques. Rouen 1611.

Tria opera quibus placemus Deo. Verdun 1554.
Der fürnembsten guten Werck sind drey. Strasbourg 1590.
Die drey fürnembste gute Wercken. Metz 1605.

Les trois choses que doit sçavoir tout Chrestien. Lyon c. 1580.
Tria vota monastica. Reims 1585.

Tres gradus, quibus inducimur ad peccandum. Reims 1585.
Die drey Feind des Menschen, durch welche er zu den sünden angereitzet wirdt. Metz 1605.
Die drey Staffel zu den Sünden. Metz 1605.
Los ennemichs de la anima quens incitent à peccar son tres. Elne 1656.

Die drey Kräfften der Seelen. Metz 1605.
Les III oeuvres satisfactoires. Rouen 1611.

Quatre

Quatuor (virtutes) cardinales. Elne 1509, Metz 1543, Toul 1559.
Quatuor virtutes officiales, que et cardinales vocantur. Verdun 1554.
Virtutes cardinales, seu morales, quatuor. Reims 1585 [proche de Toul 1559].
De [4] *virtutibus cardinalibus.* Paris 1601-1630.
Les quatre vertus cardinales. Metz 1605.
Die vier fürnemste haupt Tugenten. Metz 1605.
Les quatre vertus morales. Rouen 1611.
Quatre vertus principales, autrement dites Cardinales. Orléans 1642.
Les virtuts Cardinals son quatre. Elne 1656.

Dotes corporis gloriosi sunt quatuor. Elne 1509.
Parte confessionis sunt IIII. Elne 1509.

En quatre manieres on peult ayder aux ames des fideles trepassez. Maguelonne 1533.

Quatuor peccata clamantia in celum (pro vindicta). Metz 1543, Verdun 1554.
Die vier in Himmel schreyende Sünd. Strasbourg 1590.
Les quatre pechés qui crient vengeance à Dieu. Metz 1605.
Die vier Sünden, so in den Himmel schryen. Metz 1605.
Les quatre pechez crians au ciel. Rouen 1611.
Les pechez qui crient vengeance devant Dieu. Toulouse 1621-1653.
Quatre pechez qui crient vengeance contre Dieu. Sens 1625.
Les (pechés) qui crient vengeance à Dieu sont 4. Orléans 1642.
Peccata clamantia in caelum. Besançon 1674.

Quatuor novissima omnibus memoranda. Reims 1585.

Die vier Letzte ding. Strasbourg 1590.
Les quatre dernieres fins de l'homme. Metz 1605.
Die vier lessten ding des Menschen. Metz 1605.
Les IIII fins de l'homme. Rouen 1611.

Cinq

Quinque precepta Ecclesie. Elne 1509. Soissons 1576.
Cinq commandemens de l'Eglise. Maguelonne 1533, etc.
Die Fünff fürnembste Gebott der Christlichen Kirchen. Strasbourg 1590. Metz 1605.

Sensus corporis sunt quinque. Elne 1509.
Quinque sensus (exteriores). Lyon 1542, Metz 1543, Verdun 1554.
Quinque sensus naturales. Toul 1559 [proche de Lyon 1542].
De quinque sensibus exterioribus. Paris 1601-1630.
Die fünff Sinn des Leibs. Metz 1605 [Les cinq sens corporels].

Les cinq pechez qui crient à Dieu vengence. Maguelonne 1533.
Quinque peccata in caelum clamantia. Reims 1585, Évreux 1606 [proche de Reims], Beauvais 1637-1725.

Six

[Sex] Peccata contra Spiritum Sanctum. Elne 1509.
Les six pechez contre le Sainct Esprit. Maguelonne 1533. Metz 1605.

(Sex) peccata in Spiritum Sanctum. Metz 1543, Toul 1559, Reims 1585, Beauvais 1637-1725.
[Sex] Species peccati in Spiritum Sanctum. Verdun 1554.
Die sechs Sünden in den heyligen Geist. Metz 1605.
Sex peccata… quae in Spiritum Sanctum committi dicuntur. Évreux 1606.
Six sortes de pechez contre le S. Esprit. Rouen 1611.
[Six] pechez contre le S. Esprit. Sens 1625.
Des pechez contre le Sainct Esprit. Toulouse 1621-1653.
Les pechés contre le S. Esprit sont 6. Orléans 1642.
De peccato in Spiritum Sanctum. [six péchés]. Besançon 1674.

Sept

Septem sacramenta (Ecclesie). Reims 1506, Elne 1509, Metz 1543 [comme Reims 1506], Lyon 1542 [comme Reims 1506], Toul 1559, Soissons 1576, Chartres 1581.
De septem sacramentis ecclesie et eorum affectu. Meaux 1546.
Septem Sacramenta Ecclesie Catholice. Verdun 1554.
Les sept sacremens de saincte Eglise, comparez aux sept vertus. Maguelonne 1533.
Novae legis septem sunt sacramenta. Vienne 1578, 1587.
Von Sacramenten. Der Sacramenten sind sieben. Strasbourg 1590.
Les sept Sacremens de l'Eglise. Metz 1605.
Der heiligen Sacrament seindt sieben. Metz 1605.
Los Sagraments de la Iglesia… son set. Elne 1656.
Les sacremens de l'Eglise sont sept. Saint-Flour 1710.

Septem sunt peccata mortalia. Reims 1506, Elne 1509, Metz 1543, Toul 1559 [proche de Reims 1506].
Septem peccata capitalia seu mortalia. Verdun 1554.
Septem peccata criminalia. Soissons 1576.
Septem peccata capitalia seu principalia. Reims 1585.
Die sieben Hauptsünd. Strasbourg 1590.
De septem peccatis mortalibus. Paris 1601-1630.
Les sept pechés mortels. Mez 1605.
Die sieben haupt Todtsünden. Metz 1605.
Septem sunt peccata, quae rectius vocantur capitalia quam mortalia. Évreux 1606.
Sept pechez capitaux. Sens 1625.
De septem generibus peccatorum [peccata mortalia seu venialia]. Rouen 1611.

Les (pechés) capitaux sont 7. Orléans 1642.
Los peccats capitals, y principals, que vulgarment se diven mortals son set. Elne 1656.
De septem peccatis capitalibus. Besançon 1674.
Circa (7) Peccata capitalia. Limoges 1678-1698, Chartres 1680-1689.
Les pechez mortels sont sept. Saint-Flour 1710.
Les sept pechez qui procedent d'aultruy. Maguelonne 1533.

Septem (sunt) opera misericordie corporalia. Reims 1506-1621, Metz 1543, Verdun 1554, Toul 1559, Beauvais 1637-1725.
Opera misericordie corporalia septem. Elne 1509.
Les [sept] oeuvres de misericorde corporelles. Maguelonne 1533.
Leibliche seind sieben. Strasbouyrg 1590.
[Sept] oeuvres corporelles de misericorde. Rouen 1611.
7 oeuvres de misericorde corporelle. Orléans 1642.
Les oeuvres de misericorde corporelle sont sept. Saint-Flour 1710.
Opera misericordie corporalia. Elne 1509.
Les sept oeuvres de Misericorde corporelles. Metz 1605.
Die sieben Leibliche Wercken der Barmhertzigkeit. Metz 1605.
De septem operibus corporalibus misericordiae. Paris 1615-1630.

Septem (sunt) opera misericordie spiritualia. Reims 1506-1621, Metz 1543, Verdun 1554, Toul 1559, Beauvais 1637-1725.
Les [sept] oeuvres de misericorde spirituelles. Maguelonne 1533.
Der Geistlichen seind auch sieben. Strasbourg 1590.
Les sept oeuvres de Misericorde spirituelles. Metz 1605.
Die sieben Geistlichen Wercken der Barmhertzigkeit. Metz 1605.
De septem operibus spiritualibus misericordiae. Paris 1601-1630.
[Sept] oeuvres spirituelles de misericorde. Rouen 1611.
7 oeuvres de misericorde spirituelle. Orléans 1642.
Les oeuvres de misericorde spirituelle sont sept. Saint-Flour 1710.
(Septem) dona Spiritus Sancti. Reims 1506-1621, Metz 1543, Verdun 1554, Toul 1559, Évreux 1606.
Dona Spiritus Sancti sunt septem. Elne 1509.
De septem donis Spiritus sancti. Paris 1601.
Les sept dons du S. Esprit. Metz 1605. Rouen 1611.
Die sieben Gaben des heiligen Geists. Metz 1605.

Septem sunt articuli divinitatis. Elne 1509.
Septem articuli humanitatis sunt. Elne 1509.

Les sept vertus contraires aux sept pechez mortels. Maguelonne 1533.

Virtutes et remedia contra VII peccata mortalia. Lyon 1542[51]. Toul 1559.
Septem virtutes capitales, que ab octo beatitudinibus non multum differunt. Verdun 1554.
Des vertuz contraires ausdicts pechez (mortels). Chartres 1580.
Septem principales virtutes. Chartres 1581.
Septem virtutes his (peccatis capitalibus) contrariae. Reims 1585-1621.
Les sept vertus contraires. Metz 1605.
Die sieben Tugendten den haupt Sünden zu wieder. Metz 1605. [Les sept vertus opposées].
Les sept vertus contraires aux sept sortes de pechez. Rouen 1611.

Huit

Octo beatitudines. Elne 1509, Verdun 1554.
Beatitudines octo. Reims 1585.
Die acht Seligkeiten. Strasbourg 1590. Metz 1605.
Les huict Beatitudes. Metz 1605.
Les VIII Beatitudes. Rouen 1611.

De octo operibus corporalibus misericordiae. Paris 1601[52].

Neuf

Novem modis communicamus peccatis alicuius. Verdun 1554.
Modi communicandi peccatis alienis novem. Reims 1585.
Die neun frembde Sünden dern die Menschen sich theilhafftig machen. Metz 1605.
Novem modis alienis peccatis communicatur. Évreux 1606.
Les manieres par lesquelles nous sommes coupables du peché d'autruy. Cambrai 1622-1779.
Modi, quibus homo participat peccatis alienis. Chartres 1627-1689, Beauvais 1637, Paris 1646, Bayeux 1687.

Dix

Decem precepta Decalogi. Reims 1506, Lyon 1542. Toul 1559. Soissons 1576 etc.
Decem precepta legis. Elne 1509.
Dix commandemens de la loy. Maguelonne 1533.
Les commandemens de la loy sont dix. Lyon c. 1580.
Die Zehen Gebott Gottes. Strasbourg 1590. Metz 1605.

---

[51] Liste non titrée à Lyon.
[52] Liste réduite à sept à partir de 1615.

De Decem praeceptis. Paris 1601-1630.
Les dix commandemens de Dieu. Metz 1605.
Los manaments de la llei de Deu sont deu. Elne 1656.

Douze

Les douze empeschemens qui gardent de faire penitence. Maguelonne 1533.
Fructus Spiritus Sancti, duodecim. Reims 1585.
Fructus sive opera carnis his opposita. Reims 1585.
Die zwölff freuchten des heyligen Geists. Metz 1605.
Les douze articles de la Foy. Je croy en Dieu... Metz 1605.

Quatorze

Los articles de la Sancta fe Catholica son catorze, set que partanyen à la Divinitat: y los altres set à la sancta humanitat. Elne 1656.
Les obres de misericordia, les quals son catorze, set corporals, y set spirituals. Elne 1656.

Quinze

Die fünffzehen fürnembste Geheimniss unseres Herren Jesu Christi zubetrachten, wann man den Rosenkranz bettet, welche genant werden. Strasbourg 1590.

Dix-sept

Die siebenzehen Werck des Fleisch. Metz 1605. [Les dix-sept œuvres de la chair].

2. Prônes dominicaux et catéchismes

Les prônes dominicaux[53]

Jusque vers la fin du XVIe siècle, les prônes dominicaux sont essentiellement constitués de prières à diverses intentions, appelées parfois prières publiques[54], se terminant par des prières pour les défunts. Ces prières reflètent fidèlement l'état de la société à une époque donnée et évoluent avec le temps. Suivent des recommandations de charité, les

---

[53] Seuls quelques passages parmi les plus significatifs des prônes dominicaux sont cités dans ce chapitre.
[54] Rituels de Vienne 1578-1587, Lyon 1667, Genève 1674 et 1747 (2e partie p. 155) etc.

annonces de fêtes de la semaine, des excommunications génerales, et des admonestations ou monitoires à l'encontre de malfaiteurs, suivies e cas échéant de leur excommunication[55].

L'évêque d'Autun Jacques Hurault est le premier en 1545 à vouloir donner la priorité à l'enseignement de la foi et de la prière ; les formules du *Nostre Pere,* du *Je te salue Marie,* et du *Je crois en Dieu,* présentées en français, sont suivies pour la première fois de la liste des commandements de Dieu et de l'Église. Le *Pater* est très longuement commenté.

Eustache du Bellay à Paris demande en 1552 d'ajouter à l'occasion, à l'annonce des commandements de Dieu (en latin et en français) et de l'Église (texte non donné), une longue *Exposition doctrinale des commandemens de Dieu* à lire par parties. Cette *Exposition,* rééditée à Paris jusqu'en 1630, a pu être considérée comme l'un des premiers essais de catéchisme pour adultes du diocèse[56].

Maximilien de Berghes en 1562 à Cambrai, comme François Richardot à Arras la même année[57], recommandent à leurs prêtres d'expliquer au prône un passage de l'évangile ou de l'épitre du dimanche. La récitation des prières (*Pater, Ave, Credo*) à genoux (à Cambrai) et la lecture des commandements de Dieu et de l'Eglise en latin et en français, sont suivies à Cambrai d'un long *Je me confesse à Dieu,* et de l'absolution générale. Maximilien de Berghes recommande l'usage du tout nouveau catéchisme de Pierre Canisius.

Pierre de Villars à Vienne en 1578, Pierre d'Espinac à Lyon c. 1580[58], Arnaud de Pontac à Bazas en 1585 demandent que, si le temps le permet, le prêtre commente, en plus « du sujet de l'Evangile ou Epistre », la vie du saint du jour, ou un passage du catéchisme du concile de Trente, ou encore, à Bazas, qu'il lise trois ou quatre chapitres de l'*Instruction des Curez* de Jean Gerson.

---

[55] Voir supra chapitre XXII : *Excommunications au prône dominical.*
[56] Chanoine Hézard, *Histoire du catéchisme,* Paris, 1900, p. 407-408. Voir supra Examens de conscience (P1382).
[57] *Ordonnances* de François Richardot, reliées à la suite des rituels d'Arras 1563 et 1600.
[58] Lyon c. 1580 : Aucun exemplaire connu de ce rituel. Seul en garde la trace un recueil dont trois éditions sont imprimées entre 1583 et 1602 à Bordeaux par l'imprimeur Simon Millanges : Molin Aussedat n° 1440 (édition 1583) et Molin Aussedat n° 1305 (édition 1602, dite troisième édition dans la préface de « L'Imprimeur au Lecteur ecclesiastique »). Dans l'édition Millanges 1583 intitulée *Guide des curez contenant le formulaire de divers prosnes…* se succèdent sans indication de date d'impression les prônes et exhortations de Paris 1574-1581, Lyon [c. 1580], Chartres 1580, Vienne 1578, Poitiers 1581, et les exhortations d'Arras 1562 (*Ordonnances*) et d'Agen 1564.

À Cahors 1604, il est recommandé aux prêtres d'avoir avec eux le « Catéchisme Romain », d'enseigner « la doctrine chrestienne » et le catéchisme du cardinal Bellarmin tous les dimanches[59].

C'est à Lyon et à Bazas apparemment, sous les épiscopats de Pierre d'Espinac et d'Arnaud de Pontac, que le prône va commencer à énoncer clairement les « trois choses (que) doit sçavoir tout Chrestien » : 1. Ce qu'il doit demander à Dieu (*Pater noster* et *Ave Maria*). 2. Ce qu'il doit croire. *Credo, Je crois en Dieu*. 3. Ce qu'il doit faire : commandements de Dieu et de l'Église.

Ce schéma va se répandre peu-à-peu, élargi à la présentation explicative des sept sacrements[60] à partir du rituel d'Angers en 1620.

Désormais, le prône dominical va tenir « le milieu entre la prédication et le catéchisme[61] ».

Les catéchismes

Certains aides-mémoire du XVIe siècle étaient déjà utilisés comme catéchismes.

En 1582, dix-sept ans après la publication du catéchisme du concile de Trente, Charles de Bony évêque d'Angoulême donne dans son rituel la traduction littérale des longues instructions sur le *Credo*, les sacrements en général et les sept sacrements du catéchisme tridentin[62]. Son rituel, dont le tome I est le seul paru apparemment, a pour objectif explicite d'aider les curés à lutter contre les « hérétiques ».

À partir de 1611 (*Exposition de la doctrine chrestienne* de François de Joyeuse à Rouen) une vingtaine de catéchismes sont insérés dans les rituels. Très variés, brefs ou développés, ils se présentent, soit sous forme d'exposés, à lire parfois par parties au prône dominical ou à sa suite, soit sous forme de question-réponses, comme c'est le cas à Toulouse 1616, Sens 1625, Albi 1647 (pour les enfants), Mâcon 1658, Alet 1667-1771, et Sées 1695.

---

[59] Cahors 1604, *Manuale proprium*, p. 71.
[60] *Voir* volume II/6 : *Prônes dominicaux. Conseils de dévotion*. Présentation des sacrements.
[61] Chalon-sur-Saône 1653 p. 439.
[62] L'ordre des chapitres diffère légèrement de celui du catéchisme tridentin : le mariage est ici précédé de la pénitence et suivi de l'ordre.

Catéchismes présents dans les rituels[63]

Angoulême 1582 (Charles de Bony) *Manuel et sommaire instruction pour les curez, contenant l'ordre et maniere d'administrer les saincts Sacrements...* P2870

Rouen 1611/1612, 1640, 1651 (François de Joyeuse) *Exposition de la doctrine chrestienne*, reprise par Avranches 1613, Le Mans 1647-1680, Sées 1634, 1695, Soissons 1622. P2874

Toulouse 1616-1653 (Louis de Nogaret de La Valette) *Sommaire de la Doctrine Chrestienne*. P2876

Sens 1625 (Octave de Bellegarde) *La Doctrine chrestienne*. P2878

Saint-Omer 1641 (Christophe de France) *Instructiones variae ad populum...*, reprises en partie par Arras 1644. P2880

Orléans 1642 (Nicolas de Nets) *Catechisme ou briefve instruction de la doctrine chrestienne*. P2881

Lyon 1644-1724 (Alphonse-Louis de Richelieu) (et) *Rituale romanum*, Lyon 1669-1759, Avignon 1780-1802. *Formulaire de Prosne...* P2884.

Albi 1647 (Gaspard de Daillon du Lude) *Petit catechisme familier...* P2888

Elne 1656 (Chapitre d'Elne) *Modus docendi doctrinam christianam.* P2890

Mâcon 1658 (Jean de Lingendes) *Abregé de la Doctrine chrestienne.* P2891

Alet 1667-1771 (Nicolas Pavillon) *Abregé de la doctrine chrestienne...* P2892

Alet 1667-1771 (Nicolas Pavillon) *Autre instruction touchant les principaux mysteres...* P2893

Bayeux 1687 (François de Nesmond) *Pronaum abbreviatum...* P2898

Nevers 1689 (Edouard Vallot) *Abregé succinct de nos veritez, que l'on doit lire à la fin du grand prône...* P2900

Extrait du Rituel romain, pour bien administrer les Sacremens... Lyon 1692-c. 1740 (Camille de Neufville de Villeroy). *Formulaire pour faire le Prosne*. P2902

Sens 1694 (Hardouin Fortin de La Hoguette) *Abregé des principales verités...* P2903

---

[63] Le nom de l'évêque promulgateur d'un formulaire, ou sous l'épiscopat duquel a été promulgué un formulaire est cité entre parenthèse.

Sées 1695 (Mathurin Savary) *Instruction touchant les principaux mysteres et Sacrements...* P2906

Poitiers 1705, 1719 (Jean-Claude de La Poype de Vertrieu) *Formulaire pour faire le prosne...* P2908

Cahors 1722 (Henri de Briqueville de La Luzerne) *Exposition de la Foy sur le mystere de la Trinité... Exposition du Mystere de l'Incarnation...* P2911

Saint-Omer 1727 (François de Valbelle de Tourves). *Instructiones ad populum...* P2912

Avignon 1729, 1748 (François-Maurice de Gonteriis) (et) *Rituale romanum*, 1816-1854. *Abregé de la Doctrine chretienne.* P2913

Blois 1730 (Jean-François Lefebvre de Caumartin) *Abrégé de la Doctrine chrétienne*, repris en partie par Meaux 1734; légèrement remanié à Toulon 1749, 1778, Boulogne 1750, 1780, Amiens 1784. P2915

Narbonne 1736 (René-François de Beauvau) *Prône pour les dimanches*. P2918

Soissons 1778 (Henri-Joseph-Claude de Bourdeilles) *Abrégé de la Doctrine chrétienne.* P2923

Formulaires

Le texte des prières (*Notre Père...*), des commandements de Dieu et de l'Église, et la présentation des sacrements sont regroupés dans le volume II/6: *Prônes dominicaux. Conseils de dévotion.*

Autun 1545

[Jacques Hurault]
[Prône dominical]

866 **Autun 1545 p. 125-126**

Afin que le peuple se exerce a mediter et prier Dieu, il est bien salutaire, que des choses cy dessoubz escriptes, apres avoir prononcé les commandemens, le Curé, ou vicaire, par chascun dimenche, ou aucune fois aux festes, prononce a haulte voix quelque peu de ce qui s'ensuyt, et que le peuple escoute et le dise en son cueur a part soy, et nous est commandé ainsi faire, par monseigneur nostre reverend evesque, afin que nous nous exercions a mediter de Dieu et le aymer.

Que c'est que Dieu. Dieu est souveraine majesté, puissance, sapience, et bonté infinie, sans commencement et sans fin, verité immuable, juste et misericordieux, un seul Dieu en trois personnes, Pere,

Filz, et sainct Esprit, auquel sont toutes choses, par lequel sont toutes choses faictes, et duquel tout bien procede, et est donné. Et ainsi je le croy.

Que c'est que de l'homme. L'homme est animal raisonnable creé a l'ymage de Dieu, et par le peché de nostre premier pere Adam, rendu poure, meschant, ignorant le bien, inconstant, desirant honneur, hypocrite, subject a peché, auquel il est nay et conceu. Mais Dieu par sa bonté et misericorde ha envoyé en ce monde son filz Jesu Christ, pour restituer l'ymage de Dieu perdue, a tous ceulx qui auront amour et fiance en luy, et luy demanderont le fruict de sa mort et resurrection. Ainsi je le croy. [repris à Verdun 1554 avec quelques remaniements]

Autun 1545

Exposition du Pater noster[64]
[Prône dominical]

P2867   **Autun 1545 p. 127-144**
p. 127-130 *Pere, ... Nostre, ... Qui es es cieulx...*
p. 130-132 La premiere petition. *Sanctifié soit ton nom. ...*
p. 132-134 La deuxiesme petition. *Ton regne nous advienne. ...*
p. 134-137 La troysiesme petition. *Ta volunté soit faicte en la terre comme au ciel. ...*
p. 137-139 La quatriesme petition. *Nostre pain quotidian donne nous aujourd'hui. ...*
p. 139-141 La cinquiesme petition. *Et delaisse noz debtes, comme nous delaissons a noz debteurs. ...*
p. 141-143 La sixiesme petition. *Et ne nous induis pas en tentation. ...*
p. 143-144 La septiesme petition. *Mais delivrez [sic] nous du mal. ...*

Grenoble 1549

[Laurent II Allemand]
Institution d'un bon Chrestien en la foy de Dieu, et commandements de l'Eglise[65]

P2867bis   **Grenoble 1549 p. 81-87** [Premier essai d'explication de la foi chrétienne à partir des principales prières et des commandements].

---

[64] Sur le *Pater* à cette époque, voir Ad. Prosperi, *Les commentaires du Pater Noster entre XVe et XVIe siècles*, dans *Aux origines du catéchisme en France*, dir. P. Colin, Desclée, 1989, p. 87-105.
[65] Cet enseignement fait suite au prône dominical et est suivi de conseils de vie chrétienne (P2975).

Oratio Dominica, qua quicquid à Deo rectè peti potest, aut unquam à piis hominibus petitum est, compendio comprehenditur. Scopus quippe omnis orationis est triplex. Aut enim appetimus bona spiritualia, aut corporaria, aut maleactorum veniam precamur, aut deprecamur à nobis mala praeterita, praesentia, et futura, spiritualia, corporalia, temporaria, et aeterna.

1 *Nostre Pere qui es es cieulx, Sanctifié soit ton Nom.* (Note marg. :) Exordium. Matth. 4.

2 *Ton Royaulme nous advienne,*

3 *Ta voulunté soit faicte ainsi en la terre, comme au ciel.* (Note marg. :) j. Petitio. His tribus primis petit[ionibus] appetimus bona aeterna, et spiritalia.

4 *Donne nous aujourd'huy nostre pain quotidian,* (Note marg. :) Quarta, corporalia, et temporalia.

5 *Pardonne nous noz pechés ainsi, comme nous pardonnons a ceux qui nous ont offencé.*

6 *Et ne nous induy point en tentation,*

7 *Mais garde nous du mal, Amen.* (Note marg. :) Reliquis tribus, maleactorum veniam precamur, et mala à nobis spiritalia et temporalia deprecamur.

Omnium longe gratissima oratio, ad beatam virginem matrem Mariam.

Je te salüe, Marie pleine de grace, le Seigneur est avecq toy, (Note marg. :) Lucae 1. Angelica salutatio.

Tu es benoicte entre les femmes, et benoict est le fruict de ton ventre Jesus. (Note marg. :) Elizabeth de eadem encom [illisible].

Sainte Marie mere de Dieu, prie pour noz [sic] pecheurs. Amen. (Note marg. :) Pia ecclesiae precatio.

Quomodo sancti à nobis implorandi.

Sainct N. prie Dieu pour nous paoures pecheurs.

Syre Dieu par l'intercession de monsieur sainct N. donne moy ce qu'est necessaire à l'ame et au corps. (Note marg. :) Sanctos oramus, eorumque festa colimur, ut eorum vestigia, sequentes eorumdem precibus adiuvemur.

Symbolum apostolicum quo quicquid ad fidem pertinet divinis voluminibus longe lateque traditum, summarie selegitur.

1 *Je croy en Dieu le Pere tout puissant, createur du ciel et de la terre.* (n.m. :) Opificium omnis creaturae, Deo acceptum referimus.

2 *Et en Jesus Christ son Filz, un seul nostre Seigneur.* (n.m. :) Christi ortum à patre aeternum profitemur.

3 *Qui feut conceu du sainct Esperit, nay de la vierge Marie.* (n.m. :) Christi temporium ex matre virgine ortum fatemur.

4 *Souffrit soubs Ponce Pilate, fut crucifié, mort, et ensevely,* (n.m. :) Christi passione, morte, et sepultura, nostra sunt purgata vitia.

5 *Descendit aux enfers, le tiers jour resuscita des morts,* (n.m. :) Credimus, quod sicut Christus resurrexit, ita et nos resurgemus.

6 *Monta aux cieulx, se sied à la dextre de son pere,* (n.m. :) Quo nos praecessit, speramus eius beneficio eum sequi.

7 *De là viendra juger les vifz et les mortz.* (n.m. :) Extremum et generale iudicium expectamus.

8 *Je croy au sainct Esperit,* (n.m. :) Tertiam Trinitatis personam, sanctum, inquam, spiritum fatemur.

9 *La saincte Eglise catholique,* (n.m. :) Confitemur sanctam et universalem Christianorum ecclesiam, hic sub S.P. Ro. militantem.

10 *La communion des sainctz,* (n.m. :) Sacratissimum eucharistie sacramentum cuius perceptione apti Christo unimur, confitemur ipsum et veneramur.

11 *La remission des pechez,*

12 *La resurrection de la chair,* (n.m. :) Credamus nos omnes cum corpore et anima resurrecturos, quum [cum ?] ipsi Deo videbitur.

13 *La vie eternelle. Amen.* (n.m. :) Expectamus post omnium resurrectionem vitam aeternam praeparatam bonis ad gloriam malis ad poenam.

Decalogus Christi, quo quicquid est iuris divini et humani, pulcherrimo ordine comprehenditur, docens unicuique quod seuum est tribuere, honeste vivere, alterum non laedere.

1 *Tu croyras un seul Dieu, et icelluy sur tout aymeras.*

2 *Tu ne jureras son Nom en vain.* (n.m. :) Quomodo de Deo loquendum.

3 *Tu sanctifieras les jours de sabath.* (n.m. :) Quomodo colendus Deus.

4 *Honore pere et mere.* (n.m. :) Quid parentibus debeamus.

5 *Tu ne tueras personne.* (n.m. :) Docet neminem laedere.

6 *Tu ne seras point adultere.* (n.m. :) Docet honestè vivere.

7 *Tu ne seras point larron.*

8 *Tu ne porteras faulx tesmoinage.* (n.m. :) Alterum non laedere.

9 *Tu ne convoiteras la femme de ton prochain.*

10. *Tu ne convoiteras point le bien d'autruy.* (n.m. :) Unicuique quod suum est reddere.

Quinque sanctae et catholicae ecclesiae publico omnium consensu praecepta.
1 *Les dimenches et festes, messe orras, et le divin office.*
2 *Une foys l'an (à tout le moins) tes pechés confesseras.*
3 *Tu sanctifieras les festes commandées par l'Eglise.*
4 *A Pasques (au moins) ton createur humblement recevras.*
5 *Les quatres temps et vigiles ordonnées par l'Eglise tu ieusneras.*

Verdun 1554
[Nicolas Psaulme]
Instruction pour les Chrestiens
[Enseignement de la foi aux enfants, prône dominical]

2868 Verdun 1554 f. 107v

Quand l'enfant est parvenu a discretion, doibt premier scavoir que c'est que Dieu.

Dieu est puissance, sapience, et bonté infinie, sans commencement, et sans fin, verité immuable, juste et misericordieux, un seul Dieu en troys personnes, Pere, Filz, et Sainct Esprit, auquel sont toutes choses, par lequel sont toutes choses faictes, et duquel sont donnees toutes choses.

Secondement doibt congnoistre soymesmes, que c'est que de l'homme.

L'homme est créé a l'image de Dieu, par le peché de nostre premier pere Adam, rendu pauvre, meschant, ignorant le bien, inconstant, desirant honneur, hypocrite, subject a peché, auquel il est nay et conceu.

Et pource que la loy le monstre pecheur, et qu'il ne trouve point de bien en luy, il fault qu'il saiche que son salut est en J. C. Pour ce congnoistre tel, fault qu'il apprenne la loy de Dieu, laquelle monstre ce qu'il doibt faire, et non faire. [proche d'Autun 1545]

Lyon c. 1580
[Pierre d'Espinac]
Sommaire de la foi du Chrestien
[Prône dominical]

Il ne susbiste aucun exemplaire du rituel lyonnais publié aux environs de 1580, donc sous l'épiscopat de Pierre d'Espinac. Seul en garde la trace un recueil dont trois éditions sont imprimées entre 1583 et 1602 à Bordeaux par l'imprimeur Simon Millanges[66]. Ce recueil, rassemblant les prônes et exhortations de quelques rituels français contemporains, reproduit entre autres le prône dominical d'un *Baptistere de Lyon* sans en préciser la date d'impression ni l'imprimeur.

P2869 **Lyon c. 1580 p. 32-37 de l'édition Millanges 1602**

Le **sommaire de la foy du Chrestien** est croire en general qu'il n'y a qu'un seul Dieu, et neantmoins qu'il y a en iceluy trois personnes en une mesme nature : c'est à sçavoir Dieu le Pere, Dieu le Fils, Dieu le sainct Esprit : desquels la seconde personne, sçavoir est, Dieu le fils, estant venu le temps jadis preordonné par sa providence, a prins chair humaine, demeurant Dieu et homme tout ensemble, conversant l'espace de trente trois ans, ou environ avec les hommes, à enseigné [sic] le chemin du ciel, et avec ce a fondé et edifié son Eglise, par le moyen tant de sa predication, comme de ses Apostres, avec leurs successeurs.

Et pour la conservation d'icelle, outre qu'il luy a laissé en sa place un chef visible, c'est à dire un Souverain Pontife, auquel il a promis que jamais sa foy ne defaudra, il a ordonné les Sacremens, qui sont en nombre sept, par le moien desquels, comme par conduits, il communique ses dons et graces aux Chrestiens, pour les engendrer, nourrir, confirmer, augmenter et conserver en la vie spirituelle.

Et sur ce point de l'Eglise, doit tout Chrestien croire fermement, et estre plus qu'asseuré de deux choses : l'une que ceste Eglise ne peut faillir ne moins tomber, tant pour estre tousjours gardée du sainct Esprit, qui est verité infaillible, comme pour ce que son espoux J.-C. luy a promis à tout jamais de l'accompagner ; l'autre que ceux la seulement, qui demeurent en icelle Eglise, croians tout ce qu'elle croit, et vivans, ainsi comme elle demande, se peuvent sauver, et non autres. Dont il s'ensuit que tous Payens et Idolatres, Mores, Juifs, Heretiques sont en voye de perdition et de mort eternelle, comme tous ceux qui au temps du deluge, estoient hors de l'arche de Noé.

Plus trois choses en general doit sçavoir tout Chrestien.
1. Ce qu'il doit demander à Dieu.
2. Ce qu'il doit croire.
3. Ce qu'il doit faire.

---

[66] Molin Aussedat n° 1440 : *Guide des curez contenant le formulaire de divers prosnes...* Bordeaux, 1583 ; n° 1305 : *Manuel ou Guide brefve et facille des Curez, et Vicaires, contenant le formulaire de divers prosnes...* Bordeaux, 1602.

Le premier est l'oraison dominicale, ou *Pater noster*, comprins avec icelle, la salutation de l'ange c'est à dire l'*Ave Maria*, pour embrasser l'intercession des saints, qui grandement nous aident, à impetrer ce que nous demandons à Dieu. ... *Pater noster* ... *Ave Maria*...

Le second est comprins au Symbole des Apostres, c'est à dire au *Credo*... *Credo*... *Je crois en Dieu*...

Le tiers est contenu és commandemens de Dieu, et de l'Eglise.

Les commandemens de la loy sont dix. *1. Un seul Dieu tu adoreras...*

Les commandemens de la saincte Eglise. *1. Les dimenches la messe oyras*[67]...

Les commandemens de la loy de nature sont deux.

1. Tu ne feras à ton prochain chose que tu ne voudrois qu'il te fist à toy mesme, si tu estois en son lieu, et luy au tien.

2. Tu feras à ton prochain de que tu voudrois qu'il te fist à toy mesme.

Les commandemens de la charité sont deux.

1. Aimer Dieu de tout son coeur, de toute son ame, de toute sa force et puissance.

2. Aimer son prochain comme soi mesme.

Angoulême 1582

[Charles de Bony]

Manuel et sommaire instruction pour les curez,
contenant l'ordre et maniere d'administrer les saincts Sacrements...
Avec declarations, instructions, et exhortations à ce convenables.
Recueilly de divers aucteurs...
[Instructions traduisant le catéchisme du Concile de Trente]

Le rituel de Charles de Bony a pour objectif explicite d'aider les curés à lutter contre les «hérétiques», et se présente, comme le rituel chartrain de 1580[68], davantage comme un catéchisme que comme un rituel: le tome I, seul paru apparemment, est essentiellement composé d'instructions sur le *Credo* et les sacrements traduisant littéralement le catéchisme du concile de Trente. Seule, l'instruction sur la confession vient d'une autre source, le *Manuel general, et instruction des curez et vicaires*, du carme Denis Peronnet, dont plusieurs éditions paraissent à cette époque[69].

---

[67] Voir volume II/6: *Prônes dominicaux. Conseils de dévotion*, Commandements de Dieu, Commandements de l'Église.
[68] Chartre 1580: cf. P2938, P2978, P2979.
[69] Sur Denis Peronnet, voir *infra* Auteurs cités, p. 1943.

Le commentaire du *Credo* long d'une centaine de pages, est suivi de huit chapitres correspondant aux sacrements en général et à chacun des sept sacrements[70], avec des références marginales à la Bible, aux pères de l'Église, et à divers conciles, principalement à celui de Trente.

Les instructions sur la pénitence et la confession, de loin les plus longues (une soixantaine de pages), sont suivies par ordre décroissant de celles sur l'eucharistie (38 p.), le baptême (30 p.), l'ordre (22 p.), le mariage (20 p.), les sacrements en général (17 p.), la confirmation (10 p.), et l'extrême-onction (8 p.).

À la suite du catéchisme tridentin, le rituel d'Angoulême entre dans des considérations pratiques ignorées des rituels antérieurs : par exemple, la contraception et l'avortement sont vigoureusement condamnés, les mères de familles responsabilisées pour l'éducation religieuse de leurs enfants[71].

P2870 **Angoulême 1582** *Prima pars*
p. 1-10 **Advertissement aux curez.** ...
p. 10-108 **Articles de la Foy.** Comme ainsi soit donc qu'en la religion chrestienne beaucoup de choses soient proposées aux croyans... encore faut-il premierement et necessairement que chacun croye le fondement et sommaire de verité, que Dieu mesme nous a enseigné, tant de l'unité de la divine essence, que de la distinction des trois personnes et operations, qui par raison et proportion peculiere leur sont attribuées. Le Curé donc en peu de paroles fera entendre à ses paroissiens, que la doctrine de ce mystere, est briefvement comprinse au Symbole des Apostres. ...

Article .I. *Je croy en Dieu le pere tout puissant, createur du ciel et de la terre.* Le sens qui est caché sous ces paroles est tel : Je croy pour certain et veritable, et confesse sans aucunement douter à l'opposite, que Dieu le Pere est la premiere personne de la Trinité, lequel par sa vertu incomprehensible a crée de rien le ciel et la terre, et consequemment toutes choses y contenues : et non seulement je le croy de coeur et confesse de bouche, mais aussi je tache de tout mon pouvoir et affection, parvenir à luy, comme à celuy qui est le bien tres parfaict et souverain. ...

p. 109-126 *Des sacremens en general.* ...
p. 127-157 *Du sacrement de Baptesme.* ...
p. 191-201 *Du S. Sacrement de Confirmation.* ...
p. 203-245 *Du S. Sacrement de L'Eucharistie.* ...
p. 247-286 *Du Sacrement de Penitence.* ...

---

[70] L'ordre des chapitres diffère légèrement de celui de Chartres et du catéchisme tridentin : le mariage est ici précédé de la pénitence et suivi de l'ordre.
[71] Instruction *Du Sacrement de Mariage*, p. 314 et 322.

p. 309-324 *Du S. Sacrement de Mariage.* …
p. 350-372 *Du S. Sacrement de l'Ordre.* …
p. 373-381 *Du S. Sacrement de l'Extreme onction.* …

Bazas 1585
[Arnaud de Pontac]
[Prône dominical]

2871 **Bazas 1585 p. 11-15**
… Vous debvez apprendre que tout Chrestien et bon Catholique doibt sçavoir principalement trois choses, sous peine de peché mortel, et damnation eternelle, sans legitime empeschement.
Premierement, ce qu'il doit demander.
Secondement, ce qu'il doit croire.
Tiercement, ce qu'il doit faire.
Le premier est contenu en l'oraison Dominicale, au *Pater noster*, comprins avec icelle la Salutation de l'Ange, c'est-à-dire l'*Ave Maria*. Dictes donc tous avec moy. *Pater noster… Ave… Nostre Pere… Je te saluë Marie…*
Le second est comprins au symbole des Apostres, c'est à dire au *Credo… Je croy en Dieu…*
Le tiers est contenu és commandemens de Dieu et de l'Eglise.
1. *Un seul Dieu tu adoreras, et aimeras parfaictement.* …
1. *Les dimanches, la Messe oiras, et festes de commandement.* …
p. 20 … Apres les susdicts mandemens… le Curé ou Vicaire lira trois ou quatre chapitres de l'*Instruction des Curez* composée par Gerson, ou bien quelque traicté du Catechisme du saint Concile de Trente, propre sur l'epistre ou Evangile du jour, ou bien fera un bref discours de la vie du Saint et Saincte, qui se celebrera en ce jour.

Cambrai 1606
[Guillaume de Berghes]
[Prône dominical]

2872 **Cambrai 1606 p. 151-158**
… *Nostre Pere… Je te salue Marie… Je croy en Dieu.*
Les Commandements de Dieu…
1. *Un seul Dieu tu adoreras, et serviras parfaictement.* …
Les Commandements de l'Eglise…
1. *Les festes sanctifieras, T'adonnant à Dieu plainement.* …[72]

---

[72] Texte des commandements dans volume II/6 : *Prônes dominicaux. Conseils de dévotion.*

Les **Sacrements de l'Eglise** sont en nombre de sept.
Baptesme. Confirmation. Le Sacrement de l'autel, ou Eucharistie, Penitence, Extreme Onction, Ordre, Mariage.

Les **Pechez capitauls** [sic] communement appellez mortels sont en nombre de sept.
Orgueil, Avarice, Luxure, Envie, Gloutonnie, Couroux, Paresse.

p. 158-169 **Sequitur catalogus peccatorum graviorum**[73]...

Évreux 1606, 1621
Lisieux 1608, 1661. Meaux 1617. Sens 1625
[Évreux 1606 : Jacques Davy du Perron]
[Prône dominical]

P2873   **Évreux 1606 f. 135v**
Puis que toute la vie spirituelle du Chrestien est de cognoistre Dieu, et en le cognoissant l'aymer, et en l'aymant esperer en luy, il est tres-necessaire que vous sachiez trois choses. Dont la premiere, qui est le Symbole des Apostres vous ameine à la cognoissance de Dieu par la Foy; La seconde qui sont les Commandemens de Dieu et de l'Eglise, vous enseigne ce que en aymant Dieu vous devez pratiquer par la Charité; La troisiesme qui est l'Oraison dominicale, vous propose ce que vous devez esperer d'obtenir de Dieu, si vous le luy demandez avec une ferme et entiere esperance en luy. Or elles vous seront maintenant proposées toutes trois l'une apres l'autres, afin que vous les entendiez, apreniez et reteniez.
Je croy en Dieu.
... *Commandemens de Dieu*... 1. *Je suis le Seigneur ton Dieu, tu n'auras pont d'autres Dieux devant moy*...
Commandemens de l'Eglise. Le 1 est de garder les jours des festes commandées, s'abstenant de tout oeuvre servile.
Nostre Père... Je vous saluë Marie...

---

[73] *Voir supra* Examens de conscience, P1390.

Rouen 1611/1612, 1640[74], 1651[75]
Avranches 1613. Le Mans 1647, 1662, 1680[76]
Sées 1634, 1695[77]. Soissons 1622

[Rouen 1611/1612: François de Joyeuse]
Exposition de la Doctrine Chrestienne
[Catéchisme à lire par parties à la suite du prône dominical]

Rouen 1611/1612 p. 277-353; Le Mans 1647 p. 529-592; Sées 1634 p. 259-327; Sées 1695 *Pars tertia*, p. XVI-LXXXVIII

2874 **Rouen 1611/1612 p. 277-353**
Voyci l'*Exposition de la Doctrine Chrestienne* qu'il nous est enjoint d'annoncer au peuple tous les dimanches.
De la Foy. Chrestiens nous avons esté créez à l'image de Dieu, pour le cognoistre et pour l'aymer, et pour le servir en ce monde, et pour joüir en l'autre de la beatitude eternelle. Si nous voulons bien cognoistre Dieu, il est necessaire d'avoir la foy, par laquelle nous croyons tout ce que l'Eglise enseigne devoir estre creu sans aucun doute, et principalement tous les articles du Symbole. *Credo in Deum Patrem...*
Credo in Deum Patrem omnipotentem, creatorem caeli et terrae.
Au premier article, nous croyons, qu'il y a un seul Dieu tout-puissant Createur du ciel et de la terre, un seul Dieu en essence, trois personnes en Dieu, le Pere, et le Fils, et le S. Esprit, un mesme Dieu, et une sainte Trinité.
Nous croyons que les trois personnes sont esgales en toutes choses, et coëternelles; car le Fils est aussi grand et puissant que le Père; le S. Esprit est aussi grand et puissant que le Pere et le Fils, le Pere n'a point esté devant le Fils, et le Fils n'a point esté devant le S. Esprit. Veu que ces trois personnes sont un mesme Dieu.
Nous croyons que Dieu a fait de rien toutes choses visibles et invisibles, qu'il a fait l'homme à son image et semblance du limon de la terre; et luy a donné la raison, avec un franc arbitre: c'est à dire une liberté de faire bien ou de faire mal, et que pour ceste cause Dieu recompense les bons, et punit les mauvais en ce monde ou en l'autre.

---

[74] Rouen 1640 p. 414-463 reprend Rouen 1612 p. 277-353 avec quelques remaniements *Voir* volume II/6: *Prônes dominicaux*.
[75] Rouen 1651 pars I p. 305-382 reprend Rouen 1640 p. 414-463 avec quelques additions.
[76] Le Mans 1647-1680, *Exposition de la Doctrine chrestienne*: sont supprimées les p. 343-353 de Rouen: *Des vertus et des vices, etc.*
[77] Sées 1695. Le chapitre *De la Contrition* vient de Reims 1677 p. 73-74.

Et in Iesum Christum filium eius unicum Dominum nostrum, qui conceptus est de Spiritu sancto, natus ex Maria virgine.

Au 2. article, nous croyons que le Fils unique de Dieu J. C. nostre Sauveur, la seconde personne de la sainte Trinité, voyant que tous les hommes estoient condamnez à la mort eternelle, et aux peines d'Enfer, à cause du peché de nostre premier Pere Adam, duquel tous les autres pechez sont ensuyvis, par la tres grande charité de Dieu son pere qui le nous a donné, s'est fait homme semblable à nous en la nature humaine, ayant pris un corps et un'ame unis hypostatiquement ou personnellement à la divinité, si bien qu'il a deux natures en une seule personne, la nature divine et la nature humaine, car il est Dieu et homme, Dieu eternellement et devant tous les siecles, homme depuis mil six cens et tant d'années qu'il a esté conceu, non point selon le cours de la generation humaine, mais par la seule operation du S. Esprit au ventre de la glorieuse vierge Marie, de laquelle il est né selon la chair, et pour ceste raison elle est vrayement appellée Mere de Dieu.

Passus sub Pontio Pilato, Crucifixus, mortuus et sepultus.

Au 3. article, nous croyons que J. C. ayant vescu trente trois ans sur la terre en toute humilité, pour enseigner aux hommes la voye du salut, tant par sa doctrine que par ses oeuvres, a souffert une passion tres douloureuse, estant crucifié sous Ponce Pilate, et s'est presenté luy mesme en holocauste à Dieu son Pere, comme une oblation tres-agreable et de soüefve odeur pour tout le genre humain, car il a respandu son sang, par la vertu duquel tous les pechez du monde son effacez et remis, il a vaincu nostre mort en mourant, il a esté mis en sepulture, pour donner à cognoistre que sa mort estoit veritable, non feinte et supposée.

Descendit ad inferos.

Au 4. article nous croyons que son corps estant au sepulchre, son ame est descenduë en un lieu des Enfers, qui se nomme les Limbes, ou toutes les ames des bons Patriarches et des Prophetes, et des autres qui ont esté fideles sous la loy de nature, et sous la loy de Moyse, attendoient sa venuë, il a consolé ces bonnes ames de sa presence, et les a retiré des prisons ou elles demeuroient captives, pour les mettre au Ciel en sa gloire.

Tertia die resurrexit à mortuis.

Au 5. article nous croyons qu'il est resuscité le troisiéme jour apres sa mort, ayant reüni son corps avec son ame. Car la divinité n'a jamais esté separée de ces deux parties, le corps et l'ame, nonobstant qu'elles fussent divisées apres la mort, et quand il a voulu resusciter au jour de

Pasque, il a rassemblé ces deux parties, ayant rendu son corps immortel, glorieux, impassible.
Ascendit ad coelos, sedet ad dexteram Dei patris omnipotentis.
Au 6. article, nous croyons que J. C. estant demeuré sur terre l'espace de quarante jours apres sa glorieuse Resurrection a voulu monter au Ciel en la presence de tous ses Apostres, ausquels il estoit apparu souventesfois, et leur avoit donné toutes les instructions necessaires pour l'establissement de son Eglise. Montant donc au Ciel devant eux, il s'est assis à la dextre de Dieu son Pere, qui luy a donné toute puissance de commander au Ciel, et en la terre, selon qu'il est homme.
Inde venturus est iudicare vivos et mortuos.
Au 7. article nous croyons qu'il doit venir à la fin du monde juger les vivans et les morts en sa nature humaine infiniment glorieuse et exaltée sur son thrône royal, et qu'il doit rendre à un chacun selon ses œuvres: Que les bons estans à la main dextre seront appellez à la joüissance du Royaume des cieux, les meschans estans mis à la senestre seront envoyez au feu eternel de l'Enfer.
Credo in Spiritum sanctum, Sanctam Ecclesiam Catholicam.
Au 8. article nous croyons que le sainct Esprit la troisiéme personne de la Trinité bien-heureuse, égal au Pere et au Fils en toutes choses, a sanctifié l'Eglise Catholique, estant venu pour luy enseigner toute verité, pour la conduire et gouverner; si bien qu'elle ne peut errer aucunement, S. Paul ayant dit, que ceste Eglise, est le fondement et la colomne de verité, hors laquelle, on ne peut avoir moyen de faire son salut, ni de bien entendre les Saintes escritures. Elle est appellée Catholique, c'est à dire universelle, pource qu'elle a tousjours esté depuis le temps des Apostres cogneuë et receuë par toutes les nations du monde, ayant un seul chef invisible nostre Seigneur J. C., lequel toutesfois a mis en icelle un chef visible, c'est à sçavoir S. Pierre auquel il a dit, *Tu es Pierre...* Or ceste puissance de gouverner toute l'Eglise universelle n'a pas esté donnée seulement à S. Pierre, mais aussi à tous ses successeurs, les Papes de Rome, qui sont venus apres luy par une continuelle succession, et c'est un moyen tres-certain, par lequel on discerne toutes les heresies d'avec l'Eglise Catholique.
Sanctorum communionem.
Au 9. article, nous croyons qu'il y a une communion des Saints, et que tous vrais fideles vivans et morts estans compris en une mesme Eglise, qui est le corps mystique de J. C., duquel ils sont les membres, ont ceste communication entr'eux, qu'ils reçoivent tous les mesmes

Sacremens, et qu'ils sont tous nourris d'un mesme pain celeste en la sainte communion, et qu'ils participent aux bienfaits, merites, et prieres les uns des autres, estant conjoints par le lien de foy et charité. Mais ceux qui sont excommuniez, et retranchez par ce glaive spirituel de l'excommunication, du corps mystique de l'Eglise, ne communiquent plus en rien avec les autres.

Remissionem peccatorum.

Au 10. article, nous croyons que la remission des pechez est faite en l'Eglise par le Sacrement du Baptesme une fois, et par le Sacrement de Penitence, toutes les fois que nous sommes bien contrits et repentans d'avoir offencé Dieu, et confessons nos pechez à un prestre qui nous en donne l'absolution.

Carnis Resurrectionem.

En l'onziéme article, nous croyons qu'il y aura une Resurrection generalle de tous les morts à la fin du monde, et que tous les hommes et femmes seront resuscitez en leur propre sexe, et en leur propre corps. Mais les esleus auront un corps impassible, un corps agile, un corps subtil, un corps tout rempli de lumiere et de clarté glorieuse; les reprouvez auront un corps subjet à la douleur, un corps pesant et terrestre, qui ne sera point exempt de toutes les miseres et deformitez naturelles.

Vitam aeternam.

Au 12. article, nous croyons que tous les esleuz joüiront de la vie eternelle, et qu'ils seront à jamais bien-heureux en Paradis avec Dieu et les Anges.

p. 282-284 Outre les 12 articles du Symbole, nous sommes tenus de recevoir toutes les **Traditions approuvées et receües en l'Eglise Romaine, et tous les livres de la sainte Escriture**, qu'elle reçoit pour canoniques, et... toutes les choses qui sont determinées par l'autorité des saints Conciles generaux...

Mais principalement nous devons croire que J. C. a donné son precieux corps à manger sous l'espece du pain, et son precieux sang à boire sous l'espece du vin au S. Sacrement de l'Autel... qu'il a consacré le pain, et en a fait son precieux corps... et qu'il a donné ce corps à manger à ses disciples. Or ces trois choses essentielles sont observées en la sainte **Messe**, la consecration, l'oblation, et la communion.

Aussi nous croyons qu'il faut invoquer **les Saints** bienheureux, et regnans avec J. C., pource qu'ils sont amis de Dieu, et qu'ils nous peuvent beaucoup aider...

Nous croyons qu'il faut retenir en l'Eglise, et honorer **les images**, qui representent le Sauveur du monde, et sa tres-sainte mere, et les glorieux martyrs, et tous les autres Saints...

Semblablement nous devons croire qu'il faut honorer **les reliques** des glorieux Martyrs et autres Saints, en leur rendant telle veneration qu'il appartient, veu que leurs membres ont esté les organes du S. Esprit, et que par leurs saintes Reliques, Dieu fait souvent des guerisons miraculeuses...

p. 284 Nous croyons fermement qu'il y a un **Purgatoire** en l'autre monde, c'est à dire, un lieu sous terre, ou les ames des fideles Trespassez, qui meurent en la grace de Dieu, sans avoir accompli telle penitence qu'il est besoin de faire, sont purgées et reçoivent les peines temporelles qui sont deües à leurs pechez, selon l'ordre de la Justice divine...

p. 285-286 Nous croyons aussi que les ames des fideles trespassez estans detenus aux peines du Purgatoire sont bien soulagées et delivrées par les oraisons et suffrages de l'Eglise, et que c'est une sainte et loüable coustume, que nous avons receu [sic] par la tradition des Apostres, de **prier pour les defuncts**...

Nous devons croire que la puissance d'octroyer **Pardons et Indulgences** est en l'Eglise, et que l'usage en est tres salutaire au peuple chrestien...

Nous croyons que **le S. Pere Pape de Rome**, est lieutenant et vicaire de J. C., et que tous fideles chrestiens luy doivent rendre obeissance, comme estant vray et legitime successeur de S. Pierre...

C'est la foy de l'Eglise Catholique Apostolique et Romaine, que si aucun ne reçoit toute entiere, ou s'il doute de quelque article, il ne peut jamais faire son salut, ni bien cognoistre Dieu: car ceste vraye Eglise ne peut errer aucunement, estant conduite et gouvernée du S. Esprit, et faut croire pour tout certain, qu'il n'y a point de salut hors d'icelle, et que tous Heretiques ou Schismatiques seront damnez eternellement, s'ils ne veulent retourner au giron de ceste Eglise.

p. 286-289 **De l'Esperance.** ... Les choses que nous devons esperer et demander à Dieu en toutes nos prieres, sont contenues en l'Oraison Dominicale, ou il y a sept demandes, qu'il faut examiner particulierement. ... [Commentaire du *Pater*]

... *Et ne nos inducas in tentationem.* En la 6. demande, nous le prions de ne vouloir permettre que nous soyons induis en la tentation, c'est à dire, que nous soyons vaincus par la tentation, et qu'elle ne soit jamais

trop grande. *Car l'Esprit est bien prompt, mais la chair est infirme*, et vaut toujours mieux estre craintifs, que de presumer de nos forces.
...

p. 289-290 **La Salutation Angelique.** Apres l'oraison dominicale, on dit volontiers la Salutation Angelique pour deux causes, l'une pour tesmoigner que le mystere de l'Incarnation annoncé par icelle, est la premiere source et l'origine de toutes les graces que Dieu nous donne. L'autre pour invoquer à nostre aide la glorieuse vierge Marie, et pour estre assistez de son intercession en nos prieres.

Ave Maria, Je vous saluë. Or ceste salutation est composée de trois parties. La premiere contient les parolles de l'Ange Gabriel... La 2. Partie... contient les parolles d'Elizabeth... *Vous estes beniste entre toutes les femmes...* La 3. partie contient les parolles de l'Eglise, qui nous enseigne à prier la sainte Vierge, comme estant la mere de Dieu, et l'advocate des pecheurs...

p. 290-292 **De la Charité.** Comme la Foy nous apprend à bien cognoistre Dieu, et l'esperance à le bien prier, aussi la Charité nous apprend à le bien aimer, car c'est l'une des vertus theologales, par laquelle nous aimons Dieu...

Or ceste Charité... consiste en deux articles... Le premier, *Tu aimeras le Seigneur ton Dieu de tout ton coeur, et de toute ta pensée, et de toute ton ame, et de toutes tes forces.* ...

Le 2. commandement... depend du premier. *Tu aimeras ton prochain comme toy mesme.* ...

p. 292-306 **Exposition des commandemens de Dieu.**

p. 292-295 Les dix commandemens... sont divisez en deux parties : car les trois premiers se doivent rapporter à l'amour de Dieu, et les autres se doivent rapporter à l'amour du prochain. ...

I. *Un seul Dieu tu adoreras, et aimeras parfaitement.* ...

Il nous enseigne qu'il faut adorer un seul Dieu createur du Ciel et de la terre, et une sainte Trinité, le Pere, et le Fils, et le S. Esprit, un mesme Dieu en ces trois personnes, lequel nous a mis en ce monde, et nous a donné toutes choses, duquel nous avons l'estre, et le mouvement, et la vie, et sans lequel nous ne pouvons rien faire, et auquel toutes les actions des creatures se doivent rapporter. C'est luy seul que nous adorons d'un culte de latrie[78], par une vraye recognoissance de sa

---

[78] Culte de latrie : culte d'adoration que l'on rend à Dieu seul, par opposition à culte de dulie, culte de respect et d'honneur que l'on rend aux saints (P.-E. Littré, *Dictionnaire de la langue*

toute-puissance et divinité. Ceste adoration souveraine... se fait en deux sortes : Elle se fait interieurement, par les actes des trois vertus theologales, Foy, Esperance, et Charité. ... Aussi l'adoration se fait exterieurement à Dieu seul, par l'oblation du Sacrifice qu'il a mis en son Eglise.

Contre ce premier commandement pechent tous ceux et celles qui ne veulent pas croire en Dieu, selon la maniere approuvée en l'Eglise Catholique... comme tous Heretiques, et autres Infideles : ceux qui les aident et supportent en leur heresie et fausse religion, ceux qui lisent leurs livres.

Tous ceux qui se meslent de la divination, sortilege, art magique, et toute autre superstition damnable...

Tous ceux qui s'arrestent aux songes, et ceux qui prennent garde aux vaines observances de certains jours, de certains nombres de personnes, ou d'autres semblables choses...

Tous ceux qui murmurent contre Dieu en leurs adversitez, ou qui se laissent gaigner au desespoir, ou qui se fient plustost au secours humain...

Tous ceux qui font des voeux et ne les gardent point. ...

p. 295-296 **Exposition du II. Commandement.** *Dieu en vain ne jureras, ni autre chose pareillement.*

... Contre ce commandement pechent tous les blasphemateurs du nom de Dieu... Tous ceux qui se parjurent et ne disent point la verité de ce qu'ils afferment en jurant. Tous ceux qui se donnent au diable, ou qui se maudissent... Tous ceux qui parlent de Dieu, ou des Saints, ou des choses sacrées indignement...

p. 296-297 **Exposition du III. Commandement.** *Les Dimanches tu garderas, en servant Dieu devotement.* ...

p. 297-299 **Exposition du IIII. Commandement.** *Pere et Mere honoreras, afin que vives longuement.* ...

p. 299-300 **Exposition du V. Commandement.** *Homicide point ne feras, de fait ne volontairement.*

... Contre ce commandement... pechent tous ceux qui sont volontairement cause de la mort d'une personne. Tous ceux qui laissent mourir un homme sciemment... Tous ceux qui procurent l'avortement d'une femme enceinte par quelques remedes. Tous ceux qui desirent la mort d'autruy sans bon subjet. Tous ceux qui gardent inimitiez, rancune, mal veillance contre leur prochain, et ne veulent pardonner à leurs ennemis...

française).

p. 300-302 **Exposition du VI. Commandement.** *Luxurieux point ne seras, de corps ne de consentement.*
... Contre ce commandement... pechent tous ceux qui sont mariez, et ne gardent point la foy de mariage... Tous ceux et celles qui ne sont point mariez, et ne vivent point chastement ...

p. 302-303 **Exposition du VII. Commandement.** *L'avoir d'autruy tu n'embleras, ne retiendras à ton escient.*
... Contre ce 7. Commandement, pechent tous ceux qui usent de fraude et tromperie en leur marchandise, en leur artifice, et labeur, en leurs conventions et marchez, en leurs procés... Tous ceux qui vendent à prix excessif... Tous ceux qui retiennent le salaire des serviteurs, et des ouvriers mercenaires... Tous ceux qui prestent l'argent à usure, ou de la marchandise... Tous ceux qui possedent un benefice acquis injustement... Tous ceux qui trouvent les choses perdues, et ne le rendent point. Tous ceux qui ne payent point leurs dismes fidelement...

p. 303-305 **Exposition du VIII. Commandement.** *Faux tesmoignage ne diras, ne mentiras aucunement.* ...

p. 305-306 **Exposition du IX. et X. Commandement.** *L'oeuvre de chair ne desireras, qu'en mariage seulement. Biens d'autruy ne convoiteras, pour les avoir injustement.* ...

p. 306-316 **Les commandemens de l'Eglise.**
... Il y a cinq Commandemens de l'Eglise, que tous Chrestiens sont tenus d'observer et garder, puis que nostre Seigneur a dit en S. Matthieu. *Celuy qui ne veut point obeir à l'Eglise, tu le reputeras comme un Ethnique et Publicain.* [Mat. 18, 17] [Commentaire des cinq commandements]

p. 306-307 *I. Les festes tu sanctifieras, qui te sont de commandement.* ...

p. 307-309 *II. Les Dimanches Messes orras, et festes de commandement.* ...

p. 309-311 *Dismes et droicts tu payeras, à l'Eglise fidelement.* ...[79].

p. 311-313 *III. Tous tes pechez confesseras, à tout le moins une fois l'an.* ...

p. 313-315 *IV. Ton Createur tu recevras, au moins à Pasques humblement.* ...

---

[79] Le Mans 1647-1680 omet le §. *Dismes et droicts tu payeras, à l'Eglise fidelement.* (p. 309-310 de Rouen 1612) et la fin du chapitre donnant l'Ordonnance du concile provincial de Rouen : « Les paroissiens sont obligez par droit divin et naturel à faire oblations aux dimanches et festes à l'Eglise pour les ministres de l'autel... » (p. 310-311 de Rouen).

p. 315-316 *V. Quatre tems vigiles jeusneras, et le Caresme entierement.* ...

p. 316 **Des sept Sacremens.** ...

p. 317-319 **Du Baptesme.** Puis que le Baptesme est absoluëment necessaire à toute personne, non sans cause il a esté rendu facile : et pour sa matiere, qui est l'eauë naturelle, et pour sa forme, qui sont les parolles, *Ego Baptizo te in nomine Patris, et Filii, et Spiritus sancti. Amen.* Ou bien en François, *Je te baptise au nom du Père*... En cas de necessité, chacun a puissance de baptizer... C'est pourquoy tout fidele doit sçavoir bien exactement la matiere et la forme du Baptesme, pour en user au besoin...

On admonneste les Peres et Meres qu'ils ne gardent point leurs enfans plus de trois jours sans estre baptizez...

Ne permettront que leurs enfans ayent des noms estranges, incogneus et barbares, ou tirez de l'histoire profane, ou corrompus du vulgaire ; mais leur feront imposer les noms des Saints, avoüez et recogneus en l'Eglise, desquels ils puissent imiter les actions, et demander l'intercession.

Ceux et celles qui viennent accompagner l'enfant au Baptesme, ne facent aucune insolence ou risée à l'Eglise, mais qu'ils prient devotement pour le salut de l'enfant qui reçoit le Baptesme : et qu'ils prennent garde aux ceremonies, pour en tirer une bonne instruction, car l'Exorcisme nous enseigne, que le diable a puissance sur les enfans qui n'ont pas esté baptizez. Le Sel qui se met dans la bouche, nous enseigne qu'il faut avoir le don de sapience et discretion, comme S. Pierre dit, *Que toute nostre parolle doit estre assaisonnée de sel.* La Salive qui se met aux oreilles, et narines, monstre qu'il faut escouter et sentir la parolle de Dieu, qui est sortie comme une salive de la bouche de nostre Seigneur. Les espaules et la poitrine sont ointes d'Huile, pour monstrer la vertu de patience, et la force que le Chrestien doit avoir pour combattre ses ennemis. Le sommet de la teste est oing du Chresme, pour montrer que l'enfant est Chrestien, et qu'il est disciple de J. C. La Robbe blanche, signifie l'innocence qui doit estre gardée. La Chandelle ardante, signifie la foy conjointe avec la charité et dilection, qui doit reluire en toutes nos oeuvres. Ainsi qu'il est escrit, *Que vostre lumiere luïse devant les hommes, afin qu'ils puissent cognoistre vos bonnes oeuvres.*

p. 319-321 **Du Sacrement de Confirmation.** ... L'effect particulier et la vertu de ce Sacrement consiste à recevoir la grace du S. Esprit en plus grande abondance, et notamment pour soustenir la Religion

Chrestienne, et la foy Catholique envers et contre tous. On se doit preparer à le recevoir en ostant le peché mortel avec la Confession, et le recevoir à jeun s'il est possible.

p. 321-322 **Du Sacrement de Penitence.** La grande miséricorde et bonté de nostre Seigneur J. C. envers tous les pecheurs, se manifeste au Sacrement de Penitence. … Or l'institution de ce Sacrement a esté faite apres la Resurrection de nostre Seigneur… Le Sacrement de Penitence consiste en trois parties. … Contrition… Confession… Satisfaction…

p. 322-324 **De la Contrition.** Pour la contrition vous noterez que c'est une douleur interieure[80]…

p. 325-327 **De la Confession.** … Lors il (le pecheur) declarera tous ses pechez, avec un certain ordre[81]…

p. 330 **De la Satisfaction.** Pour la Satisfaction … on doit accomplir la Penitence qui est enjointe … si elle semble trop difficile et rigoureuse, on doit prier son Confesseur de la moderer…

Au surplus vous estes admonnestez, que c'est chose merveilleusement utile et salutaire… de faire une **Confession generale**, au moins une fois en sa vie à un prestre sçavant et bien discret… Pour mettre sa conscience en repos…

p. 331-336 **Du saint Sacrement de l'Eucharistie.**

Celuy qui veut participer dignement à la sainte et sacrée Communion… doit bien considerer deux choses… l'une c'est la verité des choses qui sont contenues en ce divin Sacrement, l'autre c'est l'estat de la conscience. … C'est la foy de l'Eglise Catholique, et le consentement de tous les Saints Peres… que la substance du pain est convertie au corps, la substance du vin est convertie au sang de J.C., lequel est contenu tout entier soubs les especes du pain et du vin…

Tous peres de familles qui ont des enfans à gouverner, et des serviteurs ou servantes qui sont en aâge de recevoir la sainte Communion, assavoir dix ou douze ans, sont tenus de leur enseigner, ou de leur faire enseigner par d'autres comme ils s'y doivent bien preparer: Sur tout, les Jeunes qui veulent communier la premiere fois, ont besoin d'estre catechisez et bien instruits, car s'ils communioient indignement pour la premiere fois, ils seroient privez d'une grace bien excellente.

p. 336-338 **Du sacrement de l'Ordre.**

… quand on demande les Ordres pour acquerir des biens, ou comme font plusieurs estant necessiteux, pour avoir quelque moyen

---

[80] *Voir supra* Pénitence privée, Contrition, Rouen 1611/1612, P1434.
[81] *Voir supra* Pénitence privée, Examens de conscience, Rouen 1611/1612, P1393.

de vivre, sans beaucoup travailler, ou pour les honneurs de ce monde, c'est une fin tres-mauvaise et damnable. Quant à la capacité requise, il y a deux conditions necessaires… l'une c'est l'integrité de moeurs et bonne vie… L'autre condition est la doctrine et la science des bonnes lettres, non seulement pour entendre la langue Latine, mais aussi pour sçavoir tout ce que les Prestres sont tenus d'enseigner au peuple…

Mais d'autant que plusieurs ne font conscience de se presenter indignement aux Ordres, il est enjoint aux Curez de faire par trois Dimanches les proclamations de ceux qui veulent estre promeus à l'Ordre de Soudiacre, au Prosne de la Messe, et admonnester les Parroissiens que s'ils y sçavent aucun empeschement, ils sont tenus de le declarer. Voici les empeschemens necessaires qui doivent estre declarez.

Si celuy duquel on fait les proclamations, n'est point legitime, s'il est excommunié, ou suspect d'heresie, s'il a reputation d'estre jouëur ordinaire, ou de hanter les tavernes, et les mauvaises compagnies, s'il est coulpable de certain crime qui rende les personnes infames, comme Larrecin, Adultere, Homicide, Simonie, Sortilege, faux tesmoignage, s'il a porté les armes, et respandu le sang humain, s'il a quelque defaut en ses membres, s'il est subjet au mal caduc, s'il a d'autres imperfections ou maladies secretes, pour lesquelles il ne doive estre admis.

p. 338-341 **Du sacrement de Mariage.**

Le Mariage ayant esté premierement institué soubs la loy de nature, pour la multiplication du genre humain, et pour servir d'un remede à la concupiscence, est institué par nostre Seigneur J.C. en ceste loy nouvelle, comme un Sacrement de l'Eglise, pour conferer la grace à ceux qui se marient. …

(339) … Or la principale fin du Mariage, c'est pour avoir lignée, et pour éviter fornication, la fin moins principale, c'est pour vivre communément, et s'entr'aider l'un l'autre… L'essence et la forme du Sacrement de Mariage, consiste au mutuel consentement des deux parties… en presence du Curé de la parroisse, ou d'un autre Prestre ayant la licence du Curé, ou de l'Evesque, et mesme en la presence de deux ou trois tesmoings…

(341) L'homme et la femme estans mariez ensemble, doivent garder entr'eux la foy de Mariage, et une mutuelle dilection, supportans les infirmitez l'un de l'autre. … Si Dieu leur donne des enfans, qu'ils ayent soing de les bien instruire, et de les bien faire catechizer pour avoir la crainte de Dieu, pour s'abstenir du vice, et pour s'exercer à la vertu…

p. 341-343 **De l'Extreme Onction.** Le Sacrement de l'Extréme-Onction est necessaire à tous fideles qui se voient en extremité de maladie bien proches de la mort, pour leur donner allegeance, et pour les fortifier...

Pour bien entendre la vertu de ce Sacrement, est à noter que l'ennemy de nostre salut, tente plus furieusement les Chrestiens à l'heure de la mort, esperant gaigner la victoire en ce dernier combat. ...

Or combien que le principal effet du Sacrement de l'extréme Onction consiste en ceste grace que l'ame reçoit à l'interieur... quelquefois est cause de la guerison des malades, et de prolonger leur vie...

Devant qu'il soit besoing d'administrer ce Sacrement... il faut que les malades... ayent donné premierement bon ordre à leur maison interieure par la Confession sacramentelle, et par la sainte Communion, et par toutes les autres oeuvres spirituelles qui sont necessaires au salut des ames. Secondement qu'ils ayent donné bon ordre à leur maison exterieure, c'est à dire, à leur famille, à leurs biens temporels, desquels ils disposeront en telle sorte que J.C. y participe avec leurs heritiers, en laissant de leurs biens à l'Eglise, et aux pauvres, selon leur devotion. ...

p. 343-344 **Des Vertus et des Vices.**
La Justice chrestienne consiste en deux articles, *Declina à malo, et fac bonum.* Retire toy du mal, et fais le bien. [Rom. 12, 9]

Pour se retirer du mal, il faut sçavoir les pechez qui nous rendent coupables de la mort eternelle, et voicy comme les declare S. Paul en l'Epistre aux Romains; où il parle ainsi des Idolatres. *Dieu les a donné en ce sens reprouvé, tellement qu'ils font des choses tres-absurdes, estans remplis de toute iniquité, malice...* [Rom. 1, 28-30]

... en la premiere aux Corinth. *Ne vous abusez point: ni les Fornicateurs, ni les Adulteres... ne possederont point le Royaume des Cieux.* [1 Cor. 6, 9-11]

En l'epistre aux Galates, il fait semblablement une liste des pechez mortels, et dit. *Les oeuvres de chair sont manifestes, c'est assavoir, Fornication, Immondicité...* [Gal. 5, 19-21]

p. 344-345 **Les Pechez contre le saint Esprit.**
Il y a six sortes de pechez contre le S. Esprit, qui sont opposez formellement à la bonté divine.

Le premier **Desespoir**, quand on n'a plus aucune esperance en la misericorde et bonté divine, comme ce malheureux Judas qui s'alla pendre, et Caïn qui disoit, *Mon iniquité est plus grande que Dieu ne sçauroit pardonner.* [Gen. 4, 13]

Le second **Presomption**, quand on presume trop de la misericorde et bonté de Dieu, sans avoir esgard à sa Justice, comme le pecheur qui disoit en l'Ecclesiaste, *Miseratio Domini magna est, multitudinis peccatorum meorum miserebitur.* [Si. 5, 6] …

Le 3. Peché contre le S. Esprit, **Impugnation** [attaque] **de la verité cogneue**, quand on se bande sciemment contre la verité: comme les Scribes et Phariséens [sic] ausquels nostre Seigneur disoit, *Si j'annonce la verité, pourquoy ne me croyez vous pas?* [Jean 8, 46]

Le 4. **Envie de la charité fraternelle.** Quand on est marri de voir les freres Chrestiens prosperer et s'entr'aimer, ainsi que le Roy Saül fut marri de voir que David estoit aimé du peuple.

Le 5. **Obstination**, quand on s'endurcit au peché, comme le Roy Pharaon s'endurcit ayant ouy la parolle de Dieu.

Le 6. **Impenitence finale**, quand on vient à mourir en son peché, sans avoir contrition ou repentance.

Or combien que tous ces pechez, excepté le dernier, puissent estre pardonnez et remis à l'homme durant sa vie, toutesfois sont appellez irremissibles, d'autant… que bien rarement ils sont pardonnez, car telles sortes de pechez estans contre la bonté divine, coupent la source de toute grace et remission.

p. 345-346 **Les quatre Pechez crians au Ciel.**

Quatre sortes de pechez sont tellement abominables devant Dieu, que selon le tesmoignage de la sainte Escriture, ils crient au Ciel vengeance, pource que Dieu ne veut jamais qu'ils demeurent impunis.

Le premier c'est **Homicide**, quand on a respandu le sang humain, et Dieu dit à Caïn, *La voix du sang de ton frere Abel crie à moy de la terre.* [Gen. 4, 10]

Le second, **Oppression des Vefves, et Orphelins, et des Estrangers**, en Exode. *Tu ne nuiras point à la vefve, ni à l'orphelin, ni à l'estranger, car si tu les offence* [sic], *ils crieront à moy, je les exauceray.* [Ex. 22, 21 et 23, 9]

Le 3. **Defraudation des mercenaires**, quand on ne rend point le salaire deu aux mercenaires, artisans, et serviteurs. En l'epistre de S. Jaques. *La clameur des mercenaires qui ont moissonné vos bleds est entrée aux oreilles du Seigneur des armées.* [Jac. 5, 4]

Le 4. **Sodomie et peché contre nature**, en Genese, *La clameur des Sodomites est venu* [sic] *à moy* [Gen. 18, 20], dit le Seigneur, voulant signifier que leur peché detestable crioit vengeance au ciel.

p. 346-347 **Les pechez reservez au Pape avec excommunication.** …

p. 347-348 **Les pechez reservez a Monseigneur l'Archevesque**[82] **en son Diocese.**[83]

p. 348-349 **Les oeuvres de Misericorde.**

Pour accomplir l'autre partie de la Justice chrestienne, qui est faire le bien, il faut sçavoir premierement les œuvres de misericorde spirituelles et corporelles que Dieu nous recommande en l'escriture.

Quant aux **spirituelles**, on en nombre sept.

La premiere, enseigner les ignorans à l'exemple du Roy David au Ps. 50 *Docebo iniquos vias tuas. Mon Dieu j'enseigneray vos voyes aux iniques.* [Ps. 50, 15]

La 2. corriger ceux qui sont tombez en faute, suivant ce precepte de l'Evangile, *Si ton frere peche devant toy, ou contre toy-mesme, tu le corrigeras entre toy et luy.* [Mat. 18, 15]

La 3. donner bon conseil à ceux qui en ont besoin, comme Job tesmoigne qu'il faisoit, *J'ay servi d'un oeil à l'aveugle, et de pied au boiteux.* [Job. 29, 15]

La 4. consoler les affligez, ainsi que disoit le mesme Job. *La benediction de celuy qui estoit miserable est venuë sur moy, et j'ay consolé le coeur de la vefve.* [Job 29, 13]

La 5. pardonner les offences, comme nostre Seigneur dit, *Pardonnez, et on vous pardonnera.*

La 6. endurer les injures patiemment, selon que S. Paul nous admonneste de ne rendre point mal pour mal, au contraire de vaincre le mal en faisant bien. [Rom. 12, 17 et 21]

La 7. prier pour les vivans et trespassez, pour nos amis et ennemis, suivant la doctrine de S. Jaques, *Priez les uns pour les autres, afin que vous puissiez estre sauvez* [Jac. 5, 16]. Et le commandement que nous avons receu, *Aimez vos ennemis, faites bien* [sic] *à ceux qui vous haïssent, priez pour ceux qui vous persecutent* [Luc 6, 27-28].

Les **oeuvres corporelles de Misericorde** sont en pareil nombre.

La premiere, nourrir les pauvres affamez.

La 2. donner à boire à ceux qui ont soif.

La 3. vestir ceux qui sont nuds.

La 4. visiter les malades.

La 5. avoir soing des prisonniers.

---

[82] l'Archevesque] L'Evesque Avranches, Sées, Soissons.
[83] *Voir supra* Cas réservés au pape et aux évêques, P2470, P2610.

La 6. loger les passans.
La 7. ensevelir les morts.

Sont les oeuvres de misericorde, pour l'observance desquelles nostre Seigneur a predit qu'il benira les esleuz au jour du jugement. *Venez les benists de mon Pere, possedez le Royaume qui vous est preparé...* [Mat. 25, 34] Au contraire pour avoir obmis les oeuvres de Misericorde, il condamnera les reprouvez. *Allez maudits...* [Mat. 25, 41]

p. 350 **Les sept dons du S. Esprit.**

Nous apprenons en Isaye, qu'il y a sept dons du sainct Esprit, au moyen desquels nous sommes interieurement disposez à faire la volonté de Dieu. Le I. La Sapience. Le 2. La Science. Le 3. Le Conseil. Le 4. L'Entendement. Le 5. La Force. Le 6. La Pieté. Le 7. La Crainte de Dieu. Il les faut demander à Dieu, pour le servir et honorer. *Si quelqu'un d'entre vous (dit S. Jaques) a besoin de Sapience, il la doit demander à Dieu, lequel donne fort abondamment, et ne reproche rien.* [Jac. 1, 5]

p. 350 **Les trois Vertus theologales.**

Les trois principales vertus qui sont necessaires au Chrestien, c'est la Foy, pour bien croire en Dieu, l'Esperance, pour estre asseurez de ses promesses, et nous acheminer vers luy, comme estant la derniere fin, et le comble de tous nos desirs. La Charité, pour l'aimer de tout nostre cœur, et de toutes nos forces. On les appelle communément Theologales, d'autant qu'elles ont Dieu pour leur object. Croire en Dieu, esperer en Dieu, et aimer Dieu. S. Paul en la 1. aux Corinth. *Maintenant demeurent ces trois vertus Foy, Esperance, Charité: mais la plus grande d'icelles est la Charité.* [1 Cor. 13, 13]

p. 350-351 **Les IIII Vertus morales.**

Comme nous avons quatre puissances et facultez en l'ame; deux en la partie superieure, l'Entendement, et la Volonté; deux en la partie inferieure, l'Irascible et la Concupiscible. Ainsi Dieu nous a donné quatre vertus morales, qui gouvernent ces quatre facultez. La **Prudence** gouverne l'Entendement, la **Justice** gouverne la Volonté. La **Force** gouverne l'Irascible, où sont les passions violentes, comme la Cholere [sic], la Crainte, l'Esperance. La **Temperance** gouverne la Concupiscible, où sont les passions douces, comme l'amour, le desir, la tristesse, la joye.

p. 351 **Les VII Vertus contraires aux sept sortes de pechez.**

D'autant qu'il y a 7. sortes de pechez, qui nous font ordinairement la guerre, Orgueil, Avarice,... Il y a à l'opposite sept vertus desquelles il se faut armer. 1. Humilité contre Orgueil. 2. Liberalité contre Avarice.

3. Chasteté contre Luxure. 4. Mansuetude contre Courroux. 5. Charité fraternelle contre Envie. 6. Sobrieté contre Gourmandise. 7. Diligence contre Paresse.

p. 351-352 Les VIII Beatitudes.

Au commencement du Sermon que le Sauveur fit sur la montagne, il proposa huict Beatitudes, et huict sortes de perfections, au moyen desquelles on se peut rendre bien-heureux en ce monde et en l'autre.

1. *Bien-heureux sont les pauvres spirituels, car le Royaume des Cieux leur appartient.*

2. *Bien-heureux les debonnaires, car ils possederont la terre.*

3. *Bien-heureux ceux qui pleurent, car ils seront consolez.*

4. *Bien-heureux ceux qui sont affamez et alterez de la Justice, car ils seront saoulez.*

5. *Bien-heureux sont les misericordieux, car ils obtiendront misericorde.*

6. *Bien-heureux les nets de coeur et de pensée, car ils verront Dieu.*

7. *Bien-heureux les pacifiques, car ils seront appellez enfans de Dieu.*

8. *Bien-heureux ceux qui souffrent persecution pour la justice, car à eux est le royaume des cieux* [Mat. 5, 1-12].

p. 352 Les III conseils evangeliques.

Pour ceux et celles qui se veulent rendre parfaicts en l'exercice de nostre Religion chrestienne, il y a trois sortes de conseils qui ont esté donnez en l'Evangile.

1. Pauvreté volontaire. *Si tu veux estre parfait va vendre tous les biens que tu possedes, et donne les au pauvre, et suy moy.* [Mat. 19, 21]

Le 2. Perpetuelle continence. *Il y a des Eunuques, lesquels se sont retranchez eux-mesmes pour avoir le Royaume des Cieux: Qui pourra prendre et garder ce conseil qui* [sic] *le garde bien.* [Mat. 19, 12]

Le 3. Obedience et resignation de sa propre volonté. *Si quelqu'un desire venir apres moy, qu'il renonce à soy mesme, et qu'il porte sa croix, et qu'il me suyve.* [Mat. 16, 24]

Sont les trois conseils que tout Religieux et Religieuse doivent garder necessairement, pource qu'ils s'y sont obligez eux-mesmes par un vœu solennel.

p. 352-353 Les III oeuvres satisfactoires.

La saincte Escriture nous enseigne trois sortes d'œuvres, par lesquelles on merite beaucoup, et on accomplit la satisfaction de ses pechez, **l'Oraison, le Jeusne, l'Aumosne.**

Par l'Oraison nous offrons à Dieu les biens de l'ame. Par le Jeusne et l'Abstinence, nous offrons à Dieu les biens du corps. Par l'Aumosne, nous offrons à Dieu les biens externes.

L'Oraison est un remede contre les pechez qui se font avec la parole. Le Jeusne est un remede contre les pechez qui se font avec la pensée. L'Aumosne est un remede contre les pechez qui se font par les œuvres, et ces trois sortes d'œuvres combatent les trois sortes d'ennemis qui font la guerre aux hommes.

L'Oraison sert à combatre le diable et les malins esprits. Le Jeusne sert à combatre la chair. L'Aumosne sert à combatre le monde.

p. 353 **Les IIII fins de l'Homme.**

Voicy les 4. fins de l'Homme, ausquelles nous sommes advertis de bien penser, en l'Ecclesiast. *Ayes memoire de tes choses dernieres, et tu ne pecheras point eternellement…* [Si. 7, 36]

La premiere, c'est la **Mort**, considerant qu'elle est bien certaine, et que l'heure en est incertaine.

La seconde, c'est le **Jugement dernier**, auquel tous les hommes seront jugez selon leurs oeuvres à la fin du monde; et le jugement particulier qui se fait à l'heure de la mort, nos ames estans representées à Dieu, pour avoir la recompense ou la punition, ou une totale condamnation.

La 3. C'est l'**Enfer**, où les pecheurs qui meurent obstinez seront bruslez et tourmentez eternellement avec les diables au milieu des tenebres.

La 4. C'est le **Paradis**, où les bons serviteurs de Dieu joüiront du ciel avec luy d'une gloire inestimable, d'une vie tres-heureuse exempte de tous maux, accomplie de tous biens, et d'une eternelle felicité. Prions Dieu qu'il nous face à tous la grace d'y parvenir. Ainsi soit-il.

Bourges 1616

[André Frémiot]

[Enseignement de la foi, prône dominical, conclusion]

Bourges 1616 f. 171v-172

Il faut que nous croyons tous pour estre sauvés, qu'il n'y a qu'un seul Dieu, et que le Pere, le Filz et le Sainct Esprit sont bien trois personnes, mais ces trois personnes ne sont qu'un seul Dieu, ce qui est plus amplement expliqué au Credo… Je croy en Dieu…

Toulouse 1616, 1621, 1628, 1653[84]

[Toulouse 1616 : Louis de Nogaret de La Valette]
Sommaire de la Doctrine Chrestienne, et de tout ce qu'un bon Chrestien est tenu de sçavoir et faire. Avec des exemples accommodez aux matieres et instructions qui y sont couchées. Divisé en deux parties.

[Catéchisme]

Le *Sommaire de la Doctrine chrestienne*, annoncé à l'approbation et au privilège du rituel, est considéré comme le premier catéchisme imprimé pour le diocèse de Toulouse. Il explique sous forme de questions et réponses émaillées d'exemples concrets, bibliques, patristiques, ou historiques, parfois très originaux, les articles de la foi à l'usage des enfants, mais aussi des adultes chargés de l'enseignement du catéchisme.

Le plan de la première partie est proche de l'*Abregé de la Doctrine chrétienne* du cardinal Bellarmin.

P2876 **Toulouse 1621** p. 2 « Au lecteur »

Quoy qu'il y aye plusieurs Catechismes bien et doctement elaborez, ce present abregé de la Doctrine Chrestienne a esté dressé en la forme qu'il vous est baillé, et c'est pour deux raisons. La premiere, parce que ceux qui apprennent les petits Catechismes que nous avons en main, ne se peuvent pas fort avant instruire en la foy, s'ils n'ont un Maistre pour le leur expliquer, d'autant qu'il y a plusieurs articles, lesquels sont de soy si mal aisez, qu'ils ne peuvent estre bien entendus, sans une plus ample explication… Et pour ceste occasion ce Catechisme a esté dressé, en sorte que les articles les plus mal-aisez y sont expliquez, par le moyen de plusieurs interrogans qu'on a mis en suitte d'iceux, comme par forme de Commentaire. La seconde, parce qu'un bon nombre de ceux qui sont obligez de faire le Catechisme, n'ayant pas l'adresse pour l'expliquer familierement… sont empeschez de s'acquiter de ce devoir.

p. 3-6 **Premiere partie. Declaration du Chrestien et Catholique, et du devoir d'iceluy en general.**
Chapitre I. Interrogatoire.

---

[84] L'édition de 1616, dont il ne subsiste pas d'exemplaire, est connue grâce à l'approbation et au permis d'imprimer datés 1616 de l'édition de 1621. Les éditions 1621, 1628 et 1653 du *Formulaire de Prosne* et du *Sommaire de la Doctrine chrestienne* sont reliées à la suite des rituels toulousains de 1616, 1632 et 1653.

Pourquoy estes vous nay au monde? R. Dieu m'a mis au monde pour le servir, et pour gaigner la gloire de Paradis, en bien vivant, et en le servant comme je dois.

Que faut il faire pour bien servir Dieu, et pour bien vivre? R. Pour bien servir Dieu et pour bien vivre, il faut estre bon Chrestien et bon Catholique, et faire ce qu'un bon Chrestien et Catholique est obligé de faire.

Estes vous Chrestien? R. Ouy je suis Chrestien, depuis que par la grace de Dieu j'ay esté baptisé.

Estes vous Catholique? R. Ouy je suis Catholique; car je suis en l'Eglise Catholique Apostolique et Romaine, et veux vivre et mourir en icelle avec l'ayde de Dieu.

Quelle est la marque du Chrestien et Catholique? R. La marque du Chrestien et Catholique, est le signe de la saincte Croix, lequel nous fait souvenir de J.-C. crucifié.

… *Quel est le devoir du vray Chrestien et Catholique?* R. Le devoir du vray Chrestien et Catholique est de croire bien en Dieu, d'avoir son esperance en luy, et de faire ses commandemens, et des bonnes oeuvres : Et tout cela se fait par le moyen de la Foy, de l'Esperance, et de la Charité, qui sont trois Vertus, que nous appellons Theologales, lesquelles tout Chrestien et Catholique doit avoir pour servir Dieu comme il appartient, et pour le salut de son ame. …

p. 6-11 **De la premiere Vertu Theologale, qui est la Foy, et de la manière de croire du chrestien en general. Chap. II.**

… p. 8 … Tout ce que nous devons croire pour faire nostre salut, est compris en general au Symbole que les Apostres ont composé et laissé à l'Eglise pour nous enseigner la Foy. … Les Apostres composerent ce Symbole quand ils se separerent pour aller prescher l'Evangile par tout le monde. … *Credo… Je croy en Dieu le Pere tout puissant…*

p. 9 … R. Par le premier article, je croy fermement qu'il y a un seul Dieu, lequel est en trois personnes, toutes lesquelles trois personnes ne sont qu'un seul Dieu. Et par ce mesme article je croy que la premiere personne de ceste tres-saincte Trinité est Dieu le Pere, lequel est Pere naturel de la seconde personne, qui est son Fils unique, et est Pere par creation de toutes les creatures raisonnables, lesquelles il a faict à son image et semblance : et finalement est pere par grace de tous les bons Chrestiens, lesquels sont pour cela appellez, enfans de Dieu. Je croy aussi que ce Dieu est tout-puissant, parce qu'il peut tout ce qu'il veut, et qu'il a fait de rien le Ciel et la terre, et tout ce qui est en ce monde.

I. *Que croyez vous par le second article, qui est : Et en Jesus-Christ son fils unique nostre Seigneur ?*

R. Par le second article, je crois en la personne de J. C., lequel est Fils de Dieu le Pere, lequel l'a engendré de toute eternité de soy mesme sans autre. Je croy aussi que ce Fils de Dieu est Dieu comme le Pere, qu'il a mesme puissance que le Pere, et qu'il est le Createur, le Seigneur, et le maistre de toutes choses aussi bien que le Pere. Et porte le nom de Jesus qui est à dire Sauveur, parce qu'il nous a sauvez et rachetez de la vie eternelle.

I. *Que croyez vous par le troisiesme article : lequel est : Qui a esté conceu du S. Esprit, nay de la Vierge Marie.*

R. Par le troisiesme article, je croy que J. C. est non seulement Dieu, mais encore vray homme, parce qu'il a pris chair humaine au ventre de la Vierge Marie, par la vertu du S. Esprit, sans aucune operation d'homme, et ainsi je croy, que J. C. en tant que Dieu, est Fils de Dieu le Pere seulement, sans aucune Mere ; et que en tant qu'homme, il n'a aucun pere en terre, estant fils de la seule Vierge Marie.

… I. *Que croyez vous par le 8. article, qui est : Je croy au S. Esprit.*

R. Par le huictiesme article, je croy au S. Esprit, lequel est la troisiesme personne de la Trinité, qui procede du Pere et du Fils. Je croy aussi que le S. Esprit est en tout et par tout esgal au Pere et au Fils : c'est à dire, qu'il est Dieu eternel, infini, tout-puissant, et qu'il est Createur et Seigneur de toutes choses, comme le Pere, et le Fils.

… I. *Que croyez vous par l'unziesme article, qui est : La resurrection de la chair ?*

R. Par l'unziesme article, je croy que tous les hommes ressusciteront à la fin du monde, et reprendront les mesmes corps qu'ils avoient quand ils vivoient sur terre, et je croy que cela se fera par la vertu de Dieu, lequel peut faire tout ce qu'il luy plaist.

I. *Que croyez vous par le dernier article, qui est : La vie eternelle ?*

R. Par le douziesme article, je croy que pour les bons Chrestiens il y a une vie eternelle, laquelle est pleine de toute felicité, et exempte de toute sorte de mal : Et qu'au contraire pour les infideles et mauvais Chrestiens, il y a une peine et mort eternelle, laquelle est pleine de toute sorte de malheur et de misere, et où on ne peut trouver aucune sorte de bien.

… La Foy des Traditions, du Purgatoire, et tout le reste de ce que nous sommes obligez de croire, est comprins en l'article de la saincte Eglise, d'autant que si nous croyons à l'Eglise, nous croyons à toutes ces choses…

p. 12-13 **De la seconde Vertu Theologale, qui est l'Esperance, et de ce que nous devons esperer : de qui nous devons esperer : et comment nous devons esperer. Chap. III.**
... *Qu'est ce que nous devons esperer.* R. Nous devons esperer la gloire de Paradis, la grace de Dieu, et les moyens de parvenir à la gloire de Paradis, et à la grace de Dieu.

... Si nous voulons obtenir le Paradis, et la grace de Dieu que nous esperons, il faut en premier lieu que nous prions Dieu souvent. En second lieu il faut que nous obeissons [sic] à ses saincts commandemens, et à ceux de l'Eglise, et si nous avons failli contre ses commandemens, il faut que nous en fassions penitence. En troisiesme lieu, il faut que nous fassions des bonnes oeuvres pour reparer les fautes que nous avons commises...

p. 13-16. **De l'Oraison Dominicale. Chap. IV.**
... *Pater noster... Nostre Pere qui es és cieux... 1. Ton nom soit sanctifié. 2. Ton Royaume nous advienne. 3. Ta volonté soit faicte en la terre, comme au ciel...*

... *I. Pourquoy dictes vous nostre Pere en commun, et non pas mon Pere en particulier ?*

R. Nous disons nostre pere pour nous remettre en memoire la Charité, laquelle veut que nous prions non seulement pour nous, mais pour tous, comme estans tous freres enfans de Dieu, qui est nostre Pere commun en la façon expliquée au Credo.

I. Pourquoy adjoustés-vous qui es ez Cieux, veu que Dieu est par tout.

R. Dieu est par tout à la verité par essence, par presence, par puissance : mais il est dict, estre ez Cieux, parce que c'est là où il se manifeste, et faire reluire sa gloire principalement, et puisque Dieu est par tout, je me dois bien donc garder de faire mal en quelque endroit que ce soit : car je suis devant luy. ...

... En la quatriesme petition (*Donne-nous aujourd'huy nostre pain quotidien*) nous demandons que Dieu nous donne les choses necessaires à la vie du corps, et à la vie de l'ame : C'est à sçavoir, qu'il nous donne le pain spirituel pour l'ame, qu'est la parole de Dieu, les bonnes inspirations, et les saincts Sacremens. Et qu'il nous donne aussi le pain corporel pour le corps, que sont les vivres, et autres choses necessaires.

... En la sixiesme petition (*Et ne nous induis point en tentation*), Nous demandons que Dieu nous fortifie tellement par l'aide de sa grace, qu'aucune tentation soit du monde, soit de la chair, soit du Diable, ne nous surmonte, et ne nous face tomber en peché.

… En la derniere petition (*Mais delivre nous du mal*), nous demandons qu'il plaise à Dieu nous delivrer des maux et peines qui pour nos pechez nous pourroient arriver, soit au corps, soit à l'ame, en ce monde, et en l'autre, et particulierement des afflictions et maux de ce monde, en tant qu'ils nous empeschent de le mieux servir et aymer.

p. 16-19 **Des Intercesseurs, et de la maniere de les invoquer. Chap. V.**

… il y a plusieurs personnes dans le Ciel qui nous peuvent aider à obtenir ce que nous demandons : car nous y avons la glorieuse Vierge Marie Mere de J.-C., laquelle a un tres grand credit envers son fils, et nous y avons aussi les Saincts, les Sainctes, et un nombre infiny d'Anges.

… *Ave Maria… Je te saluë Marie pleine de grace, le Seigneur est avec toy, tu es beniste entre les femmes, et benist est le fruict de ton ventre Jesus. Saincte Marie Mere de Dieu, priez pour nous pauvres pecheurs maintenant et à l'heure de nostre mort. Ainsi soit-il.*

… On adjouste l'*Ave Maria* au *Pater noster*, parce que nous n'avons advocat ny mediateur plus puissant au pres de nostre Seigneur Jesus, que sa sacrée mere. C'est pourquoy nous nous adressons à elle, affin qu'elle nous aide à obtenir ce que nous avons demandé disant le *Pater*, comme en ce monde apres avoir presenté requeste au Prince, nous recommandons notre affaire au plus favori de la Cour. …

… I. *Comment priez-vous les Saincts ?* R. … *O Saincts et Sainctes du Ciel intercedés pour nous envers Dieu, à fin que nous soyons dignes des promesses de J. C.*

… I. *Comment priez vous les Anges ?* … *O Saincts Anges de mon Dieu, intercedés pour nous envers luy ; afin que nous le puissions contempler et aymer en vostre compagnie.*

On peut aussi implorer en particulier sainct Michel, sainct Raphaël, et sainct Gabriel, et nostre Ange gardien, comme les autres Saincts.

… I. *Comment priez-vous vostre Ange Gardien ?* R. … *O mon bon Ange qui m'avez esté donné de Dieu pour me garder et conduire, defendez-moy de mes ennemis, et conduisez moy à la gloire de paradis.* … chasque personne a son Ange gardien : car Dieu nous en a donné un à chacun pour nous conduire en ceste vie…

p. 19 **De la Charité, et de ce que le Chrestien doit faire. Chap. VI.**

… la Charité consiste en l'accomplissement des Commandemens de Dieu et de l'Eglise.

ENSEIGNEMENT DE LA FOI

p. 19-31 **Des Commandemens de Dieu. Chap. VII.**
… Les Commandemens de Dieu sont dix. …
1. *Adore un Dieu.*
2. *Ne jure en vain son nom.*
3. *Garde les Festes.*
4. *Honore tes parens.*
5. *Ne sois meurtrier.*
6. *Ny paillard.*
7. *Ny larron.*
8. *Ny faux tesmoin.*
9. *Et ne desire la femme d'autruy.*
10. *Ny aucun de ses biens injustement.* (rare)…

p. 20-21 … Ce premier Commandement *(Adore un Dieu)* nous commande d'honorer et aymer Dieu par dessus toutes choses… nous defend d'adorer le Diable, ny aucune autre chose, comme si elle estoit Dieu. … nous defend aussi de consulter les devins ou sorciers[85]… parce que… c'est tacitement recognoistre Sathan, lequel est leur maistre.

… Quand nous honorons les Saincts, nous ne faisons pas contre ce commandement; parce que nous ne les honorons pas comme Dieux, mais comme amis et serviteurs de Dieu.

… Quand nous honorons les Images, nous honorons ce que les Images nous representent…

p. 31-38 **Des Commandemens de l'Eglise. Chap. VIII.**
… Les Commandemens de l'Eglise sont huict.
1. *Les dimanches Messe ouyras, Et festes de commandement.*
2. *Tous tes pechez confesseras, A tout le moins une fois l'an.*
3. *Ton Createur recevras, Au moins à Pasques humblement.*
4. *Les festes tu sanctifieras, Qui te sont de commandement.*
5. *Quatre temps, Vigiles jeusneras, Et le Caresme entierement.*
6. *Au Vendredy chair ne mangeras, Ny le Samedy mesmement.*
7. *Hors le temps nopces ne feras.*
8. *Paye les dismes justement.* (proche de Rodez 1603 etc.)

p. 37 … En ce sixiesme Commandement il est commandé de faire abstinence de chair le Vendredy et Samedy, en memoire de la Passion, et de la sepulture de nostre Seigneur.

… Par le septiesme Commandement de l'Eglise il nous est defendu de faire nopces depuis le premier Dimanche de l'Advent jusques apres

---

[85] p. 20 sorciers: orthographié parfois sourciers.

la feste des Rois, et depuis le Mercredy des Cendres, jusques apres le premier Dimanche qui est apres Pasques. … Parce qu'en ce temps là on ne se doit occuper qu'à prieres et oraisons.

… Par le huictiesme Commandement de l'Eglise, il nous est commandé de payer à l'Eglise la dixiesme partie des fruicts que nous amassons en nos terres. …

p. 38 **Des conseils evangeliques. Chap. IX.**

… Les conseils de l'Evangile sont trois, la pauvreté volontaire, la chasteté, et l'obeyssance. …

p. 39-40 **Les oeuvres de misericorde spirituelles et corporelles. Chap. X.**

… Les oeuvres de misericorde spirituelles sont sept.

1. Enseigner ceux qui sont ignorans.
2. Consoler ceux qui ont besoin de conseil.
3. Admonester les pecheurs et les exhorter de quitter leur peché.
4. Consoler les affligez.
5. Pardonner ceux qui nous offensent.
6. Supporter patiemment les personnes fascheuses.
7. Prier Dieu pour les vivans et pour les morts.

… Les oeuvres de misericorde corporelles sont sept.

1. Donner à manger à ceux qui ont faim.
2. Donner à boire à ceux qui ont soif.
3. Vestir les nuds.
4. Loger les Pelerins et pauvres passans.
5. Visiter et servir les malades.
6. Visiter les prisonniers, et les assister de ses moyens et de sa faveur.
7. Ensevelir les morts, ou donner de quoy les faire ensevelir[86].

p. 40-41 **Des Sacremens, et comme le frequent usage d'iceux, est le plus asseuré moyen de garder les Commandemens de Dieu. Chap. XI.**

… (Le) Sacrement est un signe visible d'une grace invisible, instituée de Dieu pour nostre sanctification. … Il y a sept Sacremens. … Le premier est le Baptesme, le second est la Confirmation, le troisiesme est l'Eucharistie, le quatriesme est la Penitence, le cinquiesme est l'Extreme Onction, le sixiesme est l'Ordre, le septiesme est le Mariage.

---

[86] Les listes des œuvres de miséricorde diffèrent de celles du prône dominical (Toulouse 1602-1664, P2862).

p. 41-43 **Du Sacrement de Baptesme. Chap. XII.**

… Le Baptesme est un Sacrement de regeneration, auquel le lavement exterieur du corps signifie et opere avec les paroles sacramentales le lavement interieur de l'ame. …

… Il faut dire nommément, *Je te baptise au nom du Pere, et du Fils, et du S. Esprit*, parce que J.-C. a institué ce Sacrement en ces paroles, et non en autres.

… Le Baptesme fait trois effects bien remarquables en la personne de celuy qui est baptisé. Le premier est, qu'il lave son ame et la nettoye du peché originel, et autres s'il en a. Le second, qu'il la delivre de la puissance de Satan. Et le troisiesme, qu'il le fait Chrestien, enfant de Dieu, et heritier de Paradis.

… Il faut donner bien tost le Sacrement de Baptesme, parce que si la personne decedoit sans Baptesme, elle seroit privée pour jamais de la vision de Dieu, et du Paradis.

… Le Parrin et la Marrine sont obligez d'enseigner la Doctrine chrestienne à ceux qu'ils ont porté au Baptesme, et leur doivent apprendre à bien vivre, si leurs parens ne le font pas. …

p. 43-44 **Du Sacrement de Confirmation. Chap. XIII.**

… Le Sacrement de Confirmation fait de beaux effets en celuy qui est confirmé. Le premier est qu'il le fait vray soldat de J. C. Le second qu'il luy donne une nouvelle grace et vertu pour perseverer en la foy, et pour la soustenir envers tous et contre tous. …

… L'Evesque donne un soufflet à la personne qu'il confirme, pour luy apprendre à endurer quelque chose pour l'amour de nostre Seigneur. …

p. 44 **Du S. Sacrement de Penitence. Chap. XIV.**

… La Confession s'appelle Sacrement de Penitence, parce que nous devons estre penitens et repentans de nos pechez en la Confession.

… Le Sacrement de Penitence est institué, pour nous nettoyer de nos pechez… et pour nous remettre en la bonne grace et amitié de Dieu. …

p. 45-48 **Des choses requises pour faire une bonne Confession, où est traicté de la Contrition. Chap. XV**[87].

p. 48-55 **Des pechez mortels, et qu'est ce que peché mortel. Chap. XVI.**

… On fait un peché mortel quand on desobeit volontairement et en chose d'importance aux Commandemens de Dieu et de l'Eglise. … On

---

[87] Pages 45-48, *voir* P1395 et P1437.

peut pecher en general en quatre façons; c'est assavoir, par pensée, par parole, par oeuvre, et par obmission. ... Les sept pechez capitaux sont, Superbe, Avarice, Luxure, Cholere, Gourmandise, Envie, et Paresse.

p. 55-47 [*sic* pour 57] **Des circonstances qu'il faut expliquer en la Confession. Chap. XVII.**

p. 47 [*sic* pour 57] **De la satisfaction. Chap. XVII** [*sic* pou XVIII].

... Il y a trois sortes de satisfaction. La premiere est la satisfaction de l'honneur. La seconde est la satisfaction des biens. Et la troisiesme est la satisfaction du dommage porté à la santé et à la vie. ... Au Sacrement de penitence il y a encore une autre espece de satisfaction, et c'est la satisfaction que le penitent doit faire pour la penitence de ses pechez... par l'oraison, par le jeusne, par les aumosnes, et autres choses que le confesseur ordonne au penitent. ...

p. 48-49 [*sic* pour 58-59] **Du Sacrement de l'Eucharistie. Chap. XIX.**

... Le Sacrement de l'Eucharistie est le Sacrement de l'Autel, et la saincte Hostie qui nous est donnée à la Communion, en laquelle J. C. vray Dieu, et vray homme est contenu sous les especes du pain et du vin. ...

Que faut-il sçavoir avant que de recevoir nostre Seigneur? R. Avant qu'un enfant commence à recevoir nostre Seigneur, il faut qu'il sçache bien le *Pater*, *l'Ave Maria*, *le Credo* et les Commandemens de Dieu et de l'Eglise, le *Confiteor* et le *Salve regina*.

Faut-il que celuy qui veut recevoir nostre Seigneur sçache autre chose? R. Celuy qui veut recevoir nostre Seigneur, faut que cognoisse ce qu'il doit recevoir à la communion. Et faut aussi qu'il sçache qu'en recevant la sacrée hostie que le prestre luy donne, qu'il reçoit J. C. en son corps et ame, et avec sa divinité...

p. 49-50 [*sic* pour 59-60] **Du Sacrement de l'Extreme onction. Chap. XXI.**

... Les effects de l'Extreme onction sont six principalement. ... il efface entierement la coulpe des pechez veniels... il remet presque toute la peine deuë aux pechez veniels, et une partie de celle qui est deuë aux pechez mortels... il resjouyt le malade, et luy donne la force de supporter son mal avec plus de patience, et appaise souvent le chagrin de la maladie... il avance la santé du corps, quand elle est necessaire pour le salut de l'ame... il donne une grande vertu pour resister aux tentations de Sathan... il donne un grand accroissement de grace pour faire passer plus doucement et plus heureusement la personne de ce monde en l'autre. ...

p. 50-51 [*sic* pour 60-61] **Du Sacrement de l'Ordre. Chap. XXII.**

... Le Sacrement de l'Ordre s'appelle Ordre, parce que par iceluy les personnes sont particulierement ordonnées et destinées pour mettre le service de Dieu en bon ordre et en bon estat, et parce qu'en ce Sacrement est donné le pouvoir et la grace necessaire pour gouverner les ames. ...

p. 51-52 [*sic* pour 61-62] **Du Sacrement de Mariage. Chap. XXIII.**

... Les effects du Sacrement de Mariage sont trois principalement. Le premier est, qu'il donne la grace aux mariez de se bien comporter ensemble. Le second est, qu'il leur donne la grace de bien eslever les enfans, et sur tout en la crainte de Dieu. Le troisiesme, qu'il les lie si estroictement l'un avec l'autre, qu'il n'y a que la mort qui les puisse separer. ...

p. 52-53 [*sic* pour 62-63] **Des dons du S. Esprit, et des quatre fins dernieres. Chap. XXIV.**

... Les dons du sainct Esprit sont. La Sapience. L'entendement. Le Conseil. La Force. La Science. La Pieté. Et la crainte de Dieu.

... Les sept dons du sainct Esprit nous aydent pour acquerir les vertus, et pour nous rendre parfaits :
car par la crainte nous nous gardons de pecher ;
par la pieté nous sommes devots et obeissants à Dieu ;
par la science nous apprenons à cognoistre la volonté de Dieu ;
par la force nous sommes aydez à faire les commandemens de Dieu ;
par le conseil nous sommes advertis des tromperies du Diable ;
par l'entendement nous sommes eslevez à entendre les mysteres de la foy ;
par la sapience nous devenons parfaits, reglant toute nostre vie à la gloire de Dieu. ...

Les quatre fins de l'homme sont la mort, laquelle est tres certaine à un chacun ; le jugement lequel sera tres exacte [*sic*] ; l'enfer lequel est tres effroyable, et le Paradis lequel est tres desirable. ...

p. 53-54 [*sic* pour 63-64] **Qu'il faut servir Dieu pour l'amour de luy. Chap. XXV.**

p. 54 [*sic* pour 64]-68 **Des exercices et devotions pour tous les jours**[88]**. Chap. XXV** [*sic*].

---

[88] Voir volume II/6 : *Prônes dominicaux. Conseils de dévotion*, Toulouse 1616-1653.

p. 69-70 **Seconde partie… Contenant une ample explication du** *Credo*, **et des mysteres de la Foy.**

p. 70-71 **Des choses que nous devons croire et sçavoir de Dieu. Chap. I.**

… Par le nom de Dieu, j'entends celuy qui a fait le ciel et la terre, qui cognoist, sçait, et void [sic] toutes choses, qui est infiniment grand, et duquel toutes choses dependent, et luy ne depend d'aucune, qui est maistre, seigneur, et pere de toutes choses. …

… Le Pere, le Fils, et le S. Esprit ne sont pas trois Dieux, mais sont trois personnes divines, chacune desquelles est Dieu, et toutes trois ensemble ne sont qu'un seul Dieu. … parce que toutes trois n'ont qu'une mesme essence, et une mesme nature. … Ils sont tous trois esgaux en toutes choses; le Pere n'a pas plustost esté que le Fils, et le sainct Esprit n'a pas esté plustost que le Pere et le Fils. …

p. 71-73 **Des choses que nous devons sçavoir et croire de J. C., lequel est Dieu et homme tout ensemble… et premierement jusques à sa naissance. Chap. II.** …

p. 73-79 **Des choses que nous devons croire de J. C. depuis sa naissance jusques apres sa mort. Chap. III.** …

p. 79-82 **Ce que nous devons sçavoir de J. C. depuis sa mort. Chap. V [sic].** …

p. 82-84 **De la réele presence du precieux corps de J. C. au sainct Sacrement de l'Autel. Chap. V.** …

p. 84-86 **Ce que nous devons croire de l'Eglise. Chap. VI.** …

p. 87-88 **Ce que nous devons croire et sçavoir du pardon, et de la remission des pechez. Chap. VII.** …

p. 88-90 **Des pechez contre le Sainct Esprit. Chap. VIII.**

… Les pechez contre le S. Esprit sont premierement le desespoir de son salut.

2. la presomption de se sauver sans rien faire de son costé.

3. Combattre et repugner malicieusement à la raison que l'on cognoist.

4. Porter envie à la grace que Dieu fait à autruy.

5. S'obstiner en son peché.

6. Mourir sans repentance de son péché.

Les pechez qui crient vengeance devant Dieu sont.

Premierement, le meurtre qu'on fait expressement.

2. Le peché de la chair quand on le commet contre l'ordre de la nature.

3. L'oppression des pauvres.

4. Le salaire retenu aux serviteurs, et aux mercenaires.

p. 90-93 **Ce que nous devons croire et sçavoir de l'autre vie. Chap. IX.**

… L'ame partant du corps va en l'un de ces quatre lieux, ou en Paradis, ou en Purgatoire, ou en Enfer, ou aux Lymbes des petits enfans.

… Ceux qui sont au ciel sont bienheureux, en voyant et aymant Dieu, et jouyssant de ses biens, richesses, et grandeurs, avec un plaisir et contentement inestimable.

… Ceux qui sont en enfer sont malheureux estans privez de la vision de Dieu, et tourmentez du froid, du feu, et d'un tres grand nombre d'autres tourmens que les Diables leur donnent avec des continuelles espouvantes et frayeurs, qui les font mourir à tout moment.

p. 92 … On se peut empescher d'aller en enfer obeïssant aux Commandemens de Dieu et de l'Eglise, faisant de bonnes oeuvres, et sur tout en mourant avec une grande contrition de ses pechez, et par ce mesme moyen on peut gaigner la gloire de Paradis.

… Quand une personne meurt en la grace de Dieu, son ame s'en va aussi tost, ou en Paradis ou en Purgatoire, et si elle va en Purgatoire elle y demeure jusques à ce qu'elle soit bien purifiée et nettoyée, et apres qu'elle est bien nette, elle s'en va en Paradis pour commencer son repos et sa joye ; et au jour du jugement toutes les ames, tant celles qui sont allées en Paradis, que celles qui sont allées en Purgatoire, reprendront leurs corps, et les ameneront en Paradis, et alors le corps commencera à jouïr du repos et de la gloire eternelle et non pas plustost. …

p. 93-94 **Des Indulgences. Chap. X.**

… Les indulgences sont des absolutions que le S.Pere donne des peines que nous devons satisfaire pour nos pechez et icy et en Purgatoire, prenant le payement qu'il faict pour les peines du thresor de l'Eglise. …

… L'Eglise a un thresor spirituel, lequel est composé des satisfactions et du merite du precieux sang que nostre Seigneur a espandu en la Croix lequel ayant esté plus que suffisant pour racheter le monde, il a resté à l'Eglise une partie infinie de ce merite, laquelle le sainct Pere distribue par le moyen des indulgences.

… il y a encor au thresor de l'Eglise les satisfactions et les merites des autres peines qu'il a porté en ce monde ; il y a aussi la satisfaction des peines que la glorieuse Vierge Marie a enduré… (et) la satisfaction qui a resté à plusieurs autres saincts qui ont porté plus de peine en ce monde que leurs pechez ne meritoient.

... Pour gaigner les indulgences il faut mettre son ame en la grace de Dieu, et pour cela il se faut confesser si on a son ame chargée de peché mortel. ...

p. 94-95 **Des Lymbes des petits enfans. Chap. XI.**
... Les ames qui sont portées aux lymbes sont les ames des petits enfans qui meurent sans Baptesme; car ces ames là ne doyvent point aller au ciel; parce qu'elles ont le peché de nostre premier pere, qui est le peché originel...
... Les ames des enfans qui sont aux limbes ne patissent rien, mais tant seulement elles sont privées de la vision de Dieu; ce qui est une grande perte pour elles. ...

p. 95-97 **Du Jugement particulier et general. Chap. XII.**
... J'appelle jugement particulier le jugement que Dieu fait quand l'ame est partie du corps, parce que chasque ame est jugée toute seule sans le corps, et sans aucune autre ame; et en ce jugement il n'y a sinon J.-C. qui juge, l'ame qui est jugée, l'Ange qui deffend l'ame, et le Diable qui l'accuse. ...
... Pour faire le jugement dernier et general J.-C. paroistra en l'air avec une grande majesté, accompagné des saincts et des anges; et estant là il fera separer les bons des mauvais, et les consciences de toutes les personnes seront ouvertes, et seront fort clairement veuës d'un chacun. ... Apres que les consciences auront esté descouvertes, J.-C. prononcera sa sentence, et appellant les bons il dira: Venez benists de mon Pere, possedez le Royaume qui vous est preparé avec les Anges, et apres en renvoyant les pecheurs il leur dira: Allez maudits, allez vous en brusler pour jamais en Enfer avec Sathan.

p. 97-101 **Profession de foy** [Profession de foi tridentine en latin et en français]

Angers 1620, 1626, 1676
Saintes c. 1625, 1639, 1655
[Angers 1620: Guillaume Fouquet de La Varenne]
[Prône dominical]

P2877 **Angers 1620 p. 506**
Pour exercer la Foy, la Charité, et l'Esperance, en quoy consiste principalement le service de Dieu, tous Chrestiens sont tenus de savoir distinctement, et reciter souvent le Symbole des Apostres, qui contient sommai-

rement tout ce que nous devons croire: les Commandemens de Dieu, et de l'Eglise, qui contiennent ce que nous devons faire et fuir: et l'Oraison Dominicale, par laquelle Nostre Seigneur nous a enseigné la forme de demander à Dieu tout ce que nous pouvons esperer de sa bonté: à laquelle l'Eglise adjouste la Salutation de l'Ange, afin de ramentevoir [sic] ordinairement[89] l'heureuse nouvelle du mystere de l'Incarnation de Nostre Seigneur, et de la redemption de nos ames, et rendre nos prieres plus favorables par l'intercession de la saincte Vierge sa Mere. Et partant, comme il nous est enjoinct de vous les faire entendre distinctement chacun jour de Dimanche, aussi estes vous tenus et obligez de les escouter attentivement pour les retenir et mettre à execution. ... Credo... Je croy en Dieu...
Voicy les Commandemens de Dieu, qui sont dix en nombre.
1. *Un seul Dieu tu adoreras*... Voicy pareillement les Commandemens de l'Eglise, 1. *Les dimanches messe oyras*...
Pater noster... Nostre Pere... *Ave Maria*... Ie vous salüe Marie... *Confiteor*... Je me confesse à Dieu...
p. 512-513 Tous Chrestiens doivent ausi sçavoir, que nostre Seigneur a institué sept Sacremens en son Eglise, pour nous communiquer ses graces par iceux[90]...
Voyla les choses que mon devoir m'obligeoit de vous representer ce jourd'huy... [comme Évreux 1606]

Sens 1625
[Octave de Bellegarde]
La Doctrine chrestienne
[Catéchisme]

Catéchisme sous forme de questions et réponses[91] divisé en dix-huit leçons, devant être enseigné « au peuple et aux enfans les dimanches »[92].

2878 **Sens 1625 p. 76-94**
Du nom de Chrestien et de la Doctrine chrestienne. Premiere Leçon.
... M. *Qui est celuy qu'on doit appeller Chrestien?* D. *Celui lequel ayant esté baptizé, croit, et faict profession de la doctrine chrestienne.* ...

---

[89] afin... ordinairement] pour nous faire penser souvent à Angers 1676.
[90] Les rituels d'Angers 1620 et 1626 sont les premiers à inclure dans le prône la liste des sacrements accompagnée d'une brève explication; ils sont rapidement imités, d'abord à Saintes c. 1625, puis à Chartres 1627, Paris 1630, Beauvais 1637, etc.
[91] Catéchisme extrait de *La Doctrine chrétienne* du Père P. Diego de Ledesma, s.j., d'après Hézard, *Histoire du Catéchisme*, Paris, 1900, p. 439.
[92] Mandement d'Octave de Bellegarde en tête du *Formulaire du Prosne* de Sens de 1625, p. 6.

Du signe du Chrestien. II. Leçon.

M. *Quel est le signe du Chrestien ?* D. C'est le signe de la saincte Croix, pource que nostre Seigneur nous a racheptez en icelle. M. *Comment le faictes vous ? … Pourquoy le faictes vous ? … Quand le faut il faire ?*

De la fin de l'homme. III. Leçon.

M. *Pour quelle fin avés vous esté mis au monde.* D. Pour aymer, et servir Dieu en ceste vie, et par aprés estre à jamais bien-heureux en Paradis.

M. *En quoy gist ceste felicité que nous esperons en l'autre vie ?* D. A voir Dieu face a face, et jouyr eternellement de luy.

… M. *Combien de choses sont necessaires au Chrestien pour faire son salut, et parvenir à sa fin ?* D. Quatre: Foy, Esperance, Charité, et bonnes oeuvres.

De la Foy. IIII. Leçon.

M. *Que croyez vous par la Foy ?* D. Tout ce que tient et croyt nostre Mere saincte Eglise Catholique, Apostolique, et Romaine, et nommément ce qui est contenu au *Credo*. … *Je croy en Dieu*…

Exposition d'acuns [sic] articles du Credo. V. Leçon.

M. *Vous dites que vous croyez en Dieu. Qu'est-ce que Dieu ?* D. C'est le créateur du ciel et de la terre, et le Seigneur universel de toutes choses. M. *Et la saincte Trinité qu'est-ce ?* D. C'est le Pere, le Fils, et le sainct Esprit, trois personnes, et un seul Dieu.

M. *Le Pere est-il Dieu ?* D. Ouy. M. *Le Fils est-il Dieu ?* D. Ouy. M. *Le S. Esprit est-il Dieu ?* D. Ouy.

M. *Sont-ce trois Dieux ?* D. Nenny, car encores bien que ce soient trois personnes distinctes, ces trois Personnes toutesfois ne sont qu'un seul Dieu.

M. *Que croyez vous sommairement de nostre Seigneur J.-C.* D. Je croy que c'est le Fils de Dieu le Pere, aussi puissant, aussi sage, aussi bon que le Père; qu'il s'est faict Homme pour nous, au ventre de la glorieuse Vierge Marie; et parainsi, qu'il est vray Dieu, et vray Homme.

M. *Quoy plus ?* D. Que par sa mort et passion il nous a delivrez des peines d'enfer, et acquis la vie eternelle.

M. *Qu'est-ce que l'Eglise Catholique ?* D. C'est la congregation de tous les fidelles chrestiens.

M. *Qui en est le chef ?* D. Nostre Seigneur J.-C., et souz luy le Pape, qui est son Vicaire en terre.

M. *Que devons nous croire de l'Eglise Catholique?* D. 1. Qu'elle est une, c'est à dire, qu'il n'y a qu'une seule et vraye Eglise. 2. Que hors icelle il n'y a point de salut. 3. Qu'elle est gouvernée par le sainct Esprit, et partant qu'elle ne peut faillir.

De l'Esperance. VI. Leçon.
M. *Quelle est la seconde chose necessaire au Chrestien?* D. L'esperance.

... M. *Qu'attendez-vous avoir par l'Esperance?* D. La vie eternelle, laquelle entre autres nous obtenons par l'Oraison. ...

M. *Quelle est la premiere, et principale de toutes les Oraisons?* D. C'est le Pater noster. ... Nostre Pere...

VII. Leçon [Les Saincts]
M. *Faut il prier les Saincts?* D. Ouy, pource qu'estans amis de Dieu ils nous peuvent beaucoup ayder par leurs prieres et intercessions.

M. *Quels (Saincts) entre autres priez-vous?* D. Nostre Dame, mon Ange gardien, et le Saint duquel je porte le nom. ... Je vous saluë Marie...

M. *Quand vous priez vostre ange gardien, quelle oraison luy faictes vous?* D. Je luy dis :
Ange de Dieu, qui est commis, Pour me garder des ennemis.
Fais je te prie si bon devoir, Que nul me puisse decevoir.
Fais moy si bonne compagnie, Qu'en bon estat fine ma vie.

VIII. Leçon. [Les Reliques des saints ; les images des saints ; le Purgatoire]
M. *Faut il honorer les Reliques des Saincts?* D. Ouy. M. *Pourquoy?* D. Pource qu'elles ont esté temples du S. Esprit, et qu'elles doivent un jour estre reünies à leurs ames glorieuses.

M. *Et leurs Images?* D. Il les faut aussi honorer, pource qu'elles representent ceux ausquels nous devons honneur et reverence.

... M. *Qu'est-ce que le Purgatoire?* D. C'est le lieu ou les ames de ceux qui meurent en la grace de Dieu, achevent de payer les peines deuës à leurs pechez.

De la Charité. IX. Leçon.
M. *Quelle est la troisiesme chose necessaire au Chrestien?* D. La Charité.

... M. *Qui aymons nous par la Charité?* D. Dieu sur toutes choses, et nostre prochain comme nous mesmes. ...

Des bonnes oeuvres. X. Leçon.
M. *Quelle est la quatriesme chose necessaire au Chrestien?* D. Les bonnes oeuvres. Car apres que quelqu'un est parvenu à l'aage de discretion, la foy ne lui suffit pas sans les bonnes oeuvres.
M. *Où sont contenues les bonnes oeuvres qu'il nous convient faire?* D. Aux Commandemens de Dieu et de l'Eglise.
M. *Dictes les Commandemens de Dieu?* D. 1. *Un seul Dieu tu adoreras…* (proche de Genève 1612 etc.[93])

Les commandements de l'Eglise. [seul formulaire donnant dix commandements de l'Église, le neuvième n'apparaissant pas ailleurs]
1. *Les festes tu sanctifieras, commandées expressement.*
2. *Les Dimanches Messes ouyras, et festes de commandement.*
3. *Tous tes pechez confesseras, à tout le moins une fois l'an.*
4. *Et ton Createur recevras, au moins à Pasques humblement.*
5. *Quatre temps, Vigiles jeusneras, et le Caresme entierement.*
6. *Vendredy chair ne mangeras, ny le Samedy mesmement.*
7. *Nopces ne solemniseras, au temps defendu sainctement.*
8. *Les droicts et dixmes payeras, à l'Eglise fidelement.*
9. *A l'heretique n'adhereras, ny au censuré nommément.*
10. *Excommunié quand tu seras, fays toi absoudre promptement.*

M. *Quelle recompense recevront ceux qui garderont les Commandemens de Dieu et de l'Eglise?* D. La vie eternelle, qui est une vie exempte de tous maux, et remplie de tous biens, et qui doit durer à jamais.

M. *Quels maux encourent ceux qui les transgressent.* D. L'ire de Dieu, et la damnation eternelle.

Des Oeuvres de misericorde et des Conseils evangeliques. XII. Leçon.
[Oeuvres de misericorde spirituelles]
1. Enseigner les Ignorans. 2. Corriger les defaillans. 3. Donner bon conseil à ceux qui en ont besoin. 4. Consoler les affligez. 5. Porter patiemment les injures. 6. Pardonner les offenses. 7. Prier pour les vivans et trespassez, et pour ceux qui nous persecutent.

[Oeuvres de misericorde corporelles]
1. Donner à manger aux pauvres fameliques. 2. Donner à boire à ceux qui ont soif. 3. Vestir ceux qui sont nuds. 4. Rachepter les prisonniers. 5. Visiter les malades. 6. Loger les Pelerins et estrangers. 7. Ensevelir les morts.

---

[93] Voir volume II/6: *Prônes dominicaux. Conseils de dévotion.*

... M. *Combien y a il de conseils evangeliques?* D. Il y en a trois. 1. Pauvreté volontaire. 2. Chasteté perpétuelle. 3. Obeissance en toute chose où il n'y a point de peché.

Des Pechez. XIII. Leçon.
... M. *Qu'est-ce que peché?* D. Tout ce qui se dit, qui se desire, ou qui se faict contre la loy et volonté de Dieu.
... M. *Qu'est-ce que le peché originel?* D. C'est celuy que nous apportons du ventre de la mere, et qui nous vient comme par heritage de nostre premier pere Adam.
M. *Qu'est-ce que le peché actuel?* D. Celuy que nous commettons nous mesmes, apres estre parvenus à l'usage de raison.
M. *Combien y a il de pechez capitaux?* D. Sept, sçavoir, Orgueil, Avarice, Luxure, Envie, Gourmandise, Ire, Paresse.
M. *Pourquoy sont-ils appellez Capitaux?* D. Pource qu'ils sont les sources de tous les autres pechez.
M. *Combien y a-il de pechez contre le S. Esprit?*
D. Il y en a six. 1. Desespoir de son salut. 2. Presomption d'estre sauvé sans faire de bonnes oeuvres. 3. Se bander contre la verité cogneuë. 4. Envie des graces d'autruy. 5. Obstination en ses pechez. 6. Impenitence finalle.
M. *Combien y a-il de pechez qui crient vengeance contre Dieu?*
D. Il y en a quatre. 1. Homicide volontaire. 2. Peché de la chair contre nature. 3. Oppression des pauvres. 4. Frauder le loyer des ouvriers.
M. *Qu'est-ce que peché mortel?*
D. C'est celuy qui se commet contre la charité de Dieu, ou du prochain.
M. *Quel mal nous faict le peché mortel?* D. Il nous prive de la grace de Dieu, qui est la vie de nos ames, et nous rend coulpables d'une mort eternelle.
M. *Quel mal nous faict le Veniel?* D. Il ne nous faict perdre la grace, ny meriter l'enfer, mais il nous refroidit en l'amour de Dieu, et merite des peines temporelles, de plus nous dispose au peché mortel.

Des Sacremens. XIIII. Leçon.
... M. *Qui sont ils?* D. Baptesme, Confirmation, Penitence, Eucharistie, Extreme Onction, Ordre, Mariage.
M. *Que fait en nous le sacrement de Baptesme?*
D. Il efface le peché originel, avec lequel nous naissons, et nous faict chrestiens, et enfans de Dieu, par le moyen de la grace qu'il nous communique.

M. *Et le sacrement de* **Confirmation**? D. Il nous donne force, pour confesser constamment la foy.

Penitence. XV. Leçon. M. *De quoy nous sert le sacrement de Confession ou Penitence?*

D. Nous recevons par iceluy remission des pechez, que nous avons commis apres le Baptesme.

M. *Que faut-il faire pour se bien et dignement confesser?*

D. Quatre choses. En premier lieu, il faut tascher de se resouvenir de ses pechez, s'examiner diligemment sur les commandemens de Dieu et de l'Eglise, et sur les sept pechez mortels.

En second lieu, estre marry de les avoir commis, et d'avoir offensé un si bon Dieu, et faire un ferme propos de n'y plus retourner.

En troisiesme lieu, apres s'estre mis à genoux devant le confesseur, et avoir dit en latin ou françois le *Confiteor* jusques à *Mea culpa*, confesser tous ses pechez, sans en celer aucun à son escient.

En 4. lieu, faire devotement la penitence qui nous aura esté enjointe par le Prestre. …

Eucharistie. XVI. Leçon.

M. *Que croyez-vous du sacrement de l'Autel?*

D. Je croy que nostre Sauveur J. C. y est realement [sic], corporellement et substantiellement contenu.

… M. *Faut-il souvent recevoir le S. Sacrement?* D. Ouy, d'autant qu'il nous unit, et conjoinct avec Dieu, nous preserve de peché, et communique beaucoup d'autres dons, et graces. …

XVII. Extreme Onction. XVII. Leçon.

M. *A quoy sert le sacrement d'Extreme Onction?* D. Pour nous nettoyer des pechez que nous pourrions avoir de reste, et nous donner force pour resister aux douleurs de la maladie, et aux tentations du Diable.

M. *A quoy plus?* D. Il nous sert d'avantage pour obtenir la santé du corps, si c'est le plus expedient pour le bien de l'Ame que nous l'ayons. Et par ainsi quand on se sent fort malade, il faut avoir recours à ce Sacrement.

Ordre.

M. *Qu'est-ce que le sacrement d'Ordre?* D. C'est un sacrement de l'Eglise, par lequel les prestres reçoivent la puissance de consacrer le precieux corps de nostre Sauveur, absoudre ceux qui leur sont donnez en charge, et faire autres choses concernantes la police de l'Eglise…

Mariage.
D. *Qu'est-ce que Mariage?* D. C'est un sacrement, auquel l'homme et la femme se joignent ensemble par foy, et promesse mutuelle en face de l'Eglise, pour avoir lignée, la bien instruire, et se garder de fornication.

p. 92-99 *L'exercice quotidien du Chrestien. Brief exercice de l'homme Chrestien*[94].
p. 99-100 *La maniere d'examiner sa conscience*[95].

Chartres 1627, 1639, 1640
Boulogne 1647. Châlons-sur-Marne 1649. Mâcon 1658
Noyon 1631. Paris 1630, 1646, 1654. Troyes 1660[96].

[Chartres 1627-1640: Léonor d'Estampes de Valançay]
[Prône dominical]

2879   **Chartres 1639 p. 445-446**
… Et pour ce que tous Chrestiens sont tenus de sçavoir distinctement les articles de la Foy contenus au *Credo* ou Symbole des Apostres, les Commandemens de Dieu, et de l'Eglise, esquels est compris ce que nous devons suivre ou fuyr, et l'Oraison Dominicale, par laquelle Dieu nous a enseignez de luy demander tout ce qui nous est necessaire et pouvons esperer de sa liberalité: à laquelle l'Eglise a adjousté la Salutation Angelique, pour nous remettre en pensée le mystere de nostre redemption, et exciter en nous une speciale devotion envers la bien heureuse Vierge; il nous est enjoinct tres-expressément de les vous faire entendre par chacun Dimanche, et à vous de les escouter attentivement pour en faire vostre profit, et les reciter aprez moy. [proche d'Angers 1620-1626]

Credo… Je croy en Dieu… [Commandements de Dieu et de l'Eglise] … Pater noster… Nostre Pere… Ave Maria… Ie vous saluë Marie… Confiteor… Je me confesse à Dieu…

Outre les choses cy dessus, tout Chrestien est encore tenu de sçavoir, que nostre Seigneur a institué sept Sacremens en son Eglise[97]…

---

[94] Pages 92-94, *voir* volume II/6: *Prônes dominicaux. Conseils de dévotion*, Sens 1625.
[95] Pages 99-100. *Voir infra* Conseils de vie chrétienne, P2995.
[96] Orthographe modernisée à partir de l'édition Paris 1630.
[97] *Voir* volume II/6: *Prônes dominicaux. Conseils de dévotion*. Présentation des Sacrements.

Rouen 1640

Voir Rouen 1611/1612.

Saint-Omer 1641
Arras 1644[98]

[Saint-Omer 1641: Christophe de France]
Instructiones variae ad populum
Ac primo de praecipuis mysteriis Religionis Christianae,
unicuique ad salutem necessariis
[Catéchisme]

Instructions à lire à l'église au moins deux fois par an le dimanche, au moment le plus opportun, en plus du catéchisme (*vulgarem Catechismum*) qui ne doit être omis aucun dimanche[99].

Elles sont destinées en premier lieu à tous les pères de famille, et commentent *Credo*, *Pater*, *Ave*, les commandements de Dieu et de l'Église, les sacrements, le jeûne de Carême, les empêchements au mariage, et la force et l'effet de l'excommunication, et peuvent être divisées si besoin en deux ou trois parties.

P2880 **Saint-Omer 1641 p. 433-435**

Ut Populus de his, quae ad salutem omnibus necessaria sunt, ritè instruatur; praeter vulgarem Catechismum, qui nullâ die Dominicâ omitti debet, Parochus sequentem Instructionem quotannis totam bis, ut minimùm, è suggestu praeleget, eo tempore, quod opportunius judicabit, tractim, clarâ et intelligibili voce, quâ etiam instruantur et moneantur omnes Patres familias, quanti intersit nosse quid unicuique ad salutem tùm scitu, tùm factu, sit necessarium. Quod si totam unicâ die Dominicâ commodè absolvere non possit, in duas vel tres partiri poterit: sciatque sibi reddendam rationem, an huic Ordinationi satisfecerit.

Peuple Chrestien, pour vivre Chrestiennement, et faire son salut, quatre choses sont necessaires: la Foy, l'Esperance, la Charité de Dieu, et l'usage des Sacremens de l'Eglise.

1. Par la Foy, il faut croire en Dieu: ainsi il est necessaire de sçavoir et entendre le *Credo* ou Symbole des Apostres.

---

[98] Arras 1644 (p. 294-341) *Instructiones variae ad populum, ac primùm De Sacramento Baptismi*, reprend dans un ordre différent et avec quelques variantes les instructions sur les sacrements et le jeûne du carême.
[99] Certains exemplaires ont ce formulaire en flamand.

2. Par la vertu d'Esperance, il faut esperer en Dieu et le prier : ainsi il est besoing de sçavoir, entendre, et dire le *Pater noster* et *Ave Maria*, tant de coeur, que de bouche.

3. Par la Charité il faut aymer Dieu sur toute chose, en gardant ses Commandemens, et partant il les faut sçavoir et entendre.

4. Il faut bien user des Sacremens, par lesquels Dieu nous veut communiquer ses graces et les merites de sa Passion. Il faut doncques sçavoir la façon d'en bien user, chacun en son temps et selon son estat. Et tout cecy est tellement necessaire, que ceux qui ne le sçavent point, sont en peril tres-evident d'estre damnez eternellement.

Notez aussi que ceux qui ont charge d'ames : si comme les Peres et Meres de leurs enfans, les Maitres et Dames de leurs subjects, sont tres-estroictement obligez de les enseigner ou faire apprendre les quatre choses susdites, sçavoir le Patre-nostre, la Creance, les Commandemens, et les Sacremens : de quoy ils debvront rendre compte tres estroict à Dieu...

Prenez doncques garde, ô Chrestiens, et soigniez que tous vos enfans, domestiques, et subjects, comme aussi vous, Parrins et Marines, que vos filloeuls, et filloeules apprennent diligemment et sçachent ces quatre choses, et qu'ils les entendent selon la capacité de leur esprit. Dont s'ensuit le formulaire.

Pater noster, Nostre Pere. *Ave Maria*. Je te salue. *Le Symbole des Apostres*, ou *Credo*. Je croy en Dieu.

Les Commandemens de Dieu. *1. Adore un seul Dieu...* Les Commandemens de la saincte Eglise. *1. Ouyr la Messe entiere chaque Dimanche et feste commandée...*[100].

Les sept Sacremens. *Baptesme. Confirmation, Poenitence, Eucharistie, Extreme-Onction, Ordre, et Mariage.*

p. 435-437 §. I. **Du Credo.**

Quels sont et comment se doivent entendre les principaux Articles de la Foy chrestienne ?

Credo, je croy en Dieu : c'est à dire, je tiens pour vray et du tout asseuré tout ce que Dieu a dict et revelé à son Eglise.

Premierement je croy qu'il y a un seul Dieu en trois personnes ; qui sont le Pere, le Fils et le S. Esprit : que nous invoquons disans *In nomine Patris, et Filii, et Spiritus sancti*. Au nom du Pere, du Fils, et du Sainct Esprit. Dieu tout puissant, Esprit infiny, Createur, Seigneur, et

---

[100] Voir volume II/6 : *Prônes dominicaux. Conseils de dévotion*. Commandements de Dieu et de l'Église.

Gouverneur de toutes choses, present icy et en tous lieux, encore que nous ne le voyons point, non plus que nos Ames et les Anges, d'autant qu'il est invisible par les yeux du corps.

2. Je croy que Dieu le Fils, la deuxiesme personne de la Saincte Trinité, a esté conçeu du S. Esprit et né de la Vierge Marie, c'est à dire qu'il s'est fait homme au ventre de la Vierge Marie sans operation du pere charnel, mais par la vertu divine et miraculeuse, et est né de sa Mere, laquelle est demeurée tousjours Vierge. Estant ainsi venu au monde pour nous delivrer du peché et de la damnation eternelle, et pour nous enseigner et acquerir la vie eternelle. Il a enduré la mort en Croix par sentence d'un Juge tres-inique nommé Ponce Pilate : son Corps a esté ensevely : son ame a descendu aux Enfers, c'est à dire, au Limbe des Saincts Peres pour les en delivrer. Il est resuscité glorieux le troisiesme jour, puis est monté au Ciel ; est assis à la dextre de Dieu son Pere : luy estant égal selon sa Divinité, et selon son humanité il a reçeu de luy le gouvernement de tout le monde : dont un jour il reviendra glorieux, vray Dieu et vray homme, pour faire le Jugement universel de tous les hommes, vifs et morts, afin de recompenser les bons et punir les meschans.

3. Je crois au S. Esprit, qui est la troisiesme personne de la Saincte Trinité, vray Dieu, voire le mesme Dieu que le Pere et le Fils. C'est par la grace et gouvernement du S. Esprit que l'Eglise catholique apostolique et romaine est saincte. L'Eglise : c'est la multitude des Fidels [sic] soubs un chef, qui est J. C., et son Vicaire en terre, le Pape de Rome, successeur de S. Pierre. Elle est saincte, d'autant que hors d'icelle il n'y a point de salut ; et en icelle seule, chacun se peut sauver. Je crois la communion des Saincts et remission des pechez : c'est à dire que le Sacrifice de la Messe, les prieres, Sacremens, Indulgences et pardons des pechez par les merites de nostre Seigneur J. C. peuvent estre communiqués à tous.

4. Finalement je crois la Resurrection de la chair, et la vie eternelle : c'est à dire, qu'à la fin du monde nous resusciterons, nos ames se joindans [sic] derechef à nos corps, lesquels par la toute puissance de Dieu seront remis en vie : et lors chacun sera recompensé en corps et en ame, selon les merites de la vie passée, sans jamais plus mourir.

Voilà, peuple chrestien, les principaux articles de nostre Foy : advisons de regler tellement nostre vie, que puissions parvenir à la gloire eternelle, que Dieu a promis à ses fidels serviteurs.

p. 437-438 §. **2. Du Pater noster, et Ave Maria.**

Que demandons nous, et à quoy debvons nous penser en disant le Pater noster.

Nous parlons à Dieu avec les paroles que nostre Seigneur J. C. nous a enseigné. ...
... 6. *Et ne nos inducas in tentationem.* Contregardez nous, afin que ne consentions point aux tentations du peché.
7. *Sed libera nos à malo.* Délivrez nous du mal, ou de tout ce que vous cognoissez estre contraire à nostre Salut.

Que faisons nous en disant l'Ave Maria?
Nous parlons à la Vierge Marie mere de Dieu. Nous la saluons premierement avec les mesmes paroles que l'ont salué l'Ange Gabriel et saincte Elizabeth... Et puis nous la supplions qu'elle veuille prier pour nous, afin d'obtenir de Dieu son Fils ce que nous demandons par le *Pater*.

p. 438-443 §. 3. Des Commandemens de Dieu.
Oyez, Peuple chrestien, comme le Seigneur de tout temps a monstré qu'il doit et qu'il veut estre obey des hommes... *1. Adore un seul Dieu.* ... *2. Ne jure point en vain.* ... *3. Sanctifie les festes.* ... *4. Honore Pere et Mere.* ...[101]

Oyez donc icy conjoinctement les **Commandemens de l'Eglise**.
1. Ouyr la Messe, festes et dimanches. 2. Se confesser au moins une fois l'an. 3. Recevoir la saincte Communion à Pasques en sa Paroisse. 4. S'abstenir de chair les Vendredys et Samedys, jeuner les Vigiles, Quatre temps, Caresme, ne fust qu'on eut quelque excuse legitime. 5. Payer les dismes selon la coustume.
5. Commandement de Dieu : *Ne tue point. Ne fais mal à personne.* ...
6. *Ne paillarde point.* Il deffend tout plaisir charnel au dehors du Mariage, soit qu'il se prend avec autruy, soit sur soy mesme... Est aussi deffendu tout ce qui tend ou excite à paillardise... 7. *Ne desrobe point...* 8. *Ne dis point faux tesmoignage.* ... 9. et 10. Commandement. *Ne desire point la femme, et le bien d'autruy...*

Voylà, Chrestiens, les dix Commandemens de nostre Dieu, le sommaire de tout, est d'aymer Dieu sur toute chose et nostre prochain comme nous mesmes, et ne luy vouloir aucun mal en sa personne, ses biens, son honneur, non plus qu'à nous mesmes. Or doncques pour bien observer ces commandemens, resouvenez vous tousjours, qui est celuy qui commande : Dieu tout puissant, infiny en bonté, liberalité, justice, majesté. A qui commande il ? à nous, ses creatures, qui n'avons rien et ne pouvons rien sans luy...

---

[101] Les six commandements suivants viennent après la liste des commandements de l'Église.

p. 443-444 *Des Sacremens en general.* Pour obtenir pardon de nos pechez, et acquerir les graces de nostre Seigneur J. C. ; il est necessaire de bien user des Sacremens de l'Eglise. Il y en a sept... 1. Baptesme... 2. Confirmation... 3. Penitence et Confession... 4. Communion.... 5. L'Extreme-Onction... 6. Ordre... 7. Mariage...[102].

p. 444-446 *De Ieiunii Quadragesimalis observatione.*
Pour observer la saincte Quarantaine, il convient premierement remarquer, qu'elle a esté ordonnée par les Apostres, pour disposer le peuple chrestien à la grande solemnité de Pasques...

[... sont excusés:] Les malades, et ceux qui sont nouvellement relevés de maladie.

Les femmes enceintes ou allaictantes.

Les pauvres qui n'ont de quoy faire par jour une refection suffisante.

Les laboureurs, chartiers, charpentiers, massons, cordonniers, et autres artisans, y comprins les voyageurs; supposé que le stil [le metier] et le voyage soient penibles et laborieux.

On excuse aussi ceux qui s'emploient à quelque bon oeuvre, plus utile et excellent que le jeune: pour exemple à garder les malades...

Pareillement sont exempts les enfants et les jeunes gens, jusques à vint et un ans accomplis; parce que leur croissance se faisant ordinairement jusques à cet aage, ils ont besoin de plus grande nourriture. Neantmoins c'est la coustume de ceux qui sont bien instruicts de jeuner quelques fois la sepmaine plus ou moins selon l'advis du Confesseur, afin d'avoir part à la devotion commune de l'Eglise...

Finalement on excuse ordinairement ceux qui ont atteint soixante ans: ne soit que leur complexion se monstre evidemment encore assez robuste pour entreprendre ce travail. ...

p. 446-450 *De Sacramento Poenitentiae rite suscipiendo.*

p. 447 ... Or pour la Confession estre vaillable et legitime[103], trois choses sont necessaires. La premiere un regret d'avoir offensé Dieu; la seconde un ferme propos de fuir le peché, et les occasions d'iceluy; la troisiesme une declaration naifve et sincere de tous les pechez mortels, dont apres une serieuse et diligente recherche on se peut souvenir. ...

p. 449 ... la contrition... consiste... en la resolution de la volonté, par laquelle on desavoue le peché commis, et on voudroit ne l'avoir

---

[102] Voir volume II/6 : *Prônes dominicaux. Conseils de dévotion.* Présentation des sacrements.
[103] vaillable et legitime] bonne et valable Arras 1644.

jamais fait... nonobstant que le coeur semble demeurer sans ressentiment, et comme endurcy.

p. 450-453 *De Eucharistiae Sacramento.*
Pour dignement communier, la Foy est requise toute la premiere, par laquelle nous debvons croire fermement... que la saincte hostie... n'est plus du pain, ains le vray corps de nostre Seigneur J. C. en sa propre nature et substance...

p. 451 ... Aprés la confession faite en simplicité de coeur, il ne faut plus s'amuser à la recherche de sa conscience, si l'on a bien confessé ou non : ains plustost s'occuper à la consideration de l'infinie bonté de Dieu, qui daigne bien tant s'abbaisser, que de venir loger dans de si pauvres et foibles creatures...

[La communion fréquente est recommandée :]

p. 453 ... la Communion frequente ne peut estre que fort utile à toutes personnes, qui taschent de mener une vie vrayement chrestienne, bien que peut estre elles soient encore infirmes, et sujettes à plusieurs imperfections : d'autant que la Communion frequente se permet, non parce que l'on soit desjà parfaict, mais bien pour se perfectioner [sic], croistre en vertu, et acquerir de la force, à combattre, et surmonter les inclinations mauvaises. Mais en tout cas il faut prendre l'advis de son Pasteur ou de quelque Confesseur, experimenté en la direction des ames, de peur de se fourvoyer en une affaire si importante.

p. 453-456 *De Sacramento Baptismi.*

p. 453 ... C'est une article de Foy, que nous naissons tous en ce monde, avec le peché originel ainsi appellé, d'autant qu'il nous vient originellement de la transgression et desobeissance de nos premiers parens. Pour à quoy remedier, nostre Seigneur J. C. a institué et ordonné en son Eglise le sainct Sacrement de Baptesme. Lequel par une vertu divine fondée sur les merites de sa saincte Passion, lavant exterieurement le corps, vient quant et quant à nettoyer l'ame du peché susdict, et de tout autre qu'elle pourroit avoir contracté, l'ornant de sa grace divine, et la rendant par ce moyen heritiere du Paradis. ...

p. 456-458 *De Sacramento Confirmationis.*

p. 456 Le Sacrement de Confirmation est un Sacrement, specialement estably de nostre Seigneur, pour donner de la force et du courage aux personnes baptisées, à combattre les ennemis visibles et invisibles, et se tenir fermes en la confession de la foy et en la crainte de Dieu. ...

p. 458-460 *De Sacramento Extremae-Unctionis.*

p. 459 … par iceluy (le sacrement de l'Extreme-Onction) l'ame est nettoyée de ses pechez; elle est excitée à prendre confiance en la misericorde de Dieu, elle est consolée en l'attente des biens eternels; bref elle est fortifiée contre les apprehensions de la mort, contre la violence des maladies, contre toutes les tentations et assauts du diable. Voire aussi quant au corps, le malade reçoit la santé, si avant qu'elle soit utile, pour le salut de l'ame. Et si cet effect n'arrive point plus souvent, c'est ordinairement, ou parce que ce Sacrement se reçoit trop tard… ou par manquement de foy et de devotion de la part de ceux qui le reçoivent; ou bien parce que Dieu prevoit que la santé ne seroit pas utile. …

p. 460-464 *De Sacramento Matrimonii.*

p. 460 … le Mariage, ainsi que le tesmoigne la saincte Escriture, contient en soy la signification d'un tres excellent mystere, c'est à sçavoir de l'amour et union de nostre Seigneur avec l'Eglise…

… l'Eglise a sagement ordonné à ceux qui se marient de purger leur conscience au prelable par la saincte confession, et se munir de la communion… Laquelle preparation sert aussi de remede souverain, contre les ligatures et autres malefices que le diable a coustume de pratiquer en cet endroict, et ce dequoy l'on se doit prevaloir, au lieu de se marier en cachet [*sic*], ou de nuict et en tenebre, par je ne sçay quelle crainte de ces superstitions diaboliques…

p. 462 … Les Peres et Meres en ces occasions doivent estre fort discrets et prendre garde aux affections ou aversions des enfans qu'ils marient… ils doivent rechercher principalement la vertu, vray et unique fondement du bonheur des mariages, aussi bien que de tout autre estat et condition. …

p. 464 … les deniers en nombre de treize, à l'honneur de nostre Seigneur et des Apostres, signifient les biens temporels. Aussi les benissant nous prions Dieu, qu'il luy plaise de benir le labeur des nouveaux mariez, et leur donner suffisance de ces choses, pour entretenir honnestement leur famille, et du surplus en faire des oeuvres charitables. …

p. 465-466 *De impedimentis Matrimonii.*

Empéchemens principaux du Mariage, desquels vous nous devez advertir si vous les sçavez, ou si vous en doutez, sont ceux cy, sçavoir :

Si ceux qui se veüillent marier ne sont pas autre part mariez, ou si leur partie est certainement morte.

S'ils n'ont pas faict voeu de Religion. …

p. 466-467 *De Excommunicationis vi, et effectu.*
Il faut tenir pour article de Foy, que nostre Seigneur J. C., a laissé à son Eglise le pouvoir d'excommunider les rebelles, et ceux qui opiniastrement refusent de luy obeir. …

Orléans 1642
[Nicolas de Nets]
Catechisme ou briefve instruction de la doctrine chrestienne

Catéchisme placé au début du rituel, divisé en trois parties, apparemment inspiré de ceux de Canisius : la Foi, l'Espérance et la Charité ; destiné à être lu par petites parties au prône dominical.

Orléans 1642 f. i4v-u2v
f. 14v Toute la Doctrine du Chrestien est reduite à ces trois poincts ; à ce qu'il doit croire, à ce qu'il doit faire, et aux moiens par lesquels il peut obtenir de Dieu les forces necessaires, pour croire et faire ce, à quoy il se trouve obligé.

Par la foy, il croit ; par la charité, il faict ; et il obtient de Dieu des forces, par la priere qui apartient à l'Esperance, sans laquelle il ne prieroit pas. Il s'ensuit donc, qu'en ces trois vertus, sont compris tous les devoirs d'un Chrestien, et partant qu'on ne peut mieux les instruire, qu'en les expliquant l'une apres l'autre.

I. Partie. De la Foy.

… Le **Mystere de la tres Saincte Trinité**, consiste en un Dieu et trois persones, qui sont le Pere, le Fils, et le S. Esprit.

Qui dit Dieu, dit le Seigneur universel de tout le monde, qui a tousjours esté, et sera tousjours, a tout créé, est par tout, gouverne tout, sçait tout, et veoid [sic] toutes choses.

Il n'y en a qu'un, mais en trois persones. Dont la premiere est celle du Pere, qui en se connoissant soy mesme, engendre de tout' eternité son Fils, seconde persone, Dieu comme luy, de mesme nature, de mesme puissance, et de mesme perfection que luy, en fin egal en tout et par tout à luy. De ces deux, qui s'entr'ayment mutuellement l'un l'autre, procede par la voie d'amour, une troisiesme persone que nous appelons le Sainct Esprit, egal en toutes les perfections au Pere et au Fils.

La mesme nature divine qui est au Pere, estant au Fils, et au S. Esprit, il s'ensuit qu'encore qu'il y ait trois persones, il n'y a pas pour cela trois Dieux, mais un seul Dieu : Et toutefois le Pere n'est pas le Fils, mais une persone distincte du Fils ; le Pere et le Fils ne sont pas le S. Esprit, mais deux persones distinctes du S. Esprit : sans que pour cela le Pere soit plus grand, plus ancien, plus puissant, ou meilleur que le Fils : ny que le Pere et le Fils soient ou plus grands, ou plus anciens, ou plus puissants, ny meilleurs que le S. Esprit. Car en tous trois, est une mesme grandeur, une mesme eternité, une mesme puissance, une mesme bonté, et toutes les mesmes perfections, sans aucune inegalité. En un mot, c'est une mesme Divinité, une mesme nature divine en trois persones.

De ces trois, il y en a une qui est la seconde, laquelle s'est incarnée pour nous, c'est à dire qui s'est faicte [sic] homme par le mystere de l'Incarnation, qui est le second qu'il faut croire distinctement.

Nous appelons **Incarnation**, l'union de la nature divine et de la nature humaine en une mesme persone, qui est J.-C. nostre Redempteur.

Partant qui dit J.-C., ne dit pas seulement un Dieu, ne dit pas aussi seulement un homme, mais un Dieu et homme tout ensemble ; Dieu de tout' eternité, et homme dans le milieu des siecles. Comme Dieu, Fils du Pere eternel entierement egal à luy ; comme homme, revestu de nostre chair, et moindre que luy.

Il n'a donc pas tousjours esté homme, mais seulement depuis qu'il est né de la Saincte Vierge sa Mere, qui l'a conçeu par l'operation du S. Esprit, sans violer sa virginité.

Il a voulu ainsi naistre, et se revestir de nostre chair, afin de nous rachepter, c'est à dire de nous delivrer de la captivité de Satan, auquel tous les hommes estoient assubjectis, par le peché Originel.

Ce peché Originel, est celuy avec lequel nous naissons, et que nous aportons venants au monde, comme en heritans d'Adam nostre premier pere.

Nous y sommes subjects, par le moien du pact que Dieu feit avec luy, aussi tost qu'il l'eut créé. Il luy permit de manger de tous les fruicts du Paradis terrestre, fors et excepté de celuy de l'arbre de la science du bien et du mal : avec cete condition, qu'en mesme temps qu'il mangeroit de celuy la, il seroit coupable de mort, et corporelle et spirituelle.

Or la loy qui estoit proposée à Adam, comme chef de tous les hommes, regardoit en sa personne toute sa posterité…

Les hommes et toutes les pures creatures ensemble, n'estoient pas capables de satisfaire exactement et rigoureusement à la Justice divine… Si bien que Dieu voulant nous mettre en estat de pardon… a envoié son fils, qui a pris nostre nature, et s'estant faict homme, a payé pour nous à son Pere, et nous a racheptés. …

Ce sont ces mysteres, et ceux qui en dependent, lesquels comme les principaux mysteres de nostre Foy, sont contenus au Symbole des Apostres, appelé communement le *Credo*.

… La premiere partie contient un article, touchant la premiere persone de la Trinité, et l'oeuvre de la Creation. La seconde, contient les six articles suivants, qui sont pour la seconde persone, touchant le mystere de l'Incarnation, et de nostre Redemption. La troisiesme comprend les cinq autres articles, qui restent touchant la troisiesme persone, et ce qui concerne nostre sanctification.

Le premier de ces articles… est tel. *1. Je croy en Dieu*… croire en Dieu, c'est en le croiant, le considerer comme la derniere fin de toutes choses, avec confiance que moiennant sa grace on pourra arriver à luy. De ceste sorte nous croions en luy, et le croions Pere tout puissant, createur du Ciel et de la terre.

… encore que toutes les perfections conviennent aux trois persones, il y en a toutesfois qu'on attribüe plus particulierement aux unes qu'aux autres, pour certaines raisons. Au Sainct Esprit, par exemple, à cause qu'il procede par amour, on attribue la bonté, qui en est l'object. Au fils, qui est produict par l'entendement, on attribue la sagesse. Et tout de mesme au Pere, qui ne reçoit son estre d'aucun autre, on attribue la toute puissance qui a la creation du monde pour un de ses principaux effects. …

f. 03 … Nous appelons Eglise, *Toute societé de creatures raisonables unies à Dieu par dons surnaturels*. … Cete Eglise a deux membres, l'un qu'on appelle *Eglise triomphante*, qui contient les bien-heureux esprits qui triomphent au Ciel avec Dieu; l'autre appelée *Eglise militante*, qui contient les hommes, qui ont les qualités requises pour estre de la Congregation des fideles.

Ces qualités se reduisent à trois. 1. A estre baptizé. 2. A faire profession de la foy et loy de J.-C. 3. A reconnoistre pour chef le mesme J.-C., et soubs luy le Souverain Pontife son Vicaire en terre. …

Au reste elle a ses proprietés, et ses biens, marqués dedans le Symbole.

Ses proprietés, sont l'Unité, la Saincteté, et l'Estendue; toutes exprimées au neufiesme article.

Ses biens sont exprimés dans les autres, et reduicts à quatre principaux. Dont le premier est la communion des Saincts; Le 2. La remission des pechés; le 3. la resurrection de la chair… La 4. et derniere, est la vie eternelle…

f. 03v-u1v **II. Partie de l'Esperance.**

L'Esperance, est une vertu infuse, par laquelle le Chrestien, s'attend avec une ferme confiance en Dieu, aux biens surnaturels, qui regardent son salut, en cete vie presente; et à la joüissance de la gloire, en l'autre vie.

Le principal exercice de cete vertu, consiste en la priere, qui est *une action par laquelle nous tesmoignons à Dieu un desir de nostre volonté, et le supplions de nous en accorder l'effect, pour nostre bien et pour sa gloire*[104]. ... Le Fils de Dieu nous en a donné un parfaitc modele en celle que nous appelons à cause de luy, Oraison Dominicale, c'est à dire Oraison du Seigneur, qui commence par ces mots Pater noster...

... Pater noster. ... *Nostre Pere qui estes és cieux...* [Explications]

Nous avons neantmoins accoustumé de joindre à cete priere, la salutation Angelique, que nous appelons l'*Ave*, qui a trois autheurs, et trois parties. ... *Je vous salüe Marie* ... [Explications]

Or non seulement nous pouvons nous addresser à la Saincte Vierge pour interceder pour nous, mais aussi à tous les autres Saincts. Leur intercession ne prejudicie non plus à celle du Fils de Dieu, que la priere que nous faisons les uns pour les autres. ... Il est donc bon de les prier, bon de leur porter honneur, bon de loüer Dieu en eux, se les proposer pour exemples...

f. u1v-u2v **III. Partie de la Charité.**

La Charité est *une vertu infuse, par laquelle on ayme Dieu sur toute chose, et son prochain pour l'amour de Dieu, comme soy mesme*[105].

De cete definition apert, que la charité a deux membres. L'amour de Dieu, et l'amour du prochain.

La mesure de l'amour de Dieu est sans mesure. ...

La mesure de l'amour du prochain, est celle de nostre propre amour. ...

Sur ces principes sont establis les preceptes du Decalogue... et ceux de l'Eglise. Contre tous lesquels si on dict, faict, ou pense quelque chose, c'est peché.

Le **peché** est ou originel... ou actuel...

1. Il y a peché de *commission*, quand on dit, faict, ou pense ce qu'on ne doit pas; et peché d'*omission*, quand on manque de dire, ou faire, ou de penser ce qu'on doit.

---

[104] En italiques dans le texte.
[105] En italiques dans le texte.

2. Il y a peché, qui procede d'*ignorance*, autre qui vient de *malice*, et autre *d'infirmité*.

3. Il y a peché *mortel*... et peché *veniel*...

4. Il y a des pechés *Capitaux*, ausquels les autres se raportent; des pechés *contre le S. Esprit*, et des pechés *qui crient vengeance devant Dieu*.

Les **Capitaux** sont 7. sçavoir la Superbe, l'Envie, la Colere, l'Acedie que nous appelons paresse, l'Avarice, la Gourmandise, et la Luxure.

Les **pechés contre le S. Esprit** sont 6. qui sont, la trop grande presomption de la misericorde de Dieu, ou de l'impunité du peché, le desespoir, l'impugnation [l'attaque] de la verité connüe, l'envie de la grace d'autruy, l'obstination au peché, et l'impenitence finale.

Ceux qui crient vengeance devant Dieu, sont 4. l'homicide volontaire, le peché de la chair contre nature, l'oppression des pauvres, et la retention injuste du salaire des mercenaires.

... Il y a **sept Sacrements**, tous institués par J.C., sçavoir le Baptesme, la Confirmation, la Penitence, l'Eucharistie, l'Extreme Onction, l'Ordre et le Mariage.

Ils ont tous la vertu de signifier et de produire la grace sanctifiante...

Avec cette justification nous sont données **les vertus**, qui sont comme les instruments de la Charité. Outre les **trois Theologales**, c'est à dire la Foy, l'Esperance, et la Charité... il y en a de morales, ainsi appelées à cause des moeurs. Celles la se reduisent à quatre principales, autrement dites **Cardinales**, qui sont la Prudence, la Justice, la Force, et la Temperance.

Enfin la Charité, avec laquelle tous ces biens arrivent, se faict paroistre par les oeuvres, et principalement (s'il est question du prochain) par celles de la Misericorde, soit Corporelle, soit Spirituelle.

Il y en a 7 **de misericorde corporelle** sçavoir. 1. Donner à manger à ceux qui ont faim. 2. Donner à boire à ceux qui ont soif. 3. Vestir les nuds. 4. Loger les pelerins. 5. Visiter les malades. 7. Delivrer les prisonniers. 8. Ensevelir les morts.

Il y en a 7 **autres de misericorde spirituelle**, qui consistent. 1. A enseigner les ignorants. 2. Conseiller ceux qui sont en doute. 3. Consoler les Affligés. 4. Corriger les defaillants. 5. Pardonner les offences. 6. Supporter patiemment les injures. 7. Prier Dieu pour les vivants et trespassés.

Ces derniers ausquels la priere est utile, sont ceux, qui sont en purgatoire, ou ils doivent satisfaire à la Justice divine, pour les pechés qu'ils ont commis en ce monde, lesquels quoy qu'ils leur ayent esté remis, ils sont neantmoins decedés auparavant d'en avoir faict penitence.

Orléans 1642

[Nicolas de Nets]

Le Formulaire du Prosne

P2882 **Orléans 1642 p. 375-383**
p. 380 Par ce que pour servir Dieu il est besoin de sçavoir particulierement toutes ses volontés : vous entendrés sommairement la lecture de ce qu'il requiert du Chrestien, ce qu'il veut qu'il croie, ce qu'il veut qu'il face, et ce qu'il veut qu'il luy demande.

Ce qu'il veut que vous croiés se reduit au Symbole des Apostres... *Je crois en Dieu...*

Ce qu'il veut que vous faciés, se reduit à ses commandements, et à ceux de son Eglise...

[Commandements de Dieu] *Un seul Dieu tu adoreras, et aimeras parfaictement.*

Dieu en vain ne jureras, ny autre chose pareillement. ... [comme Paris 1615],

[Commandements de l'Eglise]

Tous les dimanches messes oiras, et festes de commandement.

Quatre temps, Vigiles jeusneras; et le caresme entierement.

Tous tes pechés confesseras, à tout le moins une fois l'an.

Et ton Createur recevras, au moins à Pasques humblement.

Les festes tu sanctifieras, qui te sont de commandement.

En fin ce que Dieu veut que nous luy demandions, est contenu dans l'Oraison dominicale... *Nostre Pere, qui estés es cieux... votre royaume nous advienne...*

En suite de laquelle oraison nous vous lirons la Salutation angelique, puis que par icelle on supplie la Vierge de convier son fils à obtenir de Dieu son pere ce qu'il veut que nous luy demandions. ...*Je vous saluë Marie...*

Icy il lira l'instruction propre pour le jour, suivant l'ordre des dimanches... dans la table par nous dressée et mise en suite de ce Prosne...

Orléans 1642

[Nicolas de Nets]
*Table des Instructions que les Curés liront en leurs Prosnes,
dressée selon l'ordre des Dimanches de l'année*

883 Orléans 1642 p. 384-388

p. 384 Ceste Table, contient pour chaque dimanche de l'année quelque petite partie des instructions comprises en ce rituel, adaptées ou au subject des Evangiles, ou à la necessité plus apparente du peuple, selon l'occurrence des temps. …

[La plupart des instructions réparties dans le rituel sont rédigées en français. De nombreuses références marginales renvoient aux Pères de l'Eglise, aux synodes diocésains des XVe-XVIe siècles (Sens, Chartres, Langres, Paris, Aix, Rouen, Bordeaux, Orléans…), à différents conciles (Paris, Auxerre, Milan, Florence, Trente, Carthage…).]

[L'Avent et l'Épiphanie sont consacrés plus spécialement aux parties du catéchisme traitant de la Foi, de l'Espérance, et de la Charité, ainsi qu'à l'instruction sur le baptême.]

Le 2. dimanche apres les Roys: instruction du Mariage.

Le 3. dimanche apres les Roys: instruction du Sacrement de Penitence.

Le 4. Dimanche apres les Roys: la deuxieme partie du Catechysme qui est de l'Esperance. …

[La Septuagésime: instruction sur l'Ordre; la Sexagésime et la Quinquagésime: instructions sur le prosne et la messe.]

[Le Carême est consacré à la Pénitence, à l'examen de conscience, et à l'explication des commandements.]

[Le dimanche de la Passion et des Rameaux, à l'Eucharistie.]

[Le dimanche de Pâques, à la Confession générale, etc.]

[Les instructions concernant la pénitence sont de loin les plus nombreuses: douze dimanches y sont consacrés, treize si l'on tient compte de la confession générale le jour de Pâques; viennent ensuite la foi et l'espérance (six dimanches chacune), puis le baptême, la messe, le S. Sacrement, et l'extrême-onction (quatre dimanches chacune); la charité et la confirmation (trois dimanches chacune); l'eucharistie (deux dimanches); enfin le mariage, l'ordre, et les bénédictions (un dimanche chacune).]

Arras 1644

[Vacance du siège épiscopal]
Instructiones variae ad populum, ac primum De Sacramento Baptismi

P2883bis **Arras 1644** p. 294-341

Reprend dans un ordre différent et avec quelques variantes les instructions sur les sacrements et sur le jeûne du carême de Saint-Omer 1641.
Voir Saint-Omer 1641 p. 444-466.

Lyon 1644, 1648[106], 1667, 1692, 1724

[Lyon 1644, 1648 : Alphonse-Louis de Richelieu]

Rituale romanum, Lyon 1669-1759, Avignon 1780-1802[107]

Lyon 1644-1667 : *Formulaire de Prosne (Prône),
dressé pour le Diocese de Lyon*
Lyon 1692 : *Formulaire pour faire le Prône*
Lyon 1724 : *Le Formulaire du Prône*
Rituale romanum… 1669-1802 : *Formulaire pour faire le Prosne (Prône)*
[Catéchisme, prône dominical]

P2884 Lyon 1644, *Formulaire de Prosne, dressé pour le Diocese de Lyon*, p. 7-10

In nomine Patris… Ce jour du sainct dimanche (tres-cheres Ames) nous sommes icy assemblés… principalement à[a] croire fidellement[b] tous les mysteres de nostre Foy, dont les principaux sont de croire tres fermement[c].

1. Qu'il n'y a qu'un Dieu Tout-puissant, createur du ciel, et de la terre, en trois divines, et distinctes Personnes, Pere, Fils, et Sainct Esprit.

2. Que le Fils de Dieu, seconde Personne de la Saincte Trinité, s'est fait homme pour nous, au ventre[d] de la[e] Vierge Marie, qui l'enfanta la nuict de Noel.

3. Que ce Fils de Dieu, et de la Vierge Marie, nommé Jesus-Christ, le jour avant sa mort institua le sainct Sacrement de l'Autel, auquel[f] il

---

[106] Lyon 1648 : ouvrage s.d. portant au titre les armes d'A.-L. de Richelieu ; l'ordonnance du vicaire général est datée 1648. Ouvrage non recensé dans Molin Aussedat, conservé à la Bibl. mun. de Lyon Part-Dieu, fonds ancien, 363576. Numérisé sur Google books.

[107] *Rituale romanum*, éditions Lyon 1669, 1672, 1680, 1686, 1688, 1689, 1704, 1711, 1726, 1759 (Molin Aussedat n° 1664, 1666, 1669, 1673, 1674, 1675, 1683, 1685, 1687, 1696) ; éditions Avignon 1780, 1782, 1783, 1784, 1802 (Molin Aussedat n° 1698, 1699, 1700, 1701, 1703).

nous a laissé veritablement, reellement, et substantiellement son Ame, son Corps, son Sang, et sa Divinité.
4. Que le mesme J.-C. est mort sur une croix pour nostre salut, le jour de[g] Vendredy sainct.
5. Que le jour de Pasques le mesme J-C. est resuscité de mort à vie, et au jour de l'Ascension monté au ciel[h], où il est assis à la droicte du Pere[i].
6. Qu'il viendra à la fin du monde juger les vivants, et les morts ; donner son Paradis aux bons, et rejettera les mauvais dans l'Enfer[j].
7. Qu'[k] un vray Chrestien est obligé de croire tout ce que la saincte Eglise Catholique, Apostolique et Romaine croit, et nous enseigne, nommément le[l] contenu dans le Symbole des Apostres, vulgairement appellé le *Credo*, que je reciteray en François distinctement, à ce[m] que tous le puissent dire avec moy, faisant[n] un acte de Foy, avec protestation de vouloir vivre et mourir en icelle, disant : 1. *Je croy en Dieu…*

Variantes. Numérotation supprimée en 1724. –[a] principalement à] particulierement pour Ly. 1692, 1724. –[b] et tres fermement] *add.* Ly. 1692, 1724. –[c] de croire tres-fermement] *om.* Ly. 1692, 1724. –[d] tres chaste] *add.* Ly. 1692. – sacré] *add.* Ly. 1724. –[e] glorieuse] *add.* Ly. 1724. –[f] institua… auquel] le jour avant sa mort institua le tres saint Sacrement de l'Autel, dans lequel] Ly. 1692. – institua la veille de sa mort le très-saint Sacrement de l'Autel, dans lequel Ly. 1724. –[g] de] du Ly. 1667-1724. –[h] au ciel] aux Cieux Ly. 1692, 1724. –[i] du Pere] de Dieu son Pere Ly. 1692, 1724. –[j] donner… enfer] qu'il donnera son Paradis aux bons et rejettera les méchans dans l'Enfer Ly. 1692. dans les Enfers Ly. 1724. –[k] Qu'enfin] Ly. 1692. – Enfin] *add.* Ly. 1724. –[l] nommément le] sur tout, ce qui est Ly. 1692, 1724. –[m] à ce] affin que Ly. 1692, 1724. – [n] faisant] et faire Ly. 1692, 1724.

Lyon 1644, 1648

[Alphonse-Louis de Richelieu]
Formulaire de Prosne, dressé pour le Diocese de Lyon

Lyon 1644 p. 27, 29 *Advertissement fraternel à Messieurs les Curés, Vicaires, et autres ayans charge d'ames, sur le sujet de ce Formulaire*[108].

Messieurs, et tres-honorés Confreres, il n'y a pas un de nous qui doive ignorer la tres-grande obligation que nous avons d'enseigner au peuple qui nous est commis les choses necessaires à leur salut, c'est à dire, ce qu'ils doivent croire, faire, esperer, les moyens desquels ils se doivent servir, et ausquels ils doivent avoir recours, non seulement pour éviter le vice, et le peché, mais encore pour s'acquerir et practiquer les vertus qui conduisent à la vie eternelle. …

---

[108] L'*Advertissement fraternel* est absent des éditions lyonnaises postérieures à 1648.

Tous les Chrestiens cognoissent assez que c'est la volonté de l'Eglise leur bonne Mere, et le chemin les plus asseuré qu'ils puissent tenir pour leur salut : et parce postposant toutes les autres devotions ausquelles ils ne sont obligés à si juste, et legitime tiltre, quitteront tout desormais, pour se rendre assidus aux Prosnes et Messes de Parroisse, et y viendront avec resolution d'y faire acte de Foy, Esperance, et Charité...

Meaux 1645
[Dominique Seguier]
De Pronao Missae Parochialis

P2886 **Meaux 1645 p. 186-206**
Omnibus Parochis huiusce nostrae Dioecesis mandamus, et sub poena iuris injungimus : ut sequentis Pronai formulam singulis dominicis post Missae Parochialis Evangelium... populo distinctè pronuntient, et ex libro legant : de qua nihil immutari volumus, neque quacumque de causa illum omittant. Praecipimus etiam ut singulis diebus dominicis, et festis, pueros utriusque sexus, post Vesperas, in fidei catholicae et christianae rudimentis, ac obedientia erga Deum et Parentes, idiomate vulgari diligenter erudient iuxta tenorem nostri Catechismi[109].

In praedicatione autem facienda, haec praecipua cura esse debet Parochorum, ut semper, si fieri potest, exponant aliquid de Symbolo, vel de Decalogo, vel de Sacramentis, vel de oratione Dominica. Si autem aliquem Evangelii, vel Epistolae, aut alium quemvis Divinae Scripturae locum interpretentur, eam consuetudinem teneant, ut quandocumque res patietur, inde occasionem captem ad aliquam eorum partem explicandam, iuxta methodum Cathechismi [*sic*] Romani, quem omnes habere et in docendo sequi debent. ...

Albi 1647
[Gaspard de Daillon du Lude]
Formulaire du Prosne et de la Doctrine Chrestienne
[Catéchisme pour les enfants]

P2887 **Albi 1647 p. 463-464**
... Quant à la *Doctrine chrestienne*, bien qu'il y ayt plusieurs catechismes sagement et doctement composez, pour l'instruction du simple peuple, toutesfois les uns sont trop courts et trop concis, pour

---

[109] Référence à un catéchisme édité par l'évêque Dominique Seguier (inconnu de Monaque, *Catéchismes diocésains*).

bien expliquer aux plus rudes, et aux plus ignorans ce qu'ils doivent croire, esperer, et faire, afin d'estre sauvez. Les autres sont trop longs, et trop estendus pour pouvoir estre appris par les enfans, et autres personnes grossieres. C'est pourquoy nous en avons fait dresser un abregé, qui evite ces deux extremités, et se tient dans une mediocrité raisonnable, declarans assés au long tout ce qu'un Chrestien doibt sçavoir pour faire son salut touchant les articles de nostre Foy, l'oraison Dominicale, la salutation Angelique, les Commandemens de Dieu et de l'Eglise, les Sacremens, les vertus principales, les vices capitaux, les oeuvres de misericorde[110], et autres choses semblables, et ce en des termes les plus communs et familiers que faire se peut, selon la qualité des matieres; et d'ailleurs avec toute la brieveté, et la clarté possible: En sorte que ceux qui estans obligez par devoir de faire le Catechisme, et n'ayant pas l'addresse [sic] de l'expliquer mesme avec fruict et edification, trouvent en cest abregé dequoy s'instruire pour s'acquiter dignement d'une charge si importante; et ceux qui le doivent apprendre, puissent aisément retenir ce sommaire, ou du moins ce qu'il contient de plus necessaire, s'il leur est expliqué, suivant la methode qui y est gardée.

Albi 1647
[Gaspard de Daillon du Lude]
Petit catechisme familier, pour instruire les enfans aux fondemens de la Religion Chrestienne:
Contenant les choses necessaires à salut

Catéchisme en dix-sept leçons sous forme de questions et réponses entre « Le Docteur » et « l'Enfant ». Les premières leçons concernent la Trinité (leçon I), le Christ (leçons II-IV), l'Eglise (leçon IV), la consécration à la Messe (leçons V-VII), la vie éternelle et la communion (leçons VIII-X). L'enfant récite ensuite le *Symbole des Apostres*, les commandements de Dieu (trois versions différentes), les commandements de l'Eglise (deux versions), le *Nostre Pere* et le *Je vous salue Marie* (leçons XI-XIII). Les dernières leçons concernent la Pénitence et les péchés (leçons XIV-XV), la contrition (leçon XVI), les vertus à demander (leçon XVII).]

---

[110] L'évêque fait sans doute allusion à un catéchisme édité par ses soins (inconnu de Monaque, *Catéchismes diocésains*), car dans le *Petit Catechisme familier* se trouvant aux p. 473-487 de son rituel, seul est commenté le sacrement de pénitence, et il n'est pas question des vices et des œuvres de miséricorde.

P2888 **Albi 1647** p. 473-487

Leçon I. Le Docteur. *Quest-ce que Dieu?*

L'Enfant. C'est celuy qui a crée le Ciel et la terre; Qui cognoist tout, qui est par tout, qui gouverne tout, et qui void [sic] tout.

Le Docteur. *Combien y a-il de personnes en Dieu?* L'Enfant. Trois. ...

Le Docteur. *Il y a donc trois Dieux?*

L'Enfant. Non: car combien qu'il y ait trois personnes distinctes, neantmoins il n'y a qu'un seul Dieu, et une seule divine essence.

Leçon II. ... *Le Docteur. Qu'entendez-vous par ce mot de Jesus-Christ?*

L'Enfant. Dieu et homme.

Le Docteur. *Combien y a-il de natures en J. C.?*

L'Enfant. Deux: sçavoir est, nature divine, et nature humaine. ...

... Leçon V. Le Docteur. *Vous avez tantost dit que J. C. est monté au ciel, il n'est donc pas en la saincte Messe?*

L'enfant. Pardonnez-moy, il y est.

Le Docteur. *Quand est-ce qu'il commence à y estre?*

L'Enfant. Quand le prestre a prononcé les paroles sacramentales sur le pain et le vin.

Le Docteur. *Que se fait-il alors?*

L'Enfant. Il se fait un changement de la substance du pain et du vin, au corps et au sang de J. C. ...

Le Docteur. *Qu'est-ce de la substance du pain et du vin*

L'Enfant. C'est ce que nous ne voyons pas: ce qui est caché dessous les especes: ce qui nourrit et substante.

Le Docteur. *Et les especes?* L'Enfant. C'est ce que nous voyons, touchons et goustons...

p. 477 Leçon VIII. Le Docteur. *Or ça, dittes moy, pourquoy nostre Seigneur a-il donné son corps et son sang au S. Sacrement de l'Autel?* L'Enfant. Pour nous donner la vie eternelle.

Le Docteur. *Qu'est-ce que la vie eternelle?* L'Enfant. C'est la grace de Dieu en ce monde, et la gloire en l'autre. ...

... Leçon X. Le Docteur. *A quel aage faut-il communier?* L'Enfant. A l'aage de discretion ... auquel on peut discerner le bien d'avec le mal (entre huit et quinze ans)...

Le Docteur. *Les peres de famille sont-ils tenus de faire communier leurs enfans, serviteurs et servantes à tel âge ...?* L'Enfant. Ouy, pour le moins à Pasques, moyennant qu'ils les ayent enseignez, ou fait enseigner auparavant.

Leçon XI. Le Docteur. *Quelle instruction est requise devant que d'aller recevoir le Corps de nostre Seigneur?* L'Enfant. Il faut sçavoir le Symbole des Apostres en douze articles: apres les dix Commandements de Dieu, et les cinq de l'Eglise, et l'Oraison dominicale, et la Salutation angelique. ... *Je croy en Dieu...*

Leçon XII.
Les commandemens de Dieu. [Première version] ... *1. Je suis le Seigneur ton Dieu...*
Les commandemens de l'Eglise. *1. Observer les jours des festes.* ...
Autrement. [Seconde version] *1. Un seul Dieu tu adoreras et aymeras parfaitement.* ...
... plus brievement... [Troisième version] *Adore un Dieu. Ne jure en vain son Nom. Garde les Festes. Honore tes Parens. Ne sois meurtrier, ny paillard, ny larron, ny faux tesmoin, à l'autruy ne pretens.*
Les Commandemens de l'Eglise. *1. Les Dimanches Messe oyras*[111]...

Leçon XIII.
Le Docteur. *Il faut encore sçavoir l'Oraison Dominicale...* L'Enfant. *1. Nostre Pere qui es és cieux...*
Le Docteur. *Et la salutation Angelique...* L'Enfant. *Je vous saluë Marie...*

p. 481 Leçon XIV. Le Docteur. *N'est-il rien requis davantage?* L'Enfant. Il faut connoistre ce que l'on reçoit à la Communion: sçavoir est, I. C. qui est vray Dieu et vray homme, lequel s'est donné à nous au S. Sacrement, pour nous departir la vie eternelle ... Il faut devotement nettoyer sa conscience de toute macule de peché (par) le Sacrement de Penitence ... avec contrition, ou pour le moins, la douleur d'attrition.

Leçon XV. Le Docteur. *Combien y a-il de sortes de pechez?* L'Enfant. Outre le peché originel que l'enfant apporte du ventre de sa mere, et qui s'efface par le Baptesme, il y a encore le peché mortel et veniel.
Le Docteur. *Qu'est-ce qu'un peché mortel?* L'Enfant. C'est avoir donné consentement à quelque chose de notable, contre les Commandemens de Dieu, ou de l'Eglise.

---

[111] Voir textes des commandements au volume II/6: *Prônes dominicaux.*

Le Docteur. *Qu'est-ce que peché veniel?* L'Enfant. C'est une faute, laquelle ou pour la legereté de la matiere, ou pour le consentement imparfaict, est pardonnable. ...

 p. 484 Leçon XVI ... *Qu'appellez-vous Attrition?* R. C'est une douleur qui vient de crainte de perdre les biens eternels, ou bien d'encourir la mort eternelle.

Qu'appellez-vous contrition? R. C'est une douleur, qui provient de ce que l'on a offensé Dieu, en tant qu'il est la bonté essentielle, et digne d'estre aymé et chery de toutes creatures. ... L'Attrition est suffisante avec la confession et l'absolution du Prestre, pour avoir remission de nos pechez. Quant est de la contrition, elle est fort desirable à un chacun.

Que faut-il se representer pour se disposer à la contrition? R. Il faut considerer que Dieu est une bonté infinie, infiniment digne d'estre aymée, honorée et servie.

Le Docteur. *En quoy se remarque cette bonté infinie de Dieu?* L'enfant. En trois choses principalement que Dieu a faictes en ce monde pour nostre bien.

Le Docteur. *Quelle est la premiere?* L'Enfant. C'est qu'il a creé l'homme seul à son image et semblance, entre toutes les autres creatures, tant animées qu'inanimées, qu'il a fait pour l'usage d'iceluy, l'a fait capable de la grace et de la gloire.

Le Docteur. *Quelle est la deuxiéme?* L'Enfant. C'est qu'aprés le peché de nostre premier pere Adam, il a envoyé son Fils en ce monde... pour nous sauver, et s'est laissé à nous au saint Sacrement de l'Autel, en viande, pour nourrir nostre Ame. Bref, qu'il a envoyé son saint Esprit pour sanctifier son Eglise, pour la regir et gouverner.

Le Docteur. *Quelle est la troisiéme?* L'Enfant. C'est qu'il faut considerer les benefices particuliers, et principalement, comme s'il nous avoit attendu longtemps à penitence, aprés beaucoup de pechez mortels... Tous ces benefices et autres semblables pourroient engendrer en l'ame une grande contrition, considerant que l'on a mesprisé cette bonté infinie...

 p. 485 Leçon XVII. Le Docteur. *Apres s'estre deuëment confessé, comment faut-il parer et embellir son ame pour se disposer à la digne reception du saint Sacrement?* L'Enfant. Le drap du parement est une meditation de la passion de nostre Seigneur, une oraison fervente, aumosnes, jeusnes, et autres bonnes oeuvres. ... Il faut (aussi) demander les vertus des Saincts : comme à la Vierge Marie son humilité, sa pureté ; à sainct François sa pauvreté ; aux Apostres leur zele ; aux Martyrs leur constance; aux Confesseurs leur sobrieté; aux Vierges leur continence et chasteté, etc. Il faut aussi prier le sainct Esprit qu'il luy plaise de parer nostre ame par sa saincte presence … [et enfin s'humilier] se jettant et plongeant en l'abysme de son indignité, par une seule totale defiance de soy-mesme, et seule confiance en la misericorde de Dieu …

p. 486-487 **La maniere d'examiner tous les jours sa conscience, qui contient cinq poincts.**
Formulaire de Sens 1625 p. 99-100[112].

Rouen 1651
[François Ier de Harlay]
[Enseignements à lire par parties au prône dominical]

2889   **Rouen 1651 Pars I**
p. 35-40 *Seconde partie du Prosne, qui est la predication. Premier formulaire. De l'ordre d'enseigner de l'Eglise. De la Foy.*
[Reprend Rouen 1640 p. 410-414, et donc Rouen 1611/1612 p. 277 sq. légèrement remanié.]
p. 35 Cette partie doit être consacrée à « la predication et instruction de l'Eglise, qui consiste en quatre poincts: le premier est la croyance, au symbole des apostres, qui est le premier catechisme des Chrestiens; le second est la priere et oraison dominicale, qui est l'invocation de celuy en qui nous croyons; le troisiéme est l'amour de Dieu que nous servons en gardant ses commandements; le quatrième est le devoir où nous sommes tenus de faire tous les jours devant luy une confession de nos pechez… Car l'Ordre de l'Eglise est d'apprendre par cette maniere à ses enfants, premierement à croire, secondement à prier, tiercement à obeyr, quartement à s'humilier et confesser ».
[Trois nouveaux traités:]
p. 41-44 *Deuxiesme formulaire… qui est de la doctrine de l'Eglise* [d'après saint Paul].
p. 45-59 *Troisiesme et dernier formulaire… qui est de la discipline de l'Eglise* [d'après saint Augustin].
p. 61-303 *De la vraye maniere de bien entendre la Messe parochiale*
[Longue explication des différentes prières de la messe, se terminant par une *Explication de l'Evangile de S. Jean par maniere de predication* (p. 271-303, à lire le jour de la fête de s. Jean)].

---

[112]   Voir *infra* Conseils de vie chrétienne (P2995).

p. 305-382 *Formulaire de diverses instructions paroissiales dont les Curez se pourront servir pour catechizer et diversifier l'Instruction et seconde partie de leur Prosne, en les separant en plusieurs Dimanches.*
[Exposés sur les vertus théologales, les commandements, les sacrements… reprenant les p. 414-461 de Rouen 1640, et donc les p. 274-353 de 1611/1612 légèrement remaniées].

Elne 1656

[Chapitre d'Elne]
Modus docendi doctrinam christianam[113]
[Catéchisme en catalan, prône dominical]

P2890 **Elne 1656 p. 3-8**
… Deven saber que tota la doctrina Christiana se partex en sis parts. La primera es, lo que tenim de creure. La segona, lo que tenim de observar, guardar, y conplir. La tercera, lo que tenim de fugir. La quarta, lo que tenim de tembre. La quinta, lo que tenim de esperar. La sisena, lo que tenim de demanar.

La primera part es, lo que tenim de creure: ço es los articles de la sancta fe Catholica, y los set Sagraments, y tot lo que la sancta mare Iglesia regida, y governada per lo Sperit sanct nos proposa que cregam.
Los articles de la Sancta fe Catholica son catorze, set que partanyen à la Divinitat: y los altres set à la sancta humanitat.
Los qui pertanyen à la sancta Divinitat son los seguents.
Lo primer, creure en un sol Deu tot poderos.
Lo segon, creure que es Pare. Lo tercer, creure que es Fill.
Lo quart, creure que es Sperit sanct. Lo quint, creure que es creador.
Lo sise, creure que es salvador. Lo sete, crere que es glorificador.
Los que partenyen à la sancta humanitat de nostre Senyor Jesu Christ son los seguents.
Lo primer, creure que nostre Senyor Jesu Christ en quant home fonc concebut per obra del Sperit sanct.
Lo segon, creure que nasque de Maria sacratissima restant ella Verge, ans del part, y en lo part, y apres del part.
Lo tercer, creure que prengue mort y passio per salvar los peccadors.
Lo quart, creure que devalla als inferns, per a deslliurar les animes dels sancts Pares qui estaven esperant lo feu sanct adveniment.
Lo quint, creure que resuscita al tercer dia.

---

[113] *Modus docendi doctrinam christianam*: titre courant.

Lo sise, creure que se.n puya als Cels, y seu à la dreta de Deu lo Pare.

Lo sete, creure que ha de venir ajudicar los vius, y los morts: ço es als bons, per a donar los la gloria, perque guardaren los seu sancts manaments: y als mals, pena perdurable perque trencaren aquells.

Aquestos articles tambe se contenen en lo Credo dels Apostols[114].

Tambe tenim de creure **los Sagraments de la Iglesia**, y en son cas y loc rebrels (?), segons la ordinatio de Christo, y de la sancta mare Iglesia, losquals tenen valor, virtut, y efficacia de la passio de Christo, y son set.

Lo primer, es baptisme: instituit y ordenat per donar nos la gracia y traurens del peccat original.

Lo segon, es confirmacio, per donar nos força, y poder per defensar la fe rebuda en lo sanct Baptisme.

Lo tercer, es Eucharistia: que vol dir bona gracia: perque alli esta lo auctor, y donador, y la font de totes les gracies: volgue nostre Senyor instituit, y ordenat est altissim, y sanctissim Sagrament per tres causes y rahons.

La primera perque.ns recordem de la sua Passio, y mort.

La segona per esser sacrificii del altar.

La tercera per esser menjar spiritual de les animes.

Lo quart, es penitencia: instituida y ordenada per.a perdonar tots los peccats comesos despres de aver perduda la gracia babtismal.

Lo quint, Sagrament es Extrema unctio.

Lo sise, Orde. Lo sete, Matrimoni.

La segona part de la doctrina Christiana es lo que tenim de observar, guardar, y complir: ço es los manaments de la llei de Deu, y los sinc manaments de la Iglesia, y les catorze obras de misericordia.

Los manaments de la llei de Deu sont deu.

Lo primer, à ton Deu adoraras: y a ell sol serviras. ...[115].

Estos deu manaments se enclouen en dos: ço es en amar à Deu sobre totes les coses, y al prohisme com à tu mateix.

Tambe avem de guardar **los manaments de la Iglesia**, los quals son sinc. ...[116].

Tambe tenin [*sic*] de complir **les obres de misericordia**, les quals son catorze, set corporals, y set spirituals.

Les corporals son les seguents.

La primera, donar a menjar als qui tenen fam.

La segona, donar a beure als qui tenen set.

---

[114] Sur le *Credo* des douze apôtres, voir A. Aussedat-Minvielle, «Le Credo des douze apôtres...».
[115] Texte des commandements de Dieu dans le volume II/6: *Prônes dominicaux*.
[116] Textes des commandements de l'Église dans le volume II/6: *Prônes dominicaux*.

La tercera, vestir los despullats.
La quarta, visitar los malalts y encarcerats.
La quinta, acullir los peregrins.
La sisena, rescatar los catius.
La setena, soterrar los morts.

Les obres spirituals son les seguents.
La primera, es ensenyar als ignorants.
La segona, dar bon consell als qui l'am menester.
La tercera, consolar los trists y desconsolats.
La quartat, corregir als qui van errats.
La quinta, perdonar les injuries per amor de Deu.
La sisena, tenir paciencia en les injuries, y adversitats.
La setena, pregar à Deu per los vius, y per los morts.

Les virtuts Theologals son tres, ço es Fe, Esperança, y Charitat.

Les virtuts Cardinals son quatre: ço es Justitia, Prudencia, Fortaleza, y Temperança.

Lo ques conte en la tercera part de la doctrina Christiana es lo que tenim de fugir, y evitar: ço es lo peccat, aixi mortal com venial: lo mortal per que mata l'anima, levant li la vida spiritual. Y es desijar, o dir, o fer determinadament alguna cosa contra los manaments de Deu, o de la Iglesia.

Lo venial se ha de fugir, perque es dispositio per caure en lo mortal.

Los **peccats capitals**, y principals, que vulgarment se diven [disen] mortals son set.

Lo primer es, Superbia, contre lo qual es la humilitat.
Lo segon Avaricia, contra lo qual es la Liberalitat.
Lo tercer Luxuria, contra lo qual es la Castedat.
Lo quart es Ira, contra lo qual es la Paciencia.
Lo quint Gola, contra lo qual es la Abstinencia.
Lo sise, Enveja, contra lo qual es Charitat.
Lo sete Pereza, contra lo qual es Diligencia.

Los ennemichs de la anima quens incitent à peccar son tres.
Lo Dimoni, lo Mon, y la Carn.

Lo ques conte en la quarta part de la doctrina Christiana, es lo que tenim de tembre: ço es tenim de tenir temor de Deu, y de les penes del Infern.

Lo temor de Deu se diu, filial.
Lo del Infern, se diu temor servil y de esclau.

La quinta part de la Doctrina Christiana, conte lo que tenim de esperar, que Deu nos donara la gloria, la vida eterna, la benaventurança : la qual esta en veure, y contemplar la beatissima, y sanctissima Trinitat, Pare, y Fill, y Sperit sanct : tres persones, y un sol Deu. Y esta gloria alcansarem tenint les quatre sobre dites parts : ço es tenint Fe, guardant la sancta Ilei de Deu, fugint dels peccats, y tenint temor del Senyor.

La sisena part de la doctrina Christiana, conte lo que tenim de demanar a Deu : y tot los que.s pot demanar se conte en la oracio del Pare nostre. Perço posareu los genolls en terra y direu.
Pare nostre, qui estau en los Cels...
Salutabunt sanctissimam Mariam oratione angelica lingua vulgari.
Deu vos salue Maria...
Etsi simbolum Apostolorum non sit oratio, sed fidei confessio, illud Parochus dicet post praecedentes orationes, ut populus illud discat.

Y perque tout Christia, y Christiana es obligatà saber lo *Credo*, en lo qual son contenguts los articles de la sancta fe Catholica, direu juntament ab mi ara de present. *Crec en un Deu Pare tot poderos...*

Fareu la confessio general per los peccats venials, suplicant à Deu nostre Senyor vos perdone los mortals dient. *Yo peccador (o peccadora) me confes à Deu tot poderos*[117]...

Facta confessione dicat Parochus.
Misereatur vestri omnipotens Deus, et dimissis peccatis vestris, perducat vos ad vitam aeternam. Amen.
Indulgentiam, absolutionem, et remissionem peccatorum vestrorum tribuat vobis omnipotens et misericors Dominus. Amen.

Mâcon 1658
[Jean de Lingendes]
Prosne ordonné à tous les curez de ce Diocese, par Monseigneur l'... Evesque de Mascon
Abregé de la Doctrine chrestienne
[Catéchisme à enseigner au prône]

2891 Mâcon 1658 p. 41-43
Nous ordonnons, et enjoignons à tous les Curés, et Vicaires de nostre Diocese, d'enseigner soigneusement un petit abregé de la doctrine chrestienne, en la forme qui s'ensuit.

---

[117] Textes de *Pare nostre, Deu vos salue Maria, Crec en un Deu, Yo peccador* dans le volume II/6 : *Prônes dominicaux. Conseils de dévotion*, Elne 1656.

Demande. *Qu'est-ce que Dieu?* R. C'est le Createur du Ciel et de la terre.

D. *Combien y a-il de Dieux?* R. Il n'y en a qu'un.

D. *Combien y a-il de personnes en Dieu?* R. Il y en a trois, le Pere, le Fils, et le sainct Esprit.

D. *Laquelle des trois personnes s'est fait homme?* R. Le Fils.

D. *Pourquoy s'est-il fait homme?* R. Pour nous racheter de l'Enfer, et nous sauver par la mort de la croix.

D. *Qu'est-ce que la saincte Hostie?* R. C'est le Corps, le Sang, l'Ame, et la Divinité de nôtre Seigneur J. C., sous les apparences du pain.

D. *Que faut-il faire pour se bien communier?* R. Il faut n'avoir aucun peché, du moins mortel, sur sa conscience.

D. *Que faut-il faire pour n'avoir aucun peché sur sa conscience?* R. Il faut faire une bonne Confession.

D. *Que faut-il faire pour faire une bonne Confession?* R. Il faut 1. penser à ses pechez. 2. En avoir une grande douleur. 3. Faire un ferme propos de n'y plus retourner. 4. Les dire tous au Confesseur. 5. Faire la penitence qu'il nous ordonne.

D. *Que doit faire le Chrestien soir, et matin?* R. Il doit prier Dieu à genoux, et pour cela sçavoir l'Exercice du Chrêtien[118], le Pater, Ave, Credo, et les Commandemens de Dieu et de l'Eglise.

Alet 1667, 1677, 1771

[Alet 1667 : Nicolas Pavillon]
Abregé de la doctrine chrestienne dont il est parlé
dans la Formule du Registre de l'estat des ames[119]
[Catéchisme]

P2892 **Alet 1667** première partie, p. 469-470

D. *Qu'est-ce que Dieu?* R. C'est un pur esprit tout sage et tout bon qui a créé toutes choses.

---

[118] Mâcon 1658 p. 44-47, *Exercice du Chrestien pendant la journée* [prières à dire pendant la journée]. Voir le volume II/6 : Conseils de dévotion, Mâcon 1658.

[119] « Registre de l'estat des ames » : Alet 1667 première partie, p. 464 : registre donnant par famille et pour chaque membre de cette famille : « l'âge d'un chacun, s'ils ont esté confirmez, s'ils ont fait leur premiere communion, s'ils ont fait leur devoir paschal, s'ils sçavent le *Pater, Ave, Credo*, les Commandements de Dieu et de l'Eglise, les principes de la doctrine chrestienne, et ce qui est contenu dans la feüille ditte de l'exercice du Chrestien » [*Exercice du Chrestien* : Alet 1667 première partie, p. 471-472 ; voir le volume II/6 : *Conseils de dévotion*, Alet 1667].

N'y a-t-il qu'un Dieu? Non: Il n'y en a qu'un: mais il y a trois personnes, qui ne sont toutes trois qu'un mesme Dieu.

Quelles sont ces trois Personnes? ... Laquelle des trois personnes s'est fait homme? ... Pourquoy s'est-il fait homme? ...

Qu'est-ce que la sainte hostie. C'est le corps, le sang, l'ame, et la divinité de N. S. J. C. sous les apparences du pain.

Que faut-il faire pour bien communier? Il faut vivre chrestiennement, fuir le peché autant que l'on peut; et eviter surtout ceux que l'on appelle mortels, parce qu'ils tuent l'ame.

Ceux qui ont commis des pechez mortels peuvent-ils communier? Ils ne le peuvent faire sans sacrilege s'ils ne sont rentrez en grace avec Dieu par la penitence.

Que faut-il faire pour cela? Il faut 1. penser à ses pechez. 2. en avoir une grande douleur. 3. estre dans une ferme resolution de n'y plus retomber. 4. les dire tous au confesseur. 5. faire la pénitence qu'il ordonne.

Que doit faire le chrestien soir et matin? Il doit prier Dieu à genoux, et pour cela sçavoir l'exercice du chrestien, le Pater, Ave, Credo, en françois et en latin, et les commandemens de Dieu et de l'Eglise.

Est-ce assez à un chrestien de sçavoir et dire les commandemens de Dieu et de l'Eglise? Non il les faut observer tous.

Il y a sept Sacremens. Le Baptesme nous fait Chrestiens. La Confirmation nous donne la grace pour devenir parfaits chrestiens. L'Eucharistie contient le corps et le sang de Nostre Seigneur J. C. La Penitence remet nos pechez. L'Ordre nous donne la puissance d'exercer les fonctions sacrées. Le Mariage donne grace pour élever des enfans selon Dieu. L'Extreme-onction nous ayde à bien mourir.

Alet 1667, 1677, 1771

Autre instruction touchant les principaux mysteres et les sacremens de l'Eglise, que tout chrestien doit sçavoir

[Catéchisme]

2893 **Alet 1667** première partie, p. 470-471

D. *Qu'est-ce que Dieu?* R. C'est un pur Esprit, qui a fait de rien le Ciel, la Terre, et toutes les choses qui y sont contenues, et qui en est le maistre et le souverain Seigneur.

Où est Dieu? Il est par tout, et il remplit et renferme toutes choses.

Pourquoy Dieu nous a-t-il mis au monde? Pour le connoistre par la foy, esperer en luy; l'aimer et le servir, et ainsy obtenir la vie eternelle.

Qu'est-ce que la sainte Trinité? C'est un seul Dieu en trois personnes, sçavoir le Pere, le Fils, et le Saint Esprit.

Le Pere. *Qu'est-ce que le Père?* C'est la premiere personne de la Trinité qui engendre de toute éternité le Fils, qui est la seconde personne appellée le Verbe; et qui avec le Fils produit le Saint Esprit, qui est la troisiême.

Le Fils. *Qu'est-ce que le Fils?* C'est la seconde personne de la Trinité qui est engendré du Pere, et n'est qu'un mesme Dieu avec luy, eternel comme luy, parfait comme luy, et qui luy est égal en toutes choses.

Qu'a fait pour nous le Fils? R. Il nous a rachetez en prenant un corps et une ame comme nous, dans le ventre de la sainte Vierge Marie, non par l'operation d'aucun homme, mais seulement du Saint Esprit, et s'appelle J.-.C. L'Eglise celebre sa conception au jour de l'Annonciation de la sainte Vierge, et sa naissance au jour de Noël.

Sa vie et sa mort. *Combien de temps a-t-il vescu sur la terre, et comme y est-il mort?* R. Il y a vécu environ trente trois ans, et est mort par le supplice de la Croix au jour du Vendredy Saint.

Sa Resurrection et son Ascension. *Qu'est-il devenu aprés sa mort?* R. Il est ressuscité par sa propre vertu le troisième jour, qui est celuy de Pasques, et s'estant ensuite plusieurs fois montré à ses disciples sur la terre, est monté au ciel le quarantième jour qui est celuy de l'Ascension.

Pourquoy a-t-il fait tout cela? R. Pour nous tirer de la damnation eternelle, que nous meritions tous par le peché de notre premier pere Adam, que l'on nomme originel, et pour nous delivrer de ceux que nous commettons, que l'on appelle actuels.

Que nous a-t-il merité par tout cela? R. Sa grace en ce monde, sans laquelle nous ne pouvons faire aucun bien, et sa gloire en l'autre.

Le Saint Esprit. *Comment nous communique-t-il cette grace?* Par le Saint Esprit, qui nous est donné invisiblement pour nous faire bien vivre, ainsy qu'il a esté envoyé autrefois visiblement aux Apostres dix jours aprés l'Ascension de J.-C. dans le ciel, qui est le jour de la Pentecoste.

Qu'est-ce que le Saint Esprit? R. C'est la troisiéme Personne de la Trinité, qui procede du Pere et du Fils, et que nous adorons avec le Pere et le Fils, les trois personnes n'estant qu'un seul Dieu.

p. 471 **Les sept Sacremens de l'Eglise.** *D. Comment est-ce que le Saint Esprit se communique principalement à nous?* R. Par le moyen des Sacremens de l'Eglise instituez par J.-C. pour cét effet, lorsque nous les recevons avec les dispositions requises[120].

Lyon 1667, 1692, 1724
[Catéchisme, prône dominical]

Voir Lyon 1644 (P2884).

Rituale romanum, Lyon 1669-1759, Avignon 1780-1802[121]
[Catéchisme, prône dominical]

Voir Lyon 1644 (P2884).

Genève 1674, 1747[122]
[Genève 1674 : Jean d'Arenthon d'Alex]
Seconde partie du Prosne, qui contient ce qui regarde la sanctification des Ames

2894 Genève 1674 deuxième partie[123], p. 175-190
p. 175-184 **Section premiere. Des vertus Theologales.**
L'ouvrage de nostre sanctification se commence par les vertus theologales, qui sont la Foy, l'Esperance, et la Charité.
1. **La Foy** y donne la premiere disposition, en retirant notre esprit des egaremens de nos sens, et de la raison humaine, pour l'assujettir aux lumieres de l'Evangile, et pour regler toutes nos demarches sur les maximes de J.C., et de son Eglise. Vous prendrez donc un soin tres particulier de vous instruire des verités de la Foy, et principalement de celles qui sont comprises dans les articles suivans, que nous sommes obligés de croire d'une Foy distincte, et explicite dés que nous avons l'usage de la raison, et que nous sommes capables de quelque discernement, parce qu'elles sont les fondemens de la Religion.

---

[120] Voir volume II/6 : *Prônes dominicaux. Conseils de dévotion. Présentation des sacrements.*
[121] *Rituale romanum*, éditions Lyon : Molin Aussedat n° 1664 ; éditions Avignon : Molin Aussedat n° 1698.
[122] Le rituel de 1674, réédité de façon presque identique en 1747, a une influence durable en Savoie, puisque l'édition de 1747 demeure en usage dans le diocèse d'Annecy jusqu'au début de l'année 1869, date du rattachement de la Savoie à la France. Cf. Lafrasse, Pierre-Marie, « Etude sur la liturgie dans l'ancien Diocèse de Genève », *Mémoires et documents publiés par l'Académie Salésienne*, t. 27 (1904), p. 154.
[123] Deuxième partie du rituel de Genève, intitulée : *Appendix ad Rituale romanum*.

Le premier est, qu'il n'y a qu'un seul Dieu, qui est un pur Esprit infiniment parfait, qui a créé le Ciel, et la terre, qui est par tout, et qui voit tout.

Le second est, qu'en Dieu il y a trois Personnes distinctes. A sçavoir le Pere, le Fils, et le saint Esprit, qui ne sont pourtant qu'un seul Dieu, parce qu'elles ont toutes trois la mesme nature, la mesme Divinité, et la mesme puissance : d'où vient qu'elles ne dependent point l'une de l'autre, et qu'elles sont parfaitement égales en toutes choses.

Le troisiéme, que le Fils, qui est la seconde Personne de la sainte Trinité s'est fait Homme dans le temps, prenant un corps, et une ame comme nous[a] dans le sein de Marie par l'operation du saint Esprit, le jour de l'Annonciation que l'Eglise celebre le vingt-cinquiéme de Mars.

Le quatriéme, que ce Fils de Dieu fait Homme, et qui s'appelle Jesus-Christ, est né de la mesme Vierge Marie la nuit de Noël, que l'Eglise solennise le 25me. de Decembre. Qu'il a vécu environ trente-trois [sic] ans sur la terre. Qu'il a employé les trois dernieres années de sa vie a l'êtablissement de la Loy de grace par ses predications, par ses miracles, et par le choix de douze Apostres, par lesquels cette mesme Loy a esté annoncée a toutes les Nations du monde ; Entre lesquels saint Pierre a esté choisi pour estre son Vicaire en terre, et dont les Papes sont les legitimes successeurs, comme les Evéques le sont des autres Apostres.

Le cinquiéme, que ce mesme J.-C. fist son Testament le jour avant sa mort, par lequel il donna son Corps, et son Sang, son Ame, et sa Divinité à son Eglise dans l'Eucharistie, qu'il institua comme Sacrement, pour servir de nourriture spirituelle à ses enfans ; et comme sacrifice, pour estre offert a Dieu, en memoire du sacrifice sanglant de sa Croix ; ainsi que l'Eglise là[b] toûjours pratiqué depuis par le tres saint sacrifice de la Messe.

Le sixiéme, que ce mesme J.-C., qui est Dieu de toute Eternité, et Homme depuis le temps de l'Incarnation, est mort sur la Croix le Vendredy saint ; pour reparer l'injure que Dieu avoit reçeu par les pechez des Hommes, et pour les rachêter de la damnation eternelle qu'ils avoient meritée.

Le septiéme, que ce mesme J.-C. est resuscité de mort à vie le jour de Pasques, et qu'apres avoir conversé quarante jours avec ses Apostres, afin de les fortifier dans la Foy de ses mysteres, et de sa doctrine, et pour leur laisser les lumieres et les pouvoirs necessaires pour le gouvernement de son Eglise, il monta au Ciel le jour de l'Ascension, où il est assis à la droite de son Père ; d'ou il envoya son saint Esprit a l'Eglise le jour de la Pentecoste, afin qu'il en fust comme l'Ame, et le directeur ; et d'ou il viendra a la fin du monde pour juger les vivans et les morts, pour donner son Paradis aux bons, et pour envoyer les mauvais aux supplices eternels de l'Enfer.

Nous sommes en outre obligez de croire du moins en grôs, et d'une maniere implicite tout ce que l'Eglise catholique, apostolique, et romaine nous propose pour article de Foy. ...
Credo in Deum... Je croy en Dieu...

2. **L'Esperance** est la seconde disposition, qui nous achemine à nostre sanctification, parce qu'elle nous detrompe des vaines confiances, que nous mettons aux secours des creatures, pour nous faire attendre tout nostre bonheur de la fidelité des promesses, que Dieu qui est un Pere tout bon, tout sage, et tout puissant nous a faites en veuë, et en consideration des merites de J.-C. son fils. C'est pourquoy nous reciterons devotement l'oraison dominicale dans laquelle J.-C. a fait un precis de tout ce que nous devons demander[c], et nous l'accompagnerons interieurement d'un acte d'esperance, en fondant toutes nos attentes sur la fidelité des promesses que Dieu a faites de donner son Paradis à tous ceux qui garderont ses commandemens, et de ne refuser à qui que ce soit les graces, et les secours qui sont necessaires pour les garder. *Pater... Nostre Pere...*

Et parce qu'apres les merites de J.-C. il n'est pas de mediation si efficace, que celle de la tres-sainte Vierge sa mere, nous la saluerons, et prierons en mesme temps... *Ave Maria... Je vous saluë Marie...*

Nous implorerons le secours de nos saints Anges gardiens, en leur disant.

Angele Dei, qui custos es mei, me tibi commissum pietate supernâ, hodie illumina, custodi, rege, et guberna. Amen.

C'est à dire. *Ange de Dieu, que sa divine providence a commis pour me garder, faites-moi la grace de m'éclairer aujourd'hui de vos pures lumiéres, de me proteger contre mes ennemis, et de me conduire dans la voye du salut. Ainsi soit-il.*

Nous prierons enfin tous les Saints, et particulierement les saints Patrons et Titulaires de cette Paroisse, et celuy dont nous portons le nom d'estre nos intercesseurs auprés de Dieu.

3. **La Charité** donne la derniere disposition à nostre sanctification, parce qu'elle nous dégage de l'amour déreglé des creatures, et nous rend capables d'aymer Dieu sur toutes choses, et le prochain comme nous-mesmes. C'est pourquoy nous reciterons, et apprendrons les commandemens de Dieu, qui embrassent les devoirs de ces deux amours, et nous accompagnerons cette recitation d'un acte interieur par lequel nous nous efforcerons d'aymer Dieu sur toutes choses, et nostre pro-

chain comme nous-mesmes, et nous nous proposerons d'obeïr inviolablement à ses divins commandemens. 1. *Un seul Dieu tu adoreras...*
Et parce que celuy qui n'obeït pas à l'Eglise est reputé[d] payen, et infidele, et que ce n'est pas bien connoistre J.-C., que de manquer de respect[e] à son epouse ; nous reciterons, et apprendrons aussi ses commandemens, avec resolution d'y obeir ponctuellement... 1. *Les dimanches messes oyras...*[124].

p. 184-186 **Section seconde. Des Sacremens.** Nostre sanctification s'execute[f] par les Sacremens, qui sont les secondes sources de la grace, et les canaux par lesquels les merites de J.-C. nous sont appliqués. ...[125].

p. 187-189 **Section troisième. De la grâce justifiante.** Nostre sanctification s'acheve par la grace justifiante, qui en est la forme et le sceau ; parce qu'en nous rendant participans de la nature divine, et en nous animant de l'Esprit de Dieu, elle nous unit intimément a luy. C'est pourquoy nous estimerons le moindre degré de grâce plus que tous les biens du monde, nous profiterons de toutes les occasions que nous aurons de l'augmenter en nous, et nous prendrons soin de fuir la Superbe[g], l'Avarice, la Luxure, l'Envie, la Gourmandise, la Colere, et la Paresse, qui sont appellez les sept **pechez capitaux** ; parce qu'ils sont les sources funestes de tous les pechez mortels, qui detruisent la grace, et des pechez veniels, dont le moindre est un plus grand mal que l'aneantissement, et la destruction des Hommes, et des Anges : parce qu'il retarde les progrés de la grace, qu'il déplaist infiniment a Dieu, et que J.C. en a pû reparer l'injure[h].

Dés le moment que nous aurons sujet de craindre, que nous ne soyons tombez dans le peché, nous tâcherons de nous en relever par la Penitence... en attendant de nous en confesser, nous ferons presentement une confession generale à Dieu de nos pechez en disant le *Confiteor*, que nous accompagnerons d'un acte de contrition... *Confiteor... Je me confesse à Dieu...*

Variantes Genève 1747. [a] comme nous] semblable aux notres. -[b] là] l'a. -[c] et espérer] add. -[d] pour] add. -[e] et de soumission] add. -[f] s'execute] s'opere. -[g] la Superbe] l'Orgüeil. -[h] qu'il déplaist ... l'injure] et qu'il déplait à Dieu.

---

[124] Voir volume II/6 : *Prônes dominicaux.* Commandements de Dieu et de l'Église.
[125] Voir volume II/6 : *Prônes dominicaux.* Présentation des sacrements, Genève 1674.

Reims 1677
[Charles-Maurice Le Tellier]
[Prône dominical]

895 **Reims 1677 p. 258-260**

Parce que nous avons remarqué dans le cours de nos visites, que rien ne manque davantage dans la plûpart des paroisses, que l'instruction; Nous ordonnons à tous nos Curez qu'aprés avoir achevé leur prône… [ils fassent] une instruction familiere à leurs peuples par raport à la connaissance qu'ils ont de leurs besoins… Nos Peres ont tres-sagement reduit toute la doctrine de l'Eglise à quatre chefs: sçavoir au Symbole des Apôtres, aux Sacremens, au Decalogue, et à l'Oraison dominicale. C'est pour cela qu'ayant déja traitté dans ce Rituel la matiere des Sacremens, nous donnerions icy à nos curez pour leur soulagement une brieve explication du Symbole, du Décalogue et de l'Oraison dominicale, si nous ne jugions plus à propos de les renvoyer sur cela au Catechisme du Concile de Trente, que nous leur ordonnons d'avoir toûjours entre les mains… pour instruire et édifier les fidelles.

Périgueux 1680, 1763
[Périgueux 1680: Guillaume Le Boux]
[Prône dominical]

896 **Périgueux 1680 p. 394**

Mais, Chrétiens, comme l'instruction du peuple est un devoir indispensable en ce saint jour, vous étes sur-tout obligez de sçavoir et de croire qu'il y a un Dieu éternel, infini, tout puissant, qui a fait de rien le ciel, la terre et toutes choses; et qu'il n'y en a qu'un seul; qu'il y a trois personnes en Dieu, le Pere, le Fils, et le saint Esprit, également anciennes et bonnes; que le Fils, qui est la seconde Personne, s'est fait homme, et est mort sur la Croix pour nous racheter; et qu'enfin il viendra à la fin du monde pour juger l'univers, et rendre à chacun selon ses œuvres aux impies le feu éternel des enfers, et aux justes la gloire immortelle.

Amiens 1687
[François Faure]
[Prône dominical]

897 **Amiens 1687 p. 266**

Après que les Curez auront achevé le Prône en la maniere qui vient d'être préscrite, ils feront une instruction familiere à leurs peuples, par rapport à la connoissance qu'ils ont de leurs besoins, aiant égard à la portée de ceux qu'ils instruisent, à leur maniere de vivre et à leur condition; afin qu'ils se proportionnent à tous en toutes choses, pour les gagner tous à J.-C.

La matiere ordinaire de leurs instructions doit être de la doctrine Chrêtienne qui se reduit à quatre chefs; sçavoir au Symbole des Apôtres, à l'Oraison dominicale, au Décalogue, et aux Sacremens; et lors qu'ils voudront traiter de l'Evangile, ou de l'Epître du jour, ils en prendront occasion, si le sujet le peut permettre, de leur en expliquer quelque chose, selon la methode du Catechisme du Concile de Trente, qu'ils doivent toûjours avoir entre les mains, comme un livre d'où ils tireront des maximes certaines et assûrées pour instruire et édifier les fidelles. …

Bayeux 1687

[François de Nesmond]
Pronaum abbreviatum singulis diebus dominicis in prima Missa legendum
[Catéchisme, prône dominical]

Prône abrégé à lire à la première messe, pour les domestiques et autres «ignorants des choses du salut»: brève explication du Credo et des sacrements; récitation de *Pater*, *Ave*, *Credo*, et des commandements de Dieu et de l'Église.

P2898 **Bayeux 1687** p. 398-400

Au nom du Pere, et du Fils… Il y a un seul Dieu tout puissant, qui a fait toutes choses de rien, qui est éternel et infini, qui est par tout, qui voit et connoit tout.

Il y a trois personnes en Dieu… et c'est ce qu'on appelle le mystére de la Sainte Trinité.

Ces trois personnes sont égales en toutes choses, et ne sont qu'un seul et méme Dieu, n'ayans qu'une méme Divinité.

La seconde personne, qui est le Fils, s'est fait homme pour l'amour de nous, prenant un corps et une ame dans le sein de la Sainte Vierge, par l'opération du Saint Esprit: et c'est ce qu'on appelle le mystére de l'Incarnation.

Il est né de la méme Sainte Vierge, et s'appelle J.-C., vray Dieu, et vray homme.

Aprés avoir mené une vie humble, pauvre et laborieuse, il a souffert, et est mort sur une croix, pour nous racheter du peché et de l'enfer.

Etant mort il fut enseveli, descendit aux limbes pour en retirer les Saints Peres; et le troisiéme jour aprés sa mort il ressuscita glorieux et immortel.

Quarante jours aprés sa Resurrection il monta aux Cieux, où il est assis à la droite de Dieu son Pere, et dix jours aprés il envoya son Saint Esprit à ses Apôtres.

Le Saint Esprit est la troisiéme personne de la tres-Sainte Trinité, et un méme Dieu avec le Pere et le Fils.

Il n'y a qu'une seule vraye Eglise, qui est la congrégation des fideles chrêtiens, dont J.-C. est le chef, et sous luy notre saint Pere le Pape, et hors de cette Eglise il n'y a point de salut.

Il y a dans cette Eglise des moyens, que J.-C. nous a laissés pour la remission de nos pechez.

Nous ressusciterons tous un jour dans notre propre corps, et comparoîtrons devant J.-C., qui viendra juger les vivans et les morts.

Aprés cette vie, il y aura une autre vie, qui sera éternelle, tant pour les bons, qui seront bienheureux dans le Paradis, que pour les mauvais, qui seront malheureux dans les enfers.

J. C. nôtre Seigneur a institué sept Sacremens[126]...

Postea recitabit *Pater*, *Ave*, *Credo*, scilicet unâ die Dominicâ latinè, alterâ sequenti gallicè, tum praecepta Decalogi et Ecclesiae...

Nevers 1689

[Edouard Vallot]

De ce qui precede ou accompagne le Sacrifice de la Messe

Nevers 1689 p. 221

Comme le Prône est composé, 1° *de prieres publiques*, 2° *d'instructions*, 3° *d'avertissemens que l'on donne au peuple*: 1° les Curez feront ces prieres selon toute leur étenduë de la maniere qu'elles sont dans le Formulaire suivant: mais il est de leur obligation de parler aussi sur l'Evangile, au moins de quinze jours en quinze jours, d'une maniere assez étendue pour occuper une demi-heure, ou environ; on a jugé à propos, pour ne pas impatienter les peuples, qu'aux jours où se fera l'explication de l'Evangile, on ne fasse ces prieres qu'en abregé...

2° L'autre partie du Prône qui regarde l'instruction doit estre faite en cette manière: ou bien tous les Dimanches on lira le grand Prône ordinaire avec les prieres, après lesquelles on lira ou on recitera l'Evangile

---

[126] Voir volume II/6: *Prônes dominicaux. Présentation des sacrements.*

en françois, sur lequel on fera quelques reflexions les plus utiles, qu'on finira par une explication familiere d'un Article du Catechisme, dont on peut demander ensuite ce qu'on aura dit...

Ou bien, comme on a dit, de deux Dimanches l'un... on fera le grand Prône, avec la lecture seule de l'Evangile du jour... Ensuite... un article ou du Symbole ou des Commandemens de Dieu, qu'on expliquera un peu amplement...

Nevers 1689

[Edouard Vallot]
Abregé succinct de nos veritez, que l'on doit lire à la fin du grand prône, lentement, et d'un ton un peu plus haut
[Catéchisme, Prône dominical]

P2900 **Nevers 1689** p. 232-233

Dieu est un pur esprit, tout sage et tout bon, qui a créé toutes choses. Il n'y a qu'un Dieu : mais il y a trois personnes, qui ne sont toutes trois qu'un seul et même Dieu. Ces trois personnes sont le Pere, le Fils, et le Saint Esprit.

La seconde personne, qui est le Fils, s'est fait homme, et se nomme J. C. Il s'est ainsi fait homme pour nous racheter du peché et de l'enfer, et pour nous sauver par la mort qu'il a soufferte sur la croix. Ce Fils de Dieu fait homme, qu'on nomme J. C., nous donne son Corps, son Sang, et sa Divinité sous les appparences du pain que nous recevons dans l'eucharistie ou la communion. Il faut pour bien communier vivre chrétiennement, et si l'on a commis quelque peché mortel, il faut se reconcilier avec Dieu par la penitence et la confession.

Il y a sept **Sacremens** : le Baptéme, qui nous fait chrétiens ; la Confession[127]...

Verdun 1691

[Hyppolite de Béthune]
Du Prone

P2901 **Verdun 1691**, *De l'obligation que les Curés ont d'instruire.*

p. 259-260 Nous enjoignons à tous Curés et Vicaires de faire indispensablement chaque dimanche une instruction selon les besoins de leurs auditeurs, l'espace au moins d'un quart d'heure sur l'evangile

---

[127] Voir volume II/6 : *Prônes dominicaux*. Présentation des sacrements.

du jour, ou sur quelque devoir du christianisme. Feront de plus tous les dimanches et fêtes, le catechisme (excepté durant la moisson et la vendange,) au moins une demie heure, prenant à cét effet le tems le plus commode pour assembler leurs paroissiens. Et quant aux paroisses, où il y a deux eglises et seulement un prêtre, le curé fera alternativement le prône avec l'instruction dans une eglise, et dans l'autre le Catechisme.[128]
Du choix des matiéres.

p. 271 Le curé pourra commencer à la Toussaint, par la seconde partie, qui est des pechés en general, et en particulier, et de quelques vertus, qui leur sont opposées ; puis il viendra à la III, qui traite des commandements de Dieu et de l'Eglise, du merite des bonnes oeuvres, et de la maniere de bien les faire.

Durant le Carême, il exhortera à la confession et à la communion, traitant des effets de ces deux Sacremens, des dispositions pour les bien recevoir, et des raisons qui rendent incapables d'absolution, à quoi il pourra ajoûter la lecture, ou l'explication de l'examen general, qui est à la fin du Catechisme.

Depuis Pasques jusque la Pentecôte, il parlera de la Priere...

Depuis la Pentecôte jusqu'à la Toussaint, il traitera du sacrifice de la Messe, du Baptême, de la Confirmation, de l'Extrême-Onction et du Mariage...

Aux grandes fêtes, il pourra choisir les leçons qui leur conviennent : à la Toussaint, celles où il est parlé des huit beatitudes ; à quelques fêtes de la Vierge, l'explication de l'Ave Maria ; à la Pentecôte, les dons du Saint-Esprit ...

Extrait du Rituel romain, pour bien administrer les Sacremens...
Lyon 1692, 1703, c. 1728, c. 1740 ; Tulle 1700[129]

Formulaire pour faire le Prosne
[Catéchisme, prône dominical]

Extrait du Rituel romain **Lyon 1692** p. 264-268

Le premier point et le principal, c'est de croire qu'il n'y a qu'un seul Dieu, tout puissant, qui a créé de rien le ciel et la terre, par un effet de sa pure bonté.

---

[128] *Grand Catéchisme* diocésain publié en 1684 par l'évêque. Cf. Hézard, *Histoire du catéchisme*, p. 466.

[129] *Extrait du Rituel romain...* : rituels de poche utilisés parallèlement aux rituels diocésains et dans les diocèses n'ayant pas de rituels propres. Cf. Molin Aussedat n° 1676, 1682, 1689, 1693 (éd. Lyon) ; 1679 (éd. Tulle).

Il a fait le monde pour nôtre usage; le soleil pour nous éclairer, et la terre pour nous porter des fruits.

Il nous a mis au monde, non pas pour y acquerir des biens temporels, et y prendre nos plaisirs; mais pour le connoître, pour l'aimer, et pour le servir, et par ce moyen gagner le Paradis.

Il y a trois Personnes en Dieu, le Pere, le Fils et le saint Esprit. Le Pere est Dieu, le Fils est Dieu, et le S. Esprit est Dieu; mais ce ne sont pas trois Dieux, ce n'est qu'un seul Dieu en trois divines et distinctes personnes, égales en toutes choses.

Le Fils qui est la seconde personne de la tres-sainte Trinité, s'est fait homme pour nous; il s'appelle J.-C., qui veut dire Sauveur, parce qu'il a sauvé tous les hommes. Il s'est fait homme dans le ventre sacré de Marie, sans blesser sa virginité; car elle a toûjours été vierge, avant son enfantement, en son enfantement, et aprés son enfantement: c'est pourquoy elle est appellée, Vierge tres-immaculée. Il nâquit la nuit de Noël.

Ce Fils a toûjours été Dieu; mais il n'a pas toûjours été homme. Il étoit Dieu comme son Pere, il étoit Fils de Dieu de tout tems et de toute éternité; engendré non pas selon la chair et corporellement, car son Pere n'a ni chair, ni corps: mais de toute éternité le Pere engendre ce Fils spirituellement par sa pensée et par son entendement.

Ce Fils a toûjours été Dieu, et il n'a été fait homme que depuis mille six cens et tant d'années. Il s'est fait homme pour nous racheter, sans quoy nous aurions tous été damnez, à cause du peché de nôtre premier pere, et des nôtres propres.

Ce fils fut conçû par l'operation du saint Esprit dans les sacrées entrailles de la sainte Vierge le vingt-cinq de Mars, sans que cette sacrée Vierge ait perdu sa virginité. Il fut enfanté le jour de Noël, à minuit, dans une étable. Il a vêcu trente-trois ans sur la terre en grande pauvreté.

Il a pris un corps et une ame, afin d'être attaché à la croix, en laquelle il mourut le Vendredy Saint, pour nos pechez; mais le troisiéme jour, qui fut le jour de Pâques, il resuscita glorieux et triomphant.

Le jour avant sa mort, il institua le saint Sacrement, dans lequel il nous a laissé pour gage de son amour, son corps, son sang et son ame, sa divinité, veritablement, réellement et substantiellement, …

Aprés sa resurrection, il a demeuré quarante jours sur la terre, consolant et instruisant ses Apôtres; aprés quoy il est monté au Ciel visiblement par sa propre vertu, en presence de ses Apôtres.

D'où il viendra à la fin du monde, pour juger tous les hommes ; donnant aux bons le paradis, et aux méchans l'enfer.

Il est monté au ciel le jour de son Ascension pour nous ouvrir le Paradis, et pour envoyer à ses Apôtres, et à son Eglise, son S. Esprit, …
Le monde n'a pas toûjours été, il a été créé dans le tems. *Mundus non fuit ab aeterno.*

Sens 1694

[Hardouin Fortin de La Hoguette]
Abregé des principales verités que tout Chrêtien doit sçavoir et croire. Pour estre lû tous les dimanches et jours de fêtes immediatement avant l'Oblation, aux premieres Messes, dans les lieux où l'on a coûtume d'en celebrer avant la Grande Messe de Paroisse
[Catéchisme, prône dominical]

903 **Sens 1694** p. 423-426

Il n'y a qu'un seul Dieu infini, tout-puissant, tres-parfait, qui a creé le ciel et la terre, et qui est le Seigneur universel de toutes choses.

Il y a trois Personnes en Dieu… Le Pere est Dieu, le Fils est Dieu, le Saint Esprit est Dieu ; ils ne sont pas néanmoins trois Dieux, mais un seul Dieu en trois personnes égales en toutes choses.

Le Fils de Dieu, qui est la seconde Personne, s'est fait vray homme comme nous, en prenant un corps et une ame semblable aux nôtres dans le sein de la Sainte Vierge Marie sa mere.

Elle l'a conçu par l'operation du Saint Esprit, et l'Eglise en fait la fête le vingt-cinquième jour de mars.

Il naquit en Bethleem dans une etable, et fut mis sur de la paille, et la fête de sa naissance s'appelle le jour de Noël.

Huit jours après il commença de répandre son sang par la circoncision, et fut nommé Jésus, c'est-à-dire Sauveur ; c'est le premier jour de l'an.

Il a vêcu trente-trois ans et trois mois dans une vie pauvre et laborieuse, après quoy il est mort sur la croix pour nos péchés ; on en fait la memoire le Vendredy Saint.

Le même jour à six heures du soir son corps fut mis dans le sepulchre, et son ame descendit aux limbes pour en tirer les saints peres qui y attendoient sa venuë ; le Paradis ayant toujours esté fermé depuis le peché d'Adam.

Le troisième jour après sa mort il ressuscita, c'est-à-dire qu'il retourna de mort à vie ; c'est le jour de Pasques.

Quarante jour après, il monta au Ciel ; c'est le jour de l'Ascension.

Dix jours après l'Ascension, qui est le jour de la Pentecoste, il envoya son Saint Esprit à ses Apôtres, et à son Eglise.

A la fin du monde il viendra juger tous les hommes ; il donnera le Paradis aux bons et l'enfer aux mêchans.

Il a institué sept **Sacremens** qu'il nous a laissés pour notre sanctification. Le Baptême, la Confirmation, l'Eucharistie, la Penitence, l'Extrême-Onction, l'Ordre et le Mariage[130]. ...

L'**Eglise** qui est l'assemblée des fideles, croit qu'il y a un Purgatoire où les Ames de ceux qui sont decedés en la grace de Dieu souffrent pour y achever la penitence qu'elles avoient commencée dans ce monde : et qu'elles sont soulagées par les prieres et les suffrages des fideles.

Elle croit aussi que nous ressusciterons tous pour estre eternellement bien-heureux avec Dieu si nous gardons ses saints commandemens, ou malheureux avec les demons si nous ne les gardons pas.

Elle croit encore et enseigne qu'il faut honorer et invoquer les Saints, qu'ils prient pour nous dans le ciel ; qu'il faut honorer leurs reliques ; qu'on doit garder les images de Nôtre Seigneur, de la Bien-heureuse Vierge mere de Dieu, et des autres Saints et Saintes, et leur rendre l'honneur et la veneration qui leur sont duës.

Notre Seigneur a aussi laissé à son Eglise le pouvoir d'accorder des indulgences, et leur usage est tres salutaire au peuple chrétien.

Voilà ce que doit croire tout bon Chrétien dans l'Eglise catholique, laquelle a pour chef visible en terre notre saint Pere le pape qui est le vicaire de Nôtre Seigneur J. C.

Soissons 1694
[Fabio Brulart de Sillery]

P2904 **Soissons 1694** p. 271-272

Et parce que rien n'a été plus négligé jusqu'icy dans ce Diocése que l'instruction des fidéles, nous ordonnons à tous nos curez et vicaires de faire exactement aprés le Prône tous les dimanches une explication familiére de quelque article du Symbole, de l'Oraison dominicale ou des Commandemens ou des Sacremens, laquelle explication ils tireront du Catéchisme du Concile de Trente, si mieux ils n'aiment faire un dimanche l'exhortation sur l'Evangile, et l'autre cette explication en continuant toûjours alternativement la même chose. [proche de Reims 1677]

---

[130] Voir volume II/6 : *Prônes dominicaux. Conseils de dévotion.* Présentation des sacrements.

Sées 1695

[Mathurin Savary]
Exposition de la Doctrine Chrêtienne
[Catéchisme reprenant Rouen 1611/1612,
à lire par parties à la suite du prône dominical]

905 **Sées 1695** Tertia pars Ritualis Sagiensis, p. XVI-LXXXVIII
Voicy l'Exposition de la Doctrine Chrestienne qu'il nous est enjoint d'annoncer au peuple tous les dimanches. ...
Voir supra Rouen 1611/1612 p. 277-353 (P2874).

Sées 1695

Instruction touchant les principaux mysteres et Sacrements.
Que tout Chrétien doit sçavoir, par demandes et réponses
[Catéchisme reprenant en partie Alet 1667 p. 470-471, *Autre instruction*...]

906 **Sées 1695** Tertia pars Ritualis Sagiensis, p. LXXXIX-XCI
Demande. *Qu'est-ce que Dieu?* R. C'est un esprit infiniment pur, qui a fait de rien le ciel et la terre, et toutes choses.

D. *Où est Dieu?* R. Il est par tout.

D. *Combien y a-t'il de personnes en Dieu?* R. Il y en a trois, le Pere, le Fils et le s. Esprit, qui n'ont qu'une méme essence et nature, et qu'on appelle la sainte Trinité.

D. *Qu'est-ce que le Pere?* R. C'est la premiere Personne de l'adorable Trinité... (comme Alet)

D. *Qu'est-ce que le Fils?* ... (comme Alet) D. *Qu'a fait pour nous le Fils?* ... (comme Alet)

D. *Quand a t'il pris naissance?* R. Il a été conceu dans le sein de la Vierge le jour de l'Annonciation, et a pris naissance le jour de Noël.

D. *Combien de temps a-t'il vécu sur la terre, et comme y est-il mort?* ... (comme Alet) D. *Qu'est-il devenu après sa mort?* ... (comme Alet)

D. *Pourquoy a-t'il fait tout cela?* R. Pour nous tirer... [la suite comme Alet sauf «que nous meritons tous»)

D. *Que nous a t'il merité par tout cela?* ... D. *Comment nous communique t'il sa grace?* ... D. *Qu'est-ce que le Saint Esprit?* ... D. *Comment est-ce que le Saint Esprit se communique principalement à nous?* ...
[comme Alet]

D. *Comment doit on étre preparé pour les recevoir dignement?* R. Il est necessaire de s'étre purifié par le Sacrement de Penitence, et d'en aprocher avec une grande reverence et sainteté.

Paris 1697, 1701, 1777
[Angers 1735][131]. [Auxerre 1730][132]. Beauvais 1725. Clermont 1733[133] [Meaux 1734][134]. Toul 1700, 1760
[Paris 1697 : Louis-Antoine de Noailles]
[Prône dominical]

P2907 **Paris 1697** p. 518

Nous avons encore à vous instruire de vos principaux devoirs, qui se réduisent à ce que vous devez croire, à ce que vous devez demander à Dieu, et à ce que vous devez faire.

Ce que vous devez croire est contenu en abbregé [sic] dans le Symbole, que nous allons réciter. ... *Je croy en Dieu...*

Ce que vous devez demander à Dieu est renfermé dans la divine priere que notre Seigneur nous a apprise dans l'Evangile et que l'Eglise pour ce sujet appelle l'Oraison Dominicale. *Notre Pere.*

Nous joindrons à l'Oraison dominicale la Salutation angelique, dont l'Eglise se sert pour remercier Dieu du mystere de l'Incarnation ; pour honorer et feliciter la sainte Vierge... et pour demander son intercession auprès de son Fils. *Je vous salue.*

Ce que vous devez faire est d'aimer Dieu de tout votre coeur, de tout votre esprit, de toute votre ame et de toutes vos forces; et d'aimer votre prochain comme vous memes. Ces deux commandemens de J. C. renferment les dix *Commandemens de la Loy* que Dieu donna à Moyse...

Dieu ne veut pas seulement qu'on lui obéïsse, il veut encore qu'on obéïsse à son Eglise, suivant ces paroles de J.-C., qui dit dans l'Evangile, *Si quelqu'un n'écoute pas l'Eglise, qu'il soit à votre égard comme un payen, et un publicain.* [cf. Mat. 18, 17] ... *Commandemens de l'Eglise...*

Nous devons aussi vous faire savoir que J.-C. a institué sept *Sacremens* dans son Eglise pour notre sanctification, le Baptême...

p. 522-523 [**Conclusion**] Nous vous avons exposé ce que vous devez croire, ce que vous devez demander à Dieu, et ce que vous devez

---

[131] Conclusion d'Angers proche d'Évreux 1706.
[132] Seule la conclusion reprend Paris 1697.
[133] Absence de la conclusion à Clermont.
[134] Meaux 1734 compile Paris 1697 et Blois 1730. La liste des sacrements est placée à Meaux après *Je croi en Dieu*, et suivie d'un paragraphe sur l'Église provenant de Blois 1730. La conclusion reprend Blois 1730 avec quelques remaniements.

faire⁽ᵃ⁾; nous vous avons fait connoître que les Sacremens sont la source de votre sanctification: vous ne devez pas seulement conserver la mémoire⁽ᵇ⁾ de ces instructions pour vous seuls; mais vous devez aussi en instruire ou faire instruire vos enfans, vos domestiques, et tous ceux dont vous êtes chargez⁽ᶜ⁾.

Nous prions notre Seigneur qu'il vous fasse la grâce de profiter de ces instructions, et de mériter par ce moyen la vie éternelle, où nous conduise⁽ᶜ⁾ le Pere, le Fils, et le saint Esprit.

Variantes Auxerre. ⁽ᵃ⁾ pour être sauvez] *add.* –⁽ᵇ⁾ la memoire] le souvenir. –⁽ᶜ⁾ et qui dépendent de vous.] *add.* –⁽ᵈ⁾ conduise] conduisent.

Grenoble 1700
[Etienne Le Camus]
Abregé de la Doctrine Chrétienne[135]
[Prône dominical]

Grenoble 1700 p. 364-372

Il n'y a qu'un seul Dieu, qui a créé le Ciel, et la Terre.

Il y a trois Personnes en Dieu, le Pere, le Fils, et le Saint Esprit. Le Pere est Dieu, le Fils est Dieu, le Saint Esprit est Dieu; ils ne sont pas pourtant trois Dieux, mais un seul en trois Personnes: ces trois personnes sont égales en toutes choses.

Le Fils de Dieu, qui est la seconde Personne de la sainte Trinité, a pris chair humaine, et s'est fait homme comme nous, le vingt-cinquiéme mars.

Il nâquit dans une étable à minuit, il fut mis sur la paille; la Fête s'en fait le jour de Noël.

Huit jours aprés le Nom de Jesus lui fut donné, qui signifie Sauveur.

Aprés il est mort sur la Croix pour nos pechés; l'on en fait la mémoire le Vendredi Saint.

Le troisiéme jour aprés sa mort, il ressuscita; c'est à dire, qu'il retourna de mort à vie, qui est le jour de Pâques.

Quarante jour aprés, il monta au Ciel, qui est le jour de l'Ascension.

Dix jours aprés, qui est la Pentecôte, il envoya son Saint Esprit, à ses Apôtres, et à son Eglise, [il doit conduire jusqu'à la fin du monde] hors de laquelle il n'y a point de salut.

A la fin du monde, il viendra nous juger; il donnera aux bons le Paradis, et aux méchans l'Enfer.

---

[135] Le début du formulaire, avant l'exposition sur les sacrements, reprend en l'abrégeant et avec des remaniements Sens 1694 p. 423 sq (P2903).

Il a institué sept Sacremens, qu'il nous a laissez pour notre sanctification. Le Baptême. La Confirmation. l'Eucharistie. La Penitence. L'Extrême-Onction. l'Ordre. Et le Mariage.
Dans le Baptême, le peché originel, et les autres pechés sont éfacés...[136]
p. 370 *Les Commandemens de Dieu.*
1. Un seul Dieu tu adoreras et aimeras parfaitement. ...
Les Commandemens de l'Eglise.
1. Les Dimanches Messe entendras, et Fêtes de Commandement. ...

Poitiers 1705, 1719

[Jean-Claude de La Poype de Vertrieu]
[Catéchisme, prône dominical]

P2908 **Poitiers 1705 p. 9-10**
... Premierement, il faut croire fidelement et trés-fermement tous les Articles de nostre divine Foy, dont les principaux sont.
1. Qu'il n'y a qu'un seul Dieu tout-puissant, createur du ciel et de la terre en trois divines et distinctes Personnes, Pere, Fils, et Saint-Esprit.
2. Que le Fils de Dieu, seconde Personne de la sainte Trinité, s'est fait Homme pour nous, dans les chastes entrailles de la sainte Vierge Marie qui l'enfanta la nuit de Noël.
3. Que ce Fils de Dieu, et de la Ste Vierge Marie, nommé J.-C., institua le jour avant sa mort le trés-saint Sacrement de l'Eucharistie, dans lequel il nous a laissé veritablement, réellement et substantiellement, son Ame, son Corps, son Sang, et sa Divinité pour la nourriture de nostre Ame.
4. Que ce même Sauveur J.-C. a souffert la mort sur la Croix pour nostre salut, le jour du Vendredy Saint.
5. Que le jour de Pâques le même Seigneur J.-C. est ressuscité de la mort à la vie, et que le jour de l'Ascension il est monté aux Cieux où il est assis à la droite de Dieu son Pere.
6. Qu'il viendra à la fin du monde, juger les Vivans et les Morts, qu'il donnera son Paradis aux bons, où ils seront recompensez éternellement, et qu'il rejettera les méchans dans l'Enfer, où ils seront punis pendant toute l'éternité.
7. Qu'enfin un vray Chrétien est obligé de croire tout ce que la sainte Eglise Catholique, Apostolique et Romaine croit et nous enseigne, et que c'est à Elle à qui il appartient d'interpreter le sens de la Parole de Dieu. ...

---

[136] Voir volume II/6 : *Prônes dominicaux*, Présentation des sacrements.

... *Credo*... *les Commandemens de Dieu*... *les Commandemens de l'Eglise*...
... *les sept pechés mortels*... la frequentation des *Sacremens*...

p. 24-25 [Le prêtre est invité à ajouter:] quelque Instruction briefve, et touchante, ou sur l'Evangile du jour, ou sur un article du Symbole, sur un des Commandemens, sur un des Sacremens, sur une des demandes de l'Oraison dominicale, ou pour une plus grande explication de quelque article de ce formulaire, lequel doit estre lû mot à mot par le Curé au moins de deux Dimanches l'un sans en rien omettre: Le Dimanche où il ne sera pas lû devant estre employé à une Instruction d'une demy-heure sur l'Evangile ou autre matiere utile aux Paroissiens; avant ou aprés laquelle Instruction, il ne manquera pas pourtant de faire les Prieres de la maniere qu'elles sont icy marquées, pour la sainte Eglise...

Bordeaux 1707, 1728
Sarlat 1729

[Bordeaux 1707: Armand Bazin de Besons]
[Prône dominical]

909 **Bordeaux 1707 p. 500-501**
... Aprenez donc, peuple chrétien, suivant la profession de Foi que nous venons de faire *(Credo)*, qu'*il n'y a qu'un seul Dieu,* qui est un Esprit infini, tout-puissant, très-parfait, qui a créé le ciel et la terre, qui est par tout universellement, et est le seigneur souverain de toutes choses.

Il y a trois Personnes en Dieu, le Pere, le Fils, et le Saint Esprit. Le Pere est Dieu, le Fils est Dieu, et le Saint Esprit est Dieu: Cependant ces trois Personnes ne sont pas trois Dieux, mais un seul et même Dieu; parce qu'Elles n'ont qu'une même Nature, et une même Divinité.

Le Fils de Dieu, qui est la seconde Personne de la Trinité, s'est fait homme, afin de nous racheter de la damnation éternelle dûë à nos pechez, et nous meriter la vie eternelle. Il prit pour cet effet un corps et une âme au sein de la Sainte Vierge Marie... Il est Dieu et Homme tout ensemble. Il s'appelle J. C. Il nâquit le jour de Noël...

Pour éviter les supplices destinez aux méchans, et meriter la Gloire éternelle, qui est preparée aux bons, il faut éviter avec tout le soin possible, toute sorte de pechez, principalement le peché mortel, qui nous rend ennemis de Dieu: observer ses divins Commandemens et ceux de son Eglise, et faire bon usage des Sacremens que Nôtre Seigneur J. C. a instituez pour nôtre sanctification, et pour nous communiquer ses graces.

Il y a sept sacrements...
... La Penitence est un Sacrement que J. C. a institué pour effacer les pechez commis depuis le Baptême. Afin de recevoir ce sacrement avec fruit; il faut. 1. Examiner sa conscience. 2. Concevoir une grande douleur d'avoir offencé Dieu. 3. Faire une ferme resolution de ne le plus offencer. 4. Confesser tous ses pechez à un prêtre approuvé. 5. Accomplir la penitence qui a été imposée, et s'efforcer de satisfaire à Dieu et à son prochain. ...

Tournai 1721
[Jean-Ernest von Lowenstein-Wertheim]
[Prône dominical]

P2910   **Tournai 1721 p. 289-294**
[La fin du prône reprend Paris 1697 avec addition des actes de foi, d'espérance et de charité et quelques remaniements:]
Nous avons encore à vous instruire ... **Ce que vous devez croire** est contenu en abregé dans le Symbole, que nous allons reciter. Pendant que nous le reciterons de bouche, formez-en de nouveau un Acte de Foy dans vos cœurs: et par avance, faites-en un en general sur tout ce que l'Eglise croit. *Mon Dieu je croi fermement tout ce que vous avez dit et revelé à vôtre Eglise; parce que vous êtes la verité même, et que vous ne pouvez ni être trompé, ni me tromper. Et en particulier,* 1. *Je croy en Dieu...*

Ce que vous devez demander à Dieu est renfermé dans ... l'Oraison Dominicale. En demandant ce qu'elle contient, formez un acte de l'Esperance chrétienne. *J'espere, ô mon Dieu! que par vôtre misericorde infinie vous m'accorderez vôtre sainte grace en ce monde pour garder vos commandemens, et vôtre gloire en l'autre; parce que vous l'avez promis à ceux qui vous seront obéïssans, et que vous êtes fidéle dans vos promesses. Notre Père...*

Nous joindrons à l'Oraison dominicale la Salutation angelique... [comme Paris]

Ce que vous devez faire est d'aimer Dieu... Mais auparavant faites un Acte de cet amour de Dieu qu'on appelle aussi charité. *Mon Dieu je vous aime de tout mon coeur, parce que vous êtes infiniment bon, et j'aime mon prochain comme moi-même pour l'amour de vous.*

Dieu ne veut pas seulement qu'on lui obéïsse... [comme Paris sauf texte des commandements]

Nous devons aussi vous faire savoir que J.-C. a institué sept *Sacremens* dans son Eglise pour notre sanctification, le Baptême… (liste de sacrements différente de Paris)[137]

Nous vous avons exposé ce que vous devez croire, ce que vous devez demander à Dieu, et ce que vous devez faire… [comme Paris]

Cahors 1722
[Henri de Briqueville de La Luzerne]
[Enseignement sur les mystères de la Trinité et de l'Incarnation, prône dominical]

Cahors 1722
p. 64-74 **Exposition de la Foy sur le Mystere de la Trinité** qu'on lira à la place du prône, le troisiéme ou le quatriéme dimanche aprés la Pentecôte, et de temps en temps pendant l'année, sur tout au temps de l'Avent, et du Carême.

Chrétiens, toute nôtre vie devroit être uniquement occupée à connoître Dieu, et à connoître J.-C. Ce sera l'unique occupation des saints pendant toute l'éternité, nous ne devrions pas en avoir d'autre dans le temps. L'Evangile fait consister la vie eternelle, dans cette connoissance. Il n'y a donc pas d'autre paradis à attendre dans l'autre monde pour ceux qui auront negligé d'acquerir cette connoissance dans celui-cy. Combien cependant s'en trouve-t-il, parmi même ceux qui se glorifient d'être chrétiens, qui connoissent peu Dieu ? Combien qui seroient embarassés, si on leur demandoit ce que c'est que J.-C. ? Combien qui ne sçavent que de nom, les mysteres adorables de la Trinité, et de l'Incarnation ? Combien qui n'en ont qu'une idée tres-confuse, quoique selon les meilleurs Theologiens, il soit indispensablement necessaire dans la Loy de grace, d'en avoir une connoissance explicite pour pouvoir être sauvé.

Il n'y a donc rien, mes Freres, de plus utile pour vôtre salut, que de vous exposer nettement, distinctement, et un peu dans le détail, ce que la foi nous apprend de ces deux grands mysteres. …

§. I. De la nature, et des perfections de Dieu.
Dieu est un être increé, un esprit infini, éternel, tout-puissant, qui est par tout, qui connoît tout, qui a fait toutes choses de rien. …

Dieu est un être increé, necessaire, indépendant, éternel, infiniment élevé au dessus de tous les êtres. Il existe essentiellement par lui-même,

---
[137] Voir volume II/6 : *Prônes dominicaux,* Présentation des sacrements.

et de lui-même; non pas qu'il se soit donné l'être lui-même, mais parce qu'il l'a indépendamment de tout autre, et qu'il ne l'a pas receu d'ailleurs. Il existe necessairement; il n'a ni commencement ni fin; il a toûjours été, et il sera toujours.

Dieu est un pur esprit, et une substance tres-simple, sans corps, sans matiere, sans parties; il est immuable, inalterable, immortel; il n'est sujet à aucun changement.

Dieu est un être infini, il a toutes les perfections possibles…

Il est infiniment puissant…

Il a fait toutes choses de rien par sa seule parole, le ciel, la terre, les anges, les hommes, les choses visibles et invisibles, le monde tout entier, avec tout ce qu'il contient; et il peut en faire des millions plus beaux, plus grands, plus parfaits; il soûtient la masse de l'univers par un seul doigt de sa main, c'est à dire, par un seul acte de sa volonté.

Les colomnes du ciel tremblent en sa presence, les Seraphins se voilent le visage par respect devant sa divine majesté; son trône est dans le ciel, la terre lui sert de marchepied; les nües lui servent de char, il est environné d'un million d'esprits bien-heureux, tous occupez à le servir, et à faire ses volontez. Les foudres, et les éclairs, les vents, et les tempêtes, lui obeïssent sans resistance; le soleil lui sert de pavillon, la lune et les étoiles, entendent sa voix, et y répondent. Le jour et la nuit, l'été et l'hyver, et les autres saisons, subsistent par ses ordres; il commande au neant, et le neant lui obeït. …

Dieu est veritable, et la verité même, il ne peut se tromper, ni être trompé, ni nous tromper, il ne peut mentir, il est essentiellement infaillible.

Dieu est immense, il est par tout, et au delà de tout…

Dieu voit tout, Dieu connoît tout, rien n'est caché à ses yeux… le present, le passé, l'avenir, tout lui est egalement present. …

Dieu est indépendant, absolu, il ne dépend de personne, il n'a besoin de personne, il ne manque de rien; il est infiniment heureux par lui-même, il trouve dans son propre fonds, sa gloire, son bonheur, sa felicité.

Au contraire, nous ne sommes rien de nous-même, nous avons un besoin continuel de son secours en tout et pour tout; nous ne pouvons être heureux qu'en lui et par lui, et nous ne trouverons jamais du repos hors de lui…

Il est nôtre premier principe, et nôtre derniere fin, nous venons de lui, nous devons retourner à lui; nous n'avons aucun bien, que nous ne tenions de lui, nous devons les lui rapporter tous.

Dieu est infiniment bon, infiniment saint, infiniment juste; sa providence s'étend absolument à tout dans l'ordre de la nature, et dans celui de la grace; il a soin de tout, il pourvoit à tout...

Dieu est le principal auteur de tout le bien qui se fait dans le monde, et il ne permet le mal, que pour en tirer un plus grand bien; il ne laisse jamais la vertu sans recompense, ni le crime sans chatiment, ou dans ce monde, ou dans l'autre; et s'il permet que les justes soient dans l'affliction, et les méchans dans la prosperité, ce n'est que pour un temps, et pour faire éclater davantage sa misericorde, et sa justice; car il prepare aux bons une gloire sans fin, et il punit les méchans qui mourront sans se convertir, par des supplices inconcevables et éternels. ...

§. II. **Du Mystere de la Trinité.**

Il y a un Dieu, il n'y en a qu'un, et il ne peut y en avoir plusieurs, la foi et la raison nous l'apprennent: mais la foi seule nous apprend les veritez suivantes. Il y a trois Personnes en Dieu, le Pere, le Fils et le Saint Esprit.

Ces trois Personnes sont réellement distinctes, consubstantielles, coéternelles, inseparables, parfaitement égales.

1. Elles sont réellement distinctes...
2. Elles sont cependant consubstantielles...
3. Elles sont coéternelles...
4. Elles sont inseparables...
5. Les trois Personnes sont parfaitement égales...

Cette égalité, ou plûtôt cette idendité de perfections, n'empêche pas que nous n'attribuons à chaque Personne en particulier, certaines perfections qui sont communes à toutes les trois: par exemple, nous attribuons la toute-puissance au Pere, la sagesse au Fils, la bonté au Saint Esprit, avec les operations qui y ont du rapport...

§. III. **Des Personnes en particulier.**

Nous trouvons la distinction des trois Personnes de la Sainte Trinité, en nombre d'endroits de l'Ecriture: cette distinction paroît, sur tout, d'une maniere sensible, dans le baptême de J.-C. ...

Le Pere est la premiere Personne de la Tres-sainte Trinité, il n'est ni fait, ni creé, ni engendré, ni produit; il est principe sans principe; il ne procede d'aucune Personne, et les autres procedent de lui.

Il s'appelle Pere, et il l'est en effet, parce qu'il a un Fils qui est Dieu comme lui.

Nous l'appellons Pere Eternel, parce que de toute éternité, il engendre son adorable Fils.

Le Fils est la seconde Personne de la Tres-sainte Trinité, qui procede du Pere par voye d'entendement... Le Fils n'est ni fait, ni creé, mais il est engendré par le Pere, qui a fait toutes choses par lui. ...

Le Saint Esprit n'est ni fait, ni creé, ni engendré; mais il procede, par voye d'amour, du Pere et du Fils, comme d'un seul principe. ...

Le Saint Esprit est le don par excellence, le Paraclet, c'est à dire, le consolateur, l'Esprit de vie, et de verité, qui a parlé par les Prophetes, et qui dirige l'Eglise, et la dirigera jusqu'à la consommation des siecles. ...

p. 74-84 **Exposition du Mystere de l'Incarnation. Avec un abregé de toute la Religion.**

[Note marginale:] On peut lire cette Instruction plusieurs fois l'année, sur tout, pendant l'Avent, et avant la Fête de l'Annonciation.

Pour être sauvé, il ne suffit pas de sçavoir, et de croire le mystere de la Trinité, un seul Dieu en trois personnes, Pere, Fils, et Saint Esprit; il faut encore sçavoir et croire le mystere de l'Incarnation; il faut connoître J.-C., et ses principaux mysteres...

Le monde n'a pas toûjours été, Dieu a laissé passer une éternité toute entiere, avant de le tirer du neant, pour nous apprendre qu'il étoit suffisant à lui-même, et parfaitement heureux indépendamment des creatures. Il n'y a qu'environ six mille ans, que Dieu a creé le monde, c'est à dire, le Ciel et la Terre, avec toutes les creatures visibles et invisibles qui y sont contenuës.

Les Anges et les Hommes, sont de toutes les creatures, les plus parfaites. Dieu les fit à son image, leur donnant un entendement capable de le connoître, et une volonté capable de l'aimer.

Il les mit en état, par sa grace, de se rendre éternellement heureux par la possession de Dieu même : mais une partie des Anges, merita, par son orgüeil, d'être precipitée dans l'enfer. On les appelle demons...

Adam fut le premier des hommes, Dieu forma son corps d'un peu de terre, à laquelle il unit une ame vivante, spirituelle et immortelle. Dieu forma Eve... d'une côte d'Adam. ...

C'est en consequence du peché d'Adam, que nous naissons dans la disgrace de Dieu, enfans de colere, soüillez du peché originel, enclins au mal, ignorans, miserables, et mortels. ...

... Ce fut le Fils unique de Dieu qui se chargea de porter lui-même la peine dûë à nos pechez... Pour cet effet, il resolut de se faire Homme pour nous rendre enfans de Dieu, et d'endurer la mort, pour nous donner la vie. ...

... le Fils de Dieu, en se faisant Homme, ne cessa pas d'être Dieu. ... Il resta Dieu comme il avoit toûjours été, et il commença à être Homme, ce qu'il n'étoit pas auparavant. ...

p. 80 Il est cependant vrai, que toutes les trois Personnes de la Tres sainte Trinité, ont contribué au Mystere de l'Incarnation par la production de la sacrée humanité de J.-C. : mais il n'y a que le Fils qui se soit uni personnellement à cette Humanité. ...

1. *Jésus-Christ* est le même Dieu que le Pere, et le Saint Esprit...

2. J.-C. est le Messie si souvent promis à Adam, à David, aux Prophetes...

3. J.-C. est nôtre Docteur, nôtre Legislateur, nôtre Pasteur, nôtre Chef, nôtre Roy, nôtre Maître, nôtre Guide, nôtre Modele. ...

4. J.-C. est nôtre souverain Pontife, nôtre Victime, nôtre Autel, nôtre Medecin, nôtre Pere, nôtre Frere, nôtre Epoux, nôtre Ami. ...

5. J.-C. est la voye, la verité et la vie...

6. J.-C. est la porte par où nous devons entrer ; la pierre sur laquelle nous devons être fondez ; la vigne dont nous devons être les branches...

7. J.-C. est le Pain du Ciel qui nous nourrit ; la Lumiere qui nous éclaire ; l'Auteur de la grace qui nous sanctifie ; l'Objet de gloire qui nous beatifie.

8. J.-C. est le terme de toutes les figures, l'accomplissement de toutes les Propheties, la fin de la Loy ancienne, le fondateur de la nouvelle.

9. J.-C. est le trône de la sagesse, et de la science de Dieu, la splendeur de sa gloire, la figure de sa substance.

10. J.-C. est le Restaurateur de toutes les creatures, le chef des Anges, et des hommes, l'heritier universel de toutes choses.

11. J.-C. est le Saint, et le Juste par excellence, la source de toutes les graces, l'exemplaire de toutes les vertus. ...

12. Enfin J.-C. est le principe, le moyen, et la fin de nôtre salut : il n'y a point d'autre nom sur la terre, ni dans le Ciel, que le sien, en qui nous puissions être sauvez. ...

... Il faudroit encore vous expliquer les principaux mysteres de J.-C. ... et vous parler des quatre fins de l'homme, et en particulier, de la Resurrection generale qui se fera au jour du Jugement...

Il faudroit enfin... vous parler des Miracles qu'il a faits, des Sacremens qu'il a instituez, et de la Doctrine qu'il a enseignée dans son Evangile. ... nous les ferons servir de matiere à toutes les instructions que nous vous ferons pendant toute l'année. ...

p. 84 *Remarquez qu'on peut mettre ces Instructions sur la Trinité, et sur l'Incarnation, en demandes et réponses, et les accommoder à la portée des enfans, lorsqu'on leur explique le Catechisme du Diocese...*

Saint-Omer 1727
[François de Valbelle de Tourves]
Instructiones ad Populum.
De praecipuis mysteriis et aliis scitu necessariis ad Salutem

P2912 **Saint-Omer 1727 p. 449-548**
Nouvelles instructions, beaucoup plus développées que celles de Saint-Omer 1641. Les sacrements sont classés dans un ordre différent. Le chapitre sur la pénitence (non rigoriste) est le plus développé (14 p.) et concerne essentiellement la contrition. Presque aussi longs sont les commentaires sur le mariage (13 p.) et le baptême[138].

p. 449 *Ut Populus de his quae ad salutem omnibus necessaria sunt...* (comme Saint-Omer 1641)

Peuple Chrétien, pour vivre chrétiennement, et faire son salut, quatre choses sont necessaires : la Foi, l'Esperance, la Charité, et l'usage des Sacremens de l'Eglise.

1. Par la Foi il faut croire en Dieu : ainsi il est necessaire de sçavoir et d'entendre le *Credo*, ou Symbole des Apôtres. ... (comme Saint-Omer 1641)

Remarquez aussi que ceux qui ont charge d'ames, tels que sont les Peres et Meres à l'égard de leurs enfans, les Maîtres et Maîtresses par rapport à leurs domestiques, sont trés-étroitement obligés de les instruire ou faire instruire des quatre choses susdites : sçavoir du *Pater* et *Ave*, du *Credo*, des Commandemens de Dieu et de l'Eglise, et de ce qui regarde les Sacremens. Au reste ils doivent se souvenir que cette obligation est si importante et si indispensable que s'ils viennent à y manquer, ils en rendront à Dieu un compte trés-rigoureux. ...

p. 451-454 §. I. **Du Credo.**
Quels sont les principaux articles de la Foi chrêtienne, et comment on doit les entendre.

Credo, je croi en Dieu : c'est à dire, je tiens pour vrai et absolument certain tout ce que Dieu a dit et revelé à son Eglise.

---

[138] Certains exemplaires ont ce formulaire en flamand.

Premierement je croi qu'il y a un seul Dieu en trois Personnes, qui sont le Pere, le Fils et le Saint Esprit, que nous invoquons par ces paroles : *In nomine Patris…* au nom du Pere, et du Fils, et du Saint Esprit. Dieu est donc un Esprit éternel, infini, tout-puissant, qui a tout créé, qui conserve, conduit, et gouverne toutes choses par sa puissance, sa sagesse et sa providence, present ici et en tous lieux, quoique nous ne le voyions point et ne le puissions voir des yeux du corps.

2. Je croi que Dieu le Fils, la seconde personne de la trés-sainte Trinité, a été conçu du Saint Esprit, et qu'il est né de la Vierge Marie, c'est-à-dire qu'il s'est incarné et fait homme dans les chastes entrailles de la Vierge Marie par la seule vertu surnaturelle et divine du Saint Esprit, et qu'il est né de Marie sa Mere, sans qu'elle ait cessé d'être Vierge. Le Fils de Dieu fait homme a reçu le nom de Jesus, qui signifie *Sauveur*, parce qu'il est venu pour nous delivrer du peché et de la damnation éternelle. Il est aussi appellé Christ, qui signifie *Oint* ou *sacré*, parce qu'il a été fait par son Incarnation souverain Pontife de la Loi nouvelle… il a souffert plusieurs tourmens et la mort même sur la Croix pour nous rachêter et nous purifier par l'effusion de son sang. Aprés sa mort son corps a été enseveli, et mis dans le tombeau : son ame est descenduë aux enfers, c'est-à-dire dans les Limbes qui étoient le lieu ou les ames des Saints étoient alors détenuës, et attendoient la Redemption du genre humain : il y est descendu pour les consoler et les assûrer de leur prompte délivrance. Ensuite il est resuscité glorieux le troisiéme jour ; et aprés avoir durant quarante jours fortifié ses Apôtres dans la foi de sa Resurrection, et les avoir souvent entretenus et instruits de ce qui regardoit l'établissement de son Eglise, il est monté au Ciel, où il est assis à la droite de Dieu son Pere, ce qui marque la puissance souveraine qu'il a reçuë selon son humanité, et qu'il exerce dans le Ciel et sur la terre. C'est de là qu'à la fin des siécles il descendra dans l'éclat de sa Majesté pour juger les vivans et les morts, c'est-à-dire generalement tous les hommes, afin de recompenser les bons et punir les méchans. [§ beaucoup plus développé qu'en 1641]

3. *Je croi au Saint Esprit…* [proche de 1641]

Je croi la Communion des Saints, c'est-à-dire une participation mutuelle, ou communication des mêmes biens, tels que sont les Prieres et les bonnes oeuvres, entre tous les membres de l'Eglise en vertu de leur union ; en sorte que chaque membre, c'est-à-dire chaque fidele prie et travaille pour tous les autres, et reciproquement reçoit le fruit des prieres et des bonnes oeuvres de tous les autres fideles.

Je croi la remission des péchés. C'est le fruit de l'Incarnation, de la vie et de la mort de J.-C., qui est cet Agneau de Dieu, lequel est venu pour expier et pour ôter le péché du monde.

Enfin *je croi la resurrection de la chair, et la vie éternelle*. C'est-à-dire qu'à la fin du monde nous résusciterons, nos ames se reüniront à nos corps, qui par la Toute-Puissance de Dieu seront rétablis, et recevront de nouveau la vie, sans être derechef sujets à la mort : et alors chacun sera recompensé ou puni durant toute l'éternité selon le bien ou le mal qu'il aura fait pendant le cours de sa vie mortelle.

Voilà, Peuple chrêtien, les principaux articles de nôtre Foi. Mettons toute notre application à regler de telle sorte nôtre vie, que nous puissions meriter et obtenir la gloire eternelle, que Dieu a promise à ses fideles serviteurs.

p. 454-457 §. 2. **Du Pater noster et de l'Ave Maria.**
… 6. *Et ne nous laissez point succomber à la tentation*. Nous demandons par ces paroles que Dieu ne nous abandonne point à la tentation ; que se souvenant de nôtre foiblesse, il daigne nous soûtenir ; qu'il nous fasse la grace d'éviter les occasions du péché ; enfin qu'il reprime les efforts du démon, qui n'a nul pouvoir sur nous, si Dieu ne le lui donne.

7. *Mais délivrez nous du mal*. Ainsi soit-il. Délivrez nous du péché, qui est le plus grand de tous les maux, et generalement de tout ce que vous connoissez être contraire à nôtre Salut.

p. 457-458 § 3. **Des Commandemens de Dieu.** …

p. 458-464 Premier Commandement. *Un seul Dieu tu adoreras, et aimeras parfaitement*. Voilà le commandement que J.-C. appelle le premier, le plus grand, et le plus important de tous…[139]

p. 464-465 Second Commandement. *Dieu en vain tu ne jureras, ni autre chose pareillement*. …

p. 465-466 Troisieme Commandement. *Les Dimanches tu garderas en servant Dieu dévotement*. …

p. 466-467 Quatrieme Commandement. *Tes Pere et mere honoreras, afin que vives longuement*. …

p. 468-469 Cinquieme Commandement. *Homicide point ne sera [sic] de fait ni volontairement*.

… C'est… un attentat contre l'authorité de Dieu que d'ôter la vie d'authorité privée à son prochain, ou de se l'ôter à soi-même. … Dieu défend encore tout ce qui y a quelque rapport, et qui peut y conduire ;

---

[139] Le premier commandement est beaucoup plus développé que tous les autres.

comme la haine, l'envie, la colere, la vengeance, les injures, les querelles, les violences... quand on porte quelqu'un au mal, quand on l'induit à pécher, quand on lui donne de mauvais conseils, ou qu'on le corrompt par de mauvais exemples...

    p. 469-470 Sixieme Commandement. *Luxurieux point ne seras de corps ni de consentement.* ...

    p. 470-472 Septieme Commandement. *Le bien d'autrui tu ne prendras, ni retiendras à ton escient.* ...

    p. 472-473 Huitieme Commandement. *Faux témoignage ne diras, ni mentiras aucunement.* ...

    p. 474 Neuvieme Commandement. *L'oeuvre de la chair ne désireras qu'en Mariage seulement.* ...

    p. 475 Dixieme Commandement. *Les Biens d'autrui ne convoiteras pour les avoir injustement.* ...

    p. 476-483 § 4. **Des Commandemens de l'Eglise.**

    [1er] *Les Fêtes tu sanctifieras qui te sont de commandement.* [2e] *Les Dimanches la Messe oüiras, et les Fêtes pareillement.* ... [3e] *Tous tes péchés confesseras à tout le moins une fois l'an.* ... [4e] *Ton Créateur recevras au moins à Pâques humblement.* ... [5e] *Quatre-tems, Vigiles jeuneras, et le Carême entiere*ment. [6e] *Vendredi chair ne mangeras ni le Samedi mêmement.* ...[140]

    p. 483-485 § 5. **Des Sacremens en general.**

Les Sacremens sont les trésors qui renferment les graces que J.-C. nous a meritées, les canaux par lesquels il les répand dans nos ames...

    p. 486-496 *Du Sacrement de Batême.*

C'est par l'envie du diable, comme l'Ecriture nous apprend, *que la mort,* ensuite du péché, *est entrée dans le monde.* ... Voilà l'origine de tous nos maux et ce qui est cause que nous naissons tous enfans de colere. Car nous avons tous péché en la personne de nos premiers parens... c'est ce qu'on appelle le péché d'origine ou originel. ...

Mais J.-C. ayant voulu pour l'amour de nous se soûmettre à un Bâtême si rigoureux (car il appelle lui-même sa Passion et l'effusion de son sang un Bâtême.) Il en a laissé un à son Eglise aussi facile qu'il est efficace pour la remission des péchés, instituant le Bâtême d'eau, dans lequel il a renfermé les trésors de sa grace et de sa misericorde : c'est ce qu'on appelle le Sacrement de Bâtême. ...

---

[140] Le premier et le cinquième commandement ne sont pas commentés ; le sixième concernant le jeûne est développé sur plus de quatre pages.

p. 496-499 *Du Sacrement de Confirmation.*
p. 499-503 *Du Sacrement de l'Eucharistie.*
… Le Bâtême nous donne la vie, la Confirmation nous donne la force ; mais l'Eucharistie, qui est la nourriture de nos ames, est destinée à soûtenir et conserver cette vie, à entretenir et augmenter cette force. … C'est le plus grand et le plus excellent de tous les Sacremens, puis qu'il ne contient pas seulement la grace, ce qui lui est commun avec tous les autres Sacremens, mais l'Auteur même de la grace et de la sainteté. …
p. 501-502 … Pour avoir part aux effets que produit ce divin Sacrement, il faut y apporter les dispositions requises… La pureté de conscience… une foi vive… une ferme esperance… une ardente charité…
p. 503-517 *Du Sacrement de la Pénitence.*
Rien ne paroît si difficile aux hommes que de pardonner une injure, d'aimer ses ennemis, de se reconcilier de bonne foi. C'est que l'homme de son propre fond est mauvais… Mais Dieu est essentiellement bon…
p. 506-509 Premierement la nature et le fond pour ainsi dire de la Contrition, consiste dans la haine et detestation du peché, dans le regret de l'avoir commis, dans la volonté de n'y plus retomber. …
Secondement ce n'est pas assez de haïr le péché, il faut le haïr plus que tout autre chose. …
Troisiémement il faut haïr le péché mortel plus que tout autre chose, mais il faut les haïr tous. Car la Contrition doit être universelle. …
Quatriémement ce regret d'avoir offensé Dieu doit être interieur et sincere. Il doit être dans le coeur…
Cinquiemement… il sera utile de penser attentivement à tous les maux que le péché fait à nôtre ame…
Sixiemement, … [le repentir de chacun] qui… doit renfermer la haine du péché doit [naître] aussi de l'amour de Dieu, au moins de quelque commencement d'amour qui joint au Sacrement peut suffire pour la remission des péchés.
p. 517-524 *Du Sacrement de l'Extrême-Onction.* …
p. 524-528 *Du Sacrement de l'Ordre.*
Il y a dans l'Eglise des Ministeres a exercer, qui sont destinés au culte de Dieu, à la conduite des Fideles, à la sanctification des ames. …
p. 528-540 *Du Sacrement de Mariage.*
Dieu est l'Auteur du Mariage. J.-C. ne nous permet pas d'en douter, quand il dit : *Que l'homme donc ne sépare pas ce que Dieu a joint.* C'est lui qui a formé cette union, necessaire à la propagation et multiplication du genre humain. C'étoit un contrat naturel, et il a subsisté en cet état jusqu'au tems de la Loi nouvelle. … Mais J.-C. a bien augmenté le

motif de ce respect, quand il a fait du Mariage un Sacrement de la Loi nouvelle ; quand il a voulu que cette union fût non seulement sainte, mais encore sanctifiante...

p. 540-542 § 6. **Des empêchemens du Mariage.** ...

p. 542-548 **De l'Excommunication.** ...

Avignon 1729, 1748, 1789
[Avignon 1729 : François-Maurice de Gonteriis]
Rituale romanum Pauli V... iussu editum...
Avignon 1816, 1830. Lyon 1817. Tarascon 1820
Lyon-Paris 1828, 1837, 1838, 1840, 1843, 1845, 1848, 1850, 1852, 1854[141]
Abregé de la Doctrine Chretienne
[Catéchisme, prône dominical]

2913 Avignon 1729, *Formulaire pour faire le Prône*, p. 15-19. *Rituale romanum*, Avignon, 1816, p. 391-396.

Il n'y a qu'un seul Dieu, qui a créé le Ciel et la Terre.

Il y a trois Personnes en Dieu, le Pere, le Fils, et le Saint-Esprit : et c'est ce qu'on appelle la Très-Sainte Trinité.

Le Pere est Dieu, le Fils est Dieu, et le Saint-Esprit est Dieu, ils ne sont pas pourtant trois Dieux, mais un seul Dieu en trois Personnes, parce qu'ils n'ont qu'une même Divinité.

Ces trois Personnes sont égales en toutes choses.

Le Fils de Dieu, qui est la seconde Personne de la Sainte Trinité, s'est fait homme, prenant un Corps et une Ame semblables aux nôtres, dans le sein de la glorieuse Vierge Marie, par l'operation du Saint-Esprit ; ce Mystere s'est operé le vingt-cinq de Mars, qui est le jour de l'Annonciation.

Il est né le vingt-cinquiéme Décembre, à minuit, dans une etable, la fête s'en fait le jour de Noël.

Huit jours aprés il fût circoncis, et on lui donna le nom de Jesus, qui signifie Sauveur.

Il est Dieu et Homme tout ensemble, il a vêcu environ trente-trois ans.

Il est mort en croix pour nos pechez ; l'on en fait la mémoire le Vendredy Saint.

---

[141] *Rituale romanum* : Molin Aussedat n° 1705, 1711 (éd. Avignon 1816, 1830) ; n° 1707 (éd. Lyon 1817) ; n° 1711 (éd. Tarascon 1830) ; n° 1709, 1712, 1714, 1715, 1717, 1718, 1720, 1723, 1726, 1733 (éd. Lyon-Paris 1828 sq.)

Nôtre-Seigneur étant mort, son ame descendit aux Limbes, pour en retirer les Sts. Peres, qui attendoient sa venuë, et son corps fut mis dans le sepulchre.

Le troisiéme jour après sa mort, il ressuscita, c'est-à-dire, qu'il retourna de mort à vie; la fête s'en fait le jour de Pâques. Quarante jours après, il monta au ciel, sçavoir le jour de l'Ascension.

Dix jours après, sçavoir le jour de la Pentecôte, il envoya son Saint Esprit à son Eglise, pour la conduire jusqu'à la fin du monde. Hors de cette Eglise, qui est l'Eglise Catholique, Apostolique et Romaine, il n'y a point de salut.

A la fin du monde nous ressusciterons tous, et nôtre Seigneur viendra nous juger, il donnera aux bons le Paradis, et aux méchans l'Enfer, où ils brûleront éternellement.

Pendant que le Fils de Dieu étoit sur la terre, il institua **sept Sacremens**, qu'il nous a laissez, sçavoir, le Bapteme, la Confirmation, l'Eucharistie, la Penitence, l'Extreme-Onction, l'Ordre et le Mariage. ...[142]

Toutes sortes de personnes peuvent **baptiser en cas de necessité**; pour le bien faire, il faut prendre de l'eau commune, et dire en la versant sur la tête de l'enfant: *Je te baptise au nom du Pere, et du Fils, et du Saint-Esprit.*

Pour se bien confesser, il faut 1. Examiner sa conscience. 2. Avoir une grande douleur d'avoir offensé Dieu. 3. Faire une forte résolution de ne plus retomber dans le peché. 4. Confesser tous ses pechez au Prêtre. 5. Satisfaire à Dieu et au prochain.

Pour bien communier, il faut 1. Etre à jeun. 2. En état de grace. 3. Faire des actes de Foy, d'Esperance, de Charité, d'Humilité, de Contrition, de Desir, et autres semblables.

Après la Communion, il faut 1. Remercier Dieu. 2. Se donner à luy, parce qu'il s'est donné à nous. 3. Lui demander les graces, dont nous avons besoin.

Voilà les principales choses qu'un Chrêtien doit croire fermement, et sçavoir, pour être sauvé.

p. 19 On omettra cet Abregé de la Doctrine Chrêtienne les jours qu'on aura à faire quelque exhortation, il est à propos d'en faire le plus souvent qu'on pourra, et d'expliquer chaque fois, selon l'intention du Catechisme du Concile de Trente, quelque chose du Symbole, des Commandemens

---

[142] Voir volume II/6: *Prônes dominicaux*. Présentation des sacrements.

de Dieu, des Sacremens, ou de l'Oraison dominicale. Si l'on s'arrête à quelque point de l'Evangile, on prendra de là occasion, autant que le sujet le pourra permettre, de faire tomber le discours sur les matieres dont nous venons de parler.

Avignon 1729, 1748, 1789

[Avignon 1729 : François-Maurice de Gonteriis]
Explication ou paraphrase de l'Oraison dominicale, dont Mrs. les Curés pourront se servir dans leurs Prônes, pour inspirer plus d'attention et de dévotion aux Fidéles, lorsqu'ils reciteront cette priere
[Commentaire du *Pater* ponctué de prières, prône dominical[143]]

²2914 Avignon 1729, Formulaire pour faire le Prône, p. 23-52
p. 23 **Pater noster, qui es in Coelis. Notre Pere, qui êtes aux cieux.** *Que nous sommes heureux, mes chers Freres, d'avoir un Dieu qui nous permet de l'invoquer sous le nom de Père...*
p. 26 Acte de Soumission et d'Obeissance. *Mon bon Dieu, et mon charitable Pere, voici prosterné à vos pieds cet enfant...*
p. 27 **Sanctificetur nomen tuum. Vôtre nom soit sanctifié.** ...
p. 29 Acte de veneration pour le Nom de Dieu. *Nom adorable de Dieu...*
p. 29 **Adveniat Regnum tuum. Vôtre Royaume nous advienne.** ...
p. 33 Acte de Desir, et de Reconnoissance. *Que pouvois je souhaiter de plus heureux...*
p. 34 **Fiat Voluntas tua... Vôtre volonté soit faite sur la Terre, comme aux Cieux.** ...
p. 37 Acte d'Offrande. *Puisque donc ce grand Dieu borne sa volonté... au seul accomplissement de ces deux préceptes...*
p. 38 **Panem nostrum... Donnez nous aujourd'hui nôtre pain quotidien.** ...
p. 40 Acte de Recours à Dieu dans nos besoins spirituels et temporels. *Mon Dieu, dont la merveilleuse bonté prévient même par ses secours nos demandes...*
p. 41 **Dimitte nobis debita nostra... Pardonnez nous nos offenses, comme nous pardonnons à ceux qui nous ont offensez.** ...
p. 44 Acte d'Acceptation et de Resolution. ... Acte de Protestation. ...
p. 45 **Et ne nos inducas in tentationem. Et ne nous induisez point en tentation.** ...

---

[143] Le commentaire du *Pater* est absent des rituels romains.

p. 49 Acte d'Humilité et de Confiance. *Vous connoissez, Seigneur, la matiére fragile dont nous sommes composez, la terre où nous habitons, les dangers que nous y courons…*
p. 50 **Sed libera nos à malo.** *Mais delivrez nous du mal.* …
p. 51 Acte de Supplication et d'Impetration. … *vous nous inspirez dans cette derniere demande, d'invoquer l'infinie misericorde, qui peut nous garantir de tout accident funeste…*
p. 52 Acte de Remerciement final. …

Blois 1730
Amiens 1784. Boulogne 1750, 1780[144]. Meaux 1734[145].
Toulon 1749, 1778[146]

[Blois 1730 : Jean-François Lefebvre de Caumartin]
[Catéchisme, prône dominical]
Abrégé de la Doctrine chrétienne[147]

P2915 **Blois 1730**
p. 426 … Il y a des véritez que tout Chrétien doit sçavoir et croire : elles sont contenuës en abregé dans le **Credo**… *Je crois en Dieu*…
Il a été institué pour notre sanctification sept sacremens[148]…
Cette profession de Foi nous aprend [sic] qu'il n'y a qu'un seul Dieu, infini, tout-puissant, très-parfait ; qui a créé le ciel et la terre, et qui est le Seigneur souverain de toutes choses ; qu'il y a en Dieu trois Personnes… que ces trois Personnes quoique distinctes ne sont qu'un seul et même Dieu ; et qu'elles sont égales en tout ; ce qu'on apelle le Mystère de la Sainte Trinité.
Que le Fils de Dieu qui est la seconde Personne s'est fait vrai homme comme nous, et pour nous…[149]

---

[144] Amiens 1784, Boulogne 1750, 1780 : formulaires de Blois avec des remainements.
[145] Meaux 1734 compile Paris 1697 et Blois 1730. Seules une partie du formulaire (Meaux p. 387-388) et la conclusion (p. 391) sont proches de Blois (p. 428-429 et 431-432).
[146] *Rituel romain, pour l'usage du diocèse de Toulon* [1749], p. 190-208 (Paris, SG, Delta 66696). Formulaire de Blois avec développements importants sur le *Je crois en Dieu*, les commandements, et le *Notre Père*.
[147] *Abrégé de la Doctrine chrétienne* : titre des formulaires de Boulogne 1750, 1780, Amiens 1784. (Boulogne 1750, seconde partie p. 130-134) *Afin que vous n'oubliez pas les vérités de la foi et les obligations du Christianisme, nous allons, mes frères, vous lire un Abrégé de ce que vous devez croire, et de ce vous devez faire pour être sauvé.* … *Formule pour faire le Prone, laquelle doit être lue tous les premiers dimanches de chaque mois* : titre Toulon 1749 et 1778.
[148] Voir volume II/6 : *Prônes dominicaux. Conseils de dévotion. Présentation des sacrements.*
[149] Nous croyons la sainte Eglise catholique ; c'est-à-dire universelle qui est dans tous les tems, et dans tous les lieux ; qui doit durer jusqu'à la fin du monde… add. Tlon. p. 192.

ENSEIGNEMENT DE LA FOI

Il a été institué pour notre sanctification sept **sacremens**…[150]

p. 428-429 L'**Eglise** qui est l'assemblée des fidèles sous la conduite des pasteurs légitimes, dont le chef visible est Notre Saint Père le Pape, croit encore qu'il y a un **Purgatoire** où les ames de ceux qui meurent en état de grace, sans avoir entiérement satisfait à la justice de Dieu, achévent d'expier leurs péchés, et qu'elles sont soulagées par les priéres et les suffrages des Fidèles.

Elle croit qu'il est bon d'honorer **les saints** et leurs reliques, de les invoquer pour qu'ils prient pour nous dans le ciel, et qu'on doit respecter leurs images[a].

Elle croit que J. C. lui a laissé le pouvoir d'accorder des **indulgences**, et que leur usage est fort salutaire au peuple chrétien.

Elle croit enfin qu'on offre à **la messe** un véritable sacrifice, sçavoir, celui du corps et du sang de J. C. offert à Dieu par les prêtres[b] sous les espèces du pain et du vin en mémoire du sacrifice de la croix.

Tel est, mes frères, le précis de ce que vous devez croire; mais comme la foi toute seule ne suffit pas pour être sauvé, et qu'il faut encore observer les **commandemens de Dieu et de l'Eglise**, à laquelle il veut qu'on obéïsse, sous peine d'être regardez comme des payens et des publicains. Nous allons vous en faire la lecture. …[151].

p. 430 On ne peut sans grace accomplir la loi, et cette grace ne s'obtient que par la priere: voici celle que J. C. lui-même nous a aprise [sic], et que nous devons dire souvent avec beaucoup de ferveur, parce qu'elle est l'abregé de toutes les demandes qu'un vrai chrétien doit faire à Dieu. *Notre Père…*

A cette priere l'Eglise joint la salutation angelique, pour nous faire souvenir du mystere de l'Incarnation, et nous apprendre à recourir à l'intercession de la sainte Vierge Marie mere de Dieu, à laquelle je vous exhorte d'avoir une particuliere dévotion. *Je vous saluë Marie…*

Variantes. [a] et leurs reliques… images] leurs reliques et leurs images, et de les invoquer pour obtenir le secours de leur intercession auprès de Dieu. Mea 1734. –[b] qu'on offre à la Messe… par les Prêtres] que la Messe est un véritable Sacrifice du Corps et du Sang de J.-C. offert à Dieu pour les vivans et les morts par le ministère des Prêtres. Mea. 1734.

---

[150] Formulaires différents à Blois et à Toulon. Voir volume II, 6 : *Prônes dominicaux. Conseils de dévotion*. Présentation des sacrements.

[151] Voir volume II/6 : *Prônes dominicaux. Conseils de dévotion*. Commandements de Dieu et de l'Église.

Rodez 1733

[Jean-Armand de La Vove de Tourouvre]
Instruction XI. Sur la Messe de Paroisse, et le Prône

P2916 **Rodez 1733** p. 290-291

Outre la lecture du Prône, les Curés feront à la Messe de Paroisse une Instruction familiére, où ils expliqueront l'Evangile, ou quelqu'article du Symbole, du Décalogue, des Sacremens ou de l'Oraison dominicale. Ils parleront d'une maniére simple, qui soit à la portée de leurs auditeurs, et suivront la méthode du Catéchisme Romain, et celui qui est composé à l'usage de ce Diocése[152].

Ils feront aussi une lecture et l'explication d'un chapitre du Catéchisme du Diocése à la premiére Messe, s'il y en a deux dans la Paroisse; et feront toujours après Vêpres, Dimanches et Fêtes, l'instruction en langue vulgaire aux enfans de l'un et l'autre sexe, pour leur apprendre la foi catholique, et la soûmission qu'ils doivent à Dieu et à leurs parens. ...

Chalon-sur-Saône 1735

[François de Madot]
Seconde formule du Prône

P2917 **Châlon-sur-Saône 1735** p. 192-196

[Formulaire très proche de Paris 1697.]

Nous avons à vous instruire de vos principaux devoirs, ils se réduisent à ce que vous devez croire, à ce que vous devez demander, et à ce que vous devez faire pour être sauvé.

Ce que vous devez croire est contenu dans le Symbole de la foi, que nous allons reciter, formez interieurement un acte de foi du plus profond de vos coeurs. *Je crois en Dieu le Pere tout-puissant, etc. Notre Pere qui êtes aux cieux, etc.*

Nous joindrons à l'Oraison dominicale, la Salutation angélique, pour rendre graces à Dieu de l'Incarnation du Verbe, pour honorer la sainte Vierge, et pour implorer son intercession auprès de son Fils. *Je vous saluë, Marie, etc.*

Ce que vous devés faire pour être sauvé, c'est d'aimer Dieu de tout votre cœur, et pardessus toutes choses, et d'aimer votre prochain, comme vous-même. C'est-là, dit le Fils de Dieu dans l'Evangile, la Loi

---

[152] *Catechisme à l'usage du diocese de Rodez*, Rodez, Jean Le Roux, 1730. Cf. Monaque, *Catéchismes diocésains*, n° 926.

et les Prophêtes; les dix Commandemens renferment les préceptes contenus dans le Décalogue que Dieu donna autrefois à Moïse dans l'ancienne Loi. *Un seul Dieu, tu adoreras...*
    Ce n'est pas assès d'obéïr à Dieu, il faut encore obéïr à son Eglise: *Si quelqu'un,* dit J.-C. dans l'Evangile, *n'écoute pas l'Eglise, il faut le regarder comme un payen et un infidéle.* Il faut donc aussi garder les Commandemens de l'Eglise:
Les Dimanches messes oüiras...
    Vous devez sçavoir encore que nostre Seigneur J.C. a établi sept Sacremens... [Liste de sacrements proche de Paris 1697, avec addition pour le mariage de:] *et élever chrêtiennement leurs enfans.*

    [**Conclusion**] Nous vous avons exposé ce que vous devez croire, ce que vous devez demander à Dieu, et ce que vous devez faire pour être sauvé: nous vous avons fait connoitre que les Sacremens sont la source de votre sanctification: vous ne devez pas seulement en conserver la mémoire pour vous seul; mais vous devez aussi en instruire ou faire instruire vos enfans, vos domestiques, tous ceux et celles dont vous êtes chargés.

    ... Si d'autres devoirs plus pressans du Curé, ou si sa santé ne lui permettent pas de faire une petite instruction sur l'Evangile du jour... il ajoutera...:

Nous prions Dieu, qu'il vous éclaire de ses lumiéres, et qu'il vous remplisse de son esprit, afin que vous profitiez de sa parole, et que par ce moyen vous méritiés la vie éternelle, que je vous souhaite, au nom du Pere, et du Fils, et du St Esprit.

    Si le Curé doit faire une instruction, il commencera par réciter l'Evangile du jour en françois, et l'expliquera ensuite à son peuple, en termes simples, naturels, et qui soient à la portée de tout le monde, il le fera autant qu'il poura [*sic*] d'une façon utile et touchante, dont ses auditeurs puissent être édifiés et retirer du fruit; il n'invectivera point contre ses paroissiens, et ne parlera contre les vices qu'il aura remarqué regner dans sa paroisse, qu'en termes generaux, pour ne caracteriser personne en particulier. Il evitera aussi de parler en public de ses interêts temporels.

    Il suffit de reciter de tems en tems le Symbole, l'Oraison dominicale, les commandemens de Dieu, de l'Eglise, etc. On doit les omettre principalement dans les jours où l'office est long; mais on ne doit guere passer plus d'un mois sans les réciter, et ne pas les omettre quand il n'y a point d'exhortation.

Narbonne 1736

[René-François de Beauvau]

[Catéchisme, prône dominical]

P2918 **Narbonne 1736** p. 134-136

Nous sommes obligez de croire, et confesser avec une ferme foy, ce qui est contenu dans la sainte Ecriture, dans le Symbole des Apôtres, et les Traditions apostoliques : mais principalement ce qui suit.

Dieu nous a créez, et mis au monde, pour le connoître, l'aimer et le servir ; et par ce moyen acquerir la vie éternelle.

Il y a un Dieu en trois personnes, qui sont le Pere, le Fils et le Saint Esprit. Le Pere est Dieu, le Fils est Dieu, le Saint Esprit est Dieu ; néantmoins il n'y a qu'un seul Dieu. Ces trois personnes sont égales en toutes choses

La seconde Personne de la Sainte Trinité, qui est le Fils, s'est fait homme pour l'amour de nous. Le Fils de Dieu fait homme s'appelle Jesus-Christ. Il n'y a qu'une Personne en J.-C., sçavoir la Personne Divine ; mais il y a deux natures, la nature Divine, et la nature humaine.

Jesus-Christ s'est fait homme pour nous racheter du peché et de l'Enfer. Il est né de la Vierge Marie par l'operation du Saint Esprit : et après avoir choisi volontairement une vie pauvre et souffrante, avoir enseigné aux hommes la voye du Salut, et confirmé sa doctrine par une grand nombre de miracles, il est mort en Croix. Trois jours après il est resuscité. Il est monté au Ciel : et il a envoyé le Saint Esprit à son Eglise.

Il viendra à la fin du monde juger les vivans, et les morts après leur resurrection. Les Bons iront au Ciel, et les Méchans en Enfer.

Il a institué sept Sacremens pour la sanctification de nos ames…[153]

L'Eglise est l'assemblée de tous les Fidelles, gouvernée par le Pape et les Evêques : hors laquelle il n'y a point de salut ; et qui ne peut errer. Elle croit qu'il y a un Purgatoire qui est un lieu de souffrances, où les âmes des Justes qui meurent redevables à la Justice de Dieu, satisfont aux peines duës à leurs pechez.

Narbonne 1736

[René-François de Beauvau]

P2919 **Narbonne 1736** p. 142

Les Curés ne manqueront jamais de faire la lecture du Prône, bien qu'ils doivent ensuite expliquer l'Evangile : ils pourront neantmoins, s'ils

---

[153] Voir volume II/6 : *Prônes dominicaux*. Présentation des Sacrements.

le jugent à propos, omettre cette lecture les jours de solemnité qui se rencontrent un Dimanche. Ils se souviendront que cette lecture ne les dispense pas de faire à la fin du Prône une Instruction orale sur l'Evangile, ou sur sur quelqu'Article du Symbole, du Décalogue, des Sacremens, de l'Oraison Dominicale, ou autre matiere importante. Ils s'appliqueront à parler d'une maniere simple, qui soit à la portée de leurs auditeurs, n'oubliant pas aussi la dignité de la parole qu'ils annoncent. Avant l'Instruction on lira en françois l'Evangile, tout le monde étant debout. ...

Les Curés n'oublieront rien pour attirer les fidéles à la Messe Paroissiale, leur representant que l'assistance à cette Messe, n'est pas de simple conseil, mais une étroite obligation, dont la discipline a été renouvellée dans la Session 22. du Concile de Trente ; dans plusieurs Conciles de Narbonne, et notamment dans celui de 1551. Chap. 36. qui dit, Nous ordonnons à tous les Curés et à ceux qui tiennent leur place, d'avertir en chaire et au Prône leurs paroissiens, sous peine d'excommunication, que chacun vienne à la Messe Paroissiale, surtout les jours de dimanche, et qu'il méne avec lui tous ses domestiques. Que personne ne sorte après l'Instruction, ou après l'elevation du Corps de J.-C. ; mais que tous attendent jusqu'à ce que le Prêtre ait beni le peuple, à peine de tomber dans l'excommunication. Et afin de prévenir tout ce qui pourroit éloigner les fidéles de l'observation d'une loy si salutaire, les curés ne changeront jamais l'heure de la messe paroissiale...

Rouen 1739, 1771
Arras 1757. Bayeux 1744. Beauvais 1783. Coutances 1744, 1777
Évreux 1741. Lisieux 1744. Lodève 1744. Sées 1744. Senlis 1764
[Rouen 1739 : Nicolas de Saulx-Tavanes]
[Prône dominical]

2920 **Rouen 1739** p. 366-368

Et afin que vous n'oubliez pas les véritez de la foy, nous allons vous lire un abregé de ce que vous devez croire, de ce que vous devez demander et de ce que vous devez faire pour être sauvez.

I. **Ce que vous devez croire** est contenu dans le Symbole des Apôtres[154]. *Je crois en Dieu...*

Vous êtes aussi obligez de sçavoir que J. C. a institué dans son Eglise sept **Sacremens** pour la sanctification des fidèles, le Batême, la Confir-

---

[154] Que nous allons réciter : pendant que nous le reciterons formez-en de nouveau un Acte de foi dans vos coeurs] *add.* Rouen 1771.

mation, l'Eucharistie, la Pénitence, l'Extrême-Onction, l'Ordre, et le Mariage. ...[155]

II. **Ce que vous devez demander à Dieu** est renfermé dans la divine prière que Notre Seigneur nous a apprise dans l'Evangile, et que l'Eglise, pour ce sujet, apelle *l'Oraison dominicale. Notre Pere,* ...

Nous joindrons à l'Oraison dominicale la Salutation angélique, dont l'Eglise se sert pour remercier Dieu du mistere [sic] de l'Incarnation ; pour honorer et féliciter la sainte Vierge, dans le sein de laquelle ce mistere a été accompli, et pour demander son intercession auprès de son Fils. *Je vous saluë Marie…*

III. **Ce que vous devez faire** est d'aimer Dieu de tout votre cœur, de tout votre esprit, de toute votre ame, et de toutes vos forces ; et d'aimer votre prochain comme vous-mêmes. Ces deux commandemens de J. C. renferment les dix commandements de la Loi que Dieu donna à Moïse, dont nous allons faire la lecture.

1. *Un seul Dieu tu adoreras…*

Dieu ne veut pas seulement qu'on lui obéïsse ; il veut encore qu'on obéïsse à son Eglise, suivant ces paroles de J.-C., qui dit dans l'Evangile : Si quelqu'un n'écoute pas l'Eglise, qu'il soit à votre égard comme un Payen et un Publicain. C'est pourquoi vous aprendrez et vous aurez soin de garder les Commandemens de l'Eglise, dont nous vous allons faire la lecture.

1. *Les fêtes tu sanctifieras…*

[**Conclusion**]

Nous vous avons exposé, mes frères, ce que vous devez croire, ce que vous devez demander à Dieu, et la manière de le prier ; nous vous avons rappelé dans la mémoire les principaux articles de votre foi, et instruits de vos devoirs essentiels ; profitez de ces instructions abrégées, pour vous et aussi pour vos enfans et domestiques, en un mot pour tous ceux dont vous êtes chargez.

Nous allons vous lire l'Epître et l'Evangile de ce jour.

Tunc leget Epistolam et Evangelium Dominicae linguâ vulgari ; et alterutrius brevet faciet explicationem…

Lodève 1744

[Jean-Georges de Souillac]
[Prône dominical]

P2920bis **Lodève 1744 p. 399-401 [Enseignement sur Dieu et sur le Christ]**

Mais avant de reciter le Symbole et offrir les priéres accoûtumées, 1°. rappelons nous vivement et religieusement l'idée de cette Majestée

---

[155] Voir volume II/6 : *Prônes dominicaux. Présentation des Sacrements.*

infinie, de ce Dieu infiniment grand, infiniment puissant, infiniment juste, infiniment saint, infiniment bon, qui a créé toutes choses, qui les conserve pour sa gloire, qui est tout et qui fait tout en tous; que les Anges louent, que les Dominations adorent, et devant lequel les Trônes se prosternent en tremblant, que toute la sainte societé du Ciel dans des transports éternels de joie proclame trois fois: Saint, saint, saint, saint le Seigneur, le Dieu des Armées, les Cieux et la terre sont pleins de sa gloire.

Tel est le Dieu que vous adorez, qui vous a créés pour l'aimer, le servir et le posseder comme votre souverain bien.

Mais depuis le péché du premier homme tous les enfans naissent pécheurs ennemis de Dieu, enfans de colere dit l'Apôtre, et ils n'auroient aucun accès à son Trône, si le Verbe Eternel par un excès d'amour incomprehensible n'avoit daigné s'incarner, se faire homme, mourir pour la satisfaction qu'ils devoient à Dieu, et dont ils ne pouvoient s'acquiter.

C'est donc uniquement en considération des mérites infinis de cet homme Dieu, qui est J.-C. notre Seigneur, que nous pouvons nous presenter au Pere, le prier, et en être exaucés: il est par conséquent nécessaire d'en avoir une connoissance distincte et aussi étendue que nous pouvons l'avoir, chacun selon le caractere de notre esprit, et selon l'état où la Providence nous a placés.

Le Verbe s'est fait chair, et il a habité parmi nous, et nous avons vû sa gloire, la gloire du Fils unique du Pere plein de grace et de verité.

Le Verbe s'est fait chair, c'est-à-dire, homme, ayant un corps et une ame.

Il a pris ce corps dans le sein de la Vierge Marie par l'opération du saint Esprit, c'est ce qu'on appelle l'incarnation du Verbe. Pour en rappeller aux fidéles le souvenir et la reconnoissance, on sonne l'*Ave Maria* à trois différentes heures du jour; et en redisant ces paroles de l'Ange, annonçant à Marie ce Mystére, il faut être pénétré d'admiration et d'amour, et dire en soi-même: Dieu a aimé le monde jusqu'à lui donner son propre Fils unique, afin que quiconque croira en lui, ne périsse point, mais qu'il ait la vie éternelle.

Le Verbe a habité parmi nous: il est né comme l'un d'entre nous, mais plus pauvre, plus dénué de toute commodité, privé du nécessaire.

Il a vêcu au milieu des Juifs dans l'humilité, la patience, la charité, le zéle ardent de leur salut, guérissant leurs malades, convertissant les pécheurs, instruisant les pauvres et les petits, préparant ses Disciples aux fonctions de l'Apostolat et à la réformation de l'univers.

Il a souffert parce qu'il l'a voulu; il a sacrifié à Dieu la nature humaine qu'il s'est unie; il a réparé par cette obéissance volontaire, qui est d'un prix infini, parce qu'il est Dieu, la désobéissance du premier homme, et il est devenu la cause du salut éternel : il a reconcilié les hommes avec Dieu.

Les Sacremens, dans lesquels il applique ses mérites infinis, sont des effets de sa passion et de sa mort, et en tirent toute leur vertu.

Nous avons vû sa gloire, c'est-à-dire, sa résurrection, suivie de son Ascension dans le Ciel, dans lequel il est assis à la droite du Pere, en qualité de notre Pontife et de notre Médiateur ; par qui seul nous avons accès auprès de Dieu. Nous lui adressons nos priéres, nos adorations, nos actions de grace, qui a reçu un nom au-dessus de tout nom, n'y en ayant point d'autre par la vertu duquel nous puissions être sauvés, parce que toute puissance lui a été donnée dans le Ciel et sur la terre ; qu'il est enfin l'Auteur et le Consommateur de notre salut.

C'est par lui que les Bienheureux et la sainte Vierge Marie voient Dieu ; c'est par sa charité qui coule en eux comme dans les membres de ce divin chef, qu'ils s'intéressent pour nous ; c'est par lui qu'ils prient pour nous, et qu'ils sont exaucés : et quoiqu'ils veuillent notre bien, ils le veulent moins que J.-C., parce qu'ils n'ont qu'une portion de cette charité dont il est la source et la plénitude.

Lorsque les desseins de Dieu seront remplis, les siécles finiront : alors il viendra sur les nuées plein de majesté, juger les vivans et les morts ; les tombeaux s'ouvriront au son de la trompette, tous comparoîtront au jugement universel, et chacun y recevra selon ses oeuvres. Il dira aux bons : Venez, bénis de mon pere, possedez le royaume qui vous a été préparé dès le commencement du monde ; et aux mauvais : Allez, maudits, au feu éternel qui a été préparé pour le diable et pour ses complices : les uns iront dans la vie, et les autres dans la mort éternelle. J.-C. nous a avertis que ce jour si terrible surprendroit les pécheurs, comme le filet du chasseur surprend les oiseaux : il nous crie sans cesse : Veillez, priez, préparez-vous, soyez prêts, c'est la seule chose nécessaire ; cherchez premierement le Royaume de Dieu et sa justice ; ne vous inquietez point sur les choses terrestres, votre pere celeste y pourvoira.

C'est pour nous mettre en état de suivre ces salutaires enseignemens qu'il nous a introduits dans l'Eglise Catholique par le Batême, et faits enfans de Dieu ; qu'il nous confirme dans la foi, dans l'espérance et dans la charité par l'effusion du Saint-Esprit qu'il envoya à ses Apôtres pour fonder cette Eglise hors laquelle il n'y a point de salut, et dans laquelle réside la rémission des péchés, la communion des Saints, et dont l'unité, la vérité et la sainteté seront parfaitement consommées dans la vie éternelle.

Ces vérités fondamentales et si dignes d'être méditées sont abregées dans le Symbole des Apôtres que nous allons réciter avec vous.

p. 401-403 Et afin que vous n'oubliez pas les véritez de la foy, nous allons vous lire un abregé de ce que vous devez croire, de ce que vous devez demander et de ce que vous devez faire pour être sauvez.
I. Ce que vous devez croire... (P2920)

Boulogne 1750, 1780
Amiens 1784

Voir Blois 1730.

Belley 1759

[Jean-Antoine Tinseau]
Avis de Monseigneur Jean-Ant. Tinseau, Évêque de Belley, à Messieurs les Curés et Vicaires de son Diocése. Sur le Prône

Belley 1759 p. 1-26
p. 1 Il n'y a point d'instruction plus utile aux peuples, que celle qui leur est donnée dans le Prône...
p. 5 Le vrai caractère du Prône, est de tenir un juste milieu entre la Prédication qui n'est que pour les personnes éclairées, et le Catéchisme qui s'adresse principalement aux enfans et aux commençans : c'est une nourriture commune à tous les Fidéles, que l'Eglise oblige indistinctement d'y assister. ...
p. 12 Il n'est pas aisé de fixer une méthode générale pour les instructions du Prône...
La premiere est d'expliquer l'Epître ou l'Evangile du jour, en prenant occasion de la doctrine qui y est contenuë, pour instruire les Fidéles des véritez que les circonstances feront juger leur devoir être plus nécessaires. Cette méthode, qu'on emploie avec succès en plusieurs paroisses des villes, ne seroit peut-être pas aussi aisée à soûtenir dans les campagnes.
La seconde consiste à suivre par ordre et consequemment les principaux abregés de la foi et de la morale chrétienne ; sçavoir, le Symbole des Apôtres, l'Oraison dominicale, les Commandemens de Dieu et de l'Eglise, et les Sacremens, prenant à part chacun de ces abregés, et traitant chaque article en un ou plusieurs Prônes, sans interruption, jusqu'à ce qu'il soit entièrement épuisé. C'est celle qu'a suivi le Catéchisme romain, publié à l'usage des Pasteurs par le saint Père Pie V, ensuite des ordres du Concile de Trente. ...
p. 14 Il est très important de rappeler souvent aux Peuples les premières véritez du Christianisme, telles que sont la puissance et la bonté

infinies de Dieu ; la naissance et la passion de notre-Seigneur ; l'incertitude de la mort, et la rigueur du jugement, suivi d'une éternité de supplices ou de récompense ; la nécessité de la prière et de la conversion du cœur ; les avantages de la patience ; les devoirs mutuels des parens et de leurs enfans.

p. 16 Les peuples de la campagne sont portés assez communément à la piété ; mais peu capables de discerner la vraie de la fausse, parce qu'ils n'en jugent guères que par l'écorce, l'extérieur, le merveilleux… on entreprendroit en vain de détruire ce penchant, mais on peut et on doit travailler à le réformer, et à le faire servir à leur avantage spirituel. … les mêmes causes qui exposent les peuples à s'égarer, serviront à les ramener, si on sçait en faire usage ; si on a soin d'opposer à ces dévotions sans aveu, des exercices vraiment chrétiens… tels sont l'adoration perpétuelle du très-saint Sacrement, les conférences de piété, les prières en commun, la Confrérie de la Doctrine chrétienne…

p. 23 L'intention de l'Eglise est que le Prône se fasse en chaque Paroisse au moins tous les Dimanches, et les jours de fêtes solemnelles. …

p. 24 Comme nous n'entendons obliger étroitement les Curés et Vicaires qu'à un Prône chaque semaine, s'il arrive hors du Dimanche quelque Fête solemnelle où le Curé ne donne pas d'instruction particulière, il annoncera la première formule. …

Dans les saisons des récoltes ; sçavoir, depuis le 15 juillet jusqu'au 15 août, et depuis le premier octobre jusqu'au premier novembre exclusivement, les Curés pourront se contenter d'annoncer, chaque Dimanche et Fête à l'alternative, les deux formules de Prône, si les nécessités de leurs Paroisses ne l'exigent pas autrement. …

Belley 1759
[Jean-Antoine Tinseau]
Prône

P2922 **Belley 1759**
p. 28-30 L'Eglise vous assemble aussi pour être instruits des vérités de la Foi que vous devez sçavoir, et des devoirs du Christianisme que vous êtes obligés de remplir.

Tout fidéle chrétien, qui est parvenu à l'âge de raison, est obligé, sous peine de damnation, de connoître les vérités nécessaires au salut, et de les croire ; sçavoir, qu'il n'y a qu'un seul Dieu éternel et tout-puissant, qui a créé le Ciel et la terre, et tout ce qu'ils contiennent ; qu'il y a trois Personnes en Dieu, le Père, le Fils, et le Saint-Esprit ; que la seconde Personne

de la Sainte Trinité notre-Seigneur J.-C., s'est fait homme pour nous sauver, et qu'il est mort sur la Croix pour effacer nos péchés; qu'il y a un Paradis où les bons jouiront, après leur mort, d'un bonheur éternel; et un Enfer où les méchans seront tourmentés aussi durant toute l'éternité. …
La Foi nous enseigne entr'autres, que Dieu est notre fin dernière, et le seul bien qui peut nous rendre parfaitement heureux durant toute l'éternité. C'est le bonheur inestimable que la miséricorde de Dieu nous promet par les merites de notre Sauveur J.-C. …

Périgueux 1763
Prône plus court

Voir Périgueux 1680 (P2896).

Soissons 1778
[Henri-Joseph-Claude de Bourdeilles]
Abrégé de la Doctrine chrétienne
[Catéchisme]

Catéchisme spécialement développé puisque formant près d'un tiers du *Manuel* de Soissons.

2923 Soissons 1778 p. 189-272
p. 189 **Introduction.**
De toutes les Sciences, la plus nécessaire à l'homme étant celle du Salut, il est de la plus grande importance pour lui de prendre les moyens de s'en instruire. Ceux qui négligent de le faire, méritent la damnation éternelle. Or, un des moyens propres à se la procurer, cette Science, c'est l'étude de la Doctrine chrétienne; Doctrine qui nous vient de J. C., que les Apôtres ont prêchée, et que l'Eglise nous enseigne. Les différentes parties qui composent le corps de cette sainte Doctrine, sont 1.° les Verités qu'il faut croire. 2.° Les Vertus qu'il faut pratiquer. 3.° Les Péchés qu'il faut éviter. 4.° Les Sacremens qu'il faut recevoir. 5.° Les Graces qu'il faut demander, et la Priere par laquelle on les demande.

p. 190-214 I. **Des Vérités de la Religion.**
I. *De la qualité du Chrétien.* Dieu, par un effet de son infinie bonté, a daigné nous appeler d'une maniere particuliere à la connoissance de son Saint Nom, en nous faisant Chrétiens. Ce n'est que par sa grace que nous le sommes. Un Chrétien est celui qui, étant baptisé, professe la doctrine de J.-C.; et professer cette sainte doctrine, c'est croire ferme-

ment tout ce que cet adorable Sauveur a enseigné à son Eglise, et pratiquer fidélement tout ce qu'il a ordonné. Une des marques auxquelles on distingue le Chrétien, est le signe de la Croix...

II. *De Dieu.* Il y a un Dieu. Dieu est un Esprit infiniment parfait, le créateur et le maître absolu de toutes choses. Dieu est un Esprit : il n'a ni corps, ni couleur, ni figure, il ne peut tomber sous les sens. Dieu est infiniment parfait : il posséde toutes les perfections et ses perfections n'ont point de bornes. Ainsi, il n'y a qu'un Dieu, et il ne peut même y en avoir plusieurs, car s'il y en avoit plusieurs, aucun d'eux ne seroit infiniment parfait. On donne à Dieu le titre de Créateur, parce que Dieu a fait de rien le Ciel, la Terre, tout ce qu'ils renferment, et particulierement les Anges et les Hommes. Tout ce qui est, tient de lui son existence ; c'est lui qui a créé chacun de nous, pour le connoître, l'aimer, le servir, et par ce moyen parvenir à la vie éternelle. A lui seul appartient la puissance de faire de rien quelque chose, ou de créer. Il se l'est réservé toute entiere, et ne l'a communiqué à aucune des créatures qu'il a formées. La création de l'univers est un acte de sa volonté toute-puissante. Avant la création, rien n'existoit, excepté Dieu : il n'avoit nullement besoin du monde quand il le créa : étant souverainement parfait, il se suffit à lui-même. Créateur de toutes choses, il en est encore le maître absolu ; et en cette qualité, il en dispose selon sa toute-puissance et sa sainte volonté.

III. *Des perfections de Dieu.* Dieu est infini en perfections, et chacune de ses perfections est infinie. Trop bornés dans nos idées et dans nos expressions, soit pour les comprendre, soit pour les détailler toutes, arrêtons-nous à quelques-unes que voici : Dieu est éternel, indépendant, immuable ; infini en sainteté, en justice, en bonté, en miséricorde ; il voit tout, il pourvoit à tout, il est présent par-tout. ...

IV. *Des Anges.* L'ouvrage le plus parfait qui soit sorti des mains du Créateur, ce sont les Anges, ces purs Esprits, qu'il a créés pour exécuter ses ordres. L'état dans lequel ils ont été créés, est un état de grace et de sainteté. État de grace dans lequel tous ne se sont pas maintenus : tandis que les uns y ont persévéré, les autres en sont déchus par leur orgueil. Ceux qui ont persévéré se nomment les bons Anges ou simplement les Anges. Leur état est d'être éternellement heureux, en jouissant de la vue de Dieu, et leur occupation, de le louer sans cesse et d'exécuter ses ordres. ... Il en est qui prenent soin de nous ; et c'est pour cette raison que nous les appellons nos Anges Gardiens. ...

Quant aux Anges qui sont tombés par leur orgueil, et qu'on nomme les mauvais Anges ou les Démons, leur punition a suivi de près leur révolte. A peine eurent-ils péché, qu'ils furent chassés du Ciel et précipités dans les enfers, où ils souffrent des supplices éternels, et où ils sont destinés à tourmenter les damnés. Ils ne sont pas néanmoins tellement enchaînés dans ce gouffre d'horreur, que l'homme n'ait rien à redouter de leur malice et de leur rage… Mais Dieu qui n'abandonne jamais ceux qui mettent en lui leur confiance, nous fournit des moyens pour résister à leurs tentations, et pour en triompher. Ces moyens sont la priere et la vigilance. …

V. *De la création de l'homme et de sa chûte.* Après les Anges, la plus noble des productions de la toute-puissance de Dieu, c'est l'homme ; qui est une créature raisonnable, composée d'un corps et d'une ame : l'excellence de notre ame consiste en ce que Dieu l'a créée à son image et à sa ressemblance, puisque comme lui, elle est un esprit immortel, capable de connoître et d'aimer. Le premier homme et la premiere femme que Dieu a créés, sont Adam et Eve, nos premiers parens. C'est d'un peu de terre que Dieu a formé le corps d'Adam, et c'est d'une côte d'Adam qu'il a formé le corps d'Eve… Il n'en est pas ainsi de l'ame… il l'a tirée du néant, et l'a ensuite unie au corps de l'homme. C'est dans un état de justice et d'innocence qu'Adam et Eve furent créés : mais par leur faute, ils ne tarderent pas à se priver de ces précieux avantages… Ce péché dont naissent coupables tous les hommes, s'appelle le Péché Originel. Les principaux effets de ce péché sont 1.° L'ignorance de Dieu et de nos devoirs. 2.° La concupiscence, c'est-à-dire, l'inclination que nous avons au mal. 3.° Les peines de cette vie et la mort. 4.° La damnation éternelle pour tous ceux à qui ce péché n'a pas été remis. Cependant… notre liberté… n'a pas été détruite… nous sommes libres de faire le bien ou le mal, même depuis le Péché Originel.

VI. *Des Mysteres en général, et du Symbole des Apotres.* Un Mystere est une vérité que nous ne pouvons pas comprendre, et que nous devons néanmoins croire, parce que Dieu l'a révélée. Les principaux Mysteres de notre sainte Religion sont, le Mystere de la Sainte Trinité, le Mystere de l'Incarnation, et le Mystere de la Redemption. … Ces Mysteres sont contenus dans le Symbole des Apôtres, ainsi appellé parce qu'il est une profession de foi qui nous vient des Apôtres, et qui renferme en abrégé les principales vérités de la Religion Chrétienne. Le voici. *Je crois en Dieu… Credo in Deum…*

VII. *Du Mystere de la Sainte Trinité.* Le premier des trois principaux mysteres de notre sainte Religion, est le mystere d'un seul Dieu en trois Personnes, le Pere, le Fils, et le Saint Esprit, c'est ce qu'on appelle le Mystere de la Sainte Trinité. Le Pere est Dieu, le Fils est Dieu, le

Saint-Esprit est Dieu : cependant le Pere, le Fils, et le Saint-Esprit ne sont pas trois Dieux, mais trois Personnes qui ne sont qu'un seul Dieu, parce qu'elles ont toutes trois la même nature et la même divinité... La premiere de ces trois Personnes s'appelle le Pere, parce que de toute éternité le Pere engendre un Fils qui a une parfaite égalité avec lui. La génération passive est propre et particuliere au Fils, et ne peut s'attribuer au Saint-Esprit qui n'est point engendré, mais qui procéde du Pere et du Fils. ...

VIII. *Du Mystere de l'Incarnation*. ... ce Mystere consiste en ce que le Fils de Dieu s'est fait homme, c'est-à-dire qu'il a pris un corps et une ame semblables aux notres, pour nous racheter de l'esclavage, où nous avoit réduit le péché, et des peines de l'enfer que nous avions méritées. ... Le Fils de Dieu fait homme s'appelle Jesus-Christ... Jesus signifie Sauveur... Le mot Christ signifie Oint ou Sacré. ...

IX. *Du Mystere de la Rédemption*. La Rédemption... est le Mystere de J.-C. mort en croix pour nous racheter. ...

X. *De la Résurrection, et de l'Ascension de J.-C.* ...

XI. *Du Saint-Esprit, et de l'Église*. Il y a en Dieu une troisieme Personne qui s'appelle le Saint-Esprit. Ce que nous devons croire de ce divin Esprit, c'est qu'il procede du Pere et du Fils, qu'il a avec eux une même nature et une même divinité, et qu'il a été envoyé par J.-C. aux Apôtres... le jour de la Pentecôte.

... Il faut de plus croire la Sainte Eglise Catholique... Une... Sainte... Catholique... Apostolique...

XII. *La Communion des Saints, la rémission des péchés, la résurrection de la chair, et la vie éternelle.*

... les fideles de tous les temps et de tous les lieux étant freres et membres d'un même corps qui est l'Église, tous les biens spirituels de cette Église, c'est-à-dire, les mérites de J.-C. et de tous les Saints, les Sacremens, les Indulgences, les prieres et les bonnes Oeuvres sont communs entr'eux. ... Par la vie éternelle, on entend que la résurrection générale sera suivie d'une vie qui ne finira jamais ; vie qui sera infiniment heureuse pour les bons, et infiniment malheureuse pour les méchans.

XIII. *Des Fins dernieres de l'homme*. Les Fins dernieres de l'homme sont la Mort, le Jugement, le Paradis et l'Enfer. ...

XIV. *Du Jugement particulier et général, et du Paradis*. Notre corps est sujet à la mort, mais il n'en est pas de même de notre ame ; elle ne mourra jamais. Dieu l'a créée pour être immortelle. Après notre mort notre ame sera citée au tribunal de Dieu...

XV. *De l'Enfer*. ...XVI. *Du Purgatoire et des Indulgences*. ... XVII. *De l'Écriture Sainte et de la Tradition*. ...

p. 214-234 II. **Des Vertus.**
I. *Des Vertus en général, et en particulier de la Foi.* II. *De l'Espérance et de la Charité.*
III. *Des Vertus morales.* Il y a quatre principales Vertus Morales, qui sont la Prudence, la Force, la Justice et la Tempérance. ...
IV. *Du premier Commandement de Dieu.* ... XIII. *Du huitieme Commandement de Dieu.* XIV. *Des Commandemens de l'Eglise.* XV. *Suite des Commandemens de l'Eglise.*

p. 235-242 III. **Des Péchés**[156].

p. 243-263 IV. **Des Sacremens.**
I. *Des Sacremens en général.* II. *Du Baptême.* III. *De la Confirmation.* IV. *Suite de la Confirmation.* V. *De la Pénitence.* VI. *Des Qualités de la Contrition*[157]. VII. *De la Confession.* VIII. *De la Satisfaction.* IX. *Des OEuvres de Pénitence.* X. *De l'Eucharistie.* XI. *De la Sainte Messe.* XII. *De la Communion.* XIII. *De l'Extrême-Onction.* XIV. *De l'Ordre et du Mariage.*

p. 263-272 V. **De la Grace et de la Priere.**
I. *De la Grace.* La Grace est un don surnaturel que Dieu nous fait par sa pure bonté, en vue des mérites de J.-C., pour nous faire opérer notre salut. Il faut distinguer deux sortes de Graces; savoir, la Grace habituelle ou sanctifiante, et la Grace actuelle. ...
II. *De la Priere.* La priere est une élévation de notre ame à Dieu, pour lui exposer nos besoins et lui demander ses graces. Cette élévation de notre ame à Dieu peut se faire en cinq manieres : 1.° par l'adoration, 2.° par la louange, 3.° par le remerciement, 4.° par la demande, 5.° par l'offrande que nous lui faisons de nous-mêmes, ou de ce qui est à nous. Il y a deux sortes de Priere : la Priere de coeur et la Priere de bouche. La Priere de bouche ne suffit pas : elle ne peut être agréable à Dieu, qu'autant qu'elle est accompagnée des sentimens du coeur. ... La Priere... est un de nos devoirs les plus essentiels... Le temps que nous devons particuliérement y consacrer, est le matin après notre lever, le soir avant notre coucher, et lorsque nous assistons à la Messe ou aux autres Offices de l'Église. Il y a encore des occasions particulieres... par exemple, lorsque nous sommes tentés ou exposés à quelque péril lorsque nous sommes malades ou dans l'affliction; lorsque nous avons eu le malheur de tomber dans le péché; enfin lorsqu'il est question pour nous de quelqu'affaire importante, comme de choisir un état de vie.

---

[156] Voir *supra* Pénitence privée, Examens de conscience (P1417).
[157] Voir *supra* Pénitence privée, Instructions sur la Contrition (P1497).

III. *Du Pater, ou de l'Oraison Dominicale.* ... IV. *Suite du Pater.* ...
V. *De l'Ave Maria, ou de la Salutation Angélique.* ... VI. *Des Actions de la journée.* ...

Rituale romanum, Pauli V... iussu editum...
Avignon, 1780, 1782, 1783, 1784, 1802
[Catéchisme, prône dominical]

Voir Lyon 1644 (P2884).

3. Instructions et exhortations

Après le Concile de Trente, des évêques de plus en plus nombreux ajoutent dans leurs rituels des instructions accompagnées de références bibliques, patristiques, conciliaires, ainsi que des modèles d'exhortations donnant les explications nécessaires à la compréhension des différents sacrements.

Ces instructions deviennent parfois de véritables catéchismes, marqués par le souci d'expliquer la doctrine et la morale catholiques à une époque de lutte contre le protestantisme. A partir de la seconde moitié du XVIIe siècle, elles s'étoffent de plus en plus, au point de devenir parfois d'importants traités, et sont alors souvent le fait des rituels de tendance dite néo-gallicane.

A. Premières instructions

Toulouse 1526, 1538, 1553

[Toulouse 1526 : Jean d'Orléans]

P2923bis **Toulouse 1526 f. 64v-75v**

Les instructions toulousaines sur les sacrements et les funérailles, de caractère très pratique, sont regroupées à la fin du rituel ; elles citent Gerson une dizaine de fois pour le baptême et l'extrême-onction, Angelus de Clavasio six fois pour le baptême, l'extrême-onction et le mariage, Petrus Aureolus trois fois pour le baptême, le *Manipulus curatorum* de Guy de Montrocher deux fois pour l'extrême-onction, Guillaume Durand une fois pour la pénitence[158].

---

[158] Sur Angelus de Clavasio, Petrus Aureolus, Guy de Montrocher, Guillaume Durand, voir *infra* Auteurs cités, p. 1941-1942.

f. 64v-69v *Et ne aliquis presbyter ob defectum librorum in predictis sacramentis possit periclitari aliqua notabilia scripsimus a sacramento baptismi incipiendo.*
De sacramento baptismi. Sciendum est igitur, pretermissis prolixioribus questionibus, quod in baptismo requiruntur communiter quinque. Primum est persona baptisans sive minister baptismi. Secundum est intentio baptisantis sive minitri. Tertium est baptisanda. [Cas douteux : baptêmes d'enfants de mères en danger de mort ou mortes en accouchant, baptêmes sous condition d'enfants à moitié nés, fétus monstrueux...]
Quartum est, elementum sive materia cum qua fit baptismus. Quintum et ultimum : debita expressio forme verborum.
[Formule sacramentelle en langue vulgaire:] N. *Jo te baptismi en nom deu pay, et deu filh, et deu sant esperit. Amen.*
f. 69v **De confirmatione.** [Les adultes doivent se confesser avant de recevoir la confirmation, qui ne peut être renouvelée.]
f. 69v-70v **De sacramento eucharistie.** [Communion des malades et conservation des hosties.]
f. 71 **De penitentia.** [Pénitence solennelle donnée par l'évêque, pénitence publique pour les péchés publics, pénitence privée donnée par le prêtre de la paroisse, sauf à l'article de la mort.]
f. 71v-74 **De extrema unctione.** De ministro. De intentione administrantis. De materia. De forma. De locis in quibus debet fieri unctio. An extrema unctio possit iterari. Preparatio extreme unctionis.
f. 74-74v **De ordine.** Presbyter parrochialis provocet suos clericos ne recipiant ordines nisi a suo episcopo vel de eius licentia. ... Item ne recipiant ordines in peccato mortali...
f. 74v-75v **De matrimonio et bannis edendis.** De extraneis. De impedimentis. De tempore prohibito. De tempore contrahentium [âge minimum des contractants]. De sponsalibus [pas avant sept ans].
f. 75v **De sepulturis.** [Cas d'interdictions de sépultures religieuses]

Lyon 1542

[Hippolyte d'Este, cardinal de Ferrare]
Liber sacerdotalis secundum usum et consuetudinem prime Lugdunensis ecclesie

[Le rituel lyonnais de 1542 est le premier à inclure au début de chaque chapitre des instructions explicatives, empruntées ici au rituel romano-vénitien d'Alberto Castellano[159].]

P2924 **Lyon 1542**
f. 1-3 *Libri sacerdotalis... tractatus primus. De Baptismo.*
Baptismus ianua est et fundamentum omnium sacramentorum, ideo de eo primum nunc dicendum erit. Baptismus triplex invenitur. Flaminis, sanguinis, et fluminis...
Circa hoc sacramentum baptismi, septem sunt consyderanda: Institutio, scilicet, materia, forma, minister, persona baptizanda, ritus baptizandi, et effectus baptismi...

f. 6-7 *Libri sacerdotalis tractatus secundus. De Sacramento Matrimonii.*
Matrimonium est maris et femine coniunctio individuam vite consuetudinem retinens. Matrimonium solo consensu contrahitur viro videlicet in muliere, et muliere in virum consententibus. ...
Institutum autem fuit matrimonium in paradiso terrestri ante peccatum...
Tria sunt bona matrimonii, proles scilicet, ut charitative recipiant et religiose educent filios. Fides, ut cum alia persona non coeant. Sacramentum, ut nunquam nisi per mortem separentur. ...

f. 8-9 *Libri sacerdotalis tractatus tertius. De Sacramento Penitentie.*
Secunda tabula post naufragium est Penitentia... (P1328)

f. 13-13v *Libri sacerdotalis Tractatus quartus. De Sacramento Eucharistie.*
In sacramento eucharistie veraciter continentur corpus et sanguis, anima et divinitas, domini nostri I. C. sub speciebus panis et vini, quod sacramentum ab eodem dno nostro I. C. institutum est in memoriam sue sacratissime passionis. Istud est a solis sacerdotibus cum summa diligentia consecrandum, pari reverentia Christi colis dispensandum, et fideli custodia servandum[160].

---

[159] Sur Alberto Castellano, voir *supra* Bibliographie sélective – sources, p. 23.
[160] Un seul §, reproduisant le début du chapitre de Castellano sur l'eucharistie.

f. 15v-16 *Libri sacerdotalis Tractatus quintus. De sacramento Extreme unctionis.*

Sacramentum extreme unctionis inducit purgationem a peccatis. Est enim (ut dicit beatus Thomas) quedam spiritualis sanatio contra quamdam inhabilitatem, vel ineptitudinem, que in nobis remanserunt ex peccato actuali, vel originali. Confert etiam hoc sacramentum sanitatem corporis, remissionem peccatorum, diminutionem pene pro peccato debite, augmentum gratie, robur contra demonis insidias…

f. 47v *Libri sacerdotalis, Tractatus sextus. De Benedictionibus, que a sacerdote non episcopo fiunt.*

Quoniam princeps huius mundi diabolus hominum saluti et vite tam spirituali quam corporali invidens, multa rebus humano usui deputatis nociva adiuvenit (?), ut ipsis et spiritualiter et corporaliter noceret. Ecclesia instituit et ordinavit benedictiones rerum fieri in virtute Dei, ut inimici pravitas eradicetur, et fideles in bono statu et quiete conserventur. …

f. 62-69 *De modo et ordine celebrandi Missam. Tractatus septimus.*

Meaux 1546

[Jean de Buz]

De septem sacramentis ecclesie et eorum effectu

2925   Meaux 1546 f. +8-+8v
Christus verus amor sponse sacra munera liquit
Dignus amicitie nos sacramenta vocamus.
Hinc varie dotes, et gratia plurima menti.
Celitus inseritur, si quis modo sumpserit apte.
Ordo, primum sacramentum.
Ordine nanque [sic] sacro confertur sacra potestas.
Et fungare ministeriis Christo auspice sanctis.
Matrimonium. II sacramentum.
Munere coniugii nati hunc prodimus in orbem.
Usque adeo pulchri, pulcherrima portio mundi.
Baptismus. III
Munere baptismi longe felicius iidem.
Quam prius in te Christe renascimur atque novamur.
Confirmatio. IIII
Deinde in amore Dei nos confirmatio sacra
Constabilit, mentemque inuncto corpore durat.
Eucharistia. V

Mysticus ille cibus (Greci dixere synaxin)
Qui panis vinique palam sub imagine Christum
Ipsum presentem vere exhibet, intima nostri
Viscera, celesti saginat et educat esca.
Inque Deo reddit vegetos, et reddit adultos.
Penitentia. VI
Si quem forte Deo capitalis reddidit hostem
Noxia, continuo meteora medebitur illi.
Restituet lapsum, rescissaque federa rursum
Sarciet, offensi placabit numinis iram.
Commisi modo peniteat, pigeatque nocentem.
Isque volens peragat prescripta piamina culpe.
Unctio.
Unguinis extremi munus nos munit et armat.
Migrantemque animam per summa pericula, tuto
Transmittit patrie, et superis commendat euntem.

Verdun 1554

[Nicolas Psaulme]
Brevis instructio sacerdotum[161]

Cambrai 1562

[Maximilien de Berghes]
Brevis de septem sacramentis Ecclesiae Catholicae instructio pro sacris initiaturis.
Per… Max. à Bergis Episcopum… Cameracensem edita…[162]

P2926 **Cambrai 1562**
f. 2-2v **De Sacramentis in generale.** *Quid sacramentum? Sacramenta quibus constant? Unde virtus et efficacia sacramentorum. De numero sacramentorum.*

f. 3-6. **De Baptismo, et quid sit.** *De necessitate Baptismi. Quae parochi observare debent circa ministerium Baptismi. De ceremoniis Baptismi scitu necessariis brevis instructio.*

---

[161] Voir *supra* Aides-mémoire de la foi (P2855).
[162] Recueil d'instructions sur les sept sacrements et sur la messe relié à la suite du rituel de 1562. Instructions différentes de l'instruction *Pro simplicioribus sacerdotibus* en tête du rituel de Mayence 1551.

f. 6-8 **De sacramento Confirmationis.** *An hoc sacramentum sit ad salutem omnino necessarium. De materia Confirmationis. De forma... De effectu... De ministro.... De suscipientibus sacramentum Confirmationis. Quomodo suscipientes hoc sacramentum se gerere debeant. De virtute et efficacia huius Sacramenti.*

f. 8v-11 **De sacramento Poenitentiae.** *Quid Poenitentia. De materia sacramenti Poenitentiae. Quid contritio.* Contritio (ut definiunt Doctores) est dolor de peccatis praeteritis voluntarie assumptus ob Dei offensam... P1078.
Quid confessio. Quid satisfactio. Quo pacto sacerdos se gerere debet circa satisfactiones seu poenitentiales iniungendas. De fructu verae Poenitentiae. ... Primo mitigat iram Dei... Secundo operatur remissionem peccatorum... Tertio, hominem à captivitate satanae liberat... Quarto, peccatorem gratiae Dei restituit... Quinto, regnum coelorum peccatori aperit...

f. 11-13v **De sacramento Eucharistiae.** *De veritate corporis Christi contenti in sacramento Eucharistiae. De materia huius sacramenti. De forma huius sacramenti. De multiplici effectu huius sacramenti. De ministro huius sacramenti. Quae debet sacerdos observare circa hoc tam venerabile sacramentum.*

f. 13v-14 **Speculum sacerdotum celebrare volentium è Missali extractum**[163].

f. 14v-25v **Sequitur pia atque succincta canonis Missae, expositio, vetustate, religione et eruditione commendabilis, venerabilis D. Odonis, quondam Ecclesiae Cameracensis Episcopi**[164].

f. 26-28 **De sacramento Ordinis.** *Quid ordo. Quot sunt ordines? De materia huius sacramenti. De forma. De effectu. Quo pacto se gerere debeant ordinandi.*

f. 28v-30 **De sacramento Matrimonii.**
Matrimonium à Deo ab initio cum adhuc primi nostri parentes in statu essent innocentiae institutum...[165]

f. 30v-32 **De sacramento Extremae unctionis.** *Quid sacramentum Extremae Unctionis? Materia. Forma. Effectus. Minister. Quaedam notanda circa hoc sacramentum.*

---

[163] *Speculum* reproduisant celui de l'édition du rituel de Cambrai 1503 f. A1v.
[164] Probablement le bienheureux Odo (Odoardus), évêque de Cambrai de 1105 à 1113.
[165] Voir volume II/2 : *Mariage*. Choix d'instructions.

Vienne 1578, 1587

[Pierre IV de Villars]

De Sacramentorum numero, differentia, vi, et effectu, ex Concilio Florentino[166]

P2927 **Vienne 1578 p. 1-11**

p. 1 **Novae legis septem sunt Sacramenta**: scilicet Baptismus, Confirmatio, Eucharistia, Poenitentia, Extrema unctio, Ordo et Matrimonium: quae multum à Sacramentis differunt antiquae legis. Illa enim non causabant gratiam; sed eam solum per passionem Christi dandam figurabant; haec vero nostra et continent gratiam, et ipsam dignè suscipientibus conferunt. Horum quinque prima ad spiritualem uniuscuiusque hominis in seipso perfectionem; duo ultima ad totius Ecclesiae regimen, multiplicationemque ordinata sunt. Per **Baptismum** enim spiritualiter renascimur; per **Confirmationem** augemur in gratia, et roboramur in fide; renati autem et roborati nutrimur divina **Eucharistiae** alimonia. Quod si per peccatum aegritudinem incurrimus animae, per **poenitentiam** spiritualiter sanamur. Spiritualiter etiam et corporaliter (prout anima expedit) per **extremam unctionem**. Per **ordinem** vero Ecclesia gubernatur, et multiplicatur spiritualiter; Per **matrimonium** corporaliter augetur. Haec omnia sacramenta tribus perficiuntur, videlicet rebus tanquam materia, verbis tanquam forma, et persona ministri conferentis sacramentum, cum intentione faciendi quod facit Ecclesia. Quorum si aliquod desit, non perficitur sacramentum. ...

... Primum omnium sacramentorum locum tenet **Baptismus**, quod vitae spiritualis ianua est: per ipsum enim membra Christi, ac de corpore efficimur Ecclesiae, et cum per primum hominem mors introierit in universo, nisi ex aqua et Spiritu sancto renascimur, non possumus (ut inquot veritas) in regnum coelorum introire. ...

p. 5 Quartum Sacramentum est **Poenitentia**: cuius quasi materia sunt, actus poenitentis, qui in tres distinguntur partes. Quarum prima est cordis contritio, ad quam pertinet, ut doleat de peccato commisso, cum proposito non peccandi de caetero. Secunda est oris confessio, ad quam pertinet, ut peccator omnia peccata, quorum memoriam habet, suo sacerdoti confiteatur integraliter. Tertia est satisfactio pro peccatis, secundum arbitrium sacerdotis, quae quidem praecipue fit per orationem, ieiunium, elemosynam. ...

p. 11 Postremo advertendum est, quod existens in peccato mortali, si aliquod Sacramentum ministrare vel suscipere saltem solemniter prae-

---

[166] Concile de Florence, sessio VIII, 22 nov. 1439.

sumat, peccat mortaliter, nisi de eo veram contritionem habuerit, cum proposito confitendi, quod quamvis sufficere possit, quo ad alia sacramenta, tamen ad celebrationem, aut communionem, praeter contritionem, confessio peccati requiritur, sin confessarii copiam habuerit.

Chartres 1580
[Nicolas de Thou]

27bis **Chartres 1580**

[Premières instructions en français, très détaillées.]
f. 1-7v *Des Sacrements*.

… D'où provient l'efficace des Sacremens; Si la grace y est egale; Comment ils operent en l'ame qui est invisible; Qui sont les necessaires? Qui sont les volontaires? Qui sont ceux de dignité? Que l'homme peult estre sauvé sans percevoir les sacremens de l'Eglise. …

f. 8-43v *Du Baptesme*.

… Pourquoy Jesus Christ a esté baptizé, puisqu'il n'estoit en rien souillé; En quel temps se doit faire le Baptesme; Que le Baptesme ne se doit differer jusques à l'extremité de la vie; De la forme observée en l'Eglise latine; De la forme observée par les Grecs; Pourquoy le Baptesme se faict au nom singulier des personnes de la Trinité; Si les heretiques peuvent baptizer; Si le Baptesme des enfans est necessaire; Si l'enfant mourant au ventre de la mere sans Baptesme, est saulvé; Si l'on peult contraindre les personnes à recevoir le Baptesme; Si apres la reception du Baptesme, l'on est constrainct de l'observer; Si les enfans procreez des Chrestiens doivent estre baptizez; Quel est l'effect du Baptesme (L'effet du baptême est la mort du peché y expié, tant à l'egard des petits enfans, que personnes adultes: ainsi que l'eau de sa naturelle proprieté estaint le feu materiel, et nettoye toute externe souilleure. Quant aux petits enfans, qui n'ont volontairement forfaict, ains seulement attiré contagion de la vicieuse tige d'Adam, la coulpe originelle est abolie: et d'enfans d'ire [de colère] sont adoptez de Dieu, et faicts enfans de grace…)[167]; Si sans le baptesme l'on peut estre sauvé; De la charge des parrains…

f. 43v *Injonction aux Curez*.

Nous enjoignons aux Curez de nostre diocese, de garder religieusement lesdictes ceremonies, car encor qu'elles ne soyent requises à la substance du Baptesme, il est toutesfois necessaire (pour le salut des

---

[167] Chartres 1580 f. 20.

fidelles) de ne mespriser arrogamment, ce que de l'inspiration du sainct Esprit, l'Eglise commande, et y a tousjours esté du commun consentement du peuple chrestien receu, et par usage perpetuel constamment approuvé de tout temps. ...

 f. 65-100v *De l'Eucharistie.*

 ... Par qui et à quelle fin elle a esté instituée ; Comment il appert que ce soit sacrement ; Ce qu'est contenu en ce sacrement soubs lesdictes especes de pain et de vin ; Comme J. C. ... peut estre en ce Sacrement (Il est au ciel visiblement en gloire, à la dextre de Dieu son père : et invisiblement au sainct Sacrement de l'Autel, par une maniere sacramentelle, miraculeuse, incomprehensible, et surnaturelle, estant la verité de son corps et sang cachée, et voilée souz les especes de pain, et vin, apres la consecration faite en la vertu de sa divine parole. Comme il est aussi par grace, au milieu de nous en terre, et y sera jusques à la consommation du siecle...[168])

 ... S'il [J. C.] a plusieurs corps, puisqu'il sied au ciel : et neantmoins est realement au sacrement de l'Autel ; Si le corps de Jesus Christ est de nouvel creé en la consecration ; Des manieres de communier ; Comment il s'y faut preparer ; De la puissance de Jesus Christ en ce Sacrement ...

 ... De l'Eucharistie, en tant qu'elle est prise pour Sacrifice ; Que c'est que Messe ; Si Jesus Christ a pas suffisamment satisfaict en croix pour l'expiation de nos pechez, sans qu'il soit besoin d'autre sacrifice et oblation ; S'il se peut faire externe adoration à l'Hostie, en ceste oblation sans idolatrie ...

 f. 87 *Injonction aux Curez.*

 A ce que chacun puisse recueillir plus grand fruict de ce singulier sacrifice, enjoignons aux Curez de nostre Diocese, d'exhorter en leurs prosnes, et predications, le peuple de communier sacramentellement le plus souvent que faire ce [sic] pourra, avec espreuve et bonne disposition de leurs consciences : à tout le moins és jours ordonnez par les saincts decrets de l'Eglise. ...

 f. 136-148v *Du Mariage.*

 ... Des fiançailles ; De la definition de Mariage (Mariage est une conjonction maritale de l'homme et de la femme entre personnes legitimes, retenant conversation et maniere de vivre inseparables. Ceste naturelle association se fait non en mesme sexe, ains en divers, et se

---

[168] Chartres 1580 f. 70.

doit religieusement observer en toute saincteté, sans en abuser...[169] ... De la dignité du Mariage ; Des biens du Mariage ; Du Sacrement ; Comment se faut comporter en l'estat de Mariage[170]...

Chartres 1581

[Nicolas de Thou]

De Sacramentis in genere

P2928 **Chartres 1581 f. 1-2v**

[Premier rituel donnant des références au concile de Trente]

Sacramenta sunt signa visibilia invisibilis gratie, quam Deus efficaciter operatur in eis, modo rite sumantur et digne.

A quo instituta sunt ? A Deo per Christum (à cuius latere in cruce pendentis lancea percusso) effluxerunt. [Référence marginale : Aug[ustinus], tractatus 15. in cap. Johannis 4.]

Quare instituta sunt ? Ut sciremus per legitimum eorum usum, sue passionis fructum certo nobis applicari.

Que est eorum efficacia ? Per ea omnis vera iustitia vel incipit, vel cepta augetur, vel amissa reparatur. [Référence marginale : ex concil. Trid. decret. De sacramentis sessio 7.]

Quomodo id fit ? Id fit non vi propria rerum externarum, nec merito ministri ea dispensantis, sed Dei virtute secreto operantis quod instituit.

An illa tantum significent ? Non tantum significant, sed efficiunt quod sensibiliter figurant : et conferunt, non ponentibus obicem contrarie voluntatis, gratiam quam significant.

An sint causa iustificationis nostre ? Causa principalis et meritoria est Christi passio, sed illa sunt velut instrumenta, quibus in nos varie dona divine gratie derivantur.

An illis alligata sit virtus et potentia Dei ? Deus potest absque illis gratiam suam nobis impartiri, sed non solet aliter quam per sacramenta.

Quare id ita fit ? Ut sub ea visibili forma ad invisibilium cognitionem subducamur : quia carnales sumus, et admodum tardi ad capescenda spiritualia.

Quibus constant ? Elemento, et verbo.

Elementum instar est materie : et verbum forma.

---

[169] Chartres 1580 f. 138.
[170] Chartres 1580 f. 142v-144v : voir *infra* P2978.

Neutrum sine altero perficitur, nec complet sacramenti substantiam.

Accedat (ait D. Augustinus) verbum ad elementum, tum fiet sacramentum.

De materia. ...

De forma. ...

Quomodo percipiuntur? Materia oculis percipitur: forma vero fide et mente.

Utrique efficax est Spiritus sanctus: non quia dicitur, sed quia creditur, nam et in ipso verbo aliud est sonus transiens, aliud virtus manens.

De numero eorum. Septem sunt numero videlicet Baptismus, Confirmatio, Penitentia, Eucharistia, Ordo, Matrimonium, Extrema unctio. (Référence marginale: ex concil. Trid. de sacr. c. 1. sess. 7).

Quare revocantur ad septuanarium numerum?

Propter **septem principales virtutes**, ad quas fulciendas aptantur.

Baptismus enim ad Fidem refertur.

Extrema unctio Spei accomodatur.

Eucharistia Charitati convenit.

Confirmatio ad Fortitudinem spectat.

Matrimonium concordat cum Temperantia.

Penitentia ad Justitia aptatur.

Ordo consentaneus est Prudentie.

An possint iterari? Quatuor ex istis iterari possunt: Scilicet, Penitentia, Eucharistia, Matrimonium, Extrema unctio. Tria autem sunt que nephas est iterare, propter indelibilem characterem et signum spirituale, quod semel impressum non iteratur, ne fiat iniuria sacramento, si dubitetur de priori impressione.

An merita ministrorum attendenda sint in eorum dispensatione? ...

An differant à sacramentis legis veteris, et in quo? Sacramenta veteris legis significabant tantum quod promittebant: illa autem que sunt evangelii continent in se et efficiunt quod significant: et ita sunt signa invisibilis gratie Dei, ut ipsius imaginem gerant, et causa existant: et non solum significandi, sed et sanctificandi gratia sint instituta.

Que observanda sunt in eorum administratione. ...

Évreux 1606, 1621, 1706
Coutances 1618. Lisieux 1608, 1661[171]. Meaux 1617
[Évreux 1606 : Jacques Davy du Perron]
Brevis catechismus ad parochos

2929 Évreux 1606 f. [9v] sign. i[172]

De triplici lege hominibus a Deo data

1. Lex à Deo hominibus data triplex reperitur. Naturalis, scilicet Mosaica et Evangelica. Quae quidem in hoc differunt, quod **Naturalis** per solam revelationem sive internam, sive externam dabatur Patriarchis, ac populo Dei, necnon et quibusdam qui inter gentes, seu infideles degebant, ita ut omnes essent inexcusabiles.

2. **Mosaica** vero propter humanarum mentium corruptionem insculpta fuit tabulis lapideis...

3. **Evangelica** autem lex revelatione per Christum et Spiritum-sanctum potissimum constat, ideo scripta dicitur in cordibus : Sed revelatio illa partim postea fuit literis commissa, partim vivae voci ac revelationis oris ad os relicta. ...

De virtutibus theologicis, Fide, Spe et Charitate

1. Cum hominis praecipuè Christiani finis ac beatitudo sit Dei ac Christi visio atque fruitio in altero saeculo, non nisi per Christum (qui est ostium, via, veritas et vita) seu etiam per Fidem, Spem, et Charitatem in ipsum, ac totam Trinitatem, ad eum finem pervenitur. ...

2. Hae virtutes (quae ideo Theologicae nuncupantur quia Deum habent obiectum ac de rebus divinis nos instruunt, ad easque nos ducunt) non nisi merito Christi ac Dei gratia comparantur, una cum aliis interioribus et exterioribus instrumentis ac ministeriis hominum à Deo institutis, cum suscipientis bona voluntate, studio ac labore.

3. **Fides** est Dei donum, virtus, sive habitus inclinans nos ad credendum in totam Trinitatem, ac Christum et quodcumque fuerat revelatum à Deo sive interna inspiratione, sive externa, aut facto, aut alio quovis modo. ...

4. **Spes** est donum Dei, virtus sive habitus inclinans nos ad certo et firmiter expectanda quae promisit Deus omnibus obtemperantibus sibi et auditui seu revelationi suae. ...

---

[171] Lisieux 1608 et 1661 ajoutent 3 p. sur ce que doivent être et savoir les prêtres (quae eorum officium concernunt).

[172] *Enchiridion... Ad usum Dioeceseos Ebroicensis*, 1606, folios non chiffrés après le calendrier initial.

5. **Charitas** est donum Dei, virtus sive habitus inclinans nos tum ad diligendum Deum et Christum ex toto corde, tota anima, ac virtute, et proximum sicut nosipsos...

De Peccatis

1. Peccatum nihil aliud est quam praecepti, sive legis divinae transgressio: divertitque hominem à recta via ad suum finem, quia eum separat à Deo.

2. Peccatum est quadruplex ex subiecto in quo consistit. Aut enim est aliquid cogitatum, seu concupitum, aut dictum, aut factum, aut omissum contra legem Dei.

3. Est etiam triplex pro mensura vitiositatis, seu declinationis à lege divina, Originale, nempe, Veniale et Mortale.

4. **Originale** est, quod ex primi parentis Adami origine incurrimus, separatque nos a regno Dei. Deletur vero per Baptismum et alia instituta remedia.

5. **Veniale** est quod ex infirmitate naturae corruptae procedens veniam facile impetrat, nec nos à Dei gratia disiungit: Deletur autem Oratione, Sacramentis, atque piis aliis Christianorum exercitiis.

6. **Mortale** est quod propria voluntate contra expressum Dei mandatum perpetratur, ideoque mortem aeternam generat. Deletur vero per veram Poenitentiam, Sacramenta, aliaque remedia.

7. **Septem sunt peccata, quae rectius vocantur capitalia**, (eo quod sint velut aliorum capita) quam mortalia. Non enim semper aeternam mortem inducunt, sed tunc duntaxat cum per ea divinum aliquod praeceptum violatur. Haec autem sunt Superbia, Avaritia, Luxuria, Invidia, Gula, Ira, et Pigritia, quae quidem licet in una actione consistant, fiunt tamen vitia ex prava habitudine, usuque frequenti.

8. Alia sunt **sex peccata his graviora, quae in Spiritum-sanctum committi dicuntur.**

Desperatio nempe, Praesumptio de propria salute, ac peccatorum remissione absque poenitentia, Obstinatio seu affectata perseverantia in peccato, Fraternae virtutis seu gratiae Invidia, Impugnatio agnitae veritatis, Extrema impoenitentia.

9. **Quinque item alia sunt peccata in coelum clamantia**, Homicidium, scilicet, Usura, Scelus contra naturam seu Sodomia, Mercedis fraudatio, Viduarum, orphanorum atque peregrinorum direptio.

10. **Novem denique modis alienis peccatis communicatur**, Iubendo nempe; Consulendo; Consentiendo; Fructum capiendo ex rebus malè partis ab alio; Adulando; Improborum patrocinium suscipien-

do; Ad aliena peccata connivendo; Alios irritando; Rem subductam celando.

De remediis ad tollenda peccata

1. Praeter gratiam... alia sunt instrumenta tum interiora tum exteriora, quae ad tollenda et cavenda peccata maxime conducunt.

2. Inter interiora numerantur. 1. **Septem Spiritus-sancti dona**, Sapientia nempe, Intellectus, Consilium, Fortitudo, Scientia, Pietas et Timor Dei. 2. Horum quatuor extremorum mortis scilicet, Iudicii extremi, Inferni, ac Paradisi pia recordatio. 3. **Consilia Evangelica**, qualia sunt Virginitas, Viduitas, Coelibatus, Paupertas, Obedientia, Abstinentia voluntaria à carnibus et vino, Vota, et alia id genus...

Quibus addi possunt tum **corporalia tum spiritualia misericordiae opera**.

3. Inter exteriora vero, **Sacramenta**, **Sacrificia**, aliaque hominum pro aliis à Deo inventa et constituta ministeria reponuntur.

De Sacramentis

1. Sacramentum est invisibilis rei, seu gratiae, visibile signum. ...

9. **Baptismus** est ablutio exterior ex aqua naturali, significans et operans internam animi lotionem, ab omni peccato ad gratiam et regnum coelorum regenerans.

10. **Confirmatio** est inunctio de sacro chrismate, per Christum virtutem Spiritus-sancti tribuens ad tuenda dona accepta in Baptismo, et ad pugnandum contra omnes tentationes, spiritualia arma subministrans.

11. **Eucharistia** est verum Christi corpus et sanguis sub apparente panis et vini specie ad alendas animas nostras, atque etiam corpora ad vitam aeternam.

12. **Poenitentia** est supernaturalis potestas Sacerdoti collata ad absolvendum à peccatis hominem contritum et confitentem, in quibus peccaverit.

13. **Ordo** est donum Dei, sive supernaturalis potestas homini masculo data per Episcopum, super corpus Christi verum et super corpus eiusdem mysticum, quod est Ecclesia.

14. **Matrimonium** est quaedam sacra coniunctio viri et foeminae à Deo et Christo instituta ad procreationem generis humani, in laudem Dei, et ad concupiscentiam reprimendam. ...

[L'extrême-onction n'est pas nommée]

15. Omnia Sacramenta Evangelica sunt necessaria generi humano ad salutem comparandam...

De Sacrificio

1. Sacrificium est actio hominis ex aliis assumpti et sacrati, qua aliquid de humano ac populari sanctificatur, applicatur, atque offertur Deo, ut ei tandem per hoc sancta societate illi inhaereant pro quibus sacrificatur.

2. Duplex est sacrificium, Unum proprie dictum, cui vere competit allata definitio; Alterum improprie, propter solam analogiam...

De Sacerdotio

1. Sacerdotium est gratia, donum et potestas supernaturalis, qua homo segregatur per Deum ab aliis hominibus, et supra alios attollitur, ut existat et operetur quasi mediator et intercessor inter Deum et hominem...

2. Sacerdotium duplex est, unum independens et absolutum. Alterum dependens et subserviens alteri...

3. Prioris generis fuit Sacerdotium in lege Naturali et Mosaica. ...

4. Posterioris autem generis Sacerdotium Evangelicum reperitur. ...

5. Sacerdotii Christiani quinque praecipua officia reperiuntur. 1. Est orare et sacrificium offerre. 2. Legem Dei interpretari, seu praedicare. 3. Sacramenta administrare. 4. A peccatis absolvere. 5. Praeesse, seu, regere et iudicare Ecclesiam sibi commissam. ...

De diversis gradibus Sacerdotii

1. Sicut Sacerdotium ob potestatis et officii differentiam distinguitur a populo, diversusque ordo censetur ab ipso, ita et propter eandem rationem in sacerdotio gradus, sive ordines sunt distincti.

2. Ordinum alii dicuntur maiores, seu sacri, quia sacratos homines reddunt et à communi hominum vita separatos...

De Horis canonicis

1. Horarum Canonicarum, seu Breviarii Officium à tempore Apostolorum invenitur constitutum. Omnes enim fere Ecclesiae primitivae Doctores septem Horarum... mentionem faciunt. ...[173].

---

[173] Lisieux 1608 ajoute: 3 p. concernant ce que doivent être et savoir les prêtres (quae eorum officium concernunt).

ENSEIGNEMENT DE LA FOI 1787

B. Rituels particulièrement remarquables pour leurs instructions ou leurs exhortations[174]

P2930 **Lyon 1542** (Hippolyte d'Este, cardinal de Ferrare)
Probablement premier rituel de la contre-réforme catholique en France[175]. Les instructions latines sur les différents sacrements sont empruntées au rituel romano-vénitien du dominicain Alberto Castellano (P2924).

P2931 **Autun 1545** (Jacques Hurault)
Nombreuses exhortations à l'occasion du baptême, de la confirmation, et surtout des rites pour les malades, prétextes à des explications sur leur signification et sur la foi catholique. Premiers conseils de dévotion.

P2932 **Verdun 1554** (Nicolas Psaulme)
L'évêque, dans sa préface, supplie ses frères en vertu de la sainte obéissance de lire en entier et d'utiliser l'« agenda » de Verdun comme un contrepoison, et de le tenir fermement des deux mains en toutes circonstances pour l'accomplissement de leurs devoirs sacerdotaux. Instructions développées concernant la messe suivies de conseils pour bien la célébrer, en plus de l'importante *instructio sacerdotum* (P2855) et de nombreux conseils de dévotion.

P2933 **Beauvais 1557** (cardinal de Chatillon)
« Admonitions » pour le baptême, la pénitence, le mariage, la visite des malades, l'extrême-onction, et la communion pascale, éditées en complément du rituel diocésain de 1544, pour que « en toute distribution de sacremens... soit faicte une admonition, qui donnera à entendre familierement ce que signifie ledict sacrement, qui c'est qui l'a ordonné, comme il se y fault preparer, et quel fruict il en vient. »

P2934 **Arras 1562, 1564, 1599** (François Richardot)
Ordonnances contenant des directives pour le prône et de longs modèles d'exhortations[176]. Les rituels de Cambrai et d'Arras sont les premiers à donner des conseils pour l'instruction chrétienne des enfants[177].

---

[174] Ne sont pas retenus ici les formulaires de prônes dominicaux, catéchismes, confessions générales...
[175] Ce rituel n a apparemment été réédité qu'une seule fois l'année suivante (Molin Aussedat n° 633).
[176] Le rituel d'Arras de 1563, apparemment disparu, se terminait par les *Ordonnances* de François Richardot datées 1562, rééditées en 1564 et en 1599 à la fin du rituel diocésain de 1600. Voir formulaire P1423.
[177] Les Ordonnances d'Arras sont peut-être légèrement postérieures à celles de Cambrai : les commandements de Dieu développent légèrement ceux de Cambrai ; l'instruction sur les enfants est donnée en latin à Cambrai, en français à Arras.

P2935 **Cambrai 1562** (Maximilien de Berghes)
Premier rituel s'inspirant des consignes pastorales du concile de Trente, divisé de façon logique en grands chapitres subdivisés en différentes parties ; nombreuses instructions latines sur les sacrements, ou sur d'autres sujets, comme sur la façon de se comporter avec les enfants et les jeunes. Les modèles d'exhortations concernent aussi la communion. Longue *instructio pro sacerdotibus* (P2926).

P2936 **Agen 1564** (Janus Frégose)
Quatre modèles d'exhortations à étudier par les curés et à savoir par coeur, avec références marginales à la Bible ; deux concernent le baptême, les autres le mariage et la visite des malades.

P2937 **Vienne 1578, 1587** (Pierre IV de Villars)
Importante instruction en latin sur les sacrements destinée aux prêtres (P2927). Longues exhortations citant le concile de Trente et comportant des références aux Pères de l'Eglise et à la Bible.

P2938 **Chartres 1580** (Nicolas de Thou)
Premières instructions rédigées clairement en français sous forme de questions et réponses, et émaillées d'« injonctions » aux curés. L'ensemble forme un véritable catéchisme pour adultes, marqué par le souci d'expliquer la doctrine et la morale catholiques, à cette époque de lutte contre le protestantisme. De nombreuses références marginales renvoient à la Bible, aux pères de l'Eglise, au Concile de Trente, et au Rational de Durand de Mende[178]. L'œuvre est marquée par un « profond savoir en théologie dogmatique, morale et liturgique »[179].

P2939 **Angoulême 1582** (Charles de Bony)
Instructions sur le *Credo* et les sacrements traduisant le catéchisme du Concile de Trente. Nombreuses exhortations sur les sacrements et sur les évangiles, reprenant en grande partie celles de Denis Perronnet[180].

P2940 **Nevers 1582** (Arnaud Sorbin)
Exhortations destinées à expliquer au peuple « la vertu, l'usage et le fruit des sacrements », mais aussi à « fermer la bouche à ceux qui n'ont

---

[178] Le *Rationale divinorum officiorum*, cité surtout au chapitre des bénédictions, a été composé vers 1285 (M. Andrieu, préface à son édition du *Pontifical* de Durand de Mende)

[179] L. F. Roux, *Liturgie gallicane-chartraine, op. cit.*, p. 17. Nicolas de Thou publie en outre une *Instruction familière des curés pour le simple peuple*, des Statuts synodaux, une *Explication de la Messe*, les *Ceremonies du sacre*…

[180] Sur Denis Perronnet, voir *infra* Auteurs cités, p. 1943.

plus grand plaisir en ce monde» que de médire de la «paresse» ou de l'«ignorance» des prêtres[181].

2941 **Reims 1585** (Louis III de Lorraine, cardinal de Guise)
Premier rituel édité pour l'ensemble d'une province. Exhortations s'efforçant d'expliquer le sens des différents rites, et insistant sur leur nécessité en ces temps d'hérésie. Premières annonces au prône dominical du jeûne du carême, des offices du Mercredi des cendres et de la Semaine sainte.

2942 **Poitiers 1587-1594** (Geoffroy de Saint-Belin)
Nombreuses et longues exhortations avec références bibliques et patristiques, véritables instructions sur les dogmes catholiques, pour le baptême (quatre exhortations), le mariage, la visite des malades, la communion des malades (deux formulaires), l'extrême-onction, les funérailles, la pénitence. Trois autres exhortations sont ajoutées avant le prône, concernant la pénitence et l'eucharistie.

2943 **Cahors 1593** (Antoine Hébrard de Saint-Sulpice)
Instructions en français et longs modèles d'exhortations adaptés à chaque sacrement.

2944 **Rodez 1603** (François de Corneillan)
Nombreuses instructions en français[182] inspirées du concile de Trente; exhortations accompagnant les différents rites.

2945 **Cahors 1604** (Siméon-Etienne de Popian)
Rituel reproduisant l'*Ordo baptizandi* romano-vénitien[183] dont les instructions font références aux conciles de Trente et de Milan[184] ainsi qu'au catéchisme tridentin. Le *Manuale proprium* relié à la suite contient les exhortations de 1593 et vingt règlements très marqués par la lutte contre le protestantisme et la reprise en main du clergé.

2946 **Évreux 1606** (cardinal Jacques Davy du Perron)
Important enseignement destiné aux prêtres (*Brevis catechismus ad parochos*, P2929). Instructions latines sur les sacrements provenant en partie des *Ordo baptizandi* romano-vénitiens.

---

[181] Cf. les conseils aux «administrateurs des sacremens», f. 19.
[182] Auparavant, seuls les rituels de Chartres 1580, Angoulême 1582, et Cahors 1593 présentent des instructions en français.
[183] Sur les *Ordo baptizandi*, voir *infra* Bibliographie sélective – sources, p. 24.
[184] Probablement le quatrième concile de Milan, tenu en 1576 par le cardinal Charles Borromée.

CHAPITRE XXVI

P2947 **Bourges 1616** (André Frémiot)
Instructions abondantes en français.

P2948 **Arras 1623** (Hermann Ortemberg)
Nombreuses instructions latines s'inspirant en les développant du rituel romain. Les exhortations expliquent en détails le sens des cérémonies.

P2949 **Orléans 1642** (Nicolas de Nets)
Instructions développées en français sur les sacrements et sur la messe, destinées à être lues par petites parties au prône dominical.

P2950 **Le Mans 1647** (Emeric-Marc de La Ferté)
Ouvrage essentiellement catéchétique et pastoral en raison des nombreuses exhortations regroupées à la fin du volume, ainsi que pour la longue *Exposition de la Doctrine Chrestienne*, copiée sur celle de Rouen 1611/1612 (P2874), à lire par parties chaque dimanche au prône.

P2951 **Rouen 1651** (François de Harlay)
Importants enseignements en français sur la messe, la doctrine de l'Église d'après S. Paul, et l'évangile de S. Jean.

P2952 **Chalon-sur-Saône 1653** (Jacques de Neuchèze)
Très nombreuses exhortations ou « remonstrances ». Six formules de prônes.

P2953 **Bourges 1666** (Anne de Lévis de Ventadour)
Très nombreuses exhortations et instructions en français expliquant chaque rite de façon détaillée, avec souvent son origine. Premier rituel de tendance rigoriste.

P2954 **Alet 1667** (Nicolas Pavillon)
Instructions très abondantes en français sous forme de questions et réponses, jugées excellentes, sauf celles sur l'eucharistie et surtout sur la pénitence à cause de leur fort relent de jansénisme.

P2955 **Rodez 1671** (Gabriel de Voyer de Paulmy)
Instructions en français inspirées en partie du rituel romain, de tendance rigoriste pour l'eucharistie et la pénitence. Les recteurs du Séminaire sont invités à ce que l'ouvrage soit enseigné à ceux qui se préparent aux ordres; tous ceux qui ont un ministère doivent le lire entièrement tous les ans, au moins une fois en privé.

P2956 **Reims 1677** (Charles-Maurice Le Tellier)
Instructions très développées en français, de tendance rigoriste.

2957 **Verdun 1691** (Hippolyte de Béthune)
Instructions en français très développées et originales, parfois strictes; nombreuses exhortations; traité sur la messe.

2958 **Toul 1700** (Henri de Thyard-Bissy)
Instructions très abondantes en français, de tendance rigoriste.

2959 **Auch 1701** (Anne-Tristan de La Baume de Suze)
Instructions en français claires et modérées; nombreuses exhortations. Rituel repris dans toute la province d'Auch.

2960 **Metz 1713** (Henri-Charles de Coislin)
La première partie du rituel constitue un traité compact de théologie sacramentaire en latin, de tendance janséniste.

2961 **Blois 1730** (Jean-François Lefebvre de Caumartin)
Instructions «claires et précises» en français reprises avec plus ou moins de remaniements dans les rituels d'une quinzaine de diocèses, à commencer par ceux de Meaux 1734, Évreux 1741, et Bourges 1746. Les instructions sur la pénitence s'inspirent de celles d'Alet.

2962 **Clermont 1733** (Jean-Baptiste Massillon)
Instructions en français très développées et très claires, souvent rigoristes; nombreuses exhortations.

2963 **Rouen 1739** (Nicolas de Saulx-Tavanes)
Instructions en latin très développées, non rigoristes, accompagnées de nombreuses références bibliques, conciliaires, théologiques, et surtout patristiques. Ouvrage repris dans toute la province de Rouen, sauf à Évreux.

2964 **Toulon 1749, 1750** (Louis-Albert Joly de Choin)
Instructions très abondantes en français, de caractère rigoriste.

2965 **Soissons 1753-1755** (François de Fitz-James)
Instructions en français pour les sacrements inspirées de Metz 1713. Exhortations très abondantes pour tous les dimanches et fêtes de l'année (t. III et IV).

2966 **Arras 1757** (Jean de Bonneguise)
Instructions en latin très développées.

2967 **Châlons-sur-Marne 1776** (Antoine-Eléonor Le Clerc de Juigné)

Le tome I contient un traité complet en latin sur les sacrements, de caractère rigoriste, repris en grande partie par Tours 1785, Paris 1786, et Verdun 1787 (traduit en français à Verdun).

P2968 **Lyon 1787** (Antoine de Malvin de Montazet).
Toute la première partie est un traité sur les sept sacrements, de tendance rigoriste.

CHAPITRE XXVII

CONSEILS DE VIE CHRÉTIENNE

Tous les ans, le prône du jour de Pâques est consacré, dès les premières rituels imprimés, à exhorter l'assistance à communier ; il est suivi d'une confession générale détaillée des péchés ; la communion à cette époque est en effet exceptionnelle[1].

Les autres dimanches, le prône lu à la messe est l'occasion entre autres de dispenser des conseils de vie chrétienne. Ceux-ci, donnés généralement en conclusion, concernent le plus souvent la vie quotidienne.

Miles d'Iliers à Chartres, en 1490, demande de pratiquer les œuvres de charité et de miséricorde, de fuir le péché, d'enseigner ses enfants et serviteurs, de donner de l'argent à différentes œuvres et aux pauvres voisins, orphelins, ou parents. Ses conseils sont reproduits dans les rituels d'une quinzaine de diocèses au moins jusqu'au début du XVIIe siècle.

Le rituel de Maguelonne publié durant l'épiscopat de Guillaume Pellissier en 1533 se distingue par un formulaire très curieux du *Livre de Jésus*[2] donnant, en plus des conseils de dévotion habituels de ce recueil, des prescriptions de vie chrétienne sous une forme originale principalement axée sur les commandements de Dieu qu'il convient de garder, et les péchés mortels qu'il faut éviter. Une *Chanson de l'ame raisonnable* versifiée, et à chanter, vient en conclusion.

Pierre d'Espinac à Lyon c. 1580 préconise de vivre « dévotement » les jours de fête en s'y abstenant de « jeux, gourmandises, vaine oysiveté, et autres actes reprouvées [sic] ». Ses conseils sont repris avec plus de détails dans les rituels lyonnais du XVIIe siècle, qui invitent aussi à éviter les péchés mortels par la fréquentation des sacrements.

---

[1] Voir chapitre V, *Confessions générales le jour de Pâques*.
[2] *Le Livre de Jésus (pour les simples gens)* : petit recueil présent au XVIe siècle dans plusieurs rituels de la moitié sud de la France, plus développé à Maguelonne qu'ailleurs : les conseils de dévotion habituels (volume II/6 : *Prônes dominicaux. Conseils de dévotion*, Maguelonne 1533) sont suivis de conseils de vie chrétienne (f. 99v-101v, P2971), d'un aide-mémoire de la foi (f. 101v-102v, P2852), et d'une *Chanson de l'ame raisonnable* (f. 103-103v, P2971).

Le cardinal du Perron à Évreux, formule en 1606 des recommandations recopiées sans grand changement dans les prônes de nombreux diocèses jusqu'à l'adoption du rituel romain au cours du XIXe siècle : Lisieux 1608, Meaux 1617, Coutances 1618, Angers 1620-1735, Saintes et Sens 1625, Chartres 1627, Paris 1630-1654, Troyes 1639, Bourges 1666, Bordeaux 1707, Blois 1730... : avoir toujours la crainte de Dieu devant les yeux, éviter tout péché et se confesser dès que nécessaire, s'aimer chrétiennement les uns les autres, bien instruire ses enfants et serviteurs, exercer les œuvres de charité corporelles et spirituelles, prier les uns pour les autres « pour parvenir ensemble à la gloire céleste ».

Nicolas de Thou à Chartres 1581, saint François de Sales à Genève 1612, Dominique de Vic à Auch c. 1642, Jean-François Lefebvre de Caumartin à Blois 1730... insistent sur l'amour de Dieu et du prochain.

Le cardinal de Guise, archevêque de Reims est le premier en 1585 à rappeler l'obligation d'assister aux offices du Mercredi des cendres et de la Semaine sainte, ainsi que la pratique du jeûne durant le carême.

Entre 1630 et 1654, Jean-François de Gondi, archevêque de Paris – repris par l'évêque de Noyon dès 1631 – incite fortement tous ceux qui n'ont pas été confirmés, quelque soit leur âge, à recevoir la confirmation « tellement necessaire en ce temps plein d'heresies, et de tous vices ».

En 1639, l'évêque de Troyes René de Breslay fait suivre son formulaire de prône dominical d'une série de vingt-six décrets à lire « selon l'ordre des dimanches ». Sont traités les différents sacrements, y compris la confirmation et l'ordre, et les principales fêtes, ainsi que des sujets très divers, tels que la nécessité de connaître la foi chrétienne, l'honneur dû aux noms de Jésus et Marie, la defense de lire la Bible en français et les livres défendus, l'assistance qu'on doit à sa paroisse, les cas réservés, les excommunications, les processions, l'interdiction de converser dans les églises, l'interdiction pour les parents de coucher les enfants dans leur lit pour éviter les accidents de mort, les dîmes, les mariages clandestins, les usuriers, les legs pieux, les cérémonies pour les morts...

Au XVIIIe siècle, le prône de la province ecclésiastique d'Avignon – dont les éditions connues datent de 1729, 1748, et 1789 – conseille de venir à l'église prier et « oüir » la messe « les jours ouvriers », autant que les affaires le permettent, de prier Dieu dévotement matin et soir, d'« éviter avec grand soin le péché, fuïr les mauvaises compagnies, vivre en paix, supportant charitablement les defauts les uns des autres ». Ce prône est réédité jusqu'au milieu du XIXe siècle dans de nombreux rituels romains édités en France[3].

Les prescriptions les plus fréquentes et les plus pérennes données aux fidèles concernent l'amour fraternel et la pratique des oeuvres de miséricorde, dites aussi œuvres de charité corporelles et spirituelles. On remarque que le souci de la vie temporelle de la paroisse sous forme de dons d'argent à différentes œuvres : « fabrique », « luminaire », confréries... s'estompe à la fin du XVIe siècle.

Des **conseils adaptés aux différents états de vie** sont prévus à Grenoble 1549, Besançon 1561 et 1581, Aix-en-Provence 1577, Chartres 1580 et 1581, Lyon 1589 (sous forme d'une prière reprise dans de nombreux rituels durant la première moitié du XVIIe siècle).

Certains rituels prodiguent des conseils aux **différentes catégories de pénitents**[4].

De petits **examens de conscience** indépendants de la confession sont proposés à Sens 1625 et Albi 1647, ainsi qu'à Bordeaux 1641 et 1672 ; tous comprenant les bonnes résolutions à prendre chaque jour.

Quelques **recommandations sont adressées aux prêtres** :

Strasbourg 1490 présente à leur intention des règles de conduite très pragmatiques.

Lyon 1542 leur adresse une longue instruction s'appuyant sur de nombreuses références bibliques et sur saint Augustin, leur donnant des conseils de vie, et traçant leurs devoirs envers leurs paroissiens et les enseignements qu'ils doivent leur prodiguer. Enseignement repris dans la préface du rituel de Grenoble 1549.

Metz 1543 leur indique des conseils pour prier et conduire leur vie.

Chartres 1580 insiste sur leur obligation d'enseigner la foi et d'interdire de travailler les jours de fête.

Lyon 1644 et 1648 leur donnent un « Advertissement fraternel » rappelant leur « tres grande obligation... d'enseigner au peuple... les choses necessaires à leur salut » et leur enjoignant un comportement digne, priant, et studieux.

---

[3] Les rituels romains, rééditions du *Rituale romanum Pauli V* publié en 1614, sont utilisés dans les diocèses n'ayant pas de rituels propres, et parfois parallèlement aux rituels diocésains. Les éditions connues du *Rituale romanum* comportant le prône d'Avignon sont publiées à Avignon, Tarascon, Lyon et Paris apparemment jusqu'en 1854. *Voir supra* P2913, leurs références dans Molin Aussedat, *Répertoire des rituels et processionnaux*. Voir *supra*, p. 1753 n. 143.

[4] Voir *supra* chapitre XIV, P1502-1510.

Trois rituels du midi (Rodez 1603, Vabres 1611, Cahors 1604-1619) réclament d'eux une vie exemplaire.

Les mêmes rituels de Rodez et Vabres publient à leur intention, sous forme de quatrains, des encouragements attribués au Christ, certainement utiles au sortir des guerres de religion.

Chartres 1490-1553, 1604
Agen 1564. Angoulême 1509. Autun 1503-1523. Cambrai 1503 Châlons-sur-Marne 1569. Clermont-Saint-Flour 1506 n.st.-1608 Limoges 1518. Maguelonne 1533. Meaux 1546. Noyon 1546, 1560 Orléans 1548-1581 Périgueux c. 1502 et 1536 (en traduction périgourdine).Sens 1500-c. 1580. Verdun 1554

[Chartres 1490 : Miles d'Iliers]
[Prône dominical, conclusion]

P2969 **Chartres 1490 f. 93v**

Entre les choses que je vous ay a recommandé[a], je vous recommande les oeuvrez de charité et de misericorde, premierement l'estat de vos consciences, en vous admonestant tousjours de vivre en estat de grace et de fouir pechié et mauvaise tentation[b], de aprendre et enseignier vos enfans et serviteurs[c]. Je vous recommande aussy l'euvre et fabrique de ceans en vos aumosnes, les pardons de l'eglise Nostre Dame de Chartres[d] et de l'aumosne qui est a l'Ostel[e] Dieu, lez belles confraries de ceans dont on chante les belles messes en l'eglise de ceans de jour en jour, comme vous scavés, especialement pour[f] les ames de vos amis trepassés[g]. Je vous recommande aussy[h] le luminaire de l'eglise de ceans et les aultres necessités, et vos pourez voisins, orphelins, et ceulx qui ne peuvent leur vie gaignier, et principalment vos pouvres[i] parens[j].

Variantes. [a] Entre… recommandé] Bonnes gens les commandemens de Dieu et de nostre mere sainte eglise les vous recommande tant comme je puis et scay Mag. – recommandé] recommander Ag. Cam. Mea. No. Or. Ver. –[b] tant qu'il vous sera possible] *add.* Ag. –[c] en bonnes oeuvres et operations, en leur monstrant bons exemples, et principalement a voz enfans de leur aprendre leur creance, et a Dieu servir bien et devotement, et de les envoyer a l'escolle] *add.* No. –[d] Nostre Dame de Chartres] N. de Meaulx Mea. –[e] l'Hostel] Mea. –[f] les pardons de l'eglise Nostre Dame… especialement pour] *om.* Ag. Cam. Cl. Lim. Mag. No. Or. Sen. –[g] voz amys trespassez] Mea. –[h] les pardons… aussy] *om.* Ver. –[i] pouvres] *om.* Ag. – pauvres] Ver. – poures] Mea. –[j] et generalement toutes autres choses dignes de recommandation.] *add.* No.

Strasbourg [1490]

[Albert de Bavière]
Reverendi in Christo patris ac domini, domini Adelberti Dei gratia episcopi Argentinensis, ad clericos suos precipue quos animarum cura concernit fidelis ammonitio.

La longue *ammonitio* attribuée à l'évêque de Strasbourg Albert de Bavière, par laquelle débute le rituel de Strasbourg 1490, serait en réalité une version, augmentée d'extraits de statuts synodaux strasbourgeois, du célèbre *sermo synodalis* ou *homelia* attribué, soit à saint Ulric, évêque d'Augsbourg de 1331 à 1337, soit à Léon IV, pape de 847 à 855, soit à l'évêque Rathaire (Rathier) de Vérone[5].

Cette admonition – présente dans la seule édition de 1490 – comprend quinze chapitres de conseils très pratiques, les plus développés concernant l'eucharistie et la confession.

Strasbourg [1490] f. [3]-[6v]

De vita et conversatione. [Conseils pour être un bon prêtre.]

In primis hortamus in Domino ut vita et conversatio vestra irreprehensibilis sit, scilicet ut iuxta ecclesiam sit habitatio vestra, et in ea feminas de quibus sinistra possit suboriri suspicio non habeatis nec locum ipse manent frequentetis. Gulam, ebrietatem, lites et venandi studium vitate. Negotiationes seculares, et inhonesta offitia non exercete, sed ecclesiasticis offitiis, sacris lectionibus ac aliis bonis studiis intendite. Choreis et spectaculis interesse nolite, ioculatoribus et histrionibus non intendite. Tabernas nisi pro necessitate in itinere constituti vitate. Taxillorum, chartarum et omnem alie ludum respuite ac ludentibus interesse nolite. Tonsuram et coronam clericalem ac vestium decentiam in omni honestate servate, viridem, gilvum aut rebeum vestitum tanquam indecentem non induite. Laicali habitu non induamini. Nuptiarum convivia presertim ubi lasciva spectacula et saltationes fiunt evitate. Pugiones, cuspides aut gladios, et alia militum arma non portate, nisi iusti causa timoris. Egenis hospitalitatem esurientibus refectione, et ceteris miserabilibus personis, prout Deus dederi ei pietatis opera exhibete, ut aliis a vobis exemplum bonum sumant. Sit conversatio vestra sine offensione, sobria, pudica, tranquilla, pacifica, amabilis, et maturitate gravis…

---

[5] Cf. René-Pierre Levresse, « Les rituels incunables de Strasbourg », *Archives de l'Église d'Alsace*, t. 39 (1976-79), p. 85.

De horis canonicis. [Bien réciter l'Office selon l'usage de l'église cathédrale.]

De predicatione. [Enseigner les évangiles et les épîtres, le *Credo*, le *Pater*, les dix commandements, les sept péchés capitaux, bien éduquer les enfants, veiller à ce que n'existent ni hérésies, ni superstitions, ni sortilèges ; faire l'aumône aux pauvres lépreux, aux veuves, et aux orphelins...]

Plebibus vestris dominicis et festis diebus verbum Dei predicate quantum sapitis de evangelio et apostolo fideliter annuntiate. Symbolum fidei et dominicam orationem easdem docete. Que sint decem precepta Dei et septem capitalia peccata eisdem frequentius publicate et clare exponite... Qualiter pueri in bonis moribus instituendi sint diligenter predicate, quia a pueris debet reformatio ecclesie inchoari. ...

Circumspicite si inter ipsos regnent hereses, superstitiones, sortilegia, et si fiant superstitiones in ligaturis, scripturis, et aliis appensis... Si blasphemie regnent furta, usure, false mercationes, adulterium, peccatum contra naturam. Illa quantum potestis extirpare studeatis. ... Elemosynas et iura pauperum leprosorum, viduarum, orphanorum, et aliarum miserabilium personarum pro vestris viribus promovete.

De pastorali sollicitudine. [Ne pas admettre entre autres l'adultère, l'usure, la divination... Ne pas demander de conseils de médecine aux Juifs et ne pas les fréquenter. Lire les statuts synodaux et provinciaux[6]. Les prêtres doivent posséder le *Tripertitum* [sic] de Jean Gerson[7], et le *Confessionale* de Bartholomeus de Chaimis[8].]

De immunitate ecclesiarum et rerum ad eas pertinentium. [Interdiction de construire des maisons neuves dans les cimetières ou d'y restaurer celles qui sont détruites, d'hypothéquer (inpignorare) aux Juifs des calices ou des ornements sacrés, de porter des masques de fantôme (?) dans les lieux sacrés, en la fête de S. Nicolas et à Noël...]

In cimiteriis novas domos edificari vel dirutas restaurari non permittite... Calices sacras, vestes et alia ecclesie ornamenta Iudeis negotiatoribus tabernariis nullus inpignorare presumat. ... Contumeliosam illam et Deo odibilem corruptelam larvarum in locis sacris, in

---

[6] On ne connaît pas d'édition des Statuts synodaux de Strasbourg. Par contre, des *Statuta provincialia vetera et nova* ont été imprimés par Jean Prüss, probablement en 1484-1487, et des *Statuta provincialia Moguntinensia* ont été édités à Strasbourg à une date non connue (René-Pierre Levresse, « Les rituels incunables de Strasbourg », *Archives de l'Église d'Alsace*, t. 39 (1976-79), p. 65).

[7] Jean Gerson, *Opera*, Pars I, II et III, Strasbourg, Jean Prüss, 1488-1489.

[8] Bartholomeus de Chaimis, *Interrogatorium sive Confessionale*, Strasbourg, Georges Reyser, 1477-1478 (G.W. n° 6542).

festo sancti Nicolai et nativitatis Christi inolitam et aliis quibuslibet temporibus quantum in vobis est extirpate.

De sacramento baptismatis crismate et oleo. [Enseigner souvent en « teutonique » aux laïcs et surtout aux sages-femmes la façon de baptiser, et inciter les parrains et marraines à apprendre à leurs filleuls le *Credo* et le *Pater*, si cela n'est pas fait par leurs parents…]

… Et ea (verba *Ego baptizo te…*) laicos et presertim obstetrices docete in theutonico, ut in necessitatis articulo parvulos baptizare sciant… Ultra tres patrinos aut patrinas ad levationem parvuli de sacro fonte non admittite… Ut patrini et patrine filiolos suos symbolum et orationem dominicam edoceant, aut ut edoceantur curent admonete.

De confirmatione. [Les petits enfants doivent recevoir la confirmation, et personne ne doit décéder sans avoir reçu ce sacrement.]

Subditos vestros ut parvulos ad confirmationem portent inducite, et quantum in vobis est ne quis sine hoc sacramento decedat efficite…

De eucharistia et celebratione misse. [Règles pour bien célébrer la messe et pour visiter les malades.]

De sacramento confessionis. [Se confesser au moins une fois par an ; ne pas donner l'absolution si le pénitent ne sait pas le *Pater* et le *Credo*. Les condamnés à mort peuvent se confesser et communier[9].]

De sacramento matrimonii. [Les mariages clandestins et le rapt sont interdits. Les femmes qui ont enfanté à la suite d'un concubinage ne sont pas admises solennellement aux relevailles (purificationem).]

Subditos vestros ne clandestine matrimonium contrahant, sed publice crebro admonete. Raptum omnimodo prohibite (…) Mulieres que ex concubinatu pepererunt, solenniter ad purificationem non admitte.

De extrema unctione. [Administrer l'extrême onction aux femmes en couche et aux enfants qui en sont capables et qui le désirent. Les femmes qui sont mortes pendant leur accouchement doivent être ouvertes avec précaution pour pouvoir baptiser l'enfant s'il vit encore.]

Puerperis et pueris ad eucharistiam suscipiendam idoneis hoc salutare sacramentum devote desiderantibus fideliter ministrate, non solum in diversis infirmitatibus sed etiam in eadem infirmitate quando est diuturna ut ethica vel hydropisis… Ut mulieres in partu mortue caute scindantur, et infans qui adhuc vivit baptizetur docete.

---

[9]   *De sacramento confessionis.* Voir *supra* P1323. Le magistrat de Strasbourg s'opposait à ce que les condamnés à mort reçoivent ces sacrements ; Jean Geiler de Kaysersberg, prédicateur de la cathédrale, demande qu'on les leur donne ; l'évêque de Strasbourg se rallie à la thèse de Geiler après avoir entendu l'avis d'une commission d'experts. En 1485, l'accord se fait avec le magistrat (René-Pierre Levresse, « Les rituels incunables de Strasbourg », *Archives de l'Église d'Alsace*, t. 39 (1976-79), p. 65).

De observatione ieiuniorum. De festis celebrandis. [Jours de jeûne et jours de fête.]

De sententia excommunicationis. [Les avorteurs (?) (Abortivos) et les excommuniés ne doivent pas être enterrés dans les cimetières…]

De casibus maioribus reservatis. [Listes des cas réservés au pape et aux évêques.]

Reims 1506 n.st., c. 1540[10]
Troyes c. 1505 , 1540, 1573

[Reims 1506 : Guillaume Briçonnet]
De vita bene instituenda

P2970   Reims 1506 f. [8v]
Mane Deo vitam commendet vir bonus omnem.
Predicet et laudes, gratus ubique Deo.
Nocte memor culpe, relegensque errata diurna.
Peniteat, veniam postulet, inde cubet.

Maguelonne 1533

[Guillaume Pellissier]
Le Livre de Jesus[11]

P2971   Maguelonne 1533 f. 99v-101v
Quartement au Livre de Jesus sont **les dix commandemens de la loy**, lesquelz le sainct homme Moyse en la montaigne de Sinay receut de Dieu, et les bailla au peuple. Et iceulx commandemens doibvent garder et acomplir sur peine d'estre damnez en corps et en ame tous et toutes qui ont usaige de raison.

Cy ensuyvent les dix commandemens de la loy.
Ung seul Dieu tu adoreras. Et aymeras parfaictement. …

Quintement et dernierement sont **les cinq commandemens de l'Eglise** que doibvent garder tous ceulx et celles qui ont usaige de raison.

Cy sont les cinq commandemens de l'Eglise.
Les dimanches messe orras. Et les festes de commandement. …[12].

---

[10]   Reims c. 1540 : Molin Aussedat n° 1024.
[11]   *Le Livre de Jésus* . Voir supra P2852.
[12]   Commandements de Dieu et de l'Église, voir volume II/6 : *Prônes dominicaux. Conseils de dévotion.*

Icy devant sont **les commandemens de Dieu qu'il convient scavoir et garder** qui veult eviter les tormens d'enfer, et paradis avoir. Et pour ce aprenez les tous et toutes, grans et petis qui ne les scavez pour les scavoir, faire, et garder sur peine d'estre damnez.

971a *Aymez voz ennemys dit Jesuchrist, priez pour eulx, et leur faictes plaisir.*
Le siege de grand iniquité, Est en iceux moult griefvement
Qui dient que par leur fragilité, Ne peuvent garder commandement.

Les benedictions que nostre Seigneur Dieu donne a ceulx qui ses commandements garderont.

971b *Si in preceptis meis ambulaveritis, et mandata mea custodieritis, et fecetis ea, dabo vobis pluvias temporibus suis. Levitici xxv. (Levit. 26, 3)*

C'est a dire. Si vous gardez mes commandemens, dict nostre Seigneur Dieu, et les faictes, et les accomplissez, je vous donneray pluyes quand temps en sera, et vostre terre portera en abondance, et voz arbres serons remplis de fruictz.

Voz moyssons dureront jusques a vendenges, et voz vendenges seront si longues que elles occuperont le temps de semer.

Toutes benedictions viendront sur vous et vous suyvront sans nulle faulte se vous acomplissez mes commandemens.

Vous serez benistz en la ville, et serez benistz aux champs.

Le fruict de vostre ventre sera benist, et de toutes voz bestes.

Vos greniers seront benistz, et seront benistz tous vos biens. Je ouvriray le tresor de mon ciel, et donneray pluye a la terre en son temps.

Les maledictions de Dieu a ceulx qui ses commandemens trespasseront.

Et si ne me voulez ouyr, et que ne gardez mes commandemens, et que ne les accomplissez, toutes maledictions viendront sur vous, et vous prendront.

Vous serez mauldictz en la ville, et serez mauldictz aux champs.

Voz greniers seront destruis, et seront tous voz biens mauldictz.

Mauldict sera le fruict de vostre ventre, et de tout vostre bestial.

Je envoyerai sur vous famine, et defaillance de tous biens, douleur et mechance en toutes voz oeuvres que vous ferez jusques a la fin que je vous auray destruictz.

Je vous frapperay de malheureté et misere, de fievres, de froidure, de ardeur, de aer corrompu jusques a tant que soyez consumez.

Et par ainsi peult ont facillement congnoistre que tous les maulx et infortunes que nous souffrons, c'est faulte de garder les commandemens de Dieu nostre pere.

Doctrine pour fouyr et eviter peché.
Nous debvons consyderer les inconveniens et maulx que faict peché.

Qui peche mortellement il pert tous les biens qu'il a faictz, et les gette en la gueulle de l'ennemy d'enfer, et se faict son serviteur, et se oblige d'estre damné eternellement autant de foys qu'il peche mortellement.

Tous les maulx qui sont venuz et qui viendront au monde, peché en a esté cause.

Remede contre orgueil.
Considerons l'humilité de nostre seigneur Jesuchrist et de la vierge Marie.

Pensons comment les orgueilleux et ceulx et celles qui commettent peché sont serviteurs du bourreau d'enfer, et a la fin seront damnez avec luy a jamais aux peines et tormens d'enfer.

Remede contre avarice.
Nous debvons penser que a la fin n'emporterons [sic] que le bien et le mal. Ceulx qui mettent leur cueur es biens temporelz deprisent les spirituelz, et a la fin n'auront ne l'ung ne l'autre.

Remede contre luxure.
Considerons quelz nous serons a l'heure de la mort, et de la sentence irrevocable du grant juge pour estre damnez ou saulvez.

Remede contre paresse.
Nous debvons mettre devant nos yeulx les labeurs de nostre seigneur Jesuchrist, des apostres et des martyrs, les jeusnes, labeurs, et penitences des sainctz peres.

Remede contre envie.
Considerons la charité de nostre seigneur Jesuchrist qui pria pour ceulx qui le crucifioient. Envie faict l'homme semblable au diable.

Remede contre ire.
Doulce et molle responce, aymer silence, faire bien a ses ennemys, considerer la patience de nostre seigneur Jesuchrist et des sainctz martyrs.

Remede contre glotonnie.
Ouyr volentiers la parolle de Dieu, soy occuper a lire, ou ouyr lire les sainctes Escriptures. Fouyr les gormans, yvrognes, et les viandes delicates.

Remede pour resister a tous pechez.

CONSEILS DE VIE CHRÉTIENNE

Quant l'ennemy d'enfer nous admoneste faire aulcun peché ou nostre sensualité, il fault faire le signe de la croix et penser que par peché nous perdons l'amour de Dieu et les joyes de paradis, et nous obligeons aux peines et tormens d'enfer sans jamais remede avoir, si non par penitence.

971c *Ne careas vita semper mortalia vita :*
Maxima peccata, quia sic sunt iure vocata.
Nam moriens vitio, mortali perditur uno.

f. 101v-102v **Les sept vertus contraires aux sept pechez mortels**[13].

f. 103-103v **[Chanson de l'âme raisonnable]**[14]
La chanson de l'ame raisonnable, laquelle se chante selon le chant de *Vexilla regis prodeunt*.
Matthei xxvi.

971d *Bonum erat ei si natus non fuisset homo ille.* [Mat. 26, 24]

971e *Il est bien de malheure né, Qui faict le mal dont est damné.*
Il est bien de bonne heure né, Qui faict le bien dont est saulvé.
Qui veut en paradis aller, Et les tourmens d'enfer fouyr,
D'offenser Dieu se doibt garder, Et ses commandemens tenir.
Nous mauldirons une fois l'heure, D'avoir meschantement vescu,
Bienheureux est l'homme qui pleure, Le temps passé qu'il a perdu.
De telle vie telle fin, Paradis ou enfer sans fin,
Pensez y donc soir et matin, Pour parvenir a bonne fin.
Qui du tout met son cueur en Dieu, Il a son cueur et si a Dieu,
Et qui le met en aultre lieu, Il pert son cueur et si pert Dieu.
Reveille toy cueur endormy, En saincte meditation,
Jesus ton espoux ton amy, Supplieras en devotion.
Sa mort sa dure passion, Pleure de cueur et d'esperit,
En luy disant d'affection, Misericorde Jesuchrist.

De oraison.

971f *Amy ayme Dieu et honnore, Et reverendement adore*
Affin que soye asseuré De ton salut et bien heure
Car souvent oraison appaise Dieu et noz cueurs nettoye
Et noz ennemys surmonte, Et penetre les cieulx et monte

---

[13] Folios 101v-102v, *voir* chapitre XXVI : *Aides-mémoire de la foi*, Maguelonne 1533 (P2852).
[14] Formulaire d'origine inconnue.

> *Et presente au roy nostre sire, Ce que mon pouvre cueur desire*
> *Et donne consolation A cil qui a tribulation.*
> *Pour ce nous commande veiller Nostre createur adorer*
> *Aux apostres donna la norme D'oraison, et la mist en forme*
> *Briefve, mais tu y trouveras Tant que demander luy debvras.*
> *Pere qui regne es sainctz cieulx, Roy souverain tres glorieux*
> *Je te prie que sanctifié Soit ton nom et glorifié*
> *Et si bien ton regne advienne Que chascun de pecher se tienne*
> *Ton vouloir soit sans default, En terre comme au ciel hault*
> *Donne a ton peuple chrestien Tousjours son pain quotidien*
> *Et nous pardonne noz delictz Comme nous a noz ennemys*
> *Et s'il nous vient tentation, Donne nous liberation*
> *Et nous delivre de tout mal, Et nous fais ensuyvre legal.*
> *Oraison doibt estre assidue, Devote et bien entendue*
> *Discrete, pure, et charitable, Juste, loyalle, pytoyable,*
> *Humble, fervente et debonnaire, Qui raisonnable la veult faire.*

Lyon 1542
Grenoble 1549[15]

[Lyon 1542 : Hippolyte d'Este, cardinal de Ferrare]
Libri sacerdotalis iuxta ritum et consuetudinem prime Lugdunensis ecclesie, proemium

Instruction empruntée au rituel romano-vénitien de Castellano[16].

P2972   Lyon 1542 f. [2]-[4v]

[Le prêtre administre les sacrements, surtout la pénitence]
… Primum igitur, sacerdos dicitur, quasi sacra dans, vel sacer dux, vel deducitur a sacrificando. Sacra autem dare dicitur, quando Ecclesie sacramenta ministrat, et maxime sacramentum penitentie …

[Le prêtre doit conduire et enseigner son peuple. Il offre pour lui le sacrifice. Il doit être un exemple]
Dicitur etiam sacer dux, quia habet ducere, iudicare, et docere populum suum. …

A sacrificando vero dici potest, quia eius officium est offerre sacrificium et hostias pro populo. …

---

[15] Grenoble 1549 p. 3-6 reproduit le texte de Lyon à partir du f. 3v, In primis… Les très nombreuses références bibliques et augustiniennes du formulaire ne sont pas indiquées ici.
[16] Sur Alberto Castellano, voir *supra* Bibliographie sélective – sources, p. 23.

f. [2v] … Officium sacerdotis iuxta sue ordinationis canonem est offerre, benedicere, preesse, predicare, baptizare, ligare et absolvere. Ante omnia vero debet laudabiliter vivere, et plebi sue exempla bonorum operum prebere. …

[**Le prêtre doit être lettré. La lecture, la prière et le travail manuel sont ses armes**]

Sacerdotem preterea oportet esse literarum peritum…

f. [3] Hec enim sunt arma, videlicet lectio, et oratio quibus diabolus expugnatur… Sed et si quando a lectione cessatur debet manuum operatio subsequi, quia ociosa inimica est anime…

[**Livres nécessaires aux prêtres**]

Sacerdotibus autem (inquit idem Augustinus) necessaria sunt ad discendum, Liber sacramentorum, Lectionarius, Antiphonarius, Baptisterium, Computus, Canon penitentialis, Psalterium, Omilie per circulum anni dominicis diebus, et singulis festivitatibus apte. … Munitus itaque sacerdos, et bona vita et scientia lucida debet se accingere ad predicationis officium…

f. [3v] [**Enseigner le *Credo***]

In primis autem sacerdos habet predicare, ut omnes credant Patrem et Filium et Spiritum Sanctum unum Deum esse omnipotentem, qui omnia fecit, et unam esse deitatem, et substantiam, et maiestatem, in tribus personis Patris et Filii, et Spiritus sancti : Et quod filius Dei incarnatus est de Spiritu sancto, ex Maria virgine pro salute generis humani, passus, sepultus, tertia die resurrexit, et celum ascendit, venturus in fine mundi judicare omnes homines secundum propria opera, et quod impii cum diabolo in ignem eternum mittentur, justi autem cum Christo in vita eterna erunt, et omnes homines in propria carne resurgent.

[**Le *Pater* et le *Credo* devront être compris de tous. Les adultes devront réciter par cœur ces deux prières à leur confession de carême ; la communion sera refusée à ceux qui ne les savent pas**]

Item precipiet sacerdos ut oratio dominica, in qua omnia necessaria ad humanam vitam comprehenduntur, et symbolum apostolorum, in quo fides catholica ex integro continetur, ab omnibus discantur, latino, aut quocunque vulgari sermone, sic quod ore profertur, corde credatur, et intelligatur.

Ipsam igitur orationem dominicam, et symbolum apostolorum, omnibus suis parochianis insinuabit, et ab ipsis cum ad confessionem peccatorum suorum faciendam in quadragesima venerint, recitari faciat dictam orationem, et symbolum, nec sanctam communionem alicui adulto tradat, qui hec ex corde proferre noluerit, sine quorum scientia nullus salvus esse poterit : quoniam in altero fides, et credulitas christiana continetur, in altero quid adorare et petere à Deo debeamus, exprimitur.

[Enseigner à éviter les sortilèges, la magie, etc.]

f. [4] Quia vero fides super omnia inconcusse, et firmiter tenenda est, omniaque diaboli figmenta fidei ipsi adversantia propulsanda sunt, sacerdos debet admonere populum ut sortilegia, prestigia, incantationes, et observationes temporum, et rerum, devitent, credantque quod magice artes, et incantationes nihil possunt conferre infirmitatibus hominum, vel brutorum, sed sunt meri laquei, et insidie diaboli, quibus perfidus ille humanum genus decipere molitur.

[Enseigner à se tenir respectueusement à l'église]

Debent preterea sacerdotes admonere plebem, ut cum debita reverentia in ecclesia versentur, et ad eam fine strepitu et tumultu conveniant, et in ea quandiu orationis causa morantur, inanes invicem confabulationes non proferant, dumque missarum solennia celebrantur non solum ab ociosis, et inutilibus verbis, verum etiam a pernitiosis cogitationibus omnino abstineant, ibi enim sacrosanctum Domini corpus conservatur, et sanctorum simul angelorum presentia creditur adesse.

[Prêcher l'amour de Dieu et du prochain, la foi et l'espérance en Dieu, l'humilité, la patience, la chasteté, la bienveillance, la miséricorde, les aumônes, la confession, le vrai pardon à leurs frères]

Predicabit etiam sacerdos de dilectione Dei et proximi, de fide et spe in Deo, de humilitate, patientia, castitate, benignitate, et misericordia, de eleemosynis, et confessione, et ut fratribus ex corde remittatur, quoniam qui hec, et similia agunt, regnum Dei consequentur.

[Prohiber la fornication, l'impureté, la luxure, la sujétion aux idoles, les maléfices, les haines, les conflits, les sectes, les homicides, etc.]

Declarabit deinde pro quibus criminibus homines cum diabolo computantur, nempe secundum apostolum ex fornicatione, immundicia, luxuria, idolorum servitute, veneficiis, inimicitiis, contentionibus, emulationibus, ira, rixa, discentionibus, sectis, invidia, homicidiis, ebrietatibus, commessationibus, et his similibus, quae qui agunt regnum Dei non consequentur, ideo cum omni studio prohiberi debent.

[Les vachers, porchers, bergers ou laboureurs, ceux qui vivent continuellement dans les champs ou les forêts... doivent aller à la messe avec les autres]

Preterea sacerdotes admoneant bubulcos, porcarios et alios quoscunque pastores, aut aratores, qui assidue in agris vel in silvis commorantur more pecudum viventes, ut diebus dominicis, et festivis ad ecclesiam conveniant, missam et divinum sacrificium cum ceteris audituri...

[Enseigner à réciter dévotement tous les jours, au moins matin et soir, l'oraison dominicale et le symbole des apôtres, et à invoquer la Vierge et les saints]

f. [4v] Docendus est etiam populus et hortandus ut singulis diebus mane saltem et vespere orent recitantes devote orationem dominicam et symbolum apostolorum, agentes gratias Deo pro quotidiane vite commeatibus quodque ipse dominus eos ad imaginem suam creare dignatus sit, et a pecudibus segregare, deinde beatissimam virginem Mariam invocent, et sanctos omnes ut pro eis apud divinam maiestatem intercedere dignentur. ...

[Les jours fériés, les jours de jeûne, la dime]

Docebit insuper populum sacerdos tempora feriandi per totum annum ... monebitque eos ut observent omnia jejunia ab ipsa ecclesia statuta. ...

Admonebit quoque sacerdos plebem, ut decimas Deo rite persolvant nec eas in aliquo defraudent.

Metz 1543

[Jean de Lorraine]
[Conseils aux prêtres pour dire les Heures, prier vocalement, et conduire leur vie]

2973   Metz 1543 f. 3-3v

Exhortatio ad sacerdotem pro horis dicendis.
Cum Christo psalles, psallendo tu tria serves.
Dirige cor sursum, bene profer, respice sensum
Versus posterior, nunquam prius incipiatur.
Quam suus anterior, perfecto fine fruatur.
Qui psalmos resecat, et verba davitica curtat.
Non plus inde feret, quam si sua lingua taceret.
In templo vanum fuge cantum, dilige planum.

Cause sex quare vocaliter orare debemus.
Collige sex causas, quare vocaliter oras.
Ut torpor cedat, mentis devotio crescat.
Ut cor mundetur, et proximus edificetur.
Lingua laudetur opifex, demonque fugetur.

Quo modo sacerdos se regere debet.
Presbyter attente capias, hec dogmata mente.
Hec tibi norma datur, per quam tua vita regatur.
Sobrius, et castus, et sacro dogmate plenus.
Iram tu vites, fugias semper quoque lites.
Non sis potator, nec lucri turpis amator.
Turpia non verba tibi sint, nec mensque superba.
Ad mensam Domini, quasi bestia currere noli.
Ne te cum Juda, dampnet sententia iusta.
Vive Deo gratus, toti mundo tumulatus.
Crimine sis mundus, semper transire paratus.
Qui stas in mensa Christi, quid agas bene penses.
Aut tibi vita datur, aut mors eterna paratur.

Grenoble 1549
[Laurent II Allemand]
[Prône dominical, conclusion]

P2974   **Grenoble 1549 p. 79**
Oultre ce je vous prie avoir les oeuvres de misericorde pour recommandées, l'estat de voz consciences, qui ne scavez quand plaira à Dieu vous appeller. Et vous exhorte surtout à fraternelle amitié, à vous entre aymer les uns les autres, en communicant de voz biens aux paoures, et instruisant les devoyés, et consolant les desolés, et remettant les offenses les uns aux autres. [note marg. :] Nescimus diem, neque horam. Luc. 12. 1. Pet. c. 3. Rom. 13.

Et pour toutes les prieres qu'avons faictes, et que sommes tenus de faire, et pour obtenir remission de noz pechés, chascun de vous dira cinq Pater noster, à l'honneur de cinq playes de nostre Seigneur, et sept Ave Maria, à l'honneur des sept joyes de nostre Dame, et une foys le Credo. [note marg. :] Peroratio. Vos amici estis, si feceritis quae praecipio vobis.

Grenoble 1549
[Laurent II Allemand]
*Institution d'un bon Chrestien en la foy de Dieu,
et commandements de l'Eglise*

[Conseils selon les états de vie, faisant suite au prône dominical]

2975 Grenoble 1549 p. 85-87[17]

Institutio puerorum.
1 Enfans soyez obeissants à voz peres et meres, gents vieulx. Vous maistres et gents ecclesiastiques. [note marginale:] Exo. 10
2 Portez leur honeur et reverence selon leur qualité.
3 Faictes leur touts les services qui vous sera possible.
4 Secourez les si sont indigents.
5 Endurez leurs commandements, et instruction avecq'reverence et obeissance.

Parentum Institutio.
1 Peres et meres aymez voz enfans. [note marginale:] Nemo unquam carnem suam odio habuit. Ephes. 1 [Ephes. 5, 29]
2 Corrigez les, et instruisez à la foy Chrestienne.
3 Nourrissez les en bonnes meurs.
4 Faicte leur apprendre quelque mestier.
5 Laissez leur apres vous, voz biens justement acquis.

Coniugatorum Institutio.
1 Gents mariés, gardez fidelité ensemble, de voz corps. Voz biens, et voz secretz.
2 Aymez Dieu sur toutes choses, l'un l'autre, et voz enfans.
3 Gardez honesteté en parolles, faictz, et conversation.
4 Soyez diligents: l'home [sic], de justement acquerir, de bien instruire voz enfans, et la femme de songneusement conserver.
5 Soyez paisibles: à Dieu, par bonne conscience; de l'un à l'autre, et avecq' voz voysins. [note marginale:] Nemini quicquam debeatis nisi dilectionem. [Rom. 13, 8]

Viduarum Institutio.
1 Vefves, soyez modestes en habitz, en regards, et sobres à boyre et menger.

---

[17] Le début du formulaire p. 81-84 donne essentiellement des conseils de dévotion. *Voir* volume II/6: *Prônes dominicaux. Conseils de dévotion.*

2 Soyez chastes en pensées, en attouchements, en recordation du temps passé.
3 Ayez esperance en Dieu, ayant recours à luy en voz tribulations.

Virginum Institutio.
1 Filles, fuyez deshonestes pensées.
2 Deshonestes compagnies.
3 Oysiveté, vous occupants en actes honestes.
4. Soyez sobres en vostre menger.
5 Fuyez toute occasion de peché.

Rusticorum Institutio.
1 Gents de villages, travaillez fidellement:
2 Vostre labeur soit legitimement faict.
3 Esperez plus de Dieu, qui nourrit toute creature, que de vostre art, ou labeur.

Generalis christianorum Institutio.
Tous Chrestiens doivent rendre à leurs prochains ce qu'il leur appertient [sic].
Si sont noz superieurs, nous leur devons reverence, obedience, et prier pour eulx. [note marg.:] 1. Pet. 2. Thi. 2.
A nostre prochain inferieur, comme serviteur, on luy doibt nourriture, paysible conversation, salaire, et gaiges. [note marg.:] Deut. 26. Matth. 10.
A nostre prochain esgal, nous luy devons compassion en son adversité: [note marg.:] Rom. 12.
En sa prosperité resjoyssance: [note marg.:] Rom. 12.
Et subvention en sa necessité. [note marg.:] Io. 3.

Besançon 1561, 1581
Admonitiones particulares
[Conseils selon les états de vie]

P2975bis   *Voir supra* Confessions générales, Besançon 1561, 1581 f. A4v (P1254).

Aix-en-Provence 1577
[Alexandre Canigiani[18]]
[Prône dominical de la cathédrale Saint Sauveur d'Aix[19]]

*2976 **Aix-en-Provence**
p. [6]-[9] … Ung chascun vray fidele chrestien et chrestienne est tenu de bien scavoir et garder les **comendementz de Dieu**.
Car qui veult en paradis entrer.
doibt les comendemens de Dieu garder.
et les doibt on garder entierement
pour n'estre danné eternellement.
S'ensuyvent les dix **commendemens de la loy**. *Ung seul Dieu tu adoureras, et aymeras parfaictement.* …

S'ensuyvent les **comendemens de nostre saincte mere Eglise**, lesquelz sont semblables aux comendemens de Dieu, et que aussi tout bon chrestien et chrestienne est tenu de les scavoir, et de tout son povoir, les doibt en sa vie garder. *Les dimenches la saincte messe ouyras, Et les festes de commendemens.* …[20]

Qui ses [sic] dix comendemens de Dieu et les sept de nostre saincte mere Eglise en sa vie gardera, en paradis sauvé sera, et qui ne les observera, en enfert damné sera, sans jamais avoir remission de ces pechés, sy n'en faict, en ce monde, confession et penitence.

p. [18]-[21] [**Admonestations aux chefs de famille, malades, femmes enceintes, parents de jeunes enfants**]
… Admonestent tous noz parrochiens que sont **chiefz de maison**, de venir ouir tous les dimenches la messe parrochialle, ou y auroit legitime excusation de ne povoir venir.

Admonestent aussi tous noz parrochiens, que si advient par la volunté de Dieu que aucun viene a **tomber en maladie**, que dedans trois jours on aye a soy confesser, et puis apres recepvoir le sainct sacrement du precieux corps de nostre seigneur J. C., soy recommandant a Dieu et a la benoiste vierge Marie, fesent comme ont de coustume faire les bons chrestiens et catholiques en leurs maladies.

---

[18] Sur Alexandre Canigiani, voir A. Rastoul, « 1. Aix-en-Provence », *Dictionnaire d'histoire et de géographie ecclésiastiques*, t. 1 (1912), col. 1240.
[19] L'auteur du prône est Louis Maissoni, curé de l'église Saint-Sauveur d'Aix.
[20] Commandements de Dieu et de l'Église. *Voir* volume II/6 : *Prônes dominicaux. Conseils de dévotion.*

Admonestent aussi les **femmes que sont enceintes** que s'ayent a confesser et recepvoir le sainct sacrement du precieux corps de nostre seigneur J. C. avant que parturir ny enfenter.

Admonestent aussi tout **homme et femme que sont constitués au sainct sacrement de mariage**, auxquelz Dieu leur a donné enfans, de ne voloir coucher en leurs lictz telz enfans que ne soyent de le age de une année, et se est pour garder de ne tomber aux inconveniens que s'en porrent ensuivre.

[Recommandations]

Toutes choses dignes d'estre recomendées, je les vous recomende en general tant que faire je puis. Mais en special je vous recomende l'honeur de Dieu, de la glorieuse vierge Marie, et de tous les saincts et sainctes de paradis.

Aussi je vous recomende de observer et garder les comendemens de Dieu et de l'Eglise, car qui veut avoir entrée en paradis doit a son Dieu et son createur, et a son espouse l'Eglise catholique et romayne hobeir.

Je vous recomende vous pouvres ames, lesquelles vous entretiendrés en la grace de Dieu, vous gardent de ne tomber en pechés mortelz.

Je vous recomanda aussy les pouvres de nostre Seigneur, tant ceulx de l'hospital que aussi les pouvres de S. Lazare, et plusieurs autres pouvres que sont en ceste ville.

Je vous recomende vostre eglise qu'est la maison de Dieu et les luminaires et confrairies que sont en icelle instituées pour le service divin.

Et finalement toutes choses dignes de recomendation, et principallement les euvres de misericorde tant spirituelles que temporelles. Car en les accomplissant, Dieu vous donera en se monde sa grace et paradis en l'autre, la ou nous vueille conduire le Pere et le Filz et le benoict Sainct Sperit [sic] Amen.

La benediction du Pere, et l'amour du Filz, et la grace du benoict Sainct Sperit soit avec nous tous. *In nomine Patris…* Finis.

Lyon c. 1580
[Pierre d'Espinac]
[Prône dominical, conclusion]

P2977 **Lyon c. 1580** p. 40 de l'édition Millanges 1602[21]
Vous avez par ordonnance de l'Eglise, en ceste sepmaine la feste, ou festes de saint N. vous la solenniserez avec bonnes et sainctes oeuvres, et oraisons en assistant au service divin devotement, à ouir la parole de Dieu, en meditation de toutes choses sainctes, et aux oeuvres de misericorde, et non pas en jeux, gourmandises, vaine oysiveté, et autres actes reprouvées [sic], par lesquels on ne celebreroit pas, mais on prophaneroit les festes, on offenseroit griefvement Dieu, et on des-honoreroit les saincts.

Icy, si le temps le requiert, et le sçavoir du Curé, Vicaire, ou recteur le permet, faut discourir succinctement et familierement du sujet de l'Evangile ou Epistre, de la vie du sainct ou saincte, qui se celebre en ce jour, ou bien prendre quelque traicté choisi et commode du Catechisme, composé et mis en lumiere, selon le decret du saint Concile de Trente, par le mandement et authorité de nostre sainct pere le Pape Pie V. de ce nom, pour l'instruction des Curez, et erudition du peuple.

Chartres 1580
[Nicolas de Thou]
Du Mariage
[Instruction précédant le rite du mariage]

P2978 **Chartres 1580** f. 142v-144v
Comment se faut comporter en l'estat de mariage.
L'Ecclesiaste met entre les choses aggreables à Dieu, le mary et la femme bien accordans.
Comme il n'y a conjonction au monde plus amiable et solide: aussi n'y a il moyen plus gracieux et ferme pour l'entretenir et fortifier, que la mutuelle affection et bienveillance. ...
Du comportement du mary.
Au mary qui est le chef, doit demeurer l'auctorité et commandement, voire sur la femme: non afin de la maitriser en esclave, luy ayant esté baillée pour ayde et compagne de grace, et coheritiere de l'heritage eternel: mais à ce qu'il l'ayme pudiquement, honore, cherisse, traicte comme soy mesme, enseigne doucement, et remonstre ses fautes, en

---

[21] Sur le rituel lyonnais c. 1580, voir *supra* P2869.

supportant ainsi que d'un infirme vaisseau l'imbecille nature : luy garde loyauté, et ne l'abandonne jamais pour quelque indisposition et cause que ce soit : ains tant plus luy monstrer d'amitié qu'elle aura besoin de secours et aide…

Du comportement de la femme.

La femme (qui est figure de l'Eglise en ce sacrement) recognoistra de sa part son mary pour chef, l'aymera parfaictement, honorera, craindra, complaira, s'accommodant à luy pour acquerir par bonne grace, douceur, et vertu sa bienveillance : comme Sara faisoit à l'endroit d'Abraham l'appellant son Seigneur. Par toutes ses actions se monstrera sage, pudique, honeste, sobre, ayant soing de ses enfans, maison, et famille… S'habillera modestement selon son estat… Ne prestera aucunement l'oreille aux nouveautez, mesmement au fait de la religion : ains apprendra en silence, et sans curiosité enquerra son mary en la maison des doutes qu'elle pourroit avoir. Si elle croit, n'a besoing de grande dispute et discours ; où elle ne croira, malaisement se laissera persuader par raison…

Du devoir commun desdits mariez à l'endroict de leurs enfans.

Aymeront leurs enfans, et eleveront benignement, les instruiront religieusement, à l'exemple de Tobie, et des parens de Susanne, en la cognoissance, amour et crainte de Dieu, et en l'observation des saincts commandemens, et louables traditions de son Eglise, souz l'obeïssance et direction du sainct siege apostolique, hors lequel qui mange l'agneau est profane. Les courveront [sic] dés leur premier aage, pour sainement endoctriner en bonnes moeurs… leur apprendront à honorer le Roy, reverer leurs parens, observer les anciens, obeïr aux loix, ceder aux superieurs, aymer leurs amis, ne se laisser transporter à leurs passions, et jamais ne rien dire ou faire temerairement. Ne leur seront pas trop indulgents et faciles, à ce qu'ils n'en abusent, et en fin ne leur meschoye [arrive malheur], comme à Hely souverain prestre et ses enfans. Les tiendront plutost par liberale pudeur, que par crainte, se souvenant qu'eux mesmes ont esté jeusnes. Par fois leur lascheront la bride, et tantost en serreront le bouton, pour ne les provoquer à ire, hebeter, et faire perdre courage : ains essayeront de les corriger plustost que punir. Brief, se garderont de donner aucun mauvais exemple, qui les puisse depraver, ny rien omettre du devoir de pieté envers eux.

Du devoir des enfans envers leurs parens.

Entre les preceptes de la seconde table le premier est, que les enfans honorent leurs parens : ausquels, apres Dieu, doivent leur estre. Cest honneur consiste en amour, obeïssance et reverence. …

Du comportement des maistres à l'endroict des serviteurs.

Ils essayeront par bonnes paroles et douces remonstrances, à les attraire [sic] et amener sans rudesse et outrage, à faire leur devoir: et ce faisant aymeront, choiront, et benignement supporteront, prenant garde qu'ils ne ployent souz le faix, et servent à contrecoeur...

N'oubliront les faire songneusement instituer, au moins és rudimens de la foy et religion catholique... et ne les frauderont de leurs loyers, ny delaisseront pauvres, et sans moyen de pouvoir gaigner leur vie à l'advenir.

Les secoureront aussi en maladie selon leur pouvoir...

Du devoir des serviteurs envers leurs maitres.

Saint Paul leur enjoinct obeyr, craindre, reverer leurs maistres, et servir non par acquit et à l'oeil, mais en simplicité et affection, sans aucune fraude et contradiction... Comme leur loyauté est loüée en l'Evangile, aussi y sont blasmez et punis les fayneants et inutiles.

Chartres 1580
[Nicolas de Thou]
[Conseils de vie chrétienne faisant suite au prône dominical]

2979 Chartres 1580 f. 204-206

Ce que les curez doivent remonstrer au peuple, apres lesdictes prieres et denonciations.

Ils proposeront devant les yeux du peuple la crainte de Dieu, commencement de sagesse, recommanderont l'estat des consciences, l'institution des petits enfans, ensemble des serviteurs: à ce que au moins ils soient initiez és premiers rudimens de la foy, que nul Chrestien doit ignorer. N'oubliront les oeuvres de charité et misericorde, mesmement envers les souffreteux de la paroisse, et specialement à l'egard des veufves, orphelins, filles à marier, et pauvres honteux.

Et parce que le dimanche n'est seulement institué pour prier Dieu, mais pour entendre sa saincte volonté et y acquiescer, exposeront sommairement selon leur opportunité, l'evangile du jour, avec les commandemens du decalogue, reduits par J. C. en deux poincts, esquels la loy et les prophetes sont entierement compris: le symbole des Apostres, sommaire de la foy catholique, et sans laquelle nul oeuvre plaist à Dieu, l'oraison dominicale, contenant tout ce que l'on peut licitement et en decence chrestienne requerir, les commandemens de l'Eglise, vrayes guides de l'intelligence de ses sainctes ordonnances, et generalement ce que [sic] peut concerner le salut et edification de leurs paroissiens. ...

Advertissement aux Curez, contre ceux qui ne veulent travailler le Samedy.

Les Curez remonstreront à leurs paroissiens, que veritablement Dieu avoit commandé par exprés en la loy de sanctifier le Sabbath, et defendu avec grande intermination [interdiction] d'y faire aucun oeuvre servil : mais l'Eglise de tradition apostolique l'a transferé au Dimanche, pour n'avoir rien de commun avec les Juifs...

Des festes observées en la loy outre le Sabbath.

De l'ordonnance de Dieu... les Israëlites solemnisoient annuellement trois festes principales, outre le Sabbath : sçavoir, Pasques, Pentecoste, et les Tabernacles...

Des festes des Chrestiens.

Les Chrestiens au lieu du Sabbath Judaïque solemnisent en toute reverence le sainct Dimanche, en memoire de la resurrection de J. C., par laquelle ils sont justifiez.

Outre ce ils observent religieusement les festes indictes par l'Eglise, selon qu'il est convenu au Calendrier de chacun Diocese... Esdicts jours doivent cesser tous plaids, jugemens de mort, foyres, marchez, et oeuvres serviles : si ce n'est pour les victuailles et necessité des alimens perissables, comme la pesche du haran qui est passager...

Remonstrances sur l'interdiction des oeuvres servils et manuels esdicts jours.

Les Curez remonstreront au peuple, que la plus grande servitude qui le puisse opprimer, est le peché. ... L'advertiront, que les oeuvres servils et manuels sont interdicts : non que de soy il soit mauvais d'entendre à la conduicte des mesnages et familles, mais afin que chacun librement vacque esdicts jours à la contemplation des choses spirituelles et divines, qui sont de plus grande importance.

Par fois l'on y peut travailler des mains, sans aucune offense, si l'urgente necessité ou evidente utilité du prochain le requiert, ou que l'auctorité du superieur y intervienne. ...

Injonction aux curez.

Enjoignons estroictement aux curez de nostre diocese, faire lire en vulgaire à haulte voix par un des enfans de leur eschole apres le prosne des dimanches, le decalogue, l'oraison dominicale, (la) salutation angelique, et le symbole des apostres, avec les commandemens de l'Eglise, à ce que le peuple s'habituë à l'intelligence de ce qu'appartient à son salut.

L'exciteront au mieux qu'ils pourront, à vivre vertueusement avec la grace de Dieu… A ces fin feront entendre les vertus requises pour sainctement se gouverner.

Chartres 1581
[Nicolas de Thou]
[Devoirs envers Dieu et envers le prochain, prône dominical]

2980   Chartres 1581 f. 145-154v

Aultre maniere d'exhorter le peuple.

f. 150 … Je vous recommande l'estat de vos consciences, et admoneste que chacun face songneusement le devoir requis en sa charge et vocation.

[Devoirs envers Dieu]

Sur toutes choses recongnoistrez Dieu vostre createur, croirez fermement en luy, et sentirez de luy et des choses divines ainsi qu'est contenu és sainctes escriptures, symbole des Apostres, et resolutions de l'Eglise és saincts conciles generaux, sans vous departir jamais de la foy et religion catholique, en faicts ny paroles, pour quelque occasion que ce soit.

Vous le craindrez et aymerez de tout vostre cueur, ame, entendement, vertu et force sans feintise.

Mettez en luy vostre esperance et entiere fiance en vos affaires, necessitez, et tribulations: sans vous appuyer sur les richesses, moiens, santé et forces corporelles, que pouvez avoir: ny recourir aux malings esprits, charmeurs, sorciers, enchanteurs, magiciens, devins, necromantiens et autres semblables imposteurs: estans asseurez qu'il vous y donnera indubitable enseigne, addresse, conduicte, et toute consolation.

N'abuserez irreveremment et en vain de son sainct nom par jeu, temerité et perverse coustume de jurer.

Ne vous parjurerez sciemment, ny prometterez et vouerez chose illicite et à mauvaise fin.

Le servirez de devote et syncere affection, sanctifiant les Dimanches et festes de commandement, par frequente assistance aux predications de sa saincte parole et publiques prieres de son Eglise.

Ne ferez esdits jours oeuvres serviles et manuelles, ny vacquerez à aucunes affaires temporelles qui vous en puissent divertir prenant exemple de celuy qui fut de son ordonnance lapidé au desert, pour y avoir recueilly du bois le jour du Sabath. (note marg. Nume. 15)

Apres Dieu et pour son respect aymerez vostre prochain comme vous mesme, vous comportant avec luy en toute bienveillance, sans envie, hayne, rancune, detraction, nuysance et oultrage, soit de faict, pensée ou de parole : autrement vostre amour envers Dieu ne sera parfaict car si n'aymez ce que voyez, à peine aymerez ce que vous ne pouvez veoir.

[Devoirs envers le prochain]

Vous estimerez pour prochain quiconque a besoin de vostre ayde, soit voisin ou estranger : et retiendrez que les fideles doibvent estre joincts en amitié les uns avec les autres, ainsi que les membres du corps humain sont unis ensemble : mais les premiers prochains que debvez aymer, sont **vos peres et meres**, desquels (à leur grand peine, traveil [sic] et soucy) avez pris naissance, norriture [sic] et entreténement [entretien] en vostre enfance et premiere jeunesse.

Vous les honorerez de quelque qualité et condition qu'ils soient, selon l'ordonnance de Dieu, non par seule exterieure reverence, mais de cueur et d'affection, avec amour, obeissance et craincte filiale, les aydant, secourant, consolant et supportant en leurs necessitez, affaires et imperfections, si aucunes en ont.

Les peres aussi se mettront en debvoir de faire instruire leurs **enfans** en la religion catholique, bonnes meurs, sciences et disciplines : et en seront plus songneux que de les accroistre en biens temporels, qui sont caduques et transitoires.

S'ils n'en ont la puissance, feront aprendre quelque honeste mestier, ou donneront autre moyen pour gaigner leur vie, et fuyr oysiveté mere de tous vices.

Ils auront pareillement soing de leurs **serviteurs domestiques**, qu'ils feront au moins enseigner es rudiments de la foy, que nul Chrestien doibt ignorer : et ne leur retiendront ou retarderont leurs salaires, non plus qu'aux mercenaires qui travailleront pour eux.

Ceux aussi qui se mettent en service, ou se louent à travailler pour autruy, s'y emploiront, fidelement et sans fraulde.

Non seulement honorerez ceux desquels avez pris naissance, mais aussi vos **superieurs** tant spirituels que temporels, et tous ceux qui ont charge de vous, soient tuteurs, curateurs, precepteurs, pedagogues maistres et autres semblables ausquels ne pouvez rendre l'equivalent de ce dont leur estes redevables.

Je vous recommande les oeuvres de charité et de misericorde, tant corporels que spirituels.

Vous aurez specialement pitié et compassion des **pauvres souffreteux** de ceste paroisse, et de vos biens subviendrez à leurs indigences et necessitez, selon les moyens qu'il a pleu à Dieu vous donner : ils ne peuvent vivre que des biensfaicts d'autruy.

Bien heureux est qui y entend : Dieu au besoing le delivrera de toute destresse.

Poitiers 1581, 1587, 1594
[Geoffroy de Saint-Belin]
[Prône dominical, conclusion]

P2981 **Poitiers 1581 f. P4-P4v**

Vous solenniserez les festes en sanctification, c'est en toutes bonnes et sainctes oeuvres, comme en oraisons, en assistant au service divin devotement, à ouyr la parole, en meditation de toutes choses sainctes et aux oeuvres de misericorde, et non pas en jeux, gourmandises, vaine oisiveté, et autres actes reprouvez, par lesquels on ne celebreroit pas, mais on prophaneroit les festes, on offenceroit griefvement Dieu, et on deshonoreroit les saincts.

Je vous recommande vostre luminaire, la fabrique de ceans, la continuation et augmentation du divin service, en general les pauvres de Dieu le createur, tant qu'il m'est possible je les vous recommande, en especial voz consciences: que ung chascun se garde de mal penser, de mal dire, de mal faire, et ne faire à autruy ce que vous ne voudriez pas estre faict à vous mesmes.

Reims 1585, 1621
Amiens 1586, 1607. Bourges 1666. Châlons-sur-Marne 1606
Laon 1585, 1621. Noyon 1631. Paris 1630-1654
Saint-Brieuc 1605[22]. Senlis 1585. Troyes 1660

[Reims 1585: Louis III de Lorraine, cardinal de Guise]
[Annonce de la Semaine sainte et de la fête de Pâques]
Modus indicendi dies festos Ecclesiae,
et primum sacratissimum diem Paschae:
Reims. Amiens. Châlons. Laon. Senlis. Saint-Brieuc.
Le Dimanche des Rameaux: Paris 1630-1654. Bourges 1666.
Noyon 1631. Troyes 1660.

P2982 **Reims 1585 f. 94-95**

Chrestienne et devote assistence, par une singuliere grace de Dieu nous sommes parvenuz jusques à la derniere semaine de Quaresme, que la commune des Chrestiens a de tout temps nommé[a] la grande et sainte Semaine; plusieurs aussi la nomment Semaine peneuse[b], non seulement à cause des grans et saints mysteres de nostre redemption, que nostre Seigneur auroit accomply en icelle, et des horribles peines et

---

[22] Rituel de Saint-Brieuc 1605: édition de Reims 1585 avec substitution de quelques nouveaux cahiers pour les adaptations indispensables à Saint-Brieuc.

tourmens qu'il y auroit soufferts, mais aussi pour ce que de tout temps les vrais fideles et bons Chrestiens s'y sont comportez plus sainctement, et fait plus grandes abstinences et penitences, qu'en tout le reste du Quaresme[c], aucuns allans pieds nuds, et les autres jeusnans au pain et à l'eau.

Vous vous y comporterez doncques sainctement, et en rememorant souvent en vous mesmes les peines, et grans tourmens que nostre Seigneur a voulu souffrir pour vous en l'arbre de la croix, et aussi pour penitence et en satisfaction de voz pechez, vous retrancherez toutes superfluitez, et vivrez[d] plus austerement que[e] n'avez fait jusques icy[f].

Mercredy, Jeudy, et Vendredy, vous assisterez aux Tenebres le plus diligemment qu'il vous sera possible :

le Jeudy, et le Vendredy, qui est le jour que nostre benoit[g] Sauveur fut mis en croix pour nous, vous employerez toute la matinée en prieres et oraisons, viendrez à l'Eglise sans faillir, assisterez à la predication et service divin devotement, et adorerez la sainte croix avec toute humilité et reverence.

Le Samedy, c'est la veille de Pasques, laquelle[h] vous devez employer pareillement en jeusnes, prieres, et toutes bonnes oeuvres, et principalement vous disposer pour recevoir le precieux corps de nostre Seigneur en toute pureté et sinceret̂e de conscience.

Le lendemain, c'est le grand[i] jour de Pasques, la premiere et principale feste des Chrestiens, instituée en memoire de la glorieuse et triomphante Resurrection de nostre Redempteur : en ce jour, et aux deux autres suivans, vous serez songneux[j] de vous maintenir d'autant plus sainctement, que plus grande et plus celebre[k] en est la solennité, et qu'aurez aussi[l] Dieu plus prés de vous, l'ayans receu en vous mesmes et corporellement et spirituellement, comme j'espere[m] : afin qu'il luy plaise demeurer plus long temps avec vous par grace, et vous combler de toute benediction tant corporelle, que spirituelle. Ainsi soit il.

Variantes. (a) que la commune... nommé] que l'on appelle communément No. Pa. 1630-1654. Tro. –(b) plusieurs... peneuse] *om.* Bou. No. Pa. 1630-1654. Tro. –(c) Caresme] Bou. No. Pa. 1630-1654. Tro. –(d) vivrez] tascherez de vivre Bou. No. Pa. 1630-1654. Tro. –(e) vous] *add.* Bou. No. Pa. 1630-1654. Tro. –(f) Dimanche dernier nous vous fismes la lecture du Canon du Concile general de Latran touchant l'obligation que les Chrestiens ont de communier une fois au moins l'année dans la quinzaine de Pasques : nous la ferons encore aujourd'huy pour la seconde fois, afin que personne ne puisse pretendre cause d'ignorance. En voicy les mots ; « Que tous Chrestiens, etc. *cy-devant* page 480. Nous vous ferons aussi la lecture du Decret de Monseigneur l'Archevesque de Paris sur ce subjet, dont la teneur ensuit ; « Afin d'oster aux Paroissiens, etc. *cy-devant* page 481 [Prône du Dimanche de la Passion] *add.* Pa. 1646, 1654. –(g) benoit] *om.* No. Pa. 1630-1654. Tro. –(h) laquelle] auquel jour il est tres à propos qu'un chacun se dispose par de bonnes actions à celebrer saintement cette Festes des Festes No. Pa. 1646, 1654. Tro. –(i) grand] *om.* Bou. –(j) soigneux Bou. No. Pa. 1630-1654. Tro. –(k) et plus celebre] *om.* Bou. –(l) qu'aurez aussi] que d'ailleurs vous aurez No. Pa. 1646, 1654. Tro. –(m) et corporellement… j'espere] reellement et substantiellement No. Pa. 1630-1654. Tro. –reellement Bou

Reims 1585, 1621
Amiens 1586, 1607. Châlons-sur-Marne 1606. Laon 1585, 1621
Saint-Brieuc 1605. Senlis 1585

[Reims 1585: Louis III de Lorraine, cardinal de Guise]
[Annonce des Quatre-Temps et du Carême;
personnes exemptées du jeûne; catéchisme des enfants]

*2983   Reims 1585 f. 95-96 *Modus indicendi quatuor tempora.*

Mercredy, Vendredy, et Samedy prochains vous aurez les Quatre temps, que tous Chrestiens et Chrestiennes d'aage competant doivent jeusner sans legitime empeschement. Vous en ferez le devoir. Et pour ce que c'est en ces mesmes jours que les Prelats ordonnent les ministres de l'Eglise, vous ne les oublierez en voz prieres. Ce pendant ne laisserez de vacquer à voz labeurs et affaires, comme és autres jours ouvriers, et non festables.

Modus indicendi Quadragesimam.

Mercredy prochain vous aurez le jour des Cendres: vous viendrez tous le matin à l'Eglise, et assisterez devotement à la predication et service divin, et le reste du jour pourrez vacquer à voz affaires. C'est aussi le premier jour de la sainte Quarantaine, laquelle tous Chrestiens et Chrestiennes doivent jeuner entierement, s'ils ne sont legitimement empeschez, tels que sont les enfans de bas aage, qui ont besoin de grande et frequente nourriture, les vieilles gens fort debiles et caduques, les malades, les femmes enceintes, et nourrices, les manouvriers, et voyagers, qui ont long voyage à faire: et generallement toutes personnes qui ne peuvent porter longue abstinence, sans un evident peril de leur santé.

Ce pendant pour remedier aux scrupules, et pour plus grande seureté de voz consciences, je vous adverty que chacun fera bien de venir au conseil, (si c'est le Curé qui face cet advertissement, ou si c'est un autre) et d'user du conseil de son Curé et pere confesseur en cest endroit. Joinct que tel ne peut jeusner le tout, qui en peut jeusner une partie: en ce cas il n'est excusé devant Dieu, s'il ne fait ce qui est en luy.

D'avantage je vous advise que manger chair et autre viande defendue d'ancienneté est un cas reservé à l'Evesque, duquel je ne vous peux absoudre, ny autre prestre, sans son expresse licence et permission. Que nul ne se flatte, et ne se trompe.

Vous penserez aussi à voz consciences de bonne heure, et ne differerez de venir à confesse jusques à la derniere semaine, ayans bon loisir et commodité de ce faire tout le long du Caresme, et dés les premiers jours, vous nous envoyerez voz enfans pour les catechizer et instruire, comme on a coustume de toute ancienneté.

Lyon 1589

[Lyon 1589 : Pierre d'Espinac]

Sacra Institutio baptizandi, Lyon 1589-1614 ; Paris 1594-1617 ; Caen 1614. *Rituale romanum*, Paris 1623-1648 ; Rennes 1627. Chalon-sur-Saône 1605. Clermont-Saint-Flour 1608. Vannes 1596

[Prière pour différents états de vie, prône dominical]

Le prône, relié à la suite du rituel d'origine romano-vénitienne *Sacra Institutio baptizandi* édité à Lyon en 1589, est repris jusqu'en 1618 comme supplément dans les *Sacra Institutio baptizandi* éditées à Paris, à Lyon et à Caen[23]. Puis dans les Rituels romains (*Rituale romanum*) édités à Paris jusqu'en 1648 et à Rennes en 1627[24]. Seule l'édition Lyon 1589 est publiée par ordre de l'archevêque de Lyon (mandement daté 1587)[25].

Le même prône est repris dans les rituels diocésains de Vannes 1596, Chalon-sur-Saône 1605, et Clermont-Saint-Flour 1608[26].

P2984 **Lyon 1589** f. 5v-6

... Finablement nous prierons pour tous les estats,
pour les ministres et serviteurs de l'Eglise, que Dieu leur vueille donner et inspirer ferveur et zele du divin cultivement[a] ;

---

[23] *Sacra Institutio baptizandi* : Éditions Lyon : Molin Aussedat n° 635, 1526, 1530, 1536, 1538, 1549, 1553. Éditions Paris : Molin-Aussedat n° 1519, 1540, 1554, 1556, 1557. Édition Caen 1614 : Molin Aussedat n° 1552.
[24] *Rituale romanum* : Éditions Paris : Molin Aussedat n° 1646, 1648, 1652, 1654, 1655, 1657. Édition Rennes : Molin Aussedat n° 1649.
[25] La première édition connue de la *Sacra Institutio baptizandi* imprimée en France (édition Paris 1575, Molin Aussedat n° 1493) reproduisant l'édition vénitienne de 1571 ne comporte pas de prône, comme les éditions de Venise et de Turin.
[26] Le rituel des diocèses de Clermont et Saint-Flour imprimé en 1608 contient deux prônes : le premier identique aux éditions diocésaines antérieures 1506 n.st.-1525 ; le second, ajouté à la suite, identique à ceux des *Sacra Institutio baptizandi*.

aux ministres de Justice, equité avec syncerité de justice, en faisant rendre à un chacun ce que luy appartient, punissant les mauvais, et defendant les bons.

A la noblesse, douceur avec loyauté;
à la vieillesse, prudence avec liberalité;
à la jeunesse, docilité avec providence;
aux marchans, preud'hommie avec charité;
aux laboureurs, mechaniques et artisans, fidelité et saincteté;
aux femmes, simplicité et modestie avec toute humilité, chasteté, patience, et charité.

Par ce moyen l'Eglise de nostre Seigneur I. C. renaistra et reflorira en sa premiere fleur et nayve vigueur pour l'exaltation et honneur de son tressainct nom, pour nostre consolation, et pour le salut de noz ames.

Variante. [a] divin cultivement] culte divin Paris 1641.

Lyon 1589

[Pierre d'Espinac]

Sacra Institutio baptizandi, Lyon 1589-1614;
Paris 1594-1617; Caen 1614.

Rituale romanum, Paris 1623-1648; Rennes 1627.
Chalon-sur-Saône 1605. Clermont-Saint-Flour 1608. Vannes 1596

[Prône dominical, conclusion]

2985 **Lyon 1589 f. 6; Vannes 1596 f. 183v**

Je vous recommande vostre luminaire, la fabrique de ceans, la continuation et augmentation du divin service, en general les pauvres de Dieu le createur, tant qu'il m'est possible je vous les recommande, et en special voz consciences, que un chacun se garde de mal penser, de mal dire, et de mal faire, et ne faire à autruy ce que ne voudriez estre faict à vous mesmes.

Vannes 1596

Voir Lyon 1589.

Rodez 1603. Vabres 1611

[Rodez 1603 : François de Corneillan]
*Instructions generales aux curez,
pour bien et deuëment administrer les saincts Sacremens de l'Eglise*
[Conseils aux prêtres]

P2986 **Rodez 1603 p. 2-3, 5-6**

... sur tout qu'ils se souviennent de n'administrer jamais aucun sacrement, qu'au preallable ils n'ayent par une exacte, et diligente confession soigneusement repurgé leurs consciences de tout peché mortel, ou du moins (en cas de tres-urgente necessité, et pour fuir quelque grand scandale) sans contrition, avec ferme propos de recercher [sic] l'absolution au plustost, suivant le tressage conseil du Prophete disant : *mundamini, qui fertis vasa domini*. [Isa. 52 1]

... Lesquels [curés] aussi nous exhortons par les entrailles de la misericorde de Dieu, qu'avant tout autre œuvre ils congedient toutes distractions mondaines, et retirés à part, se disposent par quelque briefve meditation sur les sacrements qu'ils voudront administrer, avec priere à Dieu (si toutesfois le temps et necessité d'ailleurs le permettoient) affin que celuy qui desire le recevoir, puisse le faire salutairement, et eux s'acquiter dignement de leur charge, prians devotement ce bon Dieu de supplir [sic] par son infinie bonté aux imperfections, et deffauts de ses indignes, ministres, et serviteurs. Sur tout qu'ils advisent, que par une tardive negligence aucun des paroissiens ne decede sans estre premuny des sacremens de l'Eglise.

Rodez 1603. Vabres 1611

[Prône dominical, conclusion]

P2987 **Rodez 1603 p. 652**

Je vous recommande autant qu'il m'est possible, et sur toutes choses l'honneur de Dieu, le salut de vos ames, la continuation et perseverance en toutes bonnes, louables, et sainctes oeuvres. Vous aurés aussi en recommandation la lumiere et fabrique de la presente Eglise.

Rodez 1603. Vabres 1611

Speculum sacerdotum. Le Miroir des Prestres[27]
[Encouragements et conseils aux prêtres]

[Encouragements et conseils aux prêtres attribués au Christ, sous forme de dix-sept quatrains en latin, suivis d'une traduction approximative en vers français]

Rodez 1603 p. 660-665. *Deus Sacerdotes alloquitur. Nostre Seigneur parle à eux.*

Piscatores hominum Sacerdotes mei, Praecones veridici, lucernae diei, Charitatis radiis fulgentes, et spei: Auribus percipite verba oris mei.

Vos in sanctuario mihi deservitis, Vos vocavi palmites, ego vera vitis : Cavete ne steriles aut inanes sitis, Si mecum perpetuo vivere velitis.

Vos estis Catholicae legis protectores, Sal terrae, lux hominum, ovium pastores, Muri domus Israel, morum correctores, Vigiles Ecclesiae gentium doctores. ...

Pescheurs d'hommes Prestres de Dieu, Qui esclairez en ce bas lieu, Comme les estoilles au pole, Vrays prescheurs de la verité, Plains d'esperance et charité, Oyez ma celeste parole.

Vous autres servans à l'Autel sacré, à mon nom immortel, appellez, sarments, de ma bouche, Gardez vous d'estre infructueux, Pour vivre en un lieu plantureux, vivez [*sic* pour venez] à moi qui suis la souche.

La Foy vous a pour protecteurs, Les brebis vous ont pour pasteurs, Les hommes vous ont pour lumiere, Les gentils vous ont pour docteurs, Les debauchez pour correcteurs, l'Eglise pour guet et barriere. ...

Vous avez prins entre voz mains Ma vigne, plante des Chrestiens, Faictes y couler la doctrine, Arrachez ronces et chardons, Affin qu'en ces tendres jettons, la Foy prenne ferme racine.

Vous estes les boeufs haletants, dedans l'aire le bled battants, Separants le grain de la paille, Le peuple ignare de la Loy, Gresle et inconstant en la foy, Vous contemple affin qu'il ne faille. ...

Vivez en Pasteurs sainctement, Conversez religieusement, Vestez vous selon vostre office : Affin que vostre ame en tout lieu, Demeure en la grace de Dieu ; Ne la souillez point d'aucun vice.

Estants faicts Pasteurs des brebis, Gardez vous bien d'estre endormis, Le loup ravissant vous les guette, Ne soyez comme chiens muetz, Chassez le Loup, criez, huez, Soyez une bonne eschauguette. ...

---

[27] Édition dans *Revue religieuse de Rodez et de Mende*, 1894, p. 776-777.

Que l'orgueil n'enfle vostre esprit, Humble soit l'oeil, humble l'habit, N'ayez aucun soing deshonneste, Indigne de vostre degré, N'ayez ça bas le coeur ancré, Tenant les clefs de l'huis celeste.

Soyez briefs en vostre parler, De peur que par trop babiller, Ne veniez à souiller vostre ame, La langue membre si petit, Excite s'on ne la regit, Comm' un charbon une grand flamme.

Soyez benins, sobres, prudents, Chastes, devots, et patients, Humbles, simples, et charitables, A instruire les ignorants, A corriger les defaillants, Et consoler les miserables.

Si ainsi vous vous gouvernez, En la charge que prins avez, Menant vie spirituelle, Apres la vie de ce corps, L'ame estant sortie dehors, Jouyra de vie immortelle.

Cahors 1604, 1619

[Siméon-Etienne de Popian]
Manuale proprium Parochorum Cadurcentium
[Prône dominical, conclusion]

P2989 **Cahors 1604 p. 63**

Je vous recommande voz pauvres consciences, et vous admoneste de vivre en estat de grace, de fuyr, et eviter le peché. Vous recommande les pauvres, en voz aumosnes, et specialement ceux de ceste paroisse, que vous cognoissés vrayement necessiteux, et sur tout les orphelins, pauvres femmes vefves, pauvres malades, les indigens honteux, et pauvres filles à marier. Et toutes autres choses dignes de recommandation. Dieu soit avec vous.

Cahors 1604, 1619

*Reiglemens pour l'estat des personnes, et choses ecclesiastiques
De la vie, moeurs, et conversation des Ecclesiastiques, et des obitz et autres legats pies*
[Conseils aux prêtres]

P2990 **Cahors 1604, *Manuale proprium*, p. 72-73**

... XVIII. [les Ecclesiastiques]Fuiront l'oisiveté et tous actes serviles et mechaniques, les jeux et brelans, danses et tavernes, et les femmes suspectes, et les armes, et la familiarité trop grande des laiz. Et donneront bonne odeur de vie exemplaire et d'honeste conversation, tousjours en habits decents, et avec la tonsure clericale, traictans sainctement les saincts mysteres, et celebrans la saincte Messe le plus souvent qu'ils pourront, à tout le moins les dimanches et autres bonnes festes ; et s'aquictans bien, et deuëment des Messes et obits fondez, et autres legats pies, dont sera tenüe en la sacristie, ou autre lieu commode, table, et poincte.

Chalon-sur-Saône 1605

Voir Lyon 1589.

Évreux 1606, 1621
Angers 1620, 1626, 1676, 1735. Coutances 1618. Lisieux 1608, 1661 Meaux 1617. Saintes c. 1625, 1639[28], 1655[29]. Sens 1625. Troyes 1639

[Évreux 1606 : Jacques Davy du Perron]
[Prône dominical, conclusion]

2991 **Évreux 1606 f. 139**

Voylà les choses que mon devoir[a] m'obligeoit[b] de vous representer ce jourd'huy, suivant lesquelles[c] je vous exhorte[d] d'avoir tousjours la crainte de Dieu devant vos[e] yeux, d'apprehender[f] ses jugemens, d'eviter tout peché, et si en quelque façon vous y tombez[g], de vous en relever aussi tost par le Sacrement de Penitence, et n'attendre point à Pasques de peur d'estre surpris, attendu qu'il n'y a rien[h] plus certain que la mort, et rien plus incertain que l'heure[i]. Au surplus aymez vous chrestiennement les uns les autres, ayez soin de bien instruire vos enfans et serviteurs puis qu'il vous en faudra rendre compte devant Dieu, exercez les oeuvres de charité, et corporelles et spirituelles vers ceux que vous verrez en necessité, particulierement en ceste parroisse.

Finalement[j] prions les uns pour les autres afin que tous ensemble nous parvenions à la gloire celeste, à laquelle nous conduise le Pere, le Fils, et le sainct Esprit.

Variantes. [a] les choses… devoir] ce que le devoir de ma charge Tro. – [b] Voilà les choses que j'estois obligé] An. 1676, 1735. – [c] en suite desquelles] An. 1676, 1735. [d] suivant… exhorte] Vous aurez soin d'en faire vostre profit, et surtout Tro. – [e] vos] les An. 1676, 1735. Tro. – [f] d'apprehender] de redouter An. 1620-1735. Sai. – [g] si… tombez] s'il vous

---

[28] Saintes c. 1625 : édition disparue, attestée par l'ordonnance de Michel Raoul, évêque de Saintes de 1618 à 1631, en tête du prône de 1639. Saintes 1639 : compilation des rituels de Toulouse 1602-1621 et d'Angers 1620-1626.
[29] Saintes 1655 : édition disparue. Molin Aussedat n° 1176.

arrive d'y tomber An. 1676, 1735. –[h] de] *add.* An. Sai. Tro. –[i] l'heure] son heure An. 1676, 1735. – d'icelle] *add.* An. 1620-1676. Sai. –[j] Enfin] An. 1676, 1735.

Clermont-Saint-Flour 1608

Voir Lyon 1589.

Genève 1612, 1632
Béziers 1638. Meaux 1645

[Genève 1612 : François de Sales (saint)]
[Prône dominical, conclusion]

P2992 **Genève 1612 p. 383-384**
Mais seulement je vous recommande d'aimer Dieu sur toutes choses, et vostre prochain comme vous mesmes. Que doncques tous debats, vengeances, dissenssions, et malveillances cessent, et ne se trouvent jamais entre vous. Et la benediction, grace, et paix de Dieu vous soit donnée à jamais, au nom de Pere, et du Fils…[a]

Variante Meaux. [a] Et la benediction, la grace et la paix de Dieu vous soient données à jamais.

Genève 1612, 1632
Béziers 1638. Meaux 1645

[Genève 1612 : François de Sales (saint)]
[Prône le dimanche de la Quinquagésime, sur le jeûne du carême]

P2993 **Genève 1612 p. 385** *Singulis Dominicis Quinquagesimae unusquisque Parochorum monebit populum his verbis.*
Mercredy prochain nous commencerons le sainct Caresme, et ferons l'imposition des sainctes Cendres, selon l'institution apostolique et catholique : partant un chascun soit adverty de rendre son devoir, en s'abstenant depuis ledit jour, jusques au jour de Pasques de l'usage de la chair, des oeufs, et du fromage : sinon que pour quelque cause raisonnable il en fust dispensé des Superieurs ecclesiastiques. Comme aussi un chascun doit jeusner tous les jours, le dimanche reservé, sinon que pour l'aage, maladie, ou autres occasions[a] il en soit exempté. Et par ce que ce sainct temps est saison de la cuillette[b] spirituelle des bonnes oeuvres, on vous exhorte au nom de Dieu de vaquer plus soigneusement à[c] prieres, aumosnes, et penitences, en vous preparant

de faire la saincte Confession et Communion de Pasques à la gloire de Dieu et salut de vos Ames.

Variantes Meaux. [a] autre occasion. –[b] cueillette. –[c] à] aux.

Toul 1616-1652
[Toul 1616 : Jean des Porcelets de Maillane]
[Prône dominical, conclusion]

93bis **Toul 1616 p. 324**
Outre les œuvres de misericorde spirituelles, je vous recommande les corporelles, les pauvres à voz aumosnes, les affligés à votre assistance et consolation, à celle fin que par le moyen d'icelles vous puissiés parvenir au Royaume de Dieu promis à ceux qui les praticqueront. Dieu vous en face la grace. Amen.

Angers 1620, 1626, 1676
Saintes c. 1625, 1639, 1655
[Angers 1620, 1626 : Guillaume Fouquet de La Varenne]
[Prône dominical]

2994 **Angers 1626 p. 506**
Pour exercer la Foy, la Charité, et l'Esperance, en quoy consiste principalement le service de Dieu, tous Chrestiens sont tenus de savoir distinctement, et reciter souvent le Symbole des Apostres, qui contient sommairement tout ce que nous devons croire: les Commandemens de Dieu, et de l'Eglise, qui contiennent ce que nous devons faire et fuir: et l'Oraison Dominicale, par laquelle Nostre Seigneur nous a enseigné la forme de demander à Dieu tout ce que nous pouvons esperer de sa bonté: à laquelle l'Eglise adjouste la Salutation de l'Ange, afin de ramentevoir [rappeler] ordinairement[30] l'heureuse nouvelle du mystere de l'Incarnation de Nostre Seigneur, et de la redemption de nos ames, et rendre nos prieres plus favorables par l'intercession de la saincte Vierge sa Mere. Et partant, comme il nous est enjoinct de vous les faire entendre distinctement chacun jour de Dimanche, aussi estes vous tenus et obligez de les escouter attentivement pour les retenir et mettre à execution.

Credo... Je croy en Dieu... [Commandements de Dieu et de l'Eglise] ... *Pater noster... Nostre Pere... Ave Maria... Ie vous salüe*

---

[30] pour nous faire penser souvent à] Angers 1676.

Marie… *Confiteor… Je me confesse à Dieu*[31]… Tous Chrestiens doivent ausi sçavoir, que nostre Seigneur a institué sept Sacremens en son Eglise[32]…

Rituale romanum Pauli V,
Paris 1623, 1626, 1635, 1641, 1645, 1648 ; Rennes 1627

Voir Lyon 1589, *Sacra Institutio baptizandi* (P2984, P2985).

Sens 1625
Albi 1647

[Sens 1625 : Octave de Bellegarde]
La Maniere d'examiner sa conscience

P2995 **Sens 1625** p. 99-100 ; **Albi 1647** p. 486-487 *(La maniere d'examiner tous les jours sa conscience, qui contient cinq poincts.)*

I. Remercier Dieu de tous les benefices qu'on a receu de luy en general, comme de la creation, redemption, conservation et autres[(a)], et specialement de ceux qu'on a receu ce jour là.

II. Luy demander grace et vraye lumiere pour cognoistre et hayr les pechez qu'on a commis.

III. Faire rendre[(b)] compte a son ame de toutes les offences qu'elle a fait contre Dieu ce jour la, en pensées, paroles, oeuvres, et omissions, s'arrestant principalement sur les pechez ausquels on est plus enclin.

IV. Demander humblement pardon à Dieu de tous les pechez qu'on aura trouvé en soy et proposer de s'en confesser au plustost.

V. Proposer fermement d'amender sa vie a l'advenir, et mieux se garder de pecher, moyennant la grace et ayde de Dieu, puis je dis à la fin *Pater noster, Ave Maria, Credo, Confiteor*, etc. Et l'oraison, *Visita quaesumus Domine habitationem istam et omnes insidias inimici ab ea longè repelle : Angeli tui sancti habitent in ea, qui nos in pace custodiant, et benedictio tua sit super nos semper. Per Christum Dominum nostrum. Amen.*

Et me recommandant à mon bon Ange, je m'endors sur quelque bonne pensée[(c)].

Variantes Albi. [(a)] comme… et autres] *om.* –[(b)] Faire rendre] Demander. –[(c)] Et me recommandant…] *om.*

---

[31] Saintes omet la récitation des prières et des commandements.
[32] Voir volume II/6 : *Prônes dominicaux. Conseils de dévotion.*

Chartres 1627, 1639, 1640, 1680, 1689
Boulogne 1647. Châlons-sur-Marne 1649. Mâcon 1658
Le Mans 1662, 1680. Noyon 1631
Paris 1630, 1646, 1654. Poitiers 1655. Troyes 1660, 1768[33]
[Chartres 1627-1640 : Léonor d'Estampes de Valançay]
[Prône dominical, conclusion]

2996 **Chartres 1639** p. 449-450
Voyla ce que le devoir de ma charge m'obligeoit[a] vous representer ce jourd'huy, vous aurez soin d'en faire vostre profit, et sur tout d'avoir tousjours la crainte de Dieu devant les yeux ; redouter ses jugemens, et vous garder de l'offenser, et quand serez[b] tombez en peché, de vous en relever par le Sacrement de Penitence, le plustost que vous pourrez, de peur d'estre surpris, la mort estant certaine, et rien de plus incertain que l'heure d'icelle[c]. Je vous exhorte aussi de vous aimer chrestiennement les uns les autres, de bien instruire vos enfans, serviteurs et autres qui sont en vostre charge, attendu qu'en[d] devez rendre compte devant Dieu. Je vous recommande les œuvres de charité corporelles et spirituelles envers ceux qui en auront besoin, particulierement envers ceux de ceste paroisse.

Nous prierons finalement[e] les uns pour les autres : afin que puissions ensemble[f] parvenir à la gloire, à laquelle nous conduise le Pere, le Fils, et le sainct Esprit. [proche d'Évreux 1606 etc.]

Variantes. [a] de] *add.* Lem. – [b] quand serez] si vous Cha. 1680. – [c] et rien n'étant si incertain que l'heure d'icelle Cha. 1680. Lem. – [d] qu'en] que vous en Cha. 1680. – [e] finalement] enfin Cha. 1680. Et finalement prions] Lem. – [f] ensemblement] Pa. 1646. – [g] affin que tous ensemble nous puissions parvenir à la gloire eternelle où] Lem.

Paris 1630, 1646, 1654
Noyon 1631
[Paris 1630-1654 : Jean-François de Gondi[34]]
[Exhortation incitant tous ceux qui n'ont pas été confirmés, quelque soit leur âge, à recevoir la Confirmation]

2997 **Paris 1630**, seconde partie, f. 106 *Le premier Dimanche de Caresme, le Dimanche de la my-Caresme, le Dimanche de la Pentecoste, et les deux*

---

[33] À partir de Paris 1630, orthographe modernisée par rapport à Chartres. Formulaires très proches à Bourges 1666 et Luçon 1693, P3008.

[34] Jean-François de Gondi meurt le 21 mars 1654 ; les privilèges du rituel de 1654 sont datés décembre 1653.

Dimanches precedens immediatement les Quatre temps de Septembre, il (le Curé) dira.
Paris 1646, p. 477. Paris 1654, p. 480 *Le Dimanche de la Quinquagesime, le troisiéme Dimanche de Caresme, le Dimanche devant la Pentecoste, et les deux Dimanches precedens le Dimanche de la semaine des Quatre temps de Septembre, et de Decembre, il (le Curé) dira.*

Vendredy prochain au matin[a], se donnera le Sacrement de Confirmation, parquoy[b] j'exhorte tous ceux et celles qui n'ont point encore esté confirmez de se disposer par une bonne et entiere confession de leurs pechez, à recevoir ce Sacrement, autant necessaire aujourd'huy que jamais: car bien que ce Sacrement soit toujours fort salutaire, et que les anciens Peres n'ayent reputez ceux-là que demy Chrestiens qui n'auroient receu l'imposition des mains de l'Evesque, toutesfois en ce temps plein d'heresies, et de tous vices, il semble tellement necessaire, que nul ne le peut negliger sans un manifeste mespris et interest de son salut, d'autant qu'il est expressément institué pour augmenter la grace que nous avons receuë au Sacrement de Baptesme, et nous confirmer de plus en plus en la Foy catholique, nous fortifier à l'encontre de nos ennemis visibles et invisibles, et par mesme moyen nous munir contre les heresies, et toutes sortes de vices; c'est pourquoy je vous exhorte de vous y disposer et ne laisser eschapper une si belle occasion de l'advenement de vostre salut, et principalement[c] vous peres et meres, tiendrez la main que vos enfans, fils, et filles, pour le moins au dessus de sept ans s'y disposent; Pareillement vous autres Maistres et Maistresses, tiendrez aussi la main que vos serviteurs et servantes s'y preparent, comme il appartient; et vous mesme si ne l'avez esté[d], quoy que vous soyez déja aagez, vous ne differerez d'avantage, ains[e] cependant que Dieu vous en donne encore le loisir et la commodité, vous vous ferez confirmer, estans bien[f] confessez, et deuëment instruits des mysteres de la Foy contenus au Symbole.

Variantes Paris 1646 et 1654. [a] Vendredy de la semaine suivante. –[b] c'est pourquoy. – [c] je vous exhorte… principalement] *om.* –[d] si… esté] si vous n'avez esté confirmez. – [e] ains] et. –[f] bien] *om.*

Paris 1630, 1646, 1654
Noyon 1631

[Paris 1630-1654 : Jean-François de Gondi]
Le Dimanche de la Quinquagesime
[Sur le jeûne durant le Carême]

2998 **Paris 1630, seconde partie, f. 106v-107**

[Formulaire proche de Reims 1585, 1621.]

Mercredy prochain est le jour des Cendres, ceux qui pourront, feront leur devoir de venir le matin à l'Eglise pour recevoir des Cendres, et assister au Service : c'est aussi le premier jour de la sainte Quarantaine, laquelle tous Chrestiens et Chrestiennes sont tenus de jeusner entierement, ayans l'aage competant[a], s'ils n'ont un legitime empeschement, comme sont les vieilles gens, ou d'ailleurs fort debiles et caduques, les femmes enceintes, les nourices, les malades, les manouvriers, et generalement toutes personnes qui ne peuvent faire longue abstinence, sans un évident peril de leur santé. Cependant pour remedier aux scrupules, et pour plus grande seureté de vos consciences vous pourrez prendre conseil de vostre Curé et Pere Confesseur. Que nul ne se flatte et ne se trompe. Vous viendrez à confesse[b] au plustost, afin qu'estans en la grace de Dieu vostre jeusne vous soit meritoire, et satisfasse pour vos pechez.

Tous ceux qui ont des enfans ou serviteurs, nous les envoyent de bonne heure, pour estre catechisez, principalement ceux et celles qui ont l'aage de pouvoir communier à Pasques, afin que nous les rendions suffisamment instruists, et convenablement disposez à leur premiere Communion[c].

Monseigneur l'Archevesque[d] permet aux malades durant le Caresme d'user de chair, pourveu qu'il leur soit conseillé par les Medecins, et qu'ils ayent obtenu licence et congé de luy, ou bien de leur Curé, en cas seulement que pour la distance des lieux, on ne puisse commodément venir vers luy : Le tout jouxte et[e] conformément au Canon 38. du Synode de Paris, tenu par feu, d'heureuse memoire, l'Ill. Cardinal de Bellay, jadis Evesque de Paris, en l'année 1557[35][f].

Variantes. [a] c'est à sçavoir vingt-un an accomplis] *add.* Pa. 1646, 1654. –[b] vous pourrez… à confesse] crainte que vous ne vous flattiez, et ne vous trompiez en vostre propre jugement, vous pourrez prendre conseil de nous. Vous aurez soin de vous preparer pour vous confesser. Pa. 1646, 1654. –[c] afin que nous les instruisions, et leur appre-

---

35 Eustache du Bellay, évêque de Paris de 1551 à 1563.

nions ce qu'ils doivent sçavoir auparavant leur premiere Communion. Pa. 1646, 1654. – ^(d) l'Archevesque] l'Evesque No. –^(e) Monseigneur… jouxte et] Les malades qui auront besoin d'user de chair durant le Quaresme, ayans certificat d'un Medecin Catholique, s'addresseront à Monseigneur l'Archevesque, ou ses grands Vicaires, ou a son Penitencier, pour en obtenir la permission, et non à d'autres. Pa. 1646, 1654. –^(f) conformément… 1557] conformément à l'Ordonnance No.

Paris 1630, 1646, 1654
Bourges 1666. Noyon 1631. Troyes 1660

Le Dimanche des Rameaux

Voir Reims 1585 (P2982).

Troyes 1639
[René de Breslay]
[Prône dominical]

P2998bis [Série de vingt-six décrets à lire à la suite du prône « selon l'ordre des dimanches »[36]]

p. 1-5 I. Decret touchant la necessité qu'il y a, d'apprendre et entendre les Principes de la Foy et principaux Articles de la Foy. *A publier le premier Dimanche de l'Advent.*

p. 5-10 II. Decret touchant le Baptesme des petits Enfans. *A publier le Dimanche troisiesme de l'Advent.*

p. 10-13 III. Decret touchant l'honneur qui est deu à la prononciation du sainct Nom de Jesus et Marie. *A publier le Dimanche precedent, la solennité du Nom de Jesus, qui est le 14. jour de Janvier.*

p. 13-16 IV. Decret touchant la Benediction des Cierges, le jour de la Purification. *A publier le Dimanche precedent le jour de la Purification.*

p. 17-20 V. Decret touchant la Benediction des Cendres, le premier Mercredy de Caresme. *A publier le Dimanche de la Quinquagesime.*

p. 21-24 VI. Decret touchant le sainct Caresme. *A publier le premier Dimanche de Caresme.*

p. 25-27 VII. Decret touchant les Cas reservez. *A publier le second Dimanche de Caresme.*

p. 28-32 VIII. Decret touchant les Saincts Ordres. *A publier le quatriesme Dimanche de Caresme.*

---

[36] Le texte des vingt-six décrets est édité dans le volume II/6 : *Prônes dominicaux. Conseils de dévotion*, Troyes 1639.

p. 32-36 IX. Decret touchant la benediction des Rameaux, qui se faict le Dimanche precedent la Resurrection de Nostre Seigneur. *A publier le Dimanche precedent le Dimanche des Rameaux.*

p. 36-39 X. Decret touchant la Confession et Communion Paschale. *A publier le premier Dimanche des Rameaux, ou le Jeudy Sainct à l'Absoute.*

p. 39-43 XI. Decret touchant l'Assistance qu'on doit à sa Parroisse. *A publier le Dimanche de Quasimodo.*

p. 43-45 XII. Decret touchant la façon de converser dans l'Eglise. *A publier le troisiesme Dimanche d'apres Pasques.*

p. 46-49 XIII. Decret portant defences de lire la Bible en françois, et les livres defendus, d'abuser des parolles de l'Escriture en risées, de la prendre à contresens, ou de s'en servir à aucun usage defendu par l'Eglise. *A publier le quatriesme Dimanche apres Pasques.*

p. 50-56 XIV. Decret touchant les Processions. *A publier le Dimanche des Rogations.*

p. 56-58 XV. Decret touchant le Sacrement de Confirmation. *A publier le Dimanche precedent la Pentecoste.*

p. 58-60 XVI. Decret touchant le Sainct Sacrement de l'Autel. *A publier le Dimanche precedent le jour de la Feste-Dieu.*

p. 60-62 XVII. Decret touchant le Soin que les Parens doivent avoir, à eslever leurs Enfans, pour eviter les accidens de mort. *A publier le premier Dimanche apres l'octave de la Feste-Dieu.*

p. 62-63 XVIII. Decret touchant les Dismes. *A publier le cinquiesme Dimanche apres la Pentecoste.*

p. 63-65 XIX. Decret touchant les Mariages clandestins. *A publier le septiesme Dimanche apres la Pentecoste.*

p. 66-68 XX. Decret touchant les Usuriers. *A publier le neufiesme Dimanche apres la Pentecoste.*

p. 68-70 XXI. Decret touchant les Legs pieux. *A publier le unziesme Dimanche apres la Pentecoste.*

p. 70-72 XXII. Decret contre ceux qui occupent les Biens d'Eglise. *A publier le treiziesme Dimanche apres la Pentecoste.*

p. 73-76 XXIII. Decret touchant le Sacrement de Mariage, comme il se doit contracter. *A publier le quinziesme Dimanche apres la Pentecoste.*

p. 76-79 XXIV. Decret touchant les Censures ecclesiastiques, particulierement l'Excommunication. *A publier le dixseptiesme Dimanche apres la Pentecoste.*

p. 79-84 XXV. Decret touchant les Ceremonies qui se font au subject des Morts. *A publier le Dimanche precedent la Commemoration des Morts.*
 p. 84-85 XXVI. Decret touchant les Mariages pour les seconde, troisiesme et quatriesme fois, et plus. *A publier le troisiesme Dimanche de Novembre.*

Bordeaux 1641, 1672
[Henri d'Escoubleau de Sourdis]
Prosne pour le Dioceze de Bourdeaux[37]
[Prône dominical, conclusion]

P2999 **Bordeaux 1641 p. 17**
Vous vous souviendrez aussi d'exercer les oeuvres de misericorde, tant spirituelles que corporelles, donner à boire ou à manger à ceux qui en ont besoin, revestir les necessiteux, loger les pauvres, mesmement les pelerins, visiter les malades et prisonniers, ensevelir les morts, enseigner les ignorans, et conseiller ceux qui en ont besoin, admonester les pecheurs de se convertir, consoler les affligez, pardonner les offenses, supporter avec patience les injures ou defauts des autres ; prier pour les vivans et les trespassez ; c'est le vray chemin de Paradis, d'exercer ces vertus pour l'amour de nostre Seigneur J.-C., lequel vous donne sa saincte benediction.

Bordeaux 1641, 1672
Maniere de faire chasque matin un bon propos de vivre en bon Chrestien
[complément au prône dominical]

P3000 **Bordeaux 1641 p. 29-30**
Demander pardon à Dieu des pechés qu'on pourroit avoir commis despuis l'examen du soir.
2. Remercier Dieu des biens, qu'il nous a faict toute nostre vie, et signamment la nuict passée.
3. Demander lumiere à Dieu de cognoistre à quels pechés on est plus enclin, et les occasions qui nous y font tomber.
4. Faire une resolution entiere, avec la grace de Dieu, de ne tomber en aucun de nos pechés accoustumés, par pensées, parolles, oeuvres, et obmissions.

---

[37] *Prosne pour le Dioceze de Bourdeaux*, relié à la suite des rituels bordelais de 1641, 1672.

5. Designer quelques heures du jour, afin de se recueillir et adviser si on se souvient de maintenir et executer le bon propos du matin.

6. Dire à ceste intention trois fois le *Pater noster*; trois *Ave Maria*, et une fois *Salve Regina*; et l'Oraison qui s'ensuit: *Deus cui proprium est misereri semper et parcere, suscipe deprecationem nostram, ut nos et omnes famulos tuos, quos delictorum catena constringit, miseratio tue pietatis clementer absolvat. Per Dominum nostrum.*

Bordeaux 1641, 1672

Maniere d'examiner sa conscience tous les jours[38]
[complément au prône dominical]

3001 **Bordeaux 1641 p. 30-31**

1. Remercier Dieu de tous les biens qu'il luy a pleu nous faire toute nostre vie, et signamment ce jourd'huy.

2. Demander la lumiere à Dieu pour recognoistre ses mauvaises inclinations et pechés commis le long de la journée, et en concevoir déplaisir et horreur.

3. Faire rendre compte à son ame des pechés commis d'heure en heure, par pensées, parolles, oeuvres, omissions, pesant la griefveté d'iceux.

4. Demander pardon à Dieu de l'avoir offencé, tant par nos pechés recognus que cachez.

5. Faire un bon propos, et ferme deliberation de s'en amander à l'advenir, et dire à ceste intention trois fois *Pater noster*; trois fois *Ave Maria*; et une fois *De profundis*, et l'oraison susdicte [*Deus cui proprium...*].

Saint-Omer 1641

Instructiones variae ad populum
[Les quatre choses nécessaires pour vivre chrétiennement]

Voir supra Saint-Omer 1641, p. 433-435 (P2880).

---

[38] Examen de conscience relativement proche de celui de Sens 1625.

Orléans 1642
Cahors 1674, 1722[39]

[Orléans 1642 : Nicolas de Nets]
[Prône dominical, conclusion]

P3002 **Orléans 1642 p. 383**
Voila ce que mon devoir m'obligeoit de vous representer ce jourd'huy. Ayés toujours la craincte de Dieu devant les yeux, apprehendés ses jugements, et evités le peché. Que si vous y tombés, ayés aussi tost recours[a] au sacrement de Penitence. Aymés vous les uns les autres, ayés soin de vos enfants et serviteurs, exercés les oeuvres de charité, corporelles et spirituelles. Finalement prions les uns pour les autres, afin que tous ensemble nous puissions parvenir à la gloire celeste, à laquelle nous conduise[b] le Pere, le Fils, et le S. Esprit. [proche de Chartres 1627, Paris 1630 etc.]

Variantes Cahors 1722. [a] que si vous y tombez... recours] que si vous avez le malheur d'y tomber, faites d'abord un bon Acte de Contrition, et ayez au plûtôt recours... – [b] conduise] conduisent.

Auch c. 1642
Comminges [1648][40]

[Auch c. 1642 : Dominique de Vic]
[Prône dominical]

P3003 **Auch c. 1642 p. 601-612**
Peuple chrestien la feste de ce jour vous obligeant à la cessation des oeuvres serviles, et au culte de Dieu ; vous estes icy assemblez pour le luy rendre, en faisant les devoirs des fideles Chrestiens.
Le premier desquels est la profession de la Foy et doctrine de l'Eglise que vous devez faire avec une ferme creance, qu'elle est tres-veritable, parce que Dieu qui est la premiere verité l'a luy a revelée, et que l'Eglise estant assistée du S. Esprit vous le proposant de sa part, ne peut errer. Et d'autant que le symbole des Apostres est l'abbregé de la foy, disons le. *Credo...* C'est à dire pour l'intelligence d'un chacun. *Je crois en Dieu...*
En second lieu vous devez avoir douleur de vos pechez... *Confiteor... Misereatur... Indulgentiam...*

---

[39] Cahors 1674 et 1722 : orthographe modernisée par rapport à Orléans.
[40] Aucun exemplaire connu des rituels de Couserans c. 1642 et Lescar c. 1642 ; le prône manque dans les deux seuls exemplaires connus des rituels d'Oloron et Tarbes c. 1644. Tous ces diocèses font partie de la province ecclésiastique d'Auch.

Troisiémement, vous devez d'une prompte affection de cœur honorer Dieu, et recognoistre son excellance [sic] ; soit en le loüant à cause de sa puissance, sagesse, bonté, et ses autres infinies et divines perfections; soit en luy offrant avec le prestre en l'union de l'Eglise le sainct sacrifice de la Messe, vos soubs-missions d'esprit et de corps, vos biens, et vos fidelles services.

En quatriéme lieu, vous luy fairez la mesme offrande en action de graces, de ce qu'il vous a creez sans aucuns vos merites...

En cinquiéme lieu, vous devez l'aymer par dessus toutes choses; et vostre prochain, qui est son image, comme vous mesme... Les devoirs de cette charité sont compris dans ses commandemens, et en ceux de l'Eglise, que nous reciterons. 1. *Un seul Dieu tu adoreras...* 1. *Les Dimanches Messe oüyras...*

Sixiesmement... recognoissez le comme source de tout bien... Le sommaire de toutes nos prieres est contenu dans celle que nostre seigneur J. C. nous a enseignée. Nous la dirons. *Pater... Nostre Pere...*

Et devant avoir une grande devotion et confiance en l'assistance de la Vierge, nous dirons. *Ave Maria...*

Septiemement pour le soulagement des ames des bienfacteurs [sic] de ceans, et de celles des fidelles trespassez detenües dans le Purgatoire, et particulierement pour N.N. ...

Lyon 1644, 1648[41], 1667, 1692, 1724

[Lyon 1644 : Alphonse-Louis de Richelieu]
Rituale romanum, **Lyon 1669-1759, Avignon 1780-1802**[42]

Lyon 1644-1667 : *Formulaire de Prosne (Prône), dressé pour le Diocese de Lyon.*
Lyon 1692 : *Formulaire pour faire le Prône.*
Lyon 1724 : *Le Formulaire du Prône.*
Rituale romanum... 1669-1802 : *Formulaire pour faire le Prosne (Prône).*

3004 **Lyon 1644 p. 14-16**

Et parce que[a] nostre croyance[b], et toutes nos bonnes œuvres, seront sans fruit en[c] l'autre vie, si nous n'évitons le peché mortel, voicy les capitaux qu'on nomme vulgairement les sept pechés

---

[41] Lyon 1648 : ouvrage s.d. portant au titre les armes d'A.-L. de Richelieu ; l'ordonnance du vicaire général est datée 1648. Ouvrage non recensé dans Molin Aussedat, conservé à la Bibl. mun. de Lyon Part-Dieu, fonds ancien, 363576.

[42] *Rituale romanum*, éditions Lyon 1669, 1672, 1680, 1686, 1688, 1689, 1704, 1711, 1726, 1759 (Molin Aussedat n° 1664, 1666, 1669, 1673, 1674, 1675, 1683, 1685, 1687, 1696) ; éditions Avignon 1780, 1782, 1783, 1784, 1802 (Molin Aussedat n° 1698, 1699, 1700, 1701, 1703).

mortels, qui sont comme la source, et l'origine[d] de tous nos maux spirituels, sçavoir[e] l'orgueil ou superbe, l'avarice, la luxure, l'envie, la gourmandise, la cholere[f], et la paresse; lesquels nous devons tellement detester, et avoir en horreur, qu'il vaudroit beaucoup mieux mourir que de donner seulement nostre consentement à pas un d'iceux[g].

Or[h] nous trouverons les remedes favorables[i], et les moyens de les éviter dans la frequentation des Saincts[j] Sacremens, institués par nostre Seigneur J.-C., pour verser par iceux dans nos ames, comme par des[k] canaux[l] ses graces et les merites de sa Mort et Passion[m], avec abondance de benediction celeste[n], et[o] nous devons sçavoir que ces Sacremens sont[p] sept: le Baptesme, la Confirmation, l'Eucharistie, ou tres-sainct Sacrement de l'Autel[q], la Penitence, que le peuple nomme Confession[r], l'Extreme-onction, l'Ordre, et le Mariage.

Partant[s] si par quelque tentation du Diable, malice, ou infirmité humaine, nous estions tombés (que Dieu ne veuille) dans l'estat déplorable de peché mortel[t], nous tascherons quant et quant de nous en retirer[u] par le Sacrement de Confession[v], si la commodité nous le permet, ou en attendant, par un acte de contrition...

Variantes Lyon. [a] Et parce que] *om.* Ly. 1724. –[b] créance] Ly. 1692, 1724. –[c] en] pour Ly. 1692, 1724. –[d] et l'origine] *om.* Ly. 1724. –[e] sçavoir] *om.* Ly. 1724. –[f] colere] Ly. 1667-1724. –[g] que de consentir seulement à aucun d'entre-eux] Ly. 1692. –que de consentir à aucun d'eux] Ly. 1724. –[h] Or] Cependant Ly. 1692, 1724. –[i] contre ces péchés *add.* Ly. 1692, 1724. –[j] Saincts] *om.* Ly. 1692, 1724. –[k] des] autant de Ly. 1692. –[l] verser... canaux] nous communiquer Ly. 1724. –[m] de sa Passion et de sa Mort] Ly. 1692, 1724. –[n] benedictions celestes] Ly. 1692. –[o] avec abondance... et] *om.* Ly. 1724. –[p] au nombre de] *add.* Ly. 1692, 1724. –[q] ou tres-sainct... Autel] *om.* Ly. 1724. –[r] que le peuple... Confession] *om.* Ly. 1724. –[s] Partant] Que Ly. 1692, 1724. –[t] de peché mortel] du peché Ly. 1724. –[u] quant et quant ... retirer] de nous en retirer incessamment Ly. 1692, 1724. –[v] Confession] Penitence Ly. 1724.

Lyon 1644

[Lyon 1644: Alphonse-Louis de Richelieu]
Formulaire de Prosne, dressé pour le Diocese de Lyon.
[Prône dominical, conclusion]

P3004bis **Lyon 1644, p. 25-26**

Nous avons tel jour de jeusne, ou abstinence cette semaine, et un tel jour la Feste de N. jour auquel nous est commandé d'entendre la saincte Messe, vacquer aux bonnes oeuvres, et defendu de traviller [*sic*], tous les autres jours chacun se peut et doit occuper à son travail ordinaire, vous ressouvenant tousjours d'adorer et prier Dieu soir et matin, sçachant tres-bien qu'entre toutes nos oeuvres les plus agreables à ce grand Dieu, sont d'éviter le peché avec un grand soin, vivre dans la paix, support et charité chrestienne, et d'observer fidellement ses saincts commandemens, afin qu'ayant passé ceste vie, en sa grace, nous soyons trouvés à l'heure de la mort, capables de son Paradis, où nous conduise le Pere, le Fils, et le sainct Esprit. Ainsi soit-il.

Lyon 1644, 1648

[Lyon 1644 : Alphonse-Louis de Richelieu]
Formulaire de Prosne, dressé pour le Diocese de Lyon
[Conseils aux prêtres]

3005 Lyon 1644 p. 32-33 *Advertissement fraternel à Messieurs les Curés, Vicaires, et autres ayans charge d'ames, sur le sujet de ce Formulaire*[43]

… qu'ils ne sejournent jamais (sans cause tres urgente) hors des limites de leur Jurisdiction; qu'on ne voye habiter dans leurs maisons personne contraire à ce qui est decreté par les Saincts Canons; qu'ils ne paroissent jamais en public sans tonsure, soutane, et habit decent; qu'ils honorent eux-mesme [*sic*], et rendent venerable la dignité sacrée de leur caractere; que leurs actions plus ordinaires soient les oeuvres de Misericorde, ou corporelles, ou spirituelles, et que jamais on ne puisse dire d'eux avec verité qu'on les a veu dans les cabarets, danses, jeux publics, et autres lieux suspects. Bref, qu'ils fuyent tres-soigneusement l'oysiveté, employant le temps à l'estude, à l'oraison et lecture de bons livres, comme S. Thomas, Grenade[44], le bon Laboureur[45], Pedagogue Chrestien[46], Cusanus[47], Catechisme Romain, Tolet[48], Binsfeld[49],

---

[43] Formulaire absent des rituels lyonnais postérieurs à 1648.
[44] Louis de Grenade, dominicain, 1504-1588.
[45] Édition Paris, 1632 : Richard Dognon, *Le Bon Laboureur, ou, Pratique familiere des vertus de S. Isidore laboureur, pour les personnes de sa profession principalement, et generalement pour tous ceux qui vivent une vie commune. Et pour le soulagement de Messieurs les Curez, Predicateurs, Catechistes, Missionaires, et autres, à qui touche de donner les enseignemens de salut, au peuple des villages. Par R. Dognon, Chanoine de Verdun, augmenté en ceste edition de plusieurs chapitres*. Paris, BnF, S. 14927
[46] Philippe d'Oultremant, *Le Pedagogue chrestien, ou la Maniere de vivre chrestienneement, tirée de la Sainte Escriture, et des SS. Peres…*, Rouen, 1634.
[47] Nicolas de Cusa, 1401-1464 ?
[48] Sur Francisco de Toledo, s.j., voir *infra* Auteurs cités, p. 1943.
[49] Peter Binsfeld, auteur de nombreux ouvrages théologiques.

Oeuvres de Monsieur de Geneve, Molina[50], Droict Canon, et sur tout autre la Saincte Bible, dans laquelle nous trouvons que c'est à nous à qui le S. Esprit parle par son Prophete Ezechiel, quand il dit: « Je t'ay mis pour speculateur et pour sentinelle sur mon peuple… ».

Paris 1646, 1654

Le Dimanche de la Quinquagesime… Voir Paris 1630, P2998
Le Dimanche des Rameaux. Voir Reims 1585, P2982.

Lyon 1648, 1667, 1692

[Lyon 1648 : Alphonse-Louis de Richelieu]

Rituale romanum, **Lyon 1669-1759, Avignon 1780-1802**

Lyon 1648-1667 : *Formulaire de prosne, dressé pour le Diocese de Lyon*
Lyon 1692 : *Formulaire pour faire le Prône*
Rituale romanum… 1669-1802 : *Formulaire pour faire le Prosne*
[Prône dominical, conclusion[51]]

P3006 **Lyon 1648 p. 25-26, Lyon 1667 p. 99-100**

Vous avez par[a] Ordonnance de l'Eglise en cette semaine les Quatre-temps, ausquels il faut jeuner le Mercredy, Vendredy, et Samedy, *ou bien*, tel jour de cette semaine sera la vigile de Saint N. en laquelle il faut jeusner ; *ou bien*, il n'y a qu'abstinence de chair : Et un tel jour sera[b] la feste de Sainct N. laquelle vous[c] solenniserez en sanctification par bonnes et sainctes oeuvres et oraisons, en assistant au service divin devotement, à ouyr[d] la parole de Dieu, en meditation de toutes choses sainctes, et aux oeuvres de misericorde[e], et non pas en[f] jeux, gourmandises, et autres vaines oisivetés ; vous ressouvenant tousjours d'adorer et prier Dieu soir et matin, sçachant tres-bien qu'entre toutes nos oeuvres les plus agreables à ce grand Dieu[g], sont d'éviter le peché avec un grand soin, vivre dans la paix, support et charité chrestienne, et d'observer fidellement ses saincts commandemens[h], afin qu'ayant passé cette vie en sa grace, nous soyons trouvés à l'heure de la mort capables de son Paradis, où nous conduise le Pere, le Fils, et le saint Esprit. Ainsi soit-il.

Variantes. [a] l'] *add.* Ly. 1667, 1692. [b] les Quatre-temps… sera] tel jour de Jeusne, ou Abstinence, et en tel jour] Ly. 1667. – [c] laquelle vous] vous la Ly. 1667, 1692. – [d] à oüyr]

---

[50] Luis de Molina, jésuite espagnol, 1535-1560, auteur de nombreux traités.
[51] La conclusion est absente de Lyon 1724.

en entendant Ly. 1692. –[e] choses... misericorde] choses qui regardent le salut, et en application aux oeuvres de misericorde Ly. 1692. –[f] vous addonnant aux] *add.* Ly. 1692. –[g] tout plein de bonté] *add.* Ly. 1692. –[h] et ceux de l'Eglise] *add.* Ly. 1692.

Périgueux 1651

[Philibert Brandon]
Le Dimanche de la Quinquagésime

P3007 **Périgueux 1651** [troisième partie] p. 19
Mercredi prochain le Jeusne du S. Caréme commencera. Il est institué sur l'exemple de Moyse et d'Elie, et sur celuy de J.-C. même, qui pour l'amour de nous jeusna quarante jours sans boire ny manger au desert. Tous ceux qui ont l'age de vingt et un an accomplis, sont tenus de garder ce jeusne sur peine de peché mortel. Et parce que le jeusne consiste à s'abstenir du peché, à mesme temps que l'on s'abstient des viandes ordinaires, chacun se doit retirer des jeux et des plaisirs en ce S. temps, afin de satisfaire à Dieu par une sincere penitence, et de se preparer à une bonne Confession, et à la grande Communion de Pasques.

Bourges 1666
Luçon 1693

[Bourges 1666: Anne de Lévis de Ventadour]
[Prône dominical, conclusion]

P3008 **Bourges 1666** tome second, p. 48-49; **Luçon 1693**, *Prône et Ordonnances du diocese de Luçon*, p. 36-37.
[Formulaire très proche de Chartres 1627-1680 etc., P2996]
Voila[a] ce que le devoir de ma charge m'obligeoit vous representer ce jourd'huy; vous aurez soin d'en faire vôtre profit, et sur tout d'avoir toûjours[b] la crainte de Dieu devant les yeux, redouter[c] ses jugemens, et vous garder de l'offenser: quand vous serez tombez en peché, de vous relever par le sacrement de penitence le plutôt [*sic*] que vous pourez [*sic*][d], de peur d'être surpris, la mort étant certaine et rien de si incertain que l'heure d'icelle[e]. Je vous exhorte aussi de vous aymer chrétiennement les uns les autres: de bien instruire vos enfans, serviteurs et autres qui sont en vôtre charge[f]; attendu que vous en devez rendre comte [*sic*] devant Dieu. Je vous recommande les oeuvres de charité corporelles et spirituelles envers ceux qui auront besoin[g]; particulierement envers ceux de cette paroisse. Finalement ressouvenés-vous qu'il

faut prier les uns pour les autres, si nous voulons être un jour sauvez, et si nous voulons avoir le paradis[h], où nous conduise le Pere le Fils et le saint Esprit. Ainsi soit-il.

Variantes Luçon. [a] mes tres chers Freres] *add.* –[b] toûjours] *om.* –[c] redouter] d'apprehender. –[d] quand… pourez] et si vous étes assez malheureux pour tomber dans le peché, vous tâcherez de vous en relever le plutôt [*sic*] que vous pourrez par le Sacrement et la vertu de Penitence. –[e] la mort… icelle] car il n'y a rien de plus certain que la mort, et rien de plus incertain que l'heure. –[f] serviteurs… charge] et domestiques. – [g] qui… besoin] que vous verrez en necessité. –[h] Finalement… paradis] Enfin prions Dieu les uns pour les autres, afin qu'après avoir fidelement servi Dieu en ce monde, nous puissions tous ensemble parvenir à la gloire qui nous est preparée dans le ciel.

Bourges 1666

[Anne de Lévis de Ventadour]
Ce que le Curé, ou autre Prétre en sa place dira
le Dimanche de la Quinquagésime

P3009 **Bourges 1666** tome second, p. 50-51

Mercredy prochain est le jour des Cendres : ceux qui pourront, feront leur devoir venant le matin à l'Eglise pour recevoir des Cendres et assister au Service. C'est aussi le premier jour de la sainte Quarantaine, laquelle tous Chrétiens sont tenûs de jeûner entierement, ayant l'âge competant, c'est à sçavoir, vingt-un an accomplis ; s'ils n'ont un legitime empechement, comme sont les vieilles gens, ou qui sont d'ailleurs fort debiles et caduques, les femmes enceintes, les nourices, les malades, les manouvriers le jour de leur travail ; et generalement toutes personnes qui ne peuvent faire longue abstinence sans un évident peril de leur santé. Cependant pour remedier aux scrupules, et pour plus grande seureté de vos consciences ; crainte que vous ne vous flatiez et ne vous trompiez en vôtre propre jugement, vous pourez prendre conseil de Nous. Pour les malades qui auront besoin d'user d'oeufs ou de viandes durant le Carême, comme aussi en autre temps és jours ausquels l'usage n'en est permis, vous vous adresserez à Nous pareillement, pour prendre ordre de ce que vous aurez à faire. Tous ceux qui ont des enfans ou serviteurs, nous les envoyent de bonne heure, pour être catechisez, principalement ceux et celles qui ont l'âge de pouvoir communier à Pâques, afin que nous les instruisions, et leur aprenions ce qu'ils doivent sçavoir auparavant leur premiere Communion. [très proche de Paris 1630]

Nous vous avertissons de la part de Monseigneur l'Ill. et Rev. Archevêque de Bourges, que vous ayez à faire vos Confessions de bonne heure, et dans les premieres semaines de Carême; en sorte que tous les Paroissiens de cete Eglise ayent été confessez devant le Dimanche des Rameaux, ou au plus tard devant le Jeudy Saint : à ce qu'és jours suivans ils puissent faire avec plus de loisir et de commodité leurs reconciliations pour la Communion de Pâques. Et afin que cet ordre soit plus exactement observé, mondit Seigneur de Bourges concede 40. jours d'indulgences à ceux qui se confesseront avant le Dimanche de la Passion, ou celuy des Rameaux : a enjoint à tous les Curez de son Diocese de r'envoyer jusqu'au Mardy d'apres la Fête de Pâques, tous ceux et celles qui ne se seront pas presentez devant ledit jour de Jeudy Saint, pour faire leurs Confessions. Et pour vos enfans qui ne doivent pas encore communier, vous nous les envoyerez à confesse le Lundy de la semaine Sainte; et ceux qui devront communier, le Vendredy et Samedy d'apres Pâques.

Rituale romanum, Pauli V... iussu editum...
Lyon 1669, 1672, 1680, 1686, 1688, 1689, 1704, 1711, 1726, 1759
Formulaire pour faire le Prône

Voir Lyon 1644 (P3004).

Laon 1671
[César d'Estrées]
Dominicâ Quinquagesimae dicet

P3010 **Laon 1671**, Pars secunda, p. 47-48
C'est Mercredy prochain le jour des cendres; ceux qui pourront, viendront à l'Eglise le matin pour les recevoir et pour assister au Service.

C'est aussi le premier jour de la sainte Quarantaine, pendant laquelle tous les Fideles sont obligez de s'abstenir de chair, d'oeufs et de semblables viandes defendues par l'Eglise. Tous ceux aussi, qui ont l'âge, sont tenus de jeûner tous les jours à l'exception des Dimanches, s'ils n'ont des empéchemens legitimes, tels que sont les maladies, les infirmitez notables, les grossesses, et autres semblables; sur lesquelles si vous avez quelques difficultez, vous pourrez prendre conseil de nous, afin de ne vous point flater, et de ne vous point tromper en vos propres jugemens. Les malades qui auront besoin d'user de chair ou d'oeufs dans ce temps, s'addresseront à Monseigneur l'Evesque, ou à ses Vicaires generaux, ou à nous, pour en obtenir la permission, ou pour recevoir les ordres de ce qu'ils auront à faire, en apportant un certificat d'un Medecin Catholique.

Ceux qui ont des enfans, ou des serviteurs, et des servantes, auront soin de nous les envoyer de bonne heure pour estre catechisez, particulierement ceux et celles qui ont l'âge de pouvoir communier à Pasques, afin que nous les instruisions de ce qu'ils doivent sçavoir avant leur premiere Communion.

Nous vous avertissons de faire vos Confessions de bonne heure et dans les premieres semaines de Caresme, en sorte que chacun de vous ait esté confessé en cette Paroisse devant le Jeudy saint: afin que dans les jours suivans vous puissiez faire avec plus de loisir et de commodité vos reconciliations pour la Communion de Pasques…

Laon 1671
[César d'Estrées]
Dominicâ in Palmis dicet

P3011 **Laon 1671**, Pars secunda, p. 50-51

C'est aujourd'huy que commence la derniere semaine de Caresme, que l'on appelle ordinairement la grande semaine, ou la semaine sainte, non seulement à cause des grands et des saints mysteres que notre Seigneur J.-C. a accompli dans cette semaine, et des horribles tourmens qu'il y a soufferts: mais encore parce que de tout temps les bons et les veritables Chrestiens ont accoustumé d'y vivre plus saintement, et de pratiquer des abstinences et des mortifications plus grandes qu'en tout le reste du Caresme: nous vous exhortons d'en user de mesme, afin de passer cette grande et sainte semaine en bons et veritables Chrestiens.

Nous vous exhortons aussi d'assister aux Tenebres qui se diront en cette Eglise Mercredy, Jeudy, et Vendredy; comme pareillement à la grande Messe que l'on y celebrera Jeudy, jour auquel le S. Sacrement de l'Autel a esté institué, et à la benediction generale que l'on y fera.

Vendredy, qui est le jour auquel nostre Sauveur fut attaché à la Croix, vous employerez la matinée en prieres et en oraisons; vous assisterez au service avec le plus de devotion qu'il vous sera possible; et vous viendrez adorer la sainte Croix avec respect et humilité.

Samedy, qui est la veille de Pasques, vous vous preparerez à celebrer cette Feste des Festes par jeune, par prieres, et autres bonnes œuvres; et sur tout vous vous disposerez par une sainte épreuve à la Communion du lendemain.

Le Dimanche est le grand jour de Pasques, la premiere et plus grande Feste des Chrestiens, instituée en memoire de la glorieuse et triomphante Resurrection de nostre Redempteur. Vous recevrez, s'il se peut, la sainte Eucharistie ce jour là, et vous tacherez de le passer aussi bien que les deux suivans, avec d'autant plus de devotion et de sainteté que la solennité est grande, et que vous aurez receu reellement et veritablement en vous mesmes le Corps et le Sang de nostre Seigneur J.-C., qui est la source de toute sainteté.

Cahors 1674, 1722

[Cahors 1674 : Nicolas Sevin]
Le Formulaire du Prône pour les Dimanches dans le Diocese de Caors.
Le dimanche de la Quinquagesime…

P3012 **Cahors 1674 [2ᵉ partie] p. 10-11**
Mercredy prochain le jeûne du saint Caréme commencera. Il est institué sur l'exemple de Moyze, et d'Elie, sur celuy de J.-C. méme qui pour l'amour de nous jeûna quarante jours sans boire ny manger au desert. Tous ceux qui ont l'âge de vingt-un an [*sic*] accomplis sont tenus de garder ce jeûne, sur peine de peché mortel s'ils n'ont excuse legitime, sur laquelle pour plus grande seureté de vôtre conscience, et de peur que vous ne vous flattiez, vous pourrez prendre conseil de nous. Les malades qui ont besoin d'user de viande durant le Caréme, ayant certificat d'un Medecin catholique[a], s'adresseront à Monseigneur l'Evéque, ou à ses Grands Vicaires, pour en obtenir la permission, et non à d'autres. Et d'autant que le jeûne ne consiste pas seulement à s'abstenir des viandes défenduës, mais encore à s'abstenir du peché, chacun est exhorté de se retirer des jeux, et des plaisirs en ce saint têms, afin de satisfaire à Dieu par une syncere penitence, et de se preparer à une bonne Confession, et à la grande Communion de Pasques. Il seroit bon aussi que chacun taschât à purifier sa conscience, et se mettre en état de grace, afin de ne se priver pas du merite du jeûne, et que pour cét effet, il vint de bonne heure confesser ses pechez, sans attendre à la semaine Sainte.

Variante Cahors 1722. [a] catholique] *om.*

Genève 1674, 1747

[Genève 1674 : Jean d'Arenthon d'Alex]
Publication du saint temps du Caréme,
qui se doit faire le Dimanche de la Quinquagesime

P3013 **Genève 1674 p. 163**

Mercredy prochain le jeûne du saint Caréme commencera. Il est institué sur l'exemple de Moyse, d'Elie, et sur celuy de J.-C. mesme, qui pour l'amour de nous jeûna quarante jours dans le desert sans boire, et sans manger. Tous ceux qui ont atteint l'usage de raison doivent garder l'abstinence de la chair, des oeufs, et du fromage ; et tous ceux qui ont vingt-un an accomplis, sont obligez de garder[a] le jeûne sous peine de peché mortel. S'ils n'ont d'ailleurs des causes legitimes de s'en dispenser[b].

Et parce que l'on se doit abstenir du peché aussi bien que des viandes ordinaires, pour bien observer le Caréme. Châcun prendra soin de se retirer des jeux, des plaisirs, et des passe-temps[c] ; il seroit mesme à souhaiter que l'on s'abstient des procez selon l'ancienne pratique de l'Eglise : afin de satisfaire à Dieu, et de se preparer à une bonne confession, et à la grande Communion de Pasque.

Tous les Magistrats sont exhortez de ne pas souffrir que l'on debite de la viande, si ce n'est en secret pour les malades ; et les Peres de famille de faire observer l'abstinence, et le jeûne dans leur maison, de peur d'en répondre à Dieu, et à l'Eglise[d].

Variantes Genève 1747 [a] de garder] d'observer. –[b] des raisons légitimes qui les en dispensent. –[c] passe-temps] divertissemens. –[d] à l'Eglise, et à Dieu.

Genève 1674, 1747

[Genève 1674 : Jean d'Arenthon d'Alex]
Seconde partie du Prosne, qui contient
ce qui regarde la sanctification des Ames

P3014 **Genève 1674 p. 189-190** *Fin du Prosne.*

Mes tres chers Freres, on va achever le sacrifice… quand le Prestre commencera d'avoüer hautement son indignité en disant, *Domine non sum dignus*, Seigneur je ne suis pas digne… Si vous ne vous trouvez pas en estat d'en approcher avec luy par la communion sacramentelle, comme faisoient les premiers Chrestiens, qui communioient autant de fois qu'ils assistoient à la messe ; aprés vous en estre humiliez devant Dieu, communiez spirituellement, en vous unissant à J. C. par un amour sincere…

Reims 1677
Soissons 1694

[Reims 1677 : Charles Maurice Le Tellier]
Formule pour annoncer le premier jour de Carême au Prône
du Dimanche de la Quinquagésime

P3015 **Reims 1677** p. 268-269

Vous devez (donc) travailler durant tout ce Saint temps (de Carême), d'une façon particuliere, à détruire dans vôtre coeur tous les mouvemens de vengeance, et d'aversion du prochain, toutes les cupiditez criminelles, tous les desirs des choses illicites ; et vous devez vous appliquer à changer vos mauvaises habitudes, et à contracter celles de toutes les vertus chrétiennes : souvenez-vous qu'il est juste que le corps, qui est l'esclave, soit soûmis par la mortification ; mais qu'il est encore plus necessaire que l'ame, qui doit être la maîtresse du corps, soit soûmise aux ordres, et aux volontez de son Dieu.

L'Eglise vous exhorte donc, et vous ordonne de pardonner à vos ennemis, de faire justice à vôtre prochain avec plus d'exactitude, et de vous abstenir avec plus de soin durant ce saint temps de Carême, de toutes sortes de blasphêmes, de médisances, de calomnies, et de tous les autres péchez et déréglemens qui pourroient vous faire perdre tout le fruit que vous devez espérer du jeûne et de l'abstinence.

… Si vous desirez que ce sacrifice de mortification, par lequel vous vous consacrez à Dieu, soit plus agréable aux yeux de sa divine Majesté, il faut qu'il soit accompagné des aumônes que vous pourrez faire selon vos facultez ; afin que J. C. même se ressente en quelque façon en la personne des pauvres, qui sont ses membres, des choses dont vous vous retranchez l'usage par vos jeûnes, et vôtre abstinence.

Langres 1679

[Louis-Marie-Armand de Simiane de Gordes]
[Prône dominical, conclusion]

P3016 **Langres 1679** p. 331

Voila ce que le devoir de ma charge m'obligeoit de vous representer aujourd'huy. Faites-en vôtre profit, et sur tout, ayez toûjours la crainte de Dieu devant les yeux, apprehendez ses jugemens, évitez le peché comme la mort ; et s'il arrive par mal'heur que vous y tombiez, tâchez de vous en relever au plûtôt, en recourant au sacrement de Penitence ; Instruisez bien vos enfans et serviteurs, comme ayant à en rendre compte devant Dieu; exercez les oeuvres de charité corporelles et spirituelles envers ceux qui en auront besoin, particulierement envers ceux de cette parroisse. Enfin aimez-vous crétiennement [*sic*], et vous supportez les uns les autres, afin de pouvoir tous ensemble parvenir à la gloire celeste, à laquelle nous conduise le Pere, le Fils, et le Saint Esprit. Ainsi soit-il. [proche de Chartres 1627, Orléans 1642, Angers 1735 etc.]

Périgueux 1680, 1763

[Périgueux 1680: Guillaume Le Boux]
[Prône dominical]

P3017 **Périgueux 1680 p. 391**
… Nous sommes encore obligez de vous avertir que la sanctification du Dimanche et des Fêtes, ne consiste pas seulement dans la cessation du travail, et dans l'assistance au saint Sacrifice de la Messe; mais que vous devez de plus employer saintement ces jours consacrez au service de Dieu. Gardez vous soigneusement de les profaner par l'oisiveté, le libertinage et la débauche; et assistez avec toute l'assiduité qu'il vous sera possible aux Vespres et au Catechisme…

Continuons le tres-auguste sacrifice… Assistons-y avec un respect digne de Dieu. Que cette Eglise devienne un ciel où il n'y ait rien de soüillé… Eloignons de notre esprit toute sorte de distractions…

Amiens 1687

[François Faure]
Le Dimanche de la Quinquagésime

P3018 **Amiens 1687 p. 268-269**
C'est Mercredi prochain le jour des Cendres. Il est ainsi appellé, parce qu'on met des cendres benites sur la tête des Fidelles, en les fesant resouvenir qu'ils ne sont que cendres et poussiere, qu'ils en ont été tirez, et qu'ils y doivent retourner un jour. Ceux qui pourront, viendront à l'Eglise le matin pour les recevoir, et pour assister au Service.

C'est aussi le premier jour de la Sainte quarantaine, pendant laquelle tous les Fidelles sont obligez de s'abstenir de chair, d'oeufs et de semblables viandes défenduës par l'Eglise. Tous ceux aussi qui ont l'âge de vingt et un ans sont tenus de jeûner, s'ils n'ont quelque empêchement legitime qui les en dispense; comme les vieillards qui sont foibles et caduques, les nourices, les femmes enceintes, les infirmes, ceux qui font de longs et penibles voiages, ou qui ne peuvent sans alter leur santé s'acquitter de leurs devoirs et de leurs emplois. Si vous avez sur cela quelques difficultez, vous pouvez prendre conseil de Nous, afin de ne vous point flater, et de ne vous point tromper en vôtre propre jugement. Les malades qui auront besoin d'user de chair ou d'oeufs dans ce temps, s'addresseront à Monseigneur l'Evêque, ou ses grands-Vicaires, ou à Nous pour en obtenir la permission, en apportant un certificat d'un Medecin Catholique.

Ceux qui ont des enfans, ou des serviteurs, et des servantes, auront soin de nous les envoier de bonne-heure pour être catechisez ; particulierement ceux et celles qui ont l'âge de pouvoir communier à Pâques, afin que nous les instruisions de ce qu'ils doivent sçavoir avant leur premiere communion.

Nous vous avertissons aussi de vous disposer de bonne-heure à la confession Pascale ; et afin que les Confesseurs puissent vous donner tout le temps dont vous avez besoin, et que vous ne soiez pas exposez à la confusion d'être renvoiez, si vous attendez au temps de la quinzaine. Nous vous exhortons de prévenir ce temps-là, et de vous mettre en état d'y satisfaire le plûtôt que vous le pourrez.

Nevers 1689
[Edouard Vallot]
Abregé succinct de nos veritez, que l'on doit lire à la fin du grand prône, lentement, et d'un ton un peu plus haut
[Prône dominical, conclusion]

P3019 **Nevers 1689** p. 240

Voilà, Chrétiens, ce que le devoir de ma charge m'oblige à vous faire sçavoir aujourd'huy. Demandez à Dieu la grace de luy estre fideles dans la resolution que vous avez dû prendre de passer chrétiennement cette semaine, qui sera peut-estre la derniere de vôtre vie. Tâchez de vivre en paix dans vos familles. Instruisez-y vos enfans, au lieu de les maudire ; supportez l'humeur de ceux ou celles avec qui vous avez à vivre avec toute la patience et l'humilité que vous estes obligé d'avoir. Reconciliez-vous avec vos ennemis, évitez ceux de vos amis dont le commerce et la compagnie vous est une occasion de peché ; et si par malheur vous estes tombez cette semaine passée dans quelque faute mortelle, qui vous rende vous-mêmes ennemis de Dieu, ne laissez point passer cette journée sans luy en demander pardon, et sans vous reconcilier avec luy par la penitence et la confession que vous en devez faire. Enfin, Chrétiens, offrez aujourd'huy à Dieu pendant la sainte messe...

vos corps, vos ames, vôtre santé, vôtre vie, vôtre travail, vos chagrins et vos afflictions, comme autant de moyens, qui par les merites de cet adorable Fils de Dieu vous conduisent un jour dans le Paradis de sa gloire, que je vous souhaite, au nom du Pere, et du Fils, et du Saint Esprit. Ainsi soit-il.

La Rochelle 1689, 1744

[La Rochelle 1689 : Henri de Laval]
[Prône dominical, conclusion]

P3020 **La Rochelle 1689** p. 378

… je vous exhorte d'avoir toûjours la crainte de Dieu devant les yeux, de redouter ses jugemens, d'éviter tout peché… Au surplus aymez-vous chrêtiennement les uns les autres : ayez soin de bien instruire ou faire instruire vos enfans, serviteurs et domestiques… exercez les oeuvres corporelles et spirituelles de charité envers ceux que vous verrez en necessité, et particulierement en cette paroisse. Enfin prions tous les uns pour les autres, afin qu'aprés avoir bien et fidellement servi Dieu en ce monde, nous parvenions tous ensemble à la gloire, qui nous est preparée dans le ciel, où nous conduise le Pere, le Fils, et le Saint Esprit. Ainsi soit-il.

Verdun 1691

[Hyppolite de Bethune]
Seconde formule de Prone

P3021 **Verdun 1691**

p. 282 Le Dimanche est appellé le jour du Seigneur, pour nous faire entendre, mes Freres, qu'il y a des temps, aussi bien que des lieux, qui lui sont specialement consacrés, et que hors le cas d'une nécessité pressante, on ne peut sans sacrilege, faire dans les uns et les autres quoi que ce soit de profane. …

p. 284 Il n'y a donc proprement que le repos des Dimanches et des Fêtes, si sagement ordonné, qui vous donne le loisir et la commodité. 1. D'apprendre, soit par les instructions publiques, qui se font à la Paroisse, soit par les lectures spirituelles, que chacun doit faire en son particulier, vos obligations envers la Majesté divine. 2. De reformer par la penitence vos defauts de la semaine passée. 3. De vous preparer par la reception des Sacremens à vous mieux comporter dans la suivante. Enfin de vous exercer dans l'oraison, et dans la pratique de toutes les vertus, et sur tout de la charité. Car Dieu nous aiant tous unis par sa grace dans le corps mystique de son Fils, qui est l'Eglise, nous devons comme membres de ce corps être sensibles aux besoins des uns et des autres, et nous assister mutuellement par des prieres reciproques.

Verdun 1691
[Hyppolite de Bethune]
Pour annoncer le Carême, le Dimanche de la Quinquagesime

Verdun 1691 p. 305-306

Nous vous avertissons, Chrétiens, de santifier [sic] le jeûne de la sainte Quarantaine, qui commencera Mercredi prochain, et d'éviter le malheur de ceux, qui changeant le remede en poison, se trouvent plus coupables à la fin du Carême, et moins préparés pour la Communion Paschale, qu'ils ne l'étoient au commencement. Car c'est un peché mortel de ne pas jeûner dans ce saint temps, et on le réitere autant de fois qu'on y manque de jours, à moins qu'on ne soit excusé par quelque cause legitime, qui doit être évidente, ou dans le doute jugée telle par ceux, qui sont chargés de la conduite de vos Ames. C'est violer la loi du jeûne, de faire de la collation un repas entier, ou d'y prendre indifferemment toutes sortes d'alimens. C'est une erreur condamnée, de croire que tous ceux, qui travaillent, ou qui voïagent, sont excusés de cette Loi, sans être obligés d'examiner si leur travail est compatible avec sa rigueur. C'est une complaisance criminelle de déplaire à Dieu en rompant le jeûne, pour plaire à un ami, qui nous invite, ou que nous invitons à manger hors l'heure du repas. C'est un abus de suppléer le defaut des alimens, ou par les jeux, les entretiens oisifs, et les divertissemens mondains, ou par l'excés du vin, dont on ne doit point user hors le repas, au moins sans necessité. C'est pecher contre la fin du jeûne, et resister à l'intention de l'Eglise, qui le commande, de s'abstenir simplement des viandes, et de conserver des haines, des inimitiés et toute autre habitude criminelle. C'est jeûner sans merite, de jeûner avec l'attache au peché mortel. Enfin, c'est rendre le jeûne sterile, de ne rien épargner pour les pauvres : inutile de souffrir avec chagrin les incommodités qui l'accompagnent, et tout-à-fait charnel, d'affoiblir le corps par le retranchement des alimens, sans avoir soin de fortifier l'esprit par des prieres plus frequentes. ...

Extrait du Rituel romain, pour bien administrer les Sacremens... Lyon 1692, 1703, c. 1728, c. 1740 ; Tulle 1700[52]

[Prône dominical, conclusion]

P3023 *Extrait du Rituel romain*, Lyon 1692 p. 293-294

Messieurs. Je vous recommande sur toutes choses, l'amour de Dieu, la charité envers le prochain, les pauvres et necessiteux tant de cette Paroisse qu'êtrangers, puisque par l'aumône et par les charitez que l'on fait, l'on retire son âme de l'enfer. *Redime animam Eleemosinis* : et Nôtre Seigneur vous dit : Ce que vous faites à un de ces petits, c'est-à-dire aux pauvres, vous le faites à lui-même. *Quod uni ex minimis meis fecistis, mihi fecistis*. [Mat. 25, 40] Et pour cela, je vous recommande principalement, que vous ayez à tenir vos consciences pures, et nettes de tout peché mortel, afin qu'ayant la paix du Seigneur en ce monde, vous soyez assurez d'avoir en l'autre la vie éternelle. A laquelle vous conduise le Pere, le Fils et le saint Esprit. Amen. *Abscondite Eleemosinam in sinu pauperum, et ipsa orabit pro vobis ad Dominum : quia sicut aqua extinguit ignem, ita Eleemosina extinguit peccatum. Date Eleemosinam, et ecce omnia sunt munda vobis.* [Luc 11, 41]

p. 294-296 *La façon d'annoncer les fêtes commandées, les jours de jeune, ou d'abstinence, qui arrivent pendant la semaine.*

... Vous avez... la Fête de N. laquelle vous solemniserez par de bonnes et saintes oeuvres, assistant avec devotion à l'Office Divin, et à la Parole de Dieu. Vous vous exercerez comme bons et fidelles serviteurs de J.-C., aux oeuvres de misericorde, à visiter les malades, à voir les prisonniers et à consoler les affligez, et non pas en la maniere de ces miserables pecheurs, qui passent tout ce saint tems destiné au salut, en jeux, débauches, et autres actions infames, plus dignes de la vie d'un Turc, que de la vie d'un Chrêtien.

Souvenez-vous encore de fuir les mauvaises compagnies, et d'employer ce saint tems à la priere et oraison, priant Dieu matin et soir ; Tâchez sur tout d'éviter le peché, de vivre en paix, de supporter charitablement et chrétiennement les défauts les uns des autres ; Observez fidellement les Commandemens de Dieu, afin qu'ayant passé cette vie en sa sainte grace, vous soyez trouvez dignes à l'heure de vôtre mort, de la recompense qu'il reserve à ses Elûs dans le Ciel. C'est le souhait que vous fait, et à tous les Chrêtiens celui qui vous recommande toutes ces choses, etc.

---

[52] Molin Aussedat n° 1676, 1682, 1689, 1693 (éditions Lyon) ; 1679 (édition Tulle 1700).

Luçon 1693

Voir Bourges 1666.

Sens 1694
Grenoble 1700

[Sens 1694: Hardouin Fortin de La Hoguette]
[Prône dominical, conclusion]

3024 **Sens 1694 p. 418-419**

Voylà ce que le devoir de ma charge m'obligeoit de vous representer aujourd'huy; vous aurés soin d'en faire vôtre profit, et sur tout d'avoir la crainte de Dieu devant les yeux, et d'apprehender ses jugemens, et de vous garder de l'offenser; et quand vous serés assés malheureux pour tomber dans le peché, vous tâcherés de vous en relever le plutôt que vous pourrés par la Confession et par une veritable penitence, de crainte d'estre surpris[a], car il n'y a rien de plus certain que la mort, et rien de plus incertain que son heure; Je vous exhorte aussi de vous aymer chrétiennement les uns les autres, de bien instruire vos enfans, vos domestiques, et autres dont vous estes chargés, parce que vous en rendrés compte à Dieu[b]: Je vous recommande les œuvres de charité, corporelles et spirituelles, envers ceux qui en auront besoin, et particulierement envers ceux de cette paroisse.

Enfin nous prierons les uns pour les autres, afin que nous puissions tous ensemble parvenir à la gloire celeste, à laquelle nous conduise le Pere, le Fils, et le Saint Esprit. [proche de Chartres 1627 etc.]

Variantes Grenoble. [a] la Confession… surpris] le Sacrement, et la vertu de penitence, de peur d'être surpris. – [b] et autres… Dieu] et autres qui sont en vôtre charge; attendu que vous en devés rendre compte devant Dieu.

Paris 1697, 1701, 1777

[Paris 1697: Louis-Antoine de Noailles]
Le Dimanche de la Quinquagesime

3025 **Paris 1697 p. 526-527**

Mercredy prochain est le jour des Cendres :

Le Carême qui commence en ce jour, a été institué pour nous porter à suivre l'exemple de J.-C., qui jeûna quarante jours; et pour nous disposer à la grande feste de Pâques. L'Eglise met ce jour-là tous les Fidèles en pénitence par la ceremonie des Cendres.

Nous vous exhortons de vous confesser incessamment pour entrer dans l'Esprit de l'Eglise, et rendre votre pénitence plus salutaire. C'est une pratique qui au seizieme siecle étoit encore en usage dans ce Diocése, comme il paroit par un Statut d'Etienne Poncher Evêque de Paris[53], qui ordonne aux Pasteurs d'exhorter les fidéles de s'approcher du Sacrement de Pénitence dés le commencement du Carême, et déclare que ceux qui n'y auroient pas satisfait avant le Dimanche des Rameaux ne seroient reçus à la Confession et à la Communion qu'après l'Octave de Pâques, à moins qu'il n'y eût une nécessité pressante. … Tous ceux qui ont vingt-et-un an accomplis sont obligez de jeûner.

Les malades et les convalescens en sont dispensez : comme aussi les femmes grosses ; les nourrices ; ceux qui par leur grand âge, caducité et débilité, sont hors d'état de jeûner ; ceux qui travaillent à des ouvrages pénibles ; et généralement tous ceux qui ne peuvent faire une longue abstinence sans un péril évident de leur santé.

Ceux qui par maladie ou par infirmité auront besoin de prendre des oeufs ou de manger de la viande s'adresseront à nous pour en obtenir la permission.

Vous aurez soin d'envoyer au Catéchisme vos enfans et vos domestiques, et particulierement ceux qui n'ont pas encore fait leur premiere Communion.

Paris 1697, 1701, 1777

[Paris 1697 : Louis-Antoine de Noailles]
Le Dimanche des Rameaux

P3026 **Paris 1697 p. 530-532**

p. 530 Nous commençons aujourd'huy la Semaine-Sainte, que l'Eglise, suivant le langage des Peres, appelle la grande Semaine, à cause des grands et inéffables mysteres qui y ont été accomplis.

… Nous vous exhortons de vous mortifier par des jeûnes plus austeres : de faire de plus grandes aumônes : de visiter les Hôpitaux et les Prisons : et de vous rendre assidus à l'Office divin :

D'entendre jeudy la sainte Messe pour honorer l'institution du tres-saint Sacrement que J.-C. a faite ce jour là ;

D'assister vendredy au Sermon de la Passion, et au reste de l'Office divin, et d'employer ce saint jour en prieres et en actions de penitence ;

D'assister samedy à l'Office et à la Bénédiction des Fonts. …

---

[53] Étienne Poncher, évêque de Paris de 1503 à 1519.

p. 532 Dimanche est le saint jour de Pâques, la premiere et la principale feste des Chretiens : c'est en ce jour que l'Eglise célebre la glorieuse et triomphante Résurrection de notre Seigneur J.-C.

Auch 1701, 1751 et Province d'Auch
Sarlat 1708
[Auch 1701 : Anne-Tristan de La Baume de Suze]
[Prône dominical]

3027 **Auch 1701 p. 665**
[Après la récitation du *Confiteor* et de *Je me confesse à Dieu*]
Et puisque nous ne pouvons esperer le pardon de nos fautes, qu'autant que nous pardonnons à tous ceux qui nous ont offensés ; protestons à Dieu Pere de misericordes, que nous pardonnons sincerement à nos ennemis ; et demandons-luy qu'en effaçant de nos coeurs les sentimens de haine, et d'aversion que nous pourrions avoir conçû contre nôtre prochain, il y repande cet esprit d'amour, et de charité, dont J.-C. nôtre chef nous a donné un si parfait exemple sur la croix.

Poitiers 1705, 1719
[Jean-Claude de La Poype de Vertrieu]
[Prône dominical]

3028 **Poitiers 1705 p. 25-26**
Vous avez en cette semaine la Feste de N. qui se celebrera N. prochain, que l'Eglise nous commande de garder et solemniser comme le saint Dimanche, s'abstenant de toute oeuvre servile, assistant devotement au Service divin, en attendant [*sic*] la parole de Dieu, en meditant les choses qui regardent vostre salut, et en vous appliquant aux oeuvres de misericorde, et non pas en vous adonnant aux jeux, gourmandises et autres oysivetés dangereuses. Vous avez aussi tels et tels jours les jeûnes des Quatre-Temps ou Vigile de telle Feste, lequel jeûne chacun est obligé d'observer religieusement sur peine de peché mortel, s'il n'a une excuse legitime.

Poitiers 1705, 1719
[Prône dominical, conclusion]

3029 **Poitiers 1705 p. 26-27**
Voilà, mes trés-chers Freres, ce que le devoir de ma charge m'obligeoit à vous representer aujourd'huy, ayez, s'il vous plaist, un grand soin

d'en faire vostre profit, sur tout d'avoir toûjours la crainte de Dieu devant les yeux, redouter ses jugemens, et vous garder de l'offenser. Que si par malheur vous tombez dans quelque peché, relevez-vous-en par le Sacrement de penitence, le plûtost que vous pourrez, et cependant par une veritable contrition, de peur d'estre surpris par la mort qui est si certaine, et dont l'heure est si incertaine. Je vous exhorte aussi de bien faire la priere du soir et du matin, de vivre dans la paix, support de la charité chrétienne, de bien instruire vos enfans et domestiques, puisque vous en devez rendre compte devant Dieu ; de pratiquer les oeuvres de charité envers ceux qui en ont besoin, et de persévérer dans la grace de Dieu, jusqu'au dernier soûpir de vostre vie, pour obtenir la gloire éternelle que J.-C. nostre Seigneur nous a meritée par son sang precieux. [proche de Chartres 1627, Poitiers 1655, etc. P2987]

Évreux 1706
[Jacques Potier de Novion]
[Prône dominical, conclusion]

P3030 **Évreux 1706 p. 346-347**
Voilà ce que le devoir de ma charge m'obligeoit de vous representer aujourd'huy. Vous aurez soin d'en faire vôtre profit, et sur tout je vous exhorte d'avoir toûjours la crainte de Dieu devant les yeux, de penser souvent à la rigueur de ses jugemens, et d'éviter avec grand soin tout ce qui peut l'offenser. Que si par malheur vous tombez dans quelque peché mortel, ayez incessamment recours au Sacrement de Penitence pour en recevoir l'absolution, et sur tout n'attendez pas à Pâques, de peur que dans cette intervalle la mort qui est certaine, mais dont l'heure vous est cachée, ne vous surprenne en ce funeste état, et que vous n'ayez pas le temps de vous confesser et de pleurer vos fautes.

Je vous exhorte encore d'avoir les uns pour les autres une charité vrayement chrétienne, de bien instruire vos enfans, vos domestiques, et tous ceux qui sont en vôtre charge, parce qu'il vous en faudra rendre compte. Assistez autant qu'il vous sera possible les pauvres, principalement ceux de cette Paroisse, tant dans leurs necessitez corporelles que spirituelles. Enfin offrons sans cesse à Dieu nos voeux et nos prieres les uns pour les autres, afin qu'un jour nous ayons tous ensemble le bonheur de le posseder dans la gloire, que je vous souhaite au nom du Pere, et du Fils, et du Saint Esprit. Ainsi soit-il. [proche d'Évreux 1606, 1621]

Bordeaux 1707, 1728
Sarlat 1729

[Bordeaux 1707 : Armand Bazin de Besons]
[Prône dominical, conclusion]

P3031 **Bordeaux 1707 p. 509**

Voilà, mes chers Freres, ce que mon devoir m'a obligé de vous representer aujourd'huy. Je finis en vous exhortant d'en faire vôtre profit, et d'en instruire vos enfans, domestiques, et les autres dont vous êtes chargés parce que vous en rendrés compte à Dieu.

Je vous exhorte, sur tout, d'avoir continuellement sa crainte devant les yeux, et d'éviter avec un grand soin tout pêché : que si vous étiés assez malheureux pour tomber dans quelqu'un, relevés-vous-en au plûtôt par la Confession, et par une veritable penitence ; de peur d'être surpris dans ce funeste état par la mort, dont l'heure est incertaine. Aimés-vous charitablement les uns les autres, puisque vous étes freres en J. C. Pratiqués les oeuvres de misericorde spirituelle et corporelle envers ceux qui en ont besoin, principalement envers les pauvres de cette Paroisse.

Enfin, ne cessons point de prier Dieu les uns pour les autres ; afin que, par sa grace, nous puissions parvenir à la gloire céleste : que je vous souhaite. Au nom du Père, et du Fils, et du Saint Esprit, ainsi soit-il.

Metz 1713

[Henri-Charles du Cambout de Coislin]
[Prône dominical]

P3032 **Metz 1713 p. 65-66**

Nous vous avertissons que conformément au saint Concile de Trente, et aux Statuts Synodaux de ce Diocese, vous êtes obligez d'assister à la Messe de Paroisse, et que vous ne pouvez vous en dispenser sans un empêchement legitime. Nous vous avertissons aussi, que pour sanctifier les dimanches et les fêtes, il ne suffit pas d'assister le matin à la Messe de paroisse ; il faut aussi sanctifier le reste du jour, en assistant aux Instructions, aux Catechismes, aux Vêpres, et aux autres Offices qui se font dans la paroisse ; ou si pour de bonnes raisons on ne peut y assister, on doit emploier la plus grande partie du jour, en prieres, lectures de pieté, ou en des actions de charité.

Vous êtes aussi obligez d'envoier vos enfans et vos domestiques au Catechisme, et à l'Ecole.

Orléans 1726
[Louis-Gaston Fleuriau d'Armenonville]
[Prône dominical, conclusion]

P3033 **Orléans 1726** p. 173
Etant ainsi instruits de ce que Dieu exige de vous, mes Freres, attachez-vous à lui plaire par vôtre exactitude, à remplir tous les devoirs que nous venons de vous exposer; travaillez à vôtre sanctification, travaillez en même tems à édifier les autres, et sur tout dans vos familles, ceux dont la conduite est confiée à vos soins, et dont vous rendrez compte au Seigneur : Edifiez-les par vos avis charitables, édifiez-les par vos exemples. Et comme la parole de Dieu est le flambeau qui doit vous éclairer dans toutes vos démarches, et nourrir dans vos coeurs les sentimens de la pieté chrétienne; nous vous exhortons d'être attentifs à cette même parole que nous allons vous enseigner. [Epître et Evangile]

Avignon 1729, 1748, 1789
[Avignon 1729 : François-Maurice de Gonteriis]

Rituale romanum Pauli V... iussu editum...
Avignon 1816, 1830; Lyon 1817; Tarascon 1820;
Lyon-Paris 1828, 1837, 1838, 1840, 1843, 1845, 1848, 1850, 1852, 1854[54]
[Prône dominical, conclusion]

P3034 **Avignon 1729** p. 20. *Rituale romanum*, Avignon 1816, p. 396
Je vous exhorte de venir à l'Eglise les jours ouvriers, tant pour y faire vos prieres, que pour y oüir la sainte Messe, autant que vos affaires le permettront, afin que Dieu benisse vos travaux, et vous donne sa grace en abondance; souvenez-vous encore de prier Dieu dévotement le matin et le soir, d'éviter avec grand soin le péché, de fuïr les mauvaises compagnies, de vivre en paix, supportant charitablement les défauts les uns des autres.

Auxerre 1730
[Charles de Caylus]
Dimanche de la Quinquagesime

P3035 **Auxerre 1730** p. 21
Nous entrerons Mercredi prochain dans le Saint Tems de Carême, que tous les Fidéles doivent regarder comme des jours de grace et de salut. Il

---

[54] Voir supra P2913 les références des rituels romains connus comportant le prône d'Avignon.

a été institué dès le commencement de l'Eglise en mémoire des quarante jours que Notre-Seigneur passa dans le désert, sans boire ni manger. C'est pour honorer cette sainte abstinence, que l'Eglise ordonne à tous ses enfans de passer ces quarante jours dans le jeûne et dans la priere. Le jeûne consiste principalement en deux choses, à s'abstenir des viandes défenduës, et à ne faire qu'un seul repas. C'est ainsi que le pratiquoient les anciens Chrétiens. L'Eglise par une charitable condescendance, s'accommodant à la foiblesse de ses enfans, tolere presentement une legere collation.

Le jeûne pour être agreable à Dieu, doit être animé de l'esprit de pénitence, et accompagné de la fuite du péché, de l'aumône, de la priere et des autres bonnes oeuvres. ...

Blois 1730
Amiens 1784. Boulogne 1750[55], 1780. Toulon 1749[56], 1778

[Blois 1730 : Jean-François Lefebvre de Caumartin]
[Prône dominical, conclusion]

3036 **Blois 1730 p. 431-432**

Voilà, mes frères, ce que mon devoir m'oblige de vous représenter aujourd'hui : profitez-en de votre mieux, et tâchez d'en instruire vos enfans, vos domestiques, et autres dont vous pourriez être chargés. Ayez toûjours la crainte de Dieu devant les yeux, et son amour dans le cœur : évitez avec soin tout péché : que si vous êtes assez malheureux que d'en commettre quelqu'un, qui vous fasse perdre la vie de la grace, faites-en au plutôt pénitence, et vous en confessez pour n'être pas dans ce funeste état surpris de la mort, dont l'heure est si incertaine. Souvenez-vous de vos derniéres fins[a] : pensez souvent que vous n'êtes au monde que pour connoître, aimer et servir Dieu, et pour assurer votre salut, qui est la plus importante, et même à le bien prendre, l'unique affaire que vous puissiez avoir.

Aimez-vous les uns les autres comme J. C. vous a aimés : pardonnez à vos ennemis comme vous voulez que Dieu vous pardonne : ne prenez et ne retenez point le bien d'autrui : n'usez d'aucune fraude[b] : ne parlez mal de personne : tâchez d'avoir la paix avec tout le monde[c] ; pratiquez les œuvres de miséricorde, et faites l'aumône selon votre pouvoir, surtout aux pauvres de cette paroisse[d] : remplissez les devoirs de votre état : fuyez l'oisiveté comme la mère de tout vice ; soyez chastes et sobres,

---

[55] Boulogne 1750, seconde partie p. 130-134 : *Abrégé de la Doctrine chrétienne*.
[56] *Rituel romain, pour l'usage du diocése de Toulon* [1749], p. 190-208 (Paris, SG, Delta 66696). Formulaire de Blois légèrement abrégé et remanié, proche de Meaux 1734.

doux et humbles de cœur, vigilans et assidus à la priére[e]. Faites toutes vos actions pour l'amour de Dieu, et dans la vûe de lui plaire : s'il vous envoye des peines et des croix[f], portez-les avec patience, en satisfaction de vos péchés, et en union avec les souffrances de Notre Seigneur J. C.

Enfin ne cessons de prier les uns pour les autres, afin que par la grace de Dieu nous puissions tous arriver à la gloire éternelle, que je vous souhaite au nom du Père, du Fils, et du Saint Esprit. Ainsi soit-il.

Variantes. [a] qui vous fasse... fins] relevez-vous en au plutôt par la confession et par une véritable pénitence ; de peur d'être surpris par la mort, dont l'heure est si incertaine.] Tlon. –[b] n'usez... fraude] *om*. Tlon. –[c] tâchez... monde] *om*. Tlon. –[d] surtout... paroisse] *om*. Tlon. –[e] soyez... priére] *om*. Tlon. –[f] s'il... croix] faites un saint usage des peines qu'il voudra vous envoyer Tlon.

Meaux 1734
[Henri de Thyard de Bissy]
[Prône dominical, conclusion]

P3037   **Meaux 1734** p. 390-391

[Formulaire remaniant légèrement celui de Blois 1730.]

Vous ne devez pas seulement, mes chers freres, conserver la mémoire de ces instructions ; vous êtes encore obligés d'en instruire ou faire instruire vos enfans, vos domestiques, et tous ceux dont vous êtes chargés. Ayez toujours la crainte de Dieu devant les yeux, et son amour dans le coeur : évitez avec soin tout péché : que si vous êtes assez malheureux que d'en commettre quelqu'un, faites-en pénitence et vous en confessez au plûtôt, de crainte que la mort ne vous surprenne dans un si funeste état : pensez souvent que vous n'êtes au monde que pour connoître, aimer, servir Dieu, et assûrer par ce moyen votre salut éternel.

Aimez-vous les uns les autres comme J. C. vous a aimés : pardonnez à vos ennemis comme vous voulez que Dieu vous pardonne : ne prenez et ne retenez point le bien d'autrui : ne parlez mal de personne : pratiquez les oeuvres de miséricorde, et faites l'aumône selon votre pouvoir : remplissez les devoirs de votre état ; fuyez l'oisiveté comme la mere de tout vice ; faites toutes vos actions pour l'amour de Dieu et dans la vûe de lui plaire : faites un saint usage des peines qu'il voudra vous envoyer, portez-les avec patience, en satisfaction de vos péchés, et en union avec les souffrances de notre Seigneur J. C.

Enfin ne cessons de prier les uns pour les autres afin que par la grace de Dieu nous puissions tous arriver à la gloire éternelle, que je vous souhaite, au nom du Pere, et du Fils...

Narbonne 1736
[René-François de Beauvau]
[Prône dominical]

3038 **Narbonne 1736** p. 139

Il faut pratiquer et observer les Commandements de Dieu et de l'Eglise. Aimer Dieu de tout nôtre coeur, et nôtre prochain comme nous-même, faisant pour le Prochain ce que nous voudrions qu'il fit pour nous. Mais sur tout exerçant à son égard les oeuvres de Miséricorde spirituelles et corporelles.

Il faut éviter le peché plus que toute chose; principalement, les sept pechez mortels qui sont, Orgueil, Avarice, Luxure, Envie, Gourmandise, Colére et Paresse.

Fuir toute injustice; les mauvaises compagnies; et les occasions du peché. ...

p. 141 [**Conclusion**:] Dieu nous preserve, Mes Freres, de tomber en aucun de ces pechez, et en tous autres, nous fasse la grace de croître chaque jour en vertus, et principalement en Charité: meritants par ce moyen la gloire celeste, à laquelle nous conduise, le Pere, le Fils, et les Saint Esprit. Ainsi soit-il.

Rouen 1739, 1771
Arras 1757. Bayeux 1744. Beauvais 1783. Coutances 1744, 1777.
Évreux 1741
Lisieux 1744. Lodéve 1744. Sées 1744. Senlis 1764

[Rouen 1739: Nicolas de Saulx-Tavanes]
[Prône dominical]

3039 **Rouen 1739** p. 365-366

Nous vous avertissons de la part de Monseigneur l'Archevêque[a], conformément au saint Concile de Trente, et aux Statuts synodaux[b] de ce Diocèse[c], d'assister à la[d] Messe de Paroisse, à moins que vous n'aïez quelque légitime empêchement; vous devez aussi sçavoir qu'outre cette assistance à la Messe paroissiale, vous devez sanctifier le reste de la journée en assistant aux Vêpres et aux Instructions qui se font en cette Eglise, et pour former vos enfans à[e] un si saint usage, vous devez les conduire vous-mêmes dans le[f] lieu saint, ou du moins les envoyer à la sainte Messe et aux Catéchismes[g]. Cette obligation est aussi pour les Maîtres à l'égard de leurs Domestiques.

Variantes. ^(a) Archevêque] Evêque Lod. etc. –^(b) synodaux] *om.* Ar. –^(c) Statuts… Diocèse] au dernier Concile de cette Province Ev. –^(d) sainte] *add.* Lod. –^(e) à] en Ev. –^(f) le] ce Lod. etc. –^(g) ou du moins… catéchismes] et les faire assiter à la sainte messe de paroisse, aux vêpres, et aux catéchismes Lod. etc – et les faire assister à la sainte messe de paroisse, et aux catéchismes Ev.

Bourges 1746
Carcassonne 1764. Limoges 1774. Luçon 1768.
Le Mans 1775. Poitiers 1766

[Bourges 1746 : Frédéric-Jérôme de Roye de La Rochefoucauld]
[Prône dominical, conclusion]

P3040   **Bourges 1746 p. 154**

Nous vous avertissons de la part de Monseigneur l'Archevêque, que vous êtes obligés d'assister à la messe de paroisse, conformément au saint Concile de Trente, et au dernier Concile de cette province, à moins que vous n'ayez quelque légitime empêchement, et ce sous peine d'excommunication contre ceux qui y manqueroient pendant trois dimanches consecutifs ; vous devez aussi sçavoir qu'outre cette assistance à la messe paroissiale, vous devez sanctifier le reste de la journée en assistant aux vêpres et aux instructions qui se font en cette Eglise ; et pour former vos enfans à un si saint usage, vous devez les conduire vous-mêmes dans ce lieu saint, ou du moins les envoyer à la messe et aux catéchismes. Cette obligation est aussi pour les maîtres à l'égard de leurs domestiques.

Périgueux 1763

Voir Périgueux 1680.

Châlons-sur-Marne 1776
Tours 1785. Verdun 1787

[Châlons 1776 : Antoine Le Clerc de Juigné]
[Prône dominical]

P3041   **Châlons 1776 Tomus secundus, p. 484-492**

Nous vous avertissons de la part de l'Eglise, que vous êtes obligés d'assister à la messe paroissiale, et que vous ne pouvez vous en dispenser sans un empêchement légitime. … Nous vous avertissons aussi que, pour sanctifier les dimanches et les fêtes, il ne suffit pas d'assister à la messe de paroisse : il faut encore sanctifier le reste du jour en assistant aux catéchismes et autres instructions, aux vêpres et autres offices qui se font à l'Eglise ; ou, si pour de justes raisons, l'on ne peut y assister, on doit employer la meilleure partie du jour en prieres, en lectures de piété, ou en œuvres de charité, soit corporelles, soit spirituelles. Les peres et meres, les maîtres et maîtresses sont, en outre, obligés de faire assister leurs enfans et domestiques, du moins à la Messe paroissiale, au Prône qui s'y fait, et au Catéchisme.

Quant à ceux qui... se contentent d'entendre une Messe basse les jours de dimanches et de fêtes, qui méprisent ou qui négligent d'assister à la messe de paroisse, au service divin, aux instructions, et d'y envoyer leurs enfans et domestiques : nous leur déclarons de la part de l'Eglise, qu'ils ne remplissent point le précepte de la sanctification du dimanche et des fêtes, qu'ils sont dans l'habitude du péché mortel, et qu'ils exposent leur salut éternel au plus grand danger, s'ils ne changent de conduite à cet égard.

... A Dieu ne plaise, M.F., que vous profaniez par des divertissemens criminels ou dangereux, les jours spécialement consacrés au service du Seigneur ... les jeux et les spectacles du monde, les danses, les bals, la fréquentation des lieux d'intempérance et de scandale sont, dans ces jours saints, des choses plus criminelles que ne seroit le travail des mains et l'occupation du labourage.

... *Je crois en Dieu...* [Commandements de Dieu et de l'Eglise...] ... *Notre Pere... Je vous salue Marie...*

Acte de Foi. *Mon Dieu, je crois fermement...*

Acte d'Esperance. *Mon Dieu, j'espere en vous...*

Acte d'amour de Dieu et du prochain. *Mon Dieu, je vous aime de tout mon cœur...*

Vous êtes aussi obligés de savoir que J. C. a institué... sept Sacremens...

[**Conclusion**] Nous vous avons exposé, M.F., ce que vous devez croire, ce que vous devez faire, et ce que vous devez demander à Dieu : nous vous avons appris la maniere de produire des actes de foi, d'espérance et de charité, et nous vous avons rappelé les sept sacremens qui sont la source de votre sanctification : vous ne devez pas conserver la mémoire de ces instructions pour vous seuls, vous devez aussi en faire part à vos enfans et domestiques, et à tous ceux dont vous êtes chargés ; car, dit l'Ecriture sainte, *Si quelqu'un n'a pas soin des siens, et particulierement de ceux qui demeurent dans sa maison, il a renié la foi, et il est pire qu'un infidele.*

Rituale romanum, Pauli V... iussu editum...
Avignon, 1780, 1782, 1783, 1784, 1802
Formulaire pour faire le Prône

Voir Lyon 1644 (P3004).

Paris 1786[57]
[Paris 1786 : Antoine Le Clerc de Juigné]
[Prône dominical]

P3042 **Paris 1786, p. 479**
Nous vous avertissons de la part de l'Eglise, que vous êtes obligés d'assister à la Messe paroissiale, et au Prône qui s'y fait pour votre instruction. Mais ne vous contentez pas de remplir ce devoir : que l'assistance aux Offices divins, que les lectures de piété et les œuvres de charité, soient votre plus douce récréation dans les jours consacrés au Seigneur. A Dieu ne plaise que vous les profaniez par des divertissemens criminels ou dangereux.

p. 484 [**Conclusion**]
Profitez, mes freres, de ces instructions abrégées ; et n'oubliez pas que c'est pour vous un devoir indispensable d'en instruire ou faire instruire vos enfans, vos domestiques, et tous ceux que la Providence a mis sous votre conduite. Ayez soin qu'ils se rendent assiduement dans le lieu saint, pour y apprendre les vérités du salut dans les Catéchismes et autres Instructions chrétiennes.

Rituale romanum Pauli V... iussu editum...
Avignon 1816, 1830 ; Lyon 1817 ; Tarascon 1820 ;
Lyon-Paris 1828, 1837, 1838, 1840, 1843, 1845, 1848, 1850, 1852, 1854
[Prône dominical, conclusion]

Voir Avignon 1729-1789 (P3034).

---

[57] Le rituel parisien de 1786, trop original, est l'objet de telles critiques qu'il reste comme non avenu.

RITUELS DIOCÉSAINS CITÉS

ABRÉVIATIONS UTILISÉES DANS LE TABLEAU DES RITUELS DIOCÉSAINS

		chapitre
abs. art. mort	absolutions à l'article de la mort	XVIII
abs. autres cas	absolutions – autres cas	XXI
abs. excom.	absolutions de l'excommunication	XVII
abs. excom. mort	absoutes d'un excommunié après sa mort	XIX
abs. gén.	absolutions générales	III
abs. hér.	absolutions de l'hérésie	XX
cas rés. év.	cas réservés aux évêques	XXV
cas rés. pape	cas réservés au pape	XXIV
conf. enf.	confession des enfants	XVI
conf. gén.	confessions générales	V-IX
cons. vie chr.	conseils de vie chrétienne	XXVII
ens. foi	enseignement de la foi	XXVI
excom. prône	excommunications au prône dominical	XXII
mer. cen.	office du Mercredi des Cendres	II
pén. priv. – cons. pén.	pénitence privée – conseils aux pénitents	XIV
pén. priv. – cons. prêtres	pénitence privée – conseils aux prêtres	XI
pén. priv. – contrition	pénitence privée – instructions sur la contrition	XIII
pén. priv. – ex. cons.	pénitence privée – examens de conscience	XII
pén. priv. – formulaires	pénitence privée– premiers formulaires de confession	X, XV
pén. publ.	pénitence publique	I

Ne figurent pas dans ce tableau : les Absolutions générales à la fin du prône ou de l'exhortation pascale (chapitre IV).

DIOCÈSE	DATE	abs. art. mort	abs. autres cas	abs. ex-com.	abs. ex-com. mort	abs. gén.	abs. hér.	cas rés. év.	cas rés. pape
		XVIII	XXI	XVII	XIX	III	XX	XXV	XXIV
Agen	1564					322		2586	2452
Agen	1688			1823	1959		2089	2689	2512
Aire	[1720]					2038 2098		2718	2523
Aire	1776					2038 2098		2810	
Aix-en-Provence	1577								
Albi	1647			1815 1818		2058 2068		2612 2649	2471 2472
Albi	1783		2246		1976	2112		2826	
Alet	1667, 1677, 1771				1958				
Amiens	1509-1554					280		2581	
Amiens	1586, 1607					332 420		2593	2456
Amiens	1687					375	2087	2686	2511
Amiens	1784						2107		
Angers	1543, 1580					302 417		2579	2447
Angers	1620, 1626					343 424		2579 2619	2447
Angers	1676				1955	368	2080	2579 2619	2505
Angers	1735					368	2080	2739 2740	2542

RITUELS DIOCÉSAINS CITÉS 1869

conf. enf.	conf. gén.	cons. vie chr.	ens. foi	excom. prône	mer. cen.	pén. priv.						pén. publ.
						cons. pén.	cons. prêtres	contrition	ex. cons.	formulaires de conf.		
XVI	V-IX	XXVII	XXVI	XXII	II	XIV	XI	XIII	XII	X, XV	I
	1179 1261	2969	2936	2291-2293 2316		1502	1322			1281 1514	
				2377			1363	1462	1410		
				2398 2407				1474			
								1494			
		2976		2318							
		2995		2887 2888	2367bis			1447			
				2430			1373				
				2892 2893 2954	2377		1357	1453	1403		4 47
	1158 1207			2296			1324			1283	
	1185 1237	2982 2983	2859	2325 2326	138 167		1335			1298 1529	
		3018	2897	2388				1461	1408		
		3036	2915	2421				1482 1483			
						1502	1322			1281 1514	
		2991 2994	2877	2349							
		2991 2994	2877	2349							
		2991	2907	2349							

RITUELS DIOCÉSAINS CITÉS

DIOCÈSE	DATE	abs. art. mort	abs. autres cas	abs. ex-com.	abs. ex-com. mort	abs. gén.	abs. hér.	cas rés. év.	cas rés. pape
		XVIII	XXI	XVII	XIX	III	XX	XXV	XXIV
Angoulême	1509								
Angoulême	1582								
Arras	1563			1842					
Arras	1600			1842		337 422			
Arras	1623	1922 1930		1817 1851		344 425		2624	2479 2480
Arras	1644	1922 1930		1817 1851		344 425		2624	2479 2480
Arras	1757	1922 1930		1817 1851	1955	344 398 425	2114	2785-2787	2559
Auch	c. 1642					2058 2063		2644	2471 2472 2491 2492
Auch	1678						2077	2612 2613 2675	2471 2472
Auch	1701					2038 2098		2706	2523
Auch	1751					2038 2098		2768	2556
Autun	1503, 1523	1915	2234 2235	1787 1788 1833		277		2579	2447

RITUELS DIOCÉSAINS CITÉS 1871

conf. enf.	conf. gén.	cons. vie chr.	ens. foi	excom. prône	mer. cen.	pén. priv.	cons. pén.	cons. prêtres	contrition	ex. cons.	formulaires de conf.	pén. publ.
XVI	V-IX	XXVII	XXVI	XXII	II	XIV	XI	XIII	XII	X, XV	I	
		2969			119							
1756			2870 2939					1333	1426	1384	1296 1527	
			2934						1423			
			2934	2331 2332	141				1423			45
1758			2948	2350			1506	1346	1440 1441	1397	1321	45
1758			2880 2883bis	2365			1506	1346	1440 1445	1397		45
1758		3039	2920 2966	2418			1506	1346	1490			45
		3003		2362								
				2378				1358				
		3027	2959	2398					1468			
		3027		2403 2422 2423					1488			
	1160 1207	2969		2290- 2293	113 162	1502	1322				1281 1514	

DIOCÈSE	DATE	abs. art. mort	abs. autres cas	abs. ex-com.	abs. ex-com. mort	abs. gén.	abs. hér.	cas rés. év.	cas rés. pape
		XVIII	XXI	XVII	XIX	III	XX	XXV	XXIV
Autun	1545					308			
Auxerre	1536							2579	2447 2449
Auxerre	1631							2612 2630	2471 2472
Auxerre	1730			1825		387	2104	2730 2731	2536
Avignon	1729								
Avignon	1748, 1789							2763bis	
Avranches	1540 n.st.					300 416			
Avranches	1613							2609 2610	2469 2470
Avranches	1742							2748 2749	
Bâle	1488								
Bâle	1595			1801 1840				2596-2598	2458 2459
Bayeux	1503								
Bayeux	1577, 1611					325			
Bayeux	1627						2057		2470
Bayeux	1687	1923 1931		1822bis 1854			2088	2687 2688	2484

RITUELS DIOCÉSAINS CITÉS

conf. enf.	conf. gén.	cons. vie chr.	ens. foi	excom. prône	mer. cen.	pén. priv.					pén. publ.
						cons. pén.	cons. prêtres	contrition	ex. cons.	formulaires de conf.	
XVI	V-IX	XXVII	XXVI	XXII	II	XIV	XI	XIII	XII	X, XV	I
	1169 1246 1249		2866 2867 2931	2291-2293 2310	113 162			1421		1291 1522	
			2850	2302			1327		1380	1288 1519	
			2862	2335							
1769	1203 1219	3035	2907	2411			1368 1369	1478			
		3034	2913 2914	2410							
		3034	2913 2914	2410bis							
				2300	124						43
			2874	2343 2344			1342 1343	1433 1434	1392 1393	1314 1545	
					107			1418		1280 1513	
	1187 1268				140		1534	1430	1387	1304 1534	
				2294							
				2298	133						
				2352					1392		
			2898	2389					1398 1409		

DIOCÈSE	DATE	abs. art. mort	abs. autres cas	abs. ex-com.	abs. ex-com. mort	abs. gén.	abs. hér.	cas rés. év.	cas rés. pape
		XVIII	XXI	XVII	XIX	III	XX	XXV	XXIV
Bayeux	1744			1827		393 394	2109	2756 2757	2549
Bayonne	1751					2038 2098		2769 2770	2556
Bazas	1503								
Bazas	1585								
Bazas	1701					2038 2098		2706	2523
Bazas	1751, 1752					2038 2098		2771	2556
Beauvais	1544					304-307		2579	2447
Beauvais	1557								
Beauvais	1637					353		2632	
Beauvais	1700								
Beauvais	1725					353	2096	2632	2533
Beauvais	1783							2632 2827	2545 2566
Belley	1759							2788	2560
Besançon	1561, 1581					319			
Besançon	1619			1801					

RITUELS DIOCÉSAINS CITÉS 1875

conf. enf.	conf. gén.	cons. vie chr.	ens. foi	excom. prône	mer. cen.	pén. priv.					pén. publ.
						cons. pén.	cons. prêtres	contrition	ex. cons.	formulaires de conf.	
XVI	V-IX	XXVII	XXVI	XXII	II	XIV	XI	XIII	XII	X, XV	I
		3039	2920	2418				1485			
				2403 2422 2423				1488			
					114						
			2871	2324							
				2398				1468			
				2403 2422 2423				1488			
1168 1225			2850	2295	126						
1175 1253			2933			1554					
				2357				1444	1398 1400		
				2395bis							
1219			2907	2354				1413			
		3039	2920	2428				1485			
			2921 2922	2426							
1177 1254 1255		2975bis									
									1555		

DIOCÈSE	DATE	abs. art. mort	abs. autres cas	abs. ex-com.	abs. ex-com. mort	abs. gén.	abs. hér.	cas rés. év.	cas rés. pape
		XVIII	XXI	XVII	XIX	III	XX	XXV	XXIV
Besançon	1674							2667 2668	2503
Besançon	1705						2099	2708-2711	2524-2526
Béziers	1638					342 354 419	2058	2633 2634	2485
Blois	1730				1964	388-390 429	2105	2732	2537
Bordeaux	1588, 1596		2238 2258	1795-1797 1838					
Bordeaux	1602, 1611			1795 1797 1838					
Bordeaux	1641, 1672							2641 2642	2488 2489
Bordeaux	1707, 1728				1961		2100	2713	2527
Boulogne	1647						2069	2650	2484
Boulogne	1750, 1780						2107	2767	2555
Bourges	[1517], 1569								
Bourges	1541					301			

conf. enf.	conf. gén.	cons. vie chr.	ens. foi	excom. prône	mer. cen.	pén. priv.	cons. pén.	cons. prêtres	contrition	ex. cons.	formulaires de conf.	pén. publ.
XVI	V-IX	XXVII	XXVI	XXII	II		XIV	XI	XIII	XII	X, XV	I
				2381 2433				1353	1457	1404		
				2381 2399 2433				1353	1469	1404		
		2992 2993										
		3036	2915 2961	2412	152 169				1479			
											1299 1530	
											1299 1538	
		2999-3001		2360								
1766		3031	2909	2402 2403					1471			
1760		2996	2879	2354								
1760		3036	2915	2421				1373		1482 1483		
				2296								
	1166 1207			2298								

DIOCÈSE	DATE	abs. art. mort	abs. autres cas	abs. ex-com.	abs. ex-com. mort	abs. gén.	abs. hér.	cas rés. év.	cas rés. pape
		XVIII	XXI	XVII	XIX	III	XX	XXV	XXIV
Bourges	1588, 1593					333			
Bourges	1616		2261	1816 1849			2059		
Bourges	1666		2243 2265	1821 1853	1957	364 365 423	2074-2076	2662 2663	2500
Bourges	1746		2246	1828 1855	1976	396 397 431	2110	2762 2763	2551
Cahors	1503								
Cahors	1593					334 421		2595	
Cahors	1604			1807 1844		338 421		2605	2465
Cahors	1619					338 421		2605	2465
Cahors	1642						2064	2641 2642 2645	
Cahors	1674								
Cahors	1722								
Cambrai	1503	1915	2234 2235	1787 1788 1833		281 282		2579	2447

conf. enf.	conf. gén.	cons. vie chr.	ens. foi	excom. prône	mer. cen.	pén. priv.	cons. pén.	cons. prêtres	contrition	ex. cons.	formulaires de conf.	pén. publ.
XVI	V-IX	XXVII	XXVI	XXII	II	XIV	XI	XIII	XII	X, XV	I	
	1186 1213 1267			2296					1428	1382		
				2875 2947		2345				1436		1317 1549
1763	1196 1216	2982 3008 3009	2953	2373- 2376		1508		1355 1356	1452		1556	
1772		3040		2419				1373	1482 1483 1486			
					115							
1756			2943	2329	139	1504	1337		1429	1386	1303 1533	
1756		2989 2990	2945	2337				1339 1340	1431	1386	1309 1533 1540	
1756		2989 2990		2337						1386	1533	
				2363				1348				
		3002 3012		2382								
		3002 3012	2911	2382								
	1159 1207	2969		2290- 2293	116	1502	1322				1281 1514	

DIOCÈSE	DATE	abs. art. mort	abs. autres cas	abs. ex-com.	abs. ex-com. mort	abs. gén.	abs. hér.	cas rés. év.	cas rés. pape
		XVIII	XXI	XVII	XIX	III	XX	XXV	XXIV
Cambrai	1562		2237	1793 1837		320 321		2585	2451
Cambrai	1606			1845				2608	
Cambrai	1622							2620-2622	
Cambrai	1659							2620-2622	
Cambrai	1707, 1779							2620	
Carcassonne	1764		2246		1976	399	2112	2790	2562
Chalon-sur-Saône	1605			1808				2606	
Chalon-sur-Saône	1653			1815			2058 2070	2655-2657	2496
Chalon-sur-Saône	1735						2058 2070	2741	2543
Châlons-sur-Marne	1569					281		2579	2447
Châlons-sur-Marne	1606					332		2593	2456
Châlons-sur-Marne	1649				1815	1955	360	2069	2653	2495
Châlons-sur-Marne	1776				1830	1966		2115	2811-2816	2569
Chartres	1490-1553, 1604					275 276 277		2579	2443 2447

RITUELS DIOCÉSAINS CITÉS 1881

conf. enf.	conf. gén.	cons. vie chr.	ens. foi	excom. prône	mer. cen.	pén. priv.						pén. publ.
							cons. pén.	cons. prêtres	contrition	ex. cons.	formulaires de conf.	
XVI	V-IX	XXVII	XXVI	XXII	II	XIV		XI	XIII	XII	X, XV	I
	1178 1258		2926 2935		131	1503		1330	1422		1292 1523	
			2872	2339		1503		1330		1390	1292 1542	
				2339				1345	1439	1396	1320	
				2339				1345	1439	1396	1320	
				2404					1472	1412		
		3040		2419				1375	1482 1486 1492			
		2984 2985		2328							1310 1541	
		2952		2370				1352	1450			
1771		2917		2416				1372	1484			
	1159 1207	2969		2290-2293	132	1502		1322			1281 1514	
	1185 1237	2982 2983	2859	2325 2326				1335			1298 1529	
1761	1194 1216	2996	2879	2354				1351	1449			
1775		3041	2967	2429		1511		1376	1495			
	1156 1207	2969		2290-2293	108 158	1502		1322			1281 1514	

DIOCÈSE	DATE	abs. art. mort	abs. autres cas	abs. ex-com.	abs. ex-com. mort	abs. gén.	abs. hér.	cas rés. év.	cas rés. pape
		XVIII	XXI	XVII	XIX	III	XX	XXV	XXIV
Chartres	1580							2589	2454
Chartres	1581					326			
Chartres	1627, 1639, 1640			1815 1852	1955	345 346 347	2061 2062	2628	2483
Chartres	1680, 1689					347 372 373 374	2062 2084 2085	2680	2483
Clermont	1506 n.st.-1550					281		2579	2447
Clermont	1608					281		2579	2447
Clermont	1656						2072		
Clermont	1733					391	2106	2733	2446 2538
Comminges	[1648]						2015 2058 2063	2652	2494
Comminges	[1728]						2038 2098	2706 2729	2523
Comminges	1751						2038 2098	2772-2774	2556

RITUELS DIOCÉSAINS CITÉS 1883

conf. enf.	conf. gén.	cons. vie chr.	ens. foi	excom. prône	mer. cen.	pén. priv. cons. pén.	cons. prêtres	contrition	ex. cons.	formulaires de conf.	pén. publ.
XVI	V-IX	XXVII	XXVI	XXII	II	XIV	XI	XIII	XII	X, XV	I
		2978 2979	2858 2927bis 2938	2320		1504	1331	1424	1383	1294 1525	2 44
	1182 1263	2980	2928	2322	134 166		1332	1425		1295 1526	
		2996	2879	2353	142		1347	1443	1398		
		2996		2353	148 168			1459	1398 1407		
	1159 1207	2969		2290 2293	117	1502	1322			1281 1514	1
	1159 1207	2969 2984 2985		2290 2293	117	1502	1322			1281 1514	1
1762							1353	1443			
1770	1204 1219 1276		2907 2962	2413			1361 1370	1480	1415		
		3003		2368				1448bis			
				2398				1468			
				2403 2422-2424				1488			

RITUELS DIOCÉSAINS CITÉS

DIOCÈSE	DATE	abs. art. mort	abs. autres cas	abs. ex-com.	abs. ex-com. mort	abs. gén.	abs. hér.	cas rés. év.	cas rés. pape
		XVIII	XXI	XVII	XIX	III	XX	XXV	XXIV
Couserans	c. 1642						2015 2058 2063	2644	2471 2472 2491 2492
Couserans	1751						2038 2098	2775	2556
Coutances	1494								
Coutances	1540 n.st.					300 416			
Coutances	1609							2600	2467 2468
Coutances	1618							2600	2467 2468
Coutances	1682							2684	2483
Coutances	1744, 1777				1827	393 394	2109	2756 2757	2549
Dax	1701						2038 2098	2706	2523
Dax	1751						2038 2098	2776 2777	2556 2557
Elne	1509	1916 1926		1790 1835					
Elne	1656		2263 2264 2284	1819 1820				2658	2497 2498

RITUELS DIOCÉSAINS CITÉS 1885

conf. enf.	conf. gén.	cons. vie chr.	ens. foi	excom. prône	mer. cen.	pén. priv.						pén. publ.
							cons. pén.	cons. prêtres	contrition	ex. cons.	formulaires de conf.	
XVI	V-IX	XXVII	XXVI	XXII	II	XIV	XI	XIII	XII	X, XV		I
				2362								
				2403 2422 2423					1488			
				2294								
				2300	124							43
				2342						1543		
		2991		2342				1340	1431	1391	1543	
				2387bis					1460	1402		
		3039	2920	2418					1485			
				2398					1468			
				2403 2422 2423					1488			
			2851	2301								
			2890	2371				1354	1451			

DIOCÈSE	DATE	abs. art. mort	abs. autres cas	abs. ex-com.	abs. ex-com. mort	abs. gén.	abs. hér.	cas rés. év.	cas rés. pape
		XVIII	XXI	XVII	XIX	III	XX	XXV	XXIV
Évreux	1606		2240 2259	1809 1844		2009 2056		2600	2444 2467 2468
Évreux	1621		2240 2259	1809 1844		2060		2600	2444 2467 2468
Évreux	1706					2060		2600 2712	2444 2467 2468
Évreux	1741		2246	1826	1976	2107		2747	2546
Gap	1588							2593bis	2456bis
Genève	1612			1813 1814 1844 1847				2058	2611
Genève	1632					352 419		2058	2611
Genève	1643							2058	2611
Genève	1674, 1747							2669 2670	2504 2552
Glandève	1751						2098	2768 2778	2556
Grenoble	1549								

RITUELS DIOCÉSAINS CITÉS

conf. enf.	conf. gén.	cons. vie chr.	ens. foi	excom. prône	mer. cen.	pén. priv.					pén. publ.
						cons. pén.	cons. prêtres	contrition	ex. cons.	formulaires de conf.	
XVI	V-IX	XXVII	XXVI	XXII	II	XIV	XI	XIII	XII	X, XV	I
		2991	2873 2929 2946	2340			1340	1431	1391	1312 1543	
		2991	2873 2929	2340					1391	1543	
		3030	2929	2401				1470	1391		7 47
		3039	2920	2418			1373	1482 1483			
				2327bis							
		2992 2993			171					1315 1546	
			2992 2993	2356							
				2356							
		3013 3014	2894	2383							
				2403 2422 2423					1488		
		2972 2974 2975	2867bis	2312							

RITUELS DIOCÉSAINS CITÉS

DIOCÈSE	DATE	abs. art. mort	abs. autres cas	abs. ex-com.	abs. ex-com. mort	abs. gén.	abs. hér.	cas rés. év.	cas rés. pape
		XVIII	XXI	XVII	XIX	III	XX	XXV	XXIV
Grenoble	1700								
Langres	1524-1573							2579	2447
Langres	1612							2579	2447
Langres	1679						2083	2678	2508
Langres	1786, 1790							2847 2848	2578
Laon	1538					280		2579	2447
Laon	c. 1585, 1621					332 420		2593	2456
Laon	1671					366	2078	2665	2502
Laon	1782					405		2822	2571
Lectoure	1751					2038 2098		2768	2556
Lescar	c. 1642					2015 2058 2063		2644	2471 2472 2491 2492
Lescar	1751					2038 2098		2779	2556
Limoges	1518					281 292		2579	2447
Limoges	1596	1920				335 336			

RITUELS DIOCÉSAINS CITÉS 1889

conf. enf.	conf. gén.	cons. vie chr.	ens. foi	excom. prône	mer. cen.	pén. priv. cons. pén.	cons. prêtres	contrition	ex. cons.	formulaires de conf.	pén. publ.
XVI	V-IX	XXVII	XXVI	XXII	II	XIV	XI	XIII	XII	X, XV	I
			3024	2903 2907bis	2396						
				2850							
				2850	2344bis						
			3016		2386		1353	1455	1402 1406		
						1499					
	1158 1207			2850	2303						
	1185 1237	2982 2983	2859	2325 2326	136 167		1335			1298 1529	
		3010 3011		2379	146		1359	1454	1402 1403bis		
				2379	156		1359	1454	1402 1403bis		
				2403 2422 2423				1488			
				2362							
				2403 2422 2423				1488			
	1159 1207	2969		2290- 2293	121 163	1502	1322			1281 1514	
	1188 1263			2328					1388	1305 1535	

DIOCÈSE	DATE	abs. art. mort	abs. autres cas	abs. ex-com.	abs. ex-com. mort	abs. gén.	abs. hér.	cas rés. év.	cas rés. pape
		XVIII	XXI	XVII	XIX	III	XX	XXV	XXIV
Limoges	1678			1822	1955		2082	2676 2677	2507
Limoges	1698			1822	1955		2082	2702	2507
Limoges	1774					2110		2804-2807	2567
Lisieux	1507, 1524 n.st.					287-289 409 410			
Lisieux	1608, 1661		2240 2259	1809 1844			2056	2600	2467 2468
Lisieux	1742		2245	1827			2109	2750 2751	2547
Lisieux	1744			1827		393 394	2109	2750 2758	2549
Lodève	1744						2109	2746 2759	2545
Lodève	1773						2100	2801-2803	
Luçon	1693							2695 2696	2516
Luçon	1768			1829	1976	401	2112	2795 2796	2564
Lyon	1498-[1527]	1913							
Lyon	1542	1913						2583	2450

conf. enf.	conf. gén.	cons. vie chr.	ens. foi	excom. prône	mer. cen.	pén. priv.						pén. publ.
							cons. pén.	cons. prêtres	contrition	ex. cons.	formulaires de conf.	
XVI	V-IX	XXVII	XXVI	XXII	II	XIV	XI	XIII	XII	X, XV		I
1764				2385			1362		1405			
1764				2385			1362		1405			
			3040	2419			1373		1482 1483 1486			
	1163 1207			2300	118							
			2991	2873 2929	2340			1340	1431	1391	1312 1543	
			3039	2920	2418			1485				
			3039	2920 2920bis	2418			1485				
					2428bis			1471				
			3008		2392 2392bis							
			3040		2419			1482 1483 1486				
											1284 1516	
			2972	2853 2924 2930	2305	125		1328		1378 1381	1289 1518 1520	

DIOCÈSE	DATE	abs. art. mort	abs. autres cas	abs. ex-com.	abs. ex-com. mort	abs. gén.	abs. hér.	cas rés. év.	cas rés. pape
		XVIII	XXI	XVII	XIX	III	XX	XXV	XXIV
Lyon	c. 1580								
Lyon	1589	1919 1928	2234 2236	1798 1799					
Lyon	1644								
Lyon	1648								
Lyon	1667								
Lyon	1692					2092			
Lyon	1724							2726	2532
Lyon	1787					2112 2119		2841	2576
Mâcon	1658							2659	
Mâcon	1778		2246 2268		1967	2100 2111		2764-2766	2553 2554
Maguelonne	1526		2220			293 413			
Maguelonne	1533	1918 1927	2221			293 296 413		2579	2447
Mans (Le)	c. 1505-1608			1789 1834	1951 1969	283 407			
Mans (Le)	1647					359 426		2651	

	conf. enf.	conf. gén.	cons. vie chr.	ens. foi	excom. prône	mer. cen.	pén. priv.	cons. pén.	cons. prêtres	contrition	ex. cons.	formulaires de conf.	pén. publ.
	XVI	V-IX	XXVII	XXVI	XXII	II	XIV	XI	XIII	XII	X, XV	I
				2977	2869	2321							
				2984 2985		2328						1300 1531	
				3004-3005	2884 2885								
				3004-3006	2884 2885	2368bis							
				3004 3006	2884	2368bis							
				3004 3006	2884	2368bis							
	1767		3004	2884	2368bis				1475				
	1779			2968	2432			1377	1500				11
			2996	2879 2891	2354								
					2420		1510	1374	1487				
						123							
		1164 1207	2969 2971	2852	2290-2293	123	1502	1322			1281 1514		
				2874 2950	2343 2344				1434 1448	1393			

DIOCÈSE	DATE	abs. art. mort	abs. autres cas	abs. ex-com.	abs. ex-com. mort	abs. gén.	abs. hér.	cas rés. év.	cas rés. pape
		XVIII	XXI	XVII	XIX	III	XX	XXV	XXIV
Mans (Le)	1662					363	2073	2661	2484
Mans (Le)	1680					363	2073	2661	2484
Mans (Le)	1775					403	2112	2808 2809	2563 2568
Meaux	1546					310 311		2579	2447
Meaux	1617							2616	2476
Meaux	1645						2066	2647	2483
Meaux	1734		2246	1826	1975		2107	2738	2541
Metz	1543					303		2579 2584	2447
Metz	1605, 1631					339		2607	2466
Metz	1662					339		2607	2466
Metz	1686						2086	2685	2510
Metz	1713				1962	385 428	2102	2717	2529
Montauban	1785						2110	2838	2551

RITUELS DIOCÉSAINS CITÉS

conf. enf.	conf. gén.	cons. vie chr.	ens. foi	excom. prône	mer. cen.	pén. priv.	cons. pén.	cons. prêtres	contrition	ex. cons.	formulaires de conf.	pén. publ.
XVI	V-IX	XXVII	XXVI	XXII	II	XIV		XI	XIII	XII	X, XV	I
		2996	2874	2343 2344 2371					1434 1448	1393		
		2996	2874	2343 2344 2371					1434 1448	1393		
		3040		2419					1482 1483 1486			10 48
	1170 1207	2969	2925	2290-2293	127	1502		1322			1281 1514	
		2991	2873 2929	2333					1431 1438	1391	1312 1543	
		2992 2993	2886	2367								
		3037	2907 2915	2415					1482 1483			
	1167 1243	2973	2854	2295 2307-2309		1552 1553		1329		1379	1281 1290 1521	
			2863 2864	2338	143			1341	1432		1311	
				2372					1432			
				2372					1432			
		3032	2960	2406				1366	1473			47bis
								1373	1482 1483 1486			

DIOCÈSE	DATE	abs. art. mort	abs. autres cas	abs. ex-com.	abs. ex-com. mort	abs. gén.	abs. hér.	cas rés. év.	cas rés. pape
		XVIII	XXI	XVII	XIX	III	XX	XXV	XXIV
Nantes	c. 1560			1792		318			
Nantes	1733							2734-2736	2539
Nantes	1755		2247				2113	2734-2736	2539
Nantes	1776		2247				2116	2817 2818	2539
Narbonne	1545					309 418			
Narbonne	1736					392 430	2108	2742-2744	2544
Narbonne	1789						2110	2843-2846	2544
Nevers	1582					328		2590-2592	2455
Nevers	1689				1958		2090	2693	2514
Noyon	1546, 1560					280			
Noyon	1631					350		2631	2484
Oloron	c. 1644					2015 2058 2063		2644 2679	2471 2472 2491 2492
Oloron	1676								

RITUELS DIOCÉSAINS CITÉS 1897

conf. enf.	conf. gén.	cons. vie chr.	ens. foi	excom. prône	mer. cen.	pén. priv.					pén. publ.
						cons. pén.	cons. prêtres	contrition	ex. cons.	formulaires de conf.	
XVI	V-IX	XXVII	XXVI	XXII	II	XIV	XI	XIII	XII	X, XV	I
					130						
				2414		1371					
				2414		1371					
				2414		1371		1496	1416		
			3038	2918 2919	2417	153					8
1778											
	1183 1213 1266		2940	2298		1505	1334		1382	1297 1528	
		3019		2899 2900	2389bis		1557	1364	1463	1411	5 47
	1158 1207		2969		2291 2292 2311						
	1191 1213		2982 2996- 2998	2879	2354					1382 1398 1399	
				2383bis							

DIOCÈSE	DATE	abs. art. mort	abs. autres cas	abs. ex-com.	abs. ex-com. mort	abs. gén.	abs. hér.	cas rés. év.	cas rés. pape
		XVIII	XXI	XVII	XIX	III	XX	XXV	XXIV
Oloron	1679						2077	2679	
Oloron	1720					2038 2098	2706 2719 2720	2523 2530	
Oloron	1751					2038 2098		2768	2556
Orléans	c. 1548, 1581					281		2579	2447
Orléans	1642					357	2065	2646	2493
Orléans	1726			1825	1963	386	2103	2727	2534
Paris	1497					280		2581	
Paris	c. 1505					284			
Paris	1542					284		2579	2447
Paris	[1552], [1559]					312		2579	2447
Paris	1574, 1581					323			
Paris	1601					323		2600	
Paris	1615					323		2600	2473

RITUELS DIOCÉSAINS CITÉS

conf. enf.	conf. gén.	cons. vie chr.	ens. foi	excom. prône	mer. cen.	pén. priv.					pén. publ.
							cons. pén.	cons. prêtres	contrition	ex. cons.	formulaires de conf.	
XVI	V-IX	XXVII	XXVI	XXII	II	XIV	XI	XIII	XII	X, XV	I
				2378				1358			
				2398				1468			
				2403 2422 2423				1488			
	1159 1207	2969		2290		1502	1322			1281 1514	
	1192 1213 1269	3002	2881-2883 2949	2364			1349 1350	1446	1401		
1768	1202 1273	3033		2408			1367	1476	1414		
	1158 1207			2296			1324			1283	
	1161 1207			2298							
	1161 1207		2850	2298							
	1171 1213		2850	2298					1382		
	1180 1213			2298					1382		
	1189 1213		2861	2333			1338		1382 1389	1307 1537	
	1189 1213			2333					1382 1394	1307 1548	

DIOCÈSE	DATE	abs. art. mort	abs. autres cas	abs. ex-com.	abs. ex-com. mort	abs. gén.	abs. hér.	cas rés. év.	cas rés. pape
		XVIII	XXI	XVII	XIX	III	XX	XXV	XXIV
Paris	1630					349		2629	2484
Paris	1646, 1654	2242 2262		1815	1955	358	2067	2648	2484
Paris	1697, 1701			1815	1955	383	2096	2701	2484
Paris	1698							2703	2484
Paris	1709-1713							2714	2528
Paris	1777			1815	1955	383 404	2096	2819 2820	2570
Paris	1786		2267	1831 1857	1955	406	2118	2819 2820	2570
Périgueux	c. 1502								
Périgueux	1536					299		2579	2447
Périgueux	1651						2066	2654	2483
Périgueux	1680						2066	2654	2483
Périgueux	1763					398bis	2066	2654 2789	2484 2561
Poitiers	1581				1794	327 419			
Poitiers	1587, 1594					327 419			
Poitiers	1619					342 419		2618	
Poitiers	1637							2618	

RITUELS DIOCÉSAINS CITÉS

	conf. enf.	conf. gén.	cons. vie chr.	ens. foi	excom. prône	mer. cen.	pén. priv.						pén. publ.
								cons. pén.	cons. prêtres	contrition	ex. cons.	formulaires de conf.	
	XVI	V-IX	XXVII	XXVI	XXII	II	XIV	XI	XIII	XII	X, XV	I
		1190 1213	2982 2996-2998	2879	2354					1382 1398 1399	1307 1548	
		1193 1216	2982 2996-2998	2879	2354					1402		
		1201 1219	3025 3026	2907	2354							
		1201 1219	3025 3026	2907	2354							
	1775	1206 1222	3042		2431		1512	1376	1495			
			2969		2297	112						
		1165 1207	2969		2297	112	1502	1322			1281 1514	
			3007		2369					1402		
			3017	2896	2387				1460			
			3017	2896	2387				1460 1491			
			2981		2323							
			2981	2942	2323 2327	130			1427			
					2348							
					2348							

DIOCÈSE	DATE	abs. art. mort	abs. autres cas	abs. ex-com.	abs. ex-com. mort	abs. gén.	abs. hér.	cas rés. év.	cas rés. pape
		XVIII	XXI	XVII	XIX	III	XX	XXV	XXIV
Poitiers	1655					342 419	2071	2618	
Poitiers	1705								
Poitiers	1712, 1714					384 427	2101	2716	
Poitiers	1719								
Poitiers	1766			1829	1976	400	2112	2792-2794	2563
Puy (Le)	1527	1917							
Quimper	1676							2671	
Quimper	[1680] 1717							2681	2509
Quimper	1722							2723-2725	2531
Reims	c. 1495					278 279			
Reims	c. 1540					278 279		2579	2447
Reims	1554					279 313 314		2579	2447
Reims	1585, 1621					329-331 420		2593	2456
Reims	1677					369-371	2081	2674	2506

RITUELS DIOCÉSAINS CITÉS

conf. enf.	conf. gén.	cons. vie chr.	ens. foi	excom. prône	mer. cen.	pén. priv.					pén. publ.
						cons. pén.	cons. prêtres	contrition	ex. cons.	formulaires de conf.	
XVI	V-IX	XXVII	XXVI	XXII	II	XIV	XI	XIII	XII	X, XV	I
			2996		2348						
		3028 3029	2908	2400							
		3028 3029	2908	2400	172						
		3040		2419			1373	1482 1483 1486			
	1157 1225			2295	110 160						
	1157 1225	2970	2850	2295	110 160						
	1172 1234			2295	128 164						
	1184 1237	2982 2983	2859 2941	2325 2326	135 167 170		1335			1298 1529	
	1198 1240	3015	2895 2956	2384 2384bis	147		1361	1458			

RITUELS DIOCÉSAINS CITÉS

DIOCÈSE	DATE	abs. art. mort	abs. autres cas	abs. ex-com.	abs. ex-com. mort	abs. gén.	abs. hér.	cas rés. év.	cas rés. pape
		XVIII	XXI	XVII	XIX	III	XX	XXV	XXIV
Rennes	c. 1510, 1533					286 290 291 411 412		2581	
Rieux	1790							2849	
Rochelle (La)	1689, 1744					369 376-378		2690-2692	2513
Rodez	1513		2219	1791 1836	1952 1970				
Rodez	c. 1542			1791 1836	1952 1970				
Rodez	1603	1921 1929	2239 2248	1806 1843	1954 1972			2604	2463 2464
Rodez	1671		2260	1815	1955	367	2079	2666	2484
Rodez	1733		2244 2266		1955		2100	2737	2540
Rouen	1500-1512	1914 1925							
Rouen	1530-1535	1914 1925				294			
Rouen	1559-1573	1914 1925				294			
Rouen	1611/1612		2241		1811 1812 1846		2057	2609 2610	2469 2470

conf. enf.	conf. gén.	cons. vie chr.	ens. foi	excom. prône	mer. cen.	pén. priv.					pén. publ.
						cons. pén.	cons. prêtres	contrition	ex. cons.	formulaires de conf.	
XVI	V-IX	XXVII	XXVI	XXII	II	XIV	XI	XIII	XII	X, XV	I
	1162 1207		2850	2299	120		1324	1419		1283 1285 1517	
								1482 1483 1486			
	1190 1240		3020	2390	149			1458			
				2306							
			2986-2988	2944	2336					1308 1539	
	1197 1216			2955	2380		1360	1455 1456			
				2916	2380			1481			
	1161 1207				2298						
	1161 1207				2315						
			2874	2343 2344			1342 1343	1433 1434	1392 1393	1314 1545	

DIOCÈSE	DATE	abs. art. mort	abs. autres cas	abs. ex-com.	abs. ex-com. mort	abs. gén.	abs. hér.	cas rés. év.	cas rés. pape
		XVIII	XXI	XVII	XIX	III	XX	XXV	XXIV
Rouen	1640		2260	1815		355 356	2061	2635-2640	2486 2487
Rouen	1651		2260	1815	1955	361	2061	2635-2640	2486 2487
Rouen	1707							2635-2640	
Rouen	1739		2245	1827	1955	393 394	2109	2745 2746	2545
Rouen	1771					393 394	2109	2799 2800	2545 2566
Saint-Brieuc	[1506]					285 286 408		2581 2582	
Saint-Brieuc	1605					340		2593	2456
Saint-Dié	1783						2117	2828-2830	2573
Saint-Flour	1506 n.st.-1550					281		2579	2447
Saint-Flour	1608					281		2579	2447
Saint-Flour	1710							2715	
Saint-Malo	1557					286		2581	
Saint-Malo	1617								

RITUELS DIOCÉSAINS CITÉS

conf. enf.	conf. gén.	cons. vie chr.	ens. foi	excom. prône	mer. cen.	pén. priv.						pén. publ.
							cons. pén.	cons. prêtres	contrition	ex. cons.	formulaires de conf.	
XVI	V-IX	XXVII	XXVI	XXII	II	XIV	XI	XIII	XII	X, XV	I	
			2874	2358 2359	145			1434 1443	1398		3 46	
			2874 2889 2951	2358 2359	145			1434 1443	1398		3 46	
				2404bis								
			3039	2920 2963	2418	154		1485				
			3039	2920	2428	154		1485				
	1162 1207			2850	2299			1324	1419	1378	1283 1285 1286 1517 1518	
	1237	2982 2983		2859	2325 2326	144 167 170		1335			1298 1529	
									1498			
	1159 1207	2969			2290-2293	117	1502	1322			1281 1514	1
	1159 1207	2969 2984 2985			2290-2293	117	1502				1281 1514	1
				2865	2405							
	1162 1207							1324			1283 1285	
	1213				2346					1382		

DIOCÈSE	DATE	abs. art. mort	abs. autres cas	abs. ex-com.	abs. ex-com. mort	abs. gén.	abs. hér.	cas rés. év.	cas rés. pape
		XVIII	XXI	XVII	XIX	III	XX	XXV	XXIV
Saint-Omer	1606		2280	1810					
Saint-Omer	1641		2282					2643	2490
Saint-Omer	1727		2282					2728	2535
Saint-Papoul	1783							2831-2833	2574
Saint-Pol-de-Léon	1676							2672	
Saintes	1520								
Saintes	c. 1625, 1639, 1655							2579 2619	
Sarlat	[1708]					2098		2706	2523
Sarlat	1729					2100		2713	2527
Sées	1634					2057		2610	2470
Sées	1695				382	2057 2095		2699 2700	2470 2519
Sées	1744				1827	395	2109	2760 2761	2550
Senlis	1526 n.st.								
Senlis	1585					332 420		2593	2456
Senlis	1764						2114	2791	2559

RITUELS DIOCÉSAINS CITÉS

conf. enf.	conf. gén.	cons. vie chr.	ens. foi	excom. prône	mer. cen.	pén. priv.						pén. publ.
						cons. pén.	cons. prêtres	contrition	ex. cons.	formulaires de conf.		
XVI	V-IX	XXVII	XXVI	XXII	II	XIV	XI	XIII	XII	X, XV	I	
1757				2341						1313 1544		
1759			2880	2361		1506	1346	1440 1445				
1759			2912	2409		1506	1346	1440 1477				
1778												
				2296								
		2991 2994	2862 2877	2351								
		3027		2398				1468				
		3031	2909	2402 2403				1471				
			2874	2343 2344				1434	1392 1393			
			2874 2905 2906	2344 2395				1466	1392 1393			
		3039	2920	2418				1485				
				2301bis			1325	1420	1379	1287		
	1185 1237	2982 2983	2859	2325 2326	137 167		1335			1298 1529		
		3039	2920	2418	155	1506	1346	1490 1493				

DIOCÈSE	DATE	abs. art. mort	abs. autres cas	abs. ex-com.	abs. ex-com. mort	abs. gén.	abs. hér.	cas rés. év.	cas rés. pape
		XVIII	XXI	XVII	XIX	III	XX	XXV	XXIV
Sens	1500					281		2579	2447
Sens	1555-c. 1580					281		2579	2447
Sens	1625							2625	
Sens	1694			1824			2093	2697	2517
Soissons	1576					324		2587	2453
Soissons	1622							2623	2478
Soissons	1694		2243 2286bis 2287			380 381	2094	2698	2518
Soissons	1753-1755		2246		1976		2112	2783	2536
Soissons	1778								
Strasbourg	[1490]-1513	1912 1924						2580	2448
Strasbourg	1590				1799bis			2594	2457
Strasbourg	1670							2664	2501
Strasbourg	1742						2109	2752-2755	2548
Tarbes	1644						2015 2058 2063	2644	2471 2472 2491 2492
Tarbes	1701, [1746]						2038 2098	2706 2707	2523

RITUELS DIOCÉSAINS CITÉS

conf. enf.	conf. gén.	cons. vie chr.	ens. foi	excom. prône	mer. cen.	pén. priv.						pén. publ.
							cons. pén.	cons. prêtres	contrition	ex. cons.	formulaires de conf.	
XVI	V-IX	XXVII	XXVI	XXII	II	XIV	XI	XIII	XII	X, XV	I	
	1159 1207	2969		2290-2293		1502	1322			1281 1514		
	1159 1207	2969	2850	2290-2293		1502	1322			1281 1514		
		2991 2995	2873 2878	2340								
		3024	2903	2393				1465				
	1181 1207		2857	2317								
			2874	2343 2344				1434	1392 1393			
1765	3015	2904	2394 2394bis	151			1458					
1765			2965	2425				1489				9
1776			2923	2425				1497	1417			
		2969bis			109 159		1323			1282 1515		
			2860		109 159		1336		1385	1301 1336		
								1485				
				2366								
				2398				1468				

DIOCÈSE	DATE	abs. art. mort	abs. autres cas	abs. ex-com.	abs. ex-com. mort	abs. gén.	abs. hér.	cas rés. év.	cas rés. pape
		XVIII	XXI	XVII	XIX	III	XX	XXV	XXIV
Tarbes	1751						2038 2098	2780-2782	2556 2558
Toul	1524, 1525							2579	2447
Toul	1559					317		2579	2447
Toul	1616-1652		2260	1815	1955			2614 2615	2474 2475
Toul	1700, 1760						2097	2704 2705	2445 2520-2522
Toulon	1749							2764-2766	2553 2554
Toulon	1750-1790		2246 2268		1967		2100 2111	2764-2766	2553 2554
Toulouse	1526								
Toulouse	1538, 1553				1953 1971				
Toulouse	1602							2601-2603	2461 2462
Toulouse	1614							2612 2613	2471 2472
Toulouse	1616						2058		
Toulouse	1621							2612 2613	2471 2472
Toulouse	1628								
Toulouse	1632						2058		

conf. enf.	conf. gén.	cons. vie chr.	ens. foi	excom. prône	mer. cen.	pén. priv.	cons. pén.	cons. prêtres	contrition	ex. cons.	formulaires de conf.	pén. publ.
XVI	V-IX	XXVII	XXVI	XXII	II	XIV	XI	XIII	XII	X, XV	I	
				2403 2422 2423					1488			
			2850	2295	122							
	1176 1213		2856	2295							1382	
		2993bis										
			2907 2958	2397		1509	1365	1467				6
1773		3036	2915 2964	2420		1510	1374	1487				
1773 1777			2964	2420		1510	1374	1487				
			2923bis				1326					
			2923bis	2304			1326					
			2862	2335								
			2862	2335								
			2876					1437	1395		1318 1550	
			2862 2876	2335				1437	1395			
			2876					1437	1395			
											1318 1550	

DIOCÈSE	DATE	abs. art. mort	abs. autres cas	abs. ex-com.	abs. ex-com. mort	abs. gén.	abs. hér.	cas rés. év.	cas rés. pape
		XVIII	XXI	XVII	XIX	III	XX	XXV	XXIV
Toulouse	1636							2612 2613	2471 2472
Toulouse	1641						2058	2612 2613	2471 2472
Toulouse	1653						2058	2612 2613	2471 2472
Toulouse	1664							2612 2613	2471 2472
Toulouse	1670						2077	2612 2613	2471 2472
Toulouse	1712, 1725, 1736						2077	2612 2613	2471 2472
Toulouse	1780						2821		
Toulouse	1782						2110	2823-2825	2572
Tournai	1591			1800 1839					
Tournai	1625				1955			2626 2627	2481 2482
Tournai	1721						2096	2721 2722	
Tournai	1784						2096	2834-2837	
Tours	1533, 1570					297 298 415			
Tours	1785						2115	2839 2840	2575
Tréguier	1676							2673	

RITUELS DIOCÉSAINS CITÉS

conf. enf.	conf. gén.	cons. vie chr.	ens. foi	excom. prône	mer. cen.	pén. priv.					pén. publ.
						cons. pén.	cons. prêtres	contrition	ex. cons.	formulaires de conf.	
XVI	V-IX	XXVII	XXVI	XXII	II	XIV	XI	XIII	XII	X, XV	I
			2862	2335							
			2862	2335						1318 1550	
			2862 2876	2335				1437	1395	1318 1550	
			2862	2335							
				2378			1358				
				2378			1358				
				2378							
1778											
										1302 1532	
				2350		1507		1442			
			2910	2407		1507		1472			
						1507		1472			
	1163 1207			2298							
1775		3041		2429				1495			

DIOCÈSE	DATE	abs. art. mort	abs. autres cas	abs. ex-com.	abs. ex-com. mort	abs. gén.	abs. hér.	cas rés. év.	cas rés. pape
		XVIII	XXI	XVII	XIX	III	XX	XXV	XXIV
Troyes	c. 1505-1573							2579	2447
Troyes	1639							2634bis	
Troyes	1660					362	2069	2660	2495
Troyes	1768				1826	402	2107	2797 2798	2565
Uzès	1500		2218		1786 1832	1950 1968			
Vabres	c. 1542								
Vabres	1611	1921 1929	2239 2248	1806 1843	1972			2604	2463 2464
Vabres	c. 1729						2077		
Vabres	1766						2077	2612 2613	2471 2472
Vannes	1532					295 414			
Vannes	1596	1919 1928	2234 2236		1798 1802-1805 1841	295 414		2599	2460
Vannes	1618				1956 1974	341		2617	2477
Vannes	1631					351		2617	2477
Vannes	1680, c. 1717							2682 2683	

RITUELS DIOCÉSAINS CITÉS

conf. enf.	conf. gén.	cons. vie chr.	ens. foi	excom. prône	mer. cen.	pén. priv.					pén. publ.
						cons. pén.	cons. prêtres	contrition	ex. cons.	formulaires de conf.	
XVI	V-IX	XXVII	XXVI	XXII	II	XIV	XI	XIII	XII	X, XV	I
		2970	2850								
		2991 2998bis		2340							
1761	1195 1216	2982 2996	2879	2354				1449			
1774	1205 1277	2996		2427				1482 1483 1486			
					111 161						
				2306							
		2986-2988		2336						1308 1539	
				2378			1358				
				2378			1358				
		2984 2985		2330						1306 1536	
				2347						1319 1551	
				2347 2355							

DIOCÈSE	DATE	abs. art. mort	abs. autres cas	abs. ex-com.	abs. ex-com. mort	abs. gén.	abs. hér.	cas rés. év.	cas rés. pape
		XVIII	XXI	XVII	XIX	III	XX	XXV	XXIV
Vannes	1692 (?), 1711, 1726, 1771								
Verdun	1554					315 316		2579	2447
Verdun	1691		2243 2286bis 2287		1960	379	2091	2694	2515
Verdun	1787						2091	2842	2577
Vienne	1578, 1587						2588		

conf. enf.	conf. gén.	cons. vie chr.	ens. foi	excom. prône	mer. cen.	pén. priv.						pén. publ.
							cons. pén.	cons. prêtres	contrition	ex. cons.	formulaires de conf.	
XVI	V-IX	XXVII	XXVI	XXII	II	XIV	XI	XIII	XII	X, XV	I	
				2347 2355								
	1173 1174 1213 1225 1252 1252bis	2969	2855 2868 2932	2291-2293 2313 2314	129 165	1502	1322		1382	1281 1514		
	1200 1270	3021 3022	2901 2957	2391	150		1365	1464				
1780		3041		2429	157		1365	1501				
			2927 2937	2319					1423		1293 1524	

RITUELS ROMAINS

Publiés en France

Les rituels romains publiés en France sont utilisés dans les diocèses n'ayant pas de rituels propres, et parfois parallèlement aux rituels diocésains. Ils comportent dès les premières éditions des suppléments provenant presque toujours de rituels diocésains, pouvant contenir des absolutions générales, et un prône dominical avec enseignements de la foi, excommunications et conseils de vie chrétienne.

Rituels romains avant Paul V

Sacri Institutio baptizandi[58], Lyon 1589-1614 ; Paris 1594-1617 ; Caen 1614.
  Formulaire de confession : P1300, P1531. Conseils de vie chrétienne : P2984, P2985.

Pierre Milhard[59], *La vraye guide des curez...*, Paris, Toulouse, Lyon 1602, 1603, 1604, 1610, 1612, 1614, 1617, 1631.
  Excommunications : P2334.

Rituels romains de Paul V
(de 1614 au concile Vatican II)

Rituale romanum Pauli V[60]
  Formulaire de confession : P1316, P1547. Conseils aux prêtres : P1344.
  Délai et refus d'absolution : P1435. Absolution de l'excommunication : P1142, P2249, P2260.

---

[58] *Sacra Institutio baptizandi* : rituel romano-vénitien dont les éditions françaises connues se succèdent de 1589 à 1618. Molin Aussedat n° 635, 1519, 1526, etc. Seule l'édition Lyon 1589 (n° 635) est destinée à un diocèse particulier.
[59] Sur Pierre Milhard, voir *infra* Auteurs cités, p. 1942.
[60] *Rituale romanum, Romae* 1614 : Molin Aussedat n° 1564.

Rituale romanum Pauli V, Paris 1623, 1626, 1635, 1641, 1645, 1648[61]; Rennes 1627[62].
Conseils de vie chrétienne : P2984, P2985.

Rituel romain, pour bien et deüement administrer les Sacremens…, Lyon 1629, 1634, 1640, 1645, 1649, 1652, 1667[63].
Excommunications : P2348.

Rituel romanum, Pauli V… iussu editum…, Lyon 1669, 1672, 1680, 1686, 1688, 1689, 1704, 1711, 1726, 1759 ; Avignon 1780, 1782, 1783, 1784, 1802[64].
Excommunications : P2368bis. Enseignement de la foi : P2884. Conseils de vie chrétienne : P3004, P3006.

Extrait du Rituel romain, pour bien administrer les Sacremens…, Lyon 1692, 1703, c. 1728, c. 1740 ; Tulle 1700[65].
Excommunications : P2391bis. Enseignement de la foi : P2902. Conseils de vie chrétienne : P3023.

Rituel romain, pour bien administrer les Sacremens, Rennes 1698, 1728[66].
Excommunications : P2378, P2347.

Extrait du Rituel romain, pour bien administrer…, Tulle 1701[67].
Excommunications : P2378.

Rituel romanum Pauli V… iussu editum…, Avignon 1816 ; Lyon 1817 ; Tarascon 1820 ; Avignon-Tarascon 1830 ; Lyon-Paris 1828, 1837, 1838, 1840, 1843, 1845, 1848, 1850, 1852, 1854[68].
Enseignement de la foi : P2913. Conseils de vie chrétienne : P3034.

---

[61] *Rituale romanum*, éditions de Paris 1623-1648 : Molin Aussedat n° 1646, 1648, 1652, 1654, 1655, 1657.
[62] *Rituale romanum*, édition Rennes 1627 : Molin Aussedat n° 1649.
[63] *Rituel romain*, éditions Lyon 1629-1667 : Molin Aussedat n° 1650, 1651bis, 1653, 1656, 1658, 1660, 542 [classé par erreur à Genève].
[64] *Rituale romanum*, éditions Lyon 1669-1759 : Molin Aussedat n° 1664, 1666, 1669, 1673-1675, 1683, 1685, 1687, 1696. Éditions Avignon 1780-1802 : Molin Aussedat n° 1698-1701, 1703.
[65] *Extrait du Rituel romain*, éditions Lyon 1692-c. 1740 : Molin Aussedat n° 1676, 1682, 1689, 1693. Édition Tulle 1700 : Molin Aussedat n° 1679.
[66] Molin Aussedat n° 1677, 1688.
[67] Molin Aussedat n° 1680.
[68] Molin Aussedat n° 1705, 1707-1709, 1711, 1712, 1714, 1715, etc.

DIOCÈSES
CLASSÉS PAR PROVINCES ECCLÉSIASTIQUES

Province d'Aix : Aix-en-Provence, Gap[69].
Province d'Arles : Toulon[70].
Province d'Auch : Auch, Aire, Bayonne, Bazas, Comminges, Couserans, Dax, Lectoure, Lescar, Oloron, Tarbes.
Province d'Avignon : Avignon, Carpentras, Cavaillon, Vaison[71].
Province de Besançon : Bâle, Belley[72], Besançon.
Province de Bordeaux : Agen, Angoulême, Bordeaux, Luçon, Maillezais, Périgueux, Poitiers, La Rochelle, Saintes, Sarlat.[73]
Provinces de Bourges et Albi : Albi[74], Bourges, Cahors, Clermont, Limoges, Rodez, Saint-Flour, Vabres.
Province d'Embrun : Embrun, Glandève[75].
Province de Lyon : Autun, Chalon-sur-Saône, Langres, Lyon, Mâcon[76].
Province de Mayence : Strasbourg.
Province de Narbonne : Alet, Béziers, Carcassonne, Elne, Lodève, Maguelonne, Narbonne, Uzès.
Provinces de Reims et Cambrai : Amiens, Arras, Beauvais, Boulogne, Cambrai[77], Châlons-sur-Marne, Laon, Noyon, Reims, Saint-Omer, Senlis, Soissons, Tournai[78].

---

[69] Aucuns rituels connus pour Apt, Fréjus, Riez et Sisteron.
[70] Aucuns rituels connus pour Arles et Marseille.
[71] Carpentras, Cavaillon, et Vaison, évêchés suffragants d'Avignon à partir de 1475. J. Girard, « 2. Avignon (Diocèse) », *Dictionnaire d'histoire et de géographie ecclésiastiques*, t. 5 (1931), col. 1145. Aucun rituel n'est connu pour la province d'Avignon, à part trois formulaires de prône dominical au XVIIIe siècle.
[72] Aucun rituel connu pour Belley entre l'édition de 1527, disparue, et celle de 1830-1831 publiée par Mgr Devie. Le *Manuel pour les ecclésiastiques du diocese de Belley* de 1759 est un supplément au rituel romain.
[73] Aucun rituel connu pour Condom.
[74] Albi, suffragant de Bourges jusqu'en 1678 ; puis métropole de Cahors, Rodez, Vabres.
[75] Aucuns rituels connus pour Digne, Senez, Vence, Antibes (transféré à Grasse), Nice.
[76] Aucuns rituels connus pour Dijon et Saint-Claude.
[77] Cambrai, suffragant de Reims jusqu'en 1559 ; puis métropole d'Arras, Saint-Omer, Tournai.
[78] Tournai, suffragant de Reims avant 1559, puis de Cambrai. Le premier rituel imprimé connu date de 1591.

Province de Rouen: Avranches, Bayeux, Coutances, Évreux, Lisieux, Rouen, Sées.

Provinces de Sens et Paris: Auxerre, Blois[79], Chartres, Meaux, Nevers, Paris[80], Sens, Troyes.

Province de Toulouse: Montauban, Rieux, Saint-Papoul, Toulouse[81].

Province de Tours: Angers, Le Mans, Nantes, Rennes, Quimper, Saint-Brieuc, Saint-Pol-de-Léon, Tours, Tréguier, Vannes.

Province de Trèves: Metz, Toul, Verdun, Saint-Dié[82].

Province de Vienne: Genève, Grenoble, Tarentaise, Vienne.

---

[79] Blois: diocèse suffragant de Paris, créé en 1697 sur territoire détaché de Chartres.
[80] Paris, suffragant de Sens jusqu'en 1622, puis métropole de Blois (diocèse créé en 1697), Chartres, Meaux, Orléans.
[81] Aucuns rituels connus pour Lavaur, Lombez, Mirepoix, Pamiers.
[82] Nancy et Saint-Dié: diocèses créés en 1777 sur territoires détachés de Toul. Aucun rituel connu pour Nancy.

LES DIOCÈSES FRANÇAIS EN 1789

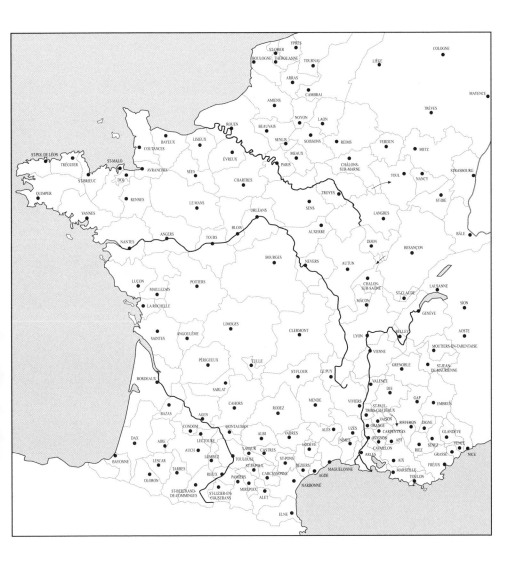

ÉVÊQUES PROMULGATEURS DE FORMULAIRES
CLASSEMENT CHRONOLOGIQUE DES ÉVÊQUES POUR CHAQUE DIOCÈSE[*]

Agen
Janus Frégose [Agen 1564] 1261, 2316, 2452, 2586, 2936
Jules Mascaron [Agen 1688] 1363, 1410, 1462, 2089, 2512, 2689

Aire
Joseph-Gaspard de Montmorin de Saint-Herem [Aire [1720] 1474, 2718
Playcard de Raigecourt [Aire 1776] 1494, 2810

Aix-en-Provence
Alexandre Canigiani [Aix-en-Provence 1577] 2318, 2976

Albi
Gaspard de Daillon du Lude [Albi 1647] 1447, 2068, 2158, 2367bis, 2649, 2887, 2888
François-Joachim de Pierre de Bernis [Albi 1783] 2430, 2826

Alet
Nicolas Pavillon [Alet 1667] 4, 47, 1357, 1403, 1453, 2377, 2892, 2893, 2954

Amiens
François Faure [Amiens 1687] 1408, 1461, 2087, 2388, 2511, 2686, 2897, 3018

Angers
Gabriel Bouvery [Angers 1543] 417
Guillaume Fouquet de La Varenne [Angers 1620, 1626] 424, 2349, 2619, 2877, 2994
Henri Arnauld [Angers 1676] 2080, 2159, 2505
Jean de Vaugirault [Angers 1735] 2542, 2739, 2740

Angoulême
Charles de Bony [Angoulême 1582] 1333, 1384, 1426, 1527, 1756, 2870, 2939

---

[*] Ne figurent pas dans cette liste les évêques ayant reproduit des formulaires antérieurs.

Arras

François Richardot [Arras 1563] 1423, 1842, 2934
Matthieu Moullart[84] [Arras 1600] 45, 422, 2331, 2332
Hermann Ortemberg [Arras 1623] 425, 1346, 1397, 1440, 1441, 1506, 1758, 1851, 1930, 2350, 2479, 2480, 2624, 2948
« Authoritate superiorum », le siège épiscopal vacant [Arras 1644] 2365
Jean de Bonneguise [Arras 1757] 1490, 2114, 2559, 2785-2787, 2966

Auch

Dominique de Vic [Auch c. 1642] 2063, 2155, 2362, 2471, 2472, 2491, 2492, 2644, 3003
Henri de Lamothe-Houdancourt [Auch 1678] 2471, 2472, 2675
Anne-Tristan de La Baume de Suze [Auch 1701] 1468, 2098, 2398, 2523, 2706, 2959, 3027
Jean-François de Montillet [Auch 1751] 1488, 2422, 2423, 2556, 2768

Autun

Louis d'Amboise[85] [Autun 1503] 162, 1833
Jacques Hurault [Autun 1545] 1246, 1249, 1421, 1522, 2310, 2866, 2867, 2931

Auxerre

François II de Dinteville [Auxerre 1536] 1327, 1380, 1519, 2302, 2449
Gilles de Souvré [Auxerre 1631] 2630
Charles de Caylus [Auxerre 1730] 1368, 1369, 1478, 1769, 2104, 2411, 2536, 2730, 2731, 3035

Avignon

François-Maurice de Gonteriis (Avignon 1729) 2410, 2913, 2914, 3034
Joseph de Guyon de Crochans (Avignon 1748) 2763bis

Avranches

Robert Cenalis (Cenau) [Avranches 1540 n.st.] 43, 416
César Le Blanc [Avranches 1742] 2748, 2749

Bâle

Gaspar zu Rhein [Gaspard de Rin] [Bâle 1488] 1418, 1513
Jacques-Christophe Blarer de Wartensee [Bâle 1595] 1268, 1387, 1430, 1534, 1840, 2458, 2459, 2596-2598
Jean-Conrad de Roggenbach [Bâle 1665] 2499

---

[84] Matthieu Moullart est mort en juillet 1600 ; le colophon du rituel d'Arras 1600 est daté 1599.
[85] Le rituel d'Autun est imprimé le 21 avril 1503. Louis II d'Amboise est évêque d'Autun de 1501 au 1er juillet 1503. L. de Lacger, « 10. Amboise (Louis II d') », *Dictionnaire d'histoire et de géographie ecclésiastiques*, t. 2 (1914), col. 1079-1080.

Bayeux
Jacques d'Angennes [Bayeux 1627] 2352
François de Nesmond [Bayeux 1687] 1409, 1854, 1931, 2088, 2389, 2687, 2688, 2898
Paul d'Albert de Luynes [Bayeux 1744] 2549, 2756, 2757

Bayonne
Guillaume d'Arche [Bayonne 1751] 2769, 2770

Bazas
Arnaud de Pontac [Bazas 1585] 2324, 2871
Jean-Baptiste-Grégoire de Saint-Sauveur [Bazas 1751, 1752] 2771

Beauvais
Odet de Coligny de Chatillon [Beauvais 1557] 1253, 1554, 2933
Augustin Potier [Beauvais 1637] 1400, 1444, 2357, 2632
Toussains de Forbin-Janson [Beauvais 1700] 2395bis
François de Beauvilliers de Saint-Aignan [Beauvais 1725] 1413, 2533, 2632
François-Joseph de La Rochefoucauld [Beauvais 1783] 2632, 2827

Belley
Gabriel Cortois de Quincey [Belley 1759] 2426, 2560, 2788, 2921, 2922

Besançon
Claude de La Baume [Besançon 1561] 1254, 1255
Ferdinand de Rye (1586-1636) 1555
Antoine-Pierre de Grammont [Besançon 1674] 1404, 1457, 2381, 2433, 2503, 2667, 2668
François-Joseph de Grammont [Besançon 1705] 1469, 2099, 2399, 2524-2526, 2708-2711

Béziers
Clément de Bonzi [Béziers 1638] 2485, 2633, 2634

Blois
Jean-François Lefebvre de Caumartin [Blois 1730] 169, 429, 1479, 2105, 2162, 2412, 2537, 2732, 2915, 2961, 3036

Bordeaux
Antoine Prévost de Sansac [Bordeaux 1588] 1530, 1838
François d'Escoubleau de Sourdis [Bordeaux 1602] 1538
Henri d'Escoubleau de Sourdis [Bordeaux 1641] 2360, 2488, 2489, 2641, 2642, 2999-3001

Armand Bazin de Besons [Bordeaux 1707] 1471, 1766, 2100, 2215, 2402, 2403, 2527, 2713, 2896, 2909, 3031

Boulogne
François Perrochel [Boulogne 1647] 1760, 2069, 2650
François-Joseph de Partz de Pressy [Boulogne 1750] 2421, 2555, 2767

Bourges
Renaud de Beaune [Bourges 1588] 1267, 1428
André Frémiot [Bourges 1616] 1436, 1549, 1849, 2059, 2154, 2345, 2875, 2947
Anne de Lévis de Ventadour[86] [Bourges 1666] 423, 1355, 1356, 1452, 1508, 1556, 1763, 1853, 2074, 2075, 2076, 2373-2376, 2500, 2662, 2663, 2953, 3008, 3009
Frédéric-Jérôme de Roye de La Rochefoucauld [Bourges 1746] 431, 1486, 1772, 1855, 2110, 2419, 2551, 2762, 2763, 3040

Cahors
Antoine Hébrard de Saint-Sulpice [Cahors 1593] 421, 1337, 1386, 1429, 1533, 2329, 2595, 2943
Siméon-Etienne de Popian [Cahors 1604, 1619] 1339, 1340, 1431, 1540, 1844, 2337, 2465, 2605, 2945, 2989, 2990
Alain de Solminihac (saint) [Cahors 1642] 1348, 2064, 2156, 2363, 2645
Nicolas Sevin [Cahors 1674] 2382, 3012
Henri de Briqueville de La Luzerne [Cahors 1722] 2911

Cambrai
Maximilien de Berghes [Cambrai 1562] 1258, 1330, 1422, 1503, 1523, 1837, 2451, 2585, 2926, 2935
Guillaume de Berghes [Cambrai 1606] 1390, 1542, 1845, 2339, 2608, 2865, 2872
François Van der Burch [Cambrai 1622] 1345, 1396, 1439, 2620-2622
François de Salignac de La Mothe-Fénelon [Cambrai 1707] 1412, 1472, 2404

Carcassonne
Armand Bazin de Bezons [Carcassonne 1764] 1375, 1492, 2562, 2790

Chalon-sur-Saône
Cyr de Thyard [Chalon-sur-Saône 1605] 1541, 2606
Jacques de Neuchèze [Chalon-sur-Saône 1653] 1352, 1450, 2070, 2370, 2496, 2655-2657, 2952

---

[86] Le rituel de Bourges publié en 1666 par l'archevêque Jean de Montpezat a été préparé sous la direction de son prédécesseur Anne de Lévis de Ventadour, mort en 1662.

François de Madot [Chalon-sur-Saône 1735] 1372, 1484, 1771, 2416, 2543, 2741, 2917

Châlons-sur-Marne
Félix Vialart de Herse [Châlons-sur-Marne 1649] 1351, 1449, 1761, 2495, 2653

Antoine-Eléonor Le Clerc de Juigné [Châlons-sur-Marne 1776] 1376, 1495, 1511, 1775, 2115, 2429, 2569, 2811-2816, 2967, 3041

Chartres
Miles d'Iliers [Chartres 1490] 158, 1207, 1322, 1502, 1514, 2290-2293, 2443, 2447, 2579, 2969

Nicolas de Thou [Chartres 1580 et 1581] 2, 44, 166, 1263, 1331, 1332, 1383, 1424, 1425, 1504, 1525, 1526, 2320, 2322, 2454, 2589, 2858, 2927bis, 2928, 2938, 2978-2980

Léonor d'Estampes de Valançay [Chartres 1627-1640] 1347, 1398, 1443, 1852, 2061, 2062, 2353, 2483, 2628, 2879, 2996

Ferdinand de Neufville de Villeroy [Chartres 1680, 1689] 168, 1407, 1459, 2084, 2085, 2680

Clermont
Jacques d'Amboise [Clermont 1506 n.st.] 1

Louis d'Estaing [Clermont 1656] 1353, 1762, 2072

Jean-Baptiste Massillon [Clermont 1733] 1276, 1370, 1415, 1480, 1770, 2106, 2413, 2446, 2538, 2733, 2962

Comminges
Gilbert de Choiseul [Comminges [1648] 1448bis, 2368, 2494, 2652

Gabriel-Olivier de Lubière du Bouchet [Comminges [1728] 2729

Antoine de Lastic [Comminges 1751] 2424, 2772-2774

Couserans
Jean-François de Macheco de Prémeaux [Couserans 1751] 2775

Coutances
Geoffroy Herbert [Coutances 1494] 2294

Philippe de Cossé [Coutances 1540 n.st.] 43, 416

Nicolas de Briroy [Coutances 1609] 2342

Charles-François de Loménie de Brienne [Coutances 1682] 2387bis, 2684

Léonor Gouyon de Matignon [Coutances 1744] 2549, 2756, 2757

Dax
Louis-Marie de Suarez d'Aulan [Dax 1751] 2557, 2776, 2777

Elne
Jacques de Serra [Elne 1509] 1835, 1926, 2301, 2851
Sebastianus Garriga, vicaire général[87] le siège épiscopal vacant [Elne 1656] 1354, 1451, 2284-2286, 2371, 2497, 2498, 2658, 2890

Évreux
Jacques Davy du Perron [Évreux 1606] 1391, 1543, 2056, 2340, 2444, 2467, 2468, 2873, 2929, 2946, 2991
François de Péricard [Évreux 1621] 2060
Jacques Potier de Novion [Évreux 1706] 7, 1470, 2401, 2712, 3030
Pierre de Rochechouart [Évreux 1741] 1373, 1976, 2546, 2747

Genève
François de Sales (saint) [Genève 1612] 171, 1546, 1847, 2058, 2611, 2992, 2993
Jean-François de Sales [Genève 1632] 2356
Jean d'Arenthon d'Alex [Genève 1674] 2383, 2504, 2669, 2670, 2894, 3013, 3014

Glandève
André-Jean-Baptiste de Castellane [Glandève 1751] 2778

Grenoble
Laurent II Allemand [Grenoble 1549] 2312, 2867bis, 2974, 2975
Étienne Le Camus [Grenoble 1700] 2396, 2903, 2907bis, 3024

Langres
Charles d'Escars de Perusse [Langres 1612] 2344bis
Louis-Marie-Armand de Simiane de Gordes [Langres 1679] 1406, 2083, 2386, 2508, 2678, 3016
César-Guillaume de La Luzerne [Langres 1786, 1790] 1499, 2578, 2847, 2848

Laon
Louis de Bourbon-Vendôme [Laon 1538] 1207, 2303
César d'Estrées [Laon 1671] 1359, 1403bis, 1454, 2078, 2379, 2502, 2665, 3010, 3011
Louis Hector Honoré Maxime de Sabran [Laon 1782] 2571, 2822

Lectoure
Claude-François de Narbonne-Pelet [Lectoure 1751] 2768

Lescar
Hardouin de Chalons [Lescar 1751] 2779

---

[87] La préface du rituel porte la signature « vicaire général Sebastianus Garriga ».

Limoges
Philippe de Montmorency [Limoges 1518] 163
Henri de La Marthonie [Limoges 1596] 1388, 1535
Louis de Lascaris d'Urfé [Limoges 1678] 1362, 1405, 1764, 2082, 2385, 2507, 2676, 2677
François de Carbonnel de Canisy [Limoges 1698] 2702
Louis-Charles du Plessis d'Argentré [Limoges 1774] 2567, 2804-2807

Lisieux
Jean Le Veneur [Lisieux 1507] 409, 410, 2300
Henri-Ignace de Brancas [Lisieux 1742, 1744] 2547, 2750, 2751, 2758

Lodève
Jean-Georges de Souillac [Lodève 1744] 2216, 2759, 2920bis.
Jean-Félix-Henri de Fumel [Lodève 1773] 2428bis, 2801-2803

Luçon
Henry de Barillon [Luçon 1693] 2392, 2516, 2695, 2696
Claude-Antoine-François Jacquemet Gaultier [Luçon 1768] 2564, 2795, 2796

Lyon
Hugues de Talaru [Lyon 1498] 1516
Hippolyte d'Este [Lyon 1542] 1328, 1381, 1520, 2305, 2450, 2583, 2853, 2924, 2930, 2972
Pierre d'Espinac [Lyon c. 1580, 1589] 1531, 1928, 2321, 2328, 2869, 2977, 2984, 2985
Alphonse-Louis du Plessis de Richelieu [Lyon 1644, 1648] 2368bis, 2884, 2885, 3004, 3004bis, 3005
Camille de Neufville de Villeroy [Lyon 1667, 1692] 2092, 2884
François-Paul de Neufville de Villeroy [Lyon 1724] 1475, 1767, 2532, 2726
Antoine de Malvin de Montazet [Lyon 1787] 11, 1377, 1500, 1779, 2119, 2432, 2576, 2841, 2968

Mâcon
Jean de Lingendes [Mâcon 1658] 2659, 2891

Maguelonne
Guillaume Pellissier [Maguelonne 1526, 1533] 413, 1927, 2220, 2221, 2852, 2971

Le Mans
Philippe de Luxembourg [Le Mans c. 1505] 407, 1834, 1969
Emeric-Marc de La Ferté [Le Mans 1647] 426, 1448, 2651, 2950

Philibert-Emmanuel de Beaumanoir de Lavardin [Le Mans 1662] 2073, 2661
Louis-André de Grimaldi [Le Mans 1775] 10, 48, 2568, 2808, 2809

Meaux

Jean de Buz [Meaux 1546] 2925
Jean de Vieuxpont [Meaux 1617] 1438, 2476, 2616
Dominique Séguier [Meaux 1645] 2066, 2367, 2647, 2886
Henri de Thyard de Bissy [Meaux 1734] 1482, 1483, 1975, 2107, 2415, 2541, 2738, 3037

Metz

Jean de Lorraine [Metz 1543] 1243, 1329, 1521, 1552, 1553, 2307-2309, 2584, 2854, 2973
Charles II de Lorraine [Metz 1605] 1341, 1432, 2338, 2466, 2607, 2863, 2864
Claude de Bruillard de Coursan, vicaire général [*Charles-François-Egon de Furstemberg*][88] [Metz 1662] 2372
Georges d'Aubusson de La Feuillade [Metz 1686] 2086, 2510, 2685
Henri-Charles du Cambout de Coislin [Metz 1713] 47bis, 428, 1366, 1473, 2102, 2161, 2406, 2529, 2717, 2960, 3032

Montauban

Anne-François-Victor Le Tonnelier de Breteuil [Montauban 1785] 2838

Nantes

Christophe-Louis Turpin Crissé de Sanzay [Nantes 1733] 1371, 2414, 2539, 2734-2736
Pierre Mauclerc de La Muzanchère [Nantes 1755] 2113, 2784
Jean-Augustin Fretat de Sarra [Nantes 1776] 1416, 1496, 2116, 2817, 2818

Narbonne

Jean de Lorraine [Narbonne 1545] 418
René-François de Beauvau [Narbonne 1736] 8, 430, 2108, 2417, 2544, 2742-2744, 2918, 2919, 3038
Arthur-Richard Dillon [Narbonne 1789] 2843-2846

Nevers

Arnaud Sorbin [Nevers 1582] 1266, 1334, 1505, 1528, 2455, 2590-2592, 2940
Edouard Vallot [Nevers 1689] 5, 1364, 1411, 1463, 1557, 2090, 2389bis, 2514, 2693, 2899, 2900, 3019

---

[88] Le titre du rituel indique qu'il a été publié par ordre et sous l'autorité du vicaire général Claude de Bruillard de Coursan, avec l'accord du vicaire général Jean Royer, après consultation du chapitre de la cathédrale : de 1638 à 1663, le diocèse est en effet dirigé par un évêque non confirmé par Rome, Charles-François Egon de Fürstenberg.

Noyon
Jean Hangest [Noyon 1546] 2311
Henri de Baradat [Noyon 1631] 2631

Oloron
Arnauld-François de Maytie II [Oloron 1676, 1679] 2383bis, 2679
Joseph de Revol [Oloron 1720] 2530, 2719, 2720
François de Revol [Oloron 1751] 2768

Orléans
Nicolas de Nets [Orléans 1642] 1269, 1349, 1350, 1401, 1446, 2065, 2157, 2364, 2493, 2646, 2881-2883, 2949, 3002
Louis-Gaston Fleuriau d'Armenonville [Orléans 1726] 1273, 1367, 1414, 1476, 1768, 2103, 2408, 2534, 2727, 3033

Paris
Jean Simon [Paris 1497] 1207, 1324, 2296, 2581
Etienne de Poncher [Paris c. 1505] 1207, 2298
Eustache du Bellay [Paris c. 1552] 1213, 1382
Henri de Gondi [Paris 1601, 1615] 1338, 1389, 1394, 1537, 1548, 2333, 2473, 2600
Jean-François de Gondi [Paris 1630, 1646, 1654] 1216, 1399, 1402, 2067, 2354, 2484, 2629, 2648, 2997, 2998
Louis-Antoine de Noailles [Paris 1697, 1698, 1701, 1709-1713] 1219, 2096, 2160, 2528, 2701, 2703, 2714, 2907, 3025, 3026
Christophe de Beaumont [Paris 1777] 2570, 2819, 2820
Antoine-Eléonor Le Clerc de Juigné [Paris 1786] 1222, 1512, 1857, 2118, 2431, 3042

Périgueux
Godefred. [Geoffroy] de Pompadour [c. 1502] 2297
Philibert Brandon [Périgueux 1651] 2369, 2654, 3007
Guillaume Le Boux [Périgueux 1680] 1460, 2387, 2896, 3017
Jean-Chrétien de Macheco de Prémeaux [Périgueux 1763] 398bis, 1491, 2561, 2789

Poitiers
Geoffroy de Saint-Belin [Poitiers 1581, 1587, 1594] 419, 1427, 2323, 2327, 2942, 2981
Henri-Louis Chasteigner de La Rocheposay [Poitiers 1619] 2348, 2618
« Messieurs de l'Eglise de Poictiers », le siège épiscopal vacant [Poitiers 1655] 2071

Jean-Claude de La Poype de Vertrieu [Poitiers 1705, 1712, 1714, 1719] 172, 427, 2101, 2400, 2716, 2908, 3028, 3029

Martial-Louis de Beaupoil de Saint Aulaire [Poitiers 1766] 2563, 2792-2794

Quimper

François de Coëtlogon [Quimper 1676, 1680, c. 1717] 2509, 2671, 2681

François-Hyacinthe de Ploeuc de Timeur [Quimper 1722] 2531, 2723-2725

Reims

Robert Briçonnet [Reims c. 1495] 160, 1225, 2295

Guillaume Briçonnet [Reims 1506] 2850, 2970

Charles de Guise, cardinal de Lorraine [Reims 1554] 164, 1234

Louis III de Lorraine, cardinal de Guise [Reims 1585] 167, 170, 420, 1237, 1335, 1529, 2325, 2326, 2456, 2593, 2859, 2941, 2982, 2983

Charles-Maurice Le Tellier [Reims 1677] 1240, 1361, 1458, 2081, 2384, 2506, 2674, 2895, 2956, 3015

Rennes

Yves de Mayeuc [Rennes c. 1510] 411, 412

Rieux

Pierre-Joseph de Lastic [Rieux 1790] 2849

La Rochelle

Henri de Laval [La Rochelle 1689] 2390, 2513, 2690-2692, 3020

Rodez

François d'Estaing [Rodez 1513] 1836, 1970, 2219

Georges d'Armagnac [Rodez c. 1542] 2306

François de Corneillan [Rodez 1603] 1539, 1843, 1929, 1972, 2248, 2336, 2463, 2464, 2604, 2944, 2986-2988

Gabriel de Voyer de Paulmy [Rodez 1671] 1455, 1456, 2079, 2380, 2666, 2955

Jean-Armand de La Vove de Tourouvre [Rodez 1733] 1481, 2540, 2737, 2916

Rouen

Georges Ier d'Amboise [Rouen 1500] 1925

Charles Ier de Bourbon [Rouen 1559] 2315

François de Joyeuse [Rouen 1611/1612] 1342, 1343, 1392, 1393, 1433, 1434, 1846, 2057, 2343, 2344, 2469, 2470, 2609, 2610, 2874

François Ier de Harlay [Rouen 1640 et 1651 Pars I[89]] 3, 46, 2358, 2359, 2486, 2487, 2635-2640, 2889, 2951

---

[89] Les mandements en tête de la première partie du rituel de 1651 sont tous datés de 1650 et attestent que cette première partie, *Theologica sive Doctrinalis*, date de l'épiscopat de François Ier

Jacques-Nicolas Colbert [Rouen 1707] 2404bis
Nicolas de Saulx-Tavanes [Rouen 1739] 1485, 2109, 2418, 2545, 2745, 2746, 2920, 2963, 3039
Dominique de La Rochefoucauld [Rouen 1771] 2217, 2428, 2566, 2799, 2800

Saint-Brieuc
Christophe de Penmarch + déc. 1505 [Saint-Brieuc [1506]] 408, 1378, 1419, 1517, 1518, 2299, 2582
Olivier du Châtel [Saint-Brieuc [1506][90]] 408, 1378, 1419, 1517, 1518, 2299, 2582

Saint-Dié
Barthélemy-Louis-Martin de Chaumont [Saint-Dié 1783] 1498, 2117, 2573, 2828-2830

Saint-Flour
Joachim-Joseph d'Estaing [Saint-Flour 1710] 1, 2405, 2715, 2865

Saint-Malo
Guillaume Le Gouverneur [Saint-Malo 1617] 2346

Saint-Omer
Jacques Blaze [Saint-Omer 1606] 1544, 1757, 2280-2281, 2341
Christophe de France [Saint-Omer 1641] 1445, 1759, 2282-2283, 2361, 2490, 2643, 2880
François de Valbelle de Tourves [Saint-Omer 1727] 1477, 2409, 2535, 2728, 2912

Saint-Papoul
Guillaume-Joseph d'Abzac de Mayac [Saint-Papoul 1783] 2574, 2831-2833

Saint-Pol-de-Léon
Pierre Le Neboux de La Brosse [Saint-Pol-de-Léon 1676] 2672

Saintes
Michel Raoul de La Guibourgère [c. 1625] 2351

---

de Harlay. Par contre, la seconde partie, *Practica sive usualis*, est promulguée par François II, le 8 mai 1652 (cf. *Mandatum archiepiscopale super publicatione secundae partis Parochialis sive Manualis*) au début du volume.

[90] Saint-Brieuc [1506] Ouvrage non daté. Le matériel typographique est celui de Pierre Olivier, imprimeur à Rouen de janvier 1506 à 1530, comme pour le rituel de Rennes imprimé vers 1510. L'ouvrage peut être daté de 1506 d'après le comput et la table pascale qui citent tous deux cette date comme point de départ de leurs calculs. Il aurait donc été publié à la fin de l'épiscopat de Christophe de Penmarch, mort en décembre 1505, ou au tout début de l'épiscopat d'Olivier du Châtel, évêque du diocèse de mars 1506 à 1525.

Sées

Mathurin Savary [Sées 1695] 1466, 2095, 2395, 2519, 2699, 2700, 2906
Louis-François Néel de Christot [Sées 1744] 2550, 2760, 2761

Senlis

Artus Fillon [Senlis 1526] 1325, 1379, 1420, 2301bis
Jean-Armand de Roquelaure [Senlis 1764] 1493, 2791

Sens

Octave de Bellegarde [Sens 1625] 2625, 2878, 2995
Hardouin Fortin de La Hoguette [Sens 1694] 1465, 2093, 2393, 2517, 2697, 2903, 3024

Soissons

Charles de Roucy-Sissone [Soissons 1576] 2317, 2453, 2587, 2857
Charles de Hacqueville [Soissons 1622] 2478, 2623
Fabio Brulart de Sillery [Soissons 1694] 1765, 2094, 2394, 2518, 2698, 2904
François de Fitz-James [Soissons 1753-1755] 9, 1489, 2112, 2425, 2783, 2965
Henri-Joseph-Claude de Bourdeilles [Soissons 1778] 1417, 1497, 1776, 2923

Strasbourg

Albert de Bavière [Strasbourg [1490] 159, 1323, 1515, 1924, 2448, 2580, 2923bis
Jean de Manderscheid [Strasbourg 1590] 1336, 1385, 2457, 2594, 2860
François-Égon de Furstenberg [Strasbourg 1670] 2501, 2664
Armand-Gaston de Rohan-Soubise [Strasbourg 1742] 2548, 2752-2755

Tarbes

Salvat d'Iharse [Tarbes c. 1644] 2366
François-Clément de Poudenx [Tarbes 1701] 2707
Pierre de La Romagère de Roncessy [Tarbes 1751] 2558, 2780-2782

Toul

Toussaint d'Hocédy [Toul 1559] 2856
Jean des Porcelets de Maillane [Toul 1616] 2474, 2475, 2614, 2615, 2993bis
Henri de Thyard de Bissy [Toul 1700] 6, 1467, 1509, 2097, 2397, 2445, 2520, 2521, 2522, 2704, 2705, 2958

Toulon

Louis-Albert Joly de Choin [Toulon 1749, 1750] 1374, 1487, 1510, 1773, 2111, 2420, 2553, 2554, 2764-2766, 2964
Alexandre de Lascaris [Toulon 1778, 1780] 1777

Toulouse[91]
Jean d'Orléans [Toulouse 1526] 1326, 2923bis
Odet de Châtillon [Toulouse 1538] 1971, 2304
François de Joyeuse [Toulouse 1602] 2335, 2461, 2462, 2602, 2603, 2862
Louis de Nogaret de La Valette[92] [Toulouse 1614, 1616] 1395, 1437, 1550, 2471, 2472, 2612, 2613, 2876
Pierre de Bonzi [Toulouse 1670] 1358, 2077, 2378
Étienne-Charles de Loménie de Brienne [Toulouse 1780, 1782] 1778, 2572, 2821, 2823-2825

Tournai
Jean Vendeville [Tournai 1591] 1532, 1839
Maximilien Villain de Gand [Tournai 1625] 1442, 1507, 2481, 2482, 2626, 2627
Johann-Ernst von Loewenstein-Wertheim [Tournai 1721] 2407, 2721, 2722, 2910
Guillaume-Florent von Salm-Salm [Tournai 1784] 2834-2837

Tours
Antoine de La Barre [Tours 1533] 415
François de Conzié [Tours 1785] 2575, 2839, 2840

Tréguier
Balthasar Grangier [Tréguier 1676] 2673

Troyes
René de Breslay [Troyes 1639] 2634bis, 2998bis
François Mallier du Houssay [Troyes 1660] 2660
Claude-Matthias-Joseph de Barral [Troyes 1768] 1277, 1774, 2427, 2565, 2797, 2798

Uzès
Nicolas Maugras [Uzès 1500] 161, 1832, 1968, 2218

Vannes
Antoine Pucci (Pucius) [Vannes 1532] 414
Chapitre de Vannes, le siège épiscopal vacant [Vannes 1596] 1536, 1841, 2330, 2460, 2599

---

[91] Les noms des archevêques de Toulouse ne sont jamais mentionnés dans les rituels toulousains avant 1782.

[92] Louis de Nogaret, promu à l'archevêché de Toulouse en 1614, n'a jamais reçu les ordres sacrés; le diocèse de Toulouse est administré par l'évêque d'Aire Philippe Cospéan. Cf. Cayre, *Histoire des évêques de Toulouse*, Toulouse, 1873, p. 362.

Jacques Martin [Vannes 1618] 1551, 1974, 2347, 2477, 2617
Sébastien de Rosmadec [Vannes 1631] 2355
Louis Casset de Vautorte [Vannes 1680] 2682, 2683

Verdun

Nicolas Psaulme [Verdun 1554] 165, 1252, 2313, 2855, 2868, 2932
Hyppolite de Béthune [Verdun 1691] 1270, 1365, 1464, 2091, 2286bis-2289, 2391, 2515, 2694, 2901, 2957, 3021, 3022
Henri-Louis-René Desnos [Verdun 1787] 1501, 1780, 2577, 2842

Vienne

Pierre IV de Villars [Vienne 1578, 1587] 1524, 2319, 2588, 2912, 2937

AUTEURS CITÉS

ANGELUS DE CLAVASIO, auteur d'une *Summa Angelica de casibus conscientiae*, dont une quinzaine d'éditions paraissent enre 1486 et 1497 à Venise, Nuremberg, Spire, Strasbourg et Lyon, puis d'une *Summa angelica cum additionibus suis...* de 1502 à 1519 à Paris, Strasbourg, Rouen et Lyon.

ANSELME (saint) (1033-1109), archevêque de Cantorbéry, né à Aoste, théologien et philosophe, un des fondateurs de la scolastique. P1353

AUREOLUS, Petrus, peut-être AUREOLI, Pierre, o.f.m., auteur de commentaires bibliques (première édition connue imprimée à Strasbourg vers 1476 ; dernière édition connue imprimée à Rouen en 1649, d'après catalogue BnF).

BÈDE (saint), surnommé le Vénérable (c. 675-735), savant religieux et historien anglo-saxon, auteur de nombreux traités, dont l'*Histoire ecclésiastique du peuple anglais*. P1365

BURCHARD, jurisconsulte et canoniste allemand, promu évêque de Worms en l'an 1000 ; mort en 1025 ; auteur d'un recueil de canons, *Magnum volumen canonum*. P1353

CAJETAN, voir VIO (Jacopo).

CASTELLANO, Alberto, o.p. Voir *infra* Bibliographie sélective – sources.

CHARLES BORROMÉE (saint) (1538-1584), archevêque de Milan, l'un des principaux artisans de la réforme catholique, auteur d'une *Instruction de la doctrine chrétienne*, et d'*Instructions... aux confesseurs de sa ville et de son diocèse, traduites d'italien en françois, ensemble la manière d'administrer le sacrement de Pénitence avec les canons pénitentiaux...* P1366 etc.

DURAND, Guillaume, évêque de Mende (1230-1296), auteur de plusieurs ouvrages, dont un Pontifical (*Liber ordinis pontificalis*), édité par M. Andrieu sous le titre « Le Pontifical romain au Moyen Âge » (1940), composé à partir du *Pontifical de la Curie*[93]. P1326

ESCOBAR, André de, dit ANDREAS HISPANUS, controversiste portugais à l'époque du Grand Schisme, auteur d'un *Modus confitendi* (c. 1429). L'ouvrage, imprimé à Rome en 1475, est souvent réédité au cours des années suivantes[94]. Le seul exemplaire connu du rituel de Saint-Brieuc [1506] est suivi d'un traité *De*

---

[93] *Dictionnaire de biographie française*, t. 12 (1970), col. 660-661.
[94] Cf. R. AUBERT, « Escobar (André de) », *Dictionnaire d'histoire et de géographie ecclésiastiques*, t. 15 (1963), col. 861-862.

scientia confessoris, d'impression identique au rituel, contenant entre autres le *Modus confitendi* d'André de Escobar, reproduit ici (P1378). L'édition Strasbourg 1507 est conservée à la BnF (Rés. D. 5092). Le rituel de Lyon 1542 f. 89-93v édite également avec quelques variantes le *Modus confitendi* de André de Escobar. P1378, P1381, P1617, P1618, P1668 etc.

FILLON, Arthur, chanoine d'Évreux et de Rouen, puis évêque de Senlis, auteur de plusieurs ouvrages, dont *Manuale dyocesis Silvanectensis* (rituel de Senlis de 1525 [1526 n.st.] ; *Tractatus de sacramento penitentie...*, Lyon, 1516 ; *Speculum curatorum...*, Rouen, 1506 : ouvrage comprenant des traités sur les sept sacrements et sur la messe, des sermons en français sur les commandements de Dieu, un examen de conscience en français intitulé *Sermons pour scavoir la maniere de soy confesser*, une courte *Maniere de faire le prosne en brefves parolles principallement quant on lyra des dessusditz sermons*, destinée à compléter l'une des exhortations qui le précèdent, et la préparation à la mort. P1287, P1379, P1420

GERSON, Jean Charlier de (1363-1429) chancelier de l'Université de Paris, prédicateur et théologien, auteur de très nombreux ouvrages, dont *ABC des simples gens, De arte moriendi, L'Instruction des curez pour instruire le simple peuple, Modus confitendi (Opus tripartitum)...*[95]. P280, P1283, P1324, P1335, P2969bis

GRATIEN, canoniste italien (c. 1080-c. 1150), auteur du *Decretum*, premier recueil méthodique des Décrétales des papes, imprimé pour la première fois à Strasbourg en 1471. P1365, P1366

GUY DE MONTROCHER (GUIDO DE MONTEROCHERIO), auteur du *Manipulus curatorum*, écrit vers 1330, dont on connaît plus de quatre-vingt-dix éditions incunables et des éditions postérieures à Paris jusqu'en 1523, à Londres, Venise, Louvain, Amsterdam[96].

LULLE, Antoine, vicaire général de Claude de La Baume, archevêque de Besançon de 1545 à 1584. P1404, P1457

MILHARD, Pierre, o.s.b., prieur de Sainte Dode (diocèse d'Auch), auteur d'un Pastoral incluant un petit rituel « selon l'usage de l'Eglise Romaine » intitulé *La vraye guide des curez, vicaires et confesseurs...*, imprimé à Toulouse, Lyon, et Paris, de 1602 à 1631. L'ouvrage, dédié à l'archevêque d'Auch Léonard de Trappes, et destiné aux « curez et vicaires du Royaume » a une grande vogue à travers la France. Il reprend principalement les rituels romano-vénitiens intitulés *Sacra Institutio baptizandi*, dont les éditions se succèdent en France à cette époque, ainsi que les rituels édités à Bordeaux de 1588 à 1602[97]. Seul le

---

[95] Jean Gerson, *Œuvres complètes*. Introduction. Textes et notes par Mgr P. Glorieux, 9 vol., Paris, Tournai, Rome, 1960-1971.
[96] J. DELUMEAU, *L'aveu et le pardon*, Paris, 1990, p. 32.
[97] Cf. Molin Aussedat n° 1531, 1534, 1535, 1543, 1546, 1551, 1555, 1563.

prône dominical est original, repris, avec des remaniements dans les rituels de Toulouse de 1602 à 1736, Albi 1647, Vannes 1618 et 1631 etc.

NAVARRO : Martin Azpilcueta (1493-1586), plus connu sous le nom de Navarro à cause de son pays d'origine, moraliste et surtout canoniste célèbre, pénitencier de trois papes successifs. Son ouvrage *Manuale sive Enchiridion confessariorum et paenitentium* a été longtemps un classique[98].

PERONNET, Denis, carme né à Melun, chanoine de Périgueux, vicaire général d'Auxerre, docteur en théologie de l'université de Paris, auteur d'un *Manuel général et Instruction des curez et vicaires, contenant sommairement le devoir de leur charge, soit à faire prosnes, administrer les saincts Sacremens, et enseigneur leurs paroissiens par exhortations propres adaptez à iceux. Avec plusieurs sermons…* L'ouvrage est rédigé à la demande de l'évêque de Sarlat François de Salaignac en 1573 pour contrer les protestants. Éditions connues à Paris (1573 et 1574) et Rouen (1581)[99]. Le prône est repris avec des additions dans les *Sacra Institutio baptizandi* éditées à Lyon, Paris et Caen de 1589 à 1618, les rituels romains édités à Paris de 1623 à 1648, et les rituels diocésains de Vannes 1596, Chalon-sur-Saône 1605, Clermont-Saint-Flour 1608. Plusieurs exhortations et instructions sont rééditées dans les rituels d'Angoulême 1582 et Cahors 1593-1619 (P1333, P1337, P1384, P1386, P1527, P1533, P1756 etc.).

SYLVESTRE, probablement SILVESTRI, François dit Silvestre de Ferrare (1474-1528) contemporain de Cajétan, et commentateur comme lui de la *Somme théologique* de saint Thomas.

THOMAS D'AQUIN (saint). P1349, 1367

TOLEDO, Francisco de, s.j., cardinal (1532-1596), auteur de nombreux ouvrages, dont *De instructione sacerdotum libri septem*, auxquels est joint un *De septem peccatis mortalibus* ; nombreuses éditions entre 1599 et 1716[100].

VIO, Jacopo, en religion le P. Tommaso de, o.p., dit cardinal Cajétan (1469-1534), auteur de très nombreux ouvrages, dont *De Sacramento penitentie quaestiones, Summula de peccatis*[101].

YVES DE CHARTRES (saint) (1035-1116), théologien et canoniste en Beauvaisis, puis évêque de Chartres, auteur de grandes collections de droit canonique : *Decretum, Panormia, Tripartita*. P1353, P1365.

---

[98] J. BELLAMY, « Aspilcueta, Martin (1493-1586) », *Dictionnaire de théologie catholique*, t. 1 (1937), col. 2119.

[99] Édition 1573 : Paris, SG, 8 D 5424 (3) inv. 6452. Édition 1574 : Paris, SG, 8 E 3615 inv. 2158.

[100] F. J. RODRIGUEZ MOLERO, « Toledo », *Dictionnaire de Spiritualité*, t. 15 (1991), col. 1013-1017 ; F. CERECEDA, « Tolet (Toledo) François », *Dictionnaire de théologie catholique*, t. 15 (1946), col. 1223-1225.

[101] I. COLOSSO et T. S. CENTI, « Vio (Thomas de Cajetan) », *Dictionnaire de Spiritualité*, t. 16 (1994), col. 872-879.

SAINTS CITÉS DANS LES LITANIES (MERCREDI DES CENDRES ET ABSOLUTIONS GÉNÉRALES)

Rituels proposant des litanies

P417 : **Angers 1543, 1580** : litanies romaines[1] sans *Thadeae, Joannes et Paule, Cosma et Damiane, Bernarde, Dominice, Francisce*, avec additions dans la liste ci-après (p. 1951-1958), dont :

> *Quintine, Sergi, Bache, Juliane* [cité deux fois], *Eustachi cum soc., Hippolyte cum soc., Apothemi, Maurili, Renate, Licini, Albine, Magnobode, Lupe, Remigi, Eligi, Laude, Coharde, Egidi, Yvo, Ludovici, Maria Cleophe, Maria Salome, Martha, Margareta, Apollonia, Brigida, Radegundis, Fides, Spes, Caritas, Castitas.*

P343, P368 : **Angers 1620, 1676, 1735** : litanies romaines avec mêmes additions qu'Angers 1543-1580 (P417) sans *M. Cleophe, M. Salome, Margareta*, et avec en plus :

> *Nicasi cum soc., Felix et Adaucte, Georgi, Symphoriane, Adriane, Leo, Martialis, Hilari, Gatiane, Serenede, Maure.*

P169, P389 : **Blois 1730** : litanies romaines sans *S. Dei genitrix, S. Virgo Virginum, Gabriel, Raphael, Thoma, Jacobe, Philippe, Bartholomeae, Matthaee, Simon, Thadeae, Mathia, Barnaba, Luca, Marce, Innocentes, Fabiane, Joannes et Paule, Cosma et Damiane, Gervasi et Protasi, Bernarde, Agatha, Lucia, Caecilia, Catharina, Anastasia*, avec additions dans la liste ci après, dont :

> *Ignati, Aigulphe, Hilari, Leobine, Solemnis, Carole, Launomare, Carilephe, Justi, Monica, Clotildis.*

P142, P158, P168, P275, P276, P345, P346 : **Chartres 1490-1553, 1604-1640, 1680-1689** : litanies brèves, dont romaines : *S. Dei genitrix, S. Virgo Virginum, Michael, Gabriel, Raphael, Omnes sancti Angeli, omnes s. Patriarche, omnes s. Prophete, omnes s. Apostoli et Evangeliste, omnes s. Virgines*, avec additions dans la liste ci après, dont :

---

[1] Les litanies romaines référencées sont celles du chapitre *Septem Psalmi poenitentiales cum litaniis. Pro infirmis.*

Sancte Throni, Sancte Dominationes, Sancti Principatus, Sancte Potestates, Sancte Virtutes celorum, Sancta Cherubin, Sancta Seraphin.

P163 : **Limoges 1518**[2] : litanies romaines sans *Fabiane et Sebastiane, Cosma et Damiane, Gervasi et Protasi, Gregori, Ambrosi, Antoni, Bernarde, Dominice, Francisce, Agatha, Anastasia*, avec additions dans la liste ci après, dont :

> *Marcialis, Cleopha, Line, Clemens* [cité deux fois], *Gaciane, Georgi, Blasi, Simphoriane, Christofore, Iohannes et Paule, Leo, Dulcissime, Austricliniane, Leonarde, Valeria, Martha, Radegundis, Apolonia, Genovefa, Neomadia, Margareta, Barbara.*

P407 : **Le Mans (Le)** c. 1505-1608 : litanies romaines sans *Thadeae, Joannes et Paule, Anastasia*, avec additions dans la liste ci-après, dont :

> *Blasi, Juliane* [cité deux fois], *Gaciane, Turibi, Libori, Victuri, Victure, Domnole, Aldrice, Pavaci, Albine, Paule heremita, Leonarde, Machari, Hylarion, Bernardine, Barbara, Margareta, Martha, Appollonia, Maria Egiptiaca, Juliana, Scolastica, Genovefa, Petronilla, Felicitas, Perpatua, Fides, Spes, Caritas.*

P359 : **Mans (Le) 1647** : litanies romaines sans *Thadaee, Joannes et Paule* avec additions dans la liste ci après, dont :

> *Blasi, Eutropi, Demetri, Eustachi cum soc., Symphoriane, Marcelline, Adriane, Juliane, Thuribi, Pavaci, Libori, Victure, Victuri, Innocenti, Principi, Domnole, Bertranne, Haduinde, Berari, Aldrice, Gatiane, Romane, Margareta, Barbara.*

P363 : **Mans (Le) 1662, 1680** : comme Le Mans 1647 avec addition de *Renate, Carole, Joseph, Joachim.*

P403 : **Le Mans (Le) 1775** : litanies romaines sans *Joannes et Paule*, et *Anastasia*, avec nombreuses additions dans la liste ci-après, dont :

> *Ignati, Polycarpe, Pothine cum soc., Irenaee cum soc., Symphoriane, Georgi, Eutropi, Victor, Saturnine, Private, Quintine, Luciane, Juliane (Brivatensis), Sigismunde, Leodegari, Juliane (Cenomanensis), Thuribi, Pavaci, Libori, Victure, Victuri, Innocenti, Principi, Domnole, Bertranne, Haduinde, Berari, Aldrice, Tugwale, Corentine, Gatiane, Remigi, Damasi, Leo, Gregori (Papa), Gregori Thaumaturge, Gregori Nazianzene, Athanasi, Basili, Epiphani, Joannes Chrysostome, Caesari, Carole, Joachim, Rigomere, Adelerme,*

---

[2] A Limoges, les litanies de la Bénédiction des cendres ne sont pas détaillées, mais sont très probablement identiques à celles de la Bénédiction des fonts baptismaux le Samedi saint, f. 80-81v, données ici.

Boamire, Constantiane, Cerenede, Clodoalde, Pachomi, Hilario, Severine, Gengaloaee, Karilephe, Leonarde (abb.), Siviarde, Frambalde, Ulfaci, Hilari (solit.), Fronto, Leonarde (solit.), Bruno, Roche, Maria et Martha, Trenestina, Clara, Theresia, Monica, Clotildis, Radegundis, Bathildis.

P318 : **Nantes c. 1560** : litanies romaines sans *Thoma, Thadaee, Marce, Joannes et Paule, Gregori, Ambrosi, Augustine, Hieronyme, Antoni, Benedicte, Bernarde, Dominice, Lucia, Agnes, Caecilia, Anastasia*, avec additions dans la liste ci-après, dont :

Regina celorum, Juda, Donatiane, Rogatiane, Blasi, Cosma et Damiane, Eutropi, Gunharde cum soc., Eustachi cum soc., Clare, Amane, Fiacri, Egidi, Eligi, Yvo, Petronilla, Euphemia, Charitas, Fides, Spes, Radegundis, Emerentiana, Barbara.

P419 : **Poitiers 1581, 1587, 1594** : litanies romaines sans *Thadeae, Joannes et Paule, Bernarde*, avec additions dans la liste ci-après, dont :

Regina caelorum, Domina angelorum, Juda, Simpliciane, Line, Sixte, Desideri, Corneli, Savine, Blasi, Eutropi, Georgi, Cosma, Damiane, Leodegari, Honori, Lamberte, Valentine, Policarpe, Lazare, Martialis, Albine, Germane, Guillelme, Gelasii, Iovine, Leonarde, Mathurine, Maxenti, Maure, Brici, Macute, Clodoalde, Eligi, Egidi, Fortunate, Renate, Avertine, Maria Egyptiaca, Martha, Radegundis, Barbara, Diciola, Appollonia, Quiteria, Flavia, Neomadia, Elizabeth, Marina, Solina, Gemma, Perpetua, Felicitas, Florentia, Troecia, Abra, Valeria.

P160, P164 : **Reims c. 1495-1554** : litanies romaines, sans *Joannes et Paule, Gervasi et Protasi, Benedicte, Bernarde, Dominice, Francisce*, avec additions dans la liste dans la liste ci-après, dont :

Calixte, Nicasi cum soc., Ypolite, Quintine, Maure cum soc., Timothee, Apolinaris, Remigi, Sinicy, Nivarde, Rigoberte, Reole, Germane, Basili, Theodorice, Theodulphe, Basole, Fiacri, Christina, Clara, Eutropia, Fides, Columba, Machra, Gertrudis, Bova, Doda, Justina.

P411 : **Rennes c. 1510, 1533** : litanies romaines sans *Joannes et Paule, Cosma et Damiane, Gervasi et Protasi, Antoni, Bernarde, Dominice, Anastasia*, avec additions dans la liste ci-après, dont :

Thimothee, Marcialis, Blasi, Ypolite cum soc., Marcelline, Armagile, Sulpici, Evurci, Moderanne, Germane, Mevenne [sic pour Menenne], Yvo, Columba, Helena, Juliana, Emerentiana, Radegundis, Fides, Spes, Susanna, Opportuna, Caritas.

P149, P377 : **Rochelle (La) 1689, 1744** : litanies romaines sans *Joannes et Paule, Catharina* avec additions dans la liste ci-après, dont :

> *Irenaee, Eutropi, Photine cum soc., Remigi, Trojane, Viviane, Leoni, Clodoalde, Yvo, Maure, Maxenti, Roche, Thecla, Margareta, Abra, Florentia, Clotildis, Radegundis.*

P408 : **Saint-Brieuc [1506]** : litanies romaines sans *Cosma et Damiane, Bernarde, Anastasia*, avec additions dans la liste ci-après, dont :

> *Thimothee, Marcialis, Grisogone, Ypolite cum soc., Nicasi cum soc., Sergi et Bache, Simphoriane, Quintine, Blasi, Adriane, Remigi, Leodegari, Brioce, Guillerme, Maclovi, Sanson, Paterne, Corentine, Tugduale, Egidi, Albine, Maure, Yvo, Paterne, Maglori, Menenne, Paule (conf.), Gobriane, Monica, Juliana, Brigida, Christina, Fides, Spes, Charitas, Castitas.*

P395 : **Sées 1744** : litanies romaines sans *Joannes et Paule, Cosma et Damiane*, avec additions dans la liste ci-après, dont :

> *Vitalis, Pothine, Irenaee cum soc., Godegrande, Ravenne et Rasyphe, Clare, Juliane, Latuine, Taurine, Sigisbolde, Landrici, Remigi, Caesari, Albine, Passive, Audoene, Mileharde, Raverenne, Ansberte, Alnoberte, Lothari, Gerarde, Adeline, Exuperi, Paterne, Laude, Carole, Francisce Salesi, Norberte, Maure, Bruno, Wandregisile, Philiberte, Ebrulphe, Medralde, Ebremunde, Launomare, Ignati, AEgidi, Cerenice, Paduine, Gilderice, Leonarde, Launogisile, Rigomare, Roche, Thecla, Ceronna, Opportuna, Clothildis, Bathildis.*

P159 : **Strasbourg [1490]-1590** : litanies romaines sans *Joannes et Paule, Gervasi et Protasi, Benedicte, Bernarde, Dominice, Francisce*, avec additions dans la liste ci-après, dont :

> *Crisogone, Amande, Arbogaste, Florenti, Udalrice, Columbane, Galle, Leonarde, Egidi, Columba, Aurelia, Otilia, Barbara, Appolonia, Athala, Elizabeth.*

P415 : **Tours 1533, 1570** : litanies romaines sans *Joannes et Paule, Antoni, Benedicte, Bernarde, Dominice, Francisce*, avec additions dans la liste ci-après, dont :

> *Saturnine, Simphoriane, Genesi, Gaciane, Lidori* [sic pour *Libori* ?], *Brici, Petronilla, Radegundis, Juliana, Susanna.*

P341, P351 : **Vannes 1618, 1631** : litanies romaines complètes avec additions dans la liste ci-après, dont :

> *Paterne, Gobriane, Guenhaële, Gildasi, Yvo.*

Les litanies romaines des saints[3] (en italiques dans la liste qui suit) sont rarement complètes dans les rituels ; sont souvent omis Thadée, apôtre, Jean et Paul, martyrs romains, Gervais et Protais, martyrs à Milan au IIIe siècle, et Anastasie.

Joseph est cité dans les litanies du Mans à partir de 1662, de La Rochelle à partir de 1689, de Sées en 1744, et dans le *Rituale romanum*, Paris, 1757 (absent des *Rituale romanum* Antverpiae, 1625 et Paris 1665 et 1679)[4].

---

[3] Litanies romaines du chapitre *Septem Psalmi Poenitentiales, cum Litaniis*, éditions *Rituale romanum* Antverpiae 1625 et Paris 1641, 1665 et 1679.

[4] Les litanies de s. Joseph se répandent dans plusieurs pays au XVIIe siècle. Cf. R. Gauthier, « Joseph (saint) », *Dictionaire de Spiritualité*, t. 8 (1974), col. 1311-1321.

SAINTS CITÉS

Abra, 149, 377, 419
Adaucte, *voir* Felix et Adaucte
Adelerme, 403
Adeline, 395
Adriane, 343, 359, 363, 368, 408
AEgidi, *voir* Egidi
Agatha, 149, 159, 160, 164, 318, 341, 343, 351, 359, 363, 368, 377, 395, 403, 407, 408, 411, 415, 417, 419
Agnes, 149, 159, 160, 163, 164, 169, 341, 343, 351, 359, 363, 368, 377, 389, 395, 403, 407, 408, 411, 415, 417, 419
Aigulphe, 169, 389
Albine, 343, 359, 363, 368, 395, 403, 407, 408, 417, 419
Aldrice, 359, 363, 403, 407
Alnoberte, 395
Amande, 159
Amane, 318
Ambrosi, 149, 159, 160, 164, 169, 341, 343, 351, 359, 363, 368, 377, 389, 395, 403, 407, 408, 411, 415, 417, 419
Anastasia, 149, 159, 160, 164, 341, 343, 351, 359, 363, 368, 377, 395, 417, 419
Andrea, (Andraea), 149, 159, 160, 163, 164, 169, 318, 341, 343, 351, 359, 363, 368, 377, 389, 403, 407, 408, 411, 415, 417, 419
Anna, 149, 160, 163, 164, 169, 318, 343, 359, 363, 368, 377, 389, 395, 403, 407, 408, 411, 415, 417, 419
Ansberte, 395
Antoni, Anthoni, 149, 159, 169, 341, 343, 351, 359, 363, 368, 377, 389, 395, 403, 407, 408, 417, 419
Apolinaris, Apollinaris, 160, 164
Apothemi, 343, 368, 417

Appolonia (Apollonia, Appollonia), 159, 163, 343, 359, 363, 368, 403, 407, 411, 417, 419
Arbogaste, 159
Armagile, 411
Athala, 159
Athanasi, 403
Audoene, 395
Augustine, 149, 159, 160, 163, 164, 169, 341, 343, 351, 359, 363, 368, 377, 389, 395, 403, 407, 408, 411, 415, 417, 419
Aurelia, 159
Austricliniane, 163
Avertine, 419

Bache, 343, 368, 417, *Voir aussi* Sergi et Bache
Barbara, 159, 160, 163, 164, 318, 343, 359, 363, 368, 403, 407, 411, 417, 419
Barnaba, 149, 159, 160, 163, 164, 318, 341, 343, 351, 359, 363, 368, 377, 395, 403, 407, 408, 411, 415, 417, 419
Bartholomee, 149, 159, 160, 163, 164, 318, 341, 343, 351, 359, 363, 368, 377, 395, 403, 407, 408, 411, 415, 417, 419
Basili, 160, 164, 403
Basole, 160, 164
Bathildis, 395, 403
Benedicte, 149, 160, 163, 164, 169, 341, 343, 351, 359, 363, 368, 377, 389, 395, 403, 407, 408, 411, 417, 419
Berari, 359, 363, 403
Bernarde, 149, 341, 343, 351, 359, 363, 368, 377, 395, 403, 407
Bernardine, 359, 363, 403, 407
Bertranne, 359, 363, 403
Blasi, 163, 318, 359, 363, 403, 407, 408, 411, 419

Boamire, 403
Bova, 160, 164
Brici, 415, 419
Brigida, 343, 368, 408, 417
Brioce, 408
Bruno, 395, 403

Caesari, 395, 403
Calixte, 160, 164
Carilephe, 169, 389
Caritas (Charitas), 318, 343, 359, 363, 368, 403, 407, 408, 411, 417
Carole, 169, 363, 389, 395, 403
Castitas, 343, 368, 408, 417
Catherina, Katherina, 159, 160, 163, 164, 318, 341, 343, 351, 359, 363, 368, 395, 403, 407, 408, 411, 415, 417, 419
Cecilia, Caecilia, 149, 159, 160, 163, 164, 341, 343, 351, 359, 363, 368, 377, 395, 403, 407, 408, 411, 415, 417, 419
Cerenede, 403
Cenerice, 395
Ceronna, 395
Cherubin, Cherubim (Sancta), 142, 158, 168, 275, 276, 345, 346
Chorus apostolorum, 160, 164
Chorus archangelorum, 160, 164
Chorus confessorum, 160, 164
Chorus martyrum, 160, 164
Chorus virginum, 160, 164
Christina, 160, 164, 408
Christofore (Christophore), 163, 318, 343, 359, 363, 368, 403, 407, 408, 415, 417, 419
Clara, 160, 164, 403
Clare, 318, 395
Clemens, 149, 159, 160, 163, 164, 343, 359, 363, 368, 377, 395, 403, 407, 408, 411, 415, 417, 419
Cleopha, 163
Clete, 159, 160, 163, 164, 343, 359, 363, 368, 403, 407, 408, 417, 411, 415, 419
Clodoalde, 149, 377, 403, 419
Clotildis, Clothildis, 149, 169, 377, 389, 395, 403

Coharde, 343, 368, 417
Columba, 159, 160, 164, 411
Columbane, 159
Constantiane, 403
Corentine, 403, 408
Corneli, 149, 159, 163, 318, 343, 359, 363, 368, 377, 403, 408, 411, 415, 417, 419
Cosma, 159, 359, 363, 403, 407, 415, 419
Cosma et Damiane, 149, 318, 341, 343, 351, 368, 377, 403
Crisogone, 159
Cypriane (Cipriane), 149, 159, 163, 318, 343, 359, 363, 368, 377, 403, 408, 411, 415, 417, 419

Damasi, 403
Damiane, 159, 359, 363, 403, 407, 415, 419
Dei genitrix, 142, 149, 158, 159, 160, 163, 164, 168, 275, 276, 318, 341, 343, 346, 351, 359, 363, 368, 377, 395, 403, 407, 408, 411, 415, 417, 419
Demetri, 359, 363
Desideri, 419
Diciola, 419
Dionysi (Dyonisi) cum soc., 160, 164, 169, 318, 343, 359, 363, 368, 389, 395, 403, 407, 408, 411, 415, 417, 419
Doda, 160, 164
Domina angelorum, 419
Dominationes (Sancte, Sanctae), 142, 158, 168, 275, 276, 345, 346
Dominice, 149, 169, 341, 343, 351, 359, 363, 368, 377, 389, 395, 403, 407, 408, 419
Domnole, 359, 363, 403, 407
Donatiane, 318
Donatiane et Rogatiane, 403
Dulcissime, 163

Ebremunde, 395
Ebrulphe, 395
Egidi, AEgidi, 159, 318, 343, 359, 363, 368, 395, 403, 407, 408, 411, 417, 419
Eligi, 149, 160, 164, 318, 343, 368, 377, 403, 408, 411, 417

Elizabeth, Elyzabeth, 159, 419
Emerentiana, 318, 411
Epiphani, 403
Euphemia, 318
Eustachi cum soc., 318, 343, 359, 363, 368, 403, 407, 408, 411, 417
Eutropi, 149, 318, 359, 363, 377, 403, 419
Eutropia, 160, 164
Evurci, 411
Exuperi, 395

Fabiane, 149, 159, 160, 164, 318, 359, 363, 377, 395, 403, 407, 408, 411, 415, 417, 419
Fabiane et Sebastiane, 341, 343, 351, 368
Felicitas, 149, 159, 160, 164, 343, 359, 363, 368, 377, 403, 407, 408, 411, 415, 417, 419
Felix et Adaucte, 343, 368
Fiacri, 160, 164, 318
Fides, 160, 164, 318, 343, 359, 363, 368, 403, 407, 408, 411, 417
Fili redemptor mundi Deus, 149, 159, 160, 163, 164, 169, 318, 341, 343, 351, 359, 363, 368, 377, 389, 395, 403, 407, 408, 411, 415, 417, 419
Flavia, 419
Florenti, 159
Florentia, 149, 377, 419
Fortunate, 419
Frambalde, 403
Francisce, 149, 169, 318, 341, 343, 351, 359, 363, 368, 377, 389, 395, 403, 407, 408, 411, 419
Francisce Salesi, 395
Fronto, 403

Gabriel, 142, 149, 158, 159, 160, 163, 164, 168, 275, 276, 318, 341, 343, 345, 346, 351, 359, 363, 368, 377, 395, 403, 407, 408, 411, 415, 417, 419
Gaciane (Gatiane), 163, 343, 359, 363, 368, 403, 407, 415
Galle, 159

Gelasii, 419
Gemma, 419
Genesi, 415
Gengaloaee, 403
Genovefa, 149, 160, 163, 164, 169, 343, 359, 363, 368, 377, 389, 395, 403, 407, 408, 411, 415, 417, 419
Georgi, 159, 160, 163, 164, 318, 343, 359, 363, 368, 403, 408, 411, 415, 419
Gerarde, 395
Germane, 160, 164, 411, 419
Gertrudis, 160, 164
Gervasi, 359, 363, 403, 407, 408, 415, 417, 419
Gervasi et Prothasi (Protasi), 149, 318, 341, 343, 351, 368, 377, 395, 403
Gildasi, 341, 351
Gilderice, 395
Gobriane, 341, 351, 408
Godegrande, 395
Gregori, 149, 159, 160, 164, 169, 341, 343, 351, 359, 363, 368, 377, 389, 395, 403, 407, 408, 411, 415, 417, 419
Gregori Nazianzene, 403
Gregori (Papa), 403
Gregori Thaumaturge, 403
Grisogone, 408
Guenhaële, 341, 351
Guillerme (Guillelme), 408, 419
Gunharde cum soc., 318

Haduinde, 359, 363, 403
Helena, 411
Hieronyme, Ieronime, 149, 159, 160, 163, 164, 169, 341, 343, 351, 359, 363, 368, 377, 389, 395, 403, 407, 408, 411, 415, 417, 419
Hilari (Hylari), 149, 159, 160, 163, 164, 169, 343, 359, 363, 368, 377, 389, 395, 403, 408, 411, 415, 419
Hilari (solit.), 403
Hilario (Hylarion), 359, 363, 403, 407
Hippolyte cum soc., 343, 368, 389, 417
Honori, 419

Ignati, 169, 389, 395, 403
Innocenti, 359, 363, 403
Iovine, 419
Irenaee, 149, 377
Irenaee cum soc., 395, 403
Iuliane, *voir* Juliane
Ivo, *voir* Yvo

Jacobe[1], 149, 159, 160, 163, 164, 169, 318, 341, 343, 351, 359, 363, 368, 377, 389, 395, 403, 407, 408, 411, 415, 417, 419
Joachim, 363, 403
Joannes, 149, 159, 160, 163, 164, 169, 318, 341, 343, 351, 359, 363, 368, 377, 389, 395, 403, 407, 408, 411, 407, 417
Joannes Baptista, 149, 159, 160, 163, 164, 169, 318, 341, 343, 351, 359, 363, 368, 377, 389, 395, 403, 407, 408, 411, 415, 417, 419
Joannes Chrysostome, 403
Joannes Evangelista, 415, 419
Johannes et Paule [mart.] 163, 341, 343, 351, 368, 408
Joseph, 149, 363, 377, 395, 403
Juda, 318, 343, 359, 363, 368, 403, 407, 408, 411, 417, 419
Juliana, 359, 363, 403, 407, 408, 411, 415
Juliane, 160, 164, 343, 359, 363, 368, 395, 407, 408, 411, 415, 417
Juliane (Brivatensis), 403
Juliane (Cenomanensis), 403
Justina, 160, 164
Justi, 169, 389

Karilephe, 403
Katherina, *voir* Catherina

Lamberte, 419
Landrici, 395
Latuine, 395
Laude, 343, 368, 395, 417
Launogisile, 395

Launomare, 169, 389, 395
Laurenti, 149, 159, 160, 163, 164, 169, 318, 341, 343, 351, 359, 363, 368, 377, 389, 395, 403, 407, 408, 411, 415, 417, 419
Lazare, 419
Leo, 159, 163, 343, 368, 403, 408, 411
Leobine, 169, 389
Leodegari, 403, 408, 419
Leonarde, 159, 163, 359, 363, 395 (erm.), 407, 419
Leonarde (abb.), 403
Leonarde (solit.), 403
Leoni, 149, 377
Libori [Liboire, évêque du Mans], 359, 363, 403, 407
Licini, 343, 368, 417
Lidori [*sic*], 415
Line, 159, 160, 163, 164, 343, 359, 363, 368, 403, 408, 411, 415, 417, 419
Lothari, 395
Luca, 149, 159, 160, 163, 164, 318, 341, 343, 351, 359, 363, 368, 377, 395, 403, 407, 408, 411, 415, 417, 419
Lucia, 149, 159, 160, 163, 164, 341, 343, 351, 359, 363, 368, 377, 395, 403, 407, 408, 411, 417, 419
Luciane, 403
Ludovice, 149, 160, 164, 169, 318, 343, 359, 363, 368, 377, 389, 395, 403, 407, 417, 419
Lupe, 343, 368, 417

Machra, 160, 164
Machari, 359, 363, 403, 407
Maclovi, 408
Macute, 419
Maglori, 408
Magnobôde, Magnobode [évêque d'Angers], 343, 368, 417
Marce, 149, 159, 160, 163, 164, 341, 343, 351, 359, 363, 368, 377, 395, 403, 407, 408, 411, 415, 417, 419
Marcelle, 160, 164

---

[1] Jacobe : *Jacobe* est toujours nommé deux fois : Jacques le majeur et Jacques le mineur.

Marcelline, 359, 363, 411
Marcialis (Martialis), 163, 343, 368, 408, 411, 419
Margareta, 149, 159, 163, 318, 359, 363, 377, 403, 407, 408, 411, 415, 417, 419
Maria, 142, 149, 158, 159, 160, 163, 164, 168, 169, 275, 276, 318, 341, 343, 345, 346, 351, 359, 363, 368, 377, 389, 395, 403, 407, 408, 411, 415, 417, 419
Maria et Martha, 403
Maria Egyptiaca (AEgyptiaca), 160, 164, 343, 359, 363, 368, 403, 407, 408, 411, 415, 417, 419
Maria AEgyptia (Egyptia), 149, 169, 377, 389, 395, 403
Maria Cleophe, 417
Maria Magdalena (Magdalene), 149, 159, 160, 163, 164, 169, 318, 341, 343, 351, 359, 363, 368, 377, 389, 395, 403, 407, 408, 411, 415, 417, 419
Maria Salome, 417
Marina, 419
Martha, 163, 343, 359, 363, 368, 403, 407, 408, 417, 419
Martialis, *voir* Marcialis
Martine, 149, 159, 160, 163, 164, 169, 318, 341, 343, 351, 359, 363, 368, 377, 389, 395, 403, 407, 408, 411, 415, 417, 419
Mathia, Matthia, 149, 159, 160, 163, 164, 318, 341, 343, 351, 359, 363, 368, 377, 395, 403, 407, 408, 411, 415, 417, 419
Mathurine, 419
Mathee, Matthee, Mattheae, 149, 159, 160, 163, 164, 318, 341, 343, 351, 359, 363, 368, 377, 395, 403, 407, 408, 411, 415, 417, 419
Maure, 149, 343, 368, 377, 395, 408, 419
Maure cum soc., 160, 164
Maurici cum soc., 149, 159, 160, 164, 343, 359, 363, 368, 377, 395, 403, 407, 408, 411, 415, 417, 419
Maurili, 343, 368, 417
Maxenti, 149, 377, 419
Medralde, 395

Menenne, Mevenne [Méen, fondateur de l'abbaye de saint Méen-le-Grand (Ille-et-Vilaine)], 408, 411
Michael, 142, 149, 158, 159, 160, 163, 164, 168, 169, 275, 276, 318, 341, 343, 345, 346, 351, 359, 363, 368, 377, 389, 395, 403, 407, 408, 411, 415, 417, 419
Mileharde, 395
Moderanne [Moderan, évêque de Rennes], 411
Monica, 169, 389, 403, 408

Neomadia, 163, 419
Nicasi (Nigasi) cum soc., 160, 164, 343, 368, 395, 408
Nicolae, Nicholae, Nycolae, 149, 159, 160, 163, 164, 169, 318, 341, 343, 351, 359, 363, 368, 377, 389, 395, 403, 407, 408, 411, 415, 417, 419
Nivarde, 160, 164
Norberte, 395

Omnes sanctae Mulieres, 149, 377, 403
Omnes sancte (sanctae) Virgines, 142, 149, 158, 159, 163, 168, 275, 276, 318, 345, 346, 359, 363, 377, 403, 407, 408, 415, 417
Omnes sanctae Virgines et Viduae, 169, 341, 343, 351, 359, 363, 368, 389, 395
Omnes sancti, 142, 158, 159, 168, 275, 276, 345, 346
Omnes sancti Abbates et Monachi, 403
Omnes sancti Angeli, 142, 158, 168, 275, 276, 345, 346
Omnes sancti Angeli et Archangeli (Dei), 149, 159, 163, 318, 341, 343, 351, 359, 363, 368, 377, 395, 403, 407, 408, 411, 415, 417, 419
Omnes sancti Apostoli, et Evangeliste (Evangelistae) (Dei), 142, 149, 158, 159, 163, 168, 275, 276, 318, 341, 343, 345, 346, 351, 359, 363, 368, 377, 395, 403, 407, 408, 411, 415, 417, 419
Omnes sancti Apostoli, Evangelistae et Discipuli Domini, 169, 389

Omnes sancti beatorum spirituum ordines (Dei), 149, 169, 318, 341, 343, 351, 359, 363, 368, 377, 389, 395, 403, 407, 408, 411, 417, 419
Omnes sancti Confessores (Dei), 142, 149, 158, 159, 168, 275, 276, 318, 345, 346, 359, 363, 377, 395, 403, 407, 408, 411, 415, 417, 419
Omnes sancti Confessores et Pontifices Dei, 163
Omnes sancti Discipuli Domini, 149, 159, 163, 318, 341, 343, 351, 359, 363, 368, 377, 395, 403, 407, 408, 411, 417, 419
Omnes sancti Doctores, 149, 169, 341, 343, 351, 359, 363, 368, 377, 389, 395
Omnes Sancti et Sanctae (Dei), 149, 160, 163, 164, 169, 318, 341, 343, 351, 359, 363, 368, 377, 389, 395, 403, 407, 408, 417
Omnes sancti Innocentes, 149, 159, 318, 341, 343, 351, 359, 363, 368, 377, 395, 403, 407, 408, 411, 417, 419
Omnes sancti Innocentes martyres Dei 163
Omnes sancti Martires (Martyres), 142, 149, 158, 159, 163, 168, 169, 275, 276, 318, 341, 343, 345, 346, 351, 359, 363, 368, 377, 389, 395, 403, 407, 408, 411, 415, 417, 419
Omnes sancti Monachi, et Heremite (Eremitae), 149, 169, 318, 341, 343, 351, 359, 363, 368, 377, 389, 395, 408
Omnes sancti Patriarche, 142, 158, 168, 275, 276, 345, 346
Omnes sancti Patriarche et Prophete (Dei), 149, 159, 163, 169, 318, 341, 343, 351, 359, 363, 368, 377, 389, 395, 403, 407, 408, 411, 415, 417, 419
Omnes sancti Pontifices, 149, 169, 377, 389, 395
Omnes Sancti Pontifices et Confessores, 341, 343, 351, 359, 363, 368
Omnes sancti Pontifices et Doctores, 403
Omnes sancti Prophete, 142, 158, 168, 275, 276, 345, 346
Omnes Sancti Sacerdotes, et Levitae, 149, 169, 341, 343, 351, 359, 363, 368, 377, 389, 395, 403
Opportuna, 395, 411
Otilia, 159

Pachomi, 403
Paduine, 395
Passive, 395
Pater de celis (caelis) Deus, 142, 149, 158, 159, 160, 163, 164, 168, 169, 275, 276, 318, 341, 343, 345, 346, 351, 359, 363, 368, 377, 389, 395, 403, 407, 408, 411, 415, 417, 419
Paterne, 341, 351, 395, 408
Paule, 149, 159, 160, 163, 164, 169, 318, 341, 343, 351, 359, 363, 368, 377, 389, 395, 403, 407, 408, 411, 415, 417, 419
Paule [confessor] 408
Paule heremita, 359, 363, 403, 407
Pavaci, 359, 363, 403, 407
Perpetua, 149, 159, 160, 164, 343, 359, 363, 368, 377, 403, 407, 408, 411, 415, 417, 419,
Perpetua et Felicitas, 395, 403
Petre, 149, 159, 160, 163, 164, 169, 318, 341, 343, 351, 359, 363, 368, 377, 389, 395, 403, 407, 408, 411, 415, 417, 419
Petre mart., 411
Petronilla, 160, 164, 318, 359, 363, 403, 407, 408, 411, 415
Philiberte, 395
Philippe, 149, 159, 160, 163, 164, 318, 341, 343, 351, 359, 363, 368, 377, 395, 403, 407, 408, 411, 415, 417, 419
Policarpe (Polycarpe), 403, 419
Potestates (Sancte, Sanctae), 142, 158, 168, 275, 276, 345, 346
Pothine cum soc., 149, 377, 395, 403
Praxêdis, Praxedis, 343, 368, 417
Principatus (Sancti), 142, 158, 168, 275, 276, 345, 346
Principi, 359, 363, 403

Private, 403
Prothasi, 359, 363, 403, 407, 408, 415, 417, 419

Quintine, 160, 164, 343, 368, 403, 408, 417
Quiteria, 419

Radegundis, 149, 163, 318, 343, 368, 377, 403, 411, 415, 417, 419
Raphael, 142, 149, 158, 159, 160, 163, 164, 168, 275, 276, 318, 341, 343, 345, 346, 351, 359, 363, 368, 377, 395, 403, 407, 408, 411, 415, 417, 419
Rasyphe, *voir* Ravenne et Rasyphe
Ravenne et Rasyphe, 395
Regina celorum (caelorum), 318, 419
Remigi, 149, 160, 164, 343, 368, 377, 395, 403, 408, 417
Renate, 343, 363, 368, 417, 419
Reole, 160, 164
Rigoberte, 160, 164
Rigomare, 395
Rigomere, 403
Roche, 149, 377, 395, 403
Rogatiane, 318
Romane, 359, 363

Sanson, 408
Saturnine, 403, 415
Savine, 419
Scolastica (Scholastica), 159, 160, 164, 343, 359, 363, 368, 403, 407, 408, 411, 417
Sebastiane, 149, 159, 160, 164, 169, 318, 359, 363, 377, 389, 395, 403, 407, 408, 411, 415, 417, 419
Seraphin, Seraphim (Sancta), 142, 158, 168, 275, 276, 345, 346
Serenêde, 343, 368
Sergi, 343, 368, 417,
Sergi et Bache (Bacche), 343, 368, 408
Severine, 403
Sigisbolde, 395

Sigismunde, 403
Silvester, Sylvester, 149, 159, 160, 163, 164, 169, 318, 341, 343, 351, 359, 363, 368, 377, 389, 395, 403, 407, 408, 411, 415, 417, 419
Simon, Symon, 149, 159, 160, 163, 164, 318, 341, 343, 351, 359, 363, 368, 377, 395, 403, 407, 408, 411, 415, 417, 419
Simphoriane (Symphoriane), 160, 163, 164, 343, 359, 363, 368, 403, 408, 415
Simpliciane, 419
Sinicy, 160, 164
Siviarde, 403
Sixte, 159, 160, 164, 343, 359, 363, 368, 408, 411, 415, 417, 419
Solemnis, 169, 389
Solina, 419
Spes, 318, 343, 359, 363, 368, 403, 407, 408, 411, 417
Spiritus sancte Deus, 149, 159, 160, 163, 164, 169, 318, 341, 343, 351, 359, 363, 368, 377, 389, 395, 403, 407, 408, 411, 415, 417, 419
Stephane, 149, 159, 160, 163, 164, 169, 318, 341, 343, 351, 359, 363, 368, 377, 389, 395, 403, 407, 408, 411, 415, 417, 419
Sulpici, 411
Susanna, 411, 415
Symphoriane, *voir* Simphoriane

Taurine, 395
Thadaee, Thadee, Tathee, 149, 159, 160, 163, 164, 341, 343, 351, 368, 377, 395, 403, 408, 411, 415
Thecla, 149, 377, 395
Theodorice, 160, 164
Theodulphe, 160, 164
Theresia, 403
Thoma, 149, 159, 160, 163, 164, 341, 343, 351, 359, 363, 368, 377, 395, 403, 407, 408, 411, 415, 417, 419
Thoma mart., 408, 411
Throni (sancti, sancte), 142, 158, 168, 275, 276, 345, 346
Thuribi, Turibi, 359, 363, 403, 407

Timothee (Thimothee), 160, 164, 408, 411
Trenestina, 403
Trinitas (sancta) unus Deus, 149, 160, 163, 164, 169, 318, 341, 343, 351, 359, 363, 368, 377, 389, 395, 403, 407, 408, 411, 415, 417, 419
Troecia, 419
Trojane, 149, 377
Tugduale, 408
Tugwale, 403
Turibi, *voir* Thuribi

Udalrice, 159
Ulfaci, 403

Valentine, 419
Valeria, 163, 419
Victor, 403
Victure, 359, 363, 403, 407

Victuri, 359, 363, 403, 407
Vincenti, 149, 159, 160, 163, 164, 169, 318, 341, 343, 351, 359, 363, 368, 377, 389, 395, 403, 407, 408, 411, 415, 417, 419
Virgo Virginum, 142, 149, 158, 159, 160, 163, 164, 168, 275, 276, 318, 341, 343, 345, 346, 351, 359, 363, 368, 377, 395, 403, 407, 408, 411, 415, 419
Virtutes celorum (Sancte, Sanctae), 142, 158, 168, 275, 276, 345, 346
Vitalis, 395
Viviane, 149, 377

Wandregisile, 395

Ypolite, 160, 164
Ypolite cum soc., 408, 411
Yvo, 149, 318, 341, 343, 351, 368, 377, 408, 411, 417

INDEX DES INCIPIT LATINS[*]

A carnalibus desideriis, libera nos Domine. 872
A cecitate cordis, libera nos Domine. 682, 733, 868
A clade et peste, libera nos Domine. 525, 593
A concupiscientia
— inimici, libera nos Domine. 781
— iniqua, libera nos Domine. 560
A damnatione perpetua, libera nos Domine. 681, 728, 776, 833, 873, 907, 936
R. A facie inimici. 66, 92, 472, 1867, 2173, 2225, 2284, 2287
A fulgure et tempestate, libera nos Domine. 678, 734, 777, 831, 911, 943, 983
A furore tuo, libera nos Domine. 670
A laqueis diaboli, libera nos Domine. 914
A morbo malo, libera nos Domine. 641
A morte
— perpetua, libera nos Domine. 527, 598, 680, 984
— subitanea, libera nos Domine. 564, 778, 832
— subitania [sic] et improvisa, libera nos Domine. 945
A peccatis omnibus, libera nos Domine. 561, 782
A penis inferni : libera nos Domine. 874, 913
A persecutione inimici, libera nos Domine. 563, 643, 779
A peste
— et clade, libera nos Domine. 562
— et fame, libera nos Domine. 783, 944
— fame, et gladio : libera nos Domine. 870, 1019
V. A porta inferi. R. Erue Domine animam eius. 1862, 1982
A spiritu fornicationis, libera nos Domine. 674, 729, 869, 908, 939, 982
A subitanea et
— eterna morte, libera nos Domine. 735
— improvisa morte, libera nos Domine. 526, 594, 645, 671, 871, 912, 979
A ventura ira, libera nos Domine. 565, 644

---

[*] Un trait long signifie que toute la série de mots indiqués sur la ligne supérieure est répétée, et pas seulement le premier mot. Formule terminée par un point : formule complète. Formule terminée par une virgule : formule incomplète. Les variantes de texte ne sont pas signalées dans l'index des incipit, mais seulement aux formules auxquelles l'index renvoie.

Ab appetitu inanis glorie, libera nos Domine. 730, 780
Ab hoste
— maligno, libera nos Domine. 826
— malo, libera nos Domine. 559
Ab imminentibus peccatorum nostrorum periculis, libera nos Domine. 675, 827, 867, 937
Ab immundicia mentis et corporis, libera nos Domine. 679, 909
Ab immundis cogitationibus, libera nos Domine. 677, 732, 830, 941, 1021, 1029, 1035
Ab infestationibus demonum, libera nos Domine. 676, 727, 938
Ab insidiis dyaboli, libera nos Domine. 592, 642, 672, 726, 774, 866, 906, 935, 980
Ab ira
— et odio et omni mala voluntate, libera nos Domine. 673, 731, 829, 910, 940, 981, 1022
— tua, libera nos Domine. 597, 669, 978
V. Ab occultis nostris munda nos, Domine. R. Et ab alienis parce servis tuis. 449
Ab omni
— immunditia mentis et corporis, libera nos Domine. 595, 828, 942
— malo, libera nos Domine. 566, 599, 646, 667, 725, 774, 834, 865, 905, 934, 976
— peccato, libera nos Domine. 668, 977
— temptatione dyabolica, libera nos Domine. 596
Absolutionem et remissionem omnium peccatorum tribuat tibi omnip. et misericors Deus. Amen. 1857
Absolutionem et remissionem omnium peccatorum tuorum…
Voir Indulgentiam, absolutionem et remissionem…
Absolutionem et remissionem omnium peccatorum vestrorum
— largiatur vobis omnipotens pater, pius, et misericors Dominus. Amen. 1088
— percipere mereamini a Domino Deo hic et in eternum, 1089
Absolutionem et remissionem omnium peccatorum vestrorum, spatium verae penitentiae, et emendationem vitae
— gratiam et consolationem sancti Spiritus, tribuat vobis omnipotens et misericors Dominus. Amen. 1090
— tribuat vobis omnipotens Deus. Amen. 36, 1091
Absolutionem et remissionem omnium peccatorum vestrorum tribuat vobis omnipotens
— et misericors Deus. Amen. 1937
— pius et misericors Dominus amen. 1092

Absolve quesumus Domine nostrorum vincula peccatorum, et quicquid pro eis meremur propiciatus averte. 193

Absolvimus vos
— fratres et sorores vice beati Petri apostolorum principis, cui a Domino collata est potestas ligandi atque solvendi, cuius etiam et nos, licet indigni, 1093
— fratres et sorores vice sancti Petri apostolorum principis, cui a Domino collata est potestas ligandi atque solvendi, cuius etiam nos, licet indigni, 1094
— fratres vice beati Petri apostoli, cui a Deo collata est ligandi atque solvendi potestas, cuius vicem licet indigni, 1095
— vice beati Petri apostolorum principis cui Dominus potestatem ligandi atque solvendi dedit ab omnibus peccatis vestris, 1096

Absolvo te
— à sententia interdicti, qua ligatus teneris, ob talem causam, in nomine Patris, 2269
— à vinculo excommunicationis huius, quam confessus es, et ab alia, si teneris, 1875
— à vinculo excommunicationis minoris si quam incidisti. Deinde absolvo te, 1876
— à vinculo excommunicationis minoris si quam incurristi. Et iterum absolvo te, 1877
— à vinculo suspensionis, quam incurristi ob talem causam; et restituo te, 2270
— a vinculo suspensionis, quam incurristi propter hoc vel illud et restituo, 2271
— ad reincidentiam, secundum formam mihi commissam, etc., 1877bis
— auctoritate qua fungor, a vinculo suspensionis (à sententia et poena interdicti); et restituo te, 2272

Absolvo vos vice beati Petri apostolorum principis, cui Dominus ligandi atque solvendi potestatem dedit, 1097

Accedant illi qui volunt recipere corpus Christi. Mutet ergo vitam, qui vult accipere vitam. 1143

Accedite ad eum, et illuminamini, et facies vestrae non confundantur. 49

Accipe signum crucis
— Christi, atque Christianitatis, quod prius acceptum non custodivisti, sed male deceptus abnegasti. 2164
— Christi quod male deceptus abnegasti. 2165
— Iesu Christi, atque Christianitatis in vitam aeternam. Amen. 2166

Actiones nostras, quaesumus Domine, aspirando praeveni, et adjuvando prosequere, 1570, 2125

Ad te levavi oculos meos [*Ps. 122*] 1980

Adesto Domine poenitentium supplicationibus, ut auxilium tuae miserationis implorantes, 31
Adesto Domine supplicationibus nostris,
— et famulorum famularumque tuarum confessionem benignus assume, 1041
— et me etiam qui tua misericordia primus indigeo, clementer exaudi: mihique quem, 1042
— et me qui etiam misericordia tua primus indigeo, clementer exaudi, ut (et) quem, 1043
— et viam famulorum tuorum in salutis tue prosperitate dispone, 194
— nec sit ab his famulis tuis clementie tue longinqua miseratio, 1044
— nec sit ab hoc famulo tuo clementiae tuae longinqua miseratio, 32
V. Adimple illum lumine splendoris tui, et in nomine eiusdem Domini nostri I. C. signetur signo Crucis in vitam aeternam. R. Amen. 2128, 2130
V. Adiutorium nostrum in nomine Domini. R. Qui fecit celum et terram. 38, 227, 1561, 1983
V. Adjuva eum, Deus salutaris noster; et propter gloriam nominis tui, Domine, libera eum; R. Et propitius esto peccatis ejus propter nomen tuum. 1863
R. Adiuva nos Deus salutaris noster. Et propter gloriam nominis tui Domine libera nos et propicius esto, 188
V. Adiuva nos Deus salutaris noster,
— et propter honorem nominis tui Domine libera nos. 228
— R. Et propter gloriam nominis tui Domine libera nos: et propitius, 450
R. Afflicti pro peccatis nostris quotidie cum lacrimis expectamus finem nostrum, 229, 451
Agne Dei qui tollis peccata mundi
— dona nobis pacem. 554
— miserere nobis. 553
— parce nobis Domine. 552, 635
Agnus Dei qui tollis peccata mundi
— dona nobis pacem. 588, 662
— exaudi nos Domine. 586, 719, 769, 821, 1013
— miserere nobis. 587, 660, 770, 822, 1014
— miserere nobis, et dona nobis pacem. 720, 863, 903, 932, 973
— parce nobis Domine. 661, 718, 768, 820, 1012
Amice vel Domine, et magister vel aliter. In multis Deum offendisti, et tuam salutem impedivisti, 1739, 1740
V. Anime omnium fidelium defunctorum per misericordiam Dei sine fine requiescant in pace. R. Amen. 452
Assit quesumus Domine his famulis tuis inspiratio gratie salutaris que cereorum fletuum ubertate resolvat, 33, 248

Auctoritate Dei et beatorum apostolorum Petri et Pauli, et sancte Romane Ecclesie
— michi commissa. Ego te absolvo, 1938
— tibi concessa, mihique in hac parte commissa. Et ego te absolvo, 1939
Auctoritate Dei et beatorum apostolorum Petri et Pauli, et sanctissimi Domini Papae N. et sanctae Romanae Ecclesiae tibi concessa, 1940
Auctoritate Dei omnipotentis
— absolvo te à sententia excommunicationis, quâ propter (hoc aut illud) ligatus eras. Deinde restituo te communioni fidelium, 1878
— et beatorum apostolorum Petri et Pauli, absolvo te à vinculo excommunicationis, quo propter haeresim ligatus eras, 2179
— et beatorum apostolorum Petri et Pauli ac Ecclesiae sanctae, mihi concessa, absolvo te à vinculo excommunicationis, quam incurristi propter haeresim, 2180
— et beatorum apostolorum Petri et Pauli, atque Ecclesiae tuae sanctae, et ea qua fungor, absolvo te à vinculo excommunicationis, quam incurristi propter haeresim, 2181
— et beatorum apostolorum Petri et Pauli, et Ecclesiae sanctae tuae, et ea qua fungor mihi à Rev. Domino Narbonensi Archiepiscopo ac Primate commissa, 2182
— et beatorum Petri et Pauli, ac Ecclesiae suae sanctae, et ea qua fungor, absolvo te a vinculo excommunicationis qua ex tali causa ligatus eras, 1879
— et beatorum Petri et Pauli apostolorum excommunicamus, anathematizamus supradictos perturbatores, 2225
— te absolvo à vinculo excommunicationis minoris, quam incurristi, et restituo te sacramentis Ecclesiae, 1880
Auctoritate Dei patris omnipotentis, et beatorum apostolorum Petri et Pauli mihi commissa, et Ecclesie sancte sue, et nostra absolvimus te, 1881
Auctoritate mihi
— à superiore concessa, relaxo tibi iuramentum, de quo in literis commissionis sit mentio, 2286
— ab N. tradita, ego absolvo te a vinculo suspensionis, vel interdicti, 2273
— concessa dispenso tecum super irregularitate, 2250
Authoritate mihi concessa, ego te absolvo à vinculo excommunicationis quam incurristi (vel incurrisse declaratus es)
— propter sacrilegium, adulterium, in nomine Patris, 2000
— propter tale factum, et restituo te communioni fidelium, in nomine Patris, 2001
Auctoritate mihi concessa, ego te absolvo à vinculo excommunicationis, si quam incurristi (ou) quam incurristi, 2002

Authoritate mihi licet indignissimo concessa, absolvo te à vinculo excommunicationis quam incurristi, et communioni, et unitati fidelium te restituo, 2003

Auctoritate omnipotentis Dei,
— ac beatorum Apostolorum Petri et Pauli mihi commissa, absolvo te à sententia suspensionis (interdicti), 2274
— et beatorum Apostolorum Petri et Pauli, et Sanctissimi Domini nostri Papae (vel... Rev. Archiepiscopi Lugdunensis N.) absolvo te (vos) à vinculo excommunicationis, 2183

Auctoritate sanctae sedis Apostolicae mihi pro nunc commissa concedo tibi indulgentiam, 1735

A. Ave Maria, gratia plena, Dominus tecum, benedicta tu in mulieribus, 1864, 1984

V. Averte faciem tuam à peccatis meis. R. Et omnes iniquitates meas dele, 62

Beati, quorum remissae sunt iniquitates [Ps. 31] 15, 56, 219, 433
V. Benedic anima mea Domino. R. Et noli oblivisci omnes retributiones ejus. 85
Benedic
— Domine. 1596
— mihi pater quia peccavi. 1597, 1601, 1606
— Pater (vel Benedicite). 1595
Benedicam Dominum in omni tempore [Ps. 33] 82
V. Benedicamus
— Domino. R. Deo gratias. 453, 2206
— Patrem et Filium cum sancto Spiritu. R. Laudemus, et superexaltemus eum in saecula. 2207
V. Benedicat nos Deus, Deus noster, benedicat nos Deus. R. Et metuant eum omnes fines terrae. 2208
Benedicat vos Deus Pater, Sanet vos Dei Filius. Illuminet vos Spiritus Sanctus. R. Amen.
— Corpora vestra custodiat, animas vestras salvet, corda vestra irradiet, sensus vestros dirigat, et ad eternam vitam vos perducat, 1045
— Corpora vestra salvet, amen. Animas vestras dirigat, amen. Corda vestra irradiet, amen. Oculos vestros illuminet, amen. A potestate demonum, 1046
Benedicat vos omnipotens Deus Pater, et Filius, et Spiritus sanctus. R. Amen. 104, 1143bis
Benedicite. 1591
V. Benedicite. R. Dominus. 230
Benedicite Pater. 1592
Benedictio

— Dei Patris omnipotentis Filii et Spiritus Sancti descendat super vos, et maneat semper, 1047, 1144
— Domini nostri I. C. descendat super vos, et maneat semper. In nomine Patris, 47bis, 1048, 1145

Voir aussi Et benedictio…

R. Benefac, Domine, bonis et rectis corde. 508

Bonum erat ei si natus non fuisset homo ille, 2971d

Christe adiuva nos. 419

Christe audi nos. 555, 636, 663

Christe audi nos.
— Christe exaudi nos. 419, 721, 1015
— Christe salva nos. Christe defende nos. 815

R. Christe eleyson. 2174

Christe parce peccatis nostris. 419

R. Circumdederunt me gemitus mortis, dolores inferni circumdederunt me. 454

R. Cito anticipent
— eum (vel eam) misericordiae tuae. 1869
— nos misericordiae tuae. 89, 466
— nos misericordie tue, quia pauperes facti sumus nimis. 487

Clamantes ad te Deus dignanter exaudi, ut nos de profundo iniquitatis eripias, 195

Clementissime Domine exaudi preces nostras. 455

Concede
— misericors Deus fragilitati nostrae praesidium, ut qui sanctae Dei genitricis memoriam agimus, 2126
— nobis Domine quesumus presidia militie christiane, sanctis inchoare ieiuniis, 249
— quesumus omnipotens Deus, ut intercessio nos sancte Dei genitricis Marie sanctorumque omnium celestium virtutum, 1049

Concedo tibi
— auctoritate mihi commissa, et tibi concessa, indulgentiam plenariam, 1736
— plenariam indulgentiam peccatorum tuorum, facultate mihi concessa, 1737

V. Confiteantur tibi Domine omnia opera tua. R. Et sancti tui benedicant tibi. 456

V. Confitemini Domino quoniam bonus. R. Quoniam in saeculum misericordia eius. 457

Confiteor Deo, 1616, 1627, 1628, 1629, 1631, 1634, 1636, 1637, 1638, 1640, 1641, 1643, 1644, 1647, 1648, 1649, 1650, 1654, 1655, 1656, 1659, 1660, 1661, 1932, 1985, 2170

Confiteor Deo omnipotenti,
— beatae Mariae semper Virgini, beato Michaeli archangelo, 1620bis, 1623, 1624, 1625, 1626, 1632, 1633, 1639, 1642, 1645, 1646, 1652, 1657, 1658
— (et) beate Marie Virgini, (et) omnibus sanctis, et tibi Pater, quia peccavi, 1619, 1621
— et tibi Pater, 1629, 1632, 1640

V. Conservet et confirmet vos in omni opere bono. Amen. 1072

R. Convertere Domine usquequo et deprecabilis esto super servos tuos. 187

V. Convertere Domine usquequo. R. Et deprecabilis esto super servos tuos. 63, 86, 190, 458

R. Cor contritum et humiliatum, Deus, non despicias. 514

Cor contritum et vere poenitens, indulgentiam, absolutionem, et remissionem, 1098

A. Cor mundum crea in me Deus, et spiritum rectum innova in visceribus meis. 459

V. Cor mundum crea in me Deus. R. Et spiritum rectum innova in visceribus meis [Ps. 50, 12-16] 1562

Credis
— duodecim Articulos Fidei ? 2143
— in Deum Patrem omnipotentem, 2144

Da quaesumus Domine
— animae famuli tui, quem excommunicationis sententia constrinxerat, refrigerii sedem, 1997
— famulis et famulabus tuis sperata suffragia obtinere, ut qui nobis temporaliter suis eleemosinis ministraverunt, 196

De profundis [Ps. 129] 19, 60, 223, 437, 1981

R. Deo gratias. 52, 453, 2206

Deprecemur dilectissimi maiestatem Dei omnipotentis, ut his famulis suis longo squalore maceratis, 77

Deus a quo sancta desideria, recta consilia, et iusta sunt opera, da servis tuis illam quam mundus, 197, 1050

Deus auribus nostris audivimus [Ps. 43] 225

Deus cui proprium est misereri semper et parcere, suscipe deprecationem nostram,
— et hoc cadaver, quem cathena excommunicationis constringit, 2004

— et hos famulos tuos et ancillas tuas, quos delictorum cathena constringit, 2230
— et hunc famulum tuum quem sententia excommunicationis ligatum tenet, 1936
— et hunc famulum tuum quem suspensionis (interdicti) catena constringit, 2275
— et (ut) quem cathena sententie constringit, miseratio tue pietatis absolvat. 1873
— ut hoc corpus, quod in hoc loco mortuum iacet, quodque excommunicationis cathena constringit, 2005
— ut hos famulos tuos, et ancillas tuas, quos excommunicationis sententia constrinxerat, 78
— ut hunc famulum tuum, quem excommunicationis sententia constringit, 2288
— ut hunc famulum tuum quem haeresis, et excommunicationis catena constringit, 2127
— ut nos et omnes famulos tuos quos delictorum cathena constringit, 2006
— ut quem obligatio iuramenti ligat, miseratio tuae pietatis absolvat, 2285
— ut quem sententia suspensionis ligat, miseratio tuae pietatis absolvat, 2276
— ut quos delictorum cathena constringit, miseratio tue pietatis absolvat. 1051

Deus
— cui proprium est parcere semper et misereri, suscipe deprecationem nostram ut nos et omnes famulos tuos, 2006
— cuius indulgentia omnes indigent, memento Domine famulorum famularumque tuarum, 1052
— cujus misericordiae non est numerus, et bonitatis infinitus est thesaurus, 98, 2211
— Deus meus respice in me [*Ps. 21*] 439
— humani generis benignissime conditor et misericordissime reformator, qui hominem, 99, 1053, 1054

V. Deus in adiutorium meum intende. R. Domine ad adiuvandum me festina. [*Ps. 69*] 460, 1563

Deus
— infinite misericordie veritatisque immense, propiciare iniquitatibus nostris, 1055
— largitor pacis et amator caritatis, da nobis famulis tuis veram cum tua veritate concordiam, 198
— laudem meam ne tacueris [*Ps. 108*] 2440

R. Deus meus
— sperantem in te. 30, 517, 1872, 1993, 2178, 2284, 2287

— sperantes in te. 75, 97, 515, 1872, 2228, 2229
Deus
— misereatur nostri [Ps. 66] 440, 1859, 1935, 1979, 2222
— misericordiae, tu elegisti me judicem filiorum tuorum, et filiarum: mitte sapientiam tuam, 1571
— misericors, Deus clemens qui secundum multitudinem miserationum tuarum, 1056
R. Deus omnem gratiam abundare faciat in illis, et augeat incrementa frugum justitiae illorum. 505
Deus omnipotens, pater Domini nostri I. C., qui dignatus es hunc famulum tuum, à mendacio haereticae pravitatis, V. Adimple illum lumine splendoris tui, 2128
Deus
— omnium fidelium pastor et rector, famulum tuum Papam nostrum, 199
— pacis caritatisque amator et custos, da omnibus inimicis nostris pacem caritatemque, 200
— propitius esto mihi peccatori. 1572
Deus qui
— beato Petro apostolo suo, ceterisque discipulis suis, licentiam dedit ligandi atque solvendi, 1099
— caritatis dona per gratiam Sancti Spiritus tuorum cordibus fidelium infudisti, 201
— corda fidelium sancti Spiritus illustratione docuisti: da nobis in eodem Spiritu, 1573, 2123
— culpa offenderis, penitentia placaris, preces populi tui supplicantis propicius respice, 1057
— hominem ad imaginem tuam conditum misericorditer reparas, quem mirabiliter creasti, 2129
— humili actione flecteris et satisfactione placaris, aurem tue pietatis inclina precibus nostris, et capitibus, 1058
— humiliatione flecteris, et satisfactione placaris, aurem tue pietatis inclina precibus nostris, et capitibus, 250
— humilitate flecteris, et sanctificatione placaris, aures tue pietatis inclina precibus nostris, et famulis, 251
— humilitate flecteris, et satisfactione placaris, aurem tuae pietatis inclina precibus nostris, et famulis tuis, 252
— iustificas impium, et non vis mortem peccatorum, maiestatem tuam suppliciter deprecamur, 1059
— magnus es, faciens mirabilia, verax, patiens, et multae misericordiae omnibus invocantibus te, 34

— mundum in peccati fovea iacentem erexisti, Deus qui leprosos et aliis irretitos contagiis, 1060
— non mortem sed penitentiam desideras peccatorum, fragilitatem conditionis humane, 253
— nos reconciliationis ministros in populo vocari voluisti, praesta quaesumus, 1574
— peccantium animas non vis perire, sed culpas: contine, quam meremur iram, 1061
— sanguine indutus mortalitatis ob culpam prothoplausti humanum genus ad yma demersum, 254
— superbis resistis, et gratiam praestas humilibus, benedic, quaesumus, haec cilicia, 39
— transtulisti patres nostros per mare rubrum, et transvexisti per aquam nimiam, 202

Deus sit in corde tuo et in labiis tuis, ad vere poenitendum, et confitendum omnia peccata tua, 1610

Deus sub cuius oculis omne cor trepidat,
— et conscientie cuncte pavescunt, propitiare famuli tui, gemitibus, 1575
— omnesque conscientie contremiscunt, propiciare omnium gemitibus, 1062

[V.?] Devorabitque eum ignis qui non succenditur affligetur relictus in tabernaculo suo. [Job 20, 26] 2435

Dic peccata que fecisti, et in quibus magis contra dominum Deum nostrum offendisti. 1612

Dico vobis, ita est gaudium in coelo super uno peccatore poenitentiam agente. 87

Dignus est reconciliari? R. Dignus est, 48

V. Dimittat vobis omnia peccata vestra. Amen. 1072

Dispenso tecum super irregularitate,
— ex praehabitis actibus contracta, et idoneum te reddo ad executionem, vel susceptionem, 2251
— quam contraxisti propter hoc vel illud. 2252

A. Diviserunt sibi vestimenta mea, et super vestem meam miserunt sortem. 461

V. Docebo iniquos vias tuas. R. Et impii ad te convertentur. 1562

[R.] Domine ad adiuvandum me festina. 460, 1563

V. Domine averte faciem tuam a peccatis meis. R. Et omnes iniquitates meas dele. 462

Domine Deus noster, qui offensione nostra non vinceris, sed satisfactione placaris, respice quesumus, 1063

Domine Deus omnipotens, pater Domini nostri I. C., qui dignatus es hunc famulum tuum, ab errore
— Gentilitatis, (vel) mendacio haereticae pravitatis, 2130
— haereticae pravitatis clementer eruere, et ad Ecclesiam tuam sanctam revocare, 2131
Domine Deus omnipotens, propitius esto mihi peccatori
— et quia omnes homines vis salvos fieri, 1576
— qui me indignum sacerdotalis officii ministrum fecisti, 1577
— ut condigne tibi possim gratias agere , qui me indignum propter tuam misericordiam ministrum fecisti, 1578
— ut digne possim tibi gratias agere qui me indignum propter tuam misericordiam ministrum fecisti, 1753
Domine Deus omnipotens
— qui omnes homines vis salvos fieri, et qui non vis mortem peccatorum, 1579
— rex regum et dominus dominantium respice super famulos tuos, 1064
Domine Deus
— propitius esto mihi peccatori, et qui me indignum, propter tuam misericordiam ministrum fecisti, 1580
— qui confitentium tibi corda purificas, et vitam poenitentium malle te dixisti quam mortem, 1754
V. Domine Deus virtutum converte nos. R. Et ostende faciem tuam, et salvi erimus. 21, 463
Domine exaudi orationem meam,
— auribus percipe, [Ps. 142] 20, 61, 224, 438
— et clamor meus ad te veniat. 1749
V. Domine exaudi orationem meam. R. Et clamor meus ad te veniat. 64, 88, 464, 1564, 1865, 1986, 2171, 2209, 2223, 2284, 2287
Voir aussi Exaudi orationem meam
Domine exaudi orationem meam, et clamor meus, [Ps. 101] 18, 59, 222, 436
Domine Iesu Christe
— Fili Dei vivi, cui omne judicium à Patre traditum est, et data omnis potestas, 1581
— Fili Dei vivi, qui dixisti: Sinite parvulos venire ad me, talium est (enim) Regnum caelorum, 1782, 1783
— magne ac sempiterne pontifex, qui me indignum licet reconciliationis ministrum in populo tuo esse voluisti, 1582
R. Domine Iesu Christe ne statuas illis hoc peccatum, quia nesciunt quid faciunt. 173
Domine Iesu Christe
— qui dixisti: sinite parvulos venire ad me, talium est regnum coelorum, 1715

— qui poenitentiae sanctum et salutare sacramentum ad abstergendas animarum labes misericorditer instituisti, 1583
— qui sanctum hoc Poenitentiae sacramentum purificandis animabus misericorditer instituisti, 1584
— salvator mundi, qui sanctum et salutare Poenitentiae Sacramentum purificandis animabus instituisti, 1585, 1586
A. Domine, memor esto mei, et ne vindictam sumas de peccatis meis; neque reminiscaris delicta mea, 465
Domine ne in furore tuo arguas me, neque in ira tua corripias me.
— Miserere, [Ps. 6] 14, 55, 218, 432
— Quoniam, [Ps. 37] 16, 57, 220, 434
R. Domine ne memineris iniquitatum nostrarum antiquarum, cito anticipent nos misericordie tue, quia pauperes facti sumus nimis. 189, 493
V. Domine ne memineris iniquitatum nostrarum antiquarum. R. Cito anticipent nos misericordiae tuae. 89, 466
Voir aussi Ne memineris iniquitatum nostrarum.
V. Domine non secundum peccata nostra
— facias nobis. R. Neque secundum iniquitates nostras retribuas nobis. 90
— que fecimus nos . R. Neque secundum iniquitates nostras retribuas nobis. 467
Domine quid multiplicati sunt, [Ps. 3] 1977
R. Domine salvum fac regem, et exaudi nos in die qua invocaverimus te. 192, 511
V. Domine salvum fac regem. R. Et exaudi nos in die qua invocarimus te. 468
Domine sancte pater omnipotens, eterne Deus qui vulnera nostra curare dignatus es, te supplices rogamus, 1065
A. Domine si iratus fueris adversum nosque adiutorem petimus aut quis miserebitur infirmitatibus nostris, 231
V. Domine vide humilitatem meam et laborem meum. R. Et dimitte omnia peccata mea. 469
R. Dominus. 230
R. Dominus conservet
— eos et vivificet, [Ps. 40] 499
— eum, et beatum faciat in terra, et non tradat eum in animam inimicorum eius. 500
— eum, et vivificet eum, et beatum faciat eum, et non tradat eum in manus inimicorum eius. 191
— et vivificet eum. 498
Dominus I. C.

— Dei hominumque mediator, qui in cruce moriens pro omnibus, latroni peccata condonavit, 1100
— per suam piissimam misericordiam te absolvat. Et ego auctoritate Domini nostri I. C. et apostolorum Petri et Pauli, 1941
Dominus I. C. qui ad insinuandum humilitatis exemplum, hodie suorum lavit pedes discipulorum, per suam misericordiam et gratiam, lotis mentibus vestris, vos a cunctis absolvat peccatis,
— atque ab eorum vinculis absolutos perducere dignetur ad regna coelorum. 1101
— Et ego licet indignus ministerium eius gerens inquantum possum et debeo, vos absolvo, 1102
Dominus I. C. qui beato Petro principi apostolorum et ceteris discipulis dedit potestatem ligandi atque solvendi, ipse vos absolvat, 1103
Dominus I. C. qui dixit discipulis suis : Quaecunque ligaveritis super terram erunt ligata et in celis
— de quorum numero me quamvis indignum peccatorem, 37
— et quecunque solveritis super terram erunt soluta et in celis, de quorum numero me quamvis indignum et peccatorem, 1104
— et quecunque solveritis super terram erunt soluta et in celis, de quorum numero quamvis indignos nos esse voluit, 1105
— et quecunque solveritis super terram erunt soluta et in celis, de quorum numero quamvis indignum et peccatorem, 1106
Dominus I. C. qui dixit... *Voir aussi* Dominus noster I. C. qui dixit...
Dominus I. C.
— qui in cruce moriens pro omnibus, latroni peccata condonavit, 1106bis, 1147
— qui totius mundi peccata sui traditione, atque immaculati sanguinis effusione dignatus est expurgare, 101, 1107, 1108
Dominus noster Iesus, etc. Et ego eius auctoritate et ex apostolica commissione absolvo te ab omni vinculo tam maioris quam minoris excommunicationis, 2281
Dominus noster I. C.
— per magnam suam misericordiam, et meritum sanctissime passionis suae, 1663
— per meritum passionis vos absolvat, infundat vobis gratiam, remittat vobis culpam, 1148
— per meritum sue passionis te absolvat. Amen. Et infundat in te gratiam suam. Amen. Et ego auctoritate apostolorum, 2007
— per suam magnam misericordiam dignetur te absolvere. Et ego autoritate ipsius qua ego fungor, 1664

- per suam misericordiam et meritum suae passionis te absolvat, et ego te absolvo à peccatis tuis, 1665
- per suam misericordiam te absolvat, et ego autoritate ipsius, et illustriss. Archiepiscopi, 2184
- per suam misericordiam te absolvat, et ego auctoritate, ipsius qua fungor, absolvo te ab omnibus peccatis tuis, et vinculo excommunicationis, si quam incurristi, 1666
- per suam sanctam misericordiam vos absolvat, et infundat vobis gratiam suam. Et nos, 1109
- per virtutem et meritum sue amarissime passionis te absolvat. Et ego auctoritate ipsius, 1668, 1942

Dominus noster I. C. per suam piissimam misericordiam te absolvat.
- Et ego absolvo te à sententia excommunicationis minoris, si quam incurristi, et ab omnibus peccatis tuis, 1667
- Et ego auctoritate ipsius ac rev. D. Episcopi Venetensis mihi commissa, et tibi concessa, absolvo te à sententia excommunicationis, 1882
- Et ego auctoritate ipsius, ac… Domini Episcopi Venetensis mihi commissa, et tibi hac vice concessa, absolvo te, et relaxo à quibusvis excommunicationum, 1883
- Et ego auctoritate ipsius ac venerabilis D. Officialis Venetensis mihi commissa, et tibi concessa absolvo te à sententia excommunicationis, 1884
- et ego, auctoritate ipsius, et sanctissimi Domini nostri Papae (vel Ill. Archiepiscopi Parisiensis, vel talis Superioris) mihi, quamvis indigno, concessâ, 1885
- et ego auctoritate mihi commissa, absolvo te ab excommunicatione quam incurristi propter haeresim, 2185

Dominus noster I. C. qui beato Petro apostolo, collatis clavibus regni coelestis, dedit potestatem ligandi atque solvendi, 1669

Dominus noster I. C. qui dixit discipulis suis : quecunque ligaveris super terram erunt ligata et in celis, et quecunque solveris super terram erunt soluta et in celis, de quorum numero, 1110

Dominus noster I. C. qui dixit discipulis suis : quecunque ligaveritis super terram erunt ligata et in celis, et quecunque solveritis super terram, erunt soluta et in celis,
- cujus potestatis me, quamvis indignum, participem, tamen esse voluit, 1111
- de quorum numero me licet indignum et peccatorem, 1112
- de quorum numero me quamvis indignum et peccatorem, 1113
- de quorum numero quamvis indignos nos esse voluit, 1113bis
- de quorum numero quamvis me et indignum peccatorem, 1114
- et in ministrorum suorum numero me licet indignum peccatorem, 1115

Dominus noster I. C. qui dixit discipulis suis : quecunque solveritis super terram erunt soluta et in celis, 1116, 1116bis

Dominus noster I. C., qui est summus pontifex

— et verus absolutor omnium criminum, per suam piissimam misericordiam te absolvat, 1670

— ipse te absolvat ; et ego authoritate illius, absolvo te, 1671

— ipse vos absolvat, in cuius auctoritate ego absolvo vos, 1117

— per meritum suae passionis te absolvat. Et ego authoritate ipsius, 1672

— per suam piissimam misericordiam te absolvat, et ego authoritate ipsius, 1673, 1886

— per suam piissimam misericordiam te absolvat. Et ego auctoritate michi concessa, 1674

— te absolvat ab omnibus peccatis tuis. Amen. Et ego authoritate ipsius mihi licet indigno concessa, 1675

— te absolvat : et ego authoritate illius, beatorumque apostolorum Petri et Pauli, 2186

— te absolvat, et ego auctoritate ipsius, absolvo te ab omni vinculo excommunicationis, 1676

— te absolvat : et ego auctoritate ipsius, et beatorum apostolorum Petri et Pauli, 2187

— te absolvat : et ego authoritate ipsius, et ex Apostolicâ commissione absolvo te ab omni vinculo tam maioris quam minoris excommunicationis, 2283

— te absolvat, et ego auctoritate ipsius, mihi licet indignissimo (indigno) ab eo concessa, 1677, 2277

— te absolvat : et ego auctoritate ipsius, quam beatis Apostolis, et Ecclesiae suae sanctae concessit, 2188

— te absolvat, et ego auctoritate ipsius, te absolvo ab omni vinculo excommunicationis, 1679

— te absolvat. Et ego eius auctoritate et ex apostolica commissione absolvo te, 1678

Dominus noster I. C., qui est summus sacerdos, absolvat te, et ego authoritate mihi ab eo concessa, 1680, 1681

Dominus noster I. C., qui est summus sacerdos, ipse te absolvat

— et ego auctoritate ipsius, mihi licet indigno concessa, 1682

— et ego te absolvo a peccatis tuis, 1683

— et gratiam suam tibi infundat. Et ego authoritate quae fungor, absolvo te, 1684

Dominus noster I. C., qui est summus sacerdos te absolvat, et ego authoritate

— ipsius, et sanctissimi Domini nostri Papae, 2289

— mihi à N. tradita, absolvo te à vinculo excommunicationis, 2286bis

INDEX DES INCIPIT LATINS

Dominus noster I. C., qui est supremus pontifex, ipse te per suam piissimam misericordiam absolvat, 1685, 1887, 2189

Dominus noster I. C. qui est verus absolutor
— omnium criminum, per suam piissimam misericordiam te absolvat, 1686
— omniumque criminum, per suam sanctam misericordiam te absolvat, 1687

Dominus noster I. C. qui est verus et summus pontifex, per merita sue passionis te absolvat, 1688, 1689, 1704, 1947

Dominus noster I. C. qui in cruce moriens pro omnibus, latroni peccata condonavit, 1118

Voir aussi Et dominus noster...

Dominus noster I. C. te absolvat. Et ego absolvo te a vinculo excommunicationis minoris, 1690

Dominus noster I. C. te absolvat. Et ego auctoritate
— Dei omnipotentis, 1888
— Domini nostri Papae, vel, 1889
— illius absolvo te ab omnibus peccatis tuis, 1691
— illius, et sanctissimi Domini nostri Papae (vel) Rev. Domini Episcopi, absolvo te a vinculo excommunicationis, 1890
— mihi tradita, absolvo te à vinculo interdicti, 102

Dominus noster I. C. te absolvat, et ego auctoritate (authoritate) ipsius
— et beatorum apostolorum Petri et Pauli, absolvo te ab omni vinculo excommunicationis maioris, 1943
— et beatorum apostolorum Petri et Pauli, et summi pontificis, michi commissa, 1891
— et illustriss. Domini Episcopi Lingonensis mihi commissa, 2190
— et ill. Episcopi Blesensis (Atrebatensis...) mihi commissa, 2191
— et mihi in hac parte tradita, absolvo te à vinculo excommunicationis quam incurristi, 1892
— et sanctae sedis Apostolicae mihi in hac parte concessa, te absolvo, 1692
— et sanctissimi Domini nostri Papae, vel, 1893, 1894, 2192, 2193
— mihi licet indignissimo concessa, absolvo te in primis ab omni vinculo excommunicationis, 1693, 2253
— mihi, licet indigno, concessa, absolvo te imprimis ab omni vinculo excommunicationis minoris, 1694
— qua fungor, te absolvo, in quantum possum ab omni vinculo excommunicationis maioris aut minoris, 1695

Dominus noster I. C. te absolvat, et ego auctoritate (authoritate) ipsius, te absolvo ab omni vinculo excommunicationis,
— in quantum possum, et indiges, 1696
— minoris, si qua teneris, 1698

— suspensionis, et interdicti, 1697
Dominus noster I. C. te absolvat,
— et ego te authoritate Domini nostri Papae, vel rev. domini Episcopi, 1895
— et ego vigore indulti, mihi à Rev. Episcopo N. ad hoc facultatem à sancta sede Apostolica, 2194
Dominus noster I. C. vos absolvat, et ego auctoritate ipsius, et sanctissimi Domini nostri Papae, 103
Dominus sit in corde tuo et in labiis tuis
— ad digne confitendum omnia peccata tua, 1607bis
— ad digne et humiliter confitendum peccata tua, 1608
— ad vere et humiliter confitenda peccata tua, 1607ter
— ad vere poenitendum et confitendum omnia peccata tua, 1610
— ut bene confitearis peccata tua, 1610bis
— ut digne et competenter annuncies peccata tua, 1609
— ut vere et integre confitearis omnia peccata tua, 1611
Dominus sit
— vobis adiutor atque omnium peccatorum vestrorum pius indultor, 1119
— vobiscum, et maneat in eternum. Amen, 1607
V. Dominus vobiscum. R. Et cum spiritu tuo. 22, 65, 91, 232, 470, 1565, 1866, 1987, 2172, 2210, 2224, 2284, 2287

Ecce
— ejiceris tu (ejicemini vos) hodie de liminibus sanctae matris Ecclesiae, 41
— ejicieris hodie a sinu matris tue sancte ecclesie propter peccatum tuum, sicut Adam, 40
— sanus factus es, iam noli peccare, ne deterius aliquid tibi contingat. 1741
Ecclesie tue quesumus Domine preces placatus admitte, ut destructis adversitatibus, 203, 1066
R. Educat eos Dominus in lucem, et videant justitiam ejus. 506
Ego absolvo te
— a peccatis tuis, in nomine Patris, et Filii, et Spiritus Sancti. Amen. 1699
— a vinculo excommunicationis (a vinculis excommunicationum) quod incurristi, 1944
— à vinculo excommunicationis, et restituo communioni fidelium in nomine Patris, 1896
— ab omnibus peccatis tuis, quae mihi modo confessus es, 1700
Ego absolvo te... *Voir aussi* Ego te absolvo...
Ego auctoritate (authoritate) Dei omnipotentis,
— et beatorum Apostolorum Petri et Pauli, absolvo te à vinculo excommunicationis, quo propter haeresim, 2195

— et beatorum apostolorum Petri et Pauli, ac Ecclesiae suae sanctae, absolvo te à vinculo excommunicationis qua propter haeresim, 2196
— et beatorum apostolorum Petri et Pauli, et summi pontificis in hac parte mihi commissa, et tibi concessa, te absolvo ab omnibus peccatis tuis confessis, contritis et oblitis, 1945
— et Sanctissimi Domini nostri Papae (vel ill. N. Episcopi Ruthenensis), 2197

Ego authoritate
— domini nostri Papae, vel authoritate ordinaria, vel vigore tibi concessi privilegii, 2254
— mihi à Superioribus concessa, absolvo te à vinculo excommunicationis, quam incurristi propter haeresim, 2198
— omnipotentis Dei ac beatorum apostolorum Petri et Pauli mihi commissa, absolvo te, 2199
— omnipotentis Dei et beatorum apostolorum Petri et Pauli, et sanctissimi Domini nostri Papae, 2200

Voir aussi Et ego auctoritate…

Ego N.
— cognoscens veram Catholicam, et Apostolicam Fidem, anathematizo hîc publicè omnem haeresim, 2138
— comperto divisionis laqueo quo tenebar, diutina mecum deliberatione pertractans, 2137
— contrito et humiliato corde cognosco et confiteor coram sanctissima Trinitate, 2136

Ego dispenso tecum de irregularitate quam propter (hoc aut illud) contraxisti : et restituo te exequutioni sacrorum ordinum, 2255

V. Ego dixi Domine miserere mei. R. Sana animam meam quia peccavi tibi. 471

Ego N. firma fide credo et profiteor omnia et singula, quae continentur in Symbolo fidei, quo Sancta Romana Ecclesia utitur, 2158

Ego reus, et peccator maximus. Confiteor Deo omnipotenti et beate Marie semper virgini, 1617

Ego te absolvo
— a sententia excommunicationis maioris quam incidisti, et restituo te sacramentis Ecclesiae, 1896
— a sententia excommunicationis maioris quam incurristi. In nomine Patris, 1897
— à vinculo excommunicationis, et restituo te Sacramentis et Communioni Ecclesiae, 1898
— à vinculo excommunicationis, qua ex tali causa ligatus eras, 1899
— à vinculo excommunicationis, teque in Ecclesiae communionem Sacramentorumque participationem restituo, 1900

— ab excommunicatione minore. In nomine Patris, 1901
— ab omnibus censuris et peccatis, in nomine Patris, 1701, 1946
— primum à sententia excommunicationis, quam propter (hoc aut illud) incurristi, 1902

Ego te absolvo... *Voir aussi* Ego absolvo te...

Ego virtute commissionis mihi datae
— absolvo te à vinculo excommunicationis, qua ex tali causa ligatus eras, 1903
— te absolvo à sententia excommunicationis maioris quam incidisti, et restituo te Sacramentis Ecclesiae, 1904
— te absolvo à sententia excommunicationis maioris quam incurristi, deinde absolvo te ab omnibus peccatis tuis, 1905

R. Emendemus in melius, que (quod) ignoranter peccavimus, ne subito praeoccupati die mortis, 23, 233

V. Emitte spiritum tuum et creabuntur. R. Et renovabis faciem terrae. 1566, 2122

Eripe me Domine ab homine malo [*Ps. 139*] 2441

Eripiat nos quesumus Domine tuorum deprecatio sanctorum et sicut per Moysen, 1067

R. Erue Domine animam eius. 1862, 1982

V. Esto ei Domine turris fortitudinis. R. A facie inimici. 66, 1867, 2173, 2284, 2287

V. Esto eis (nobis) Domine turris fortitudinis. R. A facie inimici. 92, 472, 2225

R. Et ab alienis parce servis tuis. 449

R. Et abundantia in turribus tuis. 479

R. Et aures eius in preces eorum. 492

Et benedictio Dei
— omnipotentis Patris et Filii et Spiritus Sancti, descendat super hos cineres. 255
— Patris omnipotentis et Filii et Spiritus Sancti, descendat super vos, 1144

R. Et clamor meus ad te veniat. 25, 64, 88, 464, 1564, 1865, 1986, 2171, 2209, 2223, 2284, 2287

R. Et cum spiritu tuo. 22, 65, 91, 232, 470, 1566, 1866, 1987, 2172, 2210, 2224, 2284, 2287

Et de cunctis aliis vitiis dico meam culpam, et precor, 1627

R. Et de Sion (Syon)
— tueatur nos. 485
— tuere eum (eos). 27, 70, 95, 486, 1868, 2175

R. Et deprecabilis esto super servos tuos. 63, 86, 458

R. Et dimitte omnia peccata mea. 469

Et dominus noster I. C., qui vos suo preciosissimo sanguine redemit, per suam sanctam piissimam misericordiam, 1149
Et eâdem auctoritate dispenso tecum super irregularitate in quam incurristi, 2256
Et ego auctoritate apostolica vel metropolitana, vel domini officialis, t., aut alterius prout fuerit.
— Ego te absolvo a sententia excommunicationis lata a iura, 2231
— Te absolvo a sententia interdicti sive excommunicationis, 1906
Et ego auctoritate Dei omnipotentis et beate Marie virginis, et beatorum apostolorum Petri et Pauli, et omnium sanctorum, et domini epyscopi vel officialis, 1907
Et ego auctoritate domini nostri I. C., et apostolorum Petri et Pauli, et auctoritate mihi commissa,
— et tibi concessa, te absolvo a sententia excommunicationis, 1909
— te absolvo a sententia excommunicationis, 1908
Et ego auctoritate domini nostri I. C., et beatorum apostolorum Petri et Pauli,
— et potestate michi in hac parte concessa, absolvo vos a sententia excommunicationis quam clandestine contrahendo incurristis, 2232
— michi commissa, absolvo te a sententia excommunicationis quam incurristi pro tali causa, 1910
— mihi in hac parte commissa, absolvo te à vinculo excommunicationis, in quam incurristi propter haeresim, 2201
Et ego auctoritate (authoritate) ipsius mihi, licet indigno, concessa absolvo te imprimis (in primis)
— à censura ecclesiastica, et vinculo minoris excommunicationis, 1703
— à vinculo excommunicationis, in quantum possum, et tu ipse indiges, 1702
Et ego auctoritate omnipotentis Dei, ac beatorum Apostolorum Petri et Pauli mihi commissa, absolvo te à sententia excommunicationis, suspensionis, 1911
Voir aussi Ego auctoritate...
R. Et exaudi nos in die qua invocarimus te. 468
R. Et exultabit lingua mea iustitiam tuam. 1562
R. Et filius iniquitatis non apponat nocere ei (eis), 28, 72, 489, 1871, 2176, 2226, 2284, 2287
R. Et impii ad te convertentur. 1562
R. Et libera nos propter nomen tuum. 477
R. Et lux perpetua luceat ei. 1991
R. Et metuant eum omnes fines terrae. 2208
V. Et ne nos inducas in tentationem. R. Sed libera nos a malo. 96, 590, 638, 664, 723, 772, 824, 1017, 1570, 1751, 1990, 2177 etc.

R. Et noli oblivisci omnes retributiones ejus. 85
R. Et nos maneamus in pace. Amen. 452
[V.] Et nos maneamus in pace. [R.] Amen. 473
R. Et omnes iniquitates meas dele. 62, 462
R. Et ostende faciem tuam, et salvi erimus. 21, 463
R. Et pax Dei que exuperat omnem sensum convertat corda et intelligentias eorum ad pacem. 178
R. Et peccatum meum contra me est semper. 67
V. Et perducat vos pius dominus ad vitam aeternam. Amen. 1072
R. Et propitius esto peccatis ejus propter nomen tuum. 1863
R. Et propter gloriam nominis tui libera nos, et propitius esto peccatis nostris, 450
R. Et rege eos. Et extolle illos usque in eternum. 516
R. Et renovabis faciem terrae. 1566, 2122
R. Et salutare tuum
— da nobis. 241, 501, 2227
— secundum eloquium tuum. 474
R. Et sancti tui
— benedicant tibi. 456
— exultent. 513
Et si in ista quadragesima mors vobis advenerit, absolvat vos Pater et Filius et Spiritus Sanctus, amen. Et sancta Maria cum choro virginum, 1120
R. Et spiritu principali confirma me. 74, 1562
R. Et spiritum
— rectum innova in visceribus meis. 1562
— sanctum tuum ne auferas a me. 1562
Et super hoc dominus noster I. C. qui est verus et summus pontifex per merita sue passionis te absolvat, 1704, 1947
V. Et veniat super nos misericordia tua Domine. R. Et salutare tuum secundum eloquium tuum. 474
R. Ex hoc nunc et usque in seculum. 246, 1996
V. Exaudi Deus salutaris noster. R. Ostende faciem tuam, et salvi erimus. 24
Exaudi Domine preces nostras, et confitentium tibi parce peccatis, 1068
V. Exaudi
— Domine vocem meam qua clamavi ad te. R. Miserere mei et exaudi me. 475
— me Domine quoniam benigna est misericordia tua. R. Secundum multitudinem miserationum tuarum respice in me. 476
R. Exaudi nos Deus salutaris noster, spes omnium finium terre et in mari longe. 183

INDEX DES INCIPIT LATINS*

A. Exaudi nos Domine quoniam benigna est misericordia tua secundum multitudinem miserationum tuarum, 234
V. Exaudi orationem meam. R. Et clamor meus ad te veniat. 25
Voir aussi Domine exaudi orationem meam
R. Exaudi, placare, attende, fac, et ne moreris propter temetipsum. 29
Exaudi quesumus Domine supplicum preces, et confitentium tibi parce peccatis,
— ut pariter nobis indulgentiam tribuas benignus et pacem, 79, 1069, 2233
— ut quos conscientie reatus accusat, magnitudo tue pietatis absolvat, 204
Exorciso te cinis in nomine Dei Patris omnipotentis et in nomine I. C. Filii eius, et Spiritus Sancti, 256
Exorcizo te immunde spiritus, per Deum Patrem omnipotentem, et per I. C. Filium eius, 2163
A. Exultabunt Domino ossa humiliata. 1988
A. Exurge Domine adiuva nos et libera nos propter nomen tuum. 235
V. Exurge Domine adiuva nos. R. Et libera nos propter nomen tuum. 477

R. Fiat misericordia tua Domine super nos, quemadmodum speravimus in te. 184
V. Fiat misericordia tua Domine super nos. R. Quemadmodum speravimus in te. 478
R. Fiat pax in virtute tua et abundantia in turribus tuis. 187
V. Fiat pax in virtute tua. R. Et abundantia in turribus tuis. 479
Fili Dei, te rogamus audi nos. 551, 585, 634, 659, 717, 767, 862, 902, 931, 972, 1011
Fili redemptor mundi Deus. Miserere nobis. 817
Frater, ad quid huc venisti? R. Veni ad agendam penitentiam de peccatis meis. 1613

Habilem reddo te ad omnes ordines suscipiendos. Et restituo tibi titulum beneficii, (*vel* titulos beneficiorum), et condono tibi fructus malè perceptos, 2257
Haec poenitentia, et meritum passionis Domini nostri I. C., suffragia sancte matris Ecclesiae, 1705
Hostium nostrorum quesumus Domine elide superbiam, et eorum contumaciam dextere tue virtute prosterne. 205, 2442

Ille nos igne, quaesumus Domine, Spiritus sanctus inflammet, quem Dominus noster I. C. misit in terram, 1587
Illo nos igne coelesti, quaesumus, Domine, jugiter inflamma, quem salvator noster J. C. venit mittere in terram, 1588

V. Illustra faciem tuam super servos tuos. *R.* Salvos fac eos in tua misericordia. 480

V. Illustra faciem tuam super servos tuos et ancillas tuas. *R.* Salvos fac eos in misericordia tua Domine, non confundantur quoniam invocaverunt te. 481

A. Immutemur habitu in cinere et cilicio, ieiunemus et ploremus ante Dominum, 26, 236

In die iudicii, libera nos Domine. 538, 573, 608, 650, 693, 746, 793, 843, 886, 958, 994

In die presenti, libera nos Domine. 844

In ea auctoritate et potestate confidentes: quam omnipotens Deus nobis in beato Petro apostolorum principe tribuit, 1121

In hora mortis, succurre nobis Domine. 694, 745, 792, 842, 885, 923, 957

R. In medio templi tui. 518

In multis Deum offendisti, et tuam salutem impedivisti, caveas de cetero a peccatis, 1739, 1740

R. In multitudine misericordiae tuae. 521

In nomine Patris et Filii et Spiritus Sancti. Amen. 1567

In nomine Patris et Filii et Spiritus Sancti.
— Benedic mihi pater, quia peccavi. 1602, 1604
— Benedic pater, quia peccavi. 1599, 1600
— Benedicite pater. 1598
— Benedicite pater, quia peccavi. 1594

Voir aussi Benedicite pater...

In nomine Patris et Filii et Spiritus Sancti. Memento quia cinis es, et in cinerem reverteris. 265

Voir aussi Memento homo...

In principio erat Verbum [*Joannes 1, 1-14*], 2213

R. In sudore vultus tui vesceris pane tuo, dixit Dominus ad Adam. Cum operatus fueris terram, *V.* Pro eo quod obedisti voci uxoris tue, 42, 237

Indulgentiam, absolutionem dominus noster I. C., qui est summus pontifex, tibi tribuat. Et ego, 1706, 1784

Indulgentiam, absolutionem et remissionem omnium peccatorum, 2202

Indulgentiam absolutionem et remissionem omnium peccatorum
— spacium vere penientie, et emendationem vite, 1707
— tuorum tribuat tibi omnipotens et misericors Dominus. 1708, 1709, 1710
— tuorum, tribuat tibi omnipotens Pater pius et misericors Dominus. 1711
— vestrorum, cor contritum, et vere poenitens, gratiam et consolationem, 47bis, 1122
—vestrorum, spacium vere penitencie, emendationem morum et vite, 1123
— vestrorum, spacium vere penitencie, emendationem vite, 1124

— vestrorum, tribuat vobis omnipotens pater, pius et misericors Dominus, 1125, 1126

Indulgentiam et remissionem

— omnium peccatorum tuorum, spacium vere penitentie, cor contritum ac poenitens, 1712

— omnium peccatorum tuorum tribuat tibi omnipotens et misericors Dominus. Amen. 1713

— peccatorum tuorum tribuat tibi pius Pater et misericors Dominus. Amen. 1714

Ineffabilem misericordiam tuam quesumus Domine nobis clementer ostende, 206

Ingredere

— Ecclesiam Dei, à qua incaute aberrasti, ac evasisse te laqueo mortis, agnosce, 2167

— in Ecclesiam Dei, à qua incaute recessisti, et te evasisse laqueum Diaboli agnosce. 2168

V. Iniquitates meas ego cognosco. R. Et peccatum meum contra me est semper. 67

R. Injuste egimus, iniquitatem fecimus. 503

A. Inter vestibulum et altare plorabant sacerdotes et levite ministri Domini, 238

A. Intret oratio nostra in conspectu tuo Domine, inclina aurem tuam ad preces nostras, 68, 239, 482

Ipse Dominus omnipotens I. C. equalis Patri Sanctoque Spiritui a quo veniam queritis, 1127

Ista poenitentia, et meritum passionis Domini nostri I. C.,

— et merita beatissimae Dei genetricis virginis Mariae, 1715

— suffragia sanctae matris Ecclesiae, et bona quae fecisti, 1716

A. Iuxta vestibulum et altare plorabant sacerdotes ministri Domini et dicent, 240

V. Kyrie eleison. R. Christe eleyson. 2174

Kyrie, eleison. Christe eleison. Kyrie eleison. 69, 93, 556, 589, 637, 663, 722, 771, 810, 814, 823, 1016, 1568, 1750, 1989, 2284, 2287

Largitor bonorum benedicat panem istum : qui est Rex angelorum. In nomine Patris. 1142

Laudate Dominum, [Ps. 116] 84, 1860, 2204

R. Laudemus, et superexaltemus eum in saecula. 2207

Levate capita vestra, ecce appropinquat redemptio vestra. 94

R. Libera eos, Deus
— ex omnibus tribulationibus suis. 509
— Israel ex omnibus tribulationibus suis. 174
V. Libera me de sanguinibus Deus, Deus salutis meae. *R.* Et exultabit lingua mea iustitiam tuam. 1562
V. Liberet vos ab omni malo. Amen. 1072

Magnificat anima mea, 2433
Maiestatem tuam supplices Domine deprecamur, ut his famulis tuis longo squalore penitentie maceratis, 100, 1070
Mea culpa, mea culpa, mea maxima culpa. Ideo precor, 1626, 1628, 1639, 1646, 1647, 1649, 1652, 1657, 1658...
[*V.?*] Media vita in morte sumus, quem querimus adjutorem nisi te Domine, [*R.*] Sancte Deus, sancte fortis, sancte misericors salvator amare [*sic*] morti ne tradas nos. 2436
Memento homo quia cinis
— es, et in cinerem ibis. Pulvis es, et in pulverem reverteris. Ideo, age penitentiam, 266
— es, et in cinerem reverteris. Ideo age penitentiam ex omnibus peccatis tuis, 267
— es, et in cinerem reverteris. Pulvis es et in pulverem reverteris. 268
— et pulvis es et in cinerem et pulverem reverteris, 269
Memento homo, quia pulvis es, et in pulverem reverteris. 270
Memento, quod cinis es, et in cinerem reverteris. 271
Voir aussi In nomine Patris... Memento homo quia cinis es, 265
V. Memor esto congregationis tue. *R.* Quam possedisti ab initio. 483
R. Memor esto congregationis tue, quam possedisti ab initio. 176
Memor esto, quesumus Domine, verbi tui, in quo spem dedisti, et praesta, 35
Mentes nostras, quaesumus Domine, Paraclitus, qui à te procedit, illuminet, 2124
Merita domini nostri I. C. ac beatissime virginis Marie matris eius et omnium sanctorum, 1717
Meritum passionis domini nostri I. C.,
— beate Marie virginis et omnium sanctorum et sanctarum merita, 1718
— et merita beatissimae Dei genitricis virginis Mariae, et omnium sanctorum eius, 1719
— merita et intercessiones beate Marie semper virginis et omnium sanctorum, 1720
Misereatur tibi [*sic*] omnipotens Deus et dimittat tibi omnia peccata tua et perducat te, 2008

INDEX DES INCIPIT LATINS*

Misereatur tui omnipotens Deus, 1785, 1948
— dimittat tibi omnia peccata tua, custodiat te ab omni malo, 1721
— et dimissis omnibus peccatis tuis, perducat te ad vitam aeternam. Amen. 2203
— et dimissis omnibus peccatis tuis, perducat te cum gaudio ad vitam aeternam. Amen. 1722
— et dimissis omnibus peccatis tuis, perducat te I. C. filius Dei vivi ad vitam aeternam. Amen. 1723
— et dimissis peccatis tuis, perducat te ad vitam eternam. Amen. 1724, 2203
— et dimittat tibi omnia peccata tua, et perducat te in vitam eternam. Amen. 1725
— et dimittat tibi omnia peccata tua, liberet ab omni malo, conservet et confirmet in omni opere bono, 1726
— et dimittat tibi omnia peccata tua, liberet ab omni malo, et perducat te cum suis sanctis, 1727
— et perducat te in vitam aeternam. Amen. 1728
Misereatur vestri, etc. 1128
Misereatur vestri omnipotens Deus et
— dimissis omnibus peccatis vestris, perducat vos I. C. filius Dei ad vitam eternam, 1129
— dimissis omnibus peccatis vestris, perducat vos I. C. filius Dei sine macula et sine culpa ad vitam eternam, 1130
— dimissis peccatis vestris, perducat vos ad vitam aeternam. Amen. 2890
— dimittat vobis omnia peccata vestra, liberet vos ab omni malo, 1131
Miserere mei Deus [*Ps. 50*] 17, 58, 83, 221, 435, 1858, 1934, 1978, 2169, 2284, 2287
V. Miserere mei Deus secundum. [*Ps. 50, 1*], 484
R. Miserere mei et exaudi me. 475
Miserere quesumus Domine Deus famulis tuis et continuis tribulationibus laborantes, 1071
Misereris omnium Domine, 274, 1146
Misericordia Dei omnipotentis per merita et suffragia sanctorum custodiat vos omni tempore, 1072
Misertus et propicius sit vobis omnipotens Deus. V. Amen. V. Dimittat vobis omnia peccata vestra. Amen, 1072
V. Mittat nobis Dominus auxilium de sancto. R. Et de Sion tueatur nos. 485
R. Mitte Domine verbum tuum et eripe eos de interitionibus eorum. 181
V. Mitte ei (eis) Domine auxilium de sancto. R. Et de Syon (Sion) tuere eum (eos). 27, 70, 95, 486, 1868, 2175
R. Mitte (ei) eis Domine auxilium de sancto. Et de Syon (Sion) tuere (eum) eos. 175, 185, 504, 510

Mordacis conscientiae stimulis, et delictorum nostrorum recordatione commoti, 257

Ne careas vita semper mortalia, maxima peccata, 2971c
Ne despicias omnipotens Deus populum tuum in afflictione clamantem, sed propter gloriam nominis tui tribulatis succurre placatus. 207
V. Ne memineris iniquitatum
— ejus antiquarum. R. Cito anticipent eum (vel eam) misericordiae tuae. 1869
— nostrarum antiquarum. R. Cito anticipent nos misericordie tue, 487
V. Ne projicias me a facie tua. R. Et Spiritum sanctum tuum ne auferas a me. 1562
[V.] Ne projiciat nos in temporem senectutis cum defecerit virtus nostra, derelinquas nos Domine. R. Sancte Deus, sancte fortis, 2437
A. Ne reminiscaris Domine delicta nostra, vel parentum nostrorum; neque vindictam sumas de peccatis nostris. 71, 488, 1870
R. Neque secundum iniquitates nostras retribuas nobis. 90, 467
V. Nihil proficiat inimicus
— in eis. R. Et filius iniquitatis non apponat nocere eis. 489, 2226
— in eo. R. Et filius iniquitatis non apponat nocere ei. 28, 72, 1871, 2176, 2284, 2287
[V.] Noli claudere aures tuas ad preces nostras. R. Sancte misericors salvator amarae [sic] morti ne tradas nos. 2439
V. Non intres in iudicium cum servis tuis Domine. R. Quia non iustificabitur in conspectu tuo omnis vivens. 490
V. Non prosternimus preces Domine ne in iustificationibus nostris, R. Exaudi, placare, attende, fac, et ne moreris propter temetipsum. 29

R. O Domine bene prosperare. 491
V. O Domine salvos eos fac. R. O Domine bene prosperare. 491
R. O Domine salvum me fac, O Domine bene prosperare, benedictus qui venturus es in nomine Domini. 182
O homo memento quia cinis es et in cinerem ibis, pulvis es et in pulverem reverteris. 265
V. Oculi Domini super iustos. R. Et aures eius in preces eorum. 492
Omnipotens Deus qui beato Petro apostolo ceterisque discipulis suis licentiam dedit ligandi, atque solvendi, 1132
Omnipotens, et misericors Deus, qui peccatorum indulgentiam in confessione sceleri posuisti, 1073
Omnipotens et sempiterne Deus, de cuius munere venit, ut tibi digne et laudabiliter serviatur, 1755

Omnipotens sempiterne Deus
— confitentibus his famulis tuis pro tua pietate peccata relaxa, 1074
— hanc ovem tuam à faucibus lupi tuâ virtute subtractam, paternâ recipe pietate: ut tuo gregi piâ benignitate adnecte, 2132
— hanc ovem tuam, de faucibus lupi, tuâ virtute ereptam, paternâ respice pietate; ne de familiae tuae damno inimicus exultet, 2133
— hanc ovem tuam de faucibus lupi tua virtute subtractam, paterna recipe pietate, et gregi tuo reforma pia benignitate, 2134
— miserere famulis et famulabus tuis, et dirige eos secundum tuam clementiam, 1075
— parce metuentibus, ignosce peccantibus, propiciare supplicibus, 258
— parce metuentibus, propiciare supplicibus, et mittere digneris sanctum angelum tuum, 259
— qui dedisti famulis tuis in confessione verae fidei aeternae Trinitatis gloriam agnoscere, 2212
— qui facis mirabilia magna solus, pretende super famulum tuum (famulos tuos), 208, 1076
— qui filio tuo homini facto tantam gloriam tribuisti, ut eius dignissimo nomine, 1589
— qui misereris omnium, et nichil odisti eorum que fecisti, dissimulans peccata hominum propter penitentiam, qui etiam misericorditer subvenis clamantibus, 260
— qui misereris omnium, et nichil odisti eorum que fecisti, dissimulans peccata hominum propter penitentiam, qui etiam subvenis in necessitate laborantibus, 261
— qui Ninivitis in cinere et cilicio penitentibus indulgentie tue remedia prestitisti, 262
— qui peccatorum... *Voir* Omnipotens et misericors Deus qui peccatorum...
— qui primo homini transgredienti mandatum tuum, nec confitenti peccatum proprium, 263
— qui vivorum dominaris simul et mortuorum, omniumque misereris quos tuos fide et opere futuros esse prenoscis, 209
— respice propicius ad preces Ecclesie tue, et da nobis fidem rectam, spem certam, 210
V. Oremus
— etiam pro peccatis et negligentiis nostris. R. Domine ne memineris iniquitatum nostrarum antiquarum, 493
— pro benefactoribus nostris. R. Retribuere dignare Domine omnibus nobis bona facientibus, 494

— pro fidelibus defunctis. *R.* Requiem aeternam dona eis Domine, et lux perpetua luceat eis. 495
— pro fratribus nostris absentibus. *R.* Salvos fac servos tuos et ancillas tuas Deus meus sperantes in te. 496
— pro omni gradu ecclesie. *R.* Sacerdotes tui induantur iustitiam. Et sancti tui exultent. 497
— pro Papa nostro N. *R.* Dominus conservet eum, et vivificet eum. 498
— pro Pastore nostro et fratribus nostris. *R.* Dominus conservet eos et vivificet. 499
— pro Pontifice nostro N. *R.* Dominus conservet eum, et beatum faciat in terra, 500
R. Ostende faciem tuam, et salvi erimus. 24, 463
V. Ostende nobis Domine misericordiam tuam. *R.* Et salutare tuum da nobis. 241, 501, 2227

R. Paradisi porta per Evam cunctis clausa est, 242
Parce
— confessis, ignosce nostris omissis, sit in nobis non tantum confessio oris sed et doloris, 1077
— Domine parce peccatis nostris, et quamvis incessabiliter delinquentibus continua pena debeatur, 1078
A. Parce Domine parce populo tuo quem redemisti precioso sanguine tuo ne in eternum irascaris ei. 502
Parce Domine parce populo tuo, ut dignis flagellationibus castigatus in tua miseratione respiret. 264
Passio Domini nostri I. C., et merita
— beatae Mariae semper virginis, et omnium sanctorum, et quidquid boni feceris, 1729
— beatissimae semper virginis Mariae et omnium sanctorum, et omnia bona quae fecisti, valeant, 1730
— virginis Marie et omnium sanctorum et sanctarum Dei, omnia bona que fecisti et intendis facere si convalescis, 1949
Passio Domini nostri I. C., merita beatae (Mariae) virginis et omnium sanctorum,
— et bona quae fecisti et facies, 1731
— suffragia sanctae matris Ecclesiae, quidquid boni feceris, et mali sustinueris, 1732
Pater de caelis Deus, miserere nobis. 73, 816,

Pater noster qui es in coelis… *V.* Et ne nos inducas in tentationem. *R.* Sed libera nos a malo. 96, 590, 638, 664, 723, 772, 824, 1017, 1569, 1751, 1990, 2177, 2284, 2287

Peccatores. Te rogamus audi nos. 539, 574, 609, 651, 695, 747, 794, 845, 887, 924, 959, 995

V. Peccavimus
— cum patribus nostris, injuste egimus, iniquitatem fecimus. 23, 243
— Domine cum patribus nostris. *R.* Injuste egimus, iniquitatem fecimus. 503

Penitentiam age in cinere et cilicio, et memento quia cinis es, et in cinerem reverteris. 272

Per admirabilem ascensionem tuam, libera nos Domine. 536, 691, 743, 840, 883, 921, 955, 992

Per adventum
— Spiritus sancti paracliti, libera nos Domine. 537, 607, 649, 993
— tuum, libera nos Domine. 530, 567, 684, 784, 836, 876, 947, 986

Per ascensionem tuam, libera nos Domine. 571

Per baptismum
— et ieiunium tuum, libera nos Domine. 602
— et sanctum ieiunium tuum, libera nos Domine. 988
— tuum, libera nos Domine. 531, 687, 739, 787, 917, 950

Per circumcisionem tuam, libera nos Domine. 686, 738, 786, 878, 949

Per crucem
— et mortem tuam: libera nos Domine. 881
— et passionem tuam, libera nos Domine. 533, 603, 647, 989
— tuam, libera nos Domine. 568

Per gloriosam
— ascensionem tuam, libera nos Domine. 606
— resurrectionem tuam, libera nos Domine. 535, 690, 742, 790, 839, 882, 920, 954, 991

Per gratiam
— Sancti Spiritus paracliti, libera nos Domine. 692, 744, 841, 884, 922
— Spiritus Paracliti, libera nos Domine. 791, 956

Per ieiunium
— et temptationem tuam, libera nos Domine. 532
— tuum, libera nos Domine. 740, 788, 879, 918, 951

Per incarnationem tuam, libera nos Domine. 528, 601

Per intercessionem beatae et gloriosae semper virginis Mariae, et per merita beatorum apostolorum Petri et Pauli, 1133

Per meritum passionis

— et resurrectionis Domini nostri I. C., per intercessionem beate Marie semper virginis, 47bis 1150
— et resurrectionis, per gratiam Domini nostri I. C., 1134
— et virtutem resurrectionis Domini nostri I. C., 1134bis
Per mortem
— et gloriosam resurrectionem Domini nostri I. C. misereatur vestri omnipotens Deus, 1135
— et sepulturam tuam, libera nos Domine. 534, 604, 953, 990
Per mysterium sancte incarnationis tue, libera nos Domine. 683, 736, 835, 875, 916, 946, 985
Per nativitatem tuam, libera nos Domine. 685, 737, 785, 837, 877, 948, 987
Per passionem,
— crucem et mortem tuam, libera nos Domine. 741, 919
— et crucem tuam, libera nos Domine. 689, 789, 838, 952
— et resurrectionem Domini nostri I. C. et intercessionem beate Marie virginis, 1136
— tuam, libera nos Domine. 569, 880
Per resurrectionem
— domini nostri I. C., et per intercessionem beatissime virginis Marie, 1137
— et ascensionem tuam, libera nos Domine. 648
— tuam, libera nos Domine. 570
Per sanctam
— annunciationem tuam, libera nos Domine. 915
— genitricem tuam, libera nos Domine. 529, 600
— resurrectionem tuam, libera nos Domine. 605
Per sanctum ieiunium tuum, libera nos Domine. 688
Per signum crucis, de inimicis nostris, libera nos, Deus noster. 1614
Per Spiritum paraclitum, libera nos Domine. 572
V. Perfice gressus nostros in semitis tuis. R. Ut non moveantur vestigia nostra. 1752
Pie et exaudibilis Domine Deus noster I. C., clementiam tuam cum omni supplicatione deposcimus, 211
Praesta... *Voir* Presta...
Precamur Domine clementiam tue maiestatis ac nominis, ut his famulis, 1080
Preces populi tui quesumus Domine clementer exaudi, ut qui iuste pro peccatis nostris affligimur, 1081
Precibus et meritis beatae Mariae semper virginis,
— beati Ioannis Baptistae, Petri, Pauli, et omnium sanctorum, et propter gloriam nominis sui, 1733

— beati Michaelis Archangeli, beati Ioannis Baptistae, sanctorum apostolorum Petri et Pauli, 1138

Precor Domine clementiam… *Voir* Precamur Domine…

Precor, Domine, tuae clementiam malestatis, ut his famulis tuis peccata et facinora sua confitentibus, 1082

Praesta Domine fidelibus tuis: ut jejuniorum veneranda solemnia, et congrua pietate suscipiant, 1079

Presta (Praesta) quesumus Domine

— famulo tuo dignum poenitentiae fructum, ut Ecclesiae tuae, admissorum veniam consequendo, 80

— his famulis tui dignum penitentie fructum, ut Ecclesie tue sancte, 1083

— huic famulo tuo N. dignam culpe et negligentie sive contemptus remissionem, 1998

— huic famulo tuo digneris penitentie fructum, a cuius integritate si deviaverit peccando, 1999

— huic famulo tuo N. dignum penitentie fructum, ut ecclesie tue sancte, a cuius integritate, 1874, 2135

— ut mentium reproborum non curemus obloquium, sed tandem pravitate calcata exoramus, 212

Presta quesumus omnipotens Deus, ut Spiritus Sanctus adveniens templum nos glorie sue dignanter habitando perficiat. 213

Prestare [*sic* pour Presta] quesumus Domine huic famulo tuo digneris penitentie fructum, a cuius integritate, 1999

Pretende Domine

— famulis et famulabus tuis dexteram celestis auxilii, ut te toto corde perquirant, 1084

— misericordia tua famulis et famulabus tuis dexteram celestis auxilii, ut te toto corde perquirant, 214

— quesumus his famulis tuis fructum penitentie dignum ut ecclesie tue, 1085

Preveniat hos famulos tuos quesumus Domine misericordia tua, ut omnes iniquitates, 1086

V. Pro adversantibus et calumniantibus nos. R. Domine I. C. ne statuas illis hoc peccatum, quia nesciunt quid faciunt. 173

V. Pro afflictis et captivis.

— R. Libera eos Deus Israel ex omnibus tribulationibus suis. 174

— R. Mitte eis Domine auxilium de sancto. Et de Syon tuere eos. 175

V. Pro Antistite nostro N. R. Mitte ei, Domine, auxilium de sancto, et de Sion tuere eum. 504

V. Pro benefactoribus nostris. R. Deus omnem gratiam abundare faciat in illis, 505

V. Pro congregatione sanctorum. R. Memor esto congregationis tue, quam possedisti ab initio. 176
V. Pro cunctis fidelibus defunctis.
— R. Educat eos Dominus in lucem, et videant justitiam ejus. 506
— R. Requiem eternam dona eis Domine, 507
V. Pro cuncto populo christiano. R. Salvum fac populum tuum Domine et benedic hereditati tue, 177
V. Pro discordantibus. R. Et pax Dei que exuperat omnem sensum convertat corda et intelligentias eorum ad pacem. 178
V. Pro eo quod obedisti voci uxoris tue plus quam mee, maledicta terra in opere tuo. 42, 237
V. Pro fidelibus defunctis. R. Requiem in eternam dona eis Domine et lux perpetua luceat eis. 179
V. Pro fratribus nostris absentibus.
— R. Benefac, Domine, bonis et rectis corde. 508
— R. Salvos fac servos tuos Deus meus sperantes in te. 180
V. Pro infirmis. R. Mitte Domine verbum tuum et eripe eos de interitionibus eorum. 181
V. Pro infirmis, afflictis, captivis et peregrinis. R. Libera eos, Deus, ex omnibus tribulationibus suis. 509
V. Pro iter agentibus. R. O Domine salvum me fac, O Domine bene prosperare, benedictus qui venturus es in nomine Domini. 182
V. Pro navigantibus. R. Exaudi nos Deus salutaris noster, spes omnium finium terre et in mari longe. 183
V. Pro nobismetipsis. R. Fiat misericordia tua Domine super nos, quemadmodum speravimus in te. 184
V. Pro omnibus benefactoribus nostris. R. Mitte eis Domine auxilium de sancto, et de Sion tuere eos. 185, 510
V. Pro omnibus nobis bona facientibus. R. Retribuere digneris omnibus nobis bona facientibus propter nomen sanctum tuum vitam eternam amen. 186
V. Pro pace. R. Fiat pax in virtute tua et abundantia in turribus tuis. 187
V. Pro peccatis et negligentiis nostris
— R. Adiuva nos Deus salutaris noster. Et propter gloriam nominis tui, 188
— R. Domine ne memineris iniquitatum nostrarum antiquarum, cito anticipent nos misericordie tue, 189
V. Pro penitentibus. R. Convertere Domine usquequo et deprecabilis esto super servos tuos. 190
V. Pro pontifice nostro. R. Dominus conservet eum et vivificet eum, et beatum faciat eum, et non tradat eum in manus inimicorum eius. 191

V. Pro rege nostro. R. Domine salvum fac regem et exaudi nos in die qua invocaverimus te. 192, 511

V. Pro...

Voir aussi Oremus pro...

Propicius esto,

— exaudi nos Domine. 666, 975

— libera nos Domine. 524, 558, 640

— parce nobis Domine. 523, 557, 591, 639, 665, 724, 773, 825, 864, 904, 933, 974

R. Quam possedisti ab initio. 483

Quandocunque et qualitercunque ego infelix peccator, peccavi contra omnia predicta, et singula, et ipsorum circunstantias, 1618

R. Quemadmodum speravimus in te. 478

Quesumus omnipotens Deus, ut famulus tuus rex noster N., qui tua miseratione suscepit regni gubernacula, 215

[V.] Qui cognoscis occulta cordis parce peccatis nostris. R. Sancte fortis, 2438

R. Qui fecit celum (coelum) et terram. 38, 227, 1561, 1983

R. Quia non iustificabitur in conspectu tuo omnis vivens. 490

Quoniam Dominus noster I. C. dixit discipulis suis: Quaecunque solveritis super terram, erunt soluta et in caelis, 1139

R. Quoniam in saeculum misericordia eius. 457

Recognosce homo quia cinis es, et in cinerem reverteris. 273

V. Redde mihi laetitiam salutaris tui. R. Et spiritu principali confirma me. 74, 1562

Reintegra in his, apostolice pontifex, quicquid diabolo suadente corruptum est, et orationum tuarum patrocinantibus meritis, 53

R. Relevabunt coeli iniquitatem Judae, et terra adversus eum consurget, et manifestum erit peccatum illius, 2434

V. Requiem aeternam dona ei, Domine. R. Et lux perpetua luceat ei. 1991

R. Requiem aeternam (eternam) dona eis Domine, et lux perpetua luceat eis. 179, 495, 507

V. Requiescat in pace. R. Amen. 1992

V. Requiescant in pace. R. Amen. 512

R. Retribuere

— dignare Domine omnibus nobis bona facientibus propter nomen tuum vitam aeternam. Amen. 494

— digneris omnibus nobis bona facientibus propter nomen sanctum tuum vitam eternam amen. 186

Reverende pater, rogo, ut meam propter Deum velis audire confessionem. 1598

Revoco, vel removeo interdictum propter talem causam tibi, vel in tali loco
impositum. 2278

V. Sacerdotes tui induantur iustitiam. *R.* Et sancti tui exultent. 513
R. Sacerdotes tui induantur iustitiam. Et sancti tui exultent. 497
V. Sacrificium Deo spiritus contribulatus. *R.* Cor contritum et humiliatum,
Deus, non despicias. 514
R. Salvos fac eos in misericordia tua Domine, non confundantur quoniam
invocaverunt te. 481
R. Salvos fac eos in tua misericordia. 480
V. Salvos fac servos tuos. *R.* Deus meus sperantes in te. 75
V. Salvos fac servos tuos et ancillas tuas. *R.* Deus meus sperantes in te. 97,
515, 2228
R. Salvos fac servos tuos (et ancillas tuas) Deus meus sperantes in te. 180, 496
R. ou *V.* Salvum fac populum tuum Domine et benedic hereditati tue, et rege
eos et extolle eos usque in eternum. 177, 244
V. Salvum
— fac populum tuum Domine. Et benedic hereditati tue. *R.* Et rege eos. Et
extolle illos usque in eternum. 516
— fac servum tuum. *R.* Deus meus sperantem in te. 517, 1993, 2178, 2284, 2287
— fac servum tuum (ancillam tuam). *R.* Deus meus sperantem in te. 30, 76
— fac servum tuum et ancillam tuam. *R.* Deus meus sperantem in te. 2229
— me fac Deus quoniam intraverunt aque, usque ad animam meam. [*Ps. 68, 2*]
226, 245
— (Salvos) fac servum tuum (servos tuos). *R.* Deus meus sperantem (sperantes) in te. 1872
R. Sana animam meam quia peccavi tibi. 471
Sancta Trinitas unus Deus. Miserere nobis. 819
R. Sancte Deus sancte fortis sancte misericors salvator amare [*sic*] morti ne
tradas nos. 2436, 2437
R. Sancte fortis. 2438
R. Sancte misericors salvator amarae [*sic*] morti ne tradas nos. 2439
R. Scio, et testificor. 54
Scis illos dignos reconciliatione? *R.* Scio, et testificor. 54
A. Secundum multitudinem miserationum tuarum dele iniquitatem meam.
1994
R. Secundum multitudinem miserationum tuarum respice in me. 476
R. Secundum nomen tuum Deus, ita et laus tua in fines terre, iusticia plena
est dextere tua. 520

V. Sed libera nos a malo, 96, 590, 638, 664, 723, 772, 824, 1017, 1570, 1751, 1990, 2177

Si es contritus ego te absolvo, etc. 1767

Si in preceptis meis ambulaveritis, et mandata mea custodieritis, et fecetis ea, dabo vobis pluvias temporibus suis. Levitici xxv. 2971b

Si praesens mortis periculum, Deo favente, evaseris, sit tibi haec indulgentia reservata, pro vero mortis articulo. 1738

Si teneris aliquo vinculo suspensionis, à quo te possum absolvere, absolvo te in nomine Patris, 2279

Sicut audivimus, sic vidimus in civitate Domini virtutum, [Ps. 47, 9] 106

A. Sicut oculi ancille in manibus Domine sue, ita oculi istius, miserere ei Domine et dona ei indulgentiam. 1995

V. Sit nomen Domini benedictum. R. Ex hoc nunc et usque in seculum. 246, 1996

Spiritus sancte Deus. Miserere nobis. 818

V. Suscepimus Deus misericordiam tuam.

— R. In medio templi tui. 518

— in medio templi tui, secundum nomen tuum Deus, sic et laus tua in fines terre, iusticia plena est dextera tua, 519

— R. Secundum nomen tuum Deus, ita et laus tua in fines terre, iusticia plena est dextere tua. 520

Te Deum [*hymne*], 2205

V. Tempus beneplaciti Deus. R. In multitudine misericordiae tuae. 521

R. Tribularer si nescirem misericordias tuas Domine, 247

Tribulationem nostram quesumus Domine propicius respice, et iram tue indignationis quam iuste meremur propiciatus averte. 216

Tu autem, omnipotens Deus, hanc ovem tuam...

Voir Omnipentens sempiterne Deus, hanc ovem tuam... 2134

Ure igne Sancti Spiritus renes nostros et cor nostrum Domine, ut tibi casto corpore serviamus et mundo corde placeamus. 217, 1087

Ut ad veram penitentiam nos perducere digneris, te rogamus audi nos. 699, 998

Ut aeris temperiem

— bonam nobis dones, Te rogamus audi nos. 628

— et fructum terre nobis dones, Te rogamus audi nos. 582

— nobis bonam donare digneris, te rogamus audi nos. 546

— nobis dones, Te rogamus audi nos. 653

Ut animabus omnium fidelium defunctorum requiem eternam donare digneris, te rogamus audi nos. 549

Ut animas nostras

— et parentum, atque benefactorum nostrorum ab eterna damnatione eripias, te rogamus audi nos. 757

— et parentum nostrorum ab eterna damnatione eripias, te rogamus audi nos. 852, 898, 969

— fratrum, propinquorum, et benefactorum nostrorum ab eterna damnatione eripias, te rogamus audi nos. 708, 1007

Ut antistitem nostrum, et omnes congregationes illi commissas, in tuo sancto obsequio conservare digneris, te rogamus audi nos. 1026, 1033, 1039

Ut antistatem [sic] nostrum gregemque sibi commissum in sancta religione conservare digneris, te rogamus audi nos. 544

Ut arma celestia contra diabolum nobis dones, Te rogamus audi nos. 624

Ut bonam perseverantiam nobis dones, Te rogamus audi nos. 579

Ut celestibus disciplinis nos instruere digneris, te rogamus audi nos. 764

Ut compunctionem cordis fontemque lacrymarum nobis

— donare digneris, te rogamus audi nos. 711

— dones, te rogamus audi nos. 623, 1024, 1037

— tribuas, te rogamus audi nos. 1031

Ut congregationes omnium sanctorum in tuo sancto servitio conservare digneris, te rogamus audi nos. 754

Ut cunctis fidelibus defunctis requiem eternam dones. Te rogamus audi nos. 584, 765, 808

Ut cuncto populo christiano pacem et unitatem largire digneris, te rogamus audi nos. 704, 1003

Ut cunctum populum christianum precioso sanguine tuo redemptum conservare digneris, te rogamus audi nos. 543, 617, 755, 802, 850, 894, 965

Ut dignos fructus penitentie nobis dones, Te rogamus audi nos. 626

Ut dominum apostolicum

— et omnem gradum ecclesiastici ordinis in sancta religione conservare digneris, te rogamus audi nos. 542

— et omnes ecclesiasticos ordines in sancta religione conservare digneris, te rogamus audi nos. 701, 1000

— et omnes gradus ecclesie in sancta religione conservare digneris, te rogamus audi nos. 751, 798, 891, 963

— et omnes gradus ecclesie in tua sancta religione regere et comfortare digneris, te rogamus audi nos. 811

— in vera religione conservare digneris, Te rogamus audi nos. 612

Ut ecclesiam tuam

INDEX DES INCIPIT LATINS

— regere et defensare digneris, te rogamus audi nos. 545, 581, 750, 848, 890, 927, 962
— sanctam catholicam regere et defensare digneris, te rogamus audi nos. 797
— sanctam regere et conservare digneris, te rogamus audi nos. 999
— sanctam regere, pacificare, et conservare digneris, te rogamus audi nos. 700
— sublimare digneris, Te rogamus audi nos. 611

Ut ei pacem et unitatem largiri digneris, Te rogamus audi nos. 618

Ut episcopos et abbates nostros et omnes congregationes illis commissas in sancta religione
— conservare digneris, te rogamus audi nos. 753, 799, 893
— et servitio conservare digneris, te rogamus audi nos.

Ut fidem
— rectam et spem firmam nobis dones, Te rogamus audi nos. 620
— spem, caritatem, ceterasque virtutes nobis donare digneris, te rogamus audi nos. 713
— spem et charitatem nobis dones, te rogamus audi nos. 1025, 1038

Ut fraternam dilectionem nobis dones, Te rogamus audi nos. 619

Ut fructum terre nobis dones, Te rogamus audi nos. 654

Ut fructus terre
— dare, crescere, multiplicare et augmentare digneris, te rogamus audi nos. 895
— dare et conservare digneris, te rogamus audi nos. 709, 759, 801, 928, 1008
— dare, fructificare, et conservare digneris, te rogamus audi nos. 966
— dare, multiplicare et conservare digneris, te rogamus audi nos. 858
— nobis dones, te rogamus audi nos. 629

Ut gentium feritatem tua virtute comprimere digneris, Te rogamus audi nos. 616

Ut grandinem et tempestatem a nobis auferas, Te rogamus audi nos. 656

Ut gratiam sancti Spiritus
— cordibus nostris clementer infundere digneris, Te rogamus audi nos. 547, 622
— nobis dones. Te rogamus audi nos. 576

Ut hos cineres benedicere
— digneris, te rogamus. 812
— et sanctificare digneris. Te rogamus. 813

Ut imperatorem nostrum et exercitum christianorum conservare digneris, Te rogamus audi nos. 615

Ut inimicos sancte ecclesie humiliare digneris, te rogamus audi nos. 702, 1001

Ut locum istum et omnes habitantes in eo visitare
— et conservare digneris, te rogamus audi nos. 763, 806

— et consolare digneris, te rogamus audi nos. 853
Ut mentes nostras ad celestia desideria erigas, te rogamus audi nos. 706, 761, 805, 856, 929, 1005
Ut mentis constantiam in bonis operibus nobis dones, Te rogamus audi nos. 621
Ut miserias pauperum et captivorum intueri ac (et) relevare digneris, te rogamus audi nos. 762, 859, 896
Ut misericordia et pietas tua nos
— custodiat, te rogamus audi nos. 657, 749, 796, 847, 926, 961
— semper custodiat, te rogamus audi nos. 889
Ut nobis
— fidem, spem et charitatem largiaris, te rogamus audi nos. 1032
— indulgeas, te rogamus audi nos. 698, 997
— miseris misericors misereri digneris, te rogamus audi nos. 548, 714
— parcas, te rogamus audi nos. 697, 996
— peccatoribus misereri digneris, Te rogamus audi nos. 631
R. Ut non moveantur vestigia nostra. 1752
Ut nos
— adiuvare digneris, Te rogamus audi nos. 577
— exaudire digneris, te rogamus audi nos. 550, 633, 716, 766, 809, 861, 901, 930, 971, 1010
— famulos tuos in tuo sancto servicio conservare digneris, Te rogamus audi nos. 578
Ut nosmetipsos in tuo sancto servitio confortare et conservare digneris, te rogamus audi nos. 705, 1004
Ut obsequium servitutis nostre rationabile facias, te rogamus audi nos. 760, 804, 855
Ut oculos misericordie tue super nos reducere digneris, te rogamus audi nos. 758, 803, 854, 899, 967
Ut omnem gradum ecclesiastici ordinis in sanctam religionem conservare digneris, Te rogamus audi nos. 614
Ut omnia presentis et future vite commoda nobis dones, Te rogamus audi nos. 583
Ut omnibus
— benefactoribus nostris sempiterna bona retribuas, te rogamus audi nos. 707, 756, 807, 851, 897, 968, 1006
— fidelibus defunctis requiem eternam donare digneris, te rogamus audi nos. 710, 1009
— fidelibus defunctis requiem eternam dones, te rogamus audi nos. 860, 900, 970

— in Christo quiescentibus requiem eternam donare digneris, Te rogamus audi nos. 631
Ut pacem
— et salutem nobis dones, Te rogamus audi nos. 580
— et sanitatem nobis dones, Te rogamus audi nos. 610, 652
— nobis dones, te rogamus audi nos. 540, 696, 748, 795, 846, 888, 925, 960
Ut pastorem nostrum gregemque illi commissum conservare digneris, Te rogamus audi nos. 613
Ut pestilentiam et mortalitatem a nobis auferas, Te rogamus audi nos. 655
Ut regem nostrum custodire digneris, te rogamus audi nos. 1027, 1034, 1040
Ut regi
— et principibus nostris, pacem et veram concordiam donare digneris, te rogamus audi nos. 964
— nostro N. et principibus nostris pacem et veram concordiam donare digneris, te rogamus audi nos. 849, 1002
Ut regibus et principibus
— christianis pacem et veram concordiam donare digneris, te rogamus audi nos. 703
— nostris pacem et veram concordiam atque victoriam donare digneris, te rogamus audi nos. 752, 800
— nostris pacem, victoriam, et concordiam donare digneris, te rogamus audi nos. 892
Ut regularibus disciplinis nos instruere digneris, te rogamus audi nos. 857
Ut remissionem
— omnium peccatorum nobis dones, Te rogamus audi nos. 627
— omnium peccatorum nostrorum nobis donare digneris, te rogamus audi nos. 658, 712
— peccatorum nostrorum nobis dones, te rogamus audi nos. 1023, 1030, 1036
Ut sanitatem nobis dones, te rogamus audi nos. 541
Ut spacium
— ad emendationem nobis dones, Te rogamus audi nos. 625
— vere et fructuose penitentie, emendationem morum et vite, gratiam et consolationem Sancti Spiritus, 715
Ut veniam peccatorum nobis dones. Te rogamus audi nos. 575, 1028
Ut vitam eternam nobis dones, Te rogamus audi nos. 632

Vade, et iam amplius noli peccare. 1743
Vade, et iam amplius noli peccare, ne deterius aliquid tibi contingat. 1744
Vade in pace. 105, 1745, 2214
— Deus det tibi gratiam suam. Amen. 1742

— et noli amplius peccare. 1746
— et noli amplius peccare, ne deterius tibi contingat, Deus det tibi gratiam suam. Amen. 1747
— ora pro me, et noli amplius peccare. 1748
Venerabilis pontifex, tempus adest acceptum, dies propitiationis divinae et salutis humanae, 50
R. Veni ad agendam penitentiam de peccatis meis. 1613
Veni creator [*Hymne*] 1558, 2120
Veni sancte Spiritus [*Séquence*], 1560
A. Veni Sancte Spiritus, reple tuorum corda fidelium, 1559, 2121
Venite filii, audite me, timorem Domini docebo vos. 51
Veram indulgentiam absolutionem et remissionem omnium peccatorum vestrorum tribuat vobis omnipotens Pater, 1140, 1734
Vere dignum et istum est, aequum et salutare, nos tibi semper et ubique gratias agere… ut debitum Adae tibi persolveret aeterno patri, mortemque nostram sua interficeret, 81
Vice beati Petri apostolorum principis cui a Domino collata est potestas ligandi atque solvendi, 1141
Vis emendare vitam tuam, et de cetero vitare peccata quantum humana fragilitas permiserit? 1613
Visita quaesumus Domine habitationem istam, 2995
A. Vivo ergo dicit Dominus, nolo mortem peccatoris, sed ut magis convertatur et vivat. 522

INDEX DES INCIPIT FRANÇAIS, ALLEMANDS ET CATALANS

Incipit français

Amy ayme Dieu et honnore, et reverendement adore, 2971f
Au commencement étoit le Verbe [Jean 1, 1-14] 2213
Au nom du Pere, et du Fils, et du Saint Esprit,
— benissez moy mon Pere parce que j'ay peché. 1599, 1604
— Mon Pere benissez moy parce que j'ay peché. 1602
Aussi je me confesse, que ne suis venu avec si grande inquisition, et perscrutation en ma conscience, 1620
Aymez voz ennemys dit Jesuchrist, priez pour eulx, et leur faictes plaisir, 2971a

Benissez-moi mon Pere
— car j'ay peché. 1605
— parce que j'ai péché. 1606
Brief, en infinies sortes et manieres de pensée, de parole, et de faict j'ay offensé mon Dieu, 1239

C'est par ma faute, c'est par ma faute, c'est par ma très-grande faute que je suis coupable de ces péchés, 1652
C'est par ma faute que je me suis rendu coupable de tant de prévarications, 1224
C'est par ma faute que je suis coupable de tant de pechez : ouy, c'est par ma faute, et par ma trés grande faute. C'est pourquoy je prie, 1646
Ceulx et celles qui de la loy de Dieu tiennent et gardent, soient benoistz et absoulz, 1153
Croyez-vous toutes les veritez, que l'Eglise Catholique, Apostolique et Romaine enseigne, et qui sont contenuës dans la Profession de Foi, 2151

De tous ces pechez (péchés)
— et autres desquelz je ne me souviens pas presentement, j'en demande à Dieu pardon, 1625
— et de tous ceux dont je ne me souviens pas, j'en demande pardon à Dieu de tout mon coeur, 1652, 1654, 1658

— et de tous ceux que je n'ai pas déclarés par oubli ou par ignorance, j'en demande pardon à Dieu, 1655
— et de tous les autres dont je ne me souviens pas, et generalement de tous ceux de ma vie passée, j'en demande pardon à Dieu, 1640, 1643

Dieu vous eslargisse sa misericorde, et vous remette voz pechez, par le merite de sa mort et passion, 1154

[pechés]
— dont je vous crie mercy, et vous en dis ma coulpe, ma tres griefve coulpe. Et en demande absolution selon vostre grande misericorde, 1251
— dont me sens indigne de lever les yeulx au ciel pour en requerir pardon, 1265

Enfin je me confesse
— qu'en infinies sortes et manieres de pensée, de paroles, d'actions et d'obmissions j'ay offensé mon Dieu, 1242
— que j'ai offencé mon Dieu, par une infinité de pensées, de paroles, d'actions, et d'omissions, 1272

Est-ce de vôtre bonne volonté et sans aucune contrainte, que vous voulez faire abjuration de l'heresie, 2148

Est-ce librement et sans contrainte que vous desirez maintenant abjurer vôtre hérésie, 2149

Est-ce de votre bonne volonté, sans aucune contrainte, et dans la seule vuë de votre salut, que vous voulez faire abjuration de l'hérésie, 2152

Et en toutes aultres manieres, et facons ou j'ay courouçé Dieu mon createur, soit mortellement, soit veniellement, je m'en confesse et m'en repans, 1245

Et generalement de tous les autres pechez que je puis avoir commis; dont je n'ay pas memoire, en demande pardon à Dieu, 1633

Et generalement je m'accuse
— de tous autres pechez, que je pourrois avoir commis, dont je n'ay pas memoire, 1630, 1634
— de tous les autres pechez que je pourrois avoir commis, dont il ne me souvient pas, 1630 (Angers 1676), 1653
— de tous les autres pechez que je pourrois avoir commis, dont je n'ay point de memoire, 1638, 1659
— de tous les autres pechez, que je pourrois avoir commis, dont je ne me souviens pas, 1650, 1651
— de tous les pechez que je pourrois avoir commis, dont je n'ay pas memoire, 1642
— de tous les péchés que je pourrois avoir commis, et dont je ne me souviens pas, 1644

Et pour ce que
- j'ay courroucé nostre seigneur en plusieurs manieres et plusieurs fois: par moy esbatre es sept pechez mortelz, 1228
- j'ay peché en plusieurs manieres par mal user des sens naturelz que Dieu m'a presté, 1227
- j'ay peché plusieurs fois par default d'avoir acompli les oeuvres desusdictes charitablement, 1229
- je n'ay mie creu si fermement lesdictz articles comme je deusse ainsi que nostre mere saincte Eglise le commande, 1231
- je n'ay mie eu telle reverence es saintz sacremens de saincte Eglise comme je deusse, 1232
- par default d'avoir acompli les dix commandemens de la loy. J'ay peché, 1230
Et pour conclusion. Car les choses dessus dictes et en aultres manieres plusieurs dont je ne me scauroie, ne pourroie souffisamment accuser de tous les pechiés, 1233

Il est bien de malheure né, qui faict le mal dont est damné, 2971e
Indulgence, absolution, et benediction, demeure à jamais sur ceux qui sont icy assemblez, 1155

J'ay commis les pechez dessusditz, ou grant partie d'iceulx, par defaulte de bien gouverner mes cinq sens de nature, 1211
Je confesse à Dieu, 1649
- le Pere tout puissant, à la bien-heureuse Vierge Marie, au bien heureux sainct Michel l'Archange, 1623
- tout-puissant, à la bienheureuse Marie toujours Vierge, à S. Michel Archange, 1223, 1639 (Clermont)
- tout-puissant, à la bienheureuse Marie toujours Vierge, et à tous les Saints, 1220
- tout-puissant, à la sacrée vierge Marie, à tous les Angels, saincts et sainctes regnants avec Dieu en paradis, 1262
Je croi *Voir* Je (N.) croi
Je m'accuse
- de tous ces péchés; de tous ceux de ma vie passée, et de tous ceux que je n'ai pas déclarés, par oubli, ou par ignorance, 1661
- de tous ces péchés, de tous ceux de ma vie passée; J'en demande pardon à Dieu, 1660
- encore de tous mes autres péchés que je ne connois pas, et j'en demande pardon à Dieu, 1781

— generalement de tous les pechés que je pourrois avoir commis, et dont je ne me souviens pas, 1645
— generalement de tous les pechez que je puis avoir commis, et dont je ne me souviens pas, 1647, 1648

Je me confesse à Dieu, 1631, 1634, 1638, 1639 (Amiens 1687), 1640, 1641, 1643, 1644, 1648, 1650, 1651, 1657, 1659

Je me confesse à Dieu,
— a la benoiste glorieuse vierge Marie, a monseigneur saint Michel l'ange, a monseigneur sainct Gabriel, 444
— à la benoiste vierge Marie, aux saincts de paradis, et à vous mon pere spirituel, des faultes et offenses qu'ay commis, 1264
— à la benoiste Vierge Marie, et a monseigneur sainct Michel l'ange, 1214
— à la bien-heureuse Vierge Marie, au bien-heureux sainct (saint) Michel Archange, 1630, 1633, 1642
— à tous les saints, et à vous, mon pere spirituel, 1637
— et à la tres-glorieuse vierge Marie, à tous les benoists Anges, à tous les sainctz, et à vous mon Pere spirituel, 1622

Je me confesse à Dieu le createur tout-puissant,
— à la bien-heureuse Vierge Marie, à tous les Saints et Saintes, et à vous, mon Pere, 1278
— à la bien-heureuse Vierge Marie, à tous les Saints et Saintes de Paradis, 1217, 1271
— à la bien-heureuse Vierge Marie, et à tous les Saints et Saintes qui regnent dans le ciel, 1241,
— et à la glorieuse vierge Marie, et à tous saints et saintes de paradis, et à vous mon pere spirituel, 1238

Je me confesse a Dieu le Pere, le Filz, et le benoist Sainct Esprit, et a tous les sainctz et sainctes de paradis, que je prie vouloir prier pour moy, 1250

Je me confesse a Dieu le Pere tout puissant,
— a la benoiste vierge Marie, a monseignieur sainct Michiel (Michel), 441, 442, 443
— à la benoite vierge Marie, à tous les sainctz (et sainctes) de paradis, 1259, 1625

Je me confesse a Dieu
— mon createur, a la glorieuse vierge Marie, a monsieur saint Michel ange, a monsieur saint Jean Baptiste, 447
— mon tres glorieux pere et createur, a la glorieuse vierge Marie sa mere. A monsieur sainct Michel ange et archange, 445

Je me confesse à Dieu tout puissant, 1655

— a la benoiste vierge Marie, a monseigneur saint Michel, a monseigneur saint Pierre et saint Pol, 442
— à la bienheureuse et toûjours Vierge Marie, au bien-heureux saint Michel archange, 1639 (La Rochelle 1689, 1744)
— à la bienheureuse Marie toûjours vierge, à saint Michel Archange, à saint Jean Baptiste, 1652, 1653, 1658
— à la bien-heureuse Marie toûjours Vierge, à tous les Saints et Saintes du Paradis, 1274
— à la bienheureuse Marie toûjours vierge[1], au bienheureux saint Jean Baptiste, aux apôtres saint Pierre et saint Paul, 1646
— à la bienheureuse Vierge Marie toûjours vierge, au bien-heureux saint Michel archange, 1639 (Reims 1677, Agen 1688, Soissons 1694)
— et en criant mercy luy dis ma coulpe. Je me confesse a la benoiste vierge Marie mon advocate, 1256

Je me confesse
— de tous les pechez dessusdictz a vous mon souverain createur en confusion du diable d'enfer, vous demandant pardon, 1257
— en general, des pechez que j'ay commis mortellement, ou veniellement, 1236
— et accuse de tous ces péchés, et des autres qui me sont cachés, autant que j'en suis coupable, 1279
— et accuse de tous les pechez susdits en tout ce que je suis coupable, 1218
— et je m'accuse de tous ces pechez autant que j'en suis coupable, et du mauvais usage du tems passé, 1275

Je me rend coulpable a Dieu, a la glorieuse vierge Marie, a monsieur sainct N. mon patron, a tous sainctz, a toutes sainctes, 446, 1244

Je poure pecheur renonce à l'ennemi, à toutes ses suggestions, conseils et faicts. Je croy en Dieu le Pere, en Dieu le Filz et en Dieu le sainct Esprit, 448

Je (N.)
— avec un coeur contrit et humilié, recognois et confesse en presence de la tres-saincte Trinité, 2140
— croy, confesse et professe, par une ferme foy, toutes et chacunes les choses qui sont contenues au Symbole de la Foy, 2155
— croi d'une foi ferme, et je professe tous les articles contenus au Symbole de la Foi, dont se sert la sainte Eglise Romaine, 2161
— croy d'une foy ferme et professe tant en general qu'en particulier tous les articles contenus au Symbole de la Foy, dont se sert la sainte Eglise Romaine, 2160

---

[1] Toul 1700 : oubli de « Saint Michel archange » dans la traduction du *Confiteor*.

— croy et confesse par une ferme foy tous et un chacun les articles contenus au Symbole de la Foi, duquel use la sainte Eglise Romaine, 2157
— croi et confesse tant en général qu'en particulier, tous les articles contenus au Simbole de la Foi, dont se sert la sainte Eglise Romaine, 2162
— croy et professe d'une ferme foy, toutes les choses, qui sont en general ou particulier, contenuës au Symbole de la Foy, 2154
— croy par une ferme foy, et embrasse tout generalement et en particulier ce qui est contenu dans le Symbole de la Foy, dont se sert la sainte Eglise Romaine, 2159
— d'une ferme foy, crois et professe toutes et chacunes les [sic] choses du Symbole de la foy, du quel use la sainte Eglise romaine, 2156
— jure à Dieu tout-puissant, en la presence de la glorieuse Vierge Marie, et toute la court celeste, et de vous Monsieur N. Prestre, 1850, 1851
— jure à Dieu tout-puissant, en votre présence, Monsieur, et celle des témoins soussignés, que j'exécuterai entièrement, 1856, 1857
— recognois et confesse d'un coeur humble et repentant, devant la Tres-saincte Trinité, 2141
— recognoy, confesse d'un coeur contrit, et repenty, devant la tres Saincte Trinité, 2139
— reconnois et confesse avec un coeur contrit et humilié, en presence de la tres-sainte Trinité, 2142
— reconnois que c'est par ma faute que j'ay péché, j'en demande très-humblement pardon à Dieu, 1221
— vouë et jure, tenir et confesser, sans aucune contrainte, cette vraye Foy catholique, 2157 (variante)

J'en dis ma coulpe, ma coulpe, ma tres-grande coulpe ; et partant je prie la bien-heureuse Vierge Marie, le bien-heureux saint Michel Archange, 1639

Jesu Christ, je ne suis digne de vous recevoir ; de moy je suis tout indigne, 1247

Le pardon que Dieu
— fist a la glorieuse Marie Magdalene, a sainct Pierre et sainct Paul, au bon larron en l'arbre de la croix... face a moi et a vous tous. 1152
— nostre seigneur Jesuchrist donna a saint Pierre et saint Paul, et a Marie Magdalene, vous soit donné et ottroié. 1151

Mes amis frappez vos coulpes, et vous rendez confes et repentans à Dieu, 419a

Mon Pere,
— bénissez-moi, etc. 1781
— de tous ces pechez lesquels je viens de confesser, et ceux desquels je ne me souviens pas... j'en demande à Dieu pardon, 1636

— donnez moy (la) benediction, car j'ay peché. 1600
— donnez moy la benediction s'il vous plaist, parce que j'ay peché. 1601
— donnez-moy s'il vous plaist vôtre benediction, parce que j'ai peché. 1603
— je m'accuse generalement de tous les pechez que je pourrois avoir commis, et desquels il ne me souvient pas, 1639 [tous les rituels sauf Clermont 1733 : et desquels je ne me souviens pas,)
— je me presente icy pour demander tres humblement pardon à Dieu de mes pechez, 12
Mon pere spirituel, je vous demande benediction, car j'ay peché, et suis pecheur, 1593
Monsieur donnés moy la saincte benediction. 1598

Ne croyés (croyez)-vous pas
— les douze articles de la foy? 2147
— toutes les verités que l'Eglise catholique a decidées dans ses Conciles, 2150

O Jesus Christ, O mon salutaire, O benoist filz de Dieu, auquel est toute nostre benediction, 1248

Par ma faute, par ma faute, par ma tres-grande faute. C'est pourquoi je prie etc., 1657
Perseverez-vous dans la pensée et le dessein que Dieu vous a donné, de vivre et mourir en la foy de l'Eglise catholique, 2146
Persistez-vous dans le dessein de faire profession de la Religion catholique, apostolique et romaine, 2153

Reverend seigneur, je vous prie me vouloir ouyr pour l'amour de Dieu, en confession. 1598

Si confesse
— tous les pechiés desquelz je suis coulpable a l'onneur de Dieu, 1209, 1260
— tous mes pechés dessusditz en l'honneur de Dieu, 1210
— toutes mes faultes et tous les pechez desquelz je suis coulpable a l'honneur de Dieu, 1208
Si me confesse
— et accuse de tous ou aulcuns les pechez dessusdictz en tout ce que je puis, 1215
— et repens de tous les dessusdits pechez, a l'honneur de Dieu, 1212
Sire je me confesse a Dieu mon createur. A la glorieuse vierge Marie, a tous anges et archanges, 1226, 1235

Tres doulx seigneur J. C., donne moy grace et congnoissance, de bien sçavoir congnoistre mes pechés, 1590

Voilà, mon pere, les pechez dont je me souviens. Je m'en accuse et généralement de tous ceux que je puis avoir commis. J'en demande pardon à Dieu de tout mon coeur, 1646

Incipit allemands

Ehrwürdiger Herr, ich bitt euch ihr wollend umb Gottes willen mein Beicht anhoren. 1598
durch meine schulde, 1649
Herr geben mir den heiligen Gegen. 1598
Ich beichte und bekenne, 1649

Incipit catalans

Io peccador me confes à Deu tot poderos, 1615, 1635
Per lo senyal de la sancta Creu, de nostres enemies deslliurau nos Senyor Deu nostre. 1615
Yo peccador me confes a Deu, 1933

TABLE DES MATIÈRES

TOME 3A

Avant-propos	5
Plan de la collection	9
Introduction	11
Additions au *Répertoire des rituels et processionnaux imprimés*	19
Bibliographie sélective	23
Règles d'édition	33
Abréviations et sigles utilisés	35
Abréviations des noms de diocèses	37

Chapitre premier
Pénitence publique

1. Expulsion des pénitents le Mercredi des Cendres	39
a. Formulaires	39
b. Formules	46
2. Réconciliation des pénitents le Jeudi Saint	51
a. Formulaires	51
b. Formules	58

Chapitre II
Office du Mercredi des cendres

1. Présentation des formulaires	67
2. Titres et schémas des offices	68
3. Choix de formulaires	71
4. Exhortations annonçant le Mercredi des Cendres	87

5. Prières à des intentions diverses	89
a. Versets	90
b. Oraisons à des intentions diverses	92
6. Bénédiction des cendres et procession durant l'imposition	97
a. Psaumes	97
b. Antiennes, versets, répons	97
c. Oraisons	100
7. Imposition des cendres	106
8. Messe	107

Chapitre III
Absolutions générales *durant le Carême et le jour de Pâques*

1. Présentation des formulaires	109
2. Titres et schémas	110
3. Jours où ont lieu les absolutions générales	120
4. Déroulement du rite	122
5. Choix de formulaires	123
6. Instructions	144
7. Psaumes	148
8. *Je me confesse à Dieu*	149
9. Antiennes, versets, répons	152
10. Prières litaniques sans les listes des saints	161
11. Oraisons et bénédictions	179
12. Absolutions générales et prières d'accompagnement durant le Carême, y compris le Mercredi des Cendres, le jour de Pâques, et pour les Confessions générales	191
13. Bénédiction du pain	206
14. Formules finales	207
15. Messe	207

Chapitre IV
Absolutions générales à la fin *du prône dominical* ou de l'exhortation pascale

1. Formules d'absolution en latin	210
2. Formules de pardon en français	211

Chapitre v
Confessions générales le jour de Pâques

1. Présentation des formulaires ... 213
2. Péchés confessés dans les confessions générales ... 215
3. Titres des formulaires comportant une confession générale ... 216

Chapitre vi
Confessions générales de chartres 1490-1553, Paris 1497, paris c. 1505-1542, Laon 1538, et formulaires s'y rattachant

1. Présentation ... 221
2. Analyse ... 222
3. Formulaires ... 225
   a. Titres et introductions ... 225
   b. Première partie : obligation de communier le jour de Pâques ... 226
   c. Seconde partie : confession générale ... 243

Chapitre vii
Confessions générales de Paris à partir de 1552

1. Paris 1552-1630 et formulaires s'y rattachant ... 267
2. Paris 1646, 1654 et formulaires s'y rattachant ... 275
3. Paris 1697, 1701, 1777 et formulaires s'y rattachant ... 283
4. Paris 1786 ... 300

Chapitre viii
Confessions générales de Reims

1. Reims c. 1495-c. 1540 et formulaires s'y rattachant ... 303
2. Reims 1554 ... 314
3. Reims 1585, 1621 et formulaires s'y rattachant ... 319
4. Reims 1677 et formulaires s'y rattachant ... 323

Chapitre ix
Autres confessions générales ... 329

Chapitre X
Pénitence privée

Titres des premiers formulaires — 377

Chapitre XI
Conseils aux prêtres. Interrogatoire du pénitent exemples de pénitences — 381

Chapitre XII
Examens de conscience catalogues de péchés — 443

Chapitre XIII
Instructions sur la contrition, le délai et le refus d'absolution — 613

Chapitre XIV
Conseils aux pénitents selon leur état de vie ou leur caractère — 713

Chapitre XV
Confession privée

1. Premiers formulaires de confession — 729
2. Choix d'exhortations — 771
3. Prières du prêtre avant la confession — 774
    a. Antiennes, versets, répons (et autres formules) — 775
    b. Oraisons — 776
4. Prière du pénitent avant la confession — 782
5. Dialogue initial (en latin ou en français) — 782
    a. Le pénitent — 783
    b. Réponse du prêtre — 785
6. *Confiteor* et actes de contrition — 787
7. Exhortation avant l'absolution — 802
8. Formules d'absolution et prières d'accompagnement — 802
9. Octroi d'indulgences — 817
10. Formules finales — 818
11. Prières du prêtre après la confession — 819

CHAPITRE XVI
Confession des enfants

1. Formulaires	822
2. Formules	836

CHAPITRE XVII
Absolutions de l'excommunication

1. Titres	837
2. Choix de formulaires	840
3. Psaumes	857
4. Antiennes, versets, répons	858
5. Oraisons	859
6. Formules d'absolution	860

CHAPITRE XVIII
Absolutions à l'article de la mort

1. Titres	869
2. Choix de formulaires	870
3. *Confiteor*, Psaumes, Oraison	874
4. Formules d'absolution	874

CHAPITRE XIX
Absoutes d'un excommunié après sa mort

1. Titres	879
2. Choix de formulaires	880
3. Psaumes	886
4. Antiennes, versets, répons	887
5. Oraisons	888
6. Formules d'absolution	889

CHAPITRE XX
Absolution de l'hérésie

1. Présentation générale	891
2. Titres des formulaires	893
3. Familles de formulaires	896
4. Formulaires	897

5. Hymne, antienne et oraisons au Saint-Esprit … 954
6. Oraisons au cours de la cérémonie … 956
7. Formules d'abjuration … 959
8. Professions de foi sous forme de questions … 962
9. Profession de foi du concile de Trente … 965
10. Exorcisme … 977
11. Signation sur le front … 977
12. Entrée dans l'église … 978
13. Absolution et réconciliation … 978
    a. Psaume … 978
    b. *Confiteor* … 978
    c. Versets … 979
    d. Formules d'absolution … 979
14. Action de grâce … 985
    a. Versets … 985
    b. Oraisons … 986
15. Conclusion … 987
16. Choix de formules d'actes d'abjuration de l'hérésie … 987

CHAPITRE XXI
Autres cas d'absolution

1. Absolutions de l'excommunication pour mariage clandestin … 989
    a. Formulaires … 989
    b. Formules … 991
2. Absolutions des cas réservés au pape … 993
3. Dispenses et absolutions de l'irrégularité d'une Ordination … 994
4. Absolutions de la suspense ou de l'interdit … 997
5. Absolution en temps de Jubilé … 999
6. Absolution ou dispense d'un serment … 999
7. Absolution particulière des censures et de l'irrégularité … 1000
8. Absolution publique des censures … 1001

TOME 3B

CHAPITRE XXII
Excommunications au prône dominical

1. Trois types d'excommunications	1009
2. Catégories de personnes excommuniées	1011
3. Langues des formulaires	1019
4. Formulaires des excommunications au prône dominical	1019

CHAPITRE XXIII
Excommunication publique — 1137

CHAPITRE XXIV
Cas de péchés réservés au pape

1. Instructions	1141
2. Formulaires	1143

CHAPITRE XXV
Cas de péchés réservés aux évêques — 1257

CHAPITRE XXVI
Enseignement de la foi

1. Aides-mémoire	1599
2. Prônes dominicaux et catéchismes	1645
3. Instructions et exhortations	1772
A. Premières instructions	1772
b. Rituels particulièrement remarquables pour leurs instructions ou leurs exhortations	1787

CHAPITRE XXVII
Conseils de vie chrétienne — 1793

Rituels diocésains cités	1867
Rituels romains publiés en France	1921
Rituels romains avant Paul V	1921
Rituels romains de Paul V (au concile Vatican II)	1921

Diocèses classés par provinces ecclésiastiques — 1923

Carte des diocèses français en 1789 — 1925

Évêques promulgateurs de formulaires — 1927

Auteurs cités — 1941

Saints cités dans les litanies
    Rituels proposant des litanies — 1945
    Saints cités — 1951

Index des incipit latins — 1959

Index des incipit français, allemands et catalans — 2001
    Incipit français — 2001
    Incipit allemands — 2008
    Incipit catalans — 2008